ENGLISH-SPANISH BANKING DICTIONARY

DICCIONARIO BANCARIO ESPAÑOL-INGLES

RAFAEL GIL ESTEBAN

ENGLISH-SPANISH BANKING DICTIONARY

DICCIONARIO BANCARIO ESPAÑOL-INGLES

Paraninfo
Thomson Learning™

1.ª edición 1978
2.ª edición revisada y ampliada 1984
3.ª edición revisada y ampliada 1991
4.ª edición revisada 1993
5.ª edición 1995
6.ª edición 1997
7.ª edición 1998
8.ª edición 2000

Paraninfo
Thomson Learning™

Magallanes, 25; 28015 Madrid ESPAÑA
Teléfono: 91 4463350 Fax: 91 4456218
(clientes@paraninfo.es)

Para más información:

México y América Central
Séneca, 53, Colonia Polanco
México, D. F. 11560
Tel: 525-281-2906 Fax: 525-281-2656
e-mail: clientes@mail.internet.com.mx
MEXICO

América del Sur
Suipacha 774 piso 2 "C"
Tel. (54-11) 4325-2236
Fax. (54-11) 4328-1829
e-mail: thomson@pop.ba.net
Buenos Aires, ARGENTINA

El Caribe
Tel: 787-758-7580 Fax: 787-758-7573
e-mail: 102154.1127@compuserve.com
Hato Rey, PUERTO RICO

Thomson Learning
International Division
290 Harbor Drive, 2nd Floor
Stamford, CT 06902-7447

Directora Editorial: Mª Teresa Gómez-Mascaraque Pérez
Editora de Producción: Consuelo García Asensio
Producción Industrial: Susana Pavón Sánchez

Impreso en España
Printed in Spain

ISBN: 84-283-2673-8

Depósito Legal: M-15.755-2000

Preimpresión: Montytexto (044/62/20)

Unigraf, S.L. - Móstoles - Madrid

INTRODUCCIÓN
(Prólogo de la Octava Edición)

Hace 21 años, Rafael Gil Esteban era un hombre conocido como profesional de banca. Pero en ese momento, después de un callado y serio esfuerzo, presentó al público un diccionario bilingüe bancario.

Como es sabido, el de la banca es un oficio exigente. En general, al empresario -no sólo de banca- la empresa le exige tiempo -dedicación- y profesionalidad; es decir, mantener un nivel alto de conocimientos. Después de la profesión viene la familia, el ejercicio físico y la relación social. Discutible o no, la dedicación a la empresa pasa muchas veces por delante de la familia, del deporte y de la vida social. Esto es un hecho, es estadística.

Traigo este tema a colación no para provocar polémica sino para poner de manifiesto el mérito del autor de este Diccionario: directivo de banca, docente y autor.

Estos comentarios tienen sentido 21 años después de poner a prueba el Diccionario, porque el paso del tiempo es el que avala el éxito.

La Octava Edición de este Diccionario Bancario supone prácticamente duplicar el número de términos incluidos en la anterior. Es, pues, una edición corregida y aumentada, no una simple reimpresión. Además, ahora habrá que ponerla en Internet a disposición del público que, sin más propaganda que el eficaz "de boca en boca", es cada vez más numeroso.

Hace 9 años, "tal como nos sucede a veces que, de repente, nos asalta una idea que se ha ido formando en nuestro espíritu, se me ocurrió que sería bueno hacer un elogio del libro." Esta frase de Romano Guardini (1) me viene como anillo al dedo. No sabría expresar mejor lo que experimenté en la Festividad de la Almudena de 1990. Escribí aquel día el elogio del Diccionario para prologar la Tercera Edición. Los cuatro párrafos de entonces son ahora -siguen siendo- muy adecuados y de gran actualidad.

No es casualidad que esta edición esté lista para enviar a la imprenta precisamente en la Festividad de la Almudena de 1999. Ayuda a ponerle fecha el que la hija más pequeña del autor se llame Almudena.

LUIS VALLS TABERNER

Madrid, Festividad de la Almudena de 1999

---

(1) Romano Guardini, en la cuidada edición de "Elogio del Libro" publicada por Ediciones Encuentro en 1998.

INTRODUCCIÓN
(Prólogo de la Tercera Edición)

La acertada fórmula publicitaria "no seas modesto", se podría aplicar con idéntico sentido del humor al Diccionario Bancario Español-Inglés que me propongo presentar. Soy consciente de que presentar al público la enésima edición -corregida y aumentada- de un diccionario que goza de categoría y prestigio es una tarea compleja, porque "puede pecarse por defecto o por exceso. Si se alarga la presentación parece insinuarse que se trata de algo poco conocido. En cambio, abreviar los datos puede conducir al olvido de aspectos importantes..."

El Diccionario es útil. Ése es el mejor elogio que se puede hacer de él. "Siéndome de extremada utilidad para mi actividad profesional..." es el comentario introductorio de un traductor oficial al pedir un ejemplar de la segunda edición. No me pasa inadvertido que la lógica del favor impone la cortesía al pedir al Banco los ejemplares -no venales- del Diccionario; pero, al manejar ahora la correspondencia, me he visto sorprendido por la calidad, la variedad y el número de cartas recibidas que piden, elogian y agradecen el Diccionario. Bancos nacionales y extranjeros; universidades, embajadas y ministerios; bibliotecas y bancos de datos; multinacionales, líneas aéreas, organismos y organizaciones de lo más variado; traductores oficiales e intérpretes jurados; lexicógrafos, profesores y estudiantes; corredores de comercio, representantes y notarios; locutores y redactores son ejemplos cogidos al vuelo del interés despertado por algo -el Diccionario bilingüe- que no ha tenido otra publicidad que "haber andado de boca en boca".

El Diccionario tiene un autor, de quien es el mérito. Desde hace casi veinte años, Rafael Gil Esteban ha estado preparando -para su publicación- un diccionario polilingüe. Rafael Gil -que a su condición de directivo del Banco unía la de ser profesor de la Escuela Oficial de Idiomas e Intérprete Oficial por el Ministerio de Asuntos Exteriores- se dio posteriormente cuenta de que para el personal del Banco y de la banca, el ideal es llegar a ser bilingüe, dominar el inglés como idioma cuasi materno. Rafael Gil estuvo en lo cierto. Se tardó en hacerle caso. Su tenacidad le ha llevado al éxito. Y el éxito compensa cualquier esfuerzo.

La "gran utilidad y practicidad a la hora de hacer traducciones de tipo financiero y económico" -tal y como escribe una traductora-, obliga y a la vez permite al Banco poner el Diccionario en el mercado, en las redes comerciales de los libreros. No son pocos los que han escrito, quejándose, antes de excusarse por pedir el Diccionario, de que éste no estuviera a su disposición en las librerías. Mirando hacia 1992, ponerlo al alcance de todos es un paso lógico en la línea del Mercado Único de la Comunidad Europea.

LUIS VALLS TABERNER

Madrid, Festividad de la Almudena de 1990

PREFACIO

Con la publicación de esta octava edición, corregida y actualizada, del Diccionario Bancario Inglés-Español del BPE confiamos estar ofreciendo un completo libro de referencia que cubre -salvo en lo que a informática respecta- la mayoría de los más recientes tecnicismos bancarios, así como muchas de esas palabras y expresiones coloquiales denominadas en conjunto "jerga bancaria" o simple argot informalmente utilizadas por los empleados de banca, de puertas adentro, a lo largo de cualquier día de trabajo.

Ofrecer cuantas definiciones y/o posibilidades de traducir del inglés al español o viceversa un término concreto ha sido nuestro principal objetivo. Este Diccionario dista mucho de ser "la herramienta perfecta." Su único mérito -de tenerlo- radica en haber sido recopilado con base al espigueo cotidiano de términos realizado por el autor sobre los múltiples documentos que ha venido traduciendo a lo largo de veintinueve años de servicio ininterrumpido en el Banco Popular Español.

Rafael Gil Esteban

ABREVIATURAS UTILIZADAS

ab.	abreviatura de
adj.	adjetivo
adj. masc. & fem.	adjetivo, masculino y femenino
col.	coloquialmente
Esp.	especialmente en España
Esp., col.	coloquialmente, en España
Fr.	tomado del Francés
GB	especialmente en Gran Bretaña
GB, col.	coloquialmente, en Gran Bretaña
comp.	informática
Lat.	tomado del Latín
LA	especialmente en América Latina
m. & fem.	masculino y femenino
n.	nombre sustantivo
n. & adj.	nombre sustantivo y adjetivo
n.& v.	nombre sustantivo y verbo
n. fem.	nombre femenino
n. masc. & fem.	nombre sustantivo, masculino y femenino
pl.	plural
SA	especialmente en América del Sur
sing.	singular
US	especialmente en Norteamérica
US, col.	coloquialmente, en Norteamérica
v.	verbo

PARÉNTESIS ( )

Se utilizan signos de paréntesis en los siguientes casos:

1. para encerrar cualquiera de las abreviaturas precedentes;
2. para aislar una o varias letras susceptibles de supresión (ortografía norteamericana);
3. para aislar una o varias palabras susceptibles de supresión sin que se altere el sentido global de la frase, por estar el suyo propio sobreentendido.

GUIÓN -

En inglés, es muy frecuente formar palabras compuestas (sobre todo adjetivos) mediante un guión. También puede realizarse la fusión de dos en una sola (CASH-FLOW = CASHFLOW), sin que, al no existir regla concreta alguna de general aceptación a que acogerse, elegir una opción suponga menoscabo o incorrección de la otra.

ABREVIATURAS

A diferencia de ediciones anteriores, la práctica aconseja suprimir los puntos y representar todas las letras en mayúsculas (cash on delivery = COD).

FIRST PART

ENGLISH-SPANISH BANKING DICTIONARY

By RAFAEL GIL ESTEBAN
Sworn Translator and
Authorized Signatory of the
BANCO POPULAR ESPAÑOL

A

& (ampersand), & (y); y (&); signo &

@ (ab. **at),** a; al precio de

A equity, acciones (de la) clase A; títulos (de la) clase A

a piece of data, un dato

a pretty penny (col.)**,** ojo de la cara (Esp., col.); suma de dinero muy elevada; montón de dinero (col.)

A shares, acciones (de la) clase A; títulos (de la) clase A

A stock, acciones (de la) clase A; títulos (de la) clase A

A/C (ab. **for account of),** por cuenta de (P/Cta.); P/Cta. (ab. por cuenta de)

A/D (ab. **after date),** después de la fecha

A/L (ab. **average life),** vida media; duración media; vigencia media

a/m (ab. **above-mentioned),** mencionado; susodicho; referido; antes citado; antedicho; indicado más arriba; anteriormente citado; ya citado; que más arriba se cita

A/P (ab. **additional premium),** sobreprima; prima complementaria; suplemento de prima; prima adicional; prima mejorada

A/S (ab. **at sight),** a la vista; a su presentación

A/U (ab. **address unknown),** dirección desconocida

A/W (ab. **actual weight),** peso real; peso efectivo

A1 (adj.)**,** excelente (adj., masc. & fem.); de primera (clase); escogido

A1 ship, buque de primera; barco de óptima construcción

AA (ab. **always afloat),** siempre a flote

AAA (adj.)**,** excelente (adj., masc. & fem.); de primera (clase); escogido

AAA rating, calificación de máxima solvencia

AAA-rated, calificado con la máxima solvencia; máxima calificación

AAA-rated company, empresa con máxima calificación de solvencia

AAR (ab. **against all risks),** contra todo riesgo; frente a todo riesgo; a todo riesgo

ABA (ab. **American Bankers Association),** Asociación de Banqueros Americanos (ABA); ABA (ab. Asociación de Banqueros Americanos)

abalienate, desinvertir; enajenar (venta); deshacerse de una inversión; salir de una inversión; realizar (venta)

abalienation, enajenación (venta); realización (venta)

abandon a patent, renunciar a una patente

abandon the gold standard, abandonar el patrón oro

abandonment, abandono; eliminación de un activo fijo en uso

abandonment of appeal, desistimiento del recurso; abandono de apelación

abandonment of leased property, abandono no autorizado de la propiedad arrendada

abandonment of rights, abandono de derechos; renuncia a los derechos; renuncia al ejercicio de un derecho

abandonment of ship and freight, abandono del buque y de los fletes

abandonment of suit, desistimiento de la instancia

abandonment to insurers, abandono al asegurador

abandonment under reserve, abandono bajo reserva

abate, descontar; bonificar; rebajar; deducir; desgravar

abate a writ, anular un mandamiento; anular un auto

abatement, reducción (n. fem.); bonificación (n. fem.); descuento; rebaja; reembolso; reintegro; devolución; reembolsar; reintegrar; devolver

abatement of debts, disminución de deudas

abatement of taxes, rebaja de impuestos

abater, instancia de nulidad

abating, reducción (n. fem.); bonificación (n. fem.); descuento; rebaja; reembolso; reintegro; devolución; reembolsar; reintegrar; devolver

abbreviation, abreviatura; sintetización

ABC (ab. **activity-based costing),** gestión de costes con base a las actividades

abdicate, renunciar a un puesto; renunciar a un cargo; dimitir de un cargo

abet, instigar; incitar; inducir

abetment, instigación; incitación; inducción

abettor, instigador; incitador; inductor

abeyant, en suspenso; en espera de su dueño legítimo; a la espera de su legítimo propietario

abide by the rules, ajustarse a las reglas; sujetarse a las normas; seguir la normativa

ability, capacidad; aptitud

ability to develop policies and procedures, capacidad para desarrollar políticas y procedimientos

ability to pay, capacidad de pago; solvencia económica

abintestate, intestato; sin (otorgar) testamento

able, idóneo; capaz; competente; legalmente habilitado

ably-run company, sociedad bien gestionada; compañía bien llevada (Esp., col.)

abnormal risk, riesgo anormal; riesgo agravado

abnormally pronounced tendency, tendencia anormalmente pronunciada

aboard, a bordo

abolish, cancelar; anular; rescindir; revocar; abolir; derogar; casar (revocar); cesar; retirar; retractarse

abolition, abolición; supresión; derogación; anulación; abrogación; casación

abolition of ratios, supresión de coeficientes

abolition of the investment ratio, abolición del coeficiente de inversión

aboriginal cost, costo primitivo; coste original

about 10% +/-, alrededor del 10% +/-; sobre un 10% +/-

above, sobre (en categoría, etc.)

above board, sobre cubierta

above issue price, sobre el precio de lanzamiento; sobre el precio de emisión

above line, sobre paridad

above par, por encima de la par; sobre la par; superior a la par; con prima

above quota, sobre la cuota

above the board, en regla

above-cited, mencionado; susodicho; referido; antes citado; antedicho; indicado más arriba; anteriormente citado; ya citado; que más arriba se cita

above-mentioned (a/m), mencionado; susodicho; referido; antes citado; antedicho; indicado más arriba; anteriormente citado; ya citado; que más arriba se cita

above-said, mencionado; susodicho; referido; antes citado; antedicho; indicado más arriba; anteriormente citado; ya citado; que más arriba se cita

above-the-line advertising, publicidad convencional (n. fem.)

abrasion (metal coins), abrasión (monedas metálicas); desgaste (monedas metálicas)

abridg(e)ment, síntesis de instrucciones; resumen (recapitulación); recapitulación (resumen); extracto (resumen); memorándum; sintetización (n. fem.)

abridge (v.)**,** condensar; resumir; sintetizar; compendiar; recapitular

abridged financial statements, estados financieros resumidos

abridged P&L account (ab. **abridged profit and loss account),** cuenta de resultados sintetizada; cuenta de pérdidas y ganancias abreviada; cta. result. abrev. (ab. cuenta de resultados abreviada)

abridged profit and loss account, cuenta de resultados sintetizada; cuenta de pérdidas y ganancias abreviada; cta. result. abrev. (ab. cuenta de resultados abreviada)

abridged translation, traducción abreviada

abridged version, versión resumida

abroad (other countries), extranjero (otros países); en el extranjero; exterior (otros países); ultramar

abrogate, cancelar; anular; rescindir; revocar; abolir; derogar; casar (revocar); cesar; retirar; retractarse

abrogate an agreement, revocar un convenio

abrogation, abolición; supresión; derogación; anulación; abrogación; casación

ABS (ab. **asset-backed security),** valor respaldado por activos

absence, baja; ausencia; inasistencia; falta

absence from work, falta de asistencia al trabajo

absence of agreement, falta de consenso; falta de conformidad

absences, ausencias; faltas (injustificadas); escaqueos (Esp., col.)

absent with leave, ausente con permiso

absent without leave (AWOL), ausente sin permiso; escaqueador (Esp., col.)

absentee, ausente sin permiso; escaqueador (Esp., col.)

absentee's ownership, propiedad apartada de la residencia del propietario; propiedades de un absentista

absenteeism, absentismo

absenteeism rate, tasa de absentismo

absolute acceptance, aceptación incondicional; aceptación irrevocable

absolute advantage, ventaja absoluta

absolute and percentage variation, variación absoluta y relativa

absolute bequest, legado incondicional

absolute coding, codificación total

absolute conveyance, cesión incondicional

absolute covenant, garantía incondicional

absolute endorsement, endoso absoluto; endoso total

absolute estate, plena propiedad

absolute guarantee (guarantee = guaranty), garantía incondicional

absolute guaranty (guaranty = guarantee), garantía incondicional

absolute interest, interés fijado; interés establecido

absolute liability, responsabilidad absoluta; responsabilidad incondicional

absolute monopoly, monopolio absoluto; monopolio total

absolute presumption, indicio indubitable

absolute priority, prioridad absoluta

absolute rate, tipo absoluto

absolute rights, plenos derechos

absolute total loss, pérdida total efectiva

absolute value, valor absoluto

absolute warranty, garantía de título

absorb against an extraordinary provision, absorber con cargo a una dotación extraordinaria

absorb half of the losses, absorber la mitad de las pérdidas; soportar las pérdidas al 50%; asumir las pérdidas a medias

absorb the loss, absorber la pérdida; asumir la pérdida

absorption account, cuenta de absorción

absorption costing, sistema de absorción integral de costos; imputación de costes fijos y variables entre la producción; absorción de costos

absorption of liquidity, absorción de liquidez

abstract of postings, resumen de asientos; resumen de pases al Mayor

abstract of record, sinopsis de los autos

abstract of title, extracto de título; resumen de antecedentes de un título en propiedad

abstraction, ratería; sisa; hurto; robo parcial de mercancías durante su transporte; sustracción; escamoteo (Esp., col.); abstracción (hurto)

abuse (n.), abuso

abuse (v.), abusar; denigrar; vejar; engañar

abuse of authority, abuso de autoridad

abuse of confidence, abuso de confianza

abutter, propietario (co)lindante; vecino (co)lindante

abutting (a.), colindante; lindante

abutting property, propiedad colindante; terrenos limítrofes

academic record, historial académico

Acc. (ab. **for account of),** por cuenta de (P/Cta.); P/Cta. (ab. por cuenta de)

accede, acceder; tomar posesión; adherirse; afiliarse

accelerated amortization, amortización anticipada; redención adelantada; depreciación acelerada; amortización libre; amortización acelerada

accelerated depreciation, amortización anticipada; redención adelantada; depreciación acelerada; amortización libre; amortización acelerada

accelerated depreciation allowance, fondo de amortización libre; provisión para amortizaciones anticipadas

accelerated maturity, vencimiento anticipado; vencimiento adelantado

acceleration, aceleración

acceleration clause, cláusula de opción al pago anticipado

acceleration coefficient, coeficiente de aceleración

acceleration note, pagaré con opción al pago anticipado

acceleration premium, prima de productividad; gratificación por aumento de la productividad; prima sobre aumento de la producción

accelerator (economic theory), acelerador (teoría económica)

accept, aceptar; mostrarse conforme; consentir; acordar; convenir; darse por conforme; pactar

accept a bill, acoger (la presentación de) un efecto; atender una letra; aceptar un efecto; pagar una letra; aceptar una letra

accept a bill payable at ..., domiciliar una letra en ...

accept a bribe, dejarse sobornar; aceptar un soborno; tomar la mordida (SA)

accept a draft, acoger (la presentación de) un efecto; atender una letra; aceptar un efecto; pagar una letra; aceptar una letra

accept an appointment, aceptar un cargo; aceptar un nombramiento

accept for the account of ..., aceptar por cuenta de ...

accept provided that, aceptar siempre que

acceptability, aceptabilidad

acceptable as an asset, aceptable como activo

acceptable loss, pérdida aceptable

acceptable quality level (AQL), nivel de calidad aceptable (NCA); NCA (ab. nivel de calidad aceptable)

acceptance, aceptación; conformidad; aquiescencia; consentimiento; aprobación; asentimiento; sanción; visto bueno

acceptance against documents, aceptación contra documentos

acceptance agreement, contrato de aceptación

acceptance bill, letra de aceptación

acceptance by special endorser, aceptación por intervención; aceptación después del protesto

acceptance clause, cláusula de aceptación

acceptance credit, crédito de aceptación

acceptance error, error de aceptación

acceptance for honour (US: **honour = honor),** aceptación por intervención; aceptación después del protesto

acceptance house, banco de descuento; financiera; sociedad de financiación; sociedad financiera; sociedad de crédito comercial

acceptance in blank, aceptación en blanco

acceptance of an order, aceptación de un pedido; aceptación de un mandado (LA)

acceptance of deposits, aceptación de depósitos

acceptance of tender, adjudicación de (un) contrato; adjudicación de contrata

acceptance slip, borderó

acceptance supra protest, aceptación por intervención; aceptación después del protesto

acceptance(s) ledger (book), libro de aceptaciones; registro de letras aceptadas; registro de efectos aceptados

acceptance(s) listing, listado de aceptaciones; relación de letras aceptadas; detalle de efectos aceptados

acceptances, guarantees and documentary letters of credit, aceptaciones, avales y créditos documentarios

acceptant, aceptante

accepted bill (US: **bill = draft),** letra aceptada; efecto aceptado

accepted draft (GB: **draft = bill),** letra aceptada; efecto aceptado

accepted for carriage, aceptado para su transporte

accepting house, banco de descuento; financiera; sociedad de financiación; sociedad financiera; sociedad de crédito comercial

accepting party, parte aceptante; parte aceptadora

acceptor, aceptante

acceptor for hono(u)r, interventor en la aceptación; avalista de un efecto

acceptor supra protest, interventor en la aceptación; avalista de un efecto

access code, código de acceso

access to information, acceso a la información

accession, aceptación; conformidad; aquiescencia; consentimiento; aprobación; asentimiento; sanción; visto bueno

accession tax, impuesto sobre donaciones (con cargo al perceptor); impuesto sobre transmisiones no onerosas

accession to office, toma de posesión; acceso al cargo

accessorial guilt, delito de complicidad

accessorial services, servicios complementarios

accessory after the fact, cómplice del hecho

accessory before the fact, instigador del hecho

accident at work, accidente de trabajo; accidente laboral

accident death rate, porcentaje de mortalidad por accidentes; tasa de mortalidad por siniestros

accident insurance, seguro contra accidentes

accident prevention, prevención de accidentes; medidas contra siniestros

accident risk, riesgo de accidente

accident-proof, a prueba de accidentes

accidental, accidental; casual; fortuito; involuntario; coyuntural; circunstancial

accidental means, medio excepcional

accidents of navigation, accidentes de navegación; eventualidades del mar

accommodate, otorgar un préstamo; conceder un préstamo

accommodated party, parte beneficiada; beneficiario (del crédito, etc)

accommodation, crédito; préstamo; haber (n.)

accommodation acceptance, aceptación de complacencia

accommodation B/L (ab. **accommodation bill of lading),** conocimiento de favor sobre mercancía no entregada

accommodation bill, letra de favor; letra de complacencia

accommodation bill of lading (accommodation B/L), conocimiento de favor sobre mercancía no entregada

accommodation deck, cubierta de alojamiento del buque

accommodation endorsement, endoso de favor

accommodation line, línea de crédito; facilidad crediticia; seguro suscrito en unión de otras pólizas; línea de crédito para ejecución de garantías

accommodation note, letra de favor a cargo propio; papel de colusión al propio cargo; pelota sobre uno mismo (Esp., col); documento de garantía

accommodation paper, efectos de favor

accomplice, cómplice

accomplish a form, rellenar un impreso

accord, conciliar; conformar; hacer concordar

according to, de acuerdo con; conforme a; de conformidad con; según

according to banking practice, según el uso bancario

according to invoice, según factura; conforme a la factura

according to law, conforme a derecho

according to our records, según nuestros registros; conforme a nuestros registros; de acuerdo con nuestros registros; de conformidad con nuestros registros

according to schedule, según las previsiones

account analysis, análisis de cuentas

account balance, saldo en cuenta; posición (deudora o acreedora)

account blank, formulario para extracto de apuntes en cuenta; impreso para resumir apuntes en cuenta

account book, libro de cuentas

account card, tarjeta-cuenta; ficha-cuenta

account coding, codificación de cuentas

account day, día de liquidación

account entry, anotación en cuenta; transacción materializada mediante apunte contable; apunte en cuenta; asiento en cuenta; registro en cuenta

account for, rendir cuentas; presentar cuentas; justificar

account heading, título de cuenta

account history, historial de la cuenta; antecedentes de la cuenta

account holder (= accountholder), titular de la cuenta

account in common, cuenta conjunta; cuenta mancomunada; cuenta indistinta

account in trust, cuenta fiduciaria

account number, número de cuenta

account of (Acc., A/C, A/O), por cuenta de (P/Cta.); P/Cta. (ab. por cuenta de)

account of achievements, exposición de las metas alcanzadas

account of another, cuenta ajena

account of developments, exposición de la evolución

account of expenses, cuenta de gastos

account opening, apertura de cuenta

account payee only (APO), páguese solamente a (la persona indicada)

account prefix, prefijo de cuenta

account reconciliation, conciliación de cuentas; ajuste de cuentas

account settled, cuenta liquidada; cuenta saldada

account settlement, liquidación de cuentas

account settling, liquidación de cuentas

account sheet, hoja-cuenta

account status, posición en cuenta; situación de la cuenta

account status report, estado de cuenta; extracto de cuenta

account subject to notice, cuenta con preaviso de retiro

account value, valor en cuenta

account-entry (system) securities, deudas anotadas; valores anotados

accountability, responsabilidad; exigibilidad; obligación de rendir cuenta

accountable, contabilizable; responsable; obligado a rendir cuentas

accountable officer, apoderado; funcionario autorizado; responsable (n., masc. & fem.); mandatario; poderhabiente; representante del titular; empleado con poderes de firma

accountancy, contabilidad; contaduría; teneduría de libros

accountant, contable (n., masc. & fem.); tenedor de libros; administrativo (empleado)

accountee, cantidad principal de un préstamo (n. fem.); valor nominal neto; ordenante (n., masc. & fem.); comitente; mandante; delegante; constituyente; representado

accountholder (= account holder), titular de la cuenta

accounting, contabilidad; contaduría; teneduría de libros

accounting adjustments, ajustes contables; regularizaciones contables

accounting books, libros de contabilidad; libros contables; registros contables; estados contables

accounting concepts, normas contables; reglas de contabilidad; principios de contabilización; principios contables; conceptos de contabilidad; prácticas contables; usos contables

accounting conventions, normas contables; reglas de contabilidad; principios de contabilización; principios contables; conceptos de contabilidad; prácticas contables; usos contables

accounting cycle, ciclo contable

accounting check digit (ACD), dígito de control contable (DCC); DCC (ab. dígito de control contable)

accounting date (entry), fecha de contabilización; día de vencimiento; fecha de valoración; valor-fecha (apunte contable)

accounting day, fecha de contabilización; día de vencimiento; fecha de valoración; valor-fecha (apunte contable)

accounting department, departamento de contabilidad

accounting entry, asiento de contabilización; apunte contable

accounting evidence, pruebas contables

accounting file, archivo contable

accounting note, nota de liquidación; nota de apunte contable; nota provisional para traspaso a los libros

accounting offsets, compensaciones contables

accounting period, ejercicio contable; período contable; período de liquidación

accounting plan, plan de contabilidad; plan contable; estructura de contabilización

accounting policy, política de contabilización

accounting price per share, precio contable por acción

accounting principles, normas contables; reglas de contabilidad; principios de contabilización; principios contables; conceptos de contabilidad; prácticas contables; usos contables

accounting process, proceso contable

accounting profit, utilidades contables; beneficio contable; beneficio según libros

accounting rate, tipo contable; tipo aplicable a la contabilización

accounting rate of interest (ARI), tipo de interés contable (TICO); TICO (ab. tipo de interés contable)

accounting reclassifications, reclasificaciones contables

accounting records, libros de contabilidad; libros contables; registros contables; estados contables

accounting regulations, normas contables; reglas de contabilidad; principios de contabilización; principios contables; conceptos de contabilidad; prácticas contables; usos contables

accounting standards, normas contables; reglas de contabilidad; principios de contabilización; principios contables; conceptos de contabilidad; prácticas contables; usos contables

accounting standards currently in force, normas contables vigentes; normativa contable en vigor

accounting statement, estados financieros; documentación financiera; estado de situación contable

accounting variations, variaciones contables

accounts clerk, auxiliar administrativo; empleado; oficinista; dependiente; trabajador (n.)

accounts department, departamento de contabilidad

accounts due (from), contabilidad de deudores; cuentas a cobrar; deudores diversos; cuentas deudoras; cuentas al cobro

accounts due (to), cuentas vencidas; acreedores diversos; contabilidad de acreedores; cuentas a pagar; acreedores varios; deudores varios

accounts payable, cuentas vencidas; acreedores diversos; contabilidad de acreedores; cuentas a pagar; acreedores varios; deudores varios

accounts receivable, contabilidad de deudores; cuentas a cobrar; deudores diversos; cuentas deudoras; cuentas al cobro

accounts receivable from vendors, anticipos a proveedores

accounts sorting, clasificación de cuentas (por saldos, movimientos, etc.)

accounts system, sistema de cuentas; sistema contable

accredit, acreditar; anotar al Haber de una cuenta; practicar un abono en cuenta

accredited, acreditado; abonado en cuenta

accreditee, acreditado (n.); titular (receptor de un abono); beneficiario (del abono)

accretion, aumento; incremento; crecimiento; subida; alza; elevación

accrual, acumulación

accrual accounts, cuentas de periodificación

accrual basis (US), principio del devengo

accrual concept (GB), principio del devengo

accrual system, sistema de acumulación

accruals, costes diferidos; gastos devengados; devengos

accruals and deferred income (balance sheet/liabilities), cuentas de periodificación (balance/pasivo)

accruals and prepayments, ajuste periodificado de pagos diferidos y anticipados; ajustes por periodificación

accruals processing, gestión de periodificaciones

accrue, acumular; percibir; devengar; redituar; acumular(se)

accrue (an) interest, devengar interés; generar intereses; producir intereses; acumular interés

accrue exchange, acumular divisas

accrue through maturity, periodificar hasta el vencimiento

accrued, agregado; acumulado

accrued assets, activo acumulado

accrued commissions, comisiones acumuladas; comisiones devengadas

accrued costs, costes diferidos; gastos devengados; devengos

accrued charges, costes diferidos; gastos devengados; devengos

accrued depreciation, depreciación acumulada

accrued dividend, dividendo acumulado; dividendo devengado

accrued expenses, costes diferidos; gastos devengados; devengos

accrued gross receipts, ingresos brutos acumulados; entradas brutas acumuladas

accrued holidays, vacaciones acumuladas

accrued income, rentas acumuladas; utilidades devengadas; ingresos devengados; entradas acumuladas; ingresos diferidos; rentas devengadas

accrued insurance premiums, primas de seguros acumuladas

accrued interest (AI), intereses acumulados; interés devengado; intereses vencidos; cupón corrido

accrued interest payable, intereses acumulados a pagar

accrued interest receivable, intereses acumulados a cobrar

accrued liabilities, pasivo diferido; pasivo transitorio; pasivo no exigible

accrued loan commissions, comisiones acumuladas sobre préstamos

accrued revenue(s), rentas acumuladas; utilidades devengadas; ingresos devengados; entradas acumuladas; ingresos diferidos; rentas devengadas

accrued salaries, sueldos devengados

accrued taxes, impuestos devengados; impuestos diferidos; impuestos a pagar

accrued vacations, vacaciones acumuladas

accrued wages, jornales acumulados; salarios vencidos

accumulate, acumular; percibir; devengar; redituar; acumular(se)

accumulated capital, capital acumulado; utilidades capitalizadas

accumulated cost and depreciation figures, magnitudes cumulativas de costos y amortizaciones; cifras acumuladas de costes y amortizaciones; valores cumulativos de coste y amortización

accumulated depreciation, depreciación acumulada

accumulated dividend, dividendo diferido; dividendo en suspenso

accumulated figures, cifras acumuladas

accumulated fund, fondo acumulado; subvención acumulada; bonificación acumulada; bonificación complementaria

accumulated losses, pérdidas acumuladas

accumulated reserves, reservas acumuladas

accumulated surpluses, superávits acumulados

accumulation, acumulación

accumulation dividend, dividendo acumulable; dividendo (susceptible) de acumulación; dividendo (a)cumulativo

accumulation insurance, seguro acumulable; seguro (susceptible) de acumulación

accumulation of factors, acumulación de factores

accumulation of risk, acumulación de riesgos; riesgo de cúmulo (LA)

accumulation of risks beyond predefined levels, acumulación de riesgos sobre niveles prefijados

accumulative, acumulativo; cumulativo; acumulable

accumulative sinking fund, fondo de amortización acumulada

accumulator, acumulador

accuracy, exactitud; precisión; rigurosidad

accuracy of calculation, precisión de cálculo

accuracy of forecasts, precisión de las previsiones; exactitud de los pronósticos

accurate interest, interés calculado sobre año natural (365 días)

accurate translation, traducción fideligna; interpretación literal

accusation of robbery, acusación de robo

ACD (ab. **accounting check digit),** dígito de control contable (DCC); DCC (ab. dígito de control contable)

acid-test ratio, relación entre activo disponible y pasivo corriente; coeficiente de liquidez a corto plazo; ratio de tesorería; coeficiente de tesorería

ACIN (ab. **authorization center identification number)** (US), NICA (ab. número de identificación del centro de autorizaciones)

ACIN (authorization center identification number) (GB: **center = centre),** número de identificación del centro de autorizaciones (NICA)

acknowledg(e)ment, acuse de recibo; reconocimiento de la deuda contraida; conformidad al condicionado; aceptación del contrato; agradecimiento

acknowledg(e)ment of payment, acuse de recibo de pago

acknowledg(e)ment of receipt, acuse (de recibo)

acknowledge, agradecer; acusar recibo; reconocer(se)

acknowledge (receipt of) a letter, acusar recibo a una carta; confirmar la recepción de un escrito

acknowledge a signatory, reconocer una firma; atestiguar una firma; dar fe de la autenticidad de una firma

acknowledge a signature, reconocer una firma; atestiguar una firma; dar fe de la autenticidad de una firma

acknowledge receipt, agradecer; acusar recibo; reconocer(se)

ackward problem, problema engorroso

ACM (ab. **Andean Common Market),** Mercado Común Andino (MCA); MCA (ab. Mercado Común Andino)

acquaint (with), informar; comunicar; dar parte; denunciar; participar (comunicar); anunciar; poner al corriente; poner en conocimiento; cursar aviso; notificar

acquaintance, conocido (n.); persona conocida; conocimiento (persona o hecho)

acquainted with banking regulations, familiarizado con la normativa bancaria; al corriente de las normas bancarias

acquest, propiedad adquirida

acquiescence, aceptación; conformidad; aquiescencia; consentimiento; aprobación; asentimiento; sanción; visto bueno

acquire, adquirir; acceder a (propiedad, derecho, etc); comprar

acquire a stake from the holding company, adquirir un paquete accionario de la sociedad instrumental; comprar una participación a la sociedad instrumental

acquire property, adquirir la propiedad de un bien patrimonial; entrar en posesión de un bien

acquire rights, adquirir derechos; comprar derechos

acquired goodwill, solvencia moral adquirida; valoración positiva conseguida; buen concepto alcanzado; reputación ganada

acquired outright, adquirido en firme

acquired right, derecho adquirido

acquired surplus, plusvalía adquirida; superavit adquirido

acquirer, comprador; adquirente

acquiring member, miembro adquirente

acquisition, compra; adquisición (n. fem.)

acquisition agent, agente productor; gestor de producción

acquisition commission, comisión de adquisición

acquisition costs, gastos de adquisición

acquisition date, fecha de adquisición; fecha de compra

acquisition financing, financiación de adquisiciones

acquisition of accounts (factoring), financiación de adquisiciones (factoring)

acquisition price, precio de adquisición; precio de compra

acquisition program, programa de adquisiciones; programa de captación (clientes, socios, etc)

acquisitions and disposals, adquisiciones y enajenaciones

acquit, absolver a un acusado

acquitment, descargo; finiquito; pago final; quita; liquidación del saldo pendiente; pago de la deuda; cumplimiento de compromiso; desgravación; carta de pago; acuse de recibo, por escrito, de un pago

acquittal of defendant, absolución a la demanda; absolución del acusado

acquittance, descargo; finiquito; pago final; quita; liquidación del saldo pendiente; pago de la deuda; cumplimiento de compromiso; desgravación; carta de pago; acuse de recibo, por escrito, de un pago

acronym, siglas

across the board, indiscriminadamente; sin excepción

across the board rises, subidas (de precios) de carácter general; alzas de precios generalizadas; aumento lineal de (los) precios

across the board uprise in prices, subidas (de precios) de carácter general; alzas de precios generalizadas; aumento lineal de (los) precios

act, decreto; ley (n. fem.); acto; acta

act (v.)**,** actuar; tomar medidas; iniciar acciones

act as (a), ocupar un cargo; desempeñar un cargo; ejercer un cargo

act as surety, actuar como fiador; ejercer (en calidad) de garante; constituirse en avalista

act as trustee, actuar como fiduciario; ejercer (en calidad) de fiduciario; constituirse en fiduciario

act knowingly, actuar deliberadamente

act of bankruptcy, acta de quiebra; acto de insolvencia

act of coining, acuñación

act of estate, acto de dominio (sobre el patrimonio inmobiliario)

act of God, caso fortuito; causa de fuerza mayor; circunstancia imprevisible

act of hono(u)r, acto de intervención

act of incorporation, escritura de constitución; acta de constitución; documento constitucional; escritura social; escritura constitutiva; certificado de constitución; acta fundacional

act of law, acto jurídico; actuaciones legales

act of ownership, acto de dominio

act of parliament (GB)**,** ley promulgada por el parlamento británico

act of providence, caso fortuito; causa de fuerza mayor; circunstancia imprevisible

act of war, acto bélico; hecho de guerra; acción bélica

acting (adj.)**,** interino (adj.); en funciones; provisional (adj., masc. & fem.); en (el) ejercicio; provisorio; condicional (adj., masc. & fem.)

acting chairman, presidente interino; presidente en funciones; presidente en ejercicio

acting chief, jefe en funciones

acting judge, juez de turno

acting manager, director en funciones; director interino; director no confirmado en el cargo; director provisional

acting order, delegación de poderes

acting partner, socio gerente

acting secretary, secretario interino

actio ex contractu (Lat.)**,** acción por incumplimiento de contrato

actio rescissoria (Lat.)**,** acción rescisoria

action (court), demanda; súplica; instancia; demanda de siniestro; reclamación por daños; requerimiento; moción; recurso

action against administration, recurso contencioso administrativo

action for breach, demanda por infracción

action for damages, acciones por daños y perjuicios; demanda por daños y perjuicios

action in equity, acción en equidad

action in tort, demanda fundamentada en agravio

action in trespass, demanda fundada en tra(n)sgresión

action of assumpsit, demanda por incumplimiento de contrato; demanda por infracción contractual

action of debt, demanda de apremio; acción de apremio

action of pledge, acción pignoraticia

action to quiet title, acciones para depurar defectos en un título de propiedad

action which may lie, acción a que hubiere lugar

actionable, procesable; punible; susceptible de acción judicial

actionable fraud, fraude procesable; estafa justiciable

actionable tort, agravio justiciable

actions of peers, actuación de los colegas

actions taken during the year, acciones emprendidas durante el año; actuaciones llevadas a cabo en el ejercicio

activation of markets, activación de mercados

activation program, programa de activación; plan de fomento

active (adj.), dinámico; ágil; flexible; activo (adj.); animado

active account, cuenta activa; cuenta que registra movimientos

active and efficient staff, plantilla activa y eficiente; empleados trabajadores y eficaces; personal activo y eficaz

active balance, saldo acreedor; saldo al haber

active bond, título al portador; obligación al portador; pagaré al portador

active capital, capital activo

active debt, deuda que devenga interés

active dividend, dividendo activo

active file, archivo activo; fichero activo

active market, mercado animado; mercado activo

active partner, comanditado; socio industrial; socio activo

active service, servicio activo

active trade balance, balanza comercial ventajosa; balanza comercial (con saldo) favorable

active trust, fideicomiso activo

active working capital, capital de explotación activo

activity, actividad; industria

activity file, archivo de actividad; registro de movimientos; fichero de actividad

activity parameters, parámetros de actividad

activity rate, tasa de actividad

activity-based costing (ABC), gestión de costes con base a las actividades

actor, apoderado; funcionario autorizado; responsable (n., masc. & fem.); mandatario; poderhabiente; representante del titular; empleado con poderes de firma

actual, real; cierto; concreto

actual amount of interest paid, suma real de intereses pagados; monto efectivo de los intereses satisfechos; cantidad real de los intereses abonados; montante real de los intereses satisfechos

actual average cost, coste medio real

actual bailment, puesta efectiva en libertad bajo fianza

actual cash value, valor efectivo de mercado

actual cost, coste efectivo; costo real

actual damages, daños efectivos; daños reales

actual depreciation, amortización real; depreciación real

actual eviction, desalojo físico; deshaucio efectivo; expulsión material

actual expenses, gastos reales; gastos efectivos; gastos efectivamente realizados

actual GDP (ab. **actual gross domestic product),** producto interno bruto real (PIB real); PIB real (ab. producto interno bruto real); PIBR (ab. producto interno bruto real)

actual gross domestic product, producto interno bruto real (PIB real); PIB real (ab. producto interno bruto real); PIBR (ab. producto interno bruto real)

actual interest expenses incurred, costes financieros reales en que se ha incurrido; costes financieros que realmente se han producido

actual liabilities, pasivo real; pasivo cierto

actual loss, pérdida real; pérdida efectiva

actual overdraft, descubierto real; sobregiro real

actual price, precio real

actual provision, dotación real

actual rate of return, tasa de rentabilidad efectiva; rentabilidad efectiva; rentabilidad real

actual tare, tara real

actual total loss, pérdida total real

actual value, valor real; valor efectivo; valor ajustado a la tasa de inflación

actual weight (A/W), peso real; peso efectivo

actuals, instrumentos financieros de contado

actuarial (adj.), actuarial; actuario (adj.)

actuarial age, edad actuarial

actuarial assumptions, hipótesis actuariales

actuarial basis, base actuarial

actuarial cost, valor actuarial

actuarial cost at year end, valor actuarial a fin de año

actuarial cost method, método actuarial de costes

actuarial cost of commitments to retired employees, valor actuarial de los compromisos con el personal pasivo; coste actuarial de compromisos sobre jubilaciones; coste actuarial frente a la plantilla de jubilados

actuarial expectation, esperanza matemática de vida

actuarial present value, valor actuarial actual

actuarial reserve, reserva actuarial; reserva para seguro

actuarial science, ciencia actuarial

actuarial tables, tablas actuariales

actuarial valuation, valoración actuarial; evaluación actuarial

actuarial value, valor actuarial

actuarial yield, rentabilidad actuarial; rendimiento actuarial

actuary, actuario (n.); notario; oficial de sala; escribano (LA)

acute crisis, crisis aguda

achieve, lograr; conseguir; alcanzar; instrumentar; materializar; poner en marcha

achieve a goal, alcanzar una meta; lograr un objetivo

achieve specific targets, lograr (unas) metas específicas; alcanzar (unos) objetivos concretos

achievement, logro; consecución; meta alcanzada; resultado de explotación

achievement(s), resultado(s) de explotación; logro(s); consecución de resultados; éxito obtenido; materialización de objetivos; realización; consecución de metas

ad (ab. **advertisement),** anuncio publicitario; reclamo publicitario

ad damnum clause (Lat.), cláusula de declaración de daños con reclamación de importe

ad hoc committee (Lat.), comité ad hoc (Lat.); comité competente

ad honorem Lat.), gratuitamente; sin devengo de honorario alguno; de favor; a título no oneroso

ad lib (Lat.), a voluntad; a discreción; libremente; mediante muestreo aleatorio; con toda libertad

ad libitum (Lat.), a voluntad; a discreción; libremente; mediante muestreo aleatorio; con toda libertad

ad referendum (Lat.), según lo establecido (en otro documento); conforme se estipula (en un escrito distinto); tal y como se ha acordado (en otro contrato)

ad usum (Lat.), ad usum (Lat.); conforme al uso; según costumbre; de acuerdo con la práctica

ad valorem (Lat.), ad valorem (Lat.); según valor; con arreglo al valor; por avalúo (LA)

ad valorem duties (Lat.), derechos calculados con arreglo al valor; aranceles según valor; tasas conforme al valor

adapt staff to the new technological environment, adaptar al personal al nuevo entorno tecnológico

ADB (ab. **Asian Development Bank),** Banco Asiático de Desarrollo (BAD); BAD (ab. Banco Asiático de Desarrollo)

add (ab. **addition),** suma (operación)

add (up), sumar; añadir; agregar

add to storage (calculating machines), agregar al almacenamiento de memoria (calculadoras)

added advantages, ventajas complementarias

added bonus, prima añadida

added directly to reserves, aplicado directamente a reservas

added value contributed by the bank to the national product, valor añadido por el banco al producto nacional

added value from trading, valor añadido de la explotación

added value tax, tasa por valor añadido; impuesto sobre el valor añadido

addend, sumando

addendum (pl. Lat. = addenda), anexo; prueba instrumental; anexo explicativo; apéndice aclaratorio

adding machine, máquina de calcular; calculadora

addition (add), suma (operación)

additional, subsidiario; subyacente; dependiente de; secundario; complementario; potencial (adj.)

additional conditions, condiciones adicionales

additional costs, costes adicionales; costas accesorias

additional charges, gastos accesorios

additional digit, dígito adicional

additional dividend, dividendo adicional; dividendo complementario; dividendo extraordinario

additional funds, recursos adicionales; fondos complementarios

additional insured under the policy, otros beneficiarios cubiertos por la póliza de seguro

additional liquidity freed by reducing ratios, liquidez adicional generada por reducción de coeficientes

additional liquidity from investments made, liquidez adicional sobre inversiones realizadas

additional margin requirement, margen adicional

additional mark-on, margen adicional sobre el precio marcado

additional paid-in capital, prima de emisión

additional paying agent, agente pagador complementario

additional postage, sobretasa postal; franqueo adicional

additional premium (A/P), sobreprima; prima complementaria; suplemento de prima; prima adicional; prima mejorada

additional premium for payment by instal(l)ments, sobreprima por fraccionamiento de pago; suplemento de prima por fraccionamiento del pago

additional premium for short period cover, sobreprima por corto plazo

additional provisions for early retirements, excedente de dotaciones para jubilaciones anticipadas; dotaciones adicionales para retiros anticipados; dotaciones complementarias para prejubilaciones

additional security, garantía suplementaria

additional tax, sobretasa; recargo; sobreprecio; aplicar una sobretasa; imponer un recargo; gravar con una sobretasa

additions and retirements to premises and equipment, aumentos y disminuciones de inmovilizado material

additions to nonperformings, aumento de las morosidades; traspasos a insolvencias

addlings (col.), salario; sueldo; remuneración (n. fem.); retribución (n. fem.); percepciones salariales; emolumentos; paga; jornal; emolumentos salariales

address (n.), domicilio; dirección; señas

address (v.), enviar (una carta); dirigir (un escrito); remitir (un sobre); cursar (correspondencia); mandar (un paquete)

address a circular letter, dirigir una carta circular; remitir una circular; enviar una carta circular

address cheque (GB) **(US = address draft),** cheque domiciliado

address draft (US) **(GB = address cheque),** cheque domiciliado

address in full, dirección completa; señas completas

address unknown (A/U), dirección desconocida

addressee, destinatario

addressing machine, impresora de direcciones; máquina de imprimir direcciones

addressor, remitente (correspondencia)

ademption, revocación de legado

adequacy of reserves, suficiencia de reservas

adequate comprehension of the balance sheet, comprensión adecuada del balance

adequate reserves, reservas suficientes; provisiones adecuadas

adhere to a policy, adherirse a una política; seguir unas pautas; respetar unas normas

adhere to fiscal regulations, ajustarse a la normativa legal

ADI (ab. **area of dominant influence),** área de influencia dominante

adjoiner, propietario (co)lindante; vecino (co)lindante

adjourn, suspender; diferir; pos(t)poner

adjourn a meeting, suspender una junta

adjourned session, sesión aplazada

adjudicate, adjudicar

adjudication of bankruptcy, apertura del procedimiento de quiebra

adjudication of rights, adjudicación de derechos

adjudication order, declaración de quiebra con designación de administrador

adjudicator, adjudicador

adjunct (n. & adj.), sub- (prefijo aplicado al cargo inmediatamente inferior); ayudante (n. & adj.); asistente (n. & adj.); auxiliar (n. & adj.); adjunto (n. & adj.); subalterno (n. & adj.)

adjunct account, cuenta auxiliar

adjust, liquidar; saldar; ajustar

adjust an average, liquidar una avería

adjust the book value, ajustar el valor contable

adjust the income cascade, ajustar la cascada de resultados

adjustable rate mortgage (ARM), hipoteca con tipo de interés ajustable

adjusted balances, saldos ajustados

adjusted figures, cifras revisadas

adjusted losses, pérdidas ajustadas

adjusted market price of shares at year end, cotización ajustada de las acciones a fin de año

adjusted market price per share, cotización ajustada por acción

adjusted net income, beneficio neto ajustado

adjusted results per share, resultados ajustados por acción

adjusted trial balance, balance de comprobación ajustado

adjuster, inspector; inspector de compañía de seguros; perito de compañía de seguros; perito tasador

adjusting (adj), regularizador; corrector (adj.); de ajuste; de regularización

adjusting entry (pl.: entry = entries), asiento de regularización; asiento de ajuste

adjustment, ajuste; corrección; liquidación mediante ajuste; conciliación; conformación; movimiento contrario a la tendencia, sin alterarla

adjustment for inflation mismatches, ajuste del desfase inflacionario

adjustment of premium at maturity, ajuste de prima al vencimiento

adjustment of the balance of payments, ajuste de la balanza de pagos

adjustment of the securities portfolio, saneamiento de la cartera de valores

adjustment to temporary differences in payments, ajustes por desfases temporales en los pagos

administer an oath to, tomar juramento

administer property, administrar un patrimonio

administered price, precio sujeto a intervención; precio intervenido; precio controlado; precio regulado

administration, dirección (equipo gestor); equipo gestor; cuadro directivo; ejecutiva (n.); directorio; órgano de gestión; comité ejecutivo; comité de dirección; gerencia (LA)

administration costs, costes de administración

administration expenditures, gastos administrativos; gastos de administración

administration expenses, gastos administrativos; gastos de administración

administration of liquidation, trámites de liquidación de una sociedad

administration techniques, técnicas de administración

administrative (adj.), oficinístico (adj.); administrativo (adj.); rutinario (adj.); empresarial (adj., masc. & fem.)

administrative accounting, contabilidad administrativa

administrative admonition, advertencia de la Administración; exhorto administrativo; amonestación administrativa

administrative board, consejo de administración; junta directiva; directorio (LA)

administrative expenses, gastos administrativos; gastos de administración

administrative message, mensaje administrativo; nota (de circulación) interna; comunicado (de régimen) interior

administrative regulations, normas administrativas

administrative services, servicios administrativos

administrative staff, personal administrativo

administrator (n.m.: f.: **administratrix),** administrador

administrator of estates, administrador de fincas; administrador de (bienes) inmuebles

administratrix (n.f.; m. = **administrator),** administradora (n)

Admiralty Law (GB), derecho marítimo (GB)

admissible assets, activos computables

admission fee, cuota de admisión; derechos de admisión; matrícula (Esp.); cánon de admisión (Esp.)

admission of guilt, confesión de culpabilidad

admission of securities to the stock market, admisión de títulos a cotización oficial

admission temporaire (Fr.), admisión temporal

admission terms, condiciones de admisión; normas aplicables a la contratación de personal

admit, aceptar; mostrarse conforme; consentir; acordar; convenir; darse por conforme; pactar

admit a new partner, admitir a un nuevo socio

admit to bail, libertad bajo fianza; libertar bajo fianza; poner en libertad bajo fianza

admit wrongdoing, reconocerse culpable de un delito; admitir la autoría en actuación contraria a la ley; declararse culpable de acto contrario a derecho; reconocerse autor de la comisión de un acto delictivo

admitted as evidence, admitido como prueba

admitted to practice, admitido para ejercer una profesión; declarado apto para el ejercicio profesional

admonish, apercibir; amonestar; reconvenir; conminar; exhortar

admonition, amonestación; advertencia; apercibimiento; exhorto; conminación

adopt a resolution, adoptar una resolución; acordar una resolución; aprobar una resolución

adoption of fresh policies, adopción de nuevas políticas

ADP (ab. **automatic data processing),** proceso automático de datos (PAD); PAD (ab. proceso automático de datos; tratamiento automático de la información

ADR (ab. **annual discount rate),** tasa de descuento anual (TDA); TDA (ab. tasa de descuento anual)

adrift, a la deriva

adulteration, falsificación (n. fem.); impostura; montaje (Esp., col.); falso (adj.); espurio (adj.); falsificar; fingir; usurpar la personalidad; hacerse pasar por

adulteration of proceedings, falsificación de diligencias

adulterator, falsificador; embustero; cuentista (Esp., col.); ful(l)ero (Esp., col.); tramposo

advance against pledged securities, anticipo a cuenta sobre pignoración de valores; adelanto contra entrega de títulos en garantía

advance against shipping documents, anticipo a cuenta contra documentos de embarque

advance booking discount, descuento a cuenta

advance collection, cobro (por) adelantado; cobro (por) anticipado

advance deposit, depósito (por) anticipado; depósito (por) adelantado

advance freight, flete pagado; porte pagado

advance from a current account, anticipo de cuenta corriente

advance funds, anticipar fondos; adelantar fondos; hacer un anticipo de dinero

advance in seniority, ascenso por antigüedad; promoción por antigüedad

advance money, anticipar fondos; adelantar fondos; hacer un anticipo de dinero

advance money on securities, anticipar dinero contra (entrega de) títulos en garantía

advance note, nota (de concesión) de anticipo

advance of funds, anticipo de fondos; adelanto de fondos; anticipo de dinero

advance of money, anticipo de fondos; adelanto de fondos; anticipo de dinero

advance on freight, anticipo sobre el flete

advance payment (n.), pago adelantado; pago anticipado; anticipo a cuenta; adelanto; señal (anticipo)

advance payment (v.), adelantar el pago; anticipar el pago

advance payment on account of (n.), pago anticipado a cuenta de

advance payment on account of (v.), anticipar el pago a cuenta de; adelantar el pago a cuenta de

advance refundings, reintegros anticipados

advance repayment (n.), reembolso anticipado; reembolso adelantado

advance repayment (v.), anticipar el reembolso; adelantar el reembolso

advance warning, preaviso

advance-decline ratio, ratio de valores en alza/baja durante un período concreto

advanced dividend, dividendo anticipado

advancement, pago adelantado; pago anticipado; anticipo a cuenta; adelanto; señal (anticipo)

advances for expenses, anticipos para gastos

advances from customers, anticipos a cuenta realizados por los clientes; adelantos a cuenta efectuados por los clientes

advances option, opción sobre anticipos

advances to contractors, anticipos a contratistas

advantageous balance of trade, balanza comercial ventajosa; balanza comercial (con saldo) favorable

adventitious, accidental; casual; fortuito; involuntario; coyuntural; circunstancial

adventure, especulación; empresa especulativa; riesgo especulativo; agiotaje

adverse, adverso; desfavorable; negativo

adverse balance of payments, balanza comercial deficitaria

adverse balance of trade, balanza comercial desfavorable

adverse circumstances, circunstancias adversas

adverse claim, reclamación de tercero sobre bienes embargados

adverse environment, entorno adverso; medio hostil

adverse stock market conditions, coyuntura bursátil desfavorable

adverse verdict, sentencia desfavorable; veredicto desfavorable

advertise, anunciar(se); poner un anuncio; hacer(se) propaganda; hacer(se) publicidad

advertisement (ad), anuncio publicitario; reclamo publicitario

advertisement noting study, estudio sobre el grado de penetración de un anuncio publicitario

advertisement rate, tarifa publicitaria

advertiser, anunciante

advertising, publicidad; propaganda (publicitaria)

advertising agency, agencia publicitaria

advertising budget, presupuesto para (gastos de) publicidad

advertising campaign, campaña publicitaria; campaña de publicidad

advertising coverage, cobertura (de la campaña) publicitaria

advertising department, departamento de publicidad

advertising expenditures, gastos de publicidad; gastos publicitarios; inversión publicitaria

advertising expenses, gastos de publicidad; gastos publicitarios; inversión publicitaria

advertising goal, objetivo publicitario, meta (de la campaña) publicitaria

advertising media, medios de difusión publicitaria

advertising supplies, materiales publicitarios; medios de promoción publicitaria; artículos de propaganda

advertorial, anuncio redaccional

advice, consejo; recomendación (consejo)

advice of execution, aviso de ejecución; justificante de ejecución

advise, informar; comunicar; dar parte; denunciar; participar (comunicar); anunciar; poner al corriente; poner en conocimiento; cursar aviso; notificar

adviser (US = advisor), asesor; consejero asesor; consultor

advisor (GB = adviser), asesor; consejero asesor; consultor

advisory commission, comisión consultiva; comisión de asesoramiento

advisory committee, consejo (corporación); comité asesor

advisory funds, fondos de colocación no discrecional

ADVMS (average daily volume of marketing of shares), VMDCA (ab. volumen medio diario de contratación de acciones); volumen medio diario de contratación de acciones (VMDCA)

advocate (n), abogado; defensor; letrado (US); asesor jurídico; procurador

advocate (v), abogar por; defender; preconizar; proteger; actuar por la defensa

advocator, abogado; defensor; letrado (US); asesor jurídico; procurador

advowson, derecho de patronato; colación de beneficio

ADVT (average daily volume of trading), volumen medio diario de contratación

AFDB (ab. **African Development Bank),** Banco Africano de Desarrollo (BAFD); BAFD (ab. Banco Africano de Desarrollo)

affair, asunto; cuestión (n. fem.); negocio (asunto); acontecimiento; tema (n. masc.)

affect, hipotecar; pignorar; empeñar

affect (v.), hipotecar; pignorar; empeñar

affiant, declarante; deponente

affidavit, acta notarial; certificación oficial

affidavit by process server, atestiguación forense

affiliate (n.), afiliado (n); filial (n.); asociado (n.); subsidiario (n.); adherido (n.); adjunto (n.)

affiliate (v.), asociar(se); unir(se); relacionar(se); afiliar(se)

affiliate(d) bank, banco asociado; banco filial; banco afiliado

affiliated (adj), filial (adj.); afiliado (adj.); adherido (adj.); asociado (adj.); subsidiario (adj.)

affiliated and inter-company accounts, cuentas intrasistema

affiliated company, sociedad filial; empresa filial; compañía filial; empresa controlada; subsidiaria; sociedad sujeta a intervención (de otra, principal)

affiliated member, miembro afiliado

affiliation, afiliación

affirmative, afirmativo; positivo; favorable

affirmative pregnant, alegación afirmativa que implica otra, negativa

affirmative vote, voto afirmativo; voto favorable; voto a favor; sí (votaciones)

affirmative warranty, garantía expresa; garantía por escrito

afflux of capital, entrada de capital; afluencia de capitales

affreight, otorgar licencia; conceder nombramiento; constituir oficialmente; fletar; alquilar un barco

affreighter, fletador

affreightment, fletamento

AFL (ab. **American Federation of Labor)** (US), Federación Americana de Trabajadores (FAT); FAT (ab. Federación Americana de Trabajadores)

afloat (AFLT), a flote; libre de endeudamientos; exento de deudas o compromisos financieros

AFLT (ab. **afloat),** a flote; libre de endeudamientos; exento de deudas o compromisos financieros

aforementioned, mencionado; susodicho; referido; antes citado; antedicho; indicado más arriba; anteriormente citado; ya citado; que más arriba se cita

aforenamed, mencionado; susodicho; referido; antes citado; antedicho; indicado más arriba; anteriormente citado; ya citado; que más arriba se cita

aforesaid, mencionado; susodicho; referido; antes citado; antedicho; indicado más arriba; anteriormente citado; ya citado; que más arriba se cita

African Development Bank (AFDB), Banco Africano de Desarrollo (BAFD); BAFD (ab. Banco Africano de Desarrollo)

after account, cuenta nueva

after action report, examen de los resultados (créditos sindicados)

after date (A/D), después de la fecha

after market, transacciones (realizadas) fuera de la Bolsa; operaciones extrabursátiles; mercado secundario; mercado extrabursátil; mercado gré-à-gré; mercado previo a la emisión; negociación extrabursátil de valores; bolsín (Esp.)

after-date bill, letra a cierto plazo después de la fecha

after-hours service, servicio fuera de hora; servicio extraordinario

after-market transactions, transacciones inmediatas (en el mercado secundario)

after-sight bill, letra a cierto plazo después de la vista

after-tax, después de (pagar) impuestos; tras (el pago de) impuestos; con posterioridad a (los) impuestos

after-tax earnings, beneficio neto; ganancias netas; utilidades líquidas; productos netos; renta neta; utilidad neta; ingresos líquidos; renta líquida; entradas netas

after-tax yield, beneficio neto; ganancias netas; utilidades líquidas; productos netos; renta neta; utilidad neta; ingresos líquidos; renta líquida; entradas netas

after-the-fact court ban, interdicto judicial de prohibición tras el hecho consumado

against all risks (AAR), contra todo riesgo; frente a todo riesgo; a todo riesgo

against income, con cargo a (los) resultados

against payment, previo pago; contra pago

AGDP (ab. **actual gross domestic product),** producto interno bruto real (PIB real); PIB real (ab. producto interno bruto real); PIBR (ab. producto interno bruto real)

age at entry, edad de entrada; edad en la fecha de admisión

age at expiry, edad (al) término; edad a la fecha de vencimiento del contrato

age limit, límite de edad; edad límite; edad máxima

aged, caducado; vencido; pasado; sin validez; expirado

aged account, cuenta vencida

agency, agencia; dirección general (ministerios) (US); organismo público (US); organismo oficial (US); sucursal urbana; organismo administrativo federal (US); bifurcación; bifurcar

agency agreement, acuerdo de apertura de relaciones de corresponsalía

agency arrangements, trámites para la apertura de relaciones de corresponsalía

agency fee, comisión del agente (créditos sindicados); comisión de intermediación; comisión de gestión; gastos de gestión

agenda, agenda; temario; orden del día; puntos a tratar

agent, apoderado; funcionario autorizado; responsable (n., masc. & fem.); mandatario; poderhabiente; representante del titular; empleado con poderes de firma

agent bank, banco agente; banco intermediario

agent middleman, broker (Esp.); agente de bolsa; colocador de pagarés; intermediario financiero por cuenta propia; agente mediador; contratista por cuenta de terceros; operador bursátil por cuenta propia; contratista por cuenta propia; concesionario de ventas

agent of exchange, corredor de bolsa; cambista bursátil; agente de (cambio) y bolsa

agent's commission, comisión del agente

agent's commitment, trabajo del agente; labor encomendada al agente; papel a realizar por el agente; rol del agente (LA)

agent's lien, retención de mercancías por impago de comisiones (agente)

aggregate, agregado; acumulado

aggregate (adj.), agregado (adj.); global (adj.); total (adj.); acumulado (adj.)

aggregate (n.), conjunto (n.); total (n.); agregado (n.); resultante (n./adj.)

aggregate (v.), sumar; añadir; agregar

aggregate allowance, fondo acumulado; subvención acumulada; bonificación acumulada; bonificación complementaria

aggregate amount, suma total

aggregate benefit, beneficio agregado

aggregate estimate, cálculo de conjunto; estimación global

aggregate indemnity, indemnización total

aggregate liability, responsabilidad global

aggregate liability index, índice de acumulación de riesgos

aggregate participation, participación conjunta

aggregate principal amount, capital total más intereses acumulados; principal más intereses; suma de principal más intereses devengados; capital e intereses

aggregate regulated assets, conjunto de empleos reglamentados

aggregate table, tabla de totales

aggregate value, valor global

aggregates, magnitudes; totales; sumas

aggregation levels, niveles de agregación

aggregative economics, macroeconomía

aggressive attitude, actiud agresiva

aging of balances, clasificación de saldos pendientes por grado de antigüedad

aging of nonperformings, clasificación de morosos por grado de antigüedad; progresión de las morosidades pendientes de cobro

agio, agio; especulación a la alza; usura

agio drop, caída del agio

agiotage, especulación (mercados de divisas)

agreage certificate, certificado de conformidad

agree, aceptar; mostrarse conforme; consentir; acordar; convenir; darse por conforme; pactar

agreed value, valor convenido

agreement, acuerdo; contrato; pacto; concierto, arreglo; compromiso; tratado; responsabilidad (n. fem.); deuda contraída (n. fem.)

agreement among several parties, acuerdo entre varias partes; contrato entre varias partes; pacto entre varias partes

agreement among(st) underwriters, acuerdo entre aseguradores de una emisión; convenio entre los colocadores de la emisión

agreement between two parties, contrato entre dos partes; acuerdo entre dos partes; pacto entre dos partes

agreement by the job, contrato (de trabajo) a destajo

agreement clause, cláusula contractual

agreement for exclusiveness, contrato de exclusividad

agreement of service, convenio laboral; contrato de trabajo

agreement to the contrary, pacto en contrario; acuerdo en contrario

agricultural cooperative, cooperativa agrícola; cooperativa rural

agricultural credit, crédito agrícola

agricultural credit bank, banco de crédito agrícola; banco de fomento agrario

agricultural insurance, seguro agrícola

agricultural insurer, compañía de seguros agrícolas

agricultural policy, política agrícola

agriculture and the like, actividades primarias; agricultura y afines

ahead the rest of the banking sector, sobre el resto del sector bancario; delante de los demás bancos; por delante del resto de la banca

ahead the sector, a la cabeza del sector

AI (ab. **accrued interest),** intereses acumulados; interés devengado; intereses vencidos; cupón corrido

AIBD (ab. **Association of International Bond Dealers),** Asociación de Intermediarios del Euromercado (AIE); AIE (ab. Asociación de Intermediarios del Euromercado)

aid (n.), ayuda; asistencia; ayudante (n., masc. & fem.); colaborador (n.); comparecencia; acto de presencia; apariencia

aid (v.), auxiliar; prestar ayuda; colaborar

ailing banks, bancos con dificultades

ailing situation, situación adversa; situación de crisis; situación negativa

ailing state, situación económica adversa; mal estado económico; en crisis

aim (n.), meta; fin; propósito; finalidad; objeto (finalidad)

aim (v.), fijar(se) una meta; aspirar a conseguir; marcar(se) un objetivo; pretender

AIR (ab. **annual interest rate),** tipo de interés anual (TIA); TIA (ab. tipo de interés anual)

air consignment, expedición de mercancías por vía áerea

air consignment note, carta de (trans)porte por vía aérea; conocimiento de embarque por avión

air freight, flete aéreo; carga por avión; aerocarga (LA); fletamento aéreo

air mail, correo aéreo

air mail receipt, resguardo de envío por correo aéreo

air mail transfer (AMT), transferencia de fondos por correo aéreo

air rights, derechos de sobrevuelo; titularidad sobre el espacio aéreo

air transport, transporte aéreo; aerotransporte

air transport insurance, seguro de transporte aéreo

air waybill (AWB), conocimiento de embarque aéreo (CEA); CEA (ab. conocimiento de embarque aéreo)

aircraft, avión; aeronave

aircraft hull insurance, seguro de cascos (aviación)

aircraft industry, industria aeronáutica

aircrafts, aeronáuticas (n. genérico de títulos de compañías aéreas cotizados)

airfreight(ing), flete aéreo; carga por avión; aerocarga (LA); fletamento aéreo

airlift, transportar por vía aérea; aerotransportar

airliner, avión de línea comercial regular

airport of delivery, aeropuerto de destino

airway bill of lading (AWBL), conocimiento de embarque aéreo

airwaybill (AWB), conocimiento de embarque aéreo (CEA); CEA (ab. conocimiento de embarque aéreo)

AKA (ab. **also known as),** por otro nombre; conocido también como; también llamado; de mote (Esp.); quien tiene por mote (Esp., col.)

Aladdin bond, bono resultante de la conversión de otro anterior

aleatory contract, contrato aleatorio

aleatory variable, variable aleatoria; variable estocástica

algebraic sum of items, suma algebráica de partidas

ALGOL (algorithmic language), ALGOL (lenguaje algorítmico)

algorithm, algoritmo

algorithmic language (ALGOL), ALGOL (lenguaje algorítmico)

alia (Lat.), otras cosas; otros asuntos; asuntos distintos

alias (pl = aliases), alias; apodo; mote (Esp., col.); sobrenombre

alias bank, banco dependiente de otro, que actúa como jefe de fila

alias dictus (Lat.), por otro nombre; conocido también como; también llamado; de mote (Esp.); quien tiene por mote (Esp., col.)

alias summons (Lat.), auto de emplazamiento sustitutorio de otro anterior

alien, extranjero; no nacional

alien institution, entidad extranjera

alienable, alienable; enajenable

alienable property, bienes enajenables

alienate, alienar; enajenar (mentalmente)

alienation, alienación; enajenación (mental)

alienation of property, alienación de bienes; enajenación de propiedad

alienee, beneficiario de un bien

alienor, enajenante; enajenador

alimony in gross, suma alzada; tanto alzado; suma redondeada; cantidad global

aliquot part, parte alícuota

alongside (AS), sobre muelle; al costado del buque; franco muelle; puesto al costado del barco; franco (costado del) buque

alpha coefficient, coeficiente alfa; coeficiente de riesgo

alpha ratio, ratio alfa; ratio de rendimiento

alpha sorting, ordenación alfabética

alpha value, valor alfa

alpha-numeric keyboard, teclado alfanumérico

alphabetic coding, codificación alfabética

alphanumeric, alfanumérico

alphanumeric code, código alfanumérico

alphanumeric coding, codificación alfanumérica

alphanumeric coding system, sistema de codificación alfanumérica

alphanumeric field, campo alfanumérico

also known as (AKA), por otro nombre; conocido también como; también llamado; de mote (Esp.); quien tiene por mote (Esp., col.)

alter embargo guidelines, modificar las normas de embargo

alter the balance, alterar las cifras del balance; maquillar el balance (Esp., col.)

alter the books, alterar los libros; modificar los apuntes contables; retocar los asientos contables

alter the partnership agreement, modificar el acuerdo de asociación; alterar el contrato de sociedad

alteration of amounts, alteración de cantidades; modificación de las sumas; maquillaje de las cifras (Esp., col.)

altered cheque (US: **cheque = draft),** cheque manipulado

altered draft (GB: **draft = cheque),** cheque manipulado

altered information, información manipulada

alternate (n.)**,** sustituto; suplente

alternate (v.), alternar; sustituir; reemplazar

alternative (adj.), alternativo; alterno

alternative cost, coste alternativo

alternative investment plans, fórmulas alternativas de inversión

alternative judg(e)ment, sentencia alternativa

alternative order, orden bursátil de doble opción

alternative relief, recursos alternativos

always afloat (AA), siempre a flote

all (the) year round, todo el ano; durante todo el año; a lo largo de todo el año; durante todo el ejercicio; a lo largo de todo el ejercicio

all and singular, todas y cada una de las partes

all and sundry, colectiva e individualmente

all costs whatsoever, toda clase de costos; todo tipo de costes

all charges deducted, todos los gastos con cargo a la mercancía; deducidos todos los gastos

all expenses incurred, todos los gastos incluidos

all joking aside, al margen de toda broma; fuera de bromas; bromas aparte

all or none (AON), todo o nada (ejecutar por la totalidad); orden de ejecución exclusiva por la totalidad); o todos o ninguno (órdenes de bolsa)

all rights reserved (ARR), todos los derechos reservados (TDR); TDR (ab. todos los derechos reservados)

all risks insurance, seguro a todo riesgo

all-around (adj., US), todo incuido (en el precio); comprendido, todo (en el precio)

all-in (adj., GB), todo incluido (en el precio); comprendido, todo, en el precio

all-in cost, coste total; coste más gastos

all-in policy, póliza a todo riesgo

all-inclusive cost, precio total; todo incluido

all-loss insurance, seguro a todo riesgo

all-purpose bank, banco que cubre toda la gama de servicios bancarios; multibanco

allegation, alegación; alegato

allege, alegar; exponer

allegement, alegación; alegato

alleviate the crisis, atenuar la crisis

allied (adj.), aliado

allied company, sociedad filial; empresa filial; compañía filial; empresa controlada; subsidiaria; sociedad sujeta a intervención (de otra, principal)

allied member, dependiente de corredor de Bolsa (Esp.)

allied products, productos relacionados; artículos afines

allocable, asignable; atribuible; aplicable; designable; imputable; distribuible

allocate, asignar (utilidades); ceder; traspasar; transferir; imputar; atribuir; aplicar; distribuir (beneficios); consignar (mercancías)

allocate an amount to a pension allowance, aplicar una cantidad a un fondo de pensiones

allocate financial revenues and expenses, imputar resultados financieros

allocate income for tax purposes, imputar fiscalmente los rendimientos

allocate income for the year, aplicar los beneficios del año

allocate resources to buying fresh stakes, aplicar recursos a la compra de nuevos paquetes accionarios

allocated functionally, asignado funcionalmente

allocation, cuota; cupo; asignación (porcentaje); contingente (cupo asignado); participación (cuota asignada); acción (título de participación en el capital de una sociedad)

allocation of allowances recorded for nonperformings, imputación de provisiones creadas para cobertura de morosos

allocation of funds, provisión de fondos; imputación de fondos; distribución de fondos; asignación de fondos

allocation of operating costs, imputación de costes operativos

allocation of proceeds, aplicación del líquido

allocation of provisions, aplicación de provisiones

allocation process, proceso de imputación; procedimiento de imputación

allocation to nonperformings of allowances recorded for them, imputar provisiones constituidas para cobertura de morosos

allocation to reserves, imputación a reservas; atribución a reservas

allonge, anexo de la letra para recoger endosos adicionales

allotment, cuota; cupo; asignación (porcentaje); contingente (cupo asignado); participación (cuota asignada); acción (título de participación en el capital de una sociedad)

allotment of shares, adjudicación de acciones

allow, permitir; autorizar; dejar; conceder; otorgar permiso; conceder licencia

allow a discount, otorgar un descuento; conceder un descuento; aplicar un descuento

allowable deductions, deducciones autorizadas

allowance, reducción (n. fem.); bonificación (n. fem.); descuento; rebaja; reembolso; reintegro; devolución; reembolsar; reintegrar; devolver

allowance account, cuenta de reserva

allowance and discounts on sales, rebajas y descuentos sobre ventas

allowance for accelerated depreciation, fondo de amortización libre; provisión para amortizaciones anticipadas

allowance for country risk, provisión para riesgo-país

allowance for credit losses and country risk, provisiones para insolvencias y riesgo-país; fondo para insolvencias y riesgopaís

allowance for doubtful accounts, provisión para cuentas dudosas

allowance for exchange losses, provisión para diferencias de cambio; dotación para pérdidas en el cambio de divisas

allowance for nonperforming loans as of December 31, cobertura de morosidades referida al 31 de Diciembre; cobertura de los deudores morosos al 31 de Diciembre

allowance for pension commitments, dotación de cobertura para compromisos de pensiones

allowance for pensions, fondo para pensiones

allowance for security price fluctuations, fondo para fluctuación de valores

allowance for tare, tolerancia por tara; rebaja por (deducción de la) tara

allowance recording, constitución de provisiones; creación de reservas

allowance reserve, reserva para bonificaciones

allowances and provisions, dotaciones y provisiones

allowed deduction, deducción permitida

AM (ab. **ante meridiem**), mañana (hasta el mediodía); de la mañana (hasta el mediodía); de 12 de la noche a 12 del mediodía

amalgamate (v.), fusionar; amalgamar; consolidar; unificar; fusionarse

amalgamation, amalgama; consolidación; fusión; consolidación de empresas; fusión empresarial

ambiguous grammar, gramática ambigua; redacción que induce a errores de interpretación; terminología de dudosa interpretación; sintáxis de doble lectura

ambitious (adj.), ambicioso (adj.)

ambitious goal, meta ambiciosa

ambulatory will, testamento revocable

amend (v.), corregir; rectificar; reformar

amendatory deed, escritura de modificación; escritura de enmienda

amended record, registro enmendado

amendment of bylaws, modificación de los estatutos; enmienda estatutaria

amends (n), reparación (compensatoria) (n. fem.); satisfacción (compensatoria) (n. fem.)

amercement, sanción discrecional; multa a potestad judicial

American Bankers Association (ABA), Asociación de Banqueros Americanos (ABA); ABA (ab. Asociación de Banqueros Americanos)

American Federation of Labor (AFL) (US), Federación Americana de Trabajadores (FAT); FAT (ab. Federación Americana de Trabajadores)

American option, opción americana; opción de libre ejercicio antes de su vencimiento (opción americana)

American Standards Association (ASA), Asociación Americana de Normas (ASA); ASA (ab. Asociación Americana de Normas)

amicable compounder, árbitro; tercero (mediador arbitral); mediador en litigio no judicial; juez de controversias; amigable componedor; árbitro amistoso; juez extrajudicial; mediador arbitral; informante designado para aportar referencias

amicable referee, árbitro; tercero (mediador arbitral); mediador en litigio no judicial; juez de controversias; amigable componedor; árbitro amistoso; juez extrajudicial; mediador arbitral; informante designado para aportar referencias

amicable settlement, liquidación amistosa

amicus curiae (Lat.), amigo del tribunal; colaborador del tribunal; coadyuvante (en pleitos contencioso-administrativos)

amortising swap, swap amortizable (Esp.); permuta amortizable de tipos de interés

amortizable, rescatable; amortizable; redimible

amortizable assets, activos amortizables

amortizable debt, deuda amortizable

amortizable expenses of scant amount, gastos amortizables de escasa significación cuantitativa

amortization, amortización (n. fem.); redención (n. fem.); depreciación (n. fem.); rescate; reembolso progresivo de la deuda contraida mediante pagos parciales; amortización gradual de la deuda mediante pagos parciales de la misma

amortization fund, amortizaciones acumuladas; fondo de amortización

amortization of a loan, amortización de un empréstito; amortización de un préstamo; redención de un crédito

amortization of bonds, amortización de obligaciones

amortization of capital, amortización de capital

amortization of debt, amortización de deuda

amortization of notes, amortización de pagarés; redención de pagarés

amortization percentage, tasa de amortización; porcentaje de amortización; cuota de amortización

amortization quota, tasa de amortización; porcentaje de amortización; cuota de amortización

amortization reserve, reserva para amortizaciones; reserva para depreciaciones

amortization schedule, plan de amortización

amortize, depreciar; amortizar

amortized, depreciado; amortizado

amortized loan, crédito amortizado; préstamo amortizado

amortized securities, títulos amortizados

amortized stock (GB: **stock = shares),** acciones en caja; acciones de tesorería; autocartera (Esp.); acciones recuperadas por la empresa; acciones amortizadas; activos de tesorería

amotion, desposesión de un cargo

amount (n), cantidad (cuantía); importe; suma; monto (LA); cuantía; montante (n., masc.)

amount (v), ascender a (la cantidad de); importar (la suma de); elevarse a (un importe de); equivaler a

amount due, suma debida; importe adeudado; cantidad adeudada

amount in dispute, suma en disputa

amount of bill, importe de la factura

amount of damage, importe del daño

amount of invoice, importe de la factura

amount of nonperforming loans recovered, montante de las insolvencias recuperadas

amount of provisions, montante de las provisiones; importe de las reservas

amount outstanding, deuda pendiente; suma a pagar; cantidad pendiente de pago

amount overall to, ascender a un importe absoluto de; suponer, en total; elevarse a una suma global de

amount paid in excess, importe satisfecho en exceso; cantidad pagada de más; suma abonada en demasía

amount payable forwith, cantidad pagadera de inmediato

amount payable on settlement, valor liquidable; valor de liquidación; valor de realización

amount receivable from tax authorities for prepaid taxes, suma devengada a Hacienda por pago anticipado de impuestos

amount to ECU 1m, ascender a 1 millón de ECUs

amount to Peseta 1b (1b = 1 billion = 1,000 million), ascender a 1.000 millones de Pesetas; ascender a 1 millardo de Pesetas (1 millardo = 1.000 millones)

amount to Peseta 1m (1m = 1 million), ascender a 1 millón de Pesetas

amount to Peseta 1t (1t = 1 trillion = 1,000 billion), ascender a 1 billón de Pesetas

amount, per books, to, ascender, en términos contables, a

amounts owed to suppliers, cantidades adeudadas a proveedores; sumas debidas a los abastecedores; deudas contraidas con los suministradores

amounts used, utilizaciones

ampersand (&), & (y); y (&); signo &

amplitude, amplitud; distancia entre puntos extremos de una gráfica

AMT (air mail transfer), transferencia de fondos por correo aéreo

analog(ic) computer, ordenador analógico

analog(ic) model, modelo analógico

analysis by ratios, análisis por (medio de) razones

analysis of credit risk management, análisis de la gestión del riesgo de crédito

analysis of distribution by value, análisis de distribución por valores

analysis of expenditures, análisis de gastos

analysis of expenses, análisis de gastos

analysis of handwriting, análisis grafológico; estudio grafológico

analysis of ratios, análisis de ratios

analysis of the market, análisis del mercado

analysis of variance, análisis de varianza

analyst (= annalist) (n., masc. & fem.), analista (n., masc. & fem.)

analytic, analítico

analytic regression, regresión analítica

analytical, analítico

analytical accounting, contabilidad de costos; contabilidad analítica

analytical balance sheet, balance analítico

analytical breakdown, descomposición analítica; desglose analítico

analytical breakdown of operating margins, descomposición analítica del margen de gestión

analytical breakdown of profitability, descomposición analítica del margen de gestión

analytical cost accounting, contabilidad analítica de costes

analytical cost accounting system, sistema de contabilización analítica de costes

analytical jurisprudence, jurisprudencia interpretativa

analytical summary, resumen analítico

analyze (v.), revisar; examinar; investigar; analizar; indagar; pasar revista; escrutar; considerar; inquirir; cuestionar

analyze figures with a certain degree of disaggregation, analizar las cifras con cierto grado de desagregación

analyze variation in greater detail, analizar la variación con mayor detalle

ancillary (adj.), subsidiario; subyacente; dependiente de; secundario; complementario; potencial (adj.)

ancillary letter of credit, carta de crédito complementaria; crédito documentario subordinado

Andean Common Market (ACM), Mercado Común Andino (MCA); MCA (ab. Mercado Común Andino)

angaria, disposición temporal y forzosa del barco por las autoridades; angaria; servidumbre forzosa; dependencia obligatoria; uso forzoso temporal del barco por un gobierno extranjero

animus lucrandi (Lat.), ánimo de lucro; intención de lucrarse

animus revocandi (Lat.), ánimo de revocar; intención de revocar

annalist (= analyst) (n., masc. & fem.), analista (n., masc. & fem.)

annex (v.), adjuntar; acompañar; incluir

annex(e), anexo; prueba instrumental; anexo explicativo; apéndice aclaratorio

annotated public debt market (Esp.), mercado de deuda pública anotada (Esp.)

announce (v.), informar; comunicar; dar parte; denunciar; participar (comunicar); anunciar; poner al corriente; poner en conocimiento; cursar aviso; notificar

announcement, anuncio (comunicación)

annual, anual

annual accounts, cuentas anuales; estados financieros del ejercicio

annual amortization, amortización anual

annual closing, cierre anual

annual contribution, cuota anual; contribución anual; aportación anual

annual discount rate (ADR), tasa de descuento anual (TDA); TDA (ab. tasa de descuento anual)

annual dues, derechos anuales

annual examination, inspección anual

annual general meeting of shareholders, junta general anual de accionistas; asamblea general anual de accionistas

annual income, anualidad; renta anual; pago periódico

annual interest, interés anual

annual interest rate (AIR), tipo de interés anual (TIA); TIA (ab. tipo de interés anual)

annual percentage, porcentaje anual

annual percentage increase, porcentaje anual de crecimiento; porcentaje anual de aumento

annual percentage rate (APR), tipo porcentual anual sobre descubiertos

annual premium, prima anual

annual provision, dotación del año

annual provisions to in-house allowances, dotaciones anuales a fondos internos

annual report, estado anual; balance general del ejercicio; memoria anual

annual return, rentabilidad anual

annual statement, estado anual; balance general del ejercicio; memoria anual

annualize, anualizar

annualized, anualizado; elevado al año

annualized growth, crecimiento anual

annualized growth rates, tasas anuales de crecimiento equivalentes; índices de crecimiento interanual

annualized rate basis, tasas anuales equivalentes

annually, anualmente; todos los años; cada año; con carácter anual; con periodicidad anual; al año; por año; anual (adj., masc. & fem.)

annuitant, rentista; beneficiario de una renta; beneficiario de la anualidad

annuity, anualidad; renta anual; pago periódico

annuity bond, bono perpetuo; obligación sin vencimiento

annuity certain, anualidad incondicional

annuity depreciation method, depreciación calculada por (el método de) anualidades

annuity due, anualidad vencida; anualidad de pago inicial inmediato; renta devengada

annul, cancelar; anular; rescindir; revocar; abolir; derogar; casar (revocar); cesar; retirar; retractarse

annulment, abolición; supresión; derogación; anulación; abrogación; casación

annulment of a law, abrogación de una ley

annulment of a previous sentence, casación de una sentencia previa

anomalous (adj.), anómalo; irregular (adj., masc. & fem.)

anomalous endorsement, endoso irregular

anomaly, anomalía

answer (n.), contestación; respuesta; réplica; razón justificativa

answer (v.), contestar; responder; replicar; justificar con una razón

answerable, refutable; discutible; cuestionable

answerback, formulario para respuesta

answerback code, código de respuesta

answerer, obligado; garante; avalista; fiador

antapocha, escritura de confirmación de deuda

ante meridiem (AM), mañana (hasta el mediodía); de la mañana (hasta el mediodía); de 12 de la noche a 12 del mediodía

antecedent, precedente (adj.); anterior (adj.)

antedate, antefechar; antedatar; retrotraer; aplicar fecha anterior; fechar por adelantado

anti-burglary system, sistema antirrobo

anti-inflationary policies, medidas antiinflacionistas

anti-laundering mechanisms, mecanismos antiblanqueo

anti-laundering policies (sing.: **policies = policy),** políticas antiblanqueo

anti-laundering transborder cooperation, cooperación transfronteriza antiblanqueo

anti-money laundering measures, medidas antiblanqueo

anti-money laundering scheme, plan (de acción) antiblanqueo

anticipate repayment, anticipar el reembolso; adelantar el reembolso

anticipated interest, interés anticipado

anticipated profits, utilidades anticipadas; beneficio previsto; ganancias previstas

anticipation discount, descuento por pago al contado; descuento por pago en efectivo; descuento por pronto pago; bonificación por pago al contado

anticipation warrant, cédula fiscal sobre futuros ingresos

anticipatory breach of agreement, infracción anticipatoria de contrato; violación anticipatoria de un acuerdo

anticipatory breach of contract, aviso anticipado de incumplimiento del contrato

anticipatory hedge, cobertura anticipada

anticyclical policies and measures, políticas y medidas anticíclicas

antidilution, antidilución

antidilution clause, cláusula antidilución

antidilution measures, medidas antidilución

antidumping duties, derechos protectores contra importación a precio arbitrario

antitrust, antimonopolio

antitrust law, ley antimonopolio

antiwaiver clause, cláusula antirrenuncia

any two jointly signatures, firmas mancomunadas

AON (all or none), todo o nada (ejecutar por la totalidad); orden de ejecución exclusiva por la totalidad); o todos o ninguno (órdenes de bolsa)

aperture card, ficha para toma de datos

apex (pl. = **apexes, apices),** ápice; vértice; punto de intersección entre tendencias; cúspide

apexes (sing. **apex),** ápice; vértice; punto de intersección entre tendencias; cúspide

apices (sing. **apex),** ápice; vértice; punto de intersección entre tendencias; cúspide

APO (ab. **account payee only),** páguese solamente a (la persona indicada)

apocha, descargo; finiquito; pago final; quita; liquidación del saldo pendiente; pago de la deuda; cumplimiento de compromiso; desgravación; carta de pago; acuse de recibo, por escrito, de un pago

apparent, aparente; manifiesto; ostensible

apparent authority, autoridad aparente; facultad aparente; poderes aparentes

apparent danger, peligro evidente

apparent defect, error aparente; vicio manifiesto

apparent error, error manifiesto

apparent maturity, vencimiento aparente

apparently abnormal behavio(u)r, comportamiento aparentemente atípico; funcionamiento aparentemente anómalo

appeal, demanda; súplica; instancia; demanda de siniestro; reclamación por daños; requerimiento; moción; recurso

appeal (n.)**,** apelación; recurso (apelación); alzada; solicitud

appeal (v.)**,** apelar; recurrir; elevar apelación; solicitar; suplicar; rogar; presentar una solicitud ante; formular una petición; presentar (un) recurso

appeal a decision, recurrir una decisión; interponer recurso contra una decisión

appeal for amendment (n.)**,** recurso de enmienda; recurso de reforma

appeal for amendment (v.)**,** formular recurso de enmienda; elevar recurso de reforma

appeal for annulment (n.)**,** recurso de casación; demanda de nulidad

appeal for annulment (v.)**,** recurrir en casación; demandar la nulidad

appeal for reversal (n.)**,** recurso de reposición

appeal for reversal (v.)**,** recurrir en reposición

appealable, apelable; susceptible de apelación

appealable verdict, veredicto apelable

appear, comparecer; personarse; aparecer; parecer

appear before, comparecer ante; personarse ante; hacer acto de presencia ante; presentarse ante

appear in court, comparecer ante el tribunal

appear on a list, figurar en una lista; aparecer en una lista; estar incluido en un listado

appearance, ayuda; asistencia; ayudante (n., masc. & fem.); colaborador (n.); comparecencia; acto de presencia; apariencia

appearance bail, fianza de comparecencia; afianzamiento de comparecencia

appearance by attorney (US)**,** comparecencia por medio de abogado; presentación a través de letrado; hacer acto de presencia mediante apoderado; asistencia por representante

appearance by counsel (GB)**,** comparecencia por medio de abogado; presentación a través de letrado; hacer acto de presencia mediante apoderado; asistencia por representante

appearer, compareciente

appellant, apelante (n., masc. & fem.); demandante (n., masc. & fem.); recurrente (n., masc. & fem.); solicitante (n., masc. & fem.); querellante (n., masc. & fem.); reclamante (n., masc. & fem.)

appellate, apelar; recurrir; elevar apelación; solicitar; suplicar; rogar; presentar una solicitud ante; formular una petición; presentar (un) recurso

appellee, demandado; acusado

append, adjuntar; acompañar; incluir

appendant, anexo; prueba instrumental; anexo explicativo; apéndice aclaratorio

appendix (pl. = **appendixes, appendices**)**,** anexo; prueba instrumental; anexo explicativo; apéndice aclaratorio

apperceive, apercibir; amonestar; reconvenir; conminar; exhortar

applicant, solicitante; peticionario; ordenante; proponente; cliente

applicant to membership, postulante a miembro; aspirante a la admisión

application, demanda; súplica; instancia; demanda de siniestro; reclamación por daños; requerimiento; moción; recurso

application (comp.), aplicación informática

application (stock exchange), compraventa de títulos bursátiles; aplicación (Bolsa)

application for a job, solicitud de empleo; petición de trabajo

application for a loan, solicitud de préstamo; petición de crédito

application for membership, solicitud de admisión en calidad de miembro; petición de ingreso como socio

application form, impreso de solicitud; formulario de petición

application holder, portaformularios (Esp.); góndola portaformularios (Esp.); expositor para impresos de petición (Esp.); casillero portaimpresos (Esp.); bandeja portaformularios (Esp.)

application of accounting principles, aplicación de principios contables

application of funds, empleo de la financiación; aplicación de los fondos

application of funds statement, estado de origen y aplicación de fondos

application of strictly professional criteria, aplicación de criterios estrictamente profesionales

application of the equity method, aplicación del método de equivalencia; puesta en equivalencia

applied burden, gastos asignados; carga imputada

applied cost, coste aplicado; coste imputado

applied economics, economía aplicada

apply for a job, solicitar empleo; pedir trabajo

apply for a loan, solicitar un crédito; pedir un préstamo

appoint, nombrar; designar; señalar (una fecha); citar; convocar; emplazar; requerir la presencia

appoint a judicial accountancy expert, designar judicialmente a un experto en contabilidad; nombrar a un perito contable judicial; nombrar de oficio a un experto contable

appointee, delegado (n.); comisionado (n.); nominado (n.)

appointment, nombramiento; designación; cita

appointment circular, circular de (notificación) de nombramiento

apportion, desglosar; descomponer por partidas; pormenorizar; detallar

apportionment, prorrateo; derrama; reparto

appraisal, valoración; tasación; evaluación; avalúo (LA); peritación (Esp.); gravamen aplicable; estimación; justiprecio

appraisal of damage, evaluación del daño

appraisal surplus, superávit de revaluación; plusvalía de revalorización

appraisal value, valor de tasación

appraise, tasar; fijar el valor; justipreciar; evaluar; peritar

appraised, evaluado; tasado; valorado; peritado (Esp.)

appraised value, valor estimativo; valor estimado

appraiser, tasador; evaluador; perito (Esp.); valorador

appraising, valoración; tasación; evaluación; avalúo (LA); peritación (Esp.); gravamen aplicable; estimación; justiprecio

appreciate, tasar; fijar el valor; justipreciar; evaluar; peritar

appreciation, revalorización; revaluación; revalúo (LA); aprecio (revalorización); incremento de valor

appreciation and depreciation, plusvalías y minusvalías

appreciation plus dividends, plusvalía (en la cotización) más dividendos percibidos

appreciation surplus, superávit de apreciación; plusvalía de tasación

appreciator, tasador; evaluador; perito (Esp.); valorador

apprehend, detener; capturar; confiscar; embargar; decomisar; incautar; expropiar

apprentice, aprendiz

apprenticeship, aprendizaje

appropriate, asignar (utilidades); ceder; traspasar; transferir; imputar; atribuir; aplicar; distribuir (beneficios); consignar (mercancías)

appropriate system of internal control, sistema apropiado de controles internos

appropriated profits, utilidades aplicadas; beneficio imputado

appropriated surplus, superávit asignado; superávit reservado

appropriation account, cuenta de distribución de beneficios

appropriation for statutory fees, dotación para atenciones estatutarias

appropriation of earnings to reserves, dotación de beneficios a reservas

appropriation of income, distribución de beneficios; reparto de beneficios; aplicación de utilidades; dotación con cargo a beneficios

appropriation of net income, aplicación del beneficio neto

approval, aceptación; conformidad; aquiescencia; consentimiento; aprobación; asentimiento; sanción; visto bueno

approval levels, límites de aprobación; límites de autorización; niveles decisorios para concesión de créditos

approval of transactions, aprobación de operaciones

approval ratio, tasa de aprobaciones (otorgadas o recibidas)

approval request, solicitud de aprobación; petición de conformidad

approve granting of a loan, aprobar la concesión de un crédito

APR (annual percentage rate), tipo porcentual anual sobre descubiertos

apron (warehouses), muelle de carga y descarga (almacenes)

aptitude test, prueba de aptitud; examen de aptitud

AQL (ab. **acceptable quality level),** nivel de calidad aceptable (NCA); NCA (ab. nivel de calidad aceptable)

Arab Common Market (ArCM), Mercado Común Árabe (MCAr); MCAr (ab. Mercado Común Árabe)

arbiter, árbitro; tercero (mediador arbitral); mediador en litigio no judicial; juez de controversias; amigable componedor; árbitro amistoso; juez extrajudicial; mediador arbitral; informante designado para aportar referencias

arbitrage, laudo arbitral; decisión de los árbitros; fallo de los amigables componedores; dictamen arbitral; sentencia arbitral; arbitraje

arbitrage (transaction), arbitraje (operación); compraventa especulativa favorable

arbitrage of exchange, arbitraje de cambio

arbitrage operation, operación de arbitraje

arbitrage pricing theory (APT), teoría de fijación de precios por arbitraje

arbitrager, arbitrajista

arbitral, arbitral

arbitral award, laudo arbitral; decisión de los árbitros; fallo de los amigables componedores; dictamen arbitral; sentencia arbitral; arbitraje

arbitrament, laudo arbitral; decisión de los árbitros; fallo de los amigables componedores; dictamen arbitral; sentencia arbitral; arbitraje

arbitrary, arbitrario

arbitrate, arbitrar; terciar; componer; decidir; mediar

arbitrated par of exchange, tipo de cambio a la par comercial; cambio arbitrado a la par

arbitration, laudo arbitral; decisión de los árbitros; fallo de los amigables componedores; dictamen arbitral; sentencia arbitral; arbitraje

arbitration committee, comité de arbitraje

arbitrator, árbitro; tercero (mediador arbitral); mediador en litigio no judicial; juez de controversias; amigable componedor; árbitro amistoso; juez extrajudicial; mediador arbitral; informante designado para aportar referencias

arbitrium (Lat.), laudo arbitral; decisión de los árbitros; fallo de los amigables componedores; dictamen arbitral; sentencia arbitral; arbitraje

ArCM (ab. **Arab Common Market),** Mercado Común Árabe (MCAr); MCAr (ab. Mercado Común Árabe)

archive, archivo; expediente; legajo; carpeta de archivo (Esp.); historial; archivar; presentar (hacer entrega)

area head, jefe de área; jefe de sector

area manager, director regional; jefe de zona

area of dominant influence (ADI), área de influencia dominante

area-wide bargaining, negociación de convenio colectivo a nivel sectorial

argue, discutir; debatir; deliberar; disentir; mostrarse disconforme; estar en desacuerdo; discrepar

argument(ation), discusión; razonamiento; exposición de principios

ARI (ab. **accounting rate of interest),** tipo de interés contable (TICO); TICO (ab. tipo de interés contable)

arise from, emanar de; proceder de

arise from the legal status, emanar de la condición jurídica

arising from, emanante de

arising from the legal status, emanante de la condición jurídica

arithmetic (n./adj.), aritmética (n & a); aritmético (adj.)

arithmetic computation, cómputo aritmético

arithmetic mean, media aritmética

arithmetic media, media aritmética

arithmetic progression, progresión aritmética

ARM (ab. **adjustable rate mortgage),** hipoteca con tipo de interés ajustable

ARR (ab. **all rights reserved),** todos los derechos reservados (TDR); TDR (ab. todos los derechos reservados)

arra (= arrha), señal de compromiso (Esp.); arras

arraign, hacer comparecer; obligar a personarse; acusar; criticar; denunciar (ante la policía); instruir diligencias; procesar

arraignment, acusación; denuncia; instrucción de diligencias; procesamiento

arrange for, ocuparse de; tomar medidas para

arrange for the payment of a loan, hacer provisión para el pago de un efecto; concertar el pago de un crédito

arranged bank, banco concertado

arranged service, servicio concertado; prestación (de servicio) convenida

arrangement, acuerdo; contrato; pacto; concierto; arreglo; compromiso; tratado; responsabilidad (n. fem.); deuda contraída (n. fem.)

arrangement fee, comisión del agente (créditos sindicados); comisión de intermediación; comisión de gestión; gastos de gestión

arrears, atrasos

arrest (v.), detener; capturar; confiscar; embargar; decomisar; incautar; expropiar

arrha (= arra), señal de compromiso (Esp.); arras

arrival draft, efecto pagadero a la llegada de la mercancía; letra pagadera a la recepción del cargamento

arrival notice, notificación de llegada

arrival of documents, llegada de documentos; recepción de documentos

arrival of vessel, llegada del barco; arribada del buque

arrive at a conclusion, llegar a una conclusión

arson, incendio intencionado; incendio con premeditación

arson clause, cláusula de incendios

arsonist, incendiario; pirómano

article, artículo; cláusula (n. fem.); disposición (n. fem.); condición (n. fem.); condicionante (n. masc.)

article (v.), acusar (US); formular una acusación (US)

articled clerk, empleado eventual en (período de) prácticas; auxiliar interino en fase de formación

articles, articulado (de estatutos, ley, decreto, etc) (n.)

articles and conditions, especificaciones; pliego de condiciones

Articles of Agreement of the International Monetary Fund, convenio constitutivo del Fondo Monetario Internacional

articles of association, escritura de constitución; acta de constitución; documento constitucional; escritura social; escritura constitutiva; certificado de constitución; acta fundacional

articles of incorporation, escritura de constitución; acta de constitución; documento constitucional; escritura social; escritura constitutiva; certificado de constitución; acta fundacional

articles of partnership, escritura de constitución; acta de constitución; documento constitucional; escritura social; escritura constitutiva; certificado de constitución; acta fundacional

artificial person, persona jurídica; ente jurídico

AS (ab. **alongside),** sobre muelle; al costado del buque; franco muelle; puesto al costado del barco; franco (costado del) buque

as a grant, a título de donación; con carácter de otorgamiento no oneroso; como condición graciable

as a guarantee measure, como medida de garantía

as a result of economic pressure, a consecuencia de la presión económica; como resultado de las presiones económicas

as a rule, por regla general; por principio

as a whole, en conjunto

as at 31 December, al 31 de Diciembre

as concerns, respecto a; en lo referente a; con relación a; en lo que a .... se refiere.......; con respecto a; en lo que a .... respecta

as explained, como se explicó; según lo explicado; conforme a lo explicado

as explained earlier, como (ya) se explicó anteriormente; según lo anteriormente explicado; conforme a lo explicado anteriormente

as far as our bank is concerned, en lo que a nuestro banco se refiere; respecto a lo que a nuestro banco compete; por lo que se refiere a nuestro banco

as far as possible, en la medida de lo posible; todo lo posible; cuanto sea posible; dentro de lo posible

as far as we know, que nosotros sepamos; según sabemos

as follows, como sigue; como a continuación se indica

as from today, a partir de hoy

as interest may appear, a quien corresponda; a quien pueda interesar; conste por el presente

as is, tal cual; según es(tá); en el estado en que se encuentra

as long as the loan remains outstanding, en tanto el préstamo siga pendiente de reembolso; mientras el crédito continúe sin amortizar

as mentioned in earlier paragraphs, de acuerdo con lo que en párrafos precedentes se menciona; según lo señalado en párrafos precedentes; conforme a lo que en párrafos anteriores se apunta

as of December 31, al 31 de Diciembre

as outlined, conforme a lo esbozado; según lo apuntado; de acuerdo con lo señalado

as per, de acuerdo con; conforme a; de conformidad con; según

as per advice, según aviso; conforme al aviso; de conformidad con el aviso; de acuerdo con el aviso

as per advice of, según las indicaciones de; conforme a lo recomendado por; de acuerdo con lo aconsejado por

as per books, según (aparece registrado en los) libros

as per royal decree, conforme a real decreto; según real decreto; de conformidad con el real decreto

as permitted by law, según permita la ley; dentro de lo que la ley permita; conforme a lo que la ley permita

as recorded, según lo contabilizado; conforme se ha registrado; como aparece recogido; tal y como consta

as referred to above, mencionado; susodicho; referido; antes citado; antedicho; indicado más arriba; anteriormente citado; ya citado; que más arriba se cita

as referred to below, mencionado más abajo; indicado al pie; que más abajo se cita; más abajo referido; abajo citado; citado al pie

as requested by law, conforme a lo exigido por la ley; de acuerdo con las exigencias legales; según lo exigido por la ley

as scheduled, según lo programado; conforme a lo planeado; de acuerdo con lo establecido

as soon as possible (ASAP), cuanto antes; lo antes posible; a la mayor brevedad posible; tan pronto sea factible

as stated earlier, según lo indicado anteriormente; conforme a lo reseñado más arriba; como anteriormente se apuntaba

as stipulated, según lo estipulado; conforme a lo estipulado; de acuerdo con lo estipulado

as summarized, según se ha resumido

as to, respecto a; en lo referente a; con relación a; en lo que a .... se refiere.......; con respecto a; en lo que a .... respecta

ASA (ab. **American Standards Association),** Asociación Americana de Normas (ASA); ASA (ab. Asociación Americana de Normas)

ASAP (as soon as possible), cuanto antes; lo antes posible; a la mayor brevedad posible; tan pronto sea factible

ascertain, asegurarse; cerciorarse

ascertainment, comprobación (n. fem.); verificación (n. fem.); averiguación (n. fem.); determinación (n. fem.); chequeo (LA)

ascertainment of preferences, determinación de preferencias

ashore, en tierra; sobre tierra

Asian Development Bank (ADB), Banco Asiático de Desarrollo (BAD); BAD (ab. Banco Asiático de Desarrollo)

ask for a quote, pedir presupuesto; solicitar presupuesto

ask for the moon (col.)**,** pedir la luna (col.); pedir el oro y el moro (Esp,, col.); pedir un precio muy alto; pedir una burrada (Esp,, col.)

asked price, precio de venta; precio inicialmente fijado por el vendedor; cambio de venta

asking price, precio de venta; precio inicialmente fijado por el vendedor; cambio de venta

assault (v.)**,** asaltar; atacar; agredir (opas); ultrajar; allanar (opas); retirar depósitos masivamente; comprar acciones por sorpresa

assault and battery, agresión (consumada) con (resultado de) lesiones

assay gold, aquilatar oro

assecuration, seguro marítimo

assecurator, asegurador (especialmente marítimo)

assemble (comp.), compaginar (comp.)

assemble (v.)**,** montar; ensamblar; reunir; recopilar; compilar

assembly, asamblea; junta; reunión

assembly hall, sala de reuniones; sala de juntas; salón de sesiones

assembly line, cadena de montaje; línea de montaje; cadena de ensamblado; línea de ensamblaje en cadena

assembly plant, planta de montaje

assembly room, sala de reuniones; sala de juntas; salón de sesiones

assembly routine, rutina de compaginación informática

assent, aceptación; conformidad; aquiescencia; consentimiento; aprobación; asentimiento; sanción; visto bueno

assert, afirmar; garantizar (fiabilidad); mantener; asegurar (fiabilidad)

assertions to the contrary, declaraciones en sentido contrario; manifestaciones en contrario

assertory oath, juramento del cargo

assess, tasar; fijar el valor; justipreciar; evaluar; peritar

assess costs, valorar los costes; evaluar los costos; tasar los costes

assess damages, evaluar los daños; fijar los daños; establecer (los) daños y perjuicios

assessable, evaluable fiscalmente; imponible (fiscalmente) (Esp.); gravable; sujeto a contribución; tributable

assessed income, líquido imponible; renta imponible; utilidad imponible; ingresos imponibles; beneficio imponible; rentas sujetas a gravamen; ingresos tributables; percepciones sujetas a retención fiscal

assessed valuation (LA), valoración catastral (Esp.); avalúo catastral (LA); evaluación catastral (Esp.)

assessed value, valoración catastral (Esp.); avalúo catastral (LA); evaluación catastral (Esp.)

assessment, valoración; tasación; evaluación; avalúo (LA); peritación (Esp.); gravamen aplicable; estimación; justiprecio

assessment base, base liquidable

assessment of damage, valoración del daño; peritación de daños; evaluación de los daños

assessment of risk, valoración del riesgo; evaluación del riesgo; análisis del riesgo

asset, partida del activo; bien patrimonial; activo (no del balance, globalmente considerado)

asset accounts, cuentas de activo

asset and liability operations, operaciones de activo y pasivo

asset disposal, enajenación de activos; realización de activos; venta de bienes patrimoniales

asset operations, operaciones activas; operaciones de activo

asset portfolio management, gestión de patrimonios; administración de activos patrimoniales; gestión de fortunas; administración de bienes

asset quality indicators, indicadores de calidad de los activos

asset repos and reverse repos, adquisiciones y cesiones temporales de activos

asset soundness policies, políticas de sanidad del activo

asset-backed security (ABS), valor respaldado por activos

asset-liability management, gestión de (la cartera de) activos y pasivos

assets, activos (n.); activo del balance; empleos

assets and funds, activos y pasivos (como partidas no globales del balance); activo y pasivo del balance; recursos y empleos; conjunto patrimonial; captación e inversión de recursos; captación de depósitos destinados a la inversión crediticia

assets and liabilities, activos y pasivos (como partidas no globales del balance); activo y pasivo del balance; recursos y empleos; conjunto patrimonial; captación e inversión de recursos; captación de depósitos destinados a la inversión crediticia

assets appropriated in payment of loans, activos adjudicados en pago de créditos

assets assigned to a ratio, activos afectos a un coeficiente

assets assigned to the cash ratio, activos destinados a cobertura del coeficiente de caja

assets called for by customers, activos demandados por los clientes

assets in foreign currencies, activos en moneda extranjera; activos en divisa

assets not admitted, activo(s) no admitido(s); activo(s) excluido(s)

assets of a partnership, activo social

assets on the balance sheet, activos comprendidos en el balance

assets sold under repurchase agreements, ventas temporales de activos con compromiso de recompra; cesiones temporales de activos (REPOs); REPOs (ab. cesiones temporales de activos); venta con pacto de recompra

assign, asignar (utilidades); ceder; traspasar; transferir; imputar; atribuir; aplicar; distribuir (beneficios); consignar (mercancías)

assign a right, ceder un derecho; traspasar un derecho

assign for security, ceder como garantía

assign the rights to repayment under a loan, traspasar los derechos al reembolso de un crédito

assignable, asignable; atribuible; aplicable; designable; imputable; distribuible

assignable credit, crédito transmisible; crédito susceptible de cesión

assignation, cesión; traspaso; transferencia; asignación; desplazamiento

assigned account, cuenta traspasada; cuenta cedida

assignee, apoderado por delegación; beneficiario de la cesión; cesionario del derecho

assignee in fact, cesionario de hecho

assignee in law, cesionario de derecho; cesionario legalmente reconocido

assignment, asignación (de una labor); cesión (de un derecho, propiedad, etc); escritura de cesión (de derechos, propiedad, etc); encargo (de hacer un trabajo)

assignment of a loan, cesión de un préstamo; traspaso de un crédito

assignment of credits, cesión de créditos

assignment of debts, cesión de créditos

assignment of ownership, cesión de propiedad

assignment of PIN (PIN = personal identification number), asignación de NIP (NIP = número de identificación personal)

assignment of prefixes, asignación de prefijos

assignment of registry numbers, asignación de números de registro

assignment of rights, cesión de derechos

assignor, cantidad principal de un préstamo (n. fem.); valor nominal neto; ordenante (n., masc. & fem.); comitente; mandante; delegante; constituyente; representado

assist ailing banks with financial backing, ayudar a los bancos en dificultades con respaldo financiero

assistant (n & a)**,** ayudante (n & a); asistente (n & a); adjunto (n & a); auxiliar (n & a)

assistant (n. & adj.), sub- (prefijo aplicado al cargo inmediatamente inferior); ayudante (n. & adj.); asistente (n. & adj.); auxiliar (n. & adj.); adjunto (n. & adj.); subalterno (n. & adj.)

assistant bookkeeper, auxiliar administrativo (n.); empleado auxiliar del departamento contable

assistant clerk, auxiliar (n.)

assistant general secretary, secretario general adjunto; vicesecretario general

assistant manager, subdirector; director adjunto; adjunto a la dirección

assistant secretary, vicesecretario; subsecretario

assistant treasurer, vicetesorero

assistant vice president (US), subdirector general adjunto

Assize Court (GB), Tribunal de lo Criminal; Audiencia de lo Criminal; Sala de lo Criminal (Esp.)

assizes, sesión judicial

associate (n.), afiliado (n); filial (n.); asociado (n.); subsidiario (n.); adherido (n.); adjunto (n.)

associate (v), asociar(se); unir(se); relacionar(se); afiliar(se)

associate member, miembro asociado

associated (adj.), filial (adj.); afiliado (adj.); adherido (adj.); asociado (adj.); subsidiario (adj.)

associated bank, banco asociado; banco filial; banco afiliado

associated company, empresa asociada

association, asociación; relación (vinculación); vinculación; conexión (vinculación)

Association of International Bond Dealers (AIBD), Asociación de Intermediarios del Euromercado (AIE); AIE (ab. Asociación de Intermediarios del Euromercado)

assume, asumir; suponer; presumir; adoptar (una postura)

assume an obligation, asumir un compromiso

assumed bond, bono garantizado por otra sociedad distinta a la emisora; obligación asumida

assumed liabilities, pasivo asumido; responsabilidad asumida; pasivo supuesto

assumed profits, beneficio supuesto

assumpsit, procedimiento judicial por incumplimiento de contrato

assumption, supuesto; suposición; presunción; asunción

assumption of indebtedness, asunción de la deuda

assumption of obligations, asunción de los compromisos contraidos

assumption of risk, asunción del riesgo

assurance, seguridad (fiabilidad); garantía (fiabilidad)

assure, afirmar; garantizar (fiabilidad); mantener; asegurar (fiabilidad)

assured placement of bonds, colocación asegurada de bonos

asymmetries, errors and omissions, asimetrías, errores y omisiones

asymmetry (pl = asymmetries), asimetría; desajuste; disparidad

at (the) balance sheet date, a la fecha del balance

at ... DAS (ab. **at ... days after sight),** a ... días vista; a ... D/V (ab. at ... días vista)

at ... days after sight (at ... DAS), a ... días vista; a ... D/V (ab. at ... días vista)

at a premium, por encima de la par; sobre la par; superior a la par; con prima

at a yield of 10%, con una rentabilidad del 10%

at all decision-making levels, a todos los niveles de decisión; en todos los estadios decisorios

at best, al mejor (precio, cambio, cotización, etc); en el mejor de los casos

at best order, orden por lo mejor

at call, a la vista; a su presentación

at close, al cierre (de la sesión bursátil)

at consolidated level, a nivel consolidado

at cost, a precio de coste; al costo

at customer and industry level, a nivel de cliente y sector de actividad

at customer level, a nivel de cliente

at market rates, a los tipos de mercado

at most, todo lo más; a lo sumo; como mucho

at no extra cost, sin costo adicional

at operating level, a nivel operativo; a nivel de explotación

at or better, al mejor; al más favorable; por lo mejor

at par, a la par; tipo par; en paridad; par (a la par); activo con precio igual a su nominal

at pro-rata, a prorrata; por prorrateo; mediante prorrateo

at random, a voluntad; a discreción; libremente; mediante muestreo aleatorio; con toda libertad

at risk placement of third-party funds, colocación de capitales ajenos a riesgo

at short term, a corto plazo

at sight (A/S), a la vista; a su presentación

at the beginning of the year, al comienzo del ejercicio; a principios de año; a comienzos del año

at the behest of, a petición de; a instancias de; siguiendo instrucciones de

at the close of 1995, al cierre de 1995

at the close only order, orden de ejecución exclusiva al final de la sesión

at the close order, orden al cierre

at the cost of, a costa de

at the end of 2002, a final de 2002

at the end of the two previous economic years, a final de los dos últimos ejercicios; al cierre de los dos últimos ejercicios; a final de los dos ejercicios precedentes; al final de los dos años precedentes

at the end of the year, a final del ejercicio; a finales de año; al final del año; al cierre del ejercicio

at the lower of cost or market, a precio de mercado, cuando éste sea inferior al de coste

at the lower of cost or redemption value, a precio de coste o valor de reembolso, si éste es inferior

at the market, orden de compraventa al corredor, al mejor precio posible

at the market order, orden al mercado

at the money, indiferente; a cualquier precio contraofertado; precio de ejercicio igual al de cartera en el mercado spot

at the money (ATM), precio de ejercicio igual al del mercado subyacente; a dinero; posición dinero

at the money (ATM), precio de ejercicio igual al de mercado del activo subyacente (opciones); a dinero (opciones)

at the money forward (ATM forward), a dinero "forward"; precio sobre divisas igual a la cotización "forward" hasta vencimiento; dinero (a dinero "forward")

at the money option, a nivel no consolidado; sin consolidar; opción "en el precio"; opción que cotiza exactamente a su precio de ejercicio; no consolidado

at the money spot (ATM spot), a dinero "spot"; precio sobre divisa igual a la cotización "spot" de la misma; dinero (a dinero "spot")

at the open order, orden a la apertura

at the opening only order, orden de ejecución exclusiva al inicio de la sesión

at the request of, a petición de; a instancias de; siguiendo instrucciones de

at the start of the year, al comienzo del ejercicio; a principios de año; a comienzos del año

at the time of issuance, en el momento de la emisión

at unconsolidated level, a nivel no consolidado; sin consolidar; opción "en el precio"; opción que cotiza exactamente a su precio de ejercicio; no consolidado

at your earliest convenience, tan pronto le sea posible; en cuanto Vd. pueda

at your request, conforme a su petición; de acuerdo con su solicitud; de conformidad con su solicitud

at-a-glance financial data, documentación financiera representada en una sola página; datos financieros recogidos en un solo cuadro; estados financieros presentados en formato "toda vista" (Esp.)

ATA (ab. **average total assets),** activos medios totales (AMT); AMT (ab. activos medios totales)

ATA growth (ATA = average total assets), crecimiento de los activos totales medios

ATM (at the money), precio de ejercicio igual al del mercado subyacente; a dinero; posición dinero

ATM (ab. **automatic teller machine),** expendedor automático de billetes; cajero automático (Esp.); cajero permanente (Esp.)

ATM (ab. **at the money),** precio de ejercicio igual al de mercado del activo subyacente (opciones); a dinero (opciones)

ATM forward (ab. **at the money forward),** a dinero "forward"; precio sobre divisas igual a la cotización "forward" hasta vencimiento; dinero (a dinero "forward")

ATM spot (ab. **at the money spot),** a dinero "spot"; precio sobre divisa igual a la cotización "spot" de la misma; dinero (a dinero "spot")

atony, atonía; debilidad

ATS accounts (ATS = automatic transfer service)), cuentas de transferencia automática

att. (ab. **attention of),** a la atención de

attach, detener; capturar; confiscar; embargar; decomisar; incautar; expropiar

attachable, embargable (adj., masc. & fem.); confiscable (adj., masc. & fem.); decomisable (adj., masc & fem.); susceptible de penalización (adj., masc. & fem.); penalizable (adj., masc. & fem.)

attaché (Fr.), agregado (n,,Fr.); adjunto (n, Fr.)

attaché case (n, Fr.), maletín portadocumentos; portafolios (con asa); portadocumentos (con asa) (Esp.); cartera (con asa) (Esp).

attached, adjunto (adj.); anexo (adj.); confiscado (adj.); embargado(adj.)

attached documents, documentos adjuntos; documentación anexa

attached funds, fondos confiscados

attacher, embargante; embargador

attaching creditor, acreedor embargante

attaching party, parte embargante

attachment, embargo; incautación; decomiso; comiso; penalización; confiscación; aprehensión; expropiación

attachment bond, fianza de embargo

attachment proceedings, diligencia de embargo

attachment writ, auto judicial de embargo

attempt (n., intento; tentativa; atentado

attempt (v.), intentar; tratar de; atentar contra

attempt collection of an unhono(u)red draft, intentar el cobro de un efecto impagado

attend, asistir (concurrir); concurrir; acudir

attend a foreign customer, ayudar a un cliente extranjero

attend a meeting, asistir a una reunión

attendance, ayuda; asistencia; ayudante (n., masc. & fem.); colaborador (n.); comparecencia; acto de presencia; apariencia

attendant, asistente

attention of (att.), a la atención de

attest (v.), atestiguar; dar fe; certificar; legalizar; formalizar; compulsar (legalizar)

attestant, testigo

attestation clause, cláusula de certificación de autenticidad

attested copy, copia certificada; copia compulsada

attested photocopy, fotocopia legalizada; fotocopia compulsada; fotocopia certificada

attesting document, documento justificativo; instrumento probatorio

attesting notary, notario fedatario

attestor, testigo

Attorney General, fiscal del Tribunal Supremo (GB); ministro de justicia (US)

attorney in fact, apoderado; funcionario autorizado; responsable (n., masc. & fem.); mandatario; poderhabiente; representante del titular; empleado con poderes de firma

attorney's lien, retención de fondos por el letrado en garantía de honorarios

attorney-at-law (US), abogado; defensor; letrado (US); asesor jurídico; procurador

attorney´s fees (US), minuta de letrado; honorarios de abogado

attract deposits, atraer depósitos; captar recursos ajenos

attractive nuisance, negligencia inexcusable

attributable, asignable; atribuible; aplicable; designable; imputable; distribuible

attributable profit, beneficio imputable

attribute (v.), asignar (utilidades); ceder; traspasar; transferir; imputar; atribuir; aplicar; distribuir (beneficios); consignar (mercancías)

attrition (coins), desgaste por el roce (monedas)

atypical, atípico

atypical results, resultados atípicos

auction (n.), subasta; remate

auction (v.), subastar; rematar; sacar a subasta; vender mediante subasta

auction market, mercado de subasta

auction room, sala de subastas

auction sale, venta en subasta

auction system, sistema de subasta competitiva

auctioneer, subastador; rematador; martillero (LA)

auctor, cantidad principal de un préstamo (n. fem.); valor nominal neto; ordenante (n., masc. & fem.); comitente; mandante; delegante; constituyente; representado

audit, auditoría; examen de cuentas; revisión de estados financieros; inspección de cuentas

audit (v.), auditar las cuentas; examinar las cuentas; revisar los estados financieros; inspeccionar las cuentas

audit an account, auditar una cuenta; analizar una cuenta; comprobar una cuenta; revisar una cuenta

audit fees, honorarios de auditoría

audit financial statements, auditar estados financieros

audit in detail (n.), auditoría detallada

audit in detail (v.), auditar en detalle

audit of financial statements, auditoría de estados financieros

audit scope, alcance de la auditoría; ámbito de la auditoría

audit trail, antecedentes de auditoría

audit(ing) practice, normas de auditoría; prácticas de auditoría

audit(ing) standards, normas de auditoría; prácticas de auditoría

audited (adj.), auditado; intervenido; verificado; inspeccionado

audited account, cuenta auditada

auditing, auditoría; examen de cuentas; revisión de estados financieros; inspección de cuentas

auditing of (the) books, examen de (los) libros; auditoría contable

auditing of accounts, examen de (los) libros; auditoría contable

auditor, censor de cuentas; interventor de las cuentas; censor jurado; auditor

auditor's office, oficina de auditoría; auditoría (oficina)

auditors' report, informe de los auditores; informe de auditoría; informe de los censores de cuentas

austerity, austeridad

austerity package, paquete de medidas de austeridad

austerity policy, política de austeridad

authentic, auténtico

authentication, autenti(fi)cación; legalización; refrendo; bastanteo (Esp.); contrafirma

authentication of notes, autenti(fi)cación de pagarés

authentication of signatures, reconocimiento de firmas; autenti(fi)cación de firmas

authenticity, autenticidad

authenticum (Lat.), documento original

authoritative instrument, documento justificativo; instrumento probatorio

authority (pl.: = authorities), poderes; autoridad; facultades; mandato; mandamiento

authority by estoppel, autorización por impedimento; autorización emanante de desestimación de demanda

authority to negotiate drafts, autorización para negociar efectos

authority to pay, autorización para (realizar) el pago

authority to purchase, autorización para comprar; permiso de compra

authority to sell, autorización para vender; permiso de venta

authorization, poderes; autoridad; facultades; mandato; mandamiento

authorization cancellation, cancelación de autorización; derogación de permiso

authorization center identification number (ACIN) (GB: **center = centre),** número de identificación del centro de autorizaciones (NICA)

authorization centre (US: **centre = center),** centro de autorizaciones

authorization code, número de autorización; código de autorización; clave de autorización

authorization facilities, servicios de autorización

authorization inquiry, petición de autorización

authorization key, número de autorización; código de autorización; clave de autorización

authorization number, número de autorización; código de autorización; clave de autorización

authorized (adj.), autorizado (adj.)

authorized capital, capital nominal; capital autorizado

authorized foreign exchange bank, banco habilitado para (realizar) operaciones en divisa

authorized officer, apoderado; funcionario autorizado; responsable (n., masc. & fem.); mandatario; poderhabiente; representante del titular; empleado con poderes de firma

authorized signatories book, lista de firmas autorizadas; listín de firmas autorizadas; libro de firmas autorizadas

authorized signature, firma autorizada

authorized signature facsimile, modelo de firma autorizada; facsimil de firma autorizada

authorized signature list, lista de firmas autorizadas; listín de firmas autorizadas; libro de firmas autorizadas

authorized signature microfiche, microficha de firmas autorizadas

authorized signature specimen, modelo de firma autorizada; facsimil de firma autorizada

authorizing member, miembro autorizador

authorless note, nota anónima

autocoder, autocodificador

autocorrelation, autocorrelación

autographic letter, carta autógrafa; carta escrita a mano

automated teller machine (ATM), expendedor automático de billetes; cajero automático (Esp.); cajero permanente (Esp.)

automatic authorization machine, máquina de autorización automática

automatic coding, codificación automática

automatic conversion, conversión automática

automatic data processing (ADP), proceso automático de datos (PAD); PAD (ab. proceso automático de datos; tratamiento automático de la información

automatic income tax deduction, deducción automática del impuesto sobre la renta

automatic reinstatement, restauración automática

automatic reset, puesta a cero automática

automatic teller machine (ATM), expendedor automático de billetes; cajero automático (Esp.); cajero permanente (Esp.)

automatic termination, rescisión automática

automatic transfer service accounts (ATS accounts), cuentas de transferencia automática

automation, automa(tiza)ción

automobile insurance (GB: **automobile = car),** seguro de automóviles (US)

automobiles and trucks, automóviles y camiones; material móvil; parque móvil

autonomous community, comunidad autónoma (Esp.)

autonomous community governments, gobiernos autonómicos (Esp.); gobiernos de las Comunidades Autónomas (Esp.)

autoregression, autoregresión

auxiliary (adj.), sub- (prefijo aplicado al cargo inmediatamente inferior); ayudante (n. & adj.); asistente (n. & adj.); auxiliar (n. & adj.); adjunto (n. & adj.); subalterno (n. & adj.)

auxiliary accounting book, libro auxiliar de contabilidad

auxiliary cash book, libro auxiliar de Caja

auxiliary ledger book, libro auxiliar del Mayor; libro de cuentas corrientes

auxiliary personnel, personal auxiliar; personal subalterno

auxiliary storage, almacenamiento complementario en memoria

avail of, disponer de; aprovechar(se); sacar partido a; valerse de

avail of a credit, utilizar un crédito; disponer de un crédito

availability, disponibilidad; buena disposición; viveza; agilidad

availability of capital, disponibilidad de capital

availability of exchange for imports, disponibilidad de divisas para importaciones

available (adj.), disponible

available assets, caja y bancos; efectivo en caja y bancos; activo disponible; liquidez (caja y bancos); activo realizable; activo de realización inmediata; disponibilidades; valores realizables; disponibles (n. masc. & fem.); activo de fácil realización

available balance, saldo disponible

available for the purpose, disponible a tal efecto

available funds, recursos disponibles; fondos disponibles; fondos de inmediata disposición

available limit, límite disponible

available on request, disponible previa solicitud; a la venta por encargo

available on the market, disponible en el mercado; a la venta

available remainder, remanente disponible

available to the public, a disposición del público; de libre adquisición

availment, disposición

availment of foreign exchange, disposición (de moneda) en divisa

aval, aval; garantía; respaldo; apoyo; caución; colateral (n.); señal

average (n.), media; promedio; daño; avería; normal (adj., masc. & fem.)

average (n., adj. & v.), media (n.); promedio (n.); medio (adj.); significar (v.); querer decir (v.); intentar (v.); tratar de (v.)

average (v.), sacar la media; prorratear; calcular el promedio

average adjuster, inspector; inspector de compañía de seguros; perito de compañía de seguros; perito tasador

average adjustment, liquidación de averías

average age of receivables, antigüedad media de los efectos a cobrar

average balance, saldo medio

average balance of investment, saldo medio de la inversión

average balance of outstandings, saldo medio de la inversión viva

average balances recorded, saldos medios contabilizados

average bond, fianza media; montante medio de la fianza; fianza sobre avería

average claim, coste medio por siniestro

average cost, coste medio

average cost of customer funds, coste medio de los recursos ajenos; tipo medio del coste de los recursos de clientes; remuneración media del pasivo

average cost of funds, coste medio de los recursos

average credit balance, saldo acreedor medio

average customer deposits, recursos medios de clientes

average daily balance, saldo medio diario

average daily production, producción media diaria

average daily volume of trading (ADVT), volumen medio diario de contratación

average deposit per account, saldo medio por cuenta

average discount term, plazo medio de descuento

average down, comprar títulos a bajo precio; comprar títulos a bajo precio para reducir el de la cartera

average due date, fecha media de vencimiento; vencimiento común; plazo medio

average equity, recursos propios medios

average equity to average deposits ratio, relación recursos propios medios/recursos ajenos medios

average exchange rate, tipo de cambio medio

average exchange rate adjustment, ajuste medio de los tipos de cambio

average for the year, media del ejercicio; promedio anual

average foreign currency assets, empleos medios en divisa

average funds, recursos medios

average implicit risk, riesgo medio implícito

average implicit risk premium, prima media implícita de riesgo

average implicit risk premium in the quarter, prima media implícita de riesgo en el trimestre

average inventory at cost, inventario promedio al costo

average inventory at selling price, inventario medio a precios de venta

average inventory in units, inventario promedio por unidades

average investment value, valor medio de la inversión

average level of ratios, nivel medio de los coeficientes

average life (A/L), vida media; duración media; vigencia media

average liquidity surplus, excedente medio de liquidez

average loan and discount investment, inversión bancaria típica media

average loans and discounts per branch office, inversión bancaria media por oficina

average loss, avería simple; avería particular; pérdida parcial

average money market position, posición media en los mercados monetarios

average number of shares, número medio de acciones

average overall cost of funds, tipo medio de coste global de los recursos

average peseta assets, empleos medios en pesetas

average premium, prima media

average price, precio medio

average profitability ratio, ratio de rentabilidad media; coeficiente de rentabilidad media

average propensity to consume, propensión media al consumo

average rate, tipo medio; tasa media

average rate of cost of customer deposits, tipo medio de coste de los recursos de clientes

average rate of return, tipo medio de rendimiento; rendimiento medio

average rate of return on outstanding credit, tipo medio de rendimiento resultante

average rate of return on peseta credit, tipo medio de rendimiento del crédito en pesetas

average rate of yield, tasa media de rentabilidad

average rates of return and cost, rendimiento y coste medios; tipos medios de rendimiento y coste

average return, tipo medio de rendimiento; rendimiento medio

average rise, aumento medio; crecimiento medio

average shares outstanding, acciones emitidas; media de las acciones en circulación

average size of transactions, importe medio de las operaciones; montante medio de las operaciones; monto medio de las operaciones (LA)

average stater, inspector; inspector de compañía de seguros; perito de compañía de seguros; perito tasador

average stockholders' equity (pay-out), porcentaje de beneficio que se reparte

average stockholders' equity and average total funds, recursos propios medios y recursos totales medios

average stockholders' equity and profitability, evolución contable de los recursos propios medios

average surveyor, inspector; inspector de compañía de seguros; perito de compañía de seguros; perito tasador

average total assets, activos medios totales

average total assets (ATA), activos medios totales (AMT); AMT (ab. activos medios totales)

average total assets growth (ATA growth), crecimiento de los activos totales medios

average treasury stock, autocartera media

average treasury stock held, autocartera media mantenida

average turnover, volumen medio de negocio; cifra media de negocio

average up, comprar títulos caros en espera de que suban aún más; comprar títulos a precio alto

average value of notes discounted, importe medio por efecto descontado

average value per note, importe medio por efecto

average volume of business handled, volumen medio de negocio gestionado

average weighted exchange rate, tipo de cambio medio ponderado (fixing); fixing (tipo de cambio medio ponderado)

average year-end weighted (fixing) exchange rate, cambio medio ponderado a final del ejercicio (fixing)

average yield, tipo medio de rendimiento; rendimiento medio

average yield and cost, rendimiento y coste medios; tipos medios de rendimiento y coste

average yield on assets, rendimiento medio de los empleos

average yield on financial assets, tipo medio de rendimiento sobre activos financieros

average yield on loans and discounts, tipo medio de rendimiento de las inversiones crediticias; rendimiento medio de la inversión crediticia

average yield on total financial assets, rendimiento medio de los activos financieros totales

avoid, evitar; soslayar; eludir; prevenir

avoid CFM (ab. **avoid contact with foreign matters),** evitar contactos con cuerpos extraños

avoid conflicts of interest, evitar conflictos de intereses

avoid contact with foreign matters (avoid CFM), evitar contactos con cuerpos extraños

avoid contact with oil or other cargo (avoid COOC), evitar el contacto con aceite u otras mercancías del cargamento

avoid COOC (ab. **avoid contact with oil or other cargo),** evitar el contacto con aceite u otras mercancías del cargamento

avoid cost rises, evitar subidas de costes

avoid problems of competence, evitar problemas de competencia

avoidable, evitable; soslayable

avoirdupois (Fr.)**,** sistema de pesas anglosajón

avouch, reconocer (admitir); confesar; declarar; largar (Esp., col.); deponer; cantar (Esp., col.)

avouch (= avow), afirmar; garantizar (fiabilidad); mantener; asegurar (fiabilidad)

avow, reconocer (admitir); confesar; declarar; largar (Esp., col.); deponer; cantar (Esp., col.)

avow (= avouch), afirmar; garantizar (fiabilidad); mantener; asegurar (fiabilidad)

avowal, deposición (declaración); declaración; confesión (declaración)

award, fallo arbitral; otorgamiento; concesión; adjudicación

award (n.)**,** laudo arbitral; decisión de los árbitros; fallo de los amigables componedores; dictamen arbitral; sentencia arbitral; arbitraje

award (v.)**,** fallar; emitir sentencia; dictar laudo; emitir (una) decisión arbitral; otorgar

awardee, concesionario; adjudicatario; donatario; beneficiario de la donación

awarder, adjudicador

awarding of contracts, adjudicación de contratos; concesión de contratas

awareness program, programa de divulgación; programa de concienciación

AWB (ab. **air waybill, airwaybill),** conocimiento de embarque aéreo (CEA); CEA (ab. conocimiento de embarque aéreo)

AWBL (ab. **airway bill of lading),** conocimiento de embarque aéreo

awkward problems, problemas engorrosos

AWOL (ab. **absent without leave),** ausente sin permiso; escaqueador (Esp., col.)

axe to grind, intereses personales

ayes have it, mayoría de votos a favor

B

ß calculation (ß = beta), cálculo de la volatilidad; cálculo del coeficiente beta (beta = ß)

ß coefficient (ß = beta), coeficiente beta (beta = ß); coeficiente ß (ß = beta); ratio de volatilidad; grado de volatilidad; ratio beta (beta = ß); ratio ß (ß = beta)

ß ratio (ß = beta), coeficiente beta (beta = ß); coeficiente ß (ß = beta); ratio de volatilidad; grado de volatilidad; ratio beta (beta = ß); ratio ß (ß = beta)

ß value (ß = beta), valor beta (beta = ß); valor ß (ß = beta)

ß yield (ß = beta), beta de rendimiento (beta = ß); ß de rendimiento (ß = beta)

B&S option pricing formula, fórmula de Black-Scholes para valoración de opciones

B/O (ab. **in behalf of),** a favor de; en favor de

B/S (ab. **balance sheet),** balance general; balance de situación

B4 (ab. **before),** antes (de)

baby bond (col.)**,** bono de nominal inferior a USD 1.000

back (v.)**,** avalar; garantizar; endosar; colaterizar; prestar fianza; aportar aval

back bond, contrafianza

back freight, flete de retorno

back of the bill, reverso del efecto

back out of a deal, incumplir un trato

back taxes, impuestos atrasados

back-to-back credit, crédito documentario subsidiario; crédito documentario contingente; crédito "back-to-back"; contracrédito

back-to-back loans, créditos de mutuo respaldo; préstamos cruzados de apoyo

backbencher (col.)**,** directivo sin un cargo concreto

backdate, antefechar; antedatar; retrotraer; aplicar fecha anterior; fechar por adelantado

background, antecedentes; orígenes; motivación; trasfondo; razón (motivo); razonar; discurrir

background of oil crisis, antecedentes de la crisis del petróleo

background of the problem, trasfondo del problema

backing, aval; garantía; respaldo; apoyo; caución; colateral (n.); señal

backlog, pedidos sin cumplimentar; pendiente de servir

backstop role, compromiso de los colocadores de la emisión

backward area, área subdesarrollada; región atrasada; zona deprimida

backwardation (futures market), mercado invertido; inversión (mercado de futuros)

bad debt recovery, recuperación de morosidades; recuperación de fallidos; recuperación de dudosos

bad debts, insolvencias; morosidades; morosos; créditos morosos; fallidos incobrables; créditos de dudoso cobro

bad debts charged off, morosidades definitivamente canceladas; fallidos eliminados del balance

bad debts written off, morosidades llevadas a la cuenta de resultados

bad faith, mala fe

bad risk, mal riesgo

bad timekeeping, falta de puntualidad; impuntualidad

BAI certificate, certificado de control veterinario

bail, avalar; garantizar; endosar; colaterizar; prestar fianza; aportar aval

bail bond, aval; garantía; respaldo; apoyo; caución; colateral (n.); señal

bailee, depositario de bienes

bailer, obligado; garante; avalista; fiador

bailiff, funcionario que custodia al imputado en el juzgado (US); magistrado (GB)

bailiff of estate, administrador de los bienes

bailment, bien constituyente del depósito

bailor, obligado; garante; avalista; fiador

bailout, rescate de una empresa en dificultades

baker's dozen, docena larga; trece por doce; docena de fraile (Esp., col.)

balance (n.), saldo; balance; diferencia

balance (v.), nivelar (un presupuesto)

balance an account, saldar una cuenta; liquidar una cuenta pendiente

balance carried down, remanente a cuenta nueva; saldo a cuenta nueva

balance carried forward, remanente a cuenta nueva; saldo a cuenta nueva

balance for carry forward, remanente a cuenta nueva; saldo a cuenta nueva

balance in our favo(u)r, balance a nuestro favor; saldo a nuestro favor

balance in power and management, equilibrio entre poder y gestión

balance of payments, balanza de pagos

balance of payments control, control de la balanza de pagos

balance of payments difficulties, dificultades en la balanza de pagos

balance of payments forecasts, previsiones de la balanza de pagos

balance of payments management, gestión de la balanza de pagos

balance of stocks, balance de almacén; saldo de existencias

balance of the securities portfolio, saldo de la cartera de valores

balance of trade, balanza comercial

balance of verification, balance de comprobación

balance on hand, saldo disponible

balance out losses, compensar las pérdidas

balance outstanding, saldo vivo; resto pendiente; suma pendiente; importe pendiente; cantidad pendiente; resto; remanente; arrastre (suma y sigue); suma y sigue; excedente

balance sheet (B/S), balance general; balance de situación

balance sheet account, cuenta integrada en el balance

balance sheet analysis, análisis de balances

balance sheet audit(ing), auditoría del balance

balance sheet certificate, certificado de situación del balance

balance sheet item, partida del balance

balance sheet sensitivity, sensibilidad del balance

balance sheet showing a loss, balance deficitario

balance sheet soundness, integridad contable del balance

balance sheet total (BS total), total del balance; total de activos y pasivos

balance showing a profit, balance de saldo favorable

balance test, comprobación por saldos

balance the books, cuadrar las cuentas

balance the budget, nivelar el presupuesto

balanced, equilibrado; compensado; ponderado; armónico

balanced budget, presupuesto equilibrado

balanced economy, economía equilibrada

balanced growth, crecimiento equilibrado

balancing entry, contraasiento; asiento de contrapartida; asiento de complemento; asiento corrector

balancing of credit risk, compensación de riesgos

balloon loan, préstamo reembolsable a su vencimiento

balloon maturity, vencimiento final de bonos en cifra superior a otra previa; último vencimiento

balloon note, pagaré sin amortizaciones parciales

balloon payment, último pago de un préstamo

ballot, votación

ballot box, urna para votaciones

balloting, votación

bamboozle into (col.), engatusar para; liarle a uno para; enredarle a uno para

ban, prohibición (n. fem.); veto; impedimento; prevención (prohibición) (n. fem.)

ban (v.), prohibir; vetar; impedir

banana republic (LA, col.**),** república bananera (LA, col.); república supuestamente democrática (LA)

banded pack, oferta promocional de dos productos combinados

banditry, bandidaje; bandolerismo

bank (n. & v.), banco; entidad bancaria (n. fem.); hacer operaciones bancarias; operar con un banco

bank acceptance, aceptación bancaria

bank account, cuenta bancaria

bank bill, cheque bancario; efecto interbancario; libramiento entre bancos; letra bancaria

bank book (= bankbook), libreta de ahorros; cartilla de ahorros (Esp.)

bank card (= bankcard), tarjeta de crédito expedida por un banco

bank cash ratio, coeficiente de caja

bank circuit, circuito bancario; rueda de bancos (col)

bank clearing, compensación bancaria

bank clerk, empleado de banca

Bank Collective Wage Agreement (Esp.), Convenio Colectivo de Banca

bank commission, comisión bancaria

bank connection, relación bancaria

bank crack, quiebra bancaria

bank credit, crédito bancario

bank charges, gastos bancarios

bank deposit, depósito bancario

bank discount, descuento bancario

bank discount rate, tasa de descuento bancario; tipo de descuento bancario

bank draft, cheque bancario; efecto interbancario; libramiento entre bancos; letra bancaria

bank endorsement, endoso bancario

bank expansion plan, plan de expansión bancaria

bank failure, quiebra bancaria

bank fees, comisiones bancarias; gastos cargados por el banco

Bank for International Settlements (BIS), BPI (ab. Banco de Pagos Internacionales); Banco de Pagos Internacionales (BPI)

bank guarantee (guarantee = guaranty), aval bancario; garantía bancaria

bank holiday, día no bancable; día inhábil a efectos bancarios; día festivo para la banca

bank identification number (BIN), número de identificación del banco (NIB); clave identificativa de entidad financiera

bank investment, inversión bancaria

bank liquidity, liquidez bancaria

bank liquidity regulation, regulación de la liquidez bancaria; normativa sobre liquidez bancaria

bank loan, préstamo bancario; anticipo bancario

bank manager, director de banco

bank note, billete de banco

bank of circulation, banco emisor; banco central

bank of discount, banco de descuento; financiera; sociedad de financiación; sociedad financiera; sociedad de crédito comercial

Bank of England, Banco de Inglaterra (col.)

Bank of England (BE), Banco de Inglaterra

bank of great renown, banco de gran renombre

bank of issue, banco emisor; banco central

Bank of Spain(´s) certificates (CEBES), certificados del Banco de España (CEBES); CEBES (ab. certificados del Banco de España)

Bank of Spain´s intervention rate, tipo de intervención del Banco de España; precio oficial del dinero (Esp., col.)

bank paper, papel bancario; efectos bancarios

bank premises, instalaciones bancarias

bank raid, atraco a un banco; retirada masiva de depósitos de un banco

bank rate, tipo bancario

bank rate for collateral loans, tipo de pignoración; tipo de interés para créditos pignoraticios

bank reconciliation, comprobación de cuentas bancarias; conciliación de estados bancarios

bank reference, referencia bancaria

bank reserves, reservas bancarias

bank risk, riesgo bancario

bank secrecy, secreto bancario

bank shares, acciones bancarias; títulos bancarios

bank statement, extracto de cuenta bancaria; extracto de cuenta corriente; declaración formulada por un banco

bank status, condición de entidad bancaria; status bancario

bank stock, acciones bancarias; títulos bancarios

bank syndicate, consorcio bancario

bank training centre (US: **centre = center),** centro de estudios bancarios; centro de formación bancaria

bank vault, cámara acorazada del banco; cámara de seguridad del banco; bóveda (SA)

bank with, operar con el Banco ...; hacer operaciones bancarias con ...; realizar operaciones con el Banco ...

bank's comparative ten-year record, evolución del banco durante los diez últimos ejercicios

bankable bill, letra sobre plaza bancable

bankable project, proyecto susceptible de financiación bancaria; proyecto financiable por los bancos

bankbook (= bank book), libreta de ahorros; cartilla de ahorros (Esp.)

bankcard (= bank card), tarjeta de crédito expedida por un banco

banker, banquero; empleado de banca (US); banquero (col.); prestamista (col.)

banker's acceptance, aceptación bancaria

banker's acceptance tender facility, oferta de aceptación bancaria

banker's advance, préstamo bancario; anticipo bancario

bankers´ charges, comisiones bancarias; gastos cargados por el banco

bankers´ guarantee (guarantee = guaranty), aval bancario; garantía bancaria

bankers´credit, crédito bancario

bankers´cheque (US: **cheque = check, draft),** cheque bancario; efecto interbancario; libramiento entre bancos; letra bancaria

banking (system), banca; bancos; entidades de crédito y ahorro

banking and investment, banca e inversión

banking branch, oficina bancaria; sucursal bancaria

banking business, negocio bancario

banking circles, círculos bancarios

banking commission, comisión bancaria

banking company (US), banco; entidad bancaria (n. fem.)

banking correspondent transaction balances, saldos de corresponsalía por operaciones de tráfico

banking charges to the borrower, gastos bancarios por cuenta del prestatario; gastos bancarios a cargo del prestatario

banking facility (pl.: facility = facilities), línea de crédito otorgada por un banco

banking group, banca agrupada; banca mancomunada; grupo bancario

banking hours, horario de atención al público (banca); horas hábiles para realizar operaciones bancarias

banking house (GB), banco; entidad bancaria (n. fem.); hacer operaciones bancarias; operar con un banco

banking industry, sistema bancario; sector de la banca

banking infrastructure, infraestructura bancaria

banking institution, banco; entidad bancaria (n. fem.); hacer operaciones bancarias; operar con un banco

banking institution of great renown, entidad bancaria prestigiosa

banking office, oficina bancaria; sucursal bancaria

banking practice, usos bancarios; prácticas bancarias

banking receipt, recibo de transitario para el banco

banking scholar, erudito en temas bancarios; especialista en asuntos de la banca; estudioso de la banca

banking secrecy, secreto bancario

banking sector, sistema bancario; sector de la banca

banking sector's index, índice del sector bancario

banking services, servicios bancarios

banking subsidiaries (sing. **subsidiaries = subsidiary),** bancos filiales; bancos subsidiarios

banking system, sistema bancario; sector de la banca

banking technology, tecnología bancaria

banking term, término bancario

banking transactions, operaciones bancarias

banknote denomination, expresión monetaria de los billetes de banco; tipo de moneda y montante de los billetes

banknotes, papel moneda; billetes de banco

bankroll, fajo de billetes (US, col.); fondos disponibles (US, col.); financiar una operación (US, col.)

bankrupt, quebrado; insolvente; fallido; en situación de quiebra

bankrupt's estate, masa de bienes del quebrado

bankruptcy, quiebra; bancarrota; insolvencia; colapso; desplome; derrumbamiento; hundimiento

bankruptcy discharge, rehabilitación del quebrado

bankruptcy law, legislación sobre suspensiones de pagos y quiebras

bankruptcy notice, diligencia de incoación del procedimiento de quiebra

bankruptcy proceedings, acciones judiciales relativas a la quiebra; juicio por quiebra

banks and bankers, bancos y banqueros

banning, prohibición (n. fem.); veto; impedimento; prevención (prohibición) (n. fem.)

bar, barra de metal precioso; abogacía

bar code, código de barras

bar council (GB), colegio de abogados

bar chart, gráfico de barras

bar exam (US), examen de aptitud para el ejercicio de la abogacía

bar graph, gráfico de barras

Barcelona/Valencia range, extensión comprendida entre Barcelona y Valencia

bare legal title, nuda propiedad

bare ownership, nuda propiedad

bare trustee, fideicomisario cuyos poderes han expirado

bare-hull charter, fletamento de buque sin tripulación

bareboat charter, fletamento de buque sin tripulación

bargain (n), ganga (oportunidad)

bargain (v.), regatear

bargain and sale, compraventa

bargain away, saldar a un precio irrisorio; vender a precio de regalo

bargain hunting, buscar gangas; ir en busca de gangas

bargain sale, venta a precios rebajados; rebajas (Esp.)

bargainee, contratante comprador

bargaining, negociaciones; regateo

bargaining commission, comisión negociadora

bargaining table, mesa de negociaciones

bargainor, contratante vendedor

barge, barcaza; gabarra; alijador; lanchón

barge B/L (ab. **barge bill of lading),** conocimiento de embarque fluvial

barge bill of lading (barge B/L), conocimiento de embarque fluvial

baron (col.), magnate de un sector (col.); financiero influyente (col.); miembro de la cúpula directiva (col.)

barratry, baratería

barratry of the master and mariners, baratería del capitán y la tripulación

barrel, barril; tonel; barrel (unidad de medida anglosajona; varía según el producto)

barren discussions, conversaciones infructuosas; discusiones baldías

barren money, tesorería ociosa (Esp.); fondos improductivos; dinero no invertido; dinero sin rentabilizar

barring error, salvo error

barrister (GB), abogado; defensor; letrado (US); asesor jurídico; procurador

barter (n. & v.), permuta; permuta de divisa a plazo por otra al contado; swap (de divisas, intereses, etc.); permuta (divisas, etc.); intercambio (valores, etc.); crédito cruzado; cambio de préstamo (modificando alguna condición de los anteriores); permutar; intercambiar; canjear

barter economy, economía basada en el trueque

base, diferencial entre el precio de un contrato en efectivo y otro a plazo; base; basar; establecer(se)

base coin, moneda falsa

base currency, divisa base

base metal, metal de ley baja

base price, precio base

base rate, tipo base; tipo de referencia; referencial (n. masc.); tarifa base

baseless rumours (US: **rumours = rumors),** rumores infundados; murmuraciones sin fundamento

baseline data, datos (aplicados como punto) de referencia

basic asset, activo básico; activo subyacente; activo físico sobre el que se define un contrato de futuros u opción; activo de referencia en contrato de futuros u opción

basic encoding, codificación básica

basic premium, prima base

basic problem, problema básico; problema esencial

basic rate, tipo base; tipo de referencia; referencial (n. masc.); tarifa base

basic wage, salario mínimo (Esp.); jornal base

basis, diferencia de precios entre mercado futuro y mercado spot

basis (pl. = **bases),** diferencial entre el precio de un contrato en efectivo y otro a plazo; base; basar; establecer(se)

basis of presentation and consolidation, bases de presentación y consolidación

basis point (BP), centésima; centésima de entero; punto básico (0,01%); punto base

basis risk, riesgo de base

basis spread, diferencial de base

basis trade, operación de base; operación sobre la desviación de la base

basket of currencies, cesta de monedas (col.)

basket purchase, compra global de activos

batch, galerada; lote

batch costing, costo por lotes

batch header, identificador de galerada

batch of candidates, tanda de candidatos

batman (pl. batmen) (GB, col.**),** ordenanza

battalion of strikers, piquete de huelguistas

BC (ab. **before Christ),** antes de Jesucristo (a.J.C.); a.J.C. (ab. antes de Jesucristo)

BDI (ab. **both dates included),** ambas fechas inclusive

BDR (ab. **bearer depository receipt),** recibo de depósito al portador (rbo. dpto. al port.); rbo. dpto. al port. (ab. recibo de depósito al portador)

BE (ab. **Bank of England),** Banco de Inglaterra

be a fiend for work, ser una fiera en el trabajo (col.)

be aware of, ser consciente de; estar al tanto de; saber que

be behindhand with, ir atrasado con; llevar retraso en; andar retrasado con; andar escaqueándose de (Esp., col.); remolonear

be bonded, tener fianza

be called to the bar (US), obtener el título de abogado (a efectos profesionales y asociativos)

be clued up about, estar bien informado sobre; hallarse al tanto de; encontrarse bien impuesto acerca de

be compelled to, verse obligado a; sentirse forzado a

be concerned about, estar preocupado por; sentirse preocupado acerca de; mostrar preocupación hacia; preocuparse respecto a

be conversant with, estar familiarizado con; hallarse familiarizado con; encontrarse familiarizado con

be convicted of stealing, ser condenado por robo; ser declarado convicto de apropiación indebida

be copyright (©), estar amparado por la ley de propiedad intelectual; protegido por la ley de propiedad intelectual

be dead broke (col.)**,** no tener dinero; estar sin blanca (Esp., col.); no tener un duro (Esp., col.); andar a la cuarta pregunta (Esp., col.); no tener donde caerse muerto (Esp., col.); andar mal de fondos; andar sin un duro (Esp., col.)

be deaf to, hacer oídos sordos a

be entitled to, merecer; ser acreedor a; tener derecho a

be fired (col.)**,** ser despedido; quedar despedido; ser puesto (de patitas) en la calle (Esp., col.)

be given the sack (col.)**,** ser despedido; quedar despedido; ser puesto (de patitas) en la calle (Esp., col.)

be idle, estar ocioso; hallarse desocupado; encontrarse inactivo

be ill, estar enfermo

be in (the) jug (col.)**,** estar a la sombra (Esp., col.); estar (metido) en chirona (Esp., col.); andar entre rejas (Esp., col.); estar (metido) en la cárcel

be in a jam (col.)**,** estar en apuros; encontrarse en un aprieto; hallarse en apuros; andar metido en un lío (col.)

be in arrears with payments, llevar retraso en los pagos; andar retrasado con los pagos (col.)

be in attendance, estar de servicio

be in conflict with, discrepar de; presentar discrepancias respecto a

be in contempt of court, cometer un desacato al tribunal

be in contention, hallarse en tela de juicio; estar en tela de juicio

be in control of, tener el control de; ostentar el control sobre

be in custody, estar detenido

be in debt with, debitar; adeudar; cargar (adeudar); deber a; estar endeudado con; tener contraídas deudas con; hallarse en deuda con

be in dispute with the unions, estar en conflicto con los sindicatos

be in easy terms with, mantener una relación cordial con

be in hock (col.)**,** estar bajo empeño

be in receivership, declarado en suspensión de pagos; hallarse en suspensión de pagos; estar bajo suspensión de pagos

be in the black (col.)**,** tener fondos en la cuenta; encontrarse en números negros (col.); estar en números negros (col.)

be in the red, tener la cuenta sin fondos; encontrarse en números rojos (col.); estar en rojo (col.)

be in working order, encontrarse en buen estado de funcionamiento; hallarse en buen estado de funcionamiento; estar en buen estado de funcionamiento

be inconsistent with, discrepar de; presentar discrepancias respecto a

be it enacted, decrétese

be it resolved, resuélvase

be lacking in credibility, carecer de credibilidad

be on bail, puesto en libertad bajo fianza; quedar en libertad bajo fianza; ser puesto en libertad bajo fianza

be on beam-ends (GB, col.**),** no tener dinero; estar sin blanca (Esp., col.); no tener un duro (Esp., col.); andar a la cuarta pregunta (Esp., col.); no tener donde caerse muerto (Esp., col.); andar mal de fondos; andar sin un duro (Esp., col.)

be on hold, hallarse en compás de espera; estar en suspenso; encontrarse pendiente (de resolución o ejecución)

be on relief, cobrar prestaciones de la seguridad social; ser beneficiario de (prestaciones de) la seguridad social; ser perceptor de prestaciones de la seguridad social

be on remand, puesto en libertad bajo fianza; quedar en libertad bajo fianza; ser puesto en libertad bajo fianza

be on the job, estar atento; estar alerta; estar al loro (Esp., col.)

be open to losses, verse expuesto a sufrir pérdidas

be out of debt, estar desendeudado; no estar endeudado; estar libre de deudas; estar libre de polvo y paja (Esp., col.)

be out of hock (col.), estar desendeudado; no estar endeudado; estar libre de deudas; estar libre de polvo y paja (Esp., col.)

be pushed for money, verse obligado a conseguir dinero

be ready and willing, estar dispuesto a todo; encontrarse dispuesto a lo que sea; hallarse dispuesto a dar el todo por el todo (Esp., col.)

be redundant, quedar despedido por reducción de plantilla; ser despedido por reajustes de personal; quedar cesante por reajuste de plantilla

be remanded on bail, puesto en libertad bajo fianza; quedar en libertad bajo fianza; ser puesto en libertad bajo fianza

be remanded on custody, quedar bajo prisión preventiva; hallarse en prisión preventiva; estar bajo prisión preventiva

be short of money, andar escaso de dinero; verse falto de dinero; sufrir escasez de numerario

be sick, estar enfermo

be taken into custody, ser detenido; quedar detenido (Esp.); ser arrestado

be the court´s competence, ser competencia del tribunal; corresponder al juzgado (Esp.); tratarse de un asunto de los tribunales

beak (GB, col.**),** juez (n. m.; n. fem.: jueza); magistrado

bear, a la baja; en baja; en descenso; decreciente (adj., masc. & fem.)

bear (an) interest, devengar interés; generar intereses; producir intereses; acumular interés

bear (v.)**,** acumular; percibir; devengar; redituar; acumular(se)

bear bond, bono bajista; bono inversamente ligado al índice bursátil (baja aquél cuando éste sube)

bear covering, compra de cobertura; compra para cubrir ventas al descubierto

bear market, mercado bajista; mercado a la baja

bear sale, venta al descubierto

bear spread, arbitraje bajista

bear the approval of, llevar el visto bueno de (Esp.)

bear the corporate seal, ostentar el sello de la sociedad

bear the date of, llevar fecha de

bear the market, jugar a la baja

bear the signature of, llevar la firma de; ostentar la firma de

bear trap, falso movimiento bajista; tendencia bajista ficticia

bearer bond, título al portador; obligación al portador; pagaré al portador

bearer bond issue, emisión de bonos al portador; emisión de obligaciones al portador

bearer cheque (US: **cheque = check, draft),** cheque al portador

bearer depository receipt (BDR), recibo de depósito al portador (rbo. dpto. al port.); rbo. dpto. al port. (ab. recibo de depósito al portador)

bearer instrument, instrumento al portador; documento al portador; instrumento traspasable

bearer paper, títulos al portador; documentos susceptibles de cesión

bearer participation certificate (BPC), certificado de participación al portador (CPP); CPP (ab. certificado de participación al portador)

bearer scrip, vale al portador; cédula al portador; póliza al portador; certificado provisional al portador

bearer securities, títulos a la orden; valores al portador

bearer share, acción al portador

bearer stock, acciones al portador

bearing the signature and official seal of, ostentando la firma y el sello oficial de; con (la) firma y sello oficial de; rubricado con la firma y sello oficial de

bearish (adj.)**,** a la baja; en baja; en descenso; decreciente (adj., masc. & fem.)

bearish attitude towards, actitud pesimista ante

bearish covering, compra de cobertura; compra para cubrir ventas al descubierto

bearish market, mercado bajista; mercado a la baja

bearish tendency, tendencia bajista; tendencia a la baja

beat the gun (col.), adelantarse en una oferta

become bankrupt, quebrar; ir a la quiebra; entrar en quiebra; suspender pagos; entrar en suspensión de pagos; caer en bancarrota

become current with, ponerse al corriente de

become effective, entrar en vigor; surtir efectos; ser efectivo; hacerse efectivo

before (B4), antes (de)

before Christ (BC), antes de Jesucristo (a.J.C.); a.J.C. (ab. antes de Jesucristo)

before hatch opening, antes de abrir escotillas; antes de descargar el barco; con anterioridad a la descarga del barco

before me, ante mí

before me, the notary public, ante mí, el notario público

before me, the officer in charge of this official registry, ante mí, funcionario responsable de este registro oficial

before taxes, antes de impuestos; con anterioridad al pago de impuestos

before unloading the ship, antes de abrir escotillas; antes de descargar el barco; con anterioridad a la descarga del barco

before-mentioned, mencionado; susodicho; referido; antes citado; antedicho; indicado más arriba; anteriormente citado; ya citado; que más arriba se cita

before-written, mencionado; susodicho; referido; antes citado; antedicho; indicado más arriba; anteriormente citado; ya citado; que más arriba se cita

beforehand, anticipadamente; de antemano; previamente; como anticipo; con anticipación

beginning, principio; comienzo

behaviour (US: **behaviour = behavior),** evolución; comportamiento; marcha; desarrollo; avance(s); progreso(s); forma de actuación; modo de actuar

behaviour of savings (US: **behaviour = behavior),** evolución del ahorro

belated claim, daño diferido

below, bajo (en categoría, etc.)

below par, bajo la par; por debajo de la par; inferior a la par

below the line, partida no considerada en el presupuesto inicial

bells and whistles (col.), señuelo; gancho (Esp., col.)

bellwether, indicador de tendencias

bellwether bond, bono emitido para sondear la tendencia del mercado

bench warrant, auto judicial de detención

benchmark, patrón de referencia; punto de referencia; cota; objetivo marcado; parámetro de cuantificación de mejoras y rendimientos; parámetro comparativo; parámetro de optimización de la cadena de valor

benchmarking, investigación y desarrollo de mejoras organizativas; fijación de objetivos mediante identificación de técnicas idóneas

beneficial improvement, mejora patrimonial

beneficial interest, usufructo; posesión en (regímen de) usufructo

beneficial owner, usufructuario

beneficial ownership, usufructo; posesión en (regímen de) usufructo

beneficial to institutional investors, beneficioso para los inversores institucionales

beneficiary, tenedor; portador; titular; comprador de una opción; beneficiario (de un pago)

beneficiary clause, cláusula de beneficiario

beneficium cedendarum actionum (Lat.), beneficio sobre cesión de acciones

benefit, beneficio; ganancia; utilidad (beneficio); renta; producto (beneficio)

benefit fund reserve, reserva para auxilio de empleados

benefit of inventory, beneficio de inventario

benefit plan centre (US: **centre = center),** centro de promoción social

benefits from development of reserves, ventajas de la explotación de reservas

benefits in kind, prestaciones en especie; percepciones en especie

bequeath, legar; dejar en herencia

bequeather, testador

bequest, legado

Bermudas-style option, opción (estilo) Bermudas; opción ejercitable en distintas fechas (opción (estilo) Bermudas)

best banking practices, usos bancarios más idóneos

best bid, mejor oferta; oferta más favorable

best sellers, productos de venta masiva; artículos de gran aceptación; géneros de gran salida; artículos que se venden con gran facilidad

beta calculation (beta = ß), cálculo de la volatilidad; cálculo del coeficiente beta (beta = ß)

beta coefficient, coeficiente beta; coeficiente de volatilidad

beta coefficient (beta = ß), coeficiente beta (beta = ß); coeficiente ß (ß = beta); ratio de volatilidad; grado de volatilidad; ratio beta (beta = ß); ratio ß (ß = beta)

beta ratio (beta = ß), coeficiente beta (beta = ß); coeficiente ß (ß = beta); ratio de volatilidad; grado de volatilidad; ratio beta (beta = ß); ratio ß (ß = beta)

beta value (beta = ß), valor beta (beta = ß); valor ß (ß = beta)

beta yield (beta = ß), beta de rendimiento (beta = ß); ß de rendimiento (ß = beta)

betrayal of confidence, abuso de confianza

betrayal of trust, abuso de confianza

better paid position, colocación con mejor retribución; posición mejor remunerada

betterments, mejoras; amejoramientos

between quotes, entre comillas

beyond scope, fuera del alcance; por encima de lo posible; más allá de lo alcanzable

beyond the seas, extranjero (otros países); en el extranjero; exterior (otros países); ultramar

BF (ab. **brought forward),** saldo anterior

BFS (ab. **business for self),** negocios personales; actividades por cuenta propia; autoempleado; empresario por cuenta propia; autónomo (Esp.)

BH (ab. **bill of health),** patente de sanidad; carta de sanidad; certificado sanitario

biannual, semestral (adj., masc. & fem.); semianual (adj., masc. & fem.)

biannually, semestralmente; con carácter semestral; dos veces al año; cada seis meses

bias, sesgo; predisposición (n. fem.); inclinación (tendencia)

bicentenary, bicentenario

bicentennial, bicentenario

bid (n.), OPA (ab. oferta pública de adquisición); oferta pública de adquisición (OPA); precio de compra ofertado; puja; oferta (puja)

bid (v.), licitar; presentarse a concurso; acudir a una licitación; pujar; presentar una oferta

bid and ask, oferta y demanda

bid bond, fianza de participación en puja

bid deadline, fecha tope para licitar

bid down, pujar a la baja

bid market, demanda superior a la oferta

bid price, precio ofertado por el comprador

bid quote, tipo de tanteo

bid up, pujar al alza

bid-ask price, precio de comprador y vendedor

bid-ask spread, diferencial entre "cap" y "floor"

bidder, postor; licitante; licitador; ofertante; parte licitadora; pujador; requintador (LA)

bidding specifications, especificaciones; pliego de condiciones

bids wanted (BW), petición de licitaciones; invitación a pujar; petición de puja; invitación a licitar; concurso de licitación; se admiten ofertas

biennial, bianual; bienal

big dent (col.), buen mordisco (col.); buena tajada (col.)

big figure (US = handle), parte principal de la cifra

big shot (US, col.**),** pez gordo (Esp., col.); jefazo; gerifalte; peso pesado

big wheel (GB, col.**),** pez gordo (Esp., col.); jefazo; gerifalte; peso pesado

bigwig (GB, col.**),** pez gordo (Esp., col.); jefazo; gerifalte; peso pesado

bilateral grant, préstamo bilateral

bilateral payments arrangement, convenio bilateral de pagos

bilateralism, bilateralismo

bill (GB: **bill = invoice)** (n. & v.), factura; recibo; talón (recibo); guía (talón); expedir un recibo; facturar; emitir una factura

bill (US, col., money), billete de banco (US, col.)

bill book, registro de facturas; registro de efectos a pagar o cobrar; libro de facturas

bill broker, agente de cambio(s); cambista

bill for fraud, reclamación por fraude

bill jobbing, especulación con letras; agiotaje de efectos

bill obligatory, pagaré

bill of costs, pliego de costas

bill of debt, pagaré

bill of entry (customs), declaración de entrada (aduanas)

bill of exchange, letra de cambio; efecto cambiario; cambial; libranza; borrador (de carta, contrato, etc.)

bill of exchange at a discount, letra de cambio al descuento; efecto al descuento

bill of health (ab. **BH),** patente de sanidad; carta de sanidad; certificado sanitario

bill of indictment, escrito de acusación

bill of lading (ab. **BL, blading),** conocimiento de embarque

bill of lading consigned to, conocimiento de embarque consignado a

bill of lading for multimodal transport, documento de transporte multimodal; conocimiento de embarque multimodal; multimodal (n. masc.) (documento de transporte / conocimiento de embarque); multimodal (adj., masc. & fem.)

bill of lading to order (BL to order), conocimiento de embarque a la orden; conocimiento de embarque negociable; carta de porte negociable; albarán al portador

bill of sale (BOS), factura de venta (fra. vta.); nota de venta; carta de venta; certificado de conformidad a la venta realizada; contrato de venta sin desplazamiento; fra. vta. (ab. factura de venta)

bill of sufferance, carta de exención

bill payable at a fixed date, letra a fecha fija; efecto con vencimiento fijo

bill single, pagaré

billable currency, moneda de facturación

billfold, billetera; cartera (Esp.)

billholder, tenedor de la letra

billing, facturación

billing cycle, ciclo de facturación

billing date, fecha de facturación

billion (bn), millardo (mil millones); mil millones (millardo)

bills (of exchange) for collection, efectos a cobrar; letras (de cambio) al cobro; partidas al cobro; remesas al cobro; efectos al cobro; facturas a cobrar; facturas al cobro (n. fem. pl.); activo exigible

bills discounted, letras descontadas; efectos descontados; papel descontado; cartera de efectos

bills drawn on a foreign country (US: **bills = drafts),** letras giradas sobre el extranjero; efectos librados sobre el extranjero; giros sobre el exterior

bills in set, letras de cambio y documentos anejos

bills not honoured at maturity (US: **honoured = honored),** papel vencido e impagado; efectos no atendidos a su vencimiento; letras vencidas y no pagadas

bills on hand, efectos en cartera

bills payable (US: **bills = drafts),** efectos a pagar

bills receivable, efectos a cobrar; letras (de cambio) al cobro; partidas al cobro; remesas al cobro; efectos al cobro; facturas a cobrar; facturas al cobro (n. fem. pl.); activo exigible

bills to be paid (US: **bills = drafts),** efectos a pagar

bills to collect, efectos a cobrar; letras (de cambio) al cobro; partidas al cobro; remesas al cobro; efectos al cobro; facturas a cobrar; facturas al cobro (n. fem. pl.); activo exigible

bills to pay, efectos a pagar

bimonthly, bimensual; bimestral; bimensualmente; cada dos meses

BIN (ab. **bank identification number),** número de identificación del banco (NIB); clave identificativa de entidad financiera

binary, binario

binary code, código binario

binary digit, dígito binario

binary system, sistema binario

bind over, quedar bajo apercibimiento de; quedar bajo custodia; poner bajo fianza

bind to, obligar a; forzar a; apremiar; comprometer a; vincular a

birth certificate, partida de nacimiento

birth rate, tasa de natalidad

BIS (ab. **Bank for International Settlements),** BPI (ab. Banco de Pagos Internacionales); Banco de Pagos Internacionales (BPI)

bit, bit (unidad de información)

bit part, papel secundario; parte intrascendente de un trabajo importante

bit player (p.ej., in syndicated bank loans), segundón (p.ej., en préstamos bancarios sindicados)

biweekly, bisemanal; quincenal; bisemanalmente; cada dos semanas; con carácter quincenal

BL (ab. = **bill of lading),** conocimiento de embarque

BL to order (ab. **bill of lading to order),** conocimiento de embarque a la orden; conocimiento de embarque negociable; carta de porte negociable; albarán al portador

blab the secret terms of the agreement, levantar la liebre acerca de las condiciones secretas del pacto (col.); revelar las condiciones secretas del contrato; divulgar el condicionado secreto del acuerdo

black economy, economía sumergida; economía paralela

black interest (col.), interés a cobrar

black knight (takeover bids), caballero negro (opas)

black list (= blacklist) (US, Israel, etc.), lista negra; relación de países, empresas o personas con quienes se prohíbe operar (US, Israel, etc.)

black market, mercado negro; estraperlo (Esp., col)

black marketeer, estraperlista (Esp.)

Black-Scholes model, modelo Black-Scholes

blackball, votar en contra; hacerle el vacío a

blackleg, esquirol; rompehuelgas; revientahuelgas; vendido (revientahuelgas); amarillo (vendido / revientahuelgas) (Esp.); delator; soplón; esquirolear; reventar una huelga; trabajar durante una huelga

blacklist (= black list) (n. & v.), lista negra; relación de países, empresas o personas con quienes se prohíbe operar (US, Israel, etc.)

blackmail, anónimo; chantaje; extorsión; chantajear; extorsionar

blackmailer, chantajista; autor de un anónimo

blading (ab. **bill of lading),** conocimiento de embarque

blank, virgen (sin rellenar); en blanco (sin rellenar)

blank (form), forma; formulario; impreso en blanco

blank back, dorso en blanco

blank cheque (US: **cheque = check, draft),** cheque en blanco; carta blanca (fig.)

blank cheque form (US: **cheque = check),** formulario de cheque en blanco; impreso de cheque en blanco; talón sin rellenar

blank endorsed, endosado en blanco

blank endorsed bill of lading, conocimiento de embarque endosado en blanco

blank endorsement, endoso en blanco

blank form, formulario en blanco; impreso sin rellenar

blank space, espacio en blanco

blank transfer, endoso en blanco

blanket bond, fianza de fidelización de empleados; depósito de afianzamiento de empleados

blanket cover, cobertura frente a todo riesgo

blanket mortgage, hipoteca general

blanket policy, póliza abierta

bldg (building), edificio

blind broker, broker ciego; mediador de deuda anotada (MEDA) (col.); MEDA (ab. mediador de deuda anotada) (col.); entidad intermediaria que mantiene el anonimato entre comprador y vendedor; intermediario ciego (mercados de deuda)

blind entry, asiento confuso; anotación farragosa; asiento incompleto

block (n. & v.), bloque; bloqueo; bloquear; obstaculizar

block capitals, letras mayúsculas; letras de imprenta

block letters, letras mayúsculas; letras de imprenta

block of numbers, bloque de números

block of shares, paquete accionario; participación accionaria; paquete de acciones; lote de acciones

block offer, oferta conjunta

block tariff, tarifa bloque

blockade (n. & v.), bloque; bloqueo; bloquear; obstaculizar

blocked account, cuenta bloqueada; cuenta congelada; cuenta inmovilizada

blocked balances, saldos congelados; saldos bloqueados; saldos inmovilizados

blocked currency, moneda bloqueda; moneda de movimiento internacional controlado

blocked deposits, depósitos bloqueados; depósitos congelados; depósitos inmovilizados

blood relative, consanguíneo (n.)

blotter (US), registro policial

blotter book, borrador de libro Diario

blown-out titles, títulos bursátiles de venta rápida; valores bursátiles de realización inmediata

blue button (GB, col.), empleado de la bolsa de valores

blue collar worker, trabajador manual; obrero de (los que gastan) mono (Esp. col.); empleado de (los que van de) azul (Esp., col.)

blue chips (col.), acciones de primera clase; acciones de primera categoría; valores bursátiles de gran capitalización

blue law (US), legislación restrictiva de ciertas actividades dominicales

blue onips (col.), acciones de primera clase; acciones de primera categoría; valores bursátiles de gran capitalización

blue-chip (adj.), de primera clase; de primera categoría; de primer orden; de mínimo riesgo

blue-chip shares, acciones de primera clase; acciones de primera categoría; valores bursátiles de gran capitalización

blue-pencil (v.), censurar

blue-ribbon (adj.), de primera clase; de primera categoría; de primer orden; de mínimo riesgo

blueprint, programa de actuación; plan de actuación

bluesky law (US), legislación sobre emisión y venta de valores bursátiles

blvd (ab. **boulevard),** bulevar

bn (ab. **billion),** millardo (mil millones); mil millones (millardo)

board, consejo de administración; junta directiva; directorio (LA)

board lot (US), unidad bursátil equivalente a 100 acciones

board meeting, sesión del consejo (n. fem.); junta del consejo; reunión del consejo (n. fem.); reunión de consejeros (n. fem.)

Board of Conciliation and Arbitration, Junta de Conciliación y Arbitraje

board of directors, consejo de administración; junta directiva; directorio (LA)

board of trustees, junta de síndicos; junta de administradores

board of underwriters, junta de aseguradores; consejo de aseguradores

board strife, desavenencias dentro del consejo; luchas intestinas entre consejeros

boarding pass, tarjeta de embarque

boardroom, sala de juntas (de los consejeros); sala de reuniones (del consejo)

boast a 25% rise in earnings, hacer público un aumento de beneficios del 25%; anunciar una subida del 25% de beneficio

boatswain, contramaestre

boatyard, patio; yarda (medida); astillero

bodily oath, juramento solemne

body, corporación; organismo; asociación corporativa

bogey (col.), muestra; modelo; espécimen (pl.: espécimen = especímenes)

bogus company, empresa fantasma; sociedad ficticia

bold type, letra negrita

bomb (col.), dineral (GB, col.); fracaso estrepitoso (US, col.)

bona fide (Lat.), buena fe; de buena fe

bona fide activities, actividades legales; actividades desarrolladas de buena fe

bona fide holder, tenedor de buena fe

bona fide purchaser, comprador de buena fe

bona immobilis (Lat.), bienes raíces; bienes inmuebles; hacienda (bienes); propiedad inmobiliaria (n. fem.); heredad (n. fem.); testamentaría; cuerpo hereditario; masa hereditaria; cuerpo de la herencia; legar (v.)

bona mobilis (Lat.), muebles; mobiliario; enseres; bienes muebles; efectos mobiliarios; artículos de uso personal

bond (n.), bono de caja; obligación (n. fem.); valor de renta fija; bono de tesorería

bond (v.), avalar; garantizar; endosar; colaterizar; prestar fianza; aportar aval

bond and mortgage, escritura de préstamo e hipoteca

bond auction, subasta de bonos

bond coupon, cupón de renta fija

bond debenture, bono colateral; obligación garantizada

bond debt, deuda representada por bonos

bond dividend, dividendo en bonos; dividendo en obligaciones

bond exchange, canje de obligaciones

bond indenture, contrato de compraventa de bonos

bond issue, emisión de obligaciones; emisión de bonos; emisión de pagarés; emisión de renta fija

bond market, mercado de bonos; mercado de valores de renta fija

bond mortgage, título hipotecario; cédula hipotecaria; obligación hipotecaria

bond of indemnity, prenda (garantía); fianza; garantía real; colateral; activo de garantía; título bursátil

bond payable to bearer, título al portador; obligación al portador; pagaré al portador

bond premium, prima sobre bonos

bond pricing, valoración de un bono

bond rate, tipo de interés del bono; interés del bono

bond serial, bonos de vencimiento escalonado

bond warrant, certificado de almacén; certificado de depósito

bond yield, rendimiento del bono; rendimiento de las obligaciones

bonded debt, deuda fija; deuda a largo plazo; deuda perpetua; pasivo consolidado; pasivo fijo; deuda en obligaciones

bonded goods, mercancías en depósito franco sujetas a pago de derechos arancelarios

bonded warehouse, almacén de depósito; depósito franco

bondholder, obligacionista; tenedor de bonos

bonding of employees, afianzamiento de empleados

bonds and stocks, valores mobiliarios de renta fija y variable; obligaciones y acciones bursátiles

bonus (n.), prima (Esp.); gratificación (n. fem.); sobresueldo; participación en beneficios (n. fem.); premio; recompensa; sin (tener que realizar) pago alguno; gratificar; recompensar; premiar

bonus issue, emisión liberada; emisión gratuita

bonus right, derecho de atribución

bonus scheme, plan de participación en beneficios

bonus share, acción gratuita; acción liberada; acción con prima

bonus stock, acciones emitidas; media de las acciones en circulación

book (n.), libro; registro

book account, cuenta sin comprobante

book earnings, resultados contables

book equity, recursos propios contables

book figures, cifras contables

book gains, utilidades contables; beneficio contable; beneficio según libros

book in, registrarse; inscribirse

book inventory, inventario en libros; inventario contable

book loss, pérdida contable

book net assets, activo neto contable

book of original entry, libro de primer asiento; libro de asiento inicial; libro de apertura

book profits, utilidades contables; beneficio contable; beneficio según libros

book surplus, superávit contable; superávit según libros

book value, valor contable

book value of net worth, valor contable del neto patrimonial

book value per share, valor contable por acción; valor por acción según libros

book value per share adjusted to bonus issues, cotización de las acciones ajustada a ampliaciones gratuitas

book yield, rentabilidad contable

bookable, registrable en los libros; susceptible de registro en libros; reservable

bookbinder, carpeta encuadernadora; tapas para encuadernar

booking fee, comisión por reserva

bookkeeper, contable (n., masc. & fem.); tenedor de libros; administrativo (empleado)

bookkeeping, contabilidad; contaduría; teneduría de libros

books of account, libros de contabilidad; libros contables; registros contables; estados contables

books of record, libros de contabilidad; libros contables; registros contables; estados contables

Boole´s algebra, álgebra de Boole

Boolean algebra, álgebra de Boole

boom, auge; coyuntura favorable; mercado en alza; evolución muy positiva del negocio

boom in consumption, auge del consumo

boomerang effect, efecto contrario al buscado; efecto búmerang

boost (n. & v.)**,** impulso; estímulo; incentivo; impulsar; potenciar; mejorar; perfeccionar; optimizar; promocionar (escalafón, ventas, etc.); ascender (promocionar)

boost demand, impulsar la demanda; fomentar la demanda

boost fresh investment, impulsar nuevas inversiones

boot (col.)**,** ganacia adicional (col.); bote (Esp., col.)

booth, puesto; caseta; stand (Esp.)

bootleg (col.)**,** contrabandear (importación/exportación y venta ilegal); piratear (copiar y vender programas informáticos, etc.); ilícitamente obtenido

bootleg software, programa informático pirateado (ilegalmente copiado y cedido/vendido)

border, frontera

bordering state, estado limítrofe

borderland, zona fronteriza

born in, nacido en

borough, municipio; distrito municipal (US); municipalidad

borrow, pedir prestado; solicitar un préstamo; tomar un préstamo; tomar a préstamo

borrowed funds, fondos ajenos; recursos de terceros; recursos tomados a préstamo

borrower, prestatario; tomador del préstamo

borrower on bottomry, tomador del préstamo a la gruesa

borrowing, empréstito; disposiciones crediticias; préstamos recibidos; utilización de una línea de crédito

borrowing agreement, contrato de préstamo; contrato de crédito

borrowing and lending, activos y pasivos (como partidas no globales del balance); activo y pasivo del balance; recursos y empleos; conjunto patrimonial; captación e inversión de recursos; captación de depósitos destinados a la inversión crediticia

borrowing capacity, capacidad de endeudamiento

borrowing country, país deudor; país prestatario

borrowing position, posición deudora; posición pasiva

borrowings, préstamos; disposiciones realizadas; recursos ajenos utilizados

BOS (ab. **bill of sale),** factura de venta (fra. vta.); nota de venta; carta de venta; certificado de conformidad a la venta realizada; contrato de venta sin desplazamiento; fra. vta. (ab. factura de venta)

boss (col.)**,** jefe (col.); maestro (jefe) (Esp., col.); patrón (Esp., col.); capo mafioso (col.)

bosses and workers, patronal y trabajadores

Boston option, opción (tipo) Boston; opción con pago de prima al vencimiento (opción (tipo) Boston)

botchup (col.)**,** trabajo chapucero

both dates included (BDI), ambas fechas inclusive

bottleneck (col.)**,** cuello de botella (col.); estrangulamiento; poner impedimentos

bottleneck production department, departamento limitador de excesos de producción

bottom (pricing), suelo (precios); precio más bajo de una tendencia a la baja

bottom straddle, straddle comprado; straddle inferior; compra "straddle"

bottom strangle, strangle inferior; compra "strangle"; strangle comprado

bottom-up analysis, análisis ascendente

bottomline, balance final; balance de cierre

bottomry, préstamo a la gruesa; empréstito a la gruesa; contrato a la gruesa; cambio marítimo

bottomry bond, contrato de préstamo a la gruesa

bought deal, operación de compra afianzada; emisión precolocada; emisión colocada con anterioridad a su lanzamiento; emisión comprada

boulevard (blvd), bulevar

bounce (col.), cheque no atendido por el banco librado por falta de fondos; cheque devuelto por falta de fondos; cheque "no corriente" (Esp.)

bound to, obligado a

boycott, (n.&.v.) boicot; boicotear

BP (ab. **basis point),** centésima; centésima de entero; punto básico (0,01%); punto base

BPC (ab. **bearer participation certificate),** certificado de participación al portador (CPP); CPP (ab. certificado de participación al portador)

brackets, paréntesis; corchetes

brainstorming, tormenta de ideas (col.); aportación masiva de ideas

branch, agencia; dirección general (ministerios) (US); organismo público (US); organismo oficial (US); sucursal urbana; organismo administrativo federal (US); bifurcación; bifurcar

branch clearing, compensación de efectos procedentes de sucursales

branch dismantling, desmantelamiento de una sucursal

branch dismantling and refitting expenses, gastos de desmantelamiento y reacondicionado de una sucursal

branch manager, director de sucursal; director de agencia

branch network, red de sucursales

branch office, sucursal

branch office relocation, reubicación de sucursales

branch office relocation plan, plan de reubicación de sucursales

branch refitting, reacondicionamiento de una sucursal; modernización de una sucursal

branching, diversificación sectorial

branching expansion capacity, capacidad de expansión de la red de sucursales

branchpoint, punto de bifurcación

brand (n.), marca registrada; marca comercial; marca de fábrica; marca del fabricante

brand awareness, conocimiento de la marca

brand manager, director de producto; jefe de marca

breach, infracción; violación; incumplimiento; falta de cumplimiento; infringir (lo pactado); violar (un acuerdo); incumplir

breach of contract, incumplimiento de contrato

breach of trust, abuso de confianza

bread-and-butter letter (col.), carta de agradecimiento por las atenciones recibidas

breadth, relación entre acciones que avanzan y retroceden

breadth of vision, amplitud de miras

break, bajada de precios; baja en cambios; bajada de precio rápida y sensible; interrupcción; impasse (Esp.); romper (un contrato)

break a blockade, romper un bloqueo

break a contract, incumplir un contrato; violar (lo pactado en) un contrato

break down, desglosar; descomponer por partidas; pormenorizar; detallar

break forward, forward de ruptura; contrato "forward" de ruptura

break jail, fugarse de la cárcel

break off agency arrangements, romper las relaciones de corresponsalía

break rate, tasa de ruptura

break-forward, acuerdo de compraventa a plazo con liquidación previa a tipo prefijado

breakage, rotura

breakage clause, cláusula de roturas

breakage cost, coste de incumplimiento (tras anunciar una disposición de crédito)

breakaway, salida precipitada (p.ej., de una sociedad); espantada (n., Esp., col.)

breakdown, desglose, análisis, descompo sición por partidas; detalle; pormenorización

breakdown by captions, desglose por epígrafes

breakdown by regions, desglose por regiones

breakeven chart, gráfica de equilibrio

breakeven exchange rate, cambio de compensación

breakeven point, descenso; caída; empeoramiento; retroceso (empeoramiento); estancamiento; punto muerto; paralización; punto de equilibrio; umbral de rentabilidad; recesión

breaking into a house, allanamiento de morada

breakout, ruptura

breakpoint, indicador de cotización en el secundario sobre/bajo precio original

breakup value, valor de realización inmediata; título inmediatamente realizable

breve, auto; decreto judicial

breweries (shares), cervezas (acciones de fábricas de cervezas)

bribe (n.)**,** soborno; cohecho; mordida (LA, n. fem.); coima (LA, n. femenino); concusión (n. fem.)

bribe (v.)**,** sobornar; cohechar; untar la mano (Esp., col.)

briber, cohechador; sobornador

bribery, soborno; cohecho; mordida (LA, n. fem.); coima (LA, n. femenino); concusión (n. fem.)

bridge financing, crédito puente; financiación de contingencia (n., fem.); préstamo puente; crédito de emergencia; crédito coyuntural; crédito transitorio

bridge loan, crédito puente; financiación de contingencia (n., fem.); préstamo puente; crédito de emergencia; crédito coyuntural; crédito transitorio

bridge over, otorgar un crédito provisional; conceder un crédito contingente

bridging advance, anticipo a corto plazo

bridging loan, crédito puente; financiación de contingencia (n., fem.); préstamo puente; crédito de emergencia; crédito coyuntural; crédito transitorio

brief (n.)**,** síntesis de instrucciones; resumen (recapitulación); recapitulación (resumen); extracto (resumen); memorándum; sintetización (n. fem.)

briefing, conjunto de instrucciones

briefing (n.)**,** síntesis de instrucciones; resumen (recapitulación); recapitulación (resumen); extracto (resumen); memorándum; sintetización (n. fem.)

bring about economic changes, acarrear cambios económicos; traer implícitos ciertos cambios económicos

bring before the court, llevar ante el tribunal

bring inflation down, frenar la inflación; reducir la inflación; desacelerar la inflación

bring suit, entablar demanda; poner pleito

broken account, cuenta inactiva; cuenta sin movimiento

broken down, desglosado; detallado; pormenorizado; en profundidad; completo; exhaustivo; íntegro

broker, broker (Esp.); agente de bolsa; colocador de pagarés; intermediario financiero por cuenta propia; agente mediador; contratista por cuenta de terceros; operador bursátil por cuenta propia; contratista por cuenta propia; concesionario de ventas

broker on-line, intermediario bursátil en tiempo real ("on line")

brokerage, corretaje

brokerage fee, comisión del agente (créditos sindicados); comisión de intermediación; comisión de gestión; gastos de gestión

brokering company, sociedad de valores (SV); SV (ab. sociedad de valores)

brought forward (BF), saldo anterior

BS total (ab. **balance sheet total),** total del balance; total de activos y pasivos

bubble printer, impresora de burbuja

bucket shop (col.)**,** agencia bursátil fraudulenta; chiringuito financiero (Esp., col.); agencia de bolsa poco fiable; bolsa paralela; agencia bursátil semiclandestina

bucketing (col.)**,** operación ilegal de bolsa

budget, presupuesto; estimación presupuestaria; presupuestar

budget account, cuenta presupuestaria

budget cut, recorte presupuestario

budget day (GB), día de presentación de los presupuestos generales del estado

budget deficit, déficit presupuestario

budget heading, partida presupuestaria

budget law, ley de presupuestos; ley presupuestaria

budgetary control, control presupuestario

budgetary variance, desviación presupuestaria

budgeted cost, coste presupuestado

buffer, cantidad prevista; buffer (memoria intermedia de ordenador); amortiguador frente al impacto (col.)

buffer inventory, existencias de seguridad; existencias de reserva

bug, defecto; fallo; vicio

building (ab. **bldg**)**,** edificio

building contractor, contratista de obras

building loan, crédito a la construcción

building society, sociedad de crédito inmobiliario; sociedad hipotecaria; sociedad de crédito hipotecario

buildings and premises department, departamento de inmuebles e instalaciones

built-in safety box, caja de seguridad empotrada; caja de caudales empotrada

bulk, granel; al por mayor; en gran cantidad; mayor parte

bulk cargo, cargamento a granel

bulk of profit, grueso del beneficio

bulkcarrier, buque de transporte a granel (bulkcarrier); bulkcarrier (buque de transporte a granel)

bull bond, bono alcista

bull market, mercado alcista

bull spread, arbitraje alcista (futuros)

bull trap, falso movimiento alcista; alza ficticia

bulldog bonds, bonos en libras emitidos por entidad no británica

bullet bond, obligación con vencimiento final; bono con vencimiento único

bullet issue, emisión sin redención anticipada

bullet loan, crédito con amortización única al vencimiento; préstamo sin amortizaciones graduales

bulletin, boletín; comunicado; parte informativo

bulletin board, tablón de anuncios

bulletproof transport vehicle, vehículo de transporte a prueba de balas; transporte blindado (Esp.)

bullion, metal precioso en lingotes; metal precioso sin acuñar

bullish attitude towards, actitud optimista ante

bullish market, mercado alcista

bullish trend, tendencia alcista; tendencia al alza

bullist, alcista (n.)

bunched income (col.)**,** ingresos globales

bund (col.)**,** bund (col.); bono emitido a largo plazo por el estado alemán

bunny bond, bono que permite percibir los intereses en efectivo o en bonos iguales; bono reinvertible

burden, carga (lastre, bultos); gastos generales (col.); cargar (bultos)

burden adjustment, repartición de gastos generales; asignación de gastos generales

burden rate, coeficiente de gastos

bureaucracy, burocracia

bureaucrat, burócrata

bureaucratic, burocrático

burglar, ladrón; ratero (Esp., col.); caco (Esp., col.)

burglar alarm, alarma antirrobo

burglarproof, a prueba de robos

burglary insurance, seguro antirrobo (Esp.); seguro contra robos

bushel, fanega (GB = 36,37 dm3; US = 35,23 cm3)

busines paper, efectos comerciales; papel financiero; bonos de caja a corto plazo; pagarés de empresa; activos financieros privados a corto plazo; papel comercial; efectos negociables

business (adj.)**,** comercial (adj., masc. & fem.); mercantil (adj., masc. & fem.); especulativo

business (n.)**,** comercio; negocio; tráfico (mercantil); oficio (col.); profesión (col.); actividad profesional (col.)

business activities, actividades comerciales; actividades mercantiles

business administration, dirección comercial; administración comercial; gestión comercial; administración de empresas; gestión empresarial; administración empresarial

business centre (US: **centre = center),** centro de negocios

business circles, círculos empresariales

business cycles, ciclos económicos

business day, día hábil; día laborable; día comercial

business development service, servicio de promoción comercial

business environment, entorno comercial

business fixed investment, inversión fija empresarial

business for self (BFS), negocios personales; actividades por cuenta propia; autoempleado; empresario por cuenta propia; autónomo (Esp.)

business forecasting, previsión comercial

business game, juego de empresas

business hours, horario de trabajo; jornada de trabajo; horas hábiles; horas laborables

business law, código de comercio; derecho mercantil

business management, dirección comercial; administración comercial; gestión comercial; administración de empresas; gestión empresarial; administración empresarial

business organization, organización comercial; organización empresarial

business pages, páginas económicas

business people, gente de negocios

business plan, plan comercial

business premises, locales comerciales; locales para oficinas; instalaciones comerciales

business school, escuela de gestión empresarial; escuela de negocios; escuela de administración comercial

business sector, sector empresarial

business syndicate, consorcio empresarial

business trip, viaje de negocios

business trust, asociación empresarial

business unit, unidad de negocio

business year, año fiscal; ejercicio fiscal; ejercicio económico; año de ejercicio

businessman (pl.: businessman = businessmen), hombre de negocios

businesswoman (m. businesswoman = businessman), directora; gestora; administradora; empresaria

busy, ocupado; atareado; ajetreado; comunica(ndo) (teléfono) (Esp., col.); teléfono que comunica (Esp.)

but-for income, ingresos circunstanciales; ingresos atípicos; atípicos

butterfly (options and futures), mariposa (futuros y opciones)

buy (n.), opción de compra interesante; compra (bolsa); recomendación de compra

buy (v.), adquirir; acceder a (propiedad, derecho, etc); comprar

buy ahead, comprar anticipadamente

buy and hold (strategy), comprar y mantener (estrategia)

buy for cash, compra satisfecha en efectivo; compra al contado; comprar al contado

buy in (auctions), comprar lo que uno mismo vende (subastas); cubrir una posición corta

buy offer, oferta de compra

buy on close, comprar al cierre

buy on credit, comprar a crédito

buy on opening, comprar al comienzo

buy on tick (GB), comprar (al) fiado

buy out, acaparar; atesorar; comprar determinado valor a gran escala; comprar en su totalidad; comprar al cien por cien; comprar la participación accionaria a; comprar todas las existencias; hacer acopio de

buy rights, adquirir derechos; comprar derechos

buy up, acaparar; atesorar; comprar determinado valor a gran escala; comprar en su totalidad; comprar al cien por cien; comprar la participación accionaria a; comprar todas las existencias; hacer acopio de

buy-back, acuerdo de recompra; compromiso de recompra; cesión temporal de activos; venta de valores con pacto de recompra; compra de activos al contado con pacto simultáneo de venta a plazo; cesión temporal de activos con pacto de recompra; opción a vender; opción de venta;

pacto de readquisición; pago de bienes o servicios con lo que con ellos se fabrica

buyback (v.), recomprar; readquirir; volver a comprar el activo previamente realizado

buyer, comprador; adquirente

buying rate, cambio comprador

buyout, compra de una empresa por sus propios trabajadores

BW (ab. **bids wanted),** petición de licitaciones; invitación a pujar; petición de puja; invitación a licitar; concurso de licitación; se admiten ofertas

by custom, ad usum (Lat.); conforme al uso; según costumbre; de acuerdo con la práctica

by instal(l)ments, a plazos; mediante pagos escalonados

by no means, de ninguna manera; en modo alguno

by practice, ad usum (Lat.); conforme al uso; según costumbre; de acuerdo con la práctica

by proxy, con facultades de; con autorización de; autorizado por; facultado por; por delegación de

by return mail, a vuelta de correo

by royal decree, por real decreto; mediante real decreto

by statute, por (aplicación de la) ley

by the job, a destajo

by these presents, por la presente; mediante este escrito

by-products (by-products = byproducts), derivados; productos derivados; subproductos; productos residuales

bylaws, estatutos; reglamento

byproducts (byproducts = by-products), derivados; productos derivados; subproductos; productos residuales

byte, octeto

C

© (ab. **copyright**), estar amparado por la ley de propiedad intelectual; protegido por la ley de propiedad intelectual

c (circa), aproximadamente; cerca de; alrededor de; hacia el día; por valor aproximado a

C&F (ab. **cost and freight**), coste y flete (C&F)

C&F (cost and freight), coste y flete

C&FC (ab. **cost and freight cleared**), coste, flete y todos los demás gastos por cuenta del comprador

C&FCDP (ab. **cost and freight customs duties paid**), coste y flete, con derechos de aduana pagados

C&FL (ab. **cost and freight landed**, coste y flete, con gastos de descarga por cuenta del vendedor

C-in-C (ab. **milit. & col: Commander in Chief = managing director, CEO**), comandante en jefe (milit. & col. = consejero delegado/primer ejecutivo)

CA (ab. **cash advance**), anticipo de efectivo (antpo. efvo.; antpo. efvo. (ab. anticipo de efectivo)

Cabinet (GB), gabinete ministerial

Cabinet reshuffle (GB), remodelación del gabinete ministerial

cable, cable(grama); telegrama; poner un cable a; mandar un telegrama a; enviar un cable a

cable transfer, transferencia telegráfica

cablegram, cablegrama

cabotage, navegación costera; cabotaje

CAC 40 index, índice de la bolsa de París

cache, alijo

CAD (ab. **cash against delivery**), entrega contra reembolso; pago contra entrega; entrega contra el pago del importe

cadastre (US: **cadastre = cadaster**), catastro

caducity, caducidad; vencimiento (vto.); vto. (ab. vencimiento); extinción

calculate, computar; calcular; tabular

calculating machine, máquina calculadora

calculation, cálculo

calculation of probabilities, cálculo de probabilidades

calculator (machine), máquina de calcular; calculadora

calendar, calendario

calendar call spread (purchase options), margen estacional (opciones de compra)

calendar days, días naturales

calendar month, mes civil

calendar year, año civil

call (n.), citación; convocatoria; derecho a redimir bonos antes de su vencimiento; redención de un bono; procedimiento judicial; causa ante los tribunales; auto judicial; exhorto de comparecencia

call (option), vale; bono de prenda; póliza de depósito; opción de compra; instrumento negociable de compra condicionada de acciones anejo al bono

call a strike, decretar el paro; convocar una huelga

call account, cuenta de suscripciones a pagar

call buy, compra de una opción de compra

call buyer, comprador de una opción de compra

call centre (US: **centre = center),** centro de atención telefónica

call for bids, invitación a concursar; llamada a licitación; llamada a concurso

call in a loan, denunciar un préstamo; exigir el reembolso de un préstamo

call it quits (col.), demos el asunto por cerrado; dejemos de una vez este asunto; borrón y cuenta nueva (Esp., col.)

call loan, préstamo a la vista; préstamo a la demanda

call money, dinero prestado a la demanda; dinero a la vista; dinero a la demanda; dinero por prestar

call premium, prima por amortización anticipada; prima por amortización de un bono previa a su vencimiento; prima de opción a comprar; prima sobre opción de compra

call price, precio de demanda; precio de amortización; precio de rescate

call protection, protección contra la amortización anticipada

call rate, tipo de interés para préstamos día a día

call sale, venta de una opción de compra

call-put parity, paridad call-put

call-put parity relationship, relación de igualdad entre call y put

callable, rescatable; amortizable; redimible

callable bond, bono rescatable antes de su vencimiento; bono con opción de recompra

callable capital, capital exigible; capital amortizable

callable terms of the liabilities, exigibilidad contractual de los pasivos

called-up capital stock, acciones pagaderas

calls-last, precio de cierre de las "calls"

Can $ (Canadian dollar), dólar canadiense

Canadian dollar (ab. **Can $),** dólar canadiense

cancel, cancelar; anular; rescindir; revocar; abolir; derogar; casar (revocar); cesar; retirar; retractarse

cancel a booking, cancelar una reserva

cancel a credit, anular un crédito

cancellable swap, permuta cancelable; swap cancelable (Esp.)

cancellation, abolición; supresión; derogación; anulación; abrogación; casación

cancellation bulletin, boletín de cancelaciones; listín de alertas

cancellation clause, cláusula resolutiva

cancellation of an entry, anulación de un asiento

cancellation of premium, cancelación de prima

cancellation of purchase order, cancelación de orden de compra

cancelled cheque (US: **cheque = check, draft),** cheque cancelado

cancelled debt, deuda anulada

cancelled purchase order, orden de compra anulada

canon, canon; pauta; regla

canons of construction, cánones de interpretación; normas de interpretación; pautas de interpretación

cap, techo; cresta de la banda; conjunto de opciones de venta (puts); instrumento financiero que protege contra subidas de tipos sobre un máximo ("cap")

cap rate, margen fijo

capacity, capacidad; aptitud

capacity to work, capacidad para trabajar; aptitud para el trabajo

CAPI (ab. **computer-assisted personal interview,** entrevista personal con apoyo de ordenador

capital, capital

capital account, cuenta de capital

capital adequacy ratio, coeficiente de garantía; coeficiente de solvencia

capital asset pricing model (CAPM), modelo de valoración de activos

capital assets, activo fijo; activo inmovilizado; bienes de capital; inmovilizaciones

capital assured, capital segurado

capital budget, presupuesto de gastos de capital

capital call, apelación al capital; dividendo pasivo

capital compliance ratio, coeficiente de recursos propios

capital contribution, aportación de capital

capital costs, costos de capital

capital debenture, bono de caja; obligación (n. fem.); valor de renta fija; bono de tesorería

capital dividend, dividendo de capital

capital efficiency, productividad del capital

capital endowment, dotación de capital

capital exporting country, país exportador de capitales

capital flight, fuga de capitales; evasión de capitales; huída de capitales

capital funds, recursos propios; patrimonio; derecho de propiedad; propiedad patrimonial; recursos propios de los accionistas; recursos propios de la sociedad

capital gains, plusvalías del capital

capital gains tax, impuesto de plusvalía

capital goods, bienes de inversión; bienes de equipo

capital income, rentas de capital

capital increase, ampliación de capital, aumento de capital

capital increase at premium rate, ampliación de capital con prima

capital inflow, entrada de capital; afluencia de capitales

capital investment, inversión; colocación de capitales; aplicación del capital; inversiones de capital

capital levy, impuesto sobre el patrimonio; impuesto patrimonial; impuesto sobre el capital; tributo patrimonial

capital loss, pérdida de capital; minusvalía

capital management company, sociedad gestora de patrimonios

capital market, mercado de capitales

capital outflow, salida de capitales; egresos de capital

capital outlay, desembolso capitalizable

capital outstanding, capital desembolsado; capital suscrito; capital pagado; capital realizado; capital exhibido; capital integrado

capital paid-in, capital desembolsado; capital suscrito; capital pagado; capital realizado; capital exhibido; capital integrado

capital reduction, reducción de capital

capital reserves, superávit (n.); excedente (n.); sobrante (n.); reservas de capital; excedentario (adj.); sobrante (adj., masc. & fem.)

capital stock, capital accionario; acciones ordinarias; acciones comunes; acciones con derecho a voto; acciones de pleno derecho; capital en acciones; capital social

capital stock outstanding, capital en circulación

capital structure, estructura de capital

capital subscribed and pending payment, capital suscrito y pendiente de desembolso; capital suscrito y no desembolsado

capital surplus, excedente de capital; superávit de capital

capitalism, capitalismo

capitalist, capitalista

capitalist countries, países capitalistas

capitalist economy, economía capitalista

capitalist partner, socio capitalista

capitalist system, sistema capitalista

capitalization, capitalización

capitalization of expenses, capitalización del gasto; activación de los gastos

capitalization rate, tasa de capitalización

capitalize, capitalizar

capped floating rate note, pagaré a tipo de interés flotante máximo; pagaré a tipo de interés de flotación limitada

capped floating rate note (capped FRN), bono a tipo variable ajustable al de referencia hasta un tope máximo

capped FRN (ab. **capped floating rate note),** bono a tipo variable ajustable al de referencia hasta un tope máximo

caps and floors, opciones sobre tipos a corto, remunerando el diferencial

caps, floors and collars, máximos, medios y mínimos

captain's protest, acta de protesta del capital; acta de denuncia del capitán del barco

caption, capítulo (epígrafe); epígrafe; renglón (epígrafe); capción (n. fem.); opción de compraventa futura de un "cap" mediante pago de prima; artículo (de clausulado); partida

captive funds, recursos cautivos

capture and seizure, captura y aprehensión

car, vagón de mercancías; coche; carro (SA)

car insurance (US: **car = automobile),** seguro de automóviles (US)

carbon paper, papel carbón

card, tarjeta; ficha

card counter, contador de tarjetas

card encoder, codificador de tarjetas

card encoding, codificación de tarjetas

card field, campo de tarjeta

card file, fichero; tarjetero; archivador (mueble)

card index, índice de tarjetas

card input, entrada de tarjetas

card layout, diagrama de tarjeta

card length indicator, indicador de longitud de tarjeta

card loss, pérdida de tarjeta

card output, salida de tarjetas; emisión de tarjetas

card punch, perforadora de tarjetas

card reader, lectora de tarjetas

card reissue, reemisión de tarjetas

card sorter, clasificador de tarjetas

card verifier, verificadora de tarjetas

cardholder, titular de tarjeta; tarjetahabiente

cardholder application, petición de tarjeta; solicitud de tarjeta

cardholder authorization centre (US: **centre = center),** centro de autorización de tarjetas; centro autorizador de operaciones con tarjetas

cardholder master file, fichero maestro de tenedores de tarjetas

cards per account, tarjetas por cuenta

cargo, carga(mento)

cargo surveyor, tasador de averías

carload, carga(mento) de un vagón

carriage (US), transporte por camión; acarreo; transportar por carretera

carriage and insurance paid to (CIP), transporte y seguro pagados hasta

carriage paid to (CPT), flete pagado hasta; porte pagado hasta

carried forward (CF), saldo vivo; resto pendiente; suma pendiente; importe pendiente; cantidad pendiente; resto; remanente; arrastre (suma y sigue); suma y sigue; excedente

carrier, transportador; transportista

carrier rates, tarifas de transporte

carrier's liability, responsabilidad del transportista

carry, llevar; transportar

carry (in)to account, pasar a la cuenta

carry a motion, aprobar una moción

carry an election, ganar la elección

carry down, traspasar el saldo de una cuenta

carry rights to interest, detentar derechos a percibir intereses

carry-back, pérdida retrotraída al año anterior

carry-forwards from previous years, remanente de ejercicios anteriores

carry-over (n.), saldo vivo; resto pendiente; suma pendiente; importe pendiente; cantidad pendiente; resto; remanente; arrastre (suma y sigue); suma y sigue; excedente

carrying balances, saldos mantenidos

carrying charges, gastos incidentales

carrying interest, productos de intereses

carrying share, acción productiva; acción de dividendo; acción que produce dividendos; acción con derecho a percibir dividendos; acción que rinde dividendo

carrying value, valor neto en libros

cartage, transporte por camión; acarreo; transportar por carretera

cartel agreement, acuerdo de cártel

cartel for price fixing, cártel de precios

case dismissed, causa desestimada; no ha lugar

case law, jurisprudencia; derecho común

cash, cobrar en efectivo; cobrar al contado (v.)

cash (fixed) fund, fondo (fijo) de caja

cash (on hand), dinero disponible; recursos de inmediata disponibilidad; tesorería; dinero en caja; encaje; liquidez; numerario (tesorería) (Esp.)

cash a cheque (US: **cheque = check),** cobrar un cheque; hacer efectivo un talón

cash account, cuenta de caja

cash advance (CA), anticipo de efectivo (antpo. efvo.; antpo. efvo. (ab. anticipo de efectivo)

cash advance draft, factura de anticipo en efectivo

cash advance fee, comisión sobre anticipo de efectivo

cash advance reimbursement fee, cuota de reembolso sobre anticipo en efectivo

cash advance to contractors, anticipo a contratistas

cash against b/l, cobro contra conocimiento de embarque; cobrar contra entrega del conocimiento de embarque

cash against bill of lading, cobro contra conocimiento de embarque; cobrar contra entrega del conocimiento de embarque

cash against delivery (CAD), entrega contra reembolso; pago contra entrega; entrega contra el pago del importe

cash against documents, pago contra presentación de documentos

cash and carry, arbitraje directo; compra con retirada de género y pago inmediatos

cash and due from Bank of Spain (deposits), Caja y Banco de España (depósitos)

cash and due from banks, caja y bancos; efectivo en caja y bancos; activo disponible; liquidez (caja y bancos); activo realizable; activo de realización inmediata; disponibilidades; valores realizables; disponibles (n. masc. & fem.); activo de fácil realización

cash assets, activos disponibles; activos del mercado monetario

cash audit, auditoría de caja; arqueo; recuento de caja

cash available, dinero disponible; recursos de inmediata disponibilidad; tesorería; dinero en caja; encaje; liquidez; numerario (tesorería) (Esp.)

cash balance, saldo en efectivo; saldo en caja

cash bonus, dividendo extraordinario en efectivo

cash book, libro de caja

cash budget, presupuesto de caja

cash count, auditoría de caja; arqueo; recuento de caja

cash cow (col.), vaca (col.)

cash delivery, liquidación por caja

cash deposit, depósito en efectivo; ingreso en efectivo

cash disbursement journal, libro de caja - salidas; registro de pagos en efectivo; libro de pagos por caja; registro de pagos al contado

cash disbursements, pagos en efectivo; salidas de caja; egresos; desembolsos; erogaciones; expendios

cash discount, descuento por pago al contado; descuento por pago en efectivo; descuento por pronto pago; bonificación por pago al contado

cash dispenser, expendedor automático de billetes; cajero automático (Esp.); cajero permanente (Esp.)

cash dividend, dividendo en efectivo

cash down, pagar al contado; pagar en efectivo; pagar dinero en mano (Esp., col.); pagar a tocateja (Esp., col.); pagar en metálico (Esp.)

cash entry, asiento de caja; partida de caja

cash flow, recursos generados; generación de fondos; flujos de caja; cashflow; flujo de fondos (opciones y futuros)

cash flow per share (CFPS.), recursos generados por acción

cash forecast, presupuesto de entradas y salidas de caja; previsión sobre movimientos de caja

cash forward sale, venta con entrega aplazada

cash fund, fondo de caja; fondo en metálico

cash gauging (col.)**,** auditoría de caja; arqueo; recuento de caja

cash imprest, fondo (fijo) de caja

cash in, hacer efectivo; cobrar en metálico; percibir en efectivo; embolsarse

cash in advance, cobrar por anticipado; percibir por adelantado

cash launderer, blanqueador (Esp., col.); encargado de blanquear dinero negro

cash laundering, blanqueo de dinero

cash management, gestión de tesorería

cash management account (CMA), cuenta de gestión de tesorería

cash manager, gestor de fondos; director de tesorería

cash market, mercado "spot"; mercado al contado; precio en el mercado de contado

cash messenger, cobrador volante (Esp.); pagador itinerante (Esp.); transportista de fondos

cash messenger insurance, seguro de expoliación; seguro de robo por los transportistas de fondos

cash on delivery (COD / CD), entrega contra reembolso; pago contra entrega; entrega contra el pago del importe

cash on hand and deposits with the Bank of Spain, caja y depósitos en el Banco de España

cash on hand and with banks, caja y bancos; efectivo en caja y bancos; activo disponible; liquidez (caja y bancos); activo realizable; activo de realización inmediata; disponibilidades; valores realizables; disponibles (n. masc. & fem.); activo de fácil realización

cash outlays, desembolsos en efectivo

cash paid, pagos por caja; pagos de caja; pagos realizados

cash payment, pago al contado; pago en efectivo

cash pooling, centralización de tesorería

cash position, posición de liquidez; situación de liquidez

cash price, precio de contado; precio al contado

cash proof, auditoría de caja; arqueo; recuento de caja

cash purchase, compra satisfecha en efectivo; compra al contado; comprar al contado

cash ratio, coeficiente de caja

cash receipts journal, libro de caja - entradas; registro de cobros en efectivo; libro de cobros por caja; registro de cobros al contado

cash received, cobros por caja; ingresos en efectivo

cash reserve, reserva en efectivo; reserva en metálico

cash reserve requirement, coeficiente de caja

cash sale, venta al contado; venta en efectivo

cash security, valor de realización inmediata; título inmediatamente realizable

cash shortage, falta de liquidez; tesorería insuficiente; desprovisión de numerario

cash value, valor real; valor efectivo; valor ajustado a la tasa de inflación

cash voucher, comprobante de caja; recibo de caja

cash warrant, bono de caja; obligación (n. fem.); valor de renta fija; bono de tesorería

cash withdrawal, retirada de fondos; disposición de dinero en efectivo

cashflow, recursos generados; generación de fondos; flujos de caja; cashflow; flujo de fondos (opciones y futuros)

cashier (GB), cajero; cajero pagador; ayudante de caja (Esp.); habilitado (Esp.)

cashier (US: **cashier = teller),** ayudante de caja; cajero (empleado de caja); pagador (empleado de caja)

cashier's cheque (USA: cheque = check), cheque a cargo del propio banco emisor; cheque de gerencia (SA)

casting vote, voto de calidad (Esp.); voto del presidente; voto decisorio

casual, accidental; casual; fortuito; involuntario; coyuntural; circunstancial

casual worker, trabajador interino; empleado eventual; interino (n.); trabajador sin contrato fijo

casus fortuitus (Lat.)**,** caso fortuito; causa de fuerza mayor; circunstancia imprevisible

catalog, catálogo; catalogar

catalogue, catálogo; catalogar

catch red-handed, coger in fraganti; coger con las manos en la masa (Esp., col.); cazar con las manos en la masa (Esp., col.); enganchar con las manos en la masa (Esp., col.); agarrar con las manos en la masa (Esp., col.)

catchword, palabra gancho

category, categoría; rango; posición (n. fem.); situación (n. fem.); nivel; dignidad (n. fem.); estado

CATI (ab. **computer-assisted telephone interview),** entrevista telefónica con apoyo de ordenador

CATS (computer-assisted trading system), mercado contínuo bursátil informatizado

cattle, semovientes

cattle in quarantine, ganado sujeto a cuarentena; ganadería bajo cuarentena

cattle ranch (US), rancho ganadero; explotación ganadera

causal analysis, análisis causal

cause an scandal, provocar un escándalo

cause of cancellation, motivo de rescisión; causa rescisoria

cause suit to be brought, entablar pleito; iniciar un pleito; meterse en pleitos (Esp., col.); demandar; pleitear; litigar; interponer querella; llevar ante los tribunales

cautio pro expensis (Lat.), fianza para costas; provisión para costas (Esp.)

caution, cautela; precaución; cuidado

caveat (Lat.), amonestación; advertencia; apercibimiento; exhorto; conminación

CCT (ab. **Common Customs Tariff),** Arancel Aduanero Comunitario

CD (ab. **certificate of deposit),** certificado de depósito (CD); CD (ab. certificado de depósito); (cfdo.dpto./CD)

CEBES (ab. **certificates of the Bank of Spain),** certificados del Banco de España (CEBES); CEBES (ab. certificados del Banco de España)

ceiling, cresta de una gráfica; cota máxima; nivel máximo; techo (col.)

census, censo

center (GB: **center = centre),** centro; núcleo; básico (adj.); esencial (adj., masc. & fem.)

central bank, banco emisor; banco central

central processing unit (CPU), unidad central de proceso; central de proceso de datos; unidad de proceso centralizado de datos

centralization, centralización

centralize, centralizar

centralized record keeping system, sistema centralizado de archivo de expedientes

centre (US: **centre = center),** centro; núcleo; básico (adj.); esencial (adj., masc. & fem.)

CEO (US: ab. **chief executive officer; GB = managing director),** consejero delegado (ejecutivo); primer ejecutivo; director general ejecutivo; consejero ejecutivo; administrador delegado

certificate, certificado; póliza; atestado; partida (certificado) (Esp.); comprobante

certificate in writing, certificado por escrito; certificación por escrito

certificate of analysis, certificado de análisis

certificate of balance, certificado de saldo en cuenta

certificate of birth, partida de nacimiento (Esp.); certificado de nacimiento

certificate of damage, certificado de avería; certificado de daños y perjuicios; certificación de siniestro (Esp.)

certificate of death, partida de defunción (Esp.); certificado de defunción; certificación de fallecimiento

certificate of deposit (CD), certificado de depósito (CD); CD (ab. certificado de depósito); (cfdo.dpto./CD)

certificate of destruction, certificado de destrucción

certificate of dissolution of marriage, partida de divorcio (Esp.); certificado de disolución de matrimonio; certificado de divorcio

certificate of divorce, partida de divorcio (Esp.); certificado de disolución de matrimonio; certificado de divorcio

certificate of enrollment, certificado de registro; certificado de inscripción; certificado de matrícula (Esp.)

certificate of eviction, orden de deshaucio; auto de deshaucio

certificate of existence, fe de vida

certificate of guarantee (guarantee = guaranty), certificado de garantía

certificate of guaranty (guaranty = guarantee), certificado de garantía

certificate of incorporation, escritura de constitución; acta de constitución; documento constitucional; escritura social; escritura constitutiva; certificado de constitución; acta fundacional

certificate of indebtedness, certificado de empréstito

certificate of inspection and acceptance, certificado de inspección y conformidad

certificate of insurance, certificado de seguro; póliza de seguro (Esp.)

certificate of issuance, certificado de emisión

certificate of manufacture(r), certificado de fabricación; certificado de fábrica

certificate of marriage, partida de matrimonio (Esp.); certificado de matrimonio

certificate of origin, certificado de origen

certificate of ownership, certificado de propiedad

certificate of protest, certificado de protesto; acta de protesto

certificate of registration of title, título de propiedad; escritura de propiedad; documento notarial de propiedad; derecho (formalizado notarialmente)

certificate of registry, certificado de registro; certificado de inscripción; certificado de matrícula (Esp.)

certificate of sale, certificado de venta; vendí

certificate of secrecy, certificado de confidencialidad

certificate of stock, certificado de propiedad de acciones; certificado de titularidad sobre acciones

certificates of the Bank of Spain (CEBES), certificados del Banco de España (CEBES); CEBES (ab. certificados del Banco de España)

certified b/l, conocimiento de embarque con certificación consular

certified bankrupt, fallido rehabilitado; quebrado rehabilitado

certified bill of lading, conocimiento de embarque con certificación consular

certified copy, copia certificada; copia compulsada

certified cheque (US: **cheque = check, draft),** cheque confirmado; cheque certificado; cheque aprobado; cheque conformado

Certified Public Accountant (CPA), experto contable; perito contable (Esp.); censor jurado de cuentas (Esp.); contador público (SA)

certify, atestiguar; dar fe; certificar; legalizar; formalizar; compulsar (legalizar)

certify in writing, certificar por escrito

cess, contribución; impuesto; exacción

cessation, rescisión; cese

cessation of growth, cese del crecimiento

cession, cesión; traspaso; transferencia; asignación; desplazamiento

cession of portfolio, cesión de cartera

cessionary, apoderado por delegación; beneficiario de la cesión; cesionario del derecho

CF (ab. **carried forward),** saldo vivo; resto pendiente; suma pendiente; importe pendiente; cantidad pendiente; resto; remanente; arrastre (suma y sigue); suma y sigue; excedente

CFM (ab. **contact with foreign matters),** contacto con cuerpos extraños

CFO (ab. **chief financial officer),** director financiero

CFPS (ab. **cash flow per share),** recursos generados por acción

CFR (ab. **cost and freight),** costo y flete

CFTS (Commodities Futures Trading Commission), organismo federal de vigilancia de la Bolsa y sus agentes (US); comisión de vigilancia y control de los mercados de valores (US)

chain banking, sistema bancario constituido por consorcios de bancos

chain code, código de identificación de cadena de establecimientos

chain of command, estructura jerárquica

chaining, concatenación (n. fem.)

chairman (of the board), presidente (del consejo)

chairman of the stock exchange, síndico de la bolsa (Esp.); presidente de la bolsa de valores

chairmanship, presidencia

chairwoman, presidenta (del consejo)

chamber of commerce, cámara de comercio

chance, azar

Chancellor of the Exchequer (GB), ministro de Hacienda (GB)

change (col.), moneda fraccionaria; calderilla (Esp., col.); perras sueltas (Esp., col.); chauchas (SA); vuelta(s) (Esp.,col.); cambio (Esp.)

change (n.), cambio sobre la cotización al cierre de la sesión precedente; variación respecto al cierre del día anterior (n., fem.); canje

change (v), cambiar; modificar

change notice, aviso de cambio; notificación de cambio

change of attitude, cambio de actitud

change of title, cambio de titularidad

changes in exchange rates, variaciones en los tipos cambiarios

channel (n. & v.)**,** canal; medio; vía; canalizar; encauzar

channel for criminal funds, medio de trasvase de dinero negro; cauce para el trasvase de fondos de procedencia ilegal; canal de trasvase de dinero negro

channeling of funds, canalización de fondos

chantage, anónimo; chantaje; extorsión; chantajear; extorsionar

character, carácter

character loan, préstamo sin garantía colateral; préstamo no colaterizado

character of position and principal activities, naturaleza del puesto y actividades principales (relativas al mismo); carácter del cargo y principales actividades

character set, juego de caracteres; conjunto de caracteres

charge (n.)**,** débito

charge (v.)**,** debitar; adeudar; cargar (adeudar); deber a; estar endeudado con; tener contraídas deudas con; hallarse en deuda con

charge a sale into account, cargar una venta en cuenta

charge account, cuenta corriente; cuenta a la vista; cuenta de depósito(s); cuenta de cargo

charge back, retroceder un cargo; devolver un cargo mediante contraasiento

charge back period, plazo para realizar el retroceso; período de retrocesión

charge entry, asiento al debe; asiento de adeudo; asiento de cargo; asiento deudor; adeudo

charge interest, cargar intereses

charge off, llevar la pérdida a la cuenta de resultados; traspasar una pérdida a la cuenta de resultados; contabilizar la pérdida en la cuenta de resultados; amortizar una pérdida a través de la cuenta de resultados

charge off recoveries, recuperación de créditos dudosos amortizados como fallidos; recuperaciones de fallidos ya amortizados

charge sale, venta a crédito

chargeable, asignable; atribuible; aplicable; designable; imputable; distribuible

chargeback, contraasiento; asiento de contrapartida; asiento de complemento; asiento corrector

charges, gastos

charges for drawee's account, gastos por cuenta del librado

charges for drawer's account, gastos por cuenta del librador

charges forward, gastos de cobro por cuenta del librado

charges here, gastos de cobro por cuenta del librador

charges prepaid, gastos pagados por adelantado; gastos satisfechos por anticipado

charm price, precio de reclamo

chart, diagrama; gráfico; gráfica; tabla de gráficos; cuadro; tabular (v.); hacer un diagrama

charter (GB)**,** habilitación oficial para el ejercicio de una profesión; habilitar para el ejercicio de una profesión

charter (party), conocimiento de embarque sujeto a contrato de fletamento

charter (v), otorgar licencia; conceder nombramiento; constituir oficialmente; fletar; alquilar un barco

charter party (CP), contrato de alquiler de barco

charter party bill of lading (CPBL), conocimiento de embarque sobre mercancías a bordo de buque alquilado

charter(ed) plane, avión fletado

charter(ed) ship, buque fletado

chartered company (GB)**,** sociedad por acciones; sociedad anónima; sociedad accionaria en comandita

chartered translator's seal (GB)**,** sello oficial de intérprete jurado (Esp.)

chartered translator´s official seal (GB), sello oficial de intérprete jurado (Esp.)

charterer, fletador

chartism, patrones de comportamiento

chartist, analista (n., masc. & fem.)

chattel mortgage, hipoteca prendaria; hipoteca mobiliaria

chattels, bienes muebles (GB); pertenencias; muebles y enseres

cheapest to deliver, entregable más económico

cheapest to deliver (CTD), entregable más barato (EMB); más barato entregable (MBE)

cheapest to deliver bond, bono entregable más barato; bono EMB; bono más barato entregable; bono MBE

check (banking check), cheque bancario; efecto interbancario; libramiento entre bancos; letra bancaria

check (n.)**,** comprobación (n. fem.); verificación (n. fem.); averiguación (n. fem.); determinación (n. fem.); chequeo (LA)

check an account, auditar una cuenta; analizar una cuenta; comprobar una cuenta; revisar una cuenta

check book (GB: **check = cheque),** talonario de cheques; libreta de cheques; chequera (SA)

check clearing (GB: **check = cheque),** compensación de cheques; liquidación de cheques mediante compensación

check ledger (GB: **check = cheque),** libro de registro de cheques

check out (v.)**,** cuadrar

check processing (GB: **check = cheque),** proceso de cheques

check stub (GB: **check = cheque),** matriz del cheque

check the bona fides, verificar las referencias aportadas

check value, valor de comprobación

check vouchers, puntear los comprobantes; revisar los comprobantes

check-up (v.)**,** verificar; cotejar; compulsar; refundir; chequear (LA)

checking account (US)**,** cuenta corriente; cuenta a la vista; cuenta de depósito(s); cuenta de cargo

checking deposit, depósito a la vista; imposición a la vista; pasivo exigible a la vista; ingreso en cuenta corriente

checking of cash, auditoría de caja; arqueo; recuento de caja

checkout, recuento; segundo escrutinio de votos

checkout counter (shops / stores), caja (establecimientos comerciales)

checkout girl (shops / stores), cajera (establecimientos comerciales)

checkpoint, punto de reunión; punto de encuentro; lugar de encuentro

checkup (n.)**,** verificación (n., fem.); compulsa; cotejo

chemicals, químicas (valores bursátiles)

cheque account, cuenta corriente; cuenta a la vista; cuenta de depósito(s); cuenta de cargo

cheque blank (US: **cheque = check),** formulario de cheque; impreso de cheque (para rellenar)

cheque form (US: **cheque = check),** formulario de cheque; impreso de cheque (para rellenar)

cheque register (US: **cheque = check),** registro de cheques

cheque specimen (US: **cheque = check),** modelo de formulario de cheque

cheque to bearer (US: **cheque = check, draft),** cheque al portador

cheque to the order of (US: **cheque = check),** cheque a la orden de

cheque without funds (US: **cheque = check),** cheque sin fondos; efecto de colusión; cheque en descubierto; cheque (de) pelota (Esp., col.)

cheques for collection (US: **cheques = checks),** cheques al cobro

cheques outstanding (cheques = checks), cheques pendientes

chief executive officer (CEO), consejero delegado (ejecutivo); primer ejecutivo; director general ejecutivo; consejero ejecutivo; administrador delegado

chief financial officer (CFO), director financiero

chief operating officer (COO), director de operaciones; jefe de operativa

chip, chip

CHIPS (ab. **Clearing House Interbanking Payment System),** sistema de liquidación de órdenes de pago interbancarias

choice, opción

choice of significative ratios, elección de razones significativas

choose (v.)**,** analizar antecedentes; estudiar el historial; seleccionar; depurar; elegir

chosen (adj.), excelente (adj., masc. & fem.); de primera (clase); escogido

chrono(metre) (US: **chronometre = chronometer),** cronómetro

chronologic(al), cronológico

chronological series, serie cronológica

chunk (col.), paquete accionario; participación accionaria; paquete de acciones; lote de acciones

chunk sampling, muestreo sin base probabilística

Chunnel, Eurotúnel (túnel bajo el Canal de la Mancha) (col.)

churning, operaciones de maquillaje para mostrar una actividad inexistente; evolución previa a la involución

Cibeles' neighbour (col.), Banco de España

CIF (ab. **cost, insurance and freight),** coste, seguro y flete

CIF price (ab. **cost, insurance and freight price),** precio CIF

CIF&E (ab. **cost, insurance, freight and exchange,** coste, seguro, flete y gastos de cambio y negociación

CIFFO (ab. **cost, insurance and freight free out),** coste, seguro y flete, deducidos gastos de descarga

CIP (ab. **carriage and insurance paid to),** transporte y seguro pagados hasta

circa (Lat., ab. **c),** aproximadamente; cerca de; alrededor de; hacia el día; por valor aproximado a

circuitry, red de circuitos; circuit(r)ería

circular (n.), circular (n. fem.)

circular letter, carta circular; carta preimpresa

circulating capital, activo realizable a corto plazo; activo circulante; activo corriente; capital circulante; activo semifijo; activo de explotación; realizable a corto; activo flotante; activo líquido

circulating register, registro circulante

circumstantially, coyunturalmente

circus, circo

circus swap, swap de circo

CIRR (ab. **commercial interest rate of reference),** tipo de referencia para operaciones de financiación en divisas

citizen, ciudadano

citizenship, ciudadanía

citizenship papers, carta de ciudadanía; certificado de naturalización

city branch (office), agencia urbana

city branch network, red de agencias urbanas; red de sucursales urbanas; red de oficinas urbanas

city hall, ayuntamiento; cabildo; casa consistorial

city real estate, inmuebles urbanos; fincas urbanas

civil commotions, desórdenes internos; levantamientos populares; conmoción civil

civil corporation, sociedad civil

civil death, muerte civil

civil jurisdiction, jurisdicción civil

civil liability, responsabilidad civil; responsabilidad ante terceros

civil procedure, enjuiciamiento civil

civil register, registro civil

civil responsibility, responsabilidad civil; responsabilidad ante terceros

civil servant, funcionario público; oficial (n. & adj.)

claim, demanda; súplica; instancia; demanda de siniestro; reclamación por daños; requerimiento; moción; recurso

claim damages, reclamar (por) daños

claim for indemnification, reclamación de indemnización

claim for reimbursement of travel expenses, reclamación de reembolso de gastos de viaje

claim notice, aviso de reclamación

claim of recourse, apelación; recurso (apelación); alzada; solicitud

claim paid, siniestro pagado; finiquito (Esp.); liquidación de siniestro

claim settlement, siniestro pagado; finiquito (Esp.); liquidación de siniestro

claim statement, declaración de daños

claimant, apelante (n., masc. & fem.); demandante (n., masc. & fem.); recurrente (n., masc. & fem.); solicitante (n., masc. & fem.); querellante (n., masc. & fem.); reclamante (n., masc. & fem.)

claims receivable, reclamaciones a cobrar

class of insurance, clase de seguro

class of risk, clase de riesgo

class struggle, lucha de clases

classification, clasificación; tabla (por categorías, etc.); ordenación; agrupamiento

classification of accounts, clasificación de cuentas; ordenación de cuentas; agrupamiento de cuentas; ordenación contable

classified advertisements, anuncios por palabras

classified papers, documentos cuyo contenido se prohíbe revelar

classify, clasificar; ordenar; considerar (de índole) confidencial

clause, artículo; cláusula (n. fem.); disposición (n. fem.); condición (n. fem.); condicionante (n. masc.)

clean, limpio; sin reservas; sin interés acumulado; simple; no documentado; sin salvedades; sin observaciones; sin objeciones; sin restricciones

clean acceptance, libre aceptación; aceptación libre; aceptación sin restricciones

clean air waybill, guía limpia de carga aérea

clean bill, letra simple; efecto no acompañado de documentos

clean bill of health, patente de sanidad en limpio; patente de sanidad sin reservas; patente de sanidad sin restricciones; carta de sanidad sin enmiendas; certificado sanitario sin modificaciones

clean bill of lading (clean BL), conocimiento de embarque (en) limpio; conocimiento de embarque sin restricciones; conocimiento de embarque sin reservas

clean BL (ab. **clean bill of lading),** conocimiento de embarque (en) limpio; conocimiento de embarque sin restricciones; conocimiento de embarque sin reservas

clean charter, póliza de fletamento en limpio; póliza de fletamento sin restricciones; póliza de fletamento sin reservas

clean draft, letra no documentaria; libranza simple; efecto no documentario

clean LC (ab. **clean letter of credit),** crédito simple; crédito no documentario; crédito directamente realizable (sin presentar documentos)

clean letter of credit (clean LC), crédito simple; crédito no documentario; crédito directamente realizable (sin presentar documentos)

clean money, dinero prestado a la demanda; dinero a la vista; dinero a la demanda; dinero por prestar

clean on board bill of lading, conocimiento de embarque limpio a bordo

clean on board clause, cláusula "limpio a bordo"

clean payment, pago no documentario; pago directo (sin presentación de documentos)

clean price, cotización ex-cupón; cotización del título sin considerar el interés acumulado

clean remittance, remesa simple

clear (v.), eliminar; suprimir; borrar; tachar

clear a bill, compensar una letra; percibir dinero a cambio de una letra

clear profit, beneficio líquido

clear reporting lines, líneas de comunicación bien definidas

clear value, valor líquido

clearance, despacho de mercancías por aduana; liberación; desembargo

clearance certificate, certificado de despacho de aduanas

clearance loan, préstamo por un día

clearance sale, venta postbalance; liquidación de existencias; saldo postbalance; venta de restos

cleared cheque (US: **cheque = check / draft),** cheque compensado

clearing (adj.), compensatorio (adj.); compensador (adj.)

clearing account, cuenta de compensación; cuenta de liquidación; cuenta puente; cuenta transitoria; cuenta provisional

clearing agreement, acuerdo de compensación; convenio de compensación

clearing arrangement, acuerdo de compensación; convenio de compensación

clearing bank, banco de compensación; banco compensador; banco liquidador

clearing date, fecha de compensación

clearing draft, efecto de compensación

clearing facilities, servicio de compensación

clearing house, entidad liquidadora; cámara de compensación y liquidación

Clearing House Interbanking Payment System (CHIPS), sistema de liquidación de órdenes de pago interbancarias

clearing market for farm products, mercado en origen de productos agrarios

clearing member, miembro liquidador; parte liquidadora; parte encargada de realizar la liquidación; miembro compensador

clearing members' positions, posiciones de los miembros compensadores

clearing party, miembro liquidador; parte liquidadora; parte encargada de realizar la liquidación; miembro compensador

clearing sheet, estado de compensaciones

clearing system, sistema de compensación y liquidación

clerical (adj.), oficinístico (adj.); administrativo (adj.); rutinario (adj.); empresarial (adj., masc. & fem.)

clerical staff, personal administrativo

clerk, auxiliar administrativo; empleado; oficinista; dependiente; trabajador (n.)

CLFT (ab. **Conference Line Freight Terms),** condiciones de flete comunes a buques adheridos a la Conference Line

client, customer

clientele, clientela

climate, coyuntura

climax, fin súbito de una tendencia; fuerte volatilidad y alto volumen; alto volumen operativo con una elevada volatilidad

clique, grupo de personas unidas por intereses comunes

close, cierre; cesión temporal de un activo con compromiso de recompra posterior; precio de la última transacción de la sesión bursátil; período al cierre (Bolsa); final de sesión bursátil

close an account, cerrar una cuenta

close and quit, cerrar y salir (de una aplicación informática)

close arrest, arresto mayor (Esp.)

close collaboration, estrecha colaboración

close cooperation, estrecha colaboración

close corporation, sociedad cuyos directivos son propietarios de sus acciones; sociedad cuyos accionistas son sus propios directivos

close down, cerrar las puertas; echar el cierre (Esp., col.); dar cerrojazo (Esp., col.)

close of business, cierre de operaciones

close the books, cerrar los libros; saldar los libros

closed account, cuenta liquidada; cuenta saldada

closed mortgage, hipoteca cerrada

closed position, posición cerrada

closed session, sesión a puerta cerrada

closed subroutine, subrutina cerrada

closed union, sindicato cerrado (no admite nuevas afiliaciones)

closed-end company, sociedad de capital fijo; sociedad de capital limitado

closed-end fund, fondo cerrado (no admite nuevas aportaciones); fondo de participación cerrada

closing account, cuenta de cierre

closing agreement, acuerdo final

closing balance, balance final; balance de cierre

closing date, fecha de cierre; fecha tope; fecha límite

closing day, día final; último día; día de cierre

closing entries, asientos de cierre; asientos de clausura; partidas de cierre

closing inventory, inventario de cierre; inventario de salida (SA)

closing inventory at selling price, inventario final a precio de venta

closing inventory in units, inventario final en unidades

closing of books, cierre de libros

closing of stock exchange, cierre de bolsa

closing out, cancelación mediante contraasiento

closing price, precio de cierre; precio (de un valor) al cierre (de la sesión bursátil)

closing rate, cambio al cierre (de la sesión bursátil)

closing share price, cotización de las acciones al cierre (de la sesión bursátil); precio de las acciones al cierre de la sesión; último cambio bursátil; cotización al cierre

closing stock market price, cotización de las acciones al cierre (de la sesión bursátil); precio de las acciones al cierre de la sesión; último cambio bursátil; cotización al cierre

closure (of books), cierre (de libros)

clued-up about, bien informado sobre; al tanto de; impuesto acerca de

cluster, cascada; racimo; en cascada; en racimo

cluster analysis, análisis en racimo; análisis en cascada

CMA (ab. **cash management account),** cuenta de gestión de tesorería

CMO (ab. **collateralized mortgage obligation),** obligación hipotecaria de remuneración por tramos

co-bonding (= cobonding), coafianzamiento

co-chairman (= cochairman), copresidente

co-insurance clause (co-insurance = coinsurance), cláusula de coaseguro

co-insurer (= coinsurer), coasegurador

co-management (= comanagement), cogestión; gestión mancomunada

co-manager, codirector (de colocación de títulos); cojefe (de sindicación de un préstamo); cojefe de fila

co-op, edificio de apartamentos en régimen de propiedad cooperativa (US); cooperativa (n.)

co-operative (company), edificio de apartamentos en régimen de propiedad cooperativa (US); cooperativa (n.)

co-worker, compañero de trabajo; colega; colaborador

coaching, acción formativa de desarrollo y optimización de directivos

coadministrator, coadministrador

coastal navigation, navegación costera; cabotaje

COBOL language, lenguaje (de programación informática) COBOL

cobonding (= co-bonding), coafianzamiento

COC (ab. **contact with other cargo),** contacto con otras mercancías del cargamento

cochairman (= co-chairman), copresidente

COD (ab. **collect on delivery),** entrega contra reembolso; pago contra entrega; entrega contra el pago del importe

code of commerce, código de comercio; derecho mercantil

codify, codificar; encriptar un mensaje; cifrar un texto

coefficient, coeficiente; índice; relación; cociente; tasa; tipo; razón (ratio) (n. fem.); ratio

coefficient of bad debts, coeficiente de fallidos; tasa de morosidad

coefficient of capital yield, coeficiente de rentabilidad del capital

coexecutor, albacea mancomunado

coin (money), moneda metálica; acuñar moneda

coin a new professional jargon, crear nuevos términos propios del entorno profesional; acuñar una nueva jerga profesional

coin envelope, cartucho para monedas; tubo de empaquetar moneda; contenedor de monedas metálicas

coinage, acuñación de moneda

coining, acuñación de moneda

coins, moneda(s)

coinsurance clause (coinsurance = co-insurance), cláusula de coaseguro

coinsurer (= co-insurer), coasegurador

Colonel Blimp (GB, col.**),** latiguero (Esp., col.); jefe autoritario, agobiante y reacio a los cambios; jefe-paliza (Esp., col.); negrero (Esp., col.); chupasangres (Esp., col.)

colour of title (US: **colour = color),** apariencia de titularidad; supuesta titularidad; titularidad aparente

columnar system, sistema tabular

collar, banda máxima y mínima de pagaré a tipo flotante; franja máxima y mínima de fluctuación; opción "collar"; instrumento financiero que mantiene el tipo de interés dentro de una banda; combinación de "cap" y "floor" expresados en términos similares

collared, sujeto a interés flotante máximo y mínimo

collared floating-rate note, pagaré con tipo de interés flotante máximo y mínimo preestablecido

collate (v.), verificar; cotejar; compulsar; refundir; chequear (LA)

collateral (n. & adj.), prenda (garantía); fianza; garantía real; colateral; activo de garantía; título bursátil

collateral (n.), aval; garantía; respaldo; apoyo; caución; colateral (n.); señal

collateral agreement, contrato prendario; contrato con garantía prendaria; contrato con aportación de colateral

collateral contract, contrato prendario; contrato con garantía prendaria; contrato con aportación de colateral

collateral loan, crédito pignoraticio; préstamo con garantía de bienes; préstamo colateral; préstamo con garantía prendaria

collateral note, pagaré con garantía de bienes; pagaré garantizado por colateral; pagaré con garantía prendaria

collateral trust bond, bono de garantía con aportación de colateral

collateral undertaking, compromiso colateral

collateralize, avalar; garantizar; endosar; colaterizar; prestar fianza; aportar aval

collateralized mortgage obligation (CMO), obligación hipotecaria de remuneración por tramos

collateralized swap, swap colaterizado

collect, cobrar; recaudar; coleccionar

collect a commission, cobrar una comisión; percibir una comisión

collect bills, efectos a cobrar; letras (de cambio) al cobro; partidas al cobro; remesas al cobro; efectos al cobro; facturas a cobrar; facturas al cobro (n. fem. pl.); activo exigible

collect call, conferencia telefónica con cargo al destinatario; conferencia telefónica a cobro revertido

collect on delivery (COD), entrega contra reembolso; pago contra entrega; entrega contra el pago del importe

collect taxes, recaudar impuestos; cobrar impuestos

collected payment, resguardo de entrega; ticket de caja (Esp.); recibí (recibo) (Esp.)

collecting bank, banco encargado del cobro; banco cobrador

collecting commission, comisión de cobranza; comisión por gestión de cobro

collection, cobranza; remesa al cobro

collection at source, retención en origen; cobro en origen; recaudación en origen

collection charges, gastos de cobranza; gastos de (gestión de) cobro

collection fee, comisión sobre cobro; comisión por gestiones de cobranza

collection items, efectos a cobrar; letras (de cambio) al cobro; partidas al cobro; remesas al cobro; efectos al cobro; facturas a cobrar; facturas al cobro (n. fem. pl.); activo exigible

collection letter, carta (de) remesa; carta de cobranza; carta de acompañamiento de efectos al cobro

collection of premium, cobro de la prima

collection of taxes, cobro de impuestos; recaudación de impuestos

collection register, registro de cobranzas

collection service, servicio de cobro

collections, cobranzas; cobros; ingresos

collections on accounts receivable, cobros a clientes

collections repayable, cobranzas a reembolsar

collective bargaining, negociación colectiva

collective bargaining agreement, convenio (laboral) colectivo; convenio colectivo de trabajo

collective farm, granja colectiva; koljós; kibutz

collective investment, inversión colectiva

collective investment managing company, sociedad gestora de instituciones de inversión colectiva (SGIIC)

collective investment vehicles, vehículos de inversión colectiva

collective ownership, propiedad colectiva; propiedad mancomunada

collectivism, colectivismo

collector, cobrador

collector of customs, administrador de aduanas

collector of internal revenue, recaudador de rentas internas

collector of taxes, recaudador de impuestos; recaudador de contribuciones

collude with, coludir con; obrar en colusión con; actuar en connivencia con

collusion, colusión; connivencia

collusive (adj.)**,** colusorio (adj.)

comanagement (= co-management), cogestión; gestión mancomunada

combat money laundering, combatir el blanqueo de dinero; luchar contra el blanqueo de dinero

combine, grupo industrial; alianza empresarial; fusión de empresas

combined assets, activos conjuntos; bienes combinados; combinación de bienes

combined financial statement, estados financieros agrupados; documentación financiera consolidada; estados financieros consolidados

come back on someone, recurrir a alguien; acudir a alguien

come into (an) inheritance, heredar

come into service, entrar en funcionamiento; iniciar la actividad; ponerse en marcha

come to light, saltar a la luz; salir a relucir; saltar a la palestra; hacerse público; divulgarse; desvelarse

comfort letter, carta de intenciones

coming into force, entrada en vigor; puesta en funcionamiento

Commander in Chief (C-in-C; milit./col.: **chairman / CEO),** comandante en jefe (milit. & col. = consejero delegado/primer ejecutivo)

commandite, comandita; sociedad comanditaria; sociedad (reunida) en comandita (SRC); sociedad colectiva; sociedad de responsabilidad limitada; SRC (ab. sociedad reunida en comandita)

comments on the financial statements, evolución del balance y la cuenta de resultados; comentario sobre los estados financieros

commerce (n.)**,** comercio; negocio; tráfico (mercantil); oficio (col.); profesión (col.); actividad profesional (col.)

commerce and trade, comercio e industria

commercial, comercial (adj., masc. & fem.); mercantil (adj., masc. & fem.); especulativo

commercial acceptance, aceptación comercial

commercial activities, actividades comerciales; actividades mercantiles

commercial address, dirección comercial (domicilio)

commercial agreement, contrato comercial; contrato mercantil; acuerdo comercial; tratado comercial

commercial arbitration, arbitraje comercial; arbitraje mercantil

commercial bank, banco comercial

commercial banking, banca comercial; actividades de banca comercial

commercial bill (of exchange) (GB)**,** letra (de cambio) comercial

commercial broker, corredor de comercio

commercial credit, crédito comercial

commercial credit company, banco de descuento; financiera; sociedad de financiación; sociedad financiera; sociedad de crédito comercial

commercial credit line, línea de crédito comercial

commercial crisis, crisis comercial

commercial discount, descuento comercial

commercial domicile, dirección comercial (domicilio)

commercial insolvency, insolvencia comercial

commercial instruments, instrumentos comerciales

commercial interest rate of reference (CIRR), tipo de referencia para operaciones de financiación en divisas

commercial invoice, factura comercial

commercial law, código de comercio; derecho mercantil

commercial letter of credit, carta de crédito comercial

commercial loan, préstamo comercial

commercial loan rate, tipo de interés sobre préstamo comercial

commercial management, dirección comercial; administración comercial; gestión comercial; administración de empresas; gestión empresarial; administración empresarial

commercial paper, efectos comerciales; papel financiero; bonos de caja a corto plazo; pagarés de empresa; activos financieros privados a corto plazo; papel comercial; efectos negociables

commercial paper market, mercado de papel comercial

commercial policy, política comercial

commercial practice, prácticas comerciales

commercial registry, registro mercantil

commercial samples, muestras comerciales

commercial set, juego de documentos de embarque

commercial terms, condiciones comerciales; condiciones de mercado; términos comerciales

commercial transaction, operación comercial; transacción mercantil; acto de comercio

commercial treaty, contrato comercial; contrato mercantil; acuerdo comercial; tratado comercial

commercial usage, usos comerciales

commercial year, año comercial (360 días)

commission, comisión

commission accounts receivable, cuentas endosadas al cobro; cuentas en comisión de cobro; cuentas de comisiones a cobrar

commission agent, agente comisionista; comisionista

commission and other revenue, comisiones y otros ingresos

commitment fee, comisión de compromiso; comisión de compra

commitment period, período de compromiso

commitments record, registro de obligaciones contraídas

commitments to date, obligaciones contraídas hasta la fecha; compromisos al día de hoy

committee, comité; comisión (de personas)

commodities (sing.: **commodities = commodity),** materias primas; primeras materias; productos básicos

Commodities Futures Trading Commission (ab. **CFTS; US),** organismo federal de vigilancia de la Bolsa y sus agentes (US); comisión de vigilancia y control de los mercados de valores (US)

commodities option, opción sobre mercancías (productos, etc.)

commodity boom, auge de los productos básicos

commodity exchange, bolsa de comercio; lonja; casa de contratación

commodity futures, futuros sobre mercancías

commodity loan, crédito respaldado por productos básicos; préstamo en especie

commodity paper, efectos respaldados por productos básicos; papel comercial sobre productos básicos

commodity swap, permuta de mercaderías; swap de mercaderías (Esp.)

commodity warehouse, almacén de materias primas; depósito de productos básicos

commodity-backed loan, bono con interés sujeto al precio de una mercancía determinada a fecha dada

common agricultural policy, política agrícola comunitaria

common aim, interés común

common average, avería simple; avería particular; pérdida parcial

common carrier bill of lading, carta de porte de transportista explotador de una línea regular; conocimiento de embarque de línea regular

common creditor, acreedor no preferente; acreedor no prioritario; acreedor subordinado; acreedor común; acreedor no privilegiado

Common Customs Tariff (CCT), Arancel Aduanero Comunitario

common equity, recursos propios; patrimonio; derecho de propiedad; propiedad patrimonial; recursos propios de los accionistas; recursos propios de la sociedad

common law, derecho consuetudinario

Common Market, Mercado Común

common ownership, condominio; régimen de propiedad horizontal; propiedad horizontal

common purse (col.), fondo común

common share, acción ordinaria

common stock, capital accionario; acciones ordinarias; acciones comunes; acciones con derecho a voto; acciones de pleno derecho; capital en acciones; capital social

common venture, riesgo común

communication, comunicación; aviso; declaración (comunicación)

Communist Labour Union (US: **Labour = Labor),** Comisiones Obreras (CCOO) (Esp.); CCOO (ab. Comisiones Obreras) (Esp.)

community income, utilidades proindiviso

community property, bienes gananciales

compact, acuerdo; contrato; pacto; concierto; arreglo; compromiso; tratado; responsabilidad (n. fem.); deuda contraída (n. fem.)

companies act, ley de sociedades; ley de régimen jurídico de las sociedades anónimas

companies law, ley de sociedades; ley de régimen jurídico de las sociedades anónimas

company, sociedad; compañía; cofradía profesional

company reserves, reservas sociales

company's official seal, sello oficial de la sociedad

comparable, comparable; equiparable

comparative record, evolución comparativa

comparative results, resultados comparados

comparative salaries, salarios equiparables

comparative statement, estado comparativo

comparative statement of earnings, cuenta de pérdidas y ganancias comparada; cuenta de resultados comparativa

comparative statements of condition, balances comparados

comparative ten-year record of the bank, evolución del banco durante los diez últimos ejercicios

compare, comparar

compel payment, apremiar al pago

compel to, obligar a; forzar a; apremiar; comprometer a; vincular a

compensating (adj.), compensatorio (adj.); compensador (adj.)

compensating balance, saldo compensatorio

compensating duties, derechos compensatorios; recargos compensatorios

compensation, reparación (compensatoria) (n. fem.); satisfacción (compensatoria) (n. fem.)

compensatory drawing, giro compensatorio

compensatory financing, financiación compensatoria

compete, competir con; competerle a; ser competencia de; corresponderle a

compete for funds, competir en la captación de fondos; competir para captar recursos ajenos; hacerse la competencia en la captación de fondos

competence of the court, competencia del tribunal

competent authority, autoridad competente

competition, competencia

competitive, competitivo

competitive advantage, ventaja competitiva

competitive benchmarking, investigación y desarrollo de mejoras competitivas

competitive bid, petición competitiva; puja competitiva

competitive challenge, reto competitivo

competitive devaluation, devaluación competitiva

competitive disadvantage, desventaja competitiva

competitive edge, ventaja competitiva

competitive markets, mercados competitivos

competitive offer, oferta competitiva

competitive price, precio competitivo

competitive tender, oferta competitiva

competitiveness, competitividad

competitor, competidor

compile (v.), montar; ensamblar; reunir; recopilar; compilar

complain (v.), presentar una queja; formular una reclamación; quejarse; reclamar; recusar; protestar

complainant, apelante (n., masc. & fem.); demandante (n., masc. & fem.); recurrente (n., masc. & fem.); solicitante (n., masc. & fem.); querellante (n., masc. & fem.); reclamante (n., masc. & fem.)

complaint, demanda; súplica; instancia; demanda de siniestro; reclamación por daños; requerimiento; moción; recurso

complementing entry, asiento complementario; apunte de complemento

complete (v.), completar; rellenar; cumplimentar

complete a blank form, rellenar un formulario en blanco; cumplimentar un impreso en blanco

complete audit, auditoría completa

complete the necessary arrangements, ultimar los arreglos necesarios

complete the related boxes with "X", rellenar con "x" las correspondientes casillas; cumplimentar con una "x" las casillas que correspondan; poner una "x" en las casillas correspondientes

completely unified management, gestión plenamente unificada; unidad total de gestión

completion, logro; consecución; meta alcanzada; resultado de explotación

completion bond, fianza de cumplimiento; garantía de buena ejecución; fianza de ejecución

complex, complejo; complicado

complex number, número complejo

compliance committee, comité de acatamiento

compliance with laws, cumplimiento de las leyes; acatamiento de la ley

compliance with regulations, cumplimiento de las normas

compos mentis (Lat.), facultades mentales plenas; en plenitud de facultades mentales; en su sano juicio; cabal; en posesión de todas sus facultades mentales

composite depreciation, depreciación combinada

composite number, número no primo; número divisible

composition and extension, acuerdo de pago bajo jurisdicción de quiebra; acuerdo de quita y espera según la ley de quiebras (Esp.)

composition in bankruptcy, acuerdo entre fallido y acreedores

composition percentage, estructura del colectivo de usuarios

compound annual rate, tasa amual compuesta

compound duty, derecho aduanero complementario; arancel aduanero suplementario

compound entry, asiento compuesto; apunte múltiple; asiento combinado; asiento global; apunte compuesto

compound interest, interés compuesto

compound interest formula, formula de interés compuesto

compound option, opción compuesta

compound present worth, valor actual a interés compuesto

compounder, árbitro; tercero (mediador arbitral); mediador en litigio no judicial; juez de controversias; amigable componedor; árbitro amistoso; juez extrajudicial; mediador arbitral; informante designado para aportar referencias

comprehensive (adj.)**,** desglosado; detallado; pormenorizado; en profundidad; completo; exhaustivo; íntegro

comprehensive insurance, seguro combinado

comprehensive insurance policy, póliza de seguro combinado

compromise (n.)**,** acuerdo; contrato; pacto; concierto; arreglo; compromiso; tratado; responsabilidad (n. fem.); deuda contraída (n. fem.)

compromise (v.)**,** comprometerse; obligarse a; responsabilizarse de; garantizar que; transigir respecto a

comptroller (GB = **comptroller / controller;** US = **controler),** controlador; interventor; contralor (LA)

comptrollership (GB = **controllership;** US = **controlership),** intervención; contraloría (SA)

compulsory, obligatorio; de obligado cumplimiento

compulsory arbitration, arbitraje forzoso

compulsory insurance, seguro obligatorio

compulsory third party insurance, seguro obligatorio de responsabilidad civil

computable funds, fondos computables

computable risks, riesgos computables

compute, computar; calcular; tabular

computer, ordenador (Esp.); computadora (SA); ordenata (Esp., col.)

computer code, código de ordenador

computer console, consola de ordenador

computer input, entrada de datos al ordenador; toma de datos por ordenador

computer instruction code, código de instrucciones al ordenador

computer interface, interconexión entre ordenadores

computer keyboard, teclado de ordenador

computer language, lenguaje de ordenador; lenguaje informático

computer memory, memoria de ordenador

computer output, resultados generados por ordenador

computer program, programa de ordenador

computer programmer, programador

computer programming, programación (comp.); programación de computadoras (LA); programación de ordenadores (Esp.); programación informática

computer science, informática

computer screen, pantalla del ordenador

computer software, equipo lógico; conjunto de programas de ordenador

computer-assisted, asistido por ordenador; informatizado; mediante computadora (SA)

computer-assisted personal interview (CAPI), entrevista personal con apoyo de ordenador

computer-assisted staff training, formación de empleados mediante ordenador; capacitación informatizada de empleados

computer-assisted telephone interview (CATI), entrevista telefónica con apoyo de ordenador

computer-assisted trading, operaciones realizadas a través de ordenador; transacciones informatizadas; operaciones computerizadas (SA)

computer-assisted trading system (ab. **CATS),** mercado contínuo bursátil informatizado

computer-generated, generado por ordenador

computerization, informatización; computerización (SA)

computerize, informatizar; computerizar (SA)

computerized(-system) accounting, contabilidad informatizada; sistema de contabilidad informatizado

con (man & woman), timador; estafador; embaucador; defraudador

con (US), estafa; timo; engaño; fraude; embaucamiento

con (US., col., **v.),** estafar; timar; embaucar; defraudar; desplumar (Esp., col.)

con trick (US), estafa; timo; engaño; fraude; embaucamiento

conceal (v.), ocultar; mantener bajo reserva

conceal assets, ocultar activos; ocultar bienes

concealed, oculto

concealed assets, activos ocultos; bienes no declarados

concealment of debts, ocultación de deudas

concentrate on a difficult issue, concentrarse en un asunto difícil; centrarse sobre un tema espinoso

concentrated entry, asiento compuesto; apunte múltiple; asiento combinado; asiento global; apunte compuesto

concentration level, grado de concentración; nivel de concentración

concentration of risk, concentración de riesgos

concept, concepto; noción

conception, concepto; noción

conceptual, conceptual

concern (n.), asunto tratado; negocio de que se trata; firma o actividad; preocupación

concern (v.), concernir; incumbir a; afectar a; interesar a

conciliate, conciliar; conformar; hacer concordar

conciliator, árbitro; tercero (mediador arbitral); mediador en litigio no judicial; juez de controversias; amigable componedor; árbitro amistoso; juez extrajudicial; mediador arbitral; informante designado para aportar referencias

concise report, informe sucinto

conchie (= conchy), objetor de conciencia

conchy (= conchie), objetor de conciencia

condense (v.), condensar; resumir; sintetizar; compendiar; recapitular

condensed statement, estado de cuentas sintetizado; estado de cuentas condensado

condition, condición; acondicionar

conditional acceptance, aceptación condicional, aceptación limitada, aceptación restringida; aceptación con reservas

conditional agreement, acuerdo condicional; acuerdo sujeto a condiciones

conditional credit of funds into account, abono condicional de fondos en cuenta

conditional discharge, libertad condicional

conditional fee, comisión condicional; dominio condicionado

conditional sale, venta condicional

conditioning, acondicionamiento

conditioning of offices, acondicionamiento de oficinas

condominium, condominio; régimen de propiedad horizontal; propiedad horizontal

condonation, remisión (n. fem.); condonación (n. fem.)

condor, cóndor (opciones)

confederacy, confederación; alianza; conspiración

confer with, consultar con

Conference Line, asociación de armadores con fletes unificados, adscritos a la C.L.

Conference Line Freight Terms (CLFT), condiciones de flete comunes a buques adheridos a la Conference Line

Conference Line vessel, barco adherido a la Conference Line

confession of indebtedness, reconocimiento de deuda

confidant (fem. = confidante), confidente

confidante (m. = confidant), confidente

confidence game (GB), estafa; timo; engaño; fraude; embaucamiento

confidence interval, intervalo de confianza

confidence trickster (US), timador; estafador; embaucador; defraudador

confidential, confidencial

confidential employee, empleado de confianza

confidential file, archivo confidencial

confidential relationship, relación confidencial; relación fiduciaria

confidential report, informe confidencial

confidential report to be destroyed upon reading, informe confidencial a destruir tras su lectura

confidentiality, confidencialidad; reserva (confidencialidad)

configurate a personal computer, configurar un ordenador personal

configuration of workstations, configuración de estaciones de trabajo

confirm, confirmar

confirm a balance, confirmar un saldo

confirm an appointment, confirmar una entrevista

confirm an arrangement, confirmar un acuerdo; aprobar un acuerdo; ratificar un convenio

confirm an order, confirmar un pedido

confirmation, confirmación

confirmation by letter, telex or facsimile message, confirmación por carta, telex o fax

confirmation in writing, confirmación por escrito

confirmation slip, aviso de ejecución; justificante de ejecución

confirmed, irrevocable (adj., masc. & fem.); sin posibilidad de revocación

confirmed credit, crédito confirmado; crédito irrevocable; crédito en firme

confirming, gestión de pagos a proveedores; servicio de intermediación en pagos a proveedores; confirmación de pagos

confirming bank, banco confirmador

confirming letter, carta de confirmación

confiscate, detener; capturar; confiscar; embargar; decomisar; incautar; expropiar

conflict (n.), conflicto

conflict of competences, conflicto de competencias; conflicto jurisdiccional

conflict of interests, conflicto de intereses

conflict of jurisdictions, conflicto de competencias; conflicto jurisdiccional

conflicting, discrepante; contradictorio; opuesto a

conform to the standards, ajustarse a las normas; respetar las normas

confusing instructions, instrucciones confusas

conglomerate, conglomerado de empresas; grupo empresarial

congratulate, felicitar; dar la enhorabuena

conjointly, mancomunadamente; conjuntamente; en común; a nombre de dos titulares

conjuncture, coyuntura

connivance, colusión; connivencia

connive (n.), actuar en complicidad

consecutive interpretation, interpretación consecutiva

consecutive translation, traducción consecutiva

consensual contract, contrato consensual

consensus, consenso

consent dividend, dividendo virtual

consent to pledge, acta de pignoración

consequently, por consiguiente

consignee, consignatario; receptor de la mercancía

consigner (consigner = consignor), expedidor; remitente de la mercancía; transitario; embarcador

consignment, cargamento; carga; embarque; flete; remesa; consignación; expedición

consignment note, albarán; nota de expedición; resguardo de envío; carta de porte; cuenta del flete

consignments in, mercancías en comisión; consignaciones recibidas

consignments out, mercancías remitidas en consignación; consignaciones enviadas

consignor (consignor = consigner), expedidor; remitente de la mercancía; transitario; embarcador

consistency, concordancia

consistent with, de acuerdo con; conforme a; de conformidad con; según

consistent with the law, conforme a la ley; de conformidad con la ley; según la ley

consistently, habitualmente; de forma habitual

console, consola

consolidate, fusionar; amalgamar; consolidar; unificar; fusionarse

consolidate two banking institutions, consolidar dos entidades bancarias

consolidated, consolidado

consolidated average total assets, activos totales medios consolidados

consolidated balance sheet, balance consolidado

consolidated debt, deuda fija; deuda a largo plazo; deuda perpetua; pasivo consolidado; pasivo fijo; deuda en obligaciones

consolidated earnings, beneficio consolidado

consolidated earnings per share, beneficio consolidado por acción

consolidated figures, cifras consolidadas

consolidated financial statement, estados financieros agrupados; documentación financiera consolidada; estados financieros consolidados

consolidated fund, fondo consolidado

consolidated goodwill, plusvalía consolidada

consolidated group, grupo consolidado

consolidated mortgage, hipoteca consolidada; consolidación del endeudamiento hipotecario

consolidated net profit, beneficio neto consolidado

consolidated ordinary operating income, resultado ordinario de gestión consolidado

consolidated pretax income, beneficio consolidado antes de impuestos

consolidated profitability, rentabilidad consolidada

consolidated statement of income, cuenta de resultados consolidados

consolidation, amalgama; consolidación; fusión; consolidación de empresas; fusión empresarial

consolidation of balances, consolidación de balances; consolidación de saldos

consolidation of debts, consolidación de deudas

consolidation of figures, consolidación de cifras

consolidation surplus, beneficio neto de consolidación

consols (GB), valores consolidados

consortium (pl. = **consortia / consortiums),** consorcio; mancomunidad; comisión residual; fideicomiso (trust); cártel de empresas

consortium bank, banco consorcial

constant, fijo; constante (adj., masc. & fem.); global (adj., masc. & fem.); uniforme (adj., masc. & fem.); a tanto alzado; sin interés (neto); no traspasable; uniforme (adj.); ininterrumpido

constant amortization, amortización constante

constant concern, preocupación constante

constant drop, caída constante; descenso continuado

constant error, error constante

constant price, precio constante

constant rise, alza constante; subida continuada

constant risk, riesgo constante

constituency, distrito; circunscripción

constituent, cantidad principal de un préstamo (n. fem.); valor nominal neto; ordenante (n., masc. & fem.); comitente; mandante; delegante; constituyente; representado

constituent company, sociedad constituyente; compañía constituyente dentro de un grupo de afiliadas

constitute a company, constituir una sociedad; formar una compañía; crear una sociedad

constitution, constitución

constitution of reserves and provisions, constitución de reservas y provisiones

constitutional, constitucional

constraint, limitación (n. fem.); coacción (n. fem.); restricción (n. fem.)

constriction, limitación (n. fem.); coacción (n. fem.); restricción (n. fem.)

construct, interpretar; analizar sintácticamente

construction in progress, obras en curso de ejecución

construction of a clause, interpretación de una cláusula

construction of terms, interpretación del condicionado

constructive assent, consentimiento implícito

constructive larceny, hurto implícito

constructive remarks, observaciones constructivas

constructive talks, conversaciones constructivas

constructive trust, fideicomiso impuesto

consuetudinary, consuetudinario

consuetudinary law, derecho consuetudinario

consul, cónsul

consular, consular

consular fees, derechos consulares; tasas consulares

consular invoice, factura consular

consular office, consulado

consular visa, visado consular; visa del consulado

consulate, consulado

consultancy, asesoría; consultoría

consultant, asesor; consejero asesor; consultor

consumables, bienes consumibles; bienes de consumo

consumer, consumidor

consumer credit, crédito al consumidor; compras a plazos

consumer demand, demanda de consumo

consumer durables, bienes de consumo duraderos

consumer goods, bienes consumibles; bienes de consumo

Consumer Price Index (CPI), Índice de Precios al Consumo (ab. IPC.); IPC (Índice de Precios al Consumo)

consumer profile, perfil del consumidor

consumer protection, protección al consumidor

consumer research, investigación de mercados; estudio de mercados; análisis mercadotécnico; investigación de preferencias de los consumidores

consumer rights, derechos del consumidor

consumer society, sociedad de consumo

consumer spending, gastos de consumo

consumerism, consumismo

consumers' cooperative society, cooperativa de ahorro y consumo; economato

consumption, consumo

consumption credit, crédito al consumo

contact, contacto; contactar; ponerse en contacto con; entrar en contacto con

contact with foreign matters (CFM), contacto con cuerpos extraños

contact with oil or other cargo (ab. **COOC),** contacto con aceite u otras mercancías del cargamento; contacto con aceite o el resto de la carga

contact with other cargo (COC), contacto con otras mercancías del cargamento

container, contenedor

container ship, buque portacontenedores; barco portacontenedores

container terminal, terminal de contenedores

container train, tren de contenedores

container vessel, buque portacontenedores; barco portacontenedores

containment, contención

containment policy, política de restricción; política de contención

contaminate, contaminar

contaminate by way of bribery, corromper mediante soborno; corromper mediante cohecho; corromper mediante mordida (LA); corrupto (adj.); viciado (adj.); infectado (con virus) (comp.); introducir virus (comp.); infectar con virus (comp.); meter un virus (comp., col.)

contaminated (adj.)**,** corromper mediante soborno; corromper mediante cohecho; corromper mediante mordida (LA); corrupto (adj.); viciado (adj.); infectado (con virus) (comp.); introducir virus (comp.); infectar con virus (comp.); meter un virus (comp., col.)

contango (GB)**,** interés sobre prolongación; contango (Bolsa)

contd. (continued), sigue; continuación

contemplate a merger, estudiar una fusión; considerar una fusión

contempt of court, desacato al tribunal

contents (books), contenido (índice del libro); índice de materias (libros)

contents (personal property), muebles; mobiliario; enseres; bienes muebles; efectos mobiliarios; artículos de uso personal

contest, refutar; impugnar; negar; desmentir; rebatir

contest a will, impugnar un testamento

continental system, sistema continental

continental through bill of lading, conocimiento de embarque que sólo permite transbordo en puerto británico

contingency order, orden contingente

contingent, contingente; supeditado a

contingent annuity, anualidad con vencimiento imprevisto

contingent assets, activo contingente; activo eventual; activo financiero con precio acorde al de otro activo básico

contingent estate, propiedad contingente

contingent fund, fondo para previsión de contingencias

contingent interest, interés condicional

contingent liabilities, pasivo contingente; pasivo eventual

contingent reserve, reserva para imprevistos

continual, fijo; constante (adj., masc. & fem.); global (adj., masc. & fem.); uniforme (adj., masc. & fem.); a tanto alzado; sin interés (neto); no traspasable; uniforme (adj.); ininterrumpido

continued (ab. **contd.),** sigue; continuación

continued staff training, capacitación continuada del personal; formación permanente de los empleados

continuing line (graphs), línea continua (gráficos); línea de trazo continuo (gráficos)

continuity premiums, premios cupón-oferta

continuous assessment, evaluación continua

continuous audit, auditoría continua

continuous billing, facturación continua

continuous form, impreso (en papel) continuo

continuous market, mercado continuo

continuous production, producción continua

contra accounts, cuentas de orden; cuentas cruzadas; contracuentas; cuentas de contrapartida; cuentas transitorias

contra debit, contraasiento; asiento de contrapartida; asiento de complemento; asiento corrector

contraband, contrabando; matute (Esp., col.); contrabandear; pasar de contrabando; matutear (Esp., col.)

contraband goods, mercancías de contrabando; artículos de contrabando

contract, contrato (opciones); estipulación del tamaño del activo contratado, su vencimiento y condiciones; contratar

contract in (GB), darse de alta mediante contrato

contract of affreightment, póliza de fletamento

contract of lease, contrato de arrendamiento

contract of pledge, contrato pignoraticio

contract out, darse de baja en lo contratado

contract rate of interest, tipo de interés contractual

contract size, tamaño del contrato

contract terms, términos del contrato; condiciones del contrato

contracting party, parte contratante

contractor, contratista

contrary to, contra; frente a; en contra de; contrariamente a

contrary to expectations, contra toda expectativa; en contra de lo esperado; frente a lo que se esperaba

contribute, contribuir; aportar

contributed capital, capital invertido; capital aportado

contribution, donación; aportación; subvención

contribution margin, margen de aportación

contribution to capital, aportación al capital; contribución al capital

contribution to Deposit Guarantee Fund, contribución al Fondo de Garantía de Depósitos (Esp.)

contribution to GDP (GDP = ab. **Gross Domestic Product),** contribución al PIB (PIB = Producto Interno Bruto)

contributory negligence, culpabilidad concurrente

control (n.), control; seguimiento

control (v.), controlar; supervisar; realizar un seguimiento

control card, tarjeta de control; ficha de control

control character, carácter de control; dígito de control; bit de verificación; dígito de verificación

control key, clave de control

control of line limits (insurance), control de plenos (seguros)

control sequence, secuencia de instrucciones

control total, total de control

control unit, unidad de control

controler (US = **controler;** GB = **comptroller / controller),** controlador; interventor; contralor (LA)

controlled company, sociedad filial; empresa filial; compañía filial; empresa controlada; subsidiaria; sociedad sujeta a intervención (de otra, principal)

controlled economy, economía dirigida

controlled prices, precios intervenidos

controlled storage room, recinto de almacenaje controlado; almacén sujeto a control

controller (GB = **controller / comptroller;** US = **controler),** controlador; interventor; contralor (LA)

controllership US = **controlership),** intervención; contraloría (SA)

controlling chunk (col.), participación mayoritaria; participación de control; paquete (de acciones) mayoritario

controlling institutional shareholder, accionista institucional mayoritario

controlling institutional stockholder, accionista institucional mayoritario

controlling interest, participación mayoritaria; participación de control; paquete (de acciones) mayoritario

controlling shareholder, accionista mayoritario

controlling shareholding, participación mayoritaria; participación de control; paquete (de acciones) mayoritario

controlling stockholder, accionista mayoritario

convene a meeting, convocar una reunión

convener, convocante; enlace sindical (GB)

convenience goods, artículos de consumo diario

convenor, convocante; enlace sindical (GB)

convention, convención; congreso

conventional, convencional; tradicional; clásico

conventional banking transactions, operaciones de banca clásicas; operaciones bancarias tradicionales; transacciones bancarias convencionales

conventional mortgage, hipoteca simple

convergence, convergencia

convergence of objectives, convergencia de objetivos

conversant with, familiarizado con

conversion (GB), apropiación indebida

conversion account, cuenta de conversiones

conversion cost, coste de conversión (trabajo directo más gastos generales)

conversion date, fecha de conversión

conversion discount, prima de conversión; descuento por conversión

conversion factor, factor de conversión

conversion into euros, conversión a euros

conversion issue, emisión de conversión

conversion of a loan, conversión de un empréstito

conversion parity, paridad de conversión

conversion premium, prima de conversión; descuento por conversión

conversion price, precio de conversión

conversion program, programa de conversión

conversión rate, tipo de conversión; tasa de conversión

conversion ratio, relación de conversión; ratio de conversión; coeficiente de convertibilidad

conversion table, tabla de conversión

conversion value, valor de conversión

convert bonds into shares, convertir obligaciones en acciones

convert into, convertir en; pasar a; traducir a; cambiar a

convert into dollars, convertir en dólares; pasar a dólares; cambiar a dólares

convert Spanish pesetas into euros, convertir pesetas españolas en euros; pasar pesetas españolas a euros; cambiar pesetas españolas a euros

converter, convertidor

convertibility of a currency, convertibilidad de una moneda

convertible, convertible

convertible bond, bono convertible; bono canjeable por acciones del mismo emisor bajo ciertas condiciones

convertible bonds, bonos de reintegro; bonos reintegrables; bonos convertibles; obligaciones convertibles

convertible currency, moneda convertible; divisa convertible

convertible debenture loan investment, préstamo representado por obligaciones convertibles

convertible floating rate note (ab. **floating rate note = FRN),** pagaré convertible con tipo de interés flotante

convertible FRN (FRN = floating rate note), pagaré convertible con tipo de interés flotante

convertible securities, valores convertibles

convexity, convexidad

convey goods, transportar mercancías

convey property of estate, traspasar la propiedad de un bien inmobiliario

conveyancing, trámites de traspaso y formalización de un bien inmobiliario

convicted of stealing, condenado por robo; convicto de apropiación indebida

COO (ab. **chief operating officer),** director de operaciones; jefe de operativa

COOC (ab. **contact with oil or other cargo),** contacto con aceite u otras mercancías del cargamento; contacto con aceite o el resto de la carga

cook, falsear (col.); alterar (col.); amañar (col.); manipular

cook an audit, amañar una auditoría

cook the books, falsear los libros de contabilidad

cool down (an overheated economic situation), enfriarse (una situación de recalentamiento económico)

cooperate, cooperar

cooperation, cooperación

cooperative retail company, cooperativa de ahorro y consumo; economato

cooperative union, asociación cooperativa; unión de cooperativas

coordinate, coordinar

coordinator, coordinador

coownership, copropiedad

cop out of, escabullirse de; escurrir el bulto (Esp., col.)

copartner, consocio; copartícipe

copartnership, coparticipación

copier, fotocopiadora

coppers (GB, col.**),** moneda(s)

copy (n. & v.)**,** copia; ejemplar (n.); transcribir

copybook (old), libro copiador de cartas (anticuado)

copyright, derechos de autor; propiedad intelectual; registrar los derechos de propiedad intelectual

copyright law, ley de propiedad intelectual

cordless, inalámbrico; sin hilos

cordless in-house communication system, sistema interno de comunicación inalámbrica

core, centro; núcleo; básico (adj.); esencial (adj., masc. & fem.)

core centre (US: **centre = center),** centro de interés

core directions, pautas esenciales

core image library (computers), biblioteca imagen de memoria (ordenadores)

corespondent, tercero citado a juicio por presunto adulterio con la parte demandada

corn exchange (US)**,** bolsa de granos; lonja (Esp.); mercado de productos agrícolas; alhóndiga

corner the market, acaparar; atesorar; comprar determinado valor a gran escala; comprar en su totalidad; comprar al cien por cien; comprar la participación accionaria a; comprar todas las existencias; hacer acopio de

corpora (= corpuses; s.: corpus), principal menos intereses; principal de una herencia; fondo; fideicomiso

corporate accountability, responsabilidad colegiada

corporate bonding, afianzamiento

corporate entity, persona jurídica; ente jurídico

corporate image, imagen corporativa

corporate income tax, impuesto (sobre la renta) de sociedades (Esp.); impuesto de utilidades (de sociedades)

corporate income tax provision, provisión para el impuesto de sociedades

corporate individual, persona jurídica; ente jurídico

corporate ladder, escalafón de una empresa; escala jerárquica de una sociedad

corporate loans, préstamos otorgados a empresas; prestamos al sector empresarial

corporate name, razón social; casa (firma comercial); firma comercial; nombre (razón social)

corporate note, pagaré de empresa

corporate purposes, fines sociales; objeto social

corporate risk, riesgo de empresa; riesgo corporativo

corporate seal, sello social; sello corporativo; sello (oficial) de la sociedad

corporate stock, acciones de una sociedad

corporate strength within the sector, fortaleza de la compañía dentro del sector

corporate tax, impuesto de sociedades (Esp.); impuesto sobre la renta de sociedades anónimas

corporate vicetreasurer, vicetesorero corporativo (LA); vicetesorero de la sociedad

corporation income tax, impuesto de sociedades (Esp.); impuesto sobre la renta de sociedades anónimas

corporation papers (US)**,** escritura de constitución; acta de constitución; documento constitucional; escritura social; escritura constitutiva; certificado de constitución; acta fundacional

corpus (pl. corpora / corpuses), principal menos intereses; principal de una herencia; fondo; fideicomiso

corpus delicti (Lat.)**,** cuerpo del delito

corpuses (= corpora; s.: corpus), principal menos intereses; principal de una herencia; fondo; fideicomiso

correct (v.)**,** corregir; rectificar; reformar

correcting entry, contraasiento; asiento de contrapartida; asiento de complemento; asiento corrector

correction, ajuste; corrección; liquidación mediante ajuste; conciliación; conformación; movimiento contrario a la tendencia, sin alterarla

corrective action, medida correctora; remedio; acción correctora

correlation, correlación

correlative entry, asiento correlativo

correspond, corresponder; corresponderse; equivaler

correspondence, correo; correspondencia

correspondence file, archivo de correspondencia

correspondence training course, curso de formación por correspondencia

correspondent bank, banco corresponsal

correspondent relationship, relaciones de corresponsalía

corridors of power, altas esferas (Esp., col.); pasillos del poder (Esp., col.); estado mayor (Esp., col.)

corrupt (v. & adj.), corromper mediante soborno; corromper mediante cohecho; corromper mediante mordida (LA); corrupto (adj.); viciado (adj.); infectado (con virus) (comp.); introducir virus (comp.); infectar con virus (comp.); meter un virus (comp., col.)

corrupt (v.)**,** sobornar; cohechar; untar la mano (Esp., col.)

corrupt a disk (comp.), infectar un disco (comp.); introducir el virus en un disco (comp.); meter(le) virus a un disco (col.)

corrupt practices, corrupción (n. fem.); prevaricación (n. fem.); chanchullo (Esp., col.); corruptela

corruption, corrupción (n. fem.); prevaricación (n. fem.); chanchullo (Esp., col.); corruptela

cosignatory (= cosigner), cofirmante; firmante conjunto; firmante mancomunado

cosigner (= cosignatory), cofirmante; firmante conjunto; firmante mancomunado

cosmetic (adj.)**,** ficticio; fingido; imaginario; artificial (adj., masc. & fem.); de pega (Esp., col.)

cosmetic leasing, alquiler-venta que elimina inmovilizado y aumenta la liquidez del balance

cost, coste; costo; costar; valer

cost accounting, contabilidad de costos; contabilidad analítica

cost allocation, imputación de costes; distribución de costos

cost and freight (C&F), coste y flete (C&F)

cost and freight (ab. **C&F),** coste y flete

cost and freight (CFR), costo y flete

cost and freight cleared (C&FC), coste, flete y todos los demás gastos por cuenta del comprador

cost and freight customs duties paid (ab. **C&FCDP),** coste y flete, con derechos de aduana pagados

cost and freight landed (C&FL), coste y flete, con gastos de descarga por cuenta del vendedor

cost centre (US: **centre = center),** oficina de control del gasto (Esp.); unidad de control de costes

cost control, control de costes; control del gasto (Esp.)

cost control policy, política de control del gasto; política de contención del gasto; política de control de costos

cost cutting, reducción del gasto; descenso del gasto

cost displacement, ahorro por reducción de costos

cost distribution, repartición de costos; reparto del gasto; imputación racional de costos

cost driver, inductor de costes

cost finding, determinación de costos

cost flow, movimiento de costos; flujo de costos

cost of carry, coste del acarreo; coste neto de financiación; coste de financiación; diferencia entre rendimiento y coste de financiación; coste del transporte

cost of funds, coste de los recursos; remuneración del pasivo; costes financieros

cost of living, coste de la vida

cost of production, coste de la producción

cost of sales, coste de las ventas

cost of the assignment, coste de la cesión

cost of transfers, coste de las transferencias

cost plus percentage, costo más porcentaje

cost price, precio de coste; precio de costo

cost reduction, reducción de costos

cost saving, economía de costes

cost sheet, hoja de costes

cost trimming, reducción del gasto; descenso del gasto

cost variances, variaciones de costos; desviación de costes

cost, insurance and freight (CIF), coste, seguro y flete

cost, insurance and freight free out (CIFFO), coste, seguro y flete, deducidos gastos de descarga

cost, insurance and freight price (CIF price), precio CIF

cost, insurance, freight and exchange (CIF&E), coste, seguro, flete y gastos de cambio y negociación

cost-benefit analysis, análisis costo-beneficio

cost-cutting drive, campaña de reducción de gastos

cost-of-living adjustment, ajuste por coste de la vida

cost-plus price, precio de coste más beneficio

cost-push inflation, inflación de costes

cost-volume-profit relationship, relación coste-volumen-beneficio

costing, cálculo de costos; estimación de gastos

costs to the borrower, gastos por cuenta del prestatario

costume jewelry (GB: **jewelry = jewellery),** alhajas de fantasía; joyas de bisutería

costume jewellery (US: **jewellery = jewelry),** alhajas de fantasía; joyas de bisutería

coterminous property, propiedad colindante; terrenos limítrofes

cottage industry, industria artesanal

cough (col.), declarar sin reservas; cantar (de plano) (Esp., col.)

cough up (col.), aflojar la pasta (Esp., col.); aflojar la mosca (Esp., col.); retratarse (Esp., col.); pasar por ventanilla (Esp., col.); soltar la plata (LA); rascarse el bolsillo (Esp., col.)

council, consejo (corporación); comité asesor

council estate, complejo urbanístico de subvención municipal; viviendas subvencionadas (Esp.); viviendas de protección oficial (Esp.)

council housing, complejo urbanístico de subvención municipal; viviendas subvencionadas (Esp.); viviendas de protección oficial (Esp.)

council of conciliation, tribunal de conciliación

Council of Europe, Consejo de Europa

council of ministers, consejo de ministros

councilman, concejal; edil

councilor (= councillor), concejal; edil

councilwoman, concejala

councillor (= councilor), concejal; edil

counsel (n.), abogado; defensor; letrado (US); asesor jurídico; procurador

counsel (v.), asesorar

counsel fees, minuta de letrado; honorarios de abogado

counsel for the defense, abogado defensor; letrado por la defensa

counsel for the prosecution, fiscal (tribunales)

counsel to the company, asesor legal de la sociedad

counselor (GB: **counselor = counsellor),** abogado; defensor; letrado (US); asesor jurídico; procurador

counsellor(-at-law) (US: **counsellor = counselor),** abogado; defensor; letrado (US); asesor jurídico; procurador

count, cuento; cómputo; conteo (SA); contar

countdown, cuenta atrás; cuenta regresiva; conteo regresivo (SA)

counter, mostrador; ventanilla

counter clerk, empleado de mostrador; empleado de ventanilla; empleado de atención al público

counter cheque (US: **cheque = check),** talón de ventanilla; talón de cuenta corriente

counter wills, testamentos recíprocos

counteract, contrarrestar

counteract the adverse effects, contrarrestar los efectos adversos; afrontar los efectos negativos

counterclaim, contrademanda

counterfeit, falsificación (n. fem.); impostura; montaje (Esp., col.); falso (adj.); espurio (adj.); falsificar; fingir; usurpar la personalidad; hacerse pasar por

counterfeit banknotes, billetes de banco falsos

counterfeit card, tarjeta falsificada

counterfeit losses, pérdidas por falsificación; quebrantos debidos a falsificaciones

counterfeit paper, facturas falsas

countermand, contraorden; cursar orden en contrario; anular una orden anterior; pasar instrucciones que dejan sin efecto las anteriores; cursar orden de no pagar

counterpart, homólogo; duplicado (GB); contrapartida; contraparte

countersignature, autenti(fi)cación; legalización; refrendo; bastanteo (Esp.); contrafirma

countervailing (adj.), compensatorio (adj.); compensador (adj.)

countervalue, paridad; paridad cambiaria; cambio a la par; paridad real intercambiaria; contravalor; equivalencia; par (valor)

country code, código (de) país

country of origin, país de origen; país de procedencia

country risk, riesgo-país

country-wide, ámbito nacional; escala nacional

country-wide expansion, expansión de ámbito nacional

county (US), condado (US); comarca (Esp.)

county council (US), corporación de gobierno del condado (US); junta de gobierno comarcal (Esp.)

county seat (US), capital del condado (US); cabeza de partido (Esp.)

coup, golpe maestro; jugada maestra

coupon, cupón

coupon bond, bono al portador

coupon book, registro de cupones a pagar

coupon due, cupón al cobro

coupon for collection, cupón al cobro

coupon issue, emisión de cupones

coupon payment period, período de pago de cupones

coupon sheet, hoja de cupones

coupon stripping, separación de cupones; corte de cupones

coupon yield, rentabilidad actual; rendimiento nominal; rendimiento corriente; rentabilidad del cupón

courier, mensajero; correo (servicio de mensajería); rutero (SA); repartidor de mensajería

courier service, servicio de mensajería (Esp.)

court, tribunal; juzgado

court action, actuaciones judiciales; diligencias judiciales; apremio judicial

court costs, costas procesales

court of appeal, tribunal de apelación

court of directors (Bank of England), directorio (Banco de Inglaterra)

court of justice, tribunal de justicia

court of oyer and terminer, tribunal de lo penal

court order, orden (n. fem.); pedido; encargo; mandado (LA); encargar; mandamiento judicial; cursar una orden

court proceedings, proceso

courthouse, tribunal; juzgado

courtroom, sala de juicios

covariance, covarianza

covenant (n.), artículo; cláusula (n. fem.); disposición (n. fem.); condición (n. fem.); condicionante (n. masc.)

covenant (v.), comprometerse; obligarse a; responsabilizarse de; garantizar que; transigir respecto a

covenantee, contratante

covenantor, obligado; garante; avalista; fiador

cover, provisión (de fondos); cobertura; compra de futuros para cubrir una posición precedente; proveer de fondos; cubrir una posición abierta de divisas

cover a position, cubrir una posición

cover charges, cubrir gastos

cover letter, comprobante de cobertura (previo a la emisión de póliza de seguro); certificado provisional de seguro; carta de cobertura; carta de acompañamiento de otros documentos; carátula de mensaje por fax

cover note, comprobante de cobertura (previo a la emisión de póliza de seguro); certificado provisional de seguro; carta de cobertura; carta de acompañamiento de otros documentos; carátula de mensaje por fax

cover of risk in foreign exchange, seguro de cambio

coverage, provisión (de fondos); cobertura; compra de futuros para cubrir una posición precedente; proveer de fondos; cubrir una posición abierta de divisas

covered against, cubierto contra; protegido frente a; amparado frente a

covered by law, cubierto por la ley; contemplado por la ley; amparado por la ley; previsto por la ley

covered call writing, venta opción; venta cubierta; compra durante la posesión del valor subyacente

covered market, mercado cubierto

covered option, opción cubierta

covered warrant, warrant cubierto

covered writing, emisión cubierta

CP (ab. **charter party),** contrato de alquiler de barco

CPA (ab. **Certified Public Accountant),** experto contable; perito contable (Esp.); censor jurado de cuentas (Esp.); contador público (SA)

CPBL (ab. **charter party bill of lading),** conocimiento de embarque sobre mercancías a bordo de buque alquilado

CPI (ab. **Consumer Price Index),** Índice de Precios al Consumo (ab. IPC.); IPC (Índice de Precios al Consumo)

CPT (ab. **carriage paid to),** flete pagado hasta; porte pagado hasta

CPU (ab. **central processing unit),** unidad central de proceso; central de proceso de datos; unidad de proceso centralizado de datos

crack (n., col.), quiebra; bancarrota; insolvencia; colapso; desplome; derrumbamiento; hundimiento

crack (v., col.), quebrar; ir a la quiebra; entrar en quiebra; suspender pagos; entrar en suspensión de pagos; caer en bancarrota

crack worker (col.), empleado excelente (col.)

crackbrain idea, idea descabellada

craft, buque; barco; nave

crash (n., col.), quiebra; bancarrota; insolvencia; colapso; desplome; derrumbamiento; hundimiento

crate, cajón; jaula de embalaje

crating, loading and shipping (costs), embalaje, carga y embarque (coste)

crawling peg, tipo de cambio deslizante

create employment, crear empleo; generar empleo; crear puestos de trabajo

create jobs, crear empleo; generar empleo; crear puestos de trabajo

create problems, crear problemas; originar problemas; motivar problemas

credibility, credibilidad

credit (n.), crédito; préstamo; haber (n.)

credit (v.), acreditar; anotar al Haber de una cuenta; practicar un abono en cuenta

credit account, cuenta de crédito; cuenta acreedora

credit advice, nota de abono; talón de abono en cuenta; aviso de abono

credit an account, acreditar en cuenta; abonar en cuenta

credit analysis, análisis de créditos

credit and collections, crédito y cobranzas

credit availability, disponibilidad de crédito

credit balance, saldo acreedor; saldo al haber

credit bank, banco de crédito

credit card, tarjeta de crédito

credit card issuance, emisión de tarjetas de crédito

credit company, banco de descuento; financiera; sociedad de financiación; sociedad financiera; sociedad de crédito comercial

credit crunch (col.), parón en los créditos (Esp., col.)

credit department, departamento de créditos

credit entry, asiento de abono; apunte acreedor; abono (apunte contable) (Esp.); anotación en el haber; asiento al haber

credit facility, línea de crédito; facilidad crediticia; seguro suscrito en unión de otras pólizas; línea de crédito para ejecución de garantías

credit file, archivo de antecedentes de solvencia

credit hedge, cobertura del crédito

credit information, información sobre el grado de solvencia; información sobre historial de créditos

credit institutions, banca; bancos; entidades de crédito y ahorro

credit instrument, instrumento crediticio; póliza de crédito (Esp.)

credit insurance, seguro al crédito

credit interest, intereses acreedores

credit into account, acreditar en cuenta; abonar en cuenta

credit ledger, registro de créditos

credit limit, límite del crédito

credit line, línea de crédito; facilidad crediticia; seguro suscrito en unión de otras pólizas; línea de crédito para ejecución de garantías

credit loss allowance, provisión para incobrables; provisión para fallidos; provisión para insolvencias

credit losses, pérdidas por insolvencias

credit note, nota de abono; talón de abono en cuenta; aviso de abono

credit policy, póliza de crédito; política crediticia

credit purchase, compra a crédito

credit rating, capacidad financiera; calificación; grado de solvencia asignado

credit report, informe comercial

credit restraint, restricción crediticia

credit restriction, restricción crediticia

credit risk, riesgo sobre créditos concedidos; riesgo de la inversión crediticia; riesgo sobre inversión bancaria típica

credit sale, venta a crédito

credit scoring, evaluación ponderada de solvencia para decidir la concesión de crédito

credit squeeze, restricción crediticia

credit system, sistema crediticio

credit terms, condiciones del crédito

credit the amount of, abonar la suma de; acreditar la suma de

credit to private borrowers, crédito a particulares

credit to the private sector, crédito al sector privado

credit union, cooperativa de crédito

credit voucher, nota de abono; talón de abono en cuenta; aviso de abono

creditors' ledger, libro mayor de compras

creditors' meeting, junta de acreedores

credits pending for customers' returns, créditos pendientes por devoluciones de clientes

credits pending settlement, créditos pendientes de liquidación

creditworthiness, responsabilidad (cualidad) (n. fem.); solvencia

creditworthy, solvente

creeping inflation, inflación subyacente; inflación furtiva; inflación latente

cremation certificate, certificado de incineración; justificante de cremación

cremation of outdated documents, cremación de documentos caducados

crew, tripulación; equipo de personas

crime, delito

crime wave, ola de delincuencia

criminal (n. & adj.)**,** delincuente; delictivo

criminal act, acto criminal; actuación delictiva

criminal activity, actividad delictiva

criminal bankruptcy, quiebra fraudulenta

criminal code, código penal; leyes penales; legislación penal

criminal court, juzgado de lo penal; sala de lo penal

criminal lawyer, abogado criminalista; abogado penalista

criminal negligence, negligencia criminal; omisión punible

criminal offence, acto delictivo

criminal record, antecedentes penales

criminal use, uso delictivo; utilización contraria a la ley

criminal(ly obtained) funds, dinero negro; dinero de procedencia ilegal; dinero sucio

crises (s. **crisis**)**,** crisis

crisis (pl. **crises**)**,** crisis

crisis of confidence, crisis de confianza

crook, timador; estafador; embaucador; defraudador

crook (col.)**,** falsificador; embustero; cuentista (Esp., col.); ful(l)ero (Esp., col.); tramposo

crop hail insurance, seguro de pedrisco; seguro de granizo

cross a cheque (US: **cheque = check**)**,** cruzar un cheque

cross default, cancelación simultánea; vinculación por impago

cross entry, asiento cruzado

cross footings, sumas cuadradas

cross hedge, cobertura cruzada

cross hedging, cobertura cruzada

cross rate, cambio indirecto; cotización cruzada

cross-border, transfronterizo

cross-border project financing, financiación de proyectos transfronterizos

cross-border risk, riesgos contraidos con no residentes; riesgos transfronterizos

cross-border transactions, operaciones transfronterizas; transacciones con el exterior

cross-check (v.), verificar; cotejar; compulsar; refundir; chequear (LA)

cross-default clause, cláusula de insolvencia cruzada; cláusula de denuncia por incumplimiento ante terceros

cross-examination, turno de repreguntas; contrainterrogatorio

cross-examine, repreguntar; volver a interrogar

cross-holding (= crossholding), participación cruzada

cross-question, interrogar; poner a prueba; someter a interrogatorio

cross-reference (documents), remitir de algo a algo (documentos)

crosscheck (n.), verificación (n., fem.); compulsa; cotejo

crossed cheque (US: **cheque = check),** cheque cruzado; cheque barrado

crossed markets, mercados cruzados

crossed out, tachado

crossholding (= cross-holding), participación cruzada

crossing, cruzamiento

crowding out, intervención pública en el sector financiero

crown court (GB), juzgado de lo penal; sala de lo penal

crown jewel (col.), joyas de la corona (col.); empresa más valiosa de un grupo; perita en dulce (Esp., col.); bombón (col.)

crux of the matter, quid de la cuestión

cryptographic key, clave criptográfica

cryptography, criptografía

CTD bond, bono entregable más barato; bono EMB; bono más barato entregable; bono MBE

CTR (ab. **currency transaction report),** declaración de movimientos monetarios

cube, elevar al cubo; cubicar

cube root, raíz cúbica

cubic, cúbico

cubic equation, ecuación de tercer grado

cubic measure, medida de capacidad

culprit, culpable; inculpado

cum (Lat.), con; a la par que; a la vez que

cum dividend, con (derecho a percibir) dividendo

cumulative, acumulativo; cumulativo; acumulable

cumulative annual average rate, ritmo anual acumulativo

cumulative dividend, dividendo acumulable; dividendo (susceptible) de acumulación; dividendo (a)cumulativo

cumulative preferred stock, acciones privilegiadas con dividendo acumulativo

cumulative sinking fund, fondo de amortización (a)cumulativo

cumulative stock, acciones (a)cumulativas; acciones acumulables

curb (v.), frenar; dominar

curb imports, controlar las importaciones

curb inflation, frenar la inflación; reducir la inflación; desacelerar la inflación

curb market, transacciones (realizadas) fuera de la Bolsa; operaciones extrabursátiles; mercado secundario; mercado extrabursátil; mercado gré-à-gré; mercado previo a la emisión; negociación extrabursátil de valores; bolsín (Esp.)

curb speculation, dominar la especulación

curb spending, controlar el gasto; frenar el gasto

currencies futures, futuros sobre divisas

currency (n. & adj.), moneda (euros, dólares, pesetas, etc.); monetario (adj.); financiero (adj.)

currency advisor, asesor monetario

currency area, zona monetaria; área monetaria

currency basket, cesta de monedas

currency certificate (US), bono del Tesoro; pagaré del Tesoro; letra del Tesoro (LT); obligación del Tesoro; LT (ab. letra del Tesoro)

currency clause, cláusula monetaria

currency devaluation, depreciación de la moneda; devaluación monetaria

currency issue, emisión de moneda

currency management, gestión monetaria

currency of a bill, plazo de validez de una letra de cambio

currency of denomination, moneda de denominación; divisa de emisión

currency option, opción sobre divisas

currency option clause, cláusula de opción a la moneda de pago

currency pairings, emparejamientos monetarios

currency paper, papel moneda; billetes de banco

currency rate, tipo de cambio aplicable a una divisa

currency restrictions, restricciones monetarias

currency risk, riesgo monetario

currency swap, trueque de divisas; permuta de divisas; swap de divisas (Esp.)

currency system, sistema monetario

currency transaction report (CTR), declaración de movimientos monetarios

currency unit, unidad monetaria

currency units per SDR (SDR = Special Drawing Right), unidades monetarias por derecho especial de giro (ab. DEG); unidades monetarias por DEG (DEG = derecho especial de giro)

currency units per Special Drawing Right (ab. = **SDR),** unidades monetarias por derecho especial de giro (ab. DEG); unidades monetarias por DEG (DEG = derecho especial de giro)

currency-linked bond, bono en moneda subordinada

current (adj.), actual (adj., masc. & fem.); corriente (actual) (adj., masc & fem.); presente (adj., masc. & fem.); en curso

current account, cuenta corriente; cuenta a la vista; cuenta de depósito(s); cuenta de cargo

current account balance, saldo en cuenta corriente; saldo a la vista

current account credit, crédito en cuenta corriente

current account ledger (book), libro auxiliar del Mayor; libro de cuentas corrientes

current account surplus, superávit en cuenta corriente

current assets, activo realizable a corto plazo; activo circulante; activo corriente; capital circulante; activo semifijo; activo de explotación; realizable a corto; activo flotante; activo líquido

current banking regulations, normativa bancaria actual; reglamentación bancaria actual

current cost, coste actual

current coupon, cupón corriente

current external deficit, déficit externo en cuenta corriente

current file, archivo actualizado

current insurance, seguro en vigor; seguro vigente

current interest, interés corriente

current investment, inversión actual; inversión real

current liabilities, pasivo flotante; pasivo circulante; pasivo corriente; deuda flotante

current loans and discounts, préstamos y descuentos; inversión bancaria típica (IBT); IBT (inversión bancaria típica); inversión libre; inversiones crediticias; efectos y créditos

current maturities, vencimientos corrientes; vencimientos inferiores al año; vencimientos a menos de un año

current money, moneda nacional

current month, mes corriente; mes actual; mes en curso

current rate, tipo corriente; tasa actual

current ratio, relación del circulante; coeficiente de circulante

current regulations, normativa vigente

current risks, riesgos en curso

current user, usuario actual

current worth, valor real; valor efectivo; valor ajustado a la tasa de inflación

current year, año actual; año corriente; año en curso; ejercicio actual

current yield, rentabilidad actual; rendimiento nominal; rendimiento corriente; rentabilidad del cupón

curriculum vitae (ab. **CV)** (Lat.), historial (antecedentes personales); curriculum vitae (ab. CV) (Lat.); CV (ab. = curriculum vitae) (Lat.); acápite de antecedentes personales (LA)

curriculum vitae (CV), historial personal; curriculum vitae (CV); CV (ab. curriculum vitae)

curtail (v.), recortar; reducir; restringir

curtail credit, reducir el crédito

curtail spending, restringir el gasto

curtailment, limitación (n. fem.); coacción (n. fem.); restricción (n. fem.)

cushion, amortiguador; protección (n. fem.); amortiguar

cushion against inflation, amortiguador frente a la inflación

custodial sentence, pena de prisión; sentencia de reclusión en establecimiento penitenciario

custodian, custodio; conservador

custody, custodia; depósito bajo custodia

custody account, cuenta de custodia

custody of stocks, custodia de títulos; conservación de valores

custom, costumbre; cliente (GB)

custom of the trade, uso de la plaza; conforme a los usos del sector

customary risks, riesgos corrientes

customer identification, identificación de clientes

customer insolvence risk, riesgo de insolvencia de los clientes

customer profile, perfil de la clientela

customer segmentation, segmentación de clientes; segmentación de la clientela

customers' deposits, recursos de clientes; depósitos de los clientes; acreedores (por depósitos); pasivo (recursos ajenos)

customers' foreign currency deposits, recursos de clientes en divisa; depósitos de clientes en moneda extranjera; acreedores en divisas

customers' liabilities on acceptances, guarantees and documentary L/Cs, deudores por aceptaciones, avales y créditos documentarios

customers' peseta deposits, acreedores en pesetas; depósitos de clientes en pesetas

customers' peseta deposits translated into euros, recursos de clientes traspasados a euros

customers´ deposits, pasivo (depósitos de clientes); recursos ajenos (depósitos)

customers´ funds, recursos de clientes; depósitos de los clientes; acreedores (por depósitos); pasivo (recursos ajenos)

customhouse (US; GB: **customhouse = customs house),** aduana

customize, adecuar a las necesidades individuales específicas

customized service, servicio adaptado a las necesidades individuales de cada cliente; servicio personalizado

customs agent, funcionario de aduanas; aduanero; vista de aduanas (Esp.); agente del servicio aduanero

customs appraisal, tasación aduanal; evaluación de aduanas

customs authorities, autoridades aduaneras

customs bond, aval en favor de la aduana; garantía prestada en favor de la aduana

customs broker, agente de aduanas

customs classification, partida arancelaria; fracción arancelaria

customs clearance, despacho de aduanas; trámites aduaneros

customs collector, administrador de aduanas

customs court, tribunal de aduanas

customs declaration, declaración de aduanas

customs duties, derechos aduanèros; derechos arancelarios (Esp.)

customs entry form, formulario de declaración de aduanas

customs house (GB; US: **customs house = customhouse),** aduana

customs office, oficina de aduanas

customs officer, funcionario de aduanas; aduanero; vista de aduanas (Esp.); agente del servicio aduanero

customs tariff, arancel de aduanas

cut down (v.)**,** recortar; reducir; restringir

cut down expenditure, recortar el gasto; restringir gastos; reducir gastos

cut in discount rates, rebaja en el tipo de descuento

cut-price, rebajado; de ocasión

cut-price special banking fees (promotions), servicios bancarios especiales a precio rebajado (promociones)

cutoff coupon, cupón cortado

cutoff date, fecha de cierre; fecha tope; fecha límite

CV (ab. **curriculum vitae),** historial personal; curriculum vitae (CV); CV (ab. curriculum vitae)

CV (ab. **curriculum vitae)** (Lat.)**,** historial (antecedentes personales); curriculum vitae (ab. CV) (Lat.); CV (ab. = curriculum vitae) (Lat.); acápite de antecedentes personales (LA)

cybernetics, cibernética

cycle, período; ciclo; fase; etapa

cyclic(al), cíclico

cyclical economic mismatches, desajustes económicos cíclicos

cyclical rise in productivity, aumento cíclico de la productividad

D

$ (ab. **= dollar),** dólar

D (ab. **penny / pence;** ab. **died / dead),** penique / peniques; fallecido / falleció

DA (call) (ab. **doesn´t answer),** no contesta (llamada)

DA (US; ab. **district attorney;** ab. **delivery against acceptance),** fiscal de distrito

DAA (ab.: **delivery against acceptance; documents against acceptance),** entrega contra aceptación; aceptación contra (entrega de) documentos

dabble on the stock exchange, especular en bolsa; jugar a la bolsa; arriesgarse a jugar en bolsa

daddy (col.), abuelete (Esp, col. = empleado de mayor edad en un departamento); empleado de mayor edad en un departamento (Esp., col.: abuelete)

DAF (ab. **delivered at frontier),** entregado en frontera

Dáil (Ireland), Cámara Baja del Parlamento (Irlanda)

daily (adj.), diario; libro diario; libro de actas; diario de navegación

daily cash statement, estado diario de caja; extracto diario de caja; detalle de movimientos diarios de caja

daily machine production, producción diaria por máquina

daily output, producción diaria

daily price limit, límite de precio diario

daily production, producción diaria

daily rate, tipo diario

daily statement of account, extracto diario de cuenta; detalle diario de movimientos en cuenta

daily volume, volumen diario

daily wage(s), jornal diario

damage (n.), media; promedio; daño; avería; normal (adj., masc. & fem.

damages, daños y perjuicios

damages in transit, daños en tránsito

damp-proof, protegido contra la humedad; a prueba de humedad; estanco (adj)

dandy note, solicitud de entrega de mercancía en aduana

danger money, prima de peligrosidad; plus de peligrosidad; gratificación por peligrosidad

danger signal, señal de peligro

danger zone, zona de peligro

dangers of the sea, peligros del mar; riesgos marítimos

DAP (ab. **delivery against payment),** entrega contra reembolso; pago contra entrega; entrega contra el pago del importe

DAP (ab. **documents against payment),** pago contra (entrega de) documentos

dark horse (US, col.**),** ganador inesperado (de una puja, concurso, etc.; US, col.); quien se lleva el gato al agua (Esp., col.)

data (sing. = **datum),** datos

data adapter unit, unidad adaptadora de datos

data and ratios, datos y ratios; datos y coeficientes

data bank, banco de datos

data base, base de datos

data coordination, coordinación de datos

data field, campo de datos

data input terminal, terminal para entrada de datos; terminal para toma de datos

data item, unidad de información

data mining, recurso a información útil almacenada en las bases de datos existentes; extrapolación de datos útiles aplicables a nuevos proyectos

data preparation, preparación de datos

data processing, proceso de datos; proceso de información; tratamiento de la información; procesamiento de datos

data processing department, departamento de proceso de datos; departamento de informática

data processing equipment, equipo informático; equipo de proceso de datos; equipo de mecanización

data series, serie de datos

data set, juego de datos; convertidor de señal

date, fecha; fechar; datar; remontarse a; poner fecha

date and place of issue, fecha y lugar de emisión

date back, antefechar; antedatar; retrotraer; aplicar fecha anterior; fechar por adelantado

date draft, letra a .... días; efecto a ... días

date of birth (DOB), fecha de nacimiento

date of closing, fecha de cierre; fecha tope; fecha límite

date of death (DOD), fecha de fallecimiento; fecha de defunción; fallecido el; muerto el; falleció con fecha

date of delivery, fecha de entrega

date of issuance, fecha de emisión

date of issue, fecha de emisión

date of last payment (ab. = **DLP),** fecha del último pago

date of listing, fecha de admisión a cotizar en bolsa

date of maturity, fecha de vencimiento; fecha de caducidad; fecha convenida; fecha acordada; fecha de pago

date of payment, fecha de vencimiento; fecha de caducidad; fecha convenida; fecha acordada; fecha de pago

date of pickup, fecha de recogida

date of post receipt, fecha de recepción en correos

date of qualification, fecha de disfrute; fecha de reconocimiento de derechos

date of return, fecha de devolución

date of settlement, fecha de liquidación

date stamp, fechador

dated (ab. **dd.),** fechado; datado; de fecha; desactualizado; anticuado

dated ahead, de fecha adelantada; con fecha anticipada; antefechado; antedatado

dated bond, bono a vencimiento fijo

dateline, fecha; fechar; datar; remontarse a; poner fecha

datum (pl. data), dato

daughter, hija; filial

daughter company (US = subsidiary), sociedad filial; empresa filial; compañía filial; empresa controlada; subsidiaria; sociedad sujeta a intervención (de otra, principal)

daughter-in-law, nuera

dawdler, empleado duro de mollera (Esp., col.); empleado de pocas luces (Esp., col.); empleado de pocas entendederas (Esp., col.); trabajador obtuso y cachazudo

dawn raid, compra hostil e inesperada de un paquete de acciones mayoritario

DAX index (Frankfurt stock exchange), índice DAX (bolsa de Frankfurt)

day labourer (US: **labourer = laborer),** jornalero

day loan, préstasmo por un día

day of receipt, día de recepción

day of settlement, día de liquidación

day order, orden de bolsa válida por un solo día

day shift, turno de día

day-care centre (US: **centre = center),** guardería infantil; centro de atención diurna a ancianos y discapacitados

day-to-day compliance with regulations, cumplimiento cotidiano de las normas

day-to-day money, dinero de día a día

day-to-day routine, rutina cotidiana

daylight saving time, horario de verano

days (after) sight (ab. **DS),** días vista (ab. D/V); D/V (ab. = días vista)

days after date, días fecha

days of grace, plazo de gracia; días de gracia; prórroga concedida; período de carencia; plazo sin devengo de intereses

DBA (ab. **doing business as),** opera como; desarrolla su actividad como; dedicado a operar como

DBL (ab. **direct bill of lading),** conocimiento de embarque sin transbordos

dd. (ab. **dated),** fechado; datado; de fecha; desactualizado; anticuado

DDA (ab. **demand deposit accout),** cuenta de depósito a la vista

DDP (ab. **delivered duty paid),** entrega, derechos pagados

DDU (ab. **delivered duty unpaid),** entrega, derechos no pagados

de facto, de facto; de hecho

de facto bankruptcy, quiebra de hecho

de jure (Lat.), de jure (Lat); de derecho

dead account, cuenta inactiva; cuenta sin movimiento

dead assets, activo sin valor

dead capital, capital improductivo; recursos no aplicados; recursos no rentables

dead freight, falso flete

dead letter, letra muerta; texto sin validez; carta devuelta y no reclamada

dead loss, pérdida total

dead reckoning (col.), cálculo a ojo de buen cubero (Esp., col.); cuentas del Gran Capitán (Esp., col.)

dead season, temporada baja

dead stock, acciones que no producen dividendo

dead time, tiempo muerto

dead weight (ab. **DW),** peso muerto

dead-and-alive shop (GB), tienda de mala muerte (GB); t(i)enducha (Esp.)

dead-end plan, plan sin (perspectivas de) futuro

deadline, fecha de cierre; fecha tope; fecha límite

deadlock, descenso; caída; empeoramiento; retroceso (empeoramiento); estancamiento; punto muerto; paralización; punto de equilibrio; umbral de rentabilidad; recesión

deadlocked negotiations, negociaciones estancadas

deal (n.), acuerdo; contrato; pacto; concierto; arreglo; compromiso; tratado; responsabilidad (n. fem.); deuda contraída (n. fem.)

deal (v.), comerciar; hacer tratos; operar; negociar (hacer tratos); traficar; cotizarse; dedicarse a la distribución (ventas); ejercer como distribuidor (ventas); realizar operaciones mercantiles

deal in securities, operar con valores bursátiles

deal with, mantener relaciones comerciales con

deal with a problem, enfrentarse a un problema; abordar un problema; coger el toro por los cuernos (Esp., col.); afrontar un problema; hacer frente a un problema

dealer, comerciante (n. masc.); negociante (n. masc.); tratante (n. masc.); operador (n. masc.)

dealer (GB: **dealer = stockist),** proveedor; distribuidor; suministrador; abastecedor

dealer agreement, contrato con el comerciante

dealer in stolen goods, perista (Esp.); receptador de objetos robados

dealership, concesión (de venta o representación)

dealing gains, diferencias de cambio

dear money, dinero sujeto a un alto interés; dinero prestado a tipo de interés elevado

Dear Sirs,, Muy Señores nuestros (GB: seguido de coma; US: seguido de dos puntos)

death certificate, partida de defunción (Esp.); certificado de defunción; certificación de fallecimiento

death duties, impuesto de sucesiones; impuesto sobre la masa de la herencia

death rate, tasa de mortalidad

deathbed marriage, matrimonio in articulo mortis

debasement, reducción del contenido metálico de una moneda

debenture, obligación; bono; título; deuda (título)

debenture capital, capital resultante de la venta de obligaciones; producto de la realización de obligaciones

debenture loan, crédito otorgado contra pagaré

debit (n.), débito

debit (v.), debitar; adeudar; cargar (adeudar); deber a; estar endeudado con; tener contraídas deudas con; hallarse en deuda con

debit advice, aviso de cargo; carta de adeudo; nota de cargo; aviso de adeudo; cargo (apunte contable); nota de adeudo

debit an account, adeudar una cuenta

debit and credit, debe y haber; cargo y data

debit balance, saldo deudor; saldo al debe

debit entry, asiento al debe; asiento de adeudo; asiento de cargo; asiento deudor; adeudo

debit interest, intereses deudores; intereses a pagar

debit memo(randum), nota interna de cargo

debit note, aviso de cargo; carta de adeudo; nota de cargo; aviso de adeudo; cargo (apunte contable); nota de adeudo

debit redemption, amortización de deudas

deblocking of funds, desbloqueo de fondos

debt, obligación; bono; título; deuda (título)

debt barred by limitation, deuda prescrita

debt ceiling, límite máximo de la deuda; límite máximo de endeudamiento

debt collector, cobrador de morosos

debt issue, emisión de obligaciones; emisión de bonos; emisión de pagarés; emisión de renta fija

debt management, gestión de la deuda

debt ratio, relación deuda/recursos propios; relación de endeudamiento; ratio de endeudamiento; tasa de endeudamiento

debt refinancing, refinanciación de la deuda

debt restructuring, re(e)structuración de la deuda

debt security, garantía de la deuda

debt service, pagos sobre la deuda contraida; atención de los compromisos inherentes a la deuda; ntereses y pagos por amortización de deuda

debt term, plazo de la deuda

debt terms, condiciones aplicables a la deuda

debt-equity conversion, conversión de deuda en capital

debtor, obligado (n. masc.); deudor

debug, eliminar fallos; corregir defectos; depurar un programa informático

dec. (ab. **deceased),** fallecido

decal, calcomanía

decamp (col.), desaparecer; esfumarse; escaquearse (Esp., col.)

decease, fallecimiento; defunción; muerte; deceso (SA)

deceased, fallecido (n); difunto (n); muerto (n)

deceased (ab. **dec.),** fallecido

deceitful credit report, informe de solvencia falso

deceitfulness, deshonestidad (n. fem.); falta de honradez; fraudulencia; falsedad (n. fem.)

deceive, estafar; timar; embaucar; defraudar; desplumar (Esp., col.)

deceiver, impostor

decelerate, desacelerar; ralentizar

decentralization of regional headquarters, descentralización de direcciones regionales

decentralize, descentralizar

decide by ballot, decidir por votación

decimal digit, dígito decimal

decimal point, separador de decimales

decimalization, decimalización; conversión a decimales; traspaso al sistema decimal

decimalize, decimalizar; convertir a decimales; pasar al sistema decimal

decipher, descodificar; descifrar

decision, decisión

decision making, toma de decisiones; adopción de decisiones

decision tree, árbol de decisión

decision-making levels, niveles decisorios

decision-making unit, unidad resolutoria

deck (of a ship), cubierta (de un barco)

deck cargo, cargamento (transportado) sobre cubierta

deck cargo allowed, cláusula de autorización de transporte de la carga sobre cubierta; se autoriza la carga sobre cubierta

deck of documents, lote (de tarjetas o documentos); juego (de tarjetas o documentos)

declaration of bankruptcy, declaración de quiebra; auto de quiebra

declaration of intent, declaración de intenciones

declaration under oath, declaración jurada; declaración bajo juramento

declare a dividend, declarar un dividendo; repartir un dividendo; decretar un dividendo

declare bankrupt, declarar en quiebra

declared capital, capital declarado; capital escriturado

declared dividend, dividendo declarado; dividendo decretado

declassify, levantar el secreto (aplicado a un asunto, documentos, etc.)

decline (n.)**,** descenso; caída; empeoramiento; retroceso (empeoramiento); estancamiento; punto muerto; paralización; punto de equilibrio; umbral de rentabilidad; recesión

decline an invitation to tender, declinar una invitación a participar en concurso de licitación; rechazar una invitación a licitar

decline in living standards, descenso del nivel de vida; empeoramiento del nivel de vida

declined authorization, autorización denegada

declining competitiveness, decreciente competitividad; competitividad en descenso; competitividad decreciente

declining share, acción en caída; participación en descenso

decoder, descodificador

decodify, descodificar; descifrar

decontrol banking activities, liberalizar las actividades bancarias; desregular la actividad de los bancos; liberalizar la banca

decrease (n.)**,** descenso; caída; empeoramiento; retroceso (empeoramiento); estancamiento; punto muerto; paralización; punto de equilibrio; umbral de rentabilidad; recesión

decrease in restatement reserves, disminuciones en reservas de actualización

decrease in spending, reducción del gasto; descenso del gasto

decrease in the headcount, disminución de plantilla

decrease in value, disminución del valor

decrease of risk, disminución del riesgo

decrease spending, reducir el gasto

decreasing amortization, amortización decreciente

decreasing-charge method of depreciation, depreciación por cargos anuales decrecientes

decree, decreto; ley (n. fem.); acto; acta

decree absolute, sentencia definitiva de divorcio

decree nisi, sentencia provisional de divorcio

decree of divorce, decreto de divorcio; declaración de divorcio; sentencia de divorcio

decree of insolvency, declaración judicial de insolvencia

decree of nullity, auto de nulidad

decree-law, decreto-ley

decriminalize, despenalizar

decryption, descifrado; decodificación

deduct, descontar; bonificar; rebajar; deducir; desgravar

deductible, deducible

deduction, deducción

deduction at source, deducción en origen

deduction from income, deducción sobre utilidades; descuento sobre los ingresos

deed, instrumento notarial; escritura notarial; escritura de notario

deed (v.)**,** escriturar; formalizar mediante escritura; transferir (US); ceder (US)

deed in fee, escritura de pleno dominio

deed of assignment, escritura de donación; escritura de traspaso

deed of conveyance, escritura de donación; escritura de traspaso

deed of covenant, escritura de compromiso; escritura de garantía

deed of gift, escritura de donación; escritura de traspaso

deed of indenture, escritura de donación; escritura de traspaso

deed of inventory, inventario de una herencia

deed of partnership, contrato de sociedad

deed of protest, certificado de protesto; acta de protesto

deed of release, escritura de descargo; carta de pago (Esp.)

deed of sale, escritura de compraventa

deed of secrecy, escritura de compromiso de confidencialidad

deed of title, título de propiedad; escritura de propiedad; documento notarial de propiedad; derecho (formalizado notarialmente)

deed of trust, escritura de (cesión en régimen de) fideicomiso

deed poll, escritura unilateral

deed(s) to the house, escritura de propiedad de la casa

deed(s) to the land, escritura de propiedad del terreno

deep analysis, análisis profundo

deep out of the money, precio de ejercicio muy por debajo del precio de contado

deep-discount bonds, bonos con alta prima de emisión; obligaciones con descuento

deep-frozen cooperation proposal, propuesta de cooperación congelada

deep-rooted banking practices, prácticas bancarias profundamente arraigadas

deep-seated banking practices, prácticas bancarias profundamente arraigadas

defalcate, desfalcar; malversar

defalcation, desfalco; malversación

defalcation of state funds, malversación de caudales públicos; desfalco de fondos públicos

defalcator, malversador; desfalcador

default, infracción; violación; incumplimiento; falta de cumplimiento; infringir (lo pactado); violar (un acuerdo); incumplir

default on payment obligations, incumplimiento de los compromisos de pago

default risk, riesgo de impago de bonos

defaulter, moroso; incompareciente; rebelde

defaulting debtor, deudor moroso

defeasance, abolición; supresión; derogación; anulación; abrogación; casación

defeasance clause, cláusula resolutoria

defeat a motion, rechazar una moción

defeated motion, moción rechazada

defect, defecto; fallo; vicio

defective, defectuoso; deficiente

defective application, aplicación defectuosa

defective goods, artículos deficientes

defective merchandise, mercancía defectuosa

defence (US: **defence = defense),** defensa

defenceless (US: **defenceless = defenseless),** indefenso

defencelessness (US: **defencelessness = defenselessness),** indefensión

defences against money laundering, defensas antiblanqueo; defensas contra el blanqueo de dinero

defend, abogar por; defender; preconizar; proteger; actuar por la defensa

defendant, demandado; acusado

defending counsel, abogado defensor; letrado por la defensa

defense (GB: **defense = defence),** defensa

defenseless (GB: **defenseless = defenceless),** indefenso

defenselessness (GB: **defenselessness = defencelessness),** indefensión

defensive shares, acciones afirmadas

defensive strategies, estrategias defensivas

deferment of payment, aplazamiento del pago

deferral, aplazamiento

deferred, diferido; prorrogado; demorado; aplazado; atrasado; retrasado

deferred annuity, anualidad diferida; anualidad aplazada

deferred assets, activo transitorio; activo diferido; valores transitorios; activo pendiente de ajuste

deferred availability, disponibilidad diferida

deferred bond, título de interés diferido

deferred cap, cap diferido; cap cuya fecha de entrada en vigor es posterior a la de su contratación

deferred coupon bond, bono con cupón diferido; obligación con cupón diferido

deferred charges, gastos anticipados; cargos diferidos

deferred debit, cargo diferido

deferred dividend, dividendo diferido; dividendo en suspenso

deferred income, utilidades diferidas

deferred liabilities, pasivo diferido; pasivo transitorio; pasivo no exigible

deferred payments, pagos aplazados; abonos diferidos

deferred stock, acciones diferidas; acciones con dividendo diferido; acciones con derecho a dividendo en última instancia

deferred swap, swap aplazado (Esp.); swap diferido (Esp.); permuta diferida de tipos de interés

deficit, diferencia negativa; déficit; desfase máximo/mínimo del día; desequilibrio; hueco (n.); vacío (n.)

deficit spending, gastos deficitarios

definition, definición; delimitación

definition of powers, definición de poderes

deflate, deflactar

deflation, deflación

defraud a bank, estafar a un banco

defunct law, ley obsoleta; ley en desuso

defuse an economic crisis, distender la crisis financiera; desactivar la crisis financiera; apaciguar la crisis financiera; calmar la crisis financiera

defy the law, desacatar la ley; desobedecer la ley; incumplir la ley

degradation in the quality of loans, degradación de la calidad de los préstamos

degree, grado; titulación; título académico; condición social

degree of damage, gravedad del daño; alcance del daño

degree of delinquency, grado de morosidad; nivel de morosidad

degree of difficulty, grado de dificultad; nivel de dificultad

degree of disablement, grado de invalidez; nivel de incapacidad

degree of dispersion of interest rates applied, grado de dispersión de los tipos de interés aplicados

degree of insolvency, grado de insolvencia; nivel de insolvencia

degree of risk dispersion, grado de dispersión de los riesgos

delay, demora; retraso; demorar; retrasar

delay charges, gastos de demora

delay interest, interés de demora

delay line, línea de recargo

delay penalty, sanción por demora

delayed, diferido; prorrogado; demorado; aplazado; atrasado; retrasado

delayed delivery, entrega diferida; entrada en posesión a posteriori

delayed settlement, liquidación diferida

delegate (n.), delegado; representante; viajante (agente itinerante); corredor (agente en plaza); enlace sindical

delegate (v.), delegar; hacerse representar

delegation, delegación

delegation of powers, delegación de poderes

delegation of responsibilities, delegación de responsabilidades

delete, eliminar; suprimir; borrar; tachar

delete (comp.), borrar (comp.); suprimir (comp.)

delete a record, borrar un registro; eliminar un registro; suprimir un registro

delete as applicable, táchese según proceda

deliberalization, desliberalización

deliberalize, desliberalizar

deliberation, deliberación

delimit responsibilities, delimitar responsabilidades

delimitation of rights, delimitación de derechos

delinquent, delincuente; delictivo

delinquent account, cuenta en rojo; cuenta en descubierto; cuenta con saldo insuficiente; cuenta sin cobertura; cuenta rebasada; cuenta sobreexcedida

delinquent customer, cliente moroso

deliver (v.), presentar (documentos); entregar; renunciar; claudicar; hacer dejación de

deliver a judg(e)ment, dictar sentencia

deliver a lecture, pronunciar una conferencia; dar una conferencia

deliver a speech, pronunciar un discurso; dar un discurso

delivered at frontier (DAF), entregado en frontera

delivered duty paid (DDP), entrega, derechos pagados

delivered duty unpaid (DDU), entrega, derechos no pagados

delivered ex quay (DEQ), sobre muelle; al costado del buque; franco muelle; puesto al costado del barco; franco (costado del) buque

delivered ex ship (DES), sobre buque

delivery (n.), entrega; presentación (documentos, etc.) (n. fem.)

delivery against acceptance (DAA), entrega contra aceptación; aceptación contra (entrega de) documentos

delivery against payment (ab. **DAP / DP),** entrega contra reembolso; pago contra entrega; entrega contra el pago del importe

delivery bond, fianza para reintegro de bienes embargados; compromiso de entrega; bono entregable; bono aceptable para atender el compromiso en un contrato de futuros

delivery date, fecha de entrega

delivery expenses, gastos de entrega

delivery factor, factor de conversión

delivery note, albarán; nota de expedición; resguardo de envío; carta de porte; cuenta del flete

delivery order, orden de entrega

delivery service, servicio de reparto

delivery slip, nota de envío

delivery terms, condiciones de entrega

delivery versus payment (ab. **DVP),** entrega contra reembolso; pago contra entrega; entrega contra el pago del importe

delta, delta

delta coefficient, coeficiente delta; coeficiente de variación de prima de una opción

delta-hedging, inmunización delta,; limitación del delta

delude with a fraudulent passport, engañar con un pasaporte falso; embaucar mediante pasaporte falso

demand bill, letra a la vista; giro a la vista

demand deposit, depósito a la vista; imposición a la vista; pasivo exigible a la vista; ingreso en cuenta corriente

demand deposit account (DDA), cuenta de depósito a la vista

demand draft, letra a la vista; giro a la vista

demand exchange, divisas a la vista

demand for credit, demanda de crédito; demanda de inversión

demand for stock, demanda de acciones

demand liabilities, obligaciones a la vista

demand management, regulación de la demanda

demand money, dinero prestado a la demanda; dinero a la vista; dinero a la demanda; dinero por prestar

demand note, pagaré a la vista; compromiso de pago a primer requerimiento

demand promissory note, pagaré a la vista; compromiso de pago a primer requerimiento

demand pull, fuerza de la demanda; tirón de la demanda (col.)

demand rate of exchange, cambio a la vista

demand-pull inflation, inflación de la demanda

demarcation, delimitaciòn de atribuciones

demarcation dispute, conflicto de atribuciones

demesne, propiedad (n. fem.); dominio

demise, arrendamiento con derecho a compra; fallecimiento del titular; transmitir por sucesión; traspasar en régimen de arrendamiento

demo (col.), demostración (col., en todas sus acepciones); manifestación de protesta (GB)

democracy, democracia

democratic, democrático

democratically-elected delegate, delegado elegido democráticamente

demographic, demográfico

demographic explosion, explosión demográfica

demographic growth rate, tasa de crecimiento demográfico

demography, demografía

demolish competitor banks (col.), hacer papilla a los bancos de la competencia (Esp., col.)

demonstrable false statement, afirmación de falsedad constatable; mentira demostrable

demonstrable true statement, afirmación de veracidad constatable; verdad demostrable

demonstrate, manifestarse

demonstration, demostración (n. fem.); manifestación (reivindicativa) (n. fem.); protesta (manifestación reivindicativa) (n. fem.)

demonstrator, manifestante; demostrador

demoralizing outcome, resultados desalentadores; resultados desmoralizadores

demoralizing results, resultados desalentadores; resultados desmoralizadores

demote to plain clerical work, degradar a simples labores administrativas; relegar a una mera actividad de oficina; rebajar a simples trabajos de oficina

demur, poner objeciones; poner reparos; objetar

demurrage, sobrestadía

demurrage expenses, gastos de sobrestadía

denial, desmentido; rechazo; repudio (desmentido); mentís (n. masc. sing.)

denomination (amount and currency), denominación (montante y moneda)

denomination of banknotes, expresión monetaria de los billetes de banco; tipo de moneda y montante de los billetes

denominator, denominador

denounce as a thief, denunciar por ladrón

denounce for misuse of credit card, denunciar por uso delictivo de tarjeta de crédito

dense(-brained) employee (col.), empleado duro de mollera (Esp., col.); empleado de pocas luces (Esp., col.); empleado de pocas entendederas (Esp., col.); trabajador obtuso y cachazudo

density, densidad

deny, refutar; impugnar; negar; desmentir; rebatir

deny rumours (US: **rumours = rumors),** desmentir los rumores

depart (transport), salir; partir

departed, fallecido (n. & adj.)

department (ab. **dept.),** departamento; sección; negociado; ministerio; secretariado

Department of Defense, Ministerio de Defensa

Department of Education, Ministerio de Educación

Department of Health (US), Ministerio de Sanidad

Department of State (US), Departamento de Estado (US)

Department of Trade (US), Ministerio de Comercio

department store (n), almacén; grandes almacenes; gran superficie comercial; hipermercado (Esp.); hiper (Esp., col.)

departure, partida (salida); salida; retirada de un cargo (acusación)

dependants (US: **dependants = dependents),** personas a su cargo; cargas familiares

dependents (GB: **dependents = dependants),** personas a su cargo; cargas familiares

depletable assets, activo amortizable; activo decreciente; activo agotable; bienes agotables

depletion, agotamiento (de existencias)

depletion of foreign exchange reserves, agotamiento de reservas de divisas; disminución de reservas de moneda extranjera

deployment of human resources, distribución de recursos humanos; aplicación de recursos humanos

deponent, declarante; deponente

depopulation, despoblación

deport, diferencial entre compra a plazo y venta simultánea al contado; trasladar forzosamente (a un puesto lejano o incómodo) (col); deportar

deportation, deportación; traslado forzoso (a un puesto lejano o incómodo) (col.)

deportment, evolución; comportamiento; marcha; desarrollo; avance(s); progreso(s); forma de actuación; modo de actuar

depose, reconocer (admitir); confesar; declarar; largar (Esp., col.); deponer; cantar (Esp., col.)

deposit, depósito (de fondos, valores, etc); ingreso; imposición; depositar; ingresar

deposit bank, banco de depósito(s)

deposit bases, bases de recursos ajenos

deposit cash, depositar dinero en efectivo; ingresar fondos; hacer un ingreso en metálico; formalizar un depósito en efectivo

deposit date, fecha de (constitución del) depósito

Deposit Guarantee Fund, Fondo de Garantía de Depósitos (Esp.)

deposit money at a bank (also possible: at = with / in), depositar dinero en un banco; ingresar dinero en un banco

deposit note, resguardo de depósito; justificante de depósito; abonaré; resguardo de ingreso; guía de almacén; guía de depósito

deposit of securities, depósito de títulos; depósito de valores

deposit operations, operaciones de pasivo

deposit passbook, libreta de depósito; libreta bancaria; cartilla de ahorro; libreta de imposiciones

deposit rate, tipo de interés aplicable a depósitos

deposit receipt note, resguardo de depósito; justificante de depósito; abonaré; resguardo de ingreso; guía de almacén; guía de depósito

deposit slip, resguardo de depósito; justificante de depósito; abonaré; resguardo de ingreso; guía de almacén; guía de depósito

deposit subject to an agreed term of notice, depósito sujeto a preaviso

deposit ticket, resguardo de depósito; justificante de depósito; abonaré; resguardo de ingreso; guía de almacén; guía de depósito

deposit-taking bank, banco receptor del depósito

deposited securities, valores depositados; títulos depositados

deposition, deposición (declaración); declaración; confesión (declaración)

deposition before the court, declaración ante el tribunal

depositor, depositante; imponente; impositor

depository, depositario; fiduciario; fideicomisario

depository bank, banco depositario

deposits, recursos ajenos; depósitos; acreedores (banca)

deposits (at) over two years, depósitos a más de dos años; imposiciones con plazo superior a dos años

deposits at notice, depósitos sujetos a preaviso

Deposits Guarantee Fund (DGF), Fondo de Garantía de Depósitos (FGD); FGD (ab. Fondo de Garantía de Depósitos)

deposits in foreign currency, depósitos en moneda extranjera; depósitos en divisas; acreedores en moneda extranjera; créditos en moneda extranjera

deposits in transit, depósitos en tránsito

deposits per branch office, depósitos por oficina

deposits per employee, depósitos por empleado

deposits placed with financial institutions, depósitos efectuados en entidades financieras

depreciable assets, activo amortizable; activo decreciente; activo agotable; bienes agotables

depreciate, depreciar; amortizar

depreciated, depreciado; amortizado

depreciated currency, moneda depreciada

depreciated value, valor depreciado

depreciation, amortización (n. fem.); redención (n. fem.); depreciación (n. fem.); rescate; reembolso progresivo de la deuda contraida mediante pagos parciales; amortización gradual de la deuda mediante pagos parciales de la misma

depreciation fund, amortizaciones acumuladas; fondo de amortización

depreciation of premises and equipment, amortización de instalaciones y equipos

depreciation of tangible fixed assets, amortización del inmovilizado material

depreciation rate, tasa de depreciación; coeficiente de amortización

depreciation reserve, reserva para amortizaciones; reserva para depreciaciones

depressed economy, economía deprimida

depression, depresión

deprogramme (US: **deprogramme = deprogram),** desprogramar

dept. (ab. **department),** departamento; sección; negociado; ministerio; secretariado

deputation, delegación

depute to, comisionar para

deputize, delegar en; comisionar a

deputy, adjunto (adj); sub- (adj); vice- (adj)

deputy director, subdirector; director adjunto; adjunto a la dirección

deputy general manager, director general adjunto; adjunto a la dirección general

deputy managing director, consejero delegado adjunto

deputy president (US), director general adjunto; adjunto a la dirección general

DEQ (ab. **delivered ex quay),** sobre muelle; al costado del buque; franco muelle; puesto al costado del barco; franco (costado del) buque

deregulate, aflojar; liberalizar; suavizar; aminorar; moderar; desregular

deregulation, desregulación

derivative instruments, instrumentos derivados; productos de inversión derivados; productos secundarios; productos de inversión secundarios

derivative products, derivados; productos derivados; subproductos; productos residuales

derivatives, derivados; productos derivados; subproductos; productos residuales

derivatives deal, operación de derivados; operación con productos derivados

DES (ab. **delivered ex ship),** sobre buque

descramble, descodificar; descifrar

descrambler, descodificador

descrambling, descodificación

describe, describir

describe a graph, describir un gráfico; trazar una gráfica

described as, descrito como

description, descripción

description of proposed transaction, descripción de la operación propuesta

description of risk, descripción del riesgo

deserve, merecer; ser acreedor a; tener derecho a

deserving, merecedor

deserving employee, empleado de mérito; empleado digno de (promoción, encomio, respeto, etc.)

designated national, persona reseñada en lista negra por comerciar con país sujeto a boicot; empresa marcada por operar con un país sujeto a boicot

designation, nombramiento; designación; cita

designee, persona designada; persona nombrada

deskjet printer, impresora de chorro de tinta

desktop, sobremesa; de sobremesa

desktop machine, máquina de sobremesa

detach, separar; arrancar (separar); cortar (separar); quitar (separar); retirar (separar)

detailed audit, auditoría detallada

details, detalles; particulares (detalles)

detect laundering activities, detectar actividades de blanqueo

detection of counterfeit cards, detección de tarjetas falsificadas

deteriorated relationship, relación deteriorada

deterioration, deterioro

determination of accounting periods, determinación de períodos contables

determination of book income, determinación del beneficio contable

determining factor, factor determinante

devaluate, devaluar

devaluation, devaluación

devaluation of assets, depreciación de activos; devaluación del activo

devaluation of currency, depreciación de la moneda; devaluación monetaria

devalued currency, moneda devaluada

devalued foreign exchange, divisa devaluada

developed countries, países desarrollados

developer, promotor inmobiliario; promotora inmobiliaria; sociedad de promoción inmobiliaria; urbanizadora (n., Esp.)

developing countries, países en (vías de) desarrollo

development assistance, ayuda al desarrollo; asistencia para el desarrollo

Development Assistance Committee, Comité de Asistencia para el Desarrollo

development expenses, gastos de promoción

development goals, objetivos del desarrollo

development of banking activities in foreign countries, desarrollo de actividades bancarias en países extranjeros

development of reserves, explotación de reservas

development plan, plan de desarrollo

development policies, medidas tendentes a promover el desarrollo

development(s), evolución; comportamiento; marcha; desarrollo; avance(s); progreso(s); forma de actuación; modo de actuar

developments in anti-drug traffic, progresos en la lucha contra el narcotráfico; avances en la lucha contra el narcotráfico

deviation of funds, desviación de fondos

devise an estate to, legar bienes inmuebles a

devoid of financial support, carente de respaldo financiero

devoid of risk, carente de riesgo

devoid of sense, carente de sentido

devolution, transferencia de competencias estatales a Comunidades Autónomas (Esp.)

DGF (ab. **Deposits Guarantee Fund),** Fondo de Garantía de Depósitos (FGD); FGD (ab. Fondo de Garantía de Depósitos)

diagnostic routine (comp.), rutina de diagnóstico (comp.)

diagonal spread, arbitraje diagonal

diagram (GB: **diagram = diagramm),** diagrama; gráfico; gráfica; tabla de gráficos; cuadro; tabular (v.); hacer un diagrama

diagramm (US: **diagramm = diagram),** diagrama; gráfico; gráfica; tabla de gráficos; cuadro; tabular (v.); hacer un diagrama

dial(ling) tone (telephone), tono de marcado telefónico (Esp.); tono de discado telefónico (SA)

diary (GB: **diary = journal)** (n.), diario; libro diario; libro de actas; diario de navegación

dicker (US, col.**),** regatear

dictator, dictador

dictatorship, dictadura

died / dead (ab. **d),** penique / peniques; fallecido / falleció

dies, matrices

differential calculus, cálculo diferencial

dig up (col.)**,** sacar a relucir (col,)

digest (n.), síntesis de instrucciones; resumen (recapitulación); recapitulación (resumen); extracto (resumen); memorándum; sintetización (n. fem.)

digested securities, valores adquiridos y conservados como inversión

digit, dígito

digital computer, ordenador digital; computadora digital (SA)

digital system, sistema digital

diktat, decreto; ley (n. fem.); acto; acta

diligent work, trabajo hecho a conciencia (Esp., col.); trabajo concienzudo; trabajo minucioso

dilute, diluir

dilution, dilución; reducción del valor de un activo

dilution of earnings, dilución de los resultados

dilution of profit, dilución del beneficio

dime (US, col.**),** diez centavos (US, col.)

diminished attributions, atribuciones reducidas; poderes restringidos

diminished responsibility, atenuante

diminishing (adj.), a la baja; en baja; en descenso; decreciente (adj., masc. & fem.)

diminishing assets, activo amortizable; activo decreciente; activo agotable; bienes agotables

diminishing returns, rendimientos decrecientes

diminishing-value depreciation method, depreciación por cálculo decreciente sobre saldos

dingo issue, emisión de bonos en dólares australianos por una sociedad extranjera

dinky branch office, sucursal de mala muerte (Esp., col.); sucursal de tres al cuarto (Esp., col.); oficina cutre (Esp., col.)

diploma in international banking, diploma en banca internacional

diplomat (n.), diplomático (n., masc.)

diptych, díptico

direct access, acceso directo; acceso aleatorio

direct B/L (ab. **direct bill of lading),** conocimiento de embarque sin transbordos

direct bill of lading (direct B/L / DBL), conocimiento de embarque sin transbordos

direct billing, facturación directa; cargo inmediato; adeudo inmediato; facturación inmediata; domiciliación bancaria

direct business, negocio directo; negocio sin intermediarios

direct compensation, compensación directa

direct confirmation, confirmación directa

direct debit, facturación directa; cargo inmediato; adeudo inmediato; facturación inmediata; domiciliación bancaria

direct evaluation, estimación directa; evaluación directa

direct expenses, gastos directos; costes directos; costos directos

direct insurance, seguro directo

direct insurer, asegurador directo

direct investment, inversión directa

direct labour ((US: **labour = labor),** mano de obra directa; mano de obra productiva

direct liabilities, pasivo directo

direct mailing, publicidad postal personalizada

direct materials, materiales directos

direct obligation, compromiso directo

direct operating costs, costes operativos directos

direct ratio, razón directa

direct selling, venta directa al consumidor

direct taxes, impuestos directos

direct transaction, operación directa; operación realizada sin mediadores

direct trust, fideicomiso directo

directed economy, economía dirigida

directions, instrucciones; indicaciones

directive, directiva

director, director; gerente; jefe de departamento; responsable de una unidad; jefe de negociado

directors´ fees, atenciones estatutarias; emolumentos de los consejeros; honorarios de los consejeros

directorship, dirección (equipo gestor); equipo gestor; cuadro directivo; ejecutiva (n.); directorio; órgano de gestión; comité ejecutivo; comité de dirección; gerencia (LA)

dirt farmer, agricultor autónomo

dirt-cheap prices (adj.), precios regalados (Esp., col.); precios de ganga (Esp., col.)

dirty float, flotación sucia

dirty money, dinero negro; dinero de procedencia ilegal; dinero sucio

dirty pool, juego sucio

dirty trick, mala pasada; jugada sucia

dirty tricks centre (US: **centre = center),** casa de los líos (Esp., col.) (actividades poco legales); cueva de Alí Babá (Esp., col.) (actividades poco legales); cueva de ladrones (Esp., col.) (actividades poco legales)

disability, incapacidad

disability percentage ratio, baremo de invalidez

disabled, incapacitado (adj.)

disablement, incapacidad laboral

disadvantage, desventaja

disadvantaged region, región desfavorecida

disagree with, discrepar con; disentir de; no coincidir con; mostrarse disconforme con

disagreement, disconformidad; desacuerdo

disallow, rechazar; rehusar; desestimar

disarray, desorganización; desbarajuste; confusión

disaster clause, cláusula de protección frente a contingencias del mercado

disavowal, desmentido; rechazo; repudio (desmentido); mentís (n. masc. sing.)

disbar an attorney, inhabilitar para el ejercicio de la abogacía

disburse a token, desembolsar una señal; hacer efectiva una señal; pagar una cantidad simbólica a cuenta

disburse money, desembolsar dinero

disbursement voucher, comprobante de pago; justificante de pago

disbursements, pagos en efectivo; salidas de caja; egresos; desembolsos; erogaciones; expendios

disbursements account, cuenta de gastos

discard, desechar; deshacerse de; desembarazarse de; dar por inutil; tirar por la borda (col.)

discerning, exigente; riguroso

discerning customer, cliente exigente

disciplinary actions, medidas disciplinarias

disclaim any connection with, rechazar toda relación con

disclaimer, cláusula de renuncia; declaración de limitación de responsabilidad

disclose, revelar; hacer público; divulgar; levantar el secreto; romper la confidencialidad

disclosure, revelación; divulgación; ruptura de confidencialidad

discontinuity, discontinuidad; falta de continuidad

discount (n), reducción (n. fem.); bonificación (n. fem.); descuento; rebaja; reembolso; reintegro; devolución; reembolsar; reintegrar; devolver

discount (v.)**,** descontar; bonificar; rebajar; deducir; desgravar

discount a draft, descontar un efecto

discount allowed, descuento otorgado; descuento concedido; descuento aplicado

discount bank, banco de descuento; financiera; sociedad de financiación; sociedad financiera; sociedad de crédito comercial

discount bills, descontar letras; negociar efectos; negociar papel (col, Esp.)

discount bonds, descontar bonos; cotizar bonos bajo la par

discount earned, descuento recibido

discount for prompt payment, descuento por pago al contado; descuento por pago en efectivo; descuento por pronto pago; bonificación por pago al contado

discount house, sociedad mediadora

discount issue, emisión al descuento

discount issue price, precio de emisión con descuento

discount note (euronote), europagaré

discount of drafts, descuento de efectos; negociación de papel (Esp., col); descuento de papel (Esp.)

discount-sales bonus, bonificación sobre ventas; descuento sobre ventas; toler

discountable bill, efecto descontable

discounted accounts receivable, cuentas a cobrar descontadas

discounted bills, letras descontadas; efectos descontados; papel descontado; cartera de efectos

discounted coupons, cupones descontados

discounted notes, letras descontadas; efectos descontados; papel descontado; cartera de efectos

discounts and advances, descubiertos y anticipos

discounts and allowances, descuentos y bonificaciones

discounts and bonuses, descuentos y bonificaciones

discreditable, deshonroso; vergonzoso

discreditable activities, actividades poco recomendables

discrepancy or omission, discrepancia u omisión; salvo error u omisión (ab. SEUO); SEUO (ab. = salvo error u omisión)

discretionary account, cuenta discrecional; cuenta gestionada

discretionary budget deficits, déficits presupuestarios deliberados; déficits presupuestarios intencionados

discretionary funds, fondos de colocación discrecional; fondos de aplicación discrecional; fondos de libre aplicación

discuss, discutir; debatir; deliberar; disentir; mostrarse disconforme; estar en desacuerdo; discrepar

discussions, conversaciones; debates; deliberaciones; discusiones

discharge (n.)**,** descargo; finiquito; pago final; quita; liquidación del saldo pendiente; pago de la deuda; cumplimiento de compromiso; desgravación; carta de pago; acuse de recibo, por escrito, de un pago

discharge (v.), poner en libertad; dar de alta; eximir; despedir de un trabajo; descargar

discharge a bankrupt, rehabilitar a un fallido

discharge a bill, acoger (la presentación de) un efecto; atender una letra; aceptar un efecto; pagar una letra; aceptar una letra

discharge a debt, cancelar una deuda

discharge an undertaking, dar fin a un cometido

discharge of bankrupt, rehabilitación de fallido

discharged bill, letra de cambio pagada

disencumber, descontar; bonificar; rebajar; deducir; desgravar

disengage from, apartarse de; eximirse de; separarse de; retirarse de

disfavor (GB = disfavour), desaprobar; oponerse a

disfavour (US: **disfavour = disfavor),** desaprobar; oponerse a

disheartening prospects, perspectivas desalentadoras

dishonesty, deshonestidad (n. fem.); falta de honradez; fraudulencia; falsedad (n. fem.)

dishonor a draft (US), desatender el pago de un cheque; no atender el pago de un cheque; rechazar el pago de un cheque

dishonored check (GB: **dishonoured cheque),** cheque impagado; cheque devuelto

dishonored draft (GB: **dishonoured cheque),** cheque impagado; cheque devuelto

dishonour a cheque (US: **cheque = check),** desatender el pago de un cheque; no atender el pago de un cheque; rechazar el pago de un cheque

dishonoured bill (US: **dishonoured = dishonored),** letra impagada; letra devuelta; letra no atendida; factura impagada; recibo impagado

dishonoured cheque (US: **dishonored check, dishonored draft),** cheque impagado; cheque devuelto

disinflationary policies, políticas desinflacionistas

disintermediation, titul(ar)ización; transformación de préstamos en títulos; desintermediación; recurso a los mercados de capitales

disk drive (comp.), unidad de disco (comp.) (n., fem)

disk-operating system (ab. = **DOS),** DOS ab. = (sistema operativo del disco); sistema operativo del disco (ab. DOS)

diskette, disquete

disloyal employee, empleado desleal

disloyalty, deslealtad

dismantling expenses, gastos de desmantelamiento

dismantling of foreign branch network, desmantelamiento de la red de sucursales extranjeras; desmantelamiento de la red de sucursales en el extranjero; desmantelamiento de la red de sucursales en el exterior

dismiss an application, denegar una solicitud

dismiss from a job, echar de un trabajo; despedir; poner (de patitas) en la calle (Esp., col.)

dismissal, despido

disparity, asimetría; desajuste; disparidad

disparity in prices, disparidad en precios

dispatch, despacho (de mercancías, documentos, etc.); despachar; expedir

dispatch expenses, gastos de expedición

dispatch money, prima de rapidez; incentivo de productividad

dispatch note, hoja de expedición; albarán de expedición; talón de expedición

dispatch rider (GB), mensajero; correo (servicio de mensajería); rutero (SA); repartidor de mensajería

dispatching charges, gastos de expedición

dispel concern, despejar sospechas

dispersion, dispersión

dispersion of rates, dispersión de tipos (de interés)

displacement, cesión; traspaso; transferencia; asignación; desplazamiento

display (n. & v.), pantalla; representación visual (n. fem.); mostrar; desplegar sobre pantalla

disposable income, ingresos disponibles; rentas disponibles

disposal sale, venta a precios de liquidación (por renovación, cese de negocio, etc.); liquidación de existencias (por renovación, cese de negocio)

dispossess of, desposeer de; despojar de

disprove, refutar; impugnar; negar; desmentir; rebatir

dissent (n.), disconformidad; desacuerdo

dissolution, disolución

dissolution by assent of all partners, disolución por acuerdo de todos los socios

dissolution by decree of court, disolución por decisión judicial

dissolution by operation of the law, disolución en virtud de la ley

dissolution of a company, disolución de una sociedad

dissuade from, disuadir de

dissuasive measures, medidas disuasorias

distraint, embargo; incautación; decomiso; comiso; penalización; confiscación; aprehensión; expropiación

distributable, repartible; susceptible de reparto

distribute, asignar (utilidades); ceder; traspasar; transferir; imputar; atribuir; aplicar; distribuir (beneficios); consignar (mercancías)

distribution, distribución; asignación (sobreoferta que afecta al precio de un valor)

distribution network, red de distribución

distribution of added value, distribución del valor añadido

distribution of earnings, distribución de beneficios; reparto de beneficios; aplicación de utilidades; dotación con cargo a beneficios

distribution of earnings from the previous financial year, distribución de beneficios del ejercicio anterior

distribution of income, distribución de beneficios; reparto de beneficios; aplicación de utilidades; dotación con cargo a beneficios

distribution of risks, distribución del riesgo; reparto de riesgos

district, distrito; circunscripción

district attorney (US; ab. **DA)),** fiscal de distrito

district commissioner, jefe de policía de distrito

district court, tribunal de distrito

distrust, desconfianza; recelo; desconfiar

disturbances, tumultos; alborotos; alteraciones del orden

div. (ab. = **dividend),** dividendo

div. (ab. = **division),** division

diversification, diversificación

diversify, diversificar

diversify investment(s), diversificar las inversiones

divest, desinvertir; enajenar (venta); deshacerse de una inversión; salir de una inversión; realizar (venta)

divestiture, enajenación (venta); realización (venta)

dividend (ab. **div.),** dividendo

dividend counterfoil, cupón de dividendo

dividend coupon, cupón de dividendo

dividend due, dividendo acumulado; dividendo devengado

dividend per share, dividendo por acción

dividend policy, política de dividendos

dividend restraint, restricción sobre dividendos; limitación sobre el dividendo; política de contención de dividendos

dividend share, acción productiva; acción de dividendo; acción que produce dividendos; acción con derecho a percibir dividendos; acción que rinde dividendo

dividend-bearing coupon, cupón de dividendo

dividend-equalization reserve, reserva estabilizadora de dividendos

dividends collected, dividendos percibidos; dividendos cobrados

dividends in arrears, dividendos atrasados

dividends on preferred stock, dividendos sobre acciones preferentes

divisible credit, crédito divisible

division (ab. **div.),** division

divisional coins, moneda fraccionaria; calderilla (Esp., col.); perras sueltas (Esp., col.); chauchas (SA); vuelta(s) (Esp.,col.); cambio (Esp.)

divisional money, moneda fraccionaria; calderilla (Esp., col.); perras sueltas (Esp., col.); chauchas (SA); vuelta(s) (Esp.,col.); cambio (Esp.)

DJ index (ab. **Dow Jones index) (NYSE),** índice Dow Jones (bolsa de Nueva York)

DJI (ab. **Dow Jones index) (NYSE),** índice Dow Jones (bolsa de Nueva York)

DLC (ab. **documentary letter of credit),** crédito documentario

DLP (ab. **date of last payment),** fecha del último pago

do jury duty, formar parte de un jurado

do the books, llevar los libros; llevar la contabilidad; ocuparse de la contabilidad

DOB (ab. **date of birth),** fecha de nacimiento

dock, dársena; embarcadero; muelle de carga/descarga; malecón

dock charges, albarán de entrada de mercancía en almacén para su carga

dock warrant, certificado de depósito de mercancía en almacén; albarán de depósito en almacén; nota de depósito de mercancías en almacén

document, documento; documentar

documentary bill, letra documentaria; efecto documentario; letra acompañada de documentos; efecto con documentación anexa

documentary collection, remesa documentaria; cobranza documentaria; remesa de efectos acompañados de la documentación requerida

documentary draft, letra documentaria; efecto documentario; letra acompañada de documentos; efecto con documentación anexa

documentary letter of credit (DLC), crédito documentario

documentary proof, prueba documental; prueba documentada; justificación documental

documents against acceptance (DAA), entrega contra aceptación; aceptación contra (entrega de) documentos

documents against payment (ab. **DAP),** pago contra (entrega de) documentos

DOD (ab. **date of death),** fecha de fallecimiento; fecha de defunción; fallecido el; muerto el; falleció con fecha

dodger, octavilla; anuncio impreso entregado en mano

doesn´t answer (call) (DA), no contesta (llamada)

doing business as (ab. **DBA),** opera como; desarrolla su actividad como; dedicado a operar como

dollar (ab. **$),** dólar

dollar area, zona del dólar; países del dólar

dollar bonds, bonos pagaderos en dólares

dollar commodities, productos básicos pagaderos en dólares; primeras materias pagaderas en dólares

dollar drop, caída del dólar

dollar gap, escasez de dólares

dollar rise, subida del dólar

domestic (adj.), doméstico; nacional (adj., masc. & fem.); interno (adj.); interior (adj., masc. & fem.); de carácter interno; de régimen interior

domestic affiliate (US: **affiliate = subsidiary),** filial nacional

domestic and foreign transactions, operaciones nacionales y extranjeras

domestic assets, activos nacionales

domestic banks, bancos nacionales; banca nacional; bancos domésticos

domestic bill, letra (librada sobre el territorio) nacional; efecto sobre el propio país

domestic consumption, consumo interno

domestic credit, crédito interno; créditos nacionales; actividad crediticia a escala nacional

domestic debt, deuda pública interna; endeudamiento interno del estado

domestic economy, economía nacional

domestic Euro loan, préstamo interno en Euros

domestic interchange, intercambio(s) nacional(es)

domestic issue, emisión interna; emisión (a escala) nacional; emisión (de ámbito) nacional

domestic market, mercado nacional; mercado interno; mercado interior

domestic member, miembro nacional

domestic revenue, renta pública; ingresos públicos

domestic subsidiary (GB: **subsidiary = affiliate**), filial nacional

domestic trade, comercio interior

domestic value of the currency, valor interior de la moneda; valor de la moneda dentro del territorio nacional

domestic yield ratio (DYR), tasa interna de rentabilidad (TIR); TIR (ab. tasa interna de rentabilidad)

domicile, domicilio; dirección; señas

domicile a bill with, domiciliar una letra en; domiciliar un efecto en

domiciled bill (US: **bill = draft**), letra domiciliada; efecto domiciliado; recibo domiciliado; factura domiciliada

domiciled draft (GB: **draft = bill**), letra domiciliada; efecto domiciliado; recibo domiciliado; factura domiciliada

domiciliation, domiciliación

domiciliation commission, comisión de domiciliación

donated capital stock, acciones donadas

donated money, dinero donado; donativo; aportación de dinero con fines benéficos

donations, donativos

dormant account, cuenta inactiva; cuenta sin movimiento

dormant balance, saldo inactivo

dormant company, comandita; sociedad comanditaria; sociedad (reunida) en comandita (SRC); sociedad colectiva; sociedad de responsabilidad limitada; SRC (ab. sociedad reunida en comandita)

DOS (ab. **disk-operating system**), DOS ab. = (sistema operativo del disco); sistema operativo del disco (ab. DOS)

double call, opción a doblar la amortización de bonos

double entry, partida doble

double hedge with put, doble cobertura con "put"

double insurance, seguro acumulativo

double invoicing, doble facturación

double taxation, doble imposición; doble fiscalidad

double taxation treaty, tratado de doble imposición; convenio sobre doble fiscalidad

double up shift, pluriempleo; segundo empleo; tener un segundo empleo; doblar turno; estar pluriempleado; hacer doblete (Esp., col.)

double-entry accountancy, contabilidad por partida doble

double-entry accounting, contabilidad por partida doble

double-entry bookkeeping, contabilidad por partida doble

doubtful accounts, cuentas dudosas

doubtful assets, activos dudosos

doubtful bills receivable, facturas de dudoso cobro; efectos de dudoso cobro; papel de dudoso cobro (Esp.)

doubtful debts (GB), deudas de dudoso cobro; dudosos; deudores dudosos

doubtful debts and accounts (US), deudas de dudoso cobro; dudosos; deudores dudosos

doubtful off-balance sheet risks, créditos de firma de dudosa recuperación

Dow Jones index, índice Dow Jones

Dow Jones index (DJI / DJ index) (NYSE), índice Dow Jones (bolsa de Nueva York)

down payment, señal de compromiso (Esp.); arras

downtick, operación cerrada a precio inferior al de la precedente; transacción cerrada por debajo del precio de la precedente

downturn, bache; giro negativo del negocio

downward trend, tendencia bajista; tendencia a la baja

dowry, bienes dotales

draft, letra de cambio; efecto cambiario; cambial; libranza; borrador (de carta, contrato, etc.)

draft a note, hacer una nota; redactar una nota; tomar una nota; extender un pagaré privado

draft contract, proyecto de contrato; borrador de contrato

draft discounting, descuento de efectos; negociación de papel (Esp., col); descuento de papel (Esp.)

draft maturity, vencimiento de una letra

draft on a customer, librar (una letra) sobre un cliente; girarle (un efecto) a un cliente

drafts drawn on a foreign country (GB: **drafts = bills**), letras giradas sobre el extranjero; efectos librados sobre el extranjero; giros sobre el exterior

drafts payable (GB: **drafts = bills**), efectos a pagar

drafts to be collected, efectos a cobrar; letras (de cambio) al cobro; partidas al cobro; remesas al cobro; efectos al cobro; facturas a cobrar; facturas al cobro (n. fem. pl.); activo exigible

drafts to be paid (GB: **drafts = bills**), efectos a pagar

drafts to collect, efectos a cobrar; letras (de cambio) al cobro; partidas al cobro; remesas al cobro; efectos al cobro; facturas a cobrar; facturas al cobro (n. fem. pl.); activo exigible

draw (an) interest, devengar interés; generar intereses; producir intereses; acumular interés

draw a bill (US: **bill = draft**), librar una letra; girar un efecto (Esp.); extender una letra; girar una letra

draw a check (GB: **check = cheque**), extender un cheque; librar un cheque; emitir un cheque

draw a cheque (US: **cheque = check**), extender un cheque; librar un cheque; emitir un cheque

draw a draft (GB: **draft = bill**), librar una letra; girar un efecto (Esp.); extender una letra; girar una letra

draw by lot, sortear por lotes

draw cheques against an account (US: **cheques = checks**), librar cheques contra una cuenta; extender cheques sobre una cuenta

draw firm conclusions, sacar conclusiones definitivas

draw money (from), retirar fondos (de); sacar dinero (de) (Esp.,); realizar una disposición de efectivo (Esp.)

draw up an agreement, redactar un contrato

drawback, reembolso parcial de derechos aduaneros (tráfico de perfeccionamiento); dificultad; cortapisa; pega (Esp., col.)

drawback debenture, certificado de reintegro

drawdown, disposición sobre una línea de crédito

drawdown on equity, disposición con cargo al capital

drawdown period, plazo de disponibilidad de un crédito

drawee, librado; girado

drawer, librador; girador; emisor del efecto

drawing, giro; disposición (crédito; extracción); sorteo

drawing account, cuenta corriente; cuenta a la vista; cuenta de depósito(s); cuenta de cargo

drawing right, derecho de giro; derecho de disponibilidad sobre crédito otorgado

drawn bond, bono sorteado

drop (n.), descenso; caída; empeoramiento; retroceso (empeoramiento); estancamiento; punto muerto; paralización; punto de equilibrio; umbral de rentabilidad; recesión

drop (v.), bajar (v.); caer (v.); descender

drop a line (col.), mandar unas breves líneas

drop insider information, filtrar información privilegiada

drought, sequía

drug, droga

drug dealer, narcotraficante; narco (Esp, col.)

drug dealing, narcotráfico; tráfico de sustancias estupefacientes

drug smuggler, camello (Esp., col.)

drug traffick(ing), narcotráfico; tráfico de sustancias estupefacientes

drugs (shares), farmaceúticas (acciones)

drum, bocoy; barril metálico

dry goods, confecciones; quincallería

dry trust, fideicomiso pasivo

DS (ab. = **days (after) sight**), días vista (ab. D/V); D/V (ab. = días vista)

dual capacity, autorización para que el agente actúe como intermediario e inversor

dual control, doble control

dual economy, economía dual

dual posting, asiento doble; doble contabilización

dual tranche, emisión en dos tramos

dual-control system, sistema de doble control

dual-currency bond, obligación en doble moneda; obligación con valor expresado en doble moneda

due 2002, vencimiento al 2002; con vencimiento en el año 2002

due and payable, vencido y pagadero; sobrevencido; de vencimiento atrasado

due bill, letra vencida; efecto vencido

due date, fecha de vencimiento; fecha de caducidad; fecha convenida; fecha acordada; fecha de pago

due from banks and savings banks, depósitos en bancos y cajas de ahorros

due from financial intermediaries, depósitos con intermediarios financieros

due mainly to, debido, sobre todo, a; a consecuencia, sobre todo, de; principalmente debido a

due on demand, pagadero a la vista; pagadero a su presentación

due to Bank of Spain and to financial institutions (funds provided), Banco de España e intermediarios financieros (origen de los fondos)

due to customers, recursos de clientes; depósitos de los clientes; acreedores (por depósitos); pasivo (recursos ajenos)

due to financial intermediaries, depósitos constituidos por intermediarios financieros

due to statutory provisions, por imperativo legal; a causa de lo establecido por la ley; como consecuencia de lo que por ley se dispone

dues and subscriptions, cuotas y suscripciones

duly authenticated, debidamente autenti(fi)cado

dull market, mercado flojo; mercado estancado

dummy (col.), testaferro; hombre de paja (Esp., col.); cabeza de turco (Esp., col.); marioneta (col.); chivo expiatorio (Esp., col.)

dummy card, tarjeta de prueba

dummy instruction, instrucción ficticia para pruebas

dummy transaction, operación ficticia; operación de prueba

dumping, dumping (saturación de mercados con artículos a precio muy bajo); vuelco de memoria (informática)

dunnage, abarrote; cuña de afianzamiento para estibar

dunning letter, carta de requerimiento de pago; conminación al pago

duplex, bidireccional

duplicate, duplicado

duplicate data, datos duplicados

duplicate processing, proceso de datos duplicado

duplicating machine, multicopista

duration, vida; duración; vigencia

duration of guarantee (guarantee = guaranty), duración de la garantía; vigencia de la garantía

Dutch auction, subasta a la holandesa

Dutch guilder, florín holandés

dutiable, sujeto al pago de aranceles

duty, derecho (arancelario); deber (obligación); arancel; tasa arancelaria

duty-free (adj.), exento de impuestos; libre de tasas; no sujeto a exacciones; libre de aranceles aduaneros; franco de pago de derechos; exento de tributación; libre de impuestos

DVP (ab. **delivery versus payment),** entrega contra reembolso; pago contra entrega; entrega contra el pago del importe

DW (ab. = **dead weight),** peso muerto

dwelling loan, préstamo para vivienda

dynamic, dinámico; ágil; flexible; activo (adj.); animado

dynamic asset allocation, réplica de "call" mediante préstamo más compra de acciones; asignación dinámica de activos

dynamic management, gestión dinámica

dynamic solvency margins, márgenes de solvencia flexibles

dynamic structure, estructura dinámica

DYR (ab. **domestic yield ratio),** tasa interna de rentabilidad (TIR); TIR (ab. tasa interna de rentabilidad)

E

E&OE (ab. **errors and omissions excepted),** salvo error u omisión (SEUO); SEUO (ab. salvo error u omisión)

E-mail (ab. **electronic mail),** correo electrónico; mensaje cursado por correo electrónico; Emilio (mensaje) (Esp., col.)

E-money (ab. **electronic money),** dinero electrónico

E-transfer (ab. **electronic transfer),** transferencia electrónica

early exercise, ejercicio anticipado

earmark, reservar para un fin concreto

earmarked account, cuenta reservada

earmarked provisions, reservas destinadas a fines específicos

earn (an) interest, devengar interés; generar intereses; producir intereses; acumular interés

earned income, rentas del trabajo

earned interest, intereses acumulados; interés devengado; intereses vencidos; cupón corrido

earned premium, prima devengada

earned profit, beneficio realizado; ganancias obtenidas; beneficio obtenido; beneficio alcanzado; rentas; entradas; percepciones

earned surplus, beneficio acumulado; superávit ganado

earning capacity, capacidad para generar beneficios; rentabilidad (n. fem.)

earning power, capacidad para generar beneficios; rentabilidad (n. fem.)

earnings, beneficio; ganancia; utilidad (beneficio); renta; producto (beneficio)

earnings growth rate, tasa de crecimiento de los resultados

earnings per share (EPS), beneficio por acción (BPA); BPA (ab. beneficio por acción); resultados por acción (RPA); RPA (ab. resultados por acción)

ease, aflojar; liberalizar; suavizar; aminorar; moderar; desregular

ease credit growth, aminorar el crecimiento del crédito

ease import controls, liberalizar los controles sobre la importación; aflojar el control de las importaciones; aminorar los controles de importación

easing, aflojamiento; liberalización; aminoramiento; moderación

East-West economic relations, relaciones económicas Este-Oeste

EBL (ab. **exchange bill of lading),** conocimiento de embarque a la orden (CEO); CEO (ab. conocimiento de embarque a la orden)

EC (ab. **European Commission),** Comisión Europea (CE); Comisión de las Comunidades Europeas (CE); CE (ab. Comisión (de las Comunidades) Europea(s))

economic activity, actividad económica

economic analysis, análisis económico

Economic and Social Committee (ESC), Comité Económico y Social

economic bottleneck, estrangulamiento económico

economic circles, círculos económicos

economic crisis (pl.: crisis = crises), crisis económica

economic depression, depresión económica

economic dislocations, perturbaciones económicas

economic forecastings, previsiones económicas

economic growth, crecimiento económico

economic growth rate, tasa de crecimiento económico

economic influences, influencias económicas

economic infrastructure, infraestructura económica

economic life, vida económica; vida útil de un activo

economic matters, temas económicos

economic model, modelo económico

economic outlook, perspectivas económicas

economic overheating, recalentamiento económico

economic past standards, niveles económicos precedentes

economic planning, planificación económica

economic policy, política económica

economic pump priming, medidas para estimular la economía; actuaciones tendentes al fomento económico; acciones orientadas a impulsar la economía

economic rate of growth, tasa de crecimiento económico

economic rebuilding, reconstrucción de la economía

economic recovery, recuperación económica; reactivación económica

economic sectors, sectores económicos

economic situation, situación económica

economic stabilization, estabilización económica

economic stagnation, estancamiento económico

economic standstill, estancamiento económico

economic strengthening, fortalecimiento económico

economic structure, estructura económica

economic studies, estudios económicos

economic subjects, temas económicos

economic summit, cumbre económica; reunión económica al máximo nivel

economic takeoff, despegue económico

economic topics, temas económicos

economic trend, tendencia económica; coyuntura económica

economic uneasiness, incertidumbre económica

economic upswing, recuperación económica; reactivación económica

economic upturn, repunte económico

economic variables, variables económicas

economic wealth, riqueza económica

economic world, mundo económico

economic(al) (adj.), económico

economics, economía

economics and statistics, economía y estadística

economics sachems (col.), gurús de la economía (Esp., col.); primeros espadas de la economía (Esp., col.)

economies of scale, economías de escala

economy (pl. economy = economies), economía

ECP (ab. **eurocommercial paper),** europagarés de empresa; europapel comercial

ECSE (ab. **European Coal and Steel Community),** Comunidad Europea del Carbón y del Acero (CECA); CECA (ab. Comunidad Europea del Carbón y del Acero)

ECU (ab. **European Currency Unit),** Unidad de Cuenta Europea (ECU); ECU (ab. Unidad de Cuenta Europea)

EDC (ab. **electronic data computing),** proceso electrónico de datos (PED); cómputo electrónico de datos (CED); PED (ab. proceso electrónico de datos); CED (cómputo electrónico de datos)

edge up, ir subiendo; ir acercándose

edge up against the euro, ir subiendo frente al euro

edit, editar; revisar un texto; compaginar (comp)

edit package (comp.), paquete de programas (comp.); conjunto de programas para ordenador (Esp., comp.); programa-filtro (comp.)

EDP (ab. **electronic data processing**), proceso electrónico de datos (PED); cómputo electrónico de datos (CED); PED (ab. proceso electrónico de datos); CED (cómputo electrónico de datos)

EEC (ab. **European Economic Community,** Comunidad Económica Europea CEE); CEE (ab. Comunidad Económica Europea)

EFFA (ab. **European Federation of Financial Analysts),** Federación Europea de Analistas Financieros (FEAF); FEAF (ab. Federación Europea de Analistas Financieros)

effective annual rate of interest, tipo de interés efectivo anual

effective exchange rate, tipo de cambio efectivo

effective interest rate, tasa real de interés; tasa de interés efectiva; tipo de interés real

effective language, lenguaje de ejecución (comp.); lenguaje convincente

effective yield, rendimiento efectivo

effects not cleared, efectos pendientes de cobro

effects pending settlement, efectos pendientes de cobro

efficient capital markets, mercados de capitales eficientes

efficient employee (pl.: employee = employees / staff), empleado eficiente

efficient market hypothesis (EMH), hipótesis de la eficiencia de los mercados

efficient service, servicio eficiente; servicio eficaz

EFT (ab. **electronic fund transfer),** transferencia electrónica de fondos (TEF); TEF (ab. transferencia electrónica de fondos)

EFTA (ab. **European Free Trade Association),** Asociación Europea de Libre Comercio (EFTA)

EG (ab. **exempli gratia)** (Lat.), por ejemplo

EIB (European Investment Bank), Banco Europeo de Inversiones

eight, ocho

eighteen, dieciocho

eighteenth, décimoctavo; dieciocheno

eighty, ochenta

eigth, octavo

elastic limit, límite variable

elasticity of demand, elasticidad de la demanda

elasticity of the financial margin, elasticidad del margen financiero

electronic banking, banca electrónica

electronic data computing (EDC), proceso electrónico de datos (PED); cómputo electrónico de datos (CED); PED (ab. proceso electrónico de datos); CED (cómputo electrónico de datos)

electronic data processing (EDP), proceso electrónico de datos (PED); cómputo electrónico de datos (CED); PED (ab. proceso electrónico de datos); CED (cómputo electrónico de datos)

electronic data transmission system, sistema electrónico de transmisión de datos

electronic fund transfer (EFT), transferencia electrónica de fondos (TEF); TEF (ab. transferencia electrónica de fondos)

electronic interchange of transaction data, intercambio electrónico de datos de operaciones

electronic mail (E-mail), correo electrónico; mensaje cursado por correo electrónico; Emilio (mensaje) (Esp., col.)

electronic money (E-money), dinero electrónico

electronic transfer (E-transfer), transferencia electrónica

electrostatic printer, impresora electrostática

eleemosinary institution, institución benéfica

element, elemento; factor; componente

elements of uncertainty, elementos de incertidumbre; factores de incertidumbre

eleven, once

eleventh, undécimo; onzavo

eligible liabilities, pasivos computables

eligible paper, efectos redescontables

embargo (pl.: embargo = embargoes), embargo; incautación; decomiso; comiso; penalización; confiscación; aprehensión; expropiación

embezzle, desfalcar; malversar

embezzlement, desfalco; malversación

embezzler, malversador; desfalcador

emboss, grabar en relieve (tarjetas de plástico); estampar en relieve (tarjetas de plástico)

embossed card (cardholder´s data), tarjeta grabada (datos del titular); tarjeta estampada (datos del titular)

embossing, estampación en relieve (tarjetas de plástico); grabado en relieve (tarjetas de plástico)

embrace (v.)**,** sobornar; cohechar; untar la mano (Esp., col.)

embrace(o)r, cohechador; sobornador

embracery, soborno; cohecho; mordida (LA, n. fem.); coima (LA, n. femenino); concusión (n. fem.)

embracery (n.)**,** soborno; cohecho; mordida (LA, n. fem.); coima (LA, n. femenino); concusión (n. fem.)

emerging channels, canales emergentes

emigration, emigración

eminent domain, dominio eminente; supremo dominio

emitter (comp.), emisor (comp.)

emloyment, cargo; puesto de trabajo; empleo; prestación laboral (n. fem.)

emolument, emolumento

employee (pl. employee = employees / staff), auxiliar administrativo; empleado; oficinista; dependiente; trabajador (n.)

employee training program, programa de formación profesional para empleados; plan de acciones formativas destinadas a los empleados

employer, empresario; patrono; empleador

employers´ association, sindicato patronal

Employers´ Organization, Organización Patronal (Esp.); Patronal (Esp.)

employment application, solicitud de empleo; petición de trabajo

employment bureau, agencia de colocaciones; bolsa de empleo; agencia de trabajo

employment exchange, oficina de selección y reclutamiento de personal; bolsa de trabajo (Esp.)

empowered to, apoderado (adj.); con capacidad para; con poderes para; facultado para; autorizado a

emulate (comp.), emular (comp.)

enclose, adjuntar; acompañar; incluir

enclosed please find, adjunto les remitimos

enclosures, anexos

encode, codificar; encriptar un mensaje; cifrar un texto

encoded cardholder´s data, datos codificados del titular de la tarjeta

encoding, codificación; cifrado de textos; encriptado de mensajes

encryption, codificación; cifrado de textos; encriptado de mensajes

encryption department, gabinete de claves; departamento de encriptado; departamento de codificación

encumber, gravar; cargar (con impuestos, etc.)

encumber with a mortgage, gravar con una hipoteca

encumbered, gravado

encumbrance, gravamen; carga hipotecaria

encumbrancer, acreedor hipotecario

end customer, cliente final

end investor, inversor último; inversionista final

end of month (EOM), fin(al) de mes

end of week (EOW), fin(al) de semana

end product, producto final; producto acabado

end sentinel, señalizador de término (comp.)

end user, usuario final; último usuario

end-around carry (forward) (comp.), arrastre a posición extremo derecha (comp.)

endorse, avalar; garantizar; endosar; colaterizar; prestar fianza; aportar aval

endorse a bill, endosar una letra

endorse in blank, endosar en blanco

endorsee, endosatario; tenedor por endoso

endorsement (n.)**,** suplemento; complemento; apéndice; separata; complementar

endorsement date, fecha de endoso

endorsement in blank, endoso en blanco

endorsement in full, endoso completo; pleno endoso

endorser, endosante

endow, dotar

endowment, dotación; seguro combinado (inversión-vida); crédito hipotecario mixto

endowment fund, fondo de beneficencia

endowment mortgage, hipoteca de inversión

endowment-insurance, seguro-ahorro

enforce, detener; capturar; confiscar; embargar; decomisar; incautar; expropiar

enforce payment, exigir el pago

enforcement, entrada en vigor; puesta en funcionamiento

engage, comprometerse; obligarse a; responsabilizarse de; garantizar que; transigir respecto a

engagement, acuerdo; contrato; pacto; concierto; arreglo; compromiso; tratado; responsabilidad (n. fem.); deuda contraída (n. fem.)

engagement team leader, jefe de equipo responsable de la implementación

enhance (v.), impulso; estímulo; incentivo; impulsar; potenciar; mejorar; perfeccionar; optimizar; promocionar (escalafón, ventas, etc.); ascender (promocionar)

enhance return, incrementar la rentabilidad

enhance security measures, mejorar las medidas de seguridad

enhanced index, carteras índice incrementadas

enhanced portfolio return, rentabilidad potenciada de la cartera

enter into a contract, celebrar un contrato; formalizar un contrato; suscribir un contrato; firmar un contrato; ejecutar un contrato; cerrar un contrato

enter into a treaty, suscribir un acuerdo

enterprise, empresa

entitlement to ownership, derecho a la propiedad

entity, entidad; ente

entrepreneur, empresario; patrono; empleador

entrepreneurial, empresarial; emprendedor (adj.)

entry, asiento (anotación); registro (anotación); anotación; apunte; alta

entry barriers, barreras de entrada; restricciones a la importación

entry of goods, entrada de mercancías

environment, entorno; medio (ambiental, laboral, etc.)

environmental constraints, limitaciones del entorno; restricciones ambientales

EOM (ab. **end of month),** fin(al) de mes

EOW (ab. **end of week),** fin(al) de semana

EPS (ab. **earnings per share),** beneficio por acción (BPA); BPA (ab. beneficio por acción); resultados por acción (RPA); RPA (ab. resultados por acción)

equalization fund, caja de compensación; fondo de igualación

equalize, igualar; poner al mismo nivel; aplicar un mismo tratamiento

equalizing dividend, dividendo adicional; dividendo complementario; dividendo extraordinario

equated calculation of interest, cálculo de intereses a base de saldos

equated maturity date, fecha media de vencimiento; vencimiento común; plazo medio

equation, ecuación

equipment, equipamiento; mobiliario e instalaciones

equipment financing, financiación de bienes de equipo

equitable value, valor equitativo

equities, renta variable; títulos de renta variable; valores de renta variable; instrumentos de renta variable; acciones y participaciones

equity (capital), recursos propios; patrimonio; derecho de propiedad; propiedad patrimonial; recursos propios de los accionistas; recursos propios de la sociedad

equity (proprietorship) (futures), valor residual en cuenta especulativa (futuros)

equity accounts, cuentas patrimoniales

equity at year-end, recursos propios a fin de año

equity derivatives, valores secundarios de renta variable

equity holding, paquete accionario; participación accionaria; paquete de acciones; lote de acciones

equity investor, inversor en acciones; inversionista en títulos de renta variable

equity markets, mercados de renta variable

equity of redemption, derecho (hipotecario) de rescate; derecho de redención

equity options exchange, bolsa de opciones sobre valores de renta variable

equity securities, renta variable; títulos de renta variable; valores de renta variable; instrumentos de renta variable; acciones y participaciones

equity soundness, integridad patrimonial; consistencia de los recursos propios

equity trading, operaciones con valores de renta variable; operaciones bursátiles con acciones; operaciones de bolsa con títulos de renta variable

ERA (ab. **exchange rate agreement),** contrato sobre tipos de cambio

erase (comp.), borrar (comp.); suprimir (comp.)

ergonomic, ergonómico

ergonomics, ergonomía

ERM (ab. **exchange rate mechanism),** mecanismo de control de paridades; mecanismo para el control de cambios (MCC); MCC (ab.: mecanismo para el control de cambios)

erosion of net worth, descapitalización

erratic growth, crecimiento errático

errors and omissions excepted (E&OE), salvo error u omisión (SEUO); SEUO (ab. salvo error u omisión)

ESC (ab. **Economic and Social Committee),** Comité Económico y Social

escalator clause, cláusula de revisión; cláusula de ajuste proporcional; cláusula de actualización

escape character, cláusula que permite retirarse de un contrato; cláusula de desvinculación

escrow (n. & v.), depósito constituido con un tercero; entregar en depósito a un tercero

escrow agreement, contrato de depósito en garantía

escrow funds, fondos puestos bajo depósito legal

escheat, reversión de bienes abintestato al estado; bienes mostrencos revertidos al estado; revertir bienes mostrencos al estado

escheatable, revertible (adj.)

escheatage, derecho estatal de confiscación de bienes abintestados

establish (v.), perfilar; determinar; fijar; establecer; estipular; formular un planteamiento

establish a time limit, fijar un plazo; establecer una fecha tope

establish agency arrangements, establecer relaciones de corresponsalía

estate (n.), bienes raíces; bienes inmuebles; hacienda (bienes); propiedad inmobiliaria (n. fem.); heredad (n. fem.); testamentaría; cuerpo hereditario; masa hereditaria; cuerpo de la herencia; legar (v.)

estate (v.), legar; dejar en herencia

estate accounting, contabilidad de sucesiones

estate distribution, partición de bienes; reparto de la masa de la herencia; distribución del caudal hereditario

estate duties, impuesto de sucesiones; impuesto sobre la masa de la herencia

estate in common, propiedad colectiva; propiedad mancomunada

estate in remainder, nuda propiedad

estate of bankrupt, masa de la quiebra

estate of deceased, bienes testamentarios

estate tax, impuesto de sucesiones; impuesto sobre la masa de la herencia

estimate (n.), valoración; tasación; evaluación; avalúo (LA); peritación (Esp.); gravamen aplicable; estimación; justiprecio

estimate sheet, hoja de estimación (valor, tiempo, etc.); hoja de cálculo (valor, tiempo, etc.)

estimated efficiency, eficiencia estimada

estimated impact of inflation, impacto estimado de la inflación

estimated time of arrival (ETA), hora de llegada prevista

estimated time of departure (ETD), hora de salida prevista

estimated total return (ETR), rentabilidad total estimada

estimated value, valor estimativo; valor estimado

estovers, asignación satisfecha a la mujer divorciada

ETA (ab. **estimated time of arrival),** hora de llegada prevista

ETD (ab. **estimated time of departure**), hora de salida prevista

ethical behaviour (US: **behaviour = behavior**), comportamiento ético; proceder ético

ethical code, código ético; código de conducta

ethical standards, normas éticas

ethics, ética

ETR (ab. **estimated total return**), rentabilidad total estimada

EURIBOR (ab. **European inter-bank interest rate**), EURIBOR (ab. tipo de interés interbancario europeo); tipo de interés interbancario europeo (EURIBOR)

euro credit facility, línea de crédito en euros

euro loan, préstamo en euros

Euro-denominated assets, activos expresados en Euros

Euro/Dollar rate of exchange, tipo de cambio Euro/Dólar

eurobond, eurobono

eurobond markets, mercados de eurobonos

eurocapital markets, mercados de eurocapitales

eurocommercial paper (ECP), europagarés de empresa; europapel comercial

eurocurrency, euromoneda; eurodivisa

eurocurrency lending, préstamos en eurodivisas; europréstamos

eurodollar, eurodólar

eurodollar loan, préstamo en eurodólares

eurodollar time deposit futures contract, contrato de futuro sobre depósitos en eurodólares

euroequity, euroacción

euroissue, euroemisión

Eurolibor, Eurolibor; tipo del Euro en mercado interbancario de Londres

euromarket, euromercado

euronote, europagaré

euronote facilities, europagarés; mecanismo de emisión de europagarés

European Coal and Steel Community (ECSC), Comunidad Europea del Carbón y del Acero (CECA); CECA (ab. Comunidad Europea del Carbón y del Acero)

European Commission (EC), Comisión Europea (CE); Comisión de las Comunidades Europeas (CE); CE (ab. Comisión (de las Comunidades) Europea(s))

European Currency Unit (ECU), Unidad de Cuenta Europea (ECU); ECU (ab. Unidad de Cuenta Europea)

European Economic Community (EEC), Comunidad Económica Europea CEE); CEE (ab. Comunidad Económica Europea)

European Federation of Financial Analysts (EFFA), Federación Europea de Analistas Financieros (FEAF); FEAF (ab. Federación Europea de Analistas Financieros)

European Free Trade Association (EFTA), Asociación Europea de Libre Comercio (EFTA)

European inter-bank interest rate (EURIBOR), EURIBOR (ab. tipo de interés interbancario europeo); tipo de interés interbancario europeo (EURIBOR)

European Investment Bank (EIB), Banco Europeo de Inversiones

European option, opción europea; opción exclusivamente ejercitable a su vencimiento (opción europea)

evade taxes, evadir impuestos; eludir (el pago de) impuestos

evaluate, tasar; fijar el valor; justipreciar; evaluar; peritar

evaluate potential credit risk, evaluar el riesgo potencial implícito en el crédito

evaluation, valoración; tasación; evaluación; avalúo (LA); peritación (Esp.); gravamen aplicable; estimación; justiprecio

evaluation of damages, evaluación de (los) daños

even number, número par

even-parity check, verificación de paridad par

event file, registro cronológico de actividad

evergreen credit (col.), crédito permanente (col.); crédito con fecha de reembolso final no predeterminada

every other year, cada dos años; año sí, año no

every second year, cada dos años; año sí, año no

every year, anualmente; todos los años; cada año; con carácter anual; con periodicidad anual; al año; por año; anual (adj., masc. & fem.)

evict, deshauciar; desalojar; echar a un inquilino

eviction, deshaucio; desalojo

evidence (n.), evidencia probatoria; prueba testifical; testimonio; justificante

evidence (v.), atestiguar; dar fe; certificar; legalizar; formalizar; compulsar (legalizar)

evidence of indebtedness, prueba de la deuda contraída; justificante de la deuda contraída

evidence of title, título de propiedad; escritura de propiedad; documento notarial de propiedad; derecho (formalizado notarialmente)

evident, obvio; evidente (adj., masc. & fem.); palpable (adj., masc. & fem.)

ex (Lat.), sin

ex coupon, sin cupón

ex dividend, sin dividendo

ex dock, sobre muelle; al costado del buque; franco muelle; puesto al costado del barco; franco (costado del) buque

ex factory, sobre fábrica; franco fábrica

ex gratia payment, prestación graciable

ex interest, sin interés

ex mill, sobre fábrica; franco fábrica

ex pier, sobre muelle; al costado del buque; franco muelle; puesto al costado del barco; franco (costado del) buque

ex quay, sobre muelle; al costado del buque; franco muelle; puesto al costado del barco; franco (costado del) buque

ex rights, sin derechos

ex S/S, franco y sobre buque (seguido del nombre del barco)

ex ship, franco y sobre buque

ex warehouse, sobre almacén; franco almacén

ex works, sobre fábrica; franco fábrica

ex works (EXW), en fábrica

ex-coupon quotation, cotización ex-cupón; cotización del título sin considerar el interés acumulado

ex-officio (Lat.), ex-officio (Lat.); por virtud de oficio

exact interest, interés sobre año natural (365 días)

examination of (the) books, examen de (los) libros; auditoría contable

except as otherwise agreed, salvo acuerdo en contrario; a menos que se acuerde de otro modo; salvo pacto en contrario; siempre que no se pacte otra cosa

exception file, fichero de excepciones; registro de excepciones; maestro (o maestra) de excepciones

excerpt (n.), síntesis de instrucciones; resumen (recapitulación); recapitulación (resumen); extracto (resumen); memorándum; sintetización (n. fem.)

excess, exceso

excess income tax, impuesto sobre el exceso de beneficio

excess profits tax, impuesto sobre el exceso de beneficio

excise, gravar con un impuesto sobre el consumo; aplicar un impuesto sobre el consumo

excise tax, arbitrios; impuesto al consumo; impuesto sobre el consumo; alcábala

exciseman, tasador del impuesto sobre consumo; encargado de fijar el impuesto sobre consumo

exclusive rights, derechos exclusivos; derechos de exclusividad

excusable neglect, inobservancia justificada

excuse, excusa; disculpa; pretexto; excusar; disculpar; pretextar

exchange (n.), cambio; trueque; cruce

exchange alterations, alteraciones cambiarias; modificaciones en los cambios

Exchange Alliance Board, Consejo Rector de la Alianza de Bolsas

exchange bill of lading (EBL), conocimiento de embarque a la orden (CEO); CEO (ab. conocimiento de embarque a la orden)

exchange bonds, canjear obligaciones

exchange broker, corredor de bolsa; cambista bursátil; agente de (cambio) y bolsa

exchange confidential information, intercambiarse información confidencial

exchange contracts (GB), formalizar un contrato de compraventa; suscribir un contrato de compraventa

exchange control, control de divisas; control de cambios, control cambiario; control de operaciones en moneda extranjera

exchange control board, junta de control de cambios

exchange control regulations, medidas de control cambiario

exchange cover, reservas en divisas; cobertura en divisas

exchange gains, diferencias de cambio

exchange in suspense, cambio en suspenso

exchange inflow, entrada de divisas; afluencia de divisas; flujo de entrada de divisas

exchange insurance, seguro de cambio

exchange losses, pérdidas en operaciones cambiarias; quebrantos emanantes de operaciones cambiarias

exchange mechanisms, mecanismos cambiarios

exchange of views, cambio de impresiones; intercambio de impresiones

exchange office, oficina de cambios; puesto de cambio de divisas

exchange outflow, salida de divisas; fuga de divisas; flujo de salida de divisas

exchange parity, paridad; paridad cambiaria; cambio a la par; paridad real intercambiaria; contravalor; equivalencia; par (valor)

exchange practices, prácticas cambiarias

exchange rate, tipo cambiario; tipo de cambio

exchange rate adjustment, modificación de los tipos cambiarios; ajuste de los tipos de cambio

exchange rate agreement (ERA), contrato sobre tipos de cambio

exchange rate changes, modificaciones en los tipos de cambio; modificaciones cambiarias

exchange rate edge, seguro de cambio

exchange rate fluctuations, fluctuaciones cambiarias; fluctuaciones en los tipos de cambio; altibajos en los tipos de cambio

exchange rate mechanism (ERM), mecanismo de control de paridades; mecanismo para el control de cambios (MCC); MCC (ab.: mecanismo para el control de cambios)

exchange rate pattern, esquema de tipos de cambio; configuración de los tipos cambiarios

exchange restrictions, restricciones cambiarias

exchange stability, estabilidad cambiaria

exchange stocks, intercambiar acciones

exchange systems, sistemas cambiarios

exchange uncertainty, incertidumbre cambiaria

exchange unstability, inestabilidad cambiaria

exchange volume, volumen bursátil

exchange(´s) computer-assisted trading system, mercado contínuo bursátil informatizado

exchange, translation and dealing gains, resultados por diferencias en cambios

exchangeable, cambiable; intercambiable

exchanges, documentos cambiarios; instrumentos cambiarios

Exchequer (GB), Real Tesorería (GB); tribunal de hacienda (GB)

execute, detener; capturar; confiscar; embargar; decomisar; incautar; expropiar

execute a contract, celebrar un contrato; formalizar un contrato; suscribir un contrato; firmar un contrato; ejecutar un contrato; cerrar un contrato

execute an order, ejecutar una orden; servir un pedido; cumplimentar un pedido; atender un mandado (LA)

execution creditor, acreedor con derecho a ejecución

executive, ejecutivo (n. & adj.); directivo (n. & adj.)

executive body, órgano directivo; órgano ejecutivo; órgano decisorio

executive committee, dirección (equipo gestor); equipo gestor; cuadro directivo; ejecutiva (n.); directorio; órgano de gestión; comité ejecutivo; comité de dirección; gerencia (LA)

executive director, consejero delegado (ejecutivo); primer ejecutivo; director general ejecutivo; consejero ejecutivo; administrador delegado

executive director in charge of international business, director ejecutivo encargado del negocio internacional; consejero delegado para el negocio internacional; responsable del negocio internacional

executive secretary, secretario ejecutivo

executive secretary to the chairman, secretario ejecutivo de presidencia

executor, ejecutor (n.); albacea testamentario (n. masc.)

executrix, ejecutora (n.); albacea testamentaria (n. fem.)

exempli gratia (EG) (Lat.), por ejemplo

exempt, exento; libre de; franco de

exempt from taxation, exento del pago de impuestos; no sujeto a tributación; libre de pagar impuestos; franco de tributar

exemption from customs, exención arancelaria

exemption from duties, franquicia arancelaria

exercise date, fecha de ejercicio

exert pressure on financial circles, ejercer presión sobre los círculos financieros

exhaust resources, agotar (los) recursos

exhibit, anexo; prueba instrumental; anexo explicativo; apéndice aclaratorio

exhibit (v.), exhibir

exhibition, exposición (muestras, etc.) (n. fem.); exhibición (n. fem.); beca (GB)

exigence (exigence = exigency), exigencia; necesidad; urgencia

exigency (pl. exigencies; exigency = exigence), exigencia; necesidad; urgencia

EXIMBANK (ab. **Export and Import Bank of Washington),** Banco de Exportaciones e Importaciones de Washington (EXIMBANK); EXIMBANK (ab. Banco de Exportaciones e Importaciones de Washington)

exit barrier, barrera de salida

exodus of capital, éxodo de capitales

exonerate, exonerar; exculpar; descargar de responsabilidades; liberar de obligaciones

exoneration, exoneración; exculpación; descargo de responsabilidades; liberación de responsabilidades

expand, extenderse; expansionarse

expansion, expansión

expansion capacity, capacidad de expansión

expansion into underdeveloped countries, expansión en países subdesarrollados

expansion of consumer credit, expansión del crédito al consumo

expansion of gross domestic product, expansión del producto nacional bruto; expansión del producto interno bruto

expansion of gross national product, expansión del producto nacional bruto; expansión del producto interno bruto

expansion of lending, expansión de la actividad crediticia; desarrollo de la inversión crediticia

expatriate (n., adj.), expatriado

expatriate large amounts of money, expatriar grandes cantidades de capital

expectations, cálculos; expectativas; previsiones cara al futuro

expected asset liquidity, liquidez prevista de los activos

expected liquidity of assets, liquidez prevista de los activos

expected return, rendimiento esperado; rentabilidad prevista

expedited delivery service, servicio de entrega urgente

expendables (n.), bienes fungibles

expenditures analysis, análisis de gastos

expenditures and receipts, gastos e ingresos

expenditures monitoring and control, seguimiento y control del gasto

expense advances, anticipos para gastos

expense advances to employees, anticipos a empleados para gastos

expense capitalization, capitalización del gasto; activación de los gastos

expense control, control del gasto

expense ratio, ratio de gastos; porcentaje de gastos generales

expense report, relación de gastos

expense to income ratio, ratio (de) gastos-beneficio; relación entre gastos y beneficio

expense(s) account, cuenta de gastos reembolsables

expenses, gastos

expenses at buyer´s cost, gastos por cuenta del comprador

expenses chargeable, gastos cobrables; gastos susceptibles de cobro; gastos devengables

expenses items, partidas de gasto

expenses not requiring outlay of funds in the current period, importes que minoran el beneficio sin suponer aplicación de fondos

expenses recovered, gastos recuperados

expensive, caro; costoso; gravoso; oneroso

experience curve, curva empírica

experienced technician, técnico experimentado (n.)

expert, experto (n., adj.); perito (n., adj.); pericial (adj.)

expert accountant, experto en contabilidad; perito mercantil; experto contable (LA)

expert appraisal, tasación pericial; valoración pericial

expiration, caducidad; vencimiento (vto.); vto. (ab. vencimiento); extinción

expiration date, fecha de vencimiento; fecha de caducidad; fecha convenida; fecha acordada; fecha de pago

expiration of an agreement, vencimiento de un contrato; caducidad de un contrato; terminación de un contrato

expire, expirar; vencer; caducar; prescribir

expired card, tarjeta caducada

expiry date, fecha de vencimiento; fecha de caducidad; fecha convenida; fecha acordada; fecha de pago

exponential (adj.), exponencial

exponential function, función (de tipo) exponencial

export, exportación; de exportación; para la exportación

Export and Import Bank of Washington (EXIMBANK), Banco de Exportaciones e Importaciones de Washington (EXIMBANK); EXIMBANK (ab. Banco de Exportaciones e Importaciones de Washington)

export bond, fianza sobre la exportación

export certificate, certificado de exportación

export commodities, artículos de exportación; géneros de exportación

export credit, crédito a la exportación

export credit insurance, seguro de crédito a la exportación

export duties, arancel de exportación

export earnings, beneficios provinientes de las exportaciones

export financing, financiación de las exportaciones

export licence, licencia de exportación

export money, exportar dinero; exportar capitales

export permit, permiso de exportación

export quota, cuota de exportaciones; contingente de exportación; cupo de exportación

export restraint, restricción a las exportaciones

export shipments, embarques de artículos para la exportación

export subsidy (pl. subsidy = subsidies), subvención a las exportaciones

export-related credit, crédito relativo a la exportación

exportation, exportación; de exportación; para la exportación

exporter, exportador

exporting (adj.), exportador (adj.)

exporting country (pl.: country = countries), país exportador

exports, artículos de exportación; géneros de exportación

expostulatory letter, carta de objeciones

exposure, exposición; riesgo; arriesgar

exposure to credit risk, exposición al riesgo crediticio

express assumpsit, compromiso expreso

express courier, correo urgente; entrega inmediata (paquetería); mensajería urgente

express trust, fideicomiso expreso

express waiver, renuncia expresa

extend, prorrogar; ampliar; extender

extend credit, otorgar crédito; conceder crédito

extend a deadline, prorrogar un plazo establecido

extend a loan, otorgar un préstamo; conceder un préstamo

extension, renovación (n. fem.); prórroga; ampliación (n. fem.)

extension and termination of projects, ampliación y terminación de obras

external audit, auditoría externa

external auditor, auditor externo

external benchmarking, investigación y desarrollo de mejoras organizativas externas

external bill (US: **bill = draft),** letra sobre el extranjero; efecto sobre el extranjero; cambial sobre el extranjero

external bond, obligación extranjera

external capital requirements of developing countries, necesidades de capital externo de los países en vías de desarrollo

external convertibility, convertibilidad externa

external debt, deuda externa; deuda exterior

external deficit, déficit externo

external sources, financiación externa

external storage, almacenamiento externo; memoria externa (comp.)

external trade, comercio exterior

extra dividend, dividendo adicional; dividendo complementario; dividendo extraordinario

extra large size (XL size), tamaño extragrande

extract (documents), extracto (documentos)

extraordinary (adj.), extraordinario (adj.)

extraordinary charges, cargos extraordinarios; imputaciones atípicas

extraordinary depreciation, depreciación extraordinaria; amortización complementaria

extraordinary earnings, beneficios extraordinarios; beneficio atípico

extraordinary general meeting, junta general extraordinaria

extrapolate a clause, extrapolar una cláusula

extrapolation, extrapolación

EXW (ab. **ex works),** en fábrica

F

F&C (ab. **free and clear),** sin gastos y franco aduanas

F-bank (ab. **federal bank)** (US), banco federal (US)

F-note (ab. **Federal Reserve note)** (US), papel moneda (dólar) (US)

F/O (ab. **in favour of),** a favor de; en favor de

FA (ab. **face amount),** valor nominal; par principal (opciones y futuros); valor facial; nominal (n.); principal (importe) (n.)

face amount (FA), valor nominal; par principal (opciones y futuros); valor facial; nominal (n.); principal (importe) (n.)

face and reverse, anverso y reverso

face capital, capital nominal; capital autorizado

face of card, anverso de la tarjeta

face of the bill, anverso del efecto

face value, valor nominal; par principal (opciones y futuros); valor facial; nominal (n.); principal (importe) (n.)

facility (pl.: facility = facilities), línea de crédito; facilidad crediticia; seguro suscrito en unión de otras pólizas; línea de crédito para ejecución de garantías

facility fee, comisión de servicio (préstamos sindicados); comisión de disponibilidad

facsimile, facsímil

facsimile charges, gastos de fax

facsimile message, fax; mensaje por fax

facsimile signature, firma (en) facsímil

factor, elemento; factor; componente

factor (agent), factor (agente); agente de carga; agente embarcador

factor (v.), descomponer en factores

factorage, corretaje

factorial analysis, análisis factorial

factoring, descuento anticipado de facturas; anticipo sobre la factura cuya gestión de cobro se asume

factorize, descomponer en factores

factory accounting, contabilidad industrial

factory burden, gastos de fábrica; gastos de fabricación

factory expenditures, gastos de fábrica; gastos de fabricación

factory expenses, gastos de fábrica; gastos de fabricación

factory outlet, punto donde el fabricante salda sus restos de serie o muestras; centro de comercialización de excedentes

facultative reinsurance, reaseguro facultativo

fail (become bankrupt), quebrar; ir a la quiebra; entrar en quiebra; suspender pagos; entrar en suspensión de pagos; caer en bancarrota

failing, a menos que; salvo que; excepto si

failure (bankruptcy), quiebra; bancarrota; insolvencia; colapso; desplome; derrumbamiento; hundimiento

failure to comply, infracción; violación; incumplimiento; falta de cumplimiento; infringir (lo pactado); violar (un acuerdo); incumplir

failure to perform, infracción; violación; incumplimiento; falta de cumplimiento; infringir (lo pactado); violar (un acuerdo); incumplir

fair (n. & adj.), feria; justo; equitativo

fair average quality (FAQ), buena calidad general

fair cash value, valor justo en efectivo

fair competition, competencia leal

fair copy, copia en limpio

fair offer, oferta ventajosa

fair prices, precios justos

fair return, beneficio justo

fair trade, comercio justo; comercio honesto

fair trade laws, legislación comercial

fair trial, juicio justo; juicio imparcial

fair value, valor equitativo

faithfully yours (GB), atentamente (despedida de carta) (ab. atte.); atentamente les saluda (despedida de carta) (ab.: atentamente = atte.); les saluda atentamente (despedida de carta) (ab.: atentamente = atte.); atte. (ab. = atentamente) (despedida de carta)

fake (n. & v.), falsificación (n. fem.); impostura; montaje (Esp., col.); falso (adj.); espurio (adj.); falsificar; fingir; usurpar la personalidad; hacerse pasar por

faked balance sheet, balance falseado

fall in prices, bajada en los cambios; baja de precios

false, falso; fraudulento; engañoso; falsificado; equívoco

false alarm, falsa alarma

false bottom, doble fondo (Esp.); falso fondo

false claim, reclamación fraudulenta

false colours (US: **colours = colors),** falsos pretextos

false document, documento falsificado

false entry, asiento falsificado

false oath, falso testimonio; perjurio

false statement, declaración falsa; extracto de cuenta falso

falsification, falsificación (n. fem.); impostura; montaje (Esp., col.); falso (adj.); espurio (adj.); falsificar; fingir; usurpar la personalidad; hacerse pasar por

fall (v.), bajar (v.); caer (v.); descender

fall due, expirar; vencer; caducar; prescribir

fall in the return on stockholders´equity, caída de la rentabilidad de los recursos propios

fall into decay, entrar en ruina

fall within the jurisdiction of a court, quedar sujeto a la jurisdicción de un tribunal

fallback, recurso de emergencia; reserva para emergencias

falling (adj.), a la baja; en baja; en descenso; decreciente (adj., masc. & fem.)

familiar (adj.), familiar (adj.)

familiarity (pl. familiarity = familiarities), familiaridad; campechanía (col.)

family, familia

family partnership, sociedad familiar

FAQ (ab. **fair average quality),** buena calidad general

far date (forex swaps), fecha lejana (permutas de divisas)

farm lending, préstamos al sector agrícola

farm loan bank, banco de crédito agrícola; banco de fomento agrario

farm subsidy, subvención a la agricultura

farm(ers´) cooperative, cooperativa agrícola; cooperativa rural

FAS barge (ab. **free alongside barge),** franco costado de la barcaza

FAS cart (free alongside cart), franco costado del vagón

FAS vessel (ab. **free alongside vessel / ship),** sobre muelle; al costado del buque; franco muelle; puesto al costado del barco; franco (costado del) buque

FASB (ab. **Financial Accounting Standards Board),** Comité de Normas de Contabilidad Financiera

fast track, vía rápida; actuación inmediata; procedimiento abreviado

fast-track amendments, enmiendas aplicadas por la vía rápida; enmiendas de aplicación inmediata

fault tolerant system (comp.), sistema indefectible

faux warrant, warrant postizo; warrant en descubierto

favourable change (US: **favourable = favorable),** cambio favorable

favourable outcome (US: **favourable = favorable),** resultados favorables

fax (machine, message), fax (máquina, mensaje)

fax charges, gastos de fax

fax message, fax; mensaje por fax

FBI (Federal Bureau of Investigation) (US), Departamento Federal de Investigaciones (FBI) (US); FBI (Departamento Federal de Investigaciones) US)

FBL (ab. **forwarder's bill of lading),** conocimiento de embarque emitido por un transitario

FC (ab. **financial charges),** gastos financieros

FC (ab. **free carrier),** franco transportista

FDO (ab. **for deposit only),** sólo para depósito

feasibility, viabilidad; practicabilidad; factibilidad

feasibility study, estudio de viabilidad

feasible, viable; practicable; factible

featherbedding, contratación de mano de obra innecesaria; retardo del trabajo (siguiendo consignas sindicales)

features, peculiaridades; valores estrella (col.); títulos muy cotizados; valores bursátiles de gran demanda

Fed (ab. **Federal Reserve Board)** (US), Consejo de la Reserva Federal (US)

Fed bank (US), banco federal (US)

Fed Funds (ab. **Federal Funds; US),** Fondos Federales (US); Fondos de la Reserva Federal (US)

Fed note (ab. **Federal Reserve note)** (US), papel moneda (dólar) (US)

federal bank (F-bank, Fed bank) (US), banco federal (US)

Federal Bureau of Investigation (FBI) (US), Departamento Federal de Investigaciones (FBI) (US); FBI (Departamento Federal de Investigaciones) US)

Federal Funds (FF / Fed Funds; US), Fondos Federales (US); Fondos de la Reserva Federal (US)

federal funds market (FFMKT) (US), mercado de fondos federales

federal funds rate (US), tipo de interés interbancario (US)

federal jurisdiction (US), jurisdicción federal

federal laws, leyes federales

Federal Reserve banks, bancos de la reserva federal

Federal Reserve Board (Fed, FRB) (US), Consejo de la Reserva Federal (US)

Federal Reserve note (Fed note, F-note) (US), papel moneda (dólar) (US)

Federal Reserve System (US), Sistema (bancario) de la Reserva Federal (US)

fee (v.), contratar a jornal para un trabajo; contratar la realización de un trabajo profesional mediante pago de honorarios

fee collection, cobro de cuotas; cobro de comisiones

fee simple, pleno dominio; dominio absoluto

fee tail, dominio limitado a los herederos directos

feedback (comp.), información sobre el resultado del proceso (comp.)

feedback loop (comp.), bucle de alimentación (comp.)

feel confident that, tener confianza en que; confiar (en) que; sentirse confiado (en) que

feel out, sondear el terreno; ver cómo está el patio (Esp., col.)

feel sick, sentirse enfermo

feeler, sondeo de tendencias; prospección del entorno

fees (n.), honorarios; derechos de inscripción; accesorias (legal); bienes patrimoniales; cuota de ingreso

fees for guarantees, other sureties and documentary credits, comisiones de avales y otras cauciones

fees, dues and assessments, cuotas, derechos y contribuciones

fellowship, beca

FF (French franc), franco francés

FF (US: ab. **Federal Funds;** ab. **French Franc),** Fondos Federales (US); Fondos de la Reserva Federal (US)

FFEM (ab. **forward foreign exchange market),** mercado de divisas a plazo

FFMKT (ab. **federal funds market)** (US), mercado de fondos federales

FGA (ab. **free of general average),** libre de avería general

fictitious (adj.), ficticio; fingido; imaginario; artificial (adj., masc. & fem.); de pega (Esp., col.)

fictitious account number, número de cuenta ficticio

fictitious assets, activo fingido

fictitious personal data, datos personales ficticios

fidelity bond insurance, seguro contra robos por parte de los empleados

fidelity to the bank, fidelidad al banco

fiduciary, depositario; fiduciario; fideicomisario

fiduciary accounting, contabilidad fiduciaria

fiduciary circulation, circulación fiduciaria

fiduciary currency, moneda fiduciaria; dinero sin cobertura; moneda de curso forzoso

fiduciary funds, fondos fiduciarios

fiduciary issue, emisión fiduciaria; emisión sin cobertura

fiduciary loan, préstamo fiduciario

fiduciary money, moneda fiduciaria; dinero sin cobertura; moneda de curso forzoso

field (comp.), campo (comp.)

field allowance, plus de compañía

field warehouse, almacén provisional para mercancías pignoradas

field work, trabajo realizado en las instalaciones del propio cliente (auditoría)

field-tested, probado en la práctica; comprobado sobre el terreno

fiend (col.)**,** fiera (en la forma de trabajar) (col.)

fieri facias (Lat.)**,** auto ejecutorio

FIFO valuation (ab. **first-in first-out valuation),** valoración según primeras entradas, últimas salidas; valoración (según sistema) FIFO

FIFO-method inventory, inventario por valoración de primeras entradas, últimas salidas; inventario (conforme al) sistema FIFO

fifteen, quince

fifteenth, decimoquinto; quinzavo

fifth, quinto

fifty, cincuenta

figure, figura; cifra; número; hacer cálculos; hacer números (Esp., col.); echar cuentas (Esp., col.)

figures in brackets, cifras entre paréntesis

file, archivo; expediente; legajo; carpeta de archivo (Esp.); historial; archivar; presentar (hacer entrega)

file a claim with, presentar una reclamación ante

file a copy, archivar una copia

file a suit, entablar pleito; iniciar un pleito; meterse en pleitos (Esp., col.); demandar; pleitear; litigar; interponer querella; llevar ante los tribunales

file an application with, apelar; recurrir; elevar apelación; solicitar; suplicar; rogar; presentar una solicitud ante; formular una petición; presentar (un) recurso

file an objection, poner una objeción; alegar una objeción; formular una objeción; plantear una objeción

file copy, copia de archivo

file envelope, sobre(-bolsa) para archivo de documentos

file folder, carpeta para archivo de documentos

file for bankruptcy, solicitar declaración de quiebra

file maintenance (comp.), actualización de ficheros (comp.)

file requisition, solicitud de expedientes; requisitoria de presentación de expediente

file retention and control, conservación y control de archivos

file updating (comp.), actualización de ficheros (comp.)

filibuster (US)**,** obstruccionista

filing cabinet, fichero; tarjetero; archivador (mueble)

filing card, tarjeta de archivo

filter insider information, filtrar información privilegiada

fill, ejecución efectiva de la orden

fill an order, ejecutar una orden; servir un pedido; cumplimentar un pedido; atender un mandado (LA)

fill in a blank form, rellenar un formulario; cumplimentar un impreso

fill or kill (col.)**,** cumplimentar o anular de inmediato

fill out a blank form, rellenar un formulario; cumplimentar un impreso

fill the vacancy, cubrir la vacante

filling, campo que se rellena con cifras y en letra (p.ej., cheques)

finable, susceptible de sanción; sancionable

final, final; decisivo; concluyente; determinante

final and binding, definitivo y vinculante

final cause, meta; fin; propósito; finalidad; objeto (finalidad)

final configuration of the market, configuración final del mercado

final decision, decisión última; auto definitivo

final dividend, dividendo final

final exchange of principal, intercambio final del principal

final net income, beneficio neto final

final notice (FN), notificación final

final pleadings, escritos de conclusión; conclusiones (form.)

final reminder, último recordatorio; último emplazamiento

final tax base, base liquidable

finally, finalmente; por último; en conclusión; para terminar

finance (n. & v.), erario; hacienda; recursos financieros; financieras (valores bursátiles); financiar

finance bill, efecto financiero

finance company, banco de descuento; financiera; sociedad de financiación; sociedad financiera; sociedad de crédito comercial

finance charges, gastos financieros

finance purchases, financiar compras

financial (adj.), moneda (euros, dólares, pesetas, etc.); monetario (adj.); financiero (adj.)

financial accounting, contabilidad financiera

Financial Accounting Standards Board (FASB), Comité de Normas de Contabilidad Financiera

financial activity, actividad financiera

financial analyst, analista financiero

financial area, área financiera

financial asset, activo financiero; título de crédito

financial asset intermediation market, mercado de intermediación de activos financieros

financial assets, activos financieros

financial assets sold under repurchase agreements, activos vendidos bajo compromiso de recompra

financial assistance, asistencia financiera; apoyo financiero

financial backer, obligado; garante; avalista; fiador

financial backing, respaldo económico

financial backing supplied by foreign investors, respaldo financiero aportado por inversores extranjeros

financial burden, carga financiera; carga económica

financial calendar, calendario financiero

financial centre (US: **centre = center),** centro financiero

financial circles, círculos financieros

financial claim, activo financiero; título de crédito

financial condition, situación financiera; grado de solvencia; nivel de solvencia

financial contingency, imprevistos financieros; contingencias financieras

financial costs, coste de los recursos; remuneración del pasivo; costes financieros

financial crack, bancarrota financiera

financial credit, crédito de financiación

financial charges (FC), gastos financieros

financial chart, gastos financieros

financial disintermediation, desintermediación financiera

financial engineering, ingeniería financiera

financial expenses, coste de los recursos; remuneración del pasivo; costes financieros

financial flows, flujos financieros

financial futures, futuros financieros; contratos financieros a plazo

financial gearing (US: **gearing = leverage),** relación entre deudas y activos totales; apalancamiento financiero

financial income, ingresos financieros

financial institution, entidad financiera; institución financiera

financial instruments, instrumentos financieros

financial intermediary (pl.: intermediary = intermediaries), intermediarios financieros

financial intermediation, intermediación financiera

financial investment, inversión financiera

financial leverage (US: **leverage = gearing),** relación entre deudas y activos totales; apalancamiento financiero

financial loan, préstamo financiero

financial loss, pérdida financiera

financial management, gestión financiera

financial margin, rendimiento de los empleos; productos obtenidos; margen financiero; productos de empleos

financial market, mercado financiero

financial market penetration, penetración en los mercados financieros

financial operations, operaciones financieras

financial paper, efectos financieros

financial policy (pl.: policy = policies), política financiera

financial products (instruments), productos financieros

financial resources, erario; hacienda; recursos financieros; financieras (valores bursátiles); financiar

financial resources supplied by foreign banks, recursos financieros aportados por bancos extranjeros

financial risks, riesgos financieros

financial sector, sector financiero

financial situation, situación financiera; grado de solvencia; nivel de solvencia

financial stability, estabilidad financiera

financial standing, solvencia financiera

financial statements, estados financieros; documentación financiera; estado de situación contable

financial status, situación financiera; grado de solvencia; nivel de solvencia

financial straits, apuros económicos; dificultades financieras; problemas de estrechez económica

financial transactions, transacciones financieras

financial unstability, inestabilidad financiera; incertidumbre financiera

financial world, mundo financiero; mundo de las finanzas

financial year, año fiscal; ejercicio fiscal; ejercicio económico; año de ejercicio

financing, financiación

financing agreement, contrato de financiación

financing income, ingresos financieros

financing of exports, financiación de las exportaciones

financing of trade credit, financiación del crédito comercial

financing to other entities, financiación a otras entidades

finder, agente encargado de conseguir financiación (clientes, etc.)

finder´s fee, comisión del encargado de conseguir financiación (clientes, etc)

finding, hallazgo; veredicto; fallo (veredicto); decisión (veredicto)

fine (n. & v.), multa; traspaso inmobiliario mediante juicio ficticio; recargo por demora; sanción por incumplimiento (n. fem.); recargo por infracción; multar; poner (una) multa; echar (una) multa

fingerprint (n. & v.), huella dactilar; huella digital; tomarle las huellas a alguien

finished goods, artículos acabados; artículos terminados; productos acabados

finished goods inventory, inventario de productos terminados

finished products, artículos acabados; artículos terminados; productos acabados

finishing touch (col.), toque final (col.); toque maestro (col.)

fink (n. & v.), esquirol; rompehuelgas; revientahuelgas; vendido (revientahuelgas); amarillo (vendido / revientahuelgas) (Esp.); delator; soplón; esquirolear; reventar una huelga; trabajar durante una huelga

fire alarm, alarma de incendio

fire damage, siniestro de incendio

fire door, puerta cortafuegos

fire drill, ejercicio de evacuación de emergencia por incendio

fire escape, escalera de incendios

fire extinguisher, extintor de incendios

fire hose, manguera para incendios

fire hydrant, toma de agua para incendios; hidrante

fire indemnity, indemnización por incendio

fire insurance, seguro contra incendios

fire risk, riesgo de incendio

fire trap, edificio sin medios de escape para casos de incendio

fire-damaged (adj.), dañado por el fuego

fire-eater (col.), picapleitos (col.); leguleyo (col.); tinterillo (LA, col.)

fire-resistant (adj.), resistente al fuego (adj.)

fire-resistive (adj.), resistente al fuego (adj.)

fireball (col.), ejecutivo eficiente y muy ambicioso

fireman (pl. fireman = firemen), bombero

fireplug, toma de agua para incendios; hidrante

fireproof (adj.), resistente al fuego (adj.)

firewall, pared cortafuegos; muro cortafuegos

firm, razón social; casa (firma comercial); firma comercial; nombre (razón social)

firm commitment, compromiso en firme

firm change, cambio firme; cambio estable; cambio mantenido; cambio sostenido; cambio sin fluctuaciones

firm of ill repute, firma mal conceptuada; empresa de mala fama

firm offer, oferta en firme; propuesta en firme

firm order, pedido en firme

firm price, precio en firme; precio mantenido; precio sin fluctuaciones

firm purchase, compra en firme

firm quotation, cotización en firme

firm rate, tipo mantenido; tipo firme; tipo sin fluctuaciones

firm sale contract, contrato de venta en firme

firm underwriting, aseguramiento en firme

firm up, afirmarse (el mercado); afianzarse; perfeccionar (un contrato)

firm´s name, razón social; casa (firma comercial); firma comercial; nombre (razón social)

firm´s title, razón social; casa (firma comercial); firma comercial; nombre (razón social)

firmware, lógica física (comp.)

first, primero

first contract, primer contrato; contrato inicial

first cost, costo original; coste inicial; costo de adquisición; costo primo (LA)

first lien, primera hipoteca

first loss insurance, seguro a primer riesgo

first of exchange, primera de cambio

first-class (adj.), excelente (adj., masc. & fem.); de primera (clase); escogido

first-class mail, servicio postal preferente

first-class mail (US), correo de primera clase

first-choice (adj.), excelente (adj., masc. & fem.); de primera (clase); escogido

first-in first-out method inventory (FIFO-method inventory, inventario por valoración de primeras entradas, últimas salidas; inventario (conforme al) sistema FIFO

first-in first-out valuation (FIFO valuation), valoración según primeras entradas, últimas salidas; valoración (según sistema) FIFO

fiscal (adj.), fiscal (adj., masc. & fem.); tributable (adj., masc. & fem.); imponible (adj., masc. & fem.); sujeto a imposición

fiscal accounting, contabilidad fiscal

fiscal agency agreement, acuerdo de deisgnación del agente fiscal de emisión

fiscal auditor, auditor fiscal

fiscal matters, asuntos fiscales; temas fiscales

fiscal policies applying (sing.: **policies = policy),** políticas fiscales aplicables; políticas fiscales que se vienen aplicando

fiscal policy decisions, decisiones de política fiscal

fiscal transparency, transparencia fiscal

fiscal year, año fiscal; ejercicio fiscal; ejercicio económico; año de ejercicio

fit for consumption, apto para el consumo

fit the bill, cumplir los requisitos; responder a las condiciones exigidas

five, cinco

Five Boroughs (col.), ciudad de Nueva York

five-year period, quinquenio

fiver (US., col.**),** billete de cinco dólares

fixed (interest) rate, tipo (de interés) fijo

fixed allowances, concesiones fijas

fixed assets, activo fijo; activo inmovilizado; bienes de capital; inmovilizaciones

fixed bond, bono con interés fijo

fixed budget, presupuesto fijo

fixed capital, capital fijo

fixed contract, contrato fijo

fixed cost (US: **fixed cost = period cost),** coste fijo

fixed change, cambio fijo

fixed charges, gastos fijos; cargos fijos

fixed debt (GB: **fixed = funded),** deuda fija; deuda a largo plazo; deuda perpetua; pasivo consolidado; pasivo fijo; deuda en obligaciones

fixed fees, honorarios fijos

fixed fund, fondo fijo; fondo para gastos de menor cuantía

fixed income, renta fija; títulos de renta fija; valores de renta fija; instrumentos de renta fija; títulos de interés fijo

fixed income markets, mercados de renta fija

fixed interest, interés fijo

fixed interest-bearing securities, renta fija; títulos de renta fija; valores de renta fija; instrumentos de renta fija; títulos de interés fijo

fixed liabilities, deuda fija; deuda a largo plazo; deuda perpetua; pasivo consolidado; pasivo fijo; deuda en obligaciones

fixed loan, préstamo a plazo fijo

fixed parity, paridad fija

fixed premium, prima fija

fixed price, precio fijo

fixed rate market of the AIAF (Esp.), mercado AIAF de renta fija (Esp.)

fixed storage (comp.), memoria fija (comp.)

fixed term, plazo fijo

fixed-income securities, renta fija; títulos de renta fija; valores de renta fija; instrumentos de renta fija; títulos de interés fijo

fixed-rate depreciation method, depreciación calculada a porcentaje fijo

fixed-rate financing, financiación a tipo de interés fijo

fixed-term deposit, depósito a plazo fijo; imposición a plazo fijo; pasivo exigible a plazo fijo; depósito a término

fixed-term insurance, seguro a plazo fijo

fixed-to-floating swap, swap clásico (Esp.); swap fijo-variable

fixing, determinación del (tipo de) interés; cambio de referencia; cambio de base; cambio aplicado a una moneda ("fixing"); fixing

fixtures, muebles; mobiliario; enseres; bienes muebles; efectos mobiliarios; artículos de uso personal

fixtures and installations, equipamiento; mobiliario e instalaciones

FL OZ (ab. **fluid ounce),** onza fluida

flag, señalizador

flair for business, olfato para los negocios

flash notes (col.), billetes falsos

flash report, informe condensado; informe sintetizado

flat (adj.), fijo; constante (adj., masc. & fem.); global (adj., masc. & fem.); uniforme (adj., masc. & fem.); a tanto alzado; sin interés (neto); no traspasable; uniforme (adj.); ininterrumpido

flat dates, meses completos

flat fee, comisión pagadera una sola vez; comisión singular e irrepetible

flat loan, préstamo sin interés

flat money (col.), papel moneda; billetes de banco

flat months, meses completos

flat price of coupon, cotización bruta del cupón

flat rate, tarifa plana; tipo invariable

flat refusal, rechazo total; rechazo de plano

flea market (col.), rastro (Esp.); rastrillo (Esp.); mercado callejero de artículos viejos o usados

fleece, estafar; timar; embaucar; defraudar; desplumar (Esp., col.)

fleece (human resources) (col.), contratar a personas inexpertas

flight of capital, fuga de capitales; evasión de capitales; huída de capitales

flip-flop note, bono con opción a la conversión

flip-flop securities (sing.: **securities = security**) (col.), valores con opción a la conversión; valores opcionalmente convertibles; títulos susceptibles de conversión

float (n.), paquete de títulos negociables; cobro de efectos

float a company, sacar una empresa a flote

float a loan, emitir un empréstito

float an issue, realizar una emisión

floater (col.), títulos bursátiles de primera clase; chaquetero (Esp., col.); trabajador inestable (que cambia de empresa o trabajo con frecuencia)

floating (n. & v.), flotación (n. fem.); salida al mercado; flotante (adj., masc. & fem.); fluctuante (adj., masc. & fem.)

floating assets, activo realizable a corto plazo; activo circulante; activo corriente; capital circulante; activo semifijo; activo de explotación; realizable a corto; activo flotante; activo líquido

floating capital, capital flotante

floating debt, pasivo flotante; pasivo circulante; pasivo corriente; deuda flotante

floating exchange rate, tipo de cambio flotante

floating exchange rates, tipos de cambio flotantes; tipos de cambio flluctuantes

floating interest rate, tipo (de interés) flotante; tipo de interés fluctuante

floating liabilities, pasivo flotante; pasivo circulante; pasivo corriente; deuda flotante

floating money, dinero disponible; recursos de inmediata disponibilidad; tesorería; dinero en caja; encaje; liquidez; numerario (tesorería) (Esp.)

floating parity, paridad flotante

floating point, punto flotante

floating policy, póliza flotante

floating rate, tipo flotante

floating rate note (FRN), pagaró a tipo do interés flotante; bono de interés flotante; obligación con tipo de interés variable; bono indiciado a tipo de interés variable

floating rate option note (FRON), bono con cláusula de opción al pago en otra moneda a un tipo flotante

floating security investment credit, crédito bursátil flotante

floating-to-floating swap, swap variable-variable

floor, cobertura frente a descenso de tipos de interés a corto; conjunto de opciones de compra (calls); instrumento financiero contra caídas de interés bajo un mínimo prefijado

floor broker, agente de bolsa que cobra una comisión; comisionista bursátil

floor limit, límite tope; tope límite

floor trader, local (operador bursátil por cuenta propia); operador bursátil por cuenta propia ("local")

floppy disk (comp.), disco flexible

flotation, apelación al capital de los suscriptores

flotsam, pecio; restos flotantes de un naufragio; echazón

flow chart (= flowchart), diagrama de secuencia; organigrama funcional

flow of funds, flujo de dinero; flujo monetario

flow-through company, sociedad (acogida al régimen) de transparencia fiscal

flowchart (= flow chart), diagrama de secuencia; organigrama funcional

fluctuate, fluctuar; oscilar; variar

fluctuating (adj,), flotación (n. fem.); salida al mercado; flotante (adj., masc. & fem.); fluctuante (adj., masc. & fem.)

fluctuation of prices, fluctuación de los precios

fluctuation of rates, fluctuación de los tipos

fluctuation range, banda de tipos máximos y mínimos para el libre cambio de divisas; banda de fluctuación

fluctuations in exchange rates, fluctuaciones cambiarias; fluctuaciones en los tipos de cambio; altibajos en los tipos de cambio

fluent in English, que se expresa en inglés con fluidez; que se maneja bien en inglés (col.)

fluid ounce (FL OZ), onza fluida

flurry (col.), alteración temporal e inesperada de los precios

flying money (col.), dinero especulativo; dinero caliente (col.)

flying spot (comp.), puntero (comp.); cursor (comp.); punto desplazable (comp.)

flying spot scanner (comp.), explorador de punto móvil

FN (ab. **final notice),** notificación final

FO (ab. **Foreign Office)** (GB), Ministerio de Relaciones Exteriores (GB)

FOB (ab. **free on board),** franco a bordo

FOB and trimmed goods (ab. **free on board and trimmed goods),** mercancía a granel, franco a bordo y acondicionada en el pañol

FOBUK (ab. **free on board United Kingdom),** franco a bordo sobre puerto del Reino Unido

follow-up financing, financiación complementaria

footing, pie de página; total de una suma

FOR (ab. **free on rail),** franco vagón de ferrocarril

for a term of, por un plazo de; durante un plazo de

for a term of up to, por un plazo de hasta; durante un plazo de hasta

for account and risk of, por cuenta y riesgo de

for account of (A/C, A/O), por cuenta de (P/Cta.); P/Cta. (ab. por cuenta de)

for account of whom it may concern, por cuenta de quien corresponda

for another´s account, por cuenta ajena; por cuenta de terceros; por cuenta de otros

for collection only, sólo para el cobro; a efectos exclusivos de cobro; para cobrar solamente

for consolidation purposes, a efectos de consolidación

for deposit only (FDO), sólo para depósito

for example, por ejemplo

for further details, para mayores detalles; para más información

for instance, por ejemplo

for one´s own risk, bajo propio riesgo

for own account, por libre (Esp., col.); por cuenta propia

for own account and risk, por cuenta y riesgo propios

for rent, se alquila

for the purposes as may be required, para los fines a que haya lugar; a los efectos que corresponda; para usar según convenga

for value date, valor-fecha; para aplicar fecha de valoración; para su valoración; a efectos de valoración

forbearance, plazo de gracia; días de gracia; prórroga concedida; período de carencia; plazo sin devengo de intereses

force majeure (Fr.), fuerza mayor

forced billing, facturación de mercancías llegadas sin guía de carga

forced loan, préstamo forzoso; empréstito forzoso

forced sale, venta forzosa

forced sale value, valor de realización forzosa

forecast, previsión (n. masc.); pronóstico; juicio estimativo

forecasting, previsiones; pronósticos

foreclose (a mortgage), ejecutar (una hipoteca)

foreclosure (of a mortgage), ejecución (de una hipoteca)

foreclosure sale, venta hipotecaria; enajenación hipotecaria

foredate, antefechar; antedatar; retrotraer; aplicar fecha anterior; fechar por adelantado

foreign (currency) market, bolsa de divisas; mercado de divisas (Esp.)

foreign affiliated company, filial extranjera; sociedad filial extranjera; empresa filial en el extranjero

foreign attachment, embargo ejecutado contra un no residente

foreign bank, banco extranjero

foreign banking institution, entidad bancaria extranjera

foreign bill, letra librada sobre un país extranjero; letra librada desde el exterior

foreign bond, bono extranjero; bono en divisa distinta a la del emisor

foreign creditor, acreedor extranjero

foreign currency (pl.: currency = currencies), moneda extranjera; divisas; cambio de divisas; cambio de moneda extranjera

foreign currency account, cuenta en moneda extranjera; cuenta en divisas

foreign currency bond, bono en moneda extranjera

foreign currency borrowing limit, límite de la capacidad de endeudamiento en divisas

foreign currency debt, deuda en moneda extranjera

foreign currency deposits, depósitos en moneda extranjera; depósitos en divisas; acreedores en moneda extranjera; créditos en moneda extranjera

foreign currency in the hands of Spanish investors, moneda extranjera en poder de inversores españoles

foreign currency loan, préstamo en divisas; empréstito en moneda extranjera; crédito en divisa

foreign currency risk, riesgo en divisas

foreign chartered ship, buque fletado en el extranjero

foreign daughter (company), filial extranjera; sociedad filial extranjera; empresa filial en el extranjero

foreign debt, deuda externa; deuda exterior

foreign debtor, deudor extranjero

foreign debts, deudas exteriores; créditos contraídos con el extranjero

Foreign Department (US), Ministerio de Asuntos Exteriores

foreign deposits, depósitos en moneda extranjera; depósitos en divisas; acreedores en moneda extranjera; créditos en moneda extranjera

foreign drafts, letras giradas sobre el extranjero; efectos librados sobre el extranjero; giros sobre el exterior

foreign exchange, moneda extranjera; divisas; cambio de divisas; cambio de moneda extranjera

foreign exchange arbitrage, arbitraje en divisas

foreign exchange broker, agente de cambio(s); cambista

foreign exchange cushion, amortiguador cambiario; amortiguador de las diferencias en el cambio de divisas

foreign exchange dealer, agente de cambio(s); cambista

foreign exchange dealing, operaciones cambiarias; operaciones de cambio de divisas

foreign exchange department, departamento de cambios; departamento de cambio de divisas; departamento de moneda extranjera

foreign exchange gains, diferencias de cambio

foreign exchange inflow, entradas de divisas

foreign exchange liabilities, obligaciones contraídas en divisas

foreign exchange market, bolsa de cambios; mercado de divisas; mercado cambiario

foreign exchange market (FOREX), mercado de cambios

foreign exchange outflow, salidas de divisas

foreign exchange permit, permiso de compraventa de divisas; autorización para la compraventa de moneda extranjera

foreign exchange receipts, entradas de divisas

foreign exchange regulations, control de divisas; control de cambios; control cambiario; control de operaciones en moneda extranjera

foreign exchange reserves, reservas de divisas; reservas en moneda extranjera

foreign exchange risk, riesgo cambiario; riesgo del cambio de divisas

foreign exchange risk cover, seguro de cambio

foreign exchange service, servicio de cambio de moneda extranjera; servicio de cambio de divisas

foreign exchange spot market, mercado de divisas al contado

foreign exchange trader, agente de cambio(s); cambista

foreign exchange trading, operaciones en divisas; compraventa de moneda extranjera

foreign exchange transactions, operaciones cambiarias; operaciones de cambio de divisas

foreign grant, subvención proveniente del extranjero

foreign investor, inversor extranjero

foreign issue, emisión exterior; emisión extranjera

foreign notes and coins, monedas y billetes extranjeros

Foreign Office (FO) (GB), Ministerio de Relaciones Exteriores (GB)

Foreign Office (GB), Ministerio de Asuntos Exteriores

foreign operations, operaciones extranjeras; operaciones de extranjero; negocio extranjero

foreign paper, letras giradas sobre el extranjero; efectos librados sobre el extranjero; giros sobre el exterior

foreign participants, participantes extranjeros

foreign partners, socios extranjeros

foreign peers, colegas extranjeros de igual rango

foreign securities, valores extranjeros; títulos extranjeros

foreign trade, comercio exterior

foreign trade bank, banco de(dicado al) comercio exterior

foreign trade development, desarrollo del comercio exterior; fomento del comercio exterior; promoción del comercio exterior

foreign trade planning, planificación del negocio internacional

foreign trade planning and support, planificación y apoyo del negocio internacional

foreign trade planning service, servicio de planificación del negocio internacional

foreign trade policy (pl.: policy = policies), política de comercio exterior

foreign trade zone, zona franca aduanera

foreign transactions, operaciones extranjeras; operaciones de extranjero; negocio extranjero

foreign-owned investments, inversiones de propiedad extranjera

foreman, capataz

foreman of the jury, presidente del jurado

forfeit, embargo; incautación; decomiso; comiso; penalización; confiscación; aprehensión; expropiación

forfeitable, embargable (adj., masc. & fem.); confiscable (adj., masc. & fem.); decomisable (adj., masc & fem.); susceptible de penalización (adj., masc. & fem.); penalizable (adj., masc. & fem.)

forfeited share, acción caducada

forfeiting, forfetización; compra sin recurso de facturas a cobrar; adquisición irrevocable de facturas al cobro

forfeiture, embargo; incautación; decomiso; comiso; penalización; confiscación; aprehensión; expropiación

forfeiture of a bond, caducidad de una fianza

forfeiture of a right, caducidad de un derecho

forfeiture of funds from drug trafficking, incautación de fondos emanantes del narcotráfico; embargo de fondos provenientes del narcotráfico

forged card, tarjeta falsificada

forged cheque (US: **cheque = check / draft),** cheque falsificado

forged instrument, documento falsificado

forger, falsificador; embustero; cuentista (Esp., col.); ful(l)ero (Esp., col.); tramposo

forgery, falsificación (n. fem.); impostura; montaje (Esp., col.); falso (adj.); espurio (adj.); falsificar; fingir; usurpar la personalidad; hacerse pasar por

forgery-proof, infalsificable (adj., masc. & fem.); a prueba de falsificaciones

form (n. & v.), perfilar; determinar; fijar; establecer; estipular; formular un planteamiento

form (n.), forma; formulario; impreso en blanco

form a company, constituir una sociedad; formar una compañía; crear una sociedad

form letter, carta circular; carta preimpresa

form set, juego de impresos

formal contract, contrato formal

formalities (sing.: **formalities = formality),** formalidades; normas; reglas; diligencias

format code, código de formato (comp.)

former Communist countries, antiguos países comunistas

formula, fórmula

formulate, formular; expresar mediante fórmulas

formulation and development, formulación y desarrollo

formulism, formulismo

forthwith, de inmediato; sin demora; en breve; dentro de poco; sin dilación; en seguida

FORTRAN language (comp.), lenguaje FORTRAN (comp.)

fortuitous (adj.), fortuito (adj.); accidental (adj., masc. & fem.)

fortuitous bankruptcy, quiebra fortuita

fortune, fortuna

forty, cuarenta

forum, foro

forward, a plazo; cara al futuro

forward agreement, contrato a plazo ("forward"); contrato "forward"; compraventa de divisas a un cambio dado con pago diferido

forward contract, contrato a plazo ("forward"); contrato "forward"; compraventa de divisas a un cambio dado con pago diferido

forward currency market, mercado monetario a plazo

forward currency sale, venta de divisas a plazo

forward delivery, entrega futura

forward discount, descuento a plazo

forward exchange covering, garantía de cambio a plazo; cobertura para cambios a plazo

forward foreign exchange market (FFEM), mercado de divisas a plazo

forward integration, integración de empresas de producción y distribución

forward margin, margen a plazo

forward market, mercado a plazo; mercado "forward"

forward market in treasury bonds, mercado de deuda pública a plazo

forward position, posición lejana; posición a largo

forward premium, prima a plazo

forward rate, cambio a plazo; cotización "forward"

forward rate agreements (FRAs), contratos sobre tipos de interés futuros; contratos a plazo sobre tipos de interés concertados

forward sale, venta de mercancías en futuros

forward tax, impuesto adelantado; impuesto anticipado

forward transaction, operación a plazo

forward with rebate, forward con descuento; contrato "forward" con descuento

forward-forward, forward-forward; contrato "forward-forward"

forwarder, expedidor; remitente de la mercancía; transitario; embarcador

forwarder´s bill of lading (FBL / forwarder´s BL), conocimiento de embarque emitido por un transitario

forwarder´s receipt, recibo del transitario

forwarding agent, agente transitario

forwarding charges, gastos de expedición

FOT (ab. **free on truck),** franco camión

FOTRA (free of taxes to residents abroad), libre de impuestos a residentes en el extranjero

founder´s shares, acciones de fundador

founding stockholders, accionistas constituyentes

four, cuatro

fourteen, catorce

fourteenth, decimocuarto; catorzavo

fourth, cuarto

Fourth Estate (col.), Cuarto Poder (la Prensa) (col.)

FPA (free of particular average), franco de averías particulares

fractionable credit, crédito fraccionable

fractional shares, acciones fraccionables; acciones fraccionarias

framing, encuadramiento; estructuración

framing bits (comp.), bits delimitadores

Franc area, área del franco

franchise, derecho de explotación de marca en una venta o servicio; franquicia

franchise clause, cláusula de franquicia

franchise contract, contrato de franquicia

franking privilege, franquicia postal

FRAs (ab. **forward rate agreements),** contratos sobre tipos de interés futuros; contratos a plazo sobre tipos de interés concertados

fraud, estafa; timo; engaño; fraude; embaucamiento

fraud (man / woman), timador; estafador; embaucador; defraudador

fraud code, clave de fraude

fraudulent, falso; fraudulento; engañoso; falsificado; equívoco

fraudulent bankruptcy, quiebra fraudulenta

fraudulent use of credit cards, uso fraudulento de tarjetas de crédito; utilización fraudulenta de tarjetas de crédito

fraudulently obtained credit card, tarjeta de crédito obtenida fraudulentamente

FRB (ab. **Federal Reserve Board),** Consejo de la Reserva Federal (US)

freakish, atípico

free (adj.), gratuito (adj.); gratis; libre

free (v.), aflojar; liberalizar; suavizar; aminorar; moderar; desregular

free access to market, libre acceso al mercado

free alongside barge (FAS barge), franco costado de la barcaza

free alongside cart (FAS cart), franco costado del vagón

free alongside vessel (FAS vessel / ship), sobre muelle; al costado del buque; franco muelle; puesto al costado del barco; franco (costado del) buque

free and clear (F&C), sin gastos y franco aduanas

free carrier (FC), franco transportista

free competition, libre competencia

free exchange rates, cambios libres

free from, exento; libre de; franco de

free import list, lista de mercancías liberalizadas

free lance, trabajador autónomo; trabajador por libre (Esp., col.)

free of capture(s) and seizure(s) clause (FC&S clause), cláusula de exención de responsabilidad sobre captura o secuestro; cláusula de franquicia del asegurador frente a capturas o embargos

free of collection, libre de pago; sin desembolso

free of charge(s), libre de gastos; libre de cargos (tribunales); absuelto (tribunales)

free of duties (sing.: **duties = duty),** exento de impuestos; libre de tasas; no sujeto a exacciones; libre de aranceles aduaneros; franco de pago de derechos; exento de tributación; libre de impuestos

free of general average (FGA), libre de avería general

free of particular average (FPA), franco de averías particulares

free of premium, liberado de prima

free of taxes to residents abroad (FOTRA), libre de impuestos a residentes en el extranjero

free on board (FOB), franco a bordo

free on board and trimmed goods (FOB and trimmed goods), mercancía a granel, franco a bordo y acondicionada en el pañol

free on board United Kingdom (FOBUK), franco a bordo sobre puerto del Reino Unido

free on rail (FOR), franco vagón de ferrocarril

free on truck (FOT), franco camión

free port, puerto franco

free surplus, beneficio neto disponible; beneficio neto de libre aplicación

free text message, mensaje de texto libre

free to, libre para; en libertad para; con libertad para

free-lance (adj.), por libre (Esp., col.); por cuenta propia

free-lance translator, traductor por libre; traductor sin contrato ni integración en la empresa

free-trade zone, zona comercial franca

free-zone system, sistema de zonas francas

freeholder, propietario absoluto

freeing of captive funds, liberalización de recursos cautivos

freeing of interest rates, liberalización de los tipos de interés

freely convertible (adj.), libremente convertible; de libre convertibilidad

freely convertible accounts into euros, cuentas libremente convertibles a euros

freeze, congelar; inmovilizar

freeze agency arrangements, congelar las relaciones de corresponsalía

freeze an account, congelar una cuenta; inmovilizar una cuenta; bloquear una cuenta

freezing of funds, congelación de fondos

freezing of prices, congelación de precios

freight, cargamento; carga; embarque; flete; remesa; consignación; expedición

freight agent, factor (agente); agente de carga; agente embarcador

freight allowance, bonificación sobre flete

freight allowed to, porte incluido hasta

freight and cartage, flete y acarreo

freight at destination, porte debido; porte a cobrar; porte pagadero en destino; flete a pagar en destino

freight bill, albarán; nota de expedición; resguardo de envío; carta de porte; cuenta del flete

freight collect, porte debido; porte a cobrar; porte pagadero en destino; flete a pagar en destino

freight forward, porte debido; porte a cobrar; porte pagadero en destino; flete a pagar en destino

freight forwarder, factor (agente); agente de carga; agente embarcador

freight insurance, seguro de flete

freight note, factura del flete

freight outward, flete por cuenta del vendedor

freight paid to, flete pagado hasta; porte pagado hasta

freight prepaid, flete pagado por adelantado; flete pagado por anticipado

freight prepayable, flete a pagar por anticipado

freight rate, tarifa de fletes

freight receipt, guía (Esp.); conocimiento de carga

freight to be prepaid, flete a pagar por anticipado

freight yard, almacén de mercancía(s); depósito de mercancía(s)

freighter, expedidor; remitente de la mercancía; transitario; embarcador

freighter (ship), buque de carga; carguero (barco)

freightment, fletamento

French franc (FF), franco francés

frequency, frecuencia

frequency of borrowings made, frecuencia de las extracciones de fondos realizadas

fresh news, nuevas noticias; ulterior aviso

fresh water, agua dulce

fresh water damages, daños causados por agua dulce; daños causados por aguas fluviales

fringe benefits, beneficios complementarios; mejoras marginales; beneficios adicionales

FRN (ab. **floating rate note),** pagaré a tipo de interés flotante; bono de interés flotante; obligación con tipo de interés variable; bono indiciado a tipo de interés variable

from and after this date, a partir de esta fecha

from beginning to end, de principio a fin; de cabo a rabo (Esp., col.)

from boom to gloom (col.), de la euforia al decaimiento (col.)

from scratch (col.), a partir de cero (col.); partiendo desde cero (col.); desde la nada (col.)

FRON (ab. **floating rate option note),** bono con cláusula de opción al pago en otra moneda a un tipo flotante

front and back, anverso y reverso

front bank, banco garante exclusivo

front man, testaferro; hombre de paja (Esp., col.); cabeza de turco (Esp., col.); marioneta (col.); chivo expiatorio (Esp., col.)

front-end fee, comisión pagadera por anticipado

frost damage insurance, seguro contra las heladas

frozen accounts, cuentas congeladas; cuentas bloqueadas

frozen assets, activo(s) congelado(s)

frozen credit, crédito congelado

FS&C (ab. **free of capture and seizure clause),** cláusula de exención de responsabilidad sobre captura o secuestro; cláusula de franquicia del asegurador frente a capturas o embargos

FT (ab. **full time),** jornada completa

full address, dirección completa; señas completas

full audit, auditoría completa

full bill of lading (full BL), conocimiento de embarque con responsabilidad total del transportista

full BL (ab. **full bill of lading),** conocimiento de embarque con responsabilidad total del transportista

full business day, día comercial a jornada completa

full coverage, cobertura total

full employment, pleno empleo

full endorsement, endoso completo; pleno endoso

full hedge, cobertura completa

full indorsement, endoso completo; pleno endoso

full meeting, asamblea plenaria

full point, entero (bolsa)

full time (FT), jornada completa

full-time, a jornada completa; con dedicación exclusiva

fully qualified stock, capital accionario; acciones ordinarias; acciones comunes; acciones con derecho a voto; acciones de pleno derecho; capital en acciones; capital social

fully unified management, gestión plenamente unificada; unidad total de gestión

fully-paid shares, acciones totalmente desembolsadas; acciones exhibidas; acciones plenamente liberadas

functional benchmarking, investigación y desarrollo de mejoras funcionales

functional units, unidades funcionales

functions, funciones

fund consolidation, consolidación de fondos

fund industry, sector de gestión y distribución de fondos

fund management, gestión de fondos

fund of funds, fondo de fondos

fund segregation, segregación de fondos

fund structure, estructura de los fondos

fund the current account deficit, enjugar el déficit en cuenta corriente

funded debt (US: **funded = fixed),** deuda fija; deuda a largo plazo; deuda perpetua; pasivo consolidado; pasivo fijo; deuda en obligaciones

funded trust, fideicomiso de fondos depositados

funding, captación de fondos; obtención de recursos

funding loan, empréstito de consolidación

funds and assets, activos y pasivos (como partidas no globales del balance); activo y pasivo del balance; recursos y empleos; conjunto patrimonial; captación e inversión de recursos; captación de depósitos destinados a la inversión crediticia

funds available, recursos disponibles; fondos disponibles; fondos de inmediata disposición

funds available (cash and banks), caja y bancos; efectivo en caja y bancos; activo disponible; liquidez (caja y bancos); activo realizable; activo de realización inmediata; disponibilidades; valores realizables; disponibles (n. masc. & fem.); activo de fácil realización

funds available for investment, fondos disponibles para inversión

funds from operations, fondos procedentes de operaciones

funds in hand, recursos disponibles; fondos disponibles; fondos de inmediata disposición

funds provided, origen de los fondos

funds statement, estado de origen y aplicación de fondos

funds transfer, movilización de fondos; transferencia de fondos

funds used, aplicación de fondos; empleo de fondos; fondos empleados

furnish, suministro(s); provisión (n. fem.); remesa (abastecimiento); abastecimiento(s); suministrar; abastecer; proveer; proporcionar

furnish a credit report, facilitar un informe de solvencia

furnish bail, avalar; garantizar; endosar; colaterizar; prestar fianza; aportar aval

furnish capital, aportar capital

furnish information, facilitar informes

furnish security, avalar; garantizar; endosar; colaterizar; prestar fianza; aportar aval

furniture and fixtures, bienes muebles (GB); pertenencias; muebles y enseres

furniture and installations, equipamiento; mobiliario e instalaciones

further news, nuevas noticias; ulterior aviso

future conditions in the stock market, comportamiento futuro de la bolsa

future developments, evolución futura

future value, valor futuro

futures, futuros

futures and options, opciones y futuros

futures and options markets, mercados de opciones y futuros

futures contract, contrato a plazo; compraventa de divisas a un cambio determinado, con pago diferido; equivalencia futura; contrato de futuros

futures market, mercado de futuros

futures option, opción sobre contratos de futuros; opción sobre futuros

futures trading, operaciones en el mercado de futuros

G

GA (ab. **general average),** avería gruesa; avería común

GAAP (ab. **generally accepted accounting principles),** principios contables generalmente aceptados (PCGA); PCGA (ab. principios contables generalmente aceptados

gain and loss exhibit, cuenta de pérdidas y ganancias; cuenta de resultados; estado de pérdidas y ganancias; balance de resultados; declaración de beneficios

gain control of, hacerse con el control de

gain on disposal of assets, resultados de enajenación de activos; plusvalías por enajenaciones

gains, ganancias; utilidades

gal (ab. **gallon),** galón (medida de capacidad; USA: 3,78 litros; GB: 4,55 litros)

galvanise the markets, galvanizar los mercados

gallon (gal.), galón (medida de capacidad; USA: 3,78 litros; GB: 4,55 litros)

gamble, apuesta; apostar

gamble (stock exchange), especular en bolsa; jugar a la bolsa; arriesgarse a jugar en bolsa

gambling, juego de azar

gambling debts, deudas de juego

game theory, teoría de juegos

gamma, gamma

gamma coefficient, coeficiente gamma; coeficiente de cambio del coeficiente delta

gangland, hampa; bajos fondos

gaol (US)**,** cárcel; talega (Esp., col.); chirona (Esp., col.)

gap, diferencia negativa; déficit; desfase máximo/mínimo del día; desequilibrio; hueco (n.); vacío (n.)

garage sale, venta de objetos usados en el domicilio del propietario

garbled message, mensaje (recibido con texto) mutilado

garnishee, embargo; incautación; decomiso; comiso; penalización; confiscación; aprehensión; expropiación

garnishee order, orden de embargo

garnisher, embargante; embargador

garnishment, embargo de bienes

gatekeeper, portero; conserje

gather pace, cobrar impulso; ganar impulso; coger impulso

gathering of demonstrators, reunión de manifestantes

GATT (ab. **General Agreement on Tariffs and Trade),** Acuerdo General sobre Tarifas Aduaneras y Comercio

GAV (ab. **gross added value),** valor añadido bruto; renta bruta generada (RBG); RBG (ab. renta bruta generada)

GBS (ab. **general balance sheet),** balance general de situación

GBV (ab. **gross book value),** valor bruto contable (VBC); VBC (ab. valor bruto contable)

GCE (ab. **General Certificate of Education)** (GB), título de Bachillerato Superior (Esp.)

GCSE (ab. **General Certificate of Secondary Education)** (GB), título de Bachillerato elemental (Esp.)

GD (ab. **general delivery)** (US), lista de correos (Esp.)

GDP (ab. **gross domestic product),** producto interno bruto (PIB); PIB (ab. producto interno bruto); producto nacional bruto (PNB); PNB (ab. producto nacional bruto)

general acceptance, libre aceptación; aceptación libre; aceptación sin restricciones

general accounting, contabilidad general

general accounting plan, plan general de contabilidad

general activity, actividad general

general agent, agente general

general agreement, acuerdo base

General Agreement on Tariffs and Trade (GATT), Acuerdo General sobre Tarifas Aduaneras y Comercio

general allowances, provisiones genéricas

general assumpsit, proceso por incumplimiento de compromiso

general average (GA), avería gruesa; avería común

general balance sheet (GBS), balance general de situación

general cargo, cargamento mixto; carga(mento) general

General Certificate of Education (GCE) (GB), título de Bachillerato Superior (Esp.)

General Certificate of Secondary Education (GCSE) (GB), título de Bachillerato elemental (Esp.)

general coordinator, coordinador general

general creditor, acreedor no preferente; acreedor no prioritario; acreedor subordinado; acreedor común; acreedor no privilegiado

general chart of accounts, plan general de contabilidad

general delivery (GD) (US), lista de correos (Esp.)

general executor, albacea universal

general expenses, gastos generales

general franchise, escritura de constitución; acta de constitución; documento constitucional; escritura social; escritura constitutiva; certificado de constitución; acta fundacional

general fund, fondo general; reserva de carácter no genérico

general guarantee (guarantee = guaranty), garantía general

general ledger, libro Mayor general

general management, dirección general; alta dirección; cúpula directiva; cúpula gestora

general manager (US: **general manager = president),** presidente (ejecutivo); director general

general meeting, junta general; asamblea general

general obligations, compromisos generales; obligaciones no prioritarias

general obligations of membership, obligaciones generales de los miembros

general operating expenses, gastos generales de explotación

general partner, socio colectivo; socio regular; socio solidario

general partnership, sociedad regular colectiva

general planning, planificación general

general policy conditions, condiciones generales de la póliza

General Post Office (GPO), Oficina de Correos; Correos (Esp.)

general power of attorney, poder general; poder sin restricciones; poder ilimitado

general practice, medicina general

general practitioner, médico de medicina general

general provision, provisión genérica

general reserve account, cuenta de reserva general

general strike, huelga general

generally accepted accounting principles (GAAP), principios contables generalmente aceptados (PCGA); PCGA (ab. principios contables generalmente aceptados

generate, generar

generation, generación

generator, generador

Gentlemen (GB: **seguido de coma;** US: **seguido de dos puntos),** Muy Señores míos (Muy Sres. míos): Muy Sres. míos (ab. Muy Sres. míos): Muy Sres. nuestros:

(ab. Muy Señores nuestros); Muy Señores nuestros: (Muy Sres. nuestros)

gentlemen´s agreement, acuerdo entre caballeros; pacto de caballeros

geographic and economic areas, áreas geoeconómicas; áreas geográficas y económicas; zonas geoeconómicas

geographic coverage, cobertura geográfica

geographic expansion, expansión geográfica

get a bank loan, obtener un préstamo bancario

get a rake-off (from) (col.), ganar montones de dinero (Esp., col.); ganar el dinero a puñados (Esp., col.); ganar pasta por un tubo (Esp., col.); ganar dinero a espuertas (Esp., col.); amasar dinero (Esp., col.); ganar a manos llenas (Esp., col.); hacer el Agosto (Esp., col.); hincharse a ganar cuartos (Esp., col.); sacar tajada (de) (Esp., col.)

get into a jam, meterse en un lío (col.); meterse en aprietos

get married in a registry office, casarse por lo civil

get money out of a country, sacar dinero de un país

get out of debt, salir del endeudamiento; liberarse de las deudas; desendeudarse

get stroppy with the boss, ponerse borde con el jefe (Esp., col.)

get the axe (col.), ser despedido; quedar despedido; ser puesto (de patitas) en la calle (Esp., col.)

get the bullet (GB, col.**),** ser despedido; quedar despedido; ser puesto (de patitas) en la calle (Esp., col.)

get the push (col.), ser despedido; quedar despedido; ser puesto (de patitas) en la calle (Esp., col.)

gift, obsequio; presente (obsequio); regalo; obsequiar; hacer un regalo

gilt-edged securities (GB), bonos del Tesoro británico; fondos públicos británicos; valores del estado (GB)

gilts (GB, col.**),** títulos de la Deuda Pública expresados en libras esterlinas (GB)

give a blank cheque (US: **cheque = check),** dar cheque en blanco; dar carta blanca; autorizar sin restricciones; conceder plena libertad de actuación

give a finishing touch to, darle un último toque a

give a reprieve, conceder indulto; indultar; conmutar la pena impuesta

give an option (on), dar una opción (sobre)

give an order, pasar un pedido

give and bequeath, legar; dejar en herencia

give bond, avalar; garantizar; endosar; colaterizar; prestar fianza; aportar aval

give consent to, dar el consentimiento para

give credence to, dar crédito a; prestar crédito a

give notice, informar; comunicar; dar parte; denunciar; participar (comunicar); anunciar; poner al corriente; poner en conocimiento; cursar aviso; notificar

give rise to, dar origen a

give the quietus, asestar el golpe de gracia; propinar el golpe de gracia; dar el golpe de gracia

global bank, banco global

global banking, banca global; banca universal

global banking activities, actividades de banca global

global cover, cobertura global

global pattern of payments balances, estructura global de las balanzas de pagos

global quota list, cuota global de (productos) contingentes

global tariff quotas, cuotas arancelarias globales

glut of money (col.), abundancia de dinero

GMT (Greenwich Mean Time), hora patrón) del Meridiano de Greenwich

gnomes of Zurich (col.), banqueros de Zurich

GNP (ab. **gross national product),** producto interno bruto (PIB); PIB (ab. producto interno bruto); producto nacional bruto (PNB); PNB (ab. producto nacional bruto)

GNP recovery, recuperación del PIB

GNW (ab. **gross for net weight),** peso bruto por neto (PBxN); PBxN (ab. peso bruto por neto)

go ashore (craft), encallar (embarcaciones)

go into bankruptcy, quebrar; ir a la quiebra; entrar en quiebra; suspender pagos;

entrar en suspensión de pagos; caer en bancarrota

go into receivership, quebrar; ir a la quiebra; entrar en quiebra; suspender pagos; entrar en suspensión de pagos; caer en bancarrota

go jobhunting, salir a buscar trabajo; lanzarse a buscar trabajo; ir a buscar trabajo

go kaput (col.)**,** irse a hacer gárgaras (Esp., col.); irse a hacer puñetas (Esp., col.); frustrarse; fracasar; irse al carajo (Esp., col.); caer en picado; ir a la baja; hundirse; perder dinero; bajar hasta mínimos

go public, sacar a Bolsa; entrar en Bolsa; comenzar a cotizar

go shares (col.)**,** ir a medias; ir a pachas (Esp., col.)

go shopping, ir de compras; ir de tiendas

go through, salir adelante

go to hell (col.)**,** irse a hacer gárgaras (Esp., col.); irse a hacer puñetas (Esp., col.); frustrarse; fracasar; irse al carajo (Esp., col.); caer en picado; ir a la baja; hundirse; perder dinero; bajar hasta mínimos

go to protest, llevar al protesto; ser protestado

go to the bank, ir al banco; personarse en el banco

go to the devils (col.)**,** irse a hacer gárgaras (Esp., col.); irse a hacer puñetas (Esp., col.); frustrarse; fracasar; irse al carajo (Esp., col.); caer en picado; ir a la baja; hundirse; perder dinero; bajar hasta mínimos

go up (v.)**,** aumentar; incrementar(se); crecer; subir

go with the flow of economic change, seguir la corriente del cambio económico

going business, negocio en marcha; negocio en funcionamiento

going concern, negocio en marcha; negocio en funcionamiento

going rate (col.)**,** tipo corriente; tasa actual

going value (col.)**,** fondo de comercio; llave (fondo de comercio); plusvalía; valor intrínseco de un negocio mercantil; activo nominal; activo intangible; activo inmaterial; activo aparente; incremento de valor (plusvalía); aprecio (plusvalía)

gold, oro

gold (bullion) standard, patrón oro

gold assets, activos en oro

gold bullion, oro en lingotes; lingote de oro

gold coin, moneda de oro

gold cover, cobertura (en) oro

gold holdings, reservas (en) oro

gold parity, paridad (con el) oro

gold reserves, reservas (en) oro

golden handcuffs (col.)**,** prima por dedicación; prima de permanencia; plus de dedicación (Esp.)

golden jubilee, bodas de oro (50 años)

golden parachute (protection clause against firing) (col.)**,** paracaídas dorado (cláusula de protección frente al despido) (col.); blindaje (cláusula de salvaguardia en caso de despido (Esp., col.)

golden right, autorización oficial previa de blindaje

golden share, autorización oficial previa de blindaje

good ´til cancelled (GTC), orden de compraventa vigente hasta su ejecución o cancelación; orden abierta

good behaviour (US: **behaviour = behavior),** buen comportamiento

good faith attempt, intento de buena fe

good name, buena fama; solvencia moral; buen nombre; bien conceptuado; buena reputación

good quality services, servicios de buena calidad

good relationship with banking peers, buenas relaciones con los bancos colegas

good reputation, buena fama; solvencia moral; buen nombre; bien conceptuado; buena reputación

good until cancelled order (GTC order), orden de compraventa vigente hasta su ejecución o cancelación; orden abierta

goods, mercancías; géneros; artículos; mercaderías

goods actually shipped on, mercancía recibida a bordo; mercancías ya cargadas

goods and chattels, muebles; mobiliario; enseres; bienes muebles; efectos mobiliarios; artículos de uso personal

goods and services, bienes y servicios

goods completed, artículos acabados; artículos terminados; productos acabados

goods imported for re-export, importaciones destinadas a la reexportación

goods in process, artículos en curso de fabricación

goods in transit, mercancías en tránsito; géneros en camino

goods yard, almacén de mercancía(s); depósito de mercancía(s)

goodwill, fondo de comercio; llave (fondo de comercio); plusvalía; valor intrínseco de un negocio mercantil; activo nominal; activo intangible; activo inmaterial; activo aparente; incremento de valor (plusvalía); aprecio (plusvalía)

goodwill and taxation, crédito mercantil e impuestos

governing law, ley aplicable

government agency (pl.: agency = agencies), organismo gubernamental; organismo oficial; ente público

government bank, banco oficial; banco gubernamental; banco estatal; banco nacional

government bonds, deuda pública; fondos públicos; valores del estado; bonos del Tesoro; deuda nacional; obligaciones del Tesoro; títulos del sector público; valores del sector público

government debt market, mercado de deuda pública

government debt stock, deuda pública; fondos públicos; valores del estado; bonos del Tesoro; deuda nacional; obligaciones del Tesoro; títulos del sector público; valores del sector público

government loan, crédito oficial; préstamo oficial

government monopoly, monopolio fiscal; monopolio del Estado; monopolio oficial

government paper, deuda pública; fondos públicos; valores del estado; bonos del Tesoro; deuda nacional; obligaciones del Tesoro; títulos del sector público; valores del sector público

government securities, deuda pública; fondos públicos; valores del estado; bonos del Tesoro; deuda nacional; obligaciones del Tesoro; títulos del sector público; valores del sector público

government supervision, control oficial; supervisión oficial

government support, apoyo gubernamental

governor, gobernador

governor of the Bank of Spain, gobernador del Banco de España

GPO (ab. **General Post Office),** Oficina de Correos; Correos (Esp.)

grace period, plazo de gracia; días de gracia; prórroga concedida; período de carencia; plazo sin devengo de intereses

graduate, graduado; titulado; licenciado universitario

graduate rated post, puesto de titulado

graft (n.), soborno; cohecho; mordida (LA, n. fem.); coima (LA, n. femenino); concusión (n. fem.)

graft (v.), sobornar; cohechar; untar la mano (Esp., col.)

grant, donación; aportación; subvención

grant (v.), permitir; autorizar; dejar; conceder; otorgar permiso; conceder licencia

grant a credit, conceder un crédito; otorgar un crédito

grant a delay, conceder una prórroga; otorgar una prórroga

grant an extension, conceder una prórroga; otorgar una prórroga

grant commitment, compromiso de donación; elemento de concesión

grant easy terms, vender a plazos; otorgar facilidades de pago; conceder facilidades de pago; permitir pagar a plazos

grant element, compromiso de donación; elemento de concesión

grant right to speak, conceder (el uso de) la palabra; otorgar (el uso de) la palabra

grantee, concesionario; adjudicatario; donatario; beneficiario de la donación

granting of credits, concesión de créditos

grantor, otorgante; donante; cesionista; cedente; vendedor de una opción; librador (de pagaré, etc.)

grantor(´s) underwritten note, nota de compromiso

grants and loans, donaciones y créditos

graphic, diagrama; gráfico; gráfica; tabla de gráficos; cuadro; tabular (v.); hacer un diagrama

gray market, transacciones (realizadas) fuera de la Bolsa; operaciones extrabursátiles; mercado secundario; mercado extrabursátil; mercado gré-à-gré; mercado previo a la emisión; negociación extrabursátil de valores; bolsín (Esp.)

gré-à-gré market, transacciones (realizadas) fuera de la Bolsa; operaciones extrabursátiles; mercado secundario; mercado extrabursátil; mercado gré-à-gré; mercado previo a la emisión; negociación extrabursátil de valores; bolsín (Esp.)

green clause, cláusula verde

green clause credit, crédito "cláusula verde" (permite anticipos contra ciertos documentos)

green hands (col.)**,** obrero inexperto

greenmail (col.)**,** órdago (col.); pago de rescate (órdago); compra de acciones para su posterior remesa a la entidad emisora

Greenwich Mean Time (GMT), hora (patrón) del Meridiano de Greenwich

grey market, transacciones (realizadas) fuera de la Bolsa; operaciones extrabursátiles; mercado secundario; mercado extrabursátil; mercado gré-à-gré; mercado previo a la emisión; negociación extrabursátil de valores; bolsín (Esp.)

grievance, agravio

grievance arbitration, arbitraje de quejas

grievance procedure, procedimiento conciliatorio

grievous, caro; costoso; gravoso; oneroso

grievous bodily harm, lesiones corporales graves

gripe box (col.)**,** buzón de quejas y sugerencias

groovy (US., adj., col.)**,** chachi (Esp., adj., col.)

grope around, andar dando palos de ciego; dar palos de ciego; andar a tientas (col.)

gross, bruto; burdo; flagrante

gross added value (GAV), valor añadido bruto; renta bruta generada (RBG); RBG (ab. renta bruta generada)

gross adventure, préstamo a la gruesa; empréstito a la gruesa; contrato a la gruesa; cambio marítimo

gross average, avería gruesa; avería común

gross book value (GBV), valor bruto contable (VBC); VBC (ab. valor bruto contable)

gross cashflow, flujo de caja bruto; recursos generados brutos

gross charter, fletamento con operación por cuenta del arrendador

gross distortion of facts, burda distorsión de los hechos; distorsión grosera de los hechos

gross domestic product (GDP), producto interno bruto (PIB); PIB (ab. producto interno bruto); producto nacional bruto (PNB); PNB (ab. producto nacional bruto)

gross earnings, beneficio(s) bruto(s); ganancia(s) bruta(s); producto(s) bruto(s); renta(s) bruta(s); ingresos brutos; rendimiento bruto global

gross earnings margin, margen de intermediación

gross figures, cifras brutas

gross for net weight (GNW), peso bruto por neto (PBxN); PBxN (ab. peso bruto por neto)

gross ignorance, ignorancia supina

gross income, beneficio(s) bruto(s); ganancia(s) bruta(s); producto(s) bruto(s); renta(s) bruta(s); ingresos brutos; rendimiento bruto global

gross income on operations, productos brutos de explotación

gross loss, pérdida bruta

gross margin, margen de ganancia bruto

gross national product (GNP), producto interno bruto (PIB); PIB (ab. producto interno bruto); producto nacional bruto (PNB); PNB (ab. producto nacional bruto)

gross negligence, culpa grave; negligencia grave

gross operating income, productos brutos de explotación

gross premium, prima bruta

gross profit, utilidad bruta; beneficio comercial

gross provisions, provisiones brutas

gross reserve, reserva bruta

gross return, beneficio(s) bruto(s); ganancia(s) bruta(s); producto(s) bruto(s); renta(s) bruta(s); ingresos brutos; rendimiento bruto global

gross sales, ventas brutas

gross spread, diferencial bruto; comisiones sobre emisión de bonos

gross weight, peso bruto

gross yield, rentabilidad bruta

gross-up payments, pagos en bloque

group, grupo; agrupar

group operations control, control de gestión del grupo

group policy, política (a nivel de) grupo

groupage, clasificación; tabla (por categorías, etc.); ordenación; agrupamiento

grouping, clasificación; tabla (por categorías, etc.); ordenación; agrupamiento

grouping of records, agrupamiento de registros

growing demand for credit, demanda de crédito creciente

growing interest (for), interés creciente (sobre)

growing rates, tasas en aumento

growth, aumento; incremento; crecimiento; subida; alza; elevación

growth and expansion, crecimiento y expansión

growth rate, tasa de crecimiento; ritmo de crecimiento

growth rate in consolidated net income, progresión del beneficio neto consolidado

growth rate of ordinary operating income, tasa de crecimiento del resultado ordinario de gestión

growth-share matrix, matriz de crecimiento-cuota

GTC (ab. **good ´til cancelled),** orden de compraventa vigente hasta su ejecución o cancelación; orden abierta

GTC order (ab. **good until cancelled order),** orden de compraventa vigente hasta su ejecución o cancelación; orden abierta

guarantee (US: **guarantee = guaranty),** aval; garantía; respaldo; apoyo; caución; colateral (n.); señal

guarantee (v.), avalar; garantizar; endosar; colaterizar; prestar fianza; aportar aval

guarantee a bill of exchange (US: **bill of exchange = draft),** avalar una letra

guarantee fund (US: **guarantee = guaranty),** fondo de garantía

guarantee measures (US: **guarantee = guaranty),** medidas de garantía

guarantee placement of an issue (v.), garantizar la colocación de una emisión

guaranteed bank loan, préstamo bancario avalado

guaranteed bill, letra avalada

guaranteed bond, bono colateral; obligación garantizada

guaranteed credit, crédito garantizado; crédito con garantía

guaranteed cheque (US: **cheque = check, draft),** cheque garantizado

guaranteed floating-rate notes, pagarés garantizados a tipo de interés flotante

guaranteed funds, fondos garantizados

guaranteed loan, crédito pignoraticio; préstamo con garantía de bienes; préstamo colateral; préstamo con garantía prendaria

guaranteed placement, colocación garantizada

guaranteed placing, colocación garantizada

guaranteed price, precio garantizado

guaranteed stock, acciones con dividendo mínimo garantizado

guarantees and other sureties, avales y otras cauciones

guarantor, obligado; garante; avalista; fiador

guide price, precio indicativo

guidelines, líneas maestras; pautas; directrices

GUN (ab. **grantor(´s) underwritten note,** nota de compromiso

H

half (pl.: **half = halves),** mitad

half duplex, semiduplex (comp.); bidireccional (comp.); alternativo (comp.)

half stock, acción de valor nominal inferior a USD 50

half-yearly, semestral (adj., masc. & fem.); semianual (adj., masc. & fem.)

half-yearly amortization, amortización semestral

hand and seal, firma y sello

hand money, señal de compromiso (Esp.); arras

handbook, manual

handle (GB, col.: **handle = big figure),** suma elevada; cantidad importante; porrón de dinero (Esp., col.)

handling, manipulación; tramitación; negociación

handling charges, gastos de manipulación; gastos de negociación

handsel, señal de compromiso (Esp.); arras

hangup, plante; parón (Esp., comp.); caída de pantallas (Esp., inf.)

harbour (US: **harbour = harbor),** puerto

harbour dues (US: **harbour = harbor),** derechos portuarios

hard disk, disco duro (comp.)

hard loans, préstamos en condiciones ordinarias

hard money (col.)**,** dinero en metálico; dinero contante y sonante (Esp., col.)

hard terms, condiciones comerciales; condiciones de mercado; términos comerciales

hard times, tiempos difíciles; época de crisis

hardly legible, difícilmente legible

hardware, equipo físico (comp.); equipo material; conjunto de ordenador y periféricos (Esp., comp.)

hatch, escotilla

have a draft protested, hacer protestar un efecto; enviar una letra al protesto

have a right to, merecer; ser acreedor a; tener derecho a

have jurisdiction over, tener jurisdicción sobre; gozar de jurisdicción sobre

have no trucks with a certain firm (col.)**,** no querer saber nada de cierta firma (col.); no tratar con cierta empresa (col.)

have one´s fingers in the till (col.)**,** meter mano a la caja (Esp., col.); llevarse los cuartos (Esp., col.); arramblar con los cuartos (Esp., col.)

having regard to, considerando; por cuanto; visto que; dado que; como quiera que; puesto que; en vista de que

hawrer, vendedor ambulante

hazardous negligence, imprudencia temeraria

head (n.)**,** director; gerente; jefe de departamento; responsable de una unidad; jefe de negociado

head (v.)**,** estar al frente de; encabezar

head a banking group, encabezar un grupo bancario

head hunter (col.)**,** cazatalentos (col.); buscatalentos (col.)

head hunting agency, agencia cazatalentos; agencia buscatalentos; agencia de captación y selección de personal altamente cualificado

head of government, jefe de gobierno; presidente del gobierno

head of state, jefe del estado

head office, sede social; oficina principal; oficina central; jefatura; casa central; sede

head partner, socio principal

head sheet, hoja con membrete; hoja inicial de un escrito de varias páginas

head teller, jefe de caja; cajero principal

headcount, plantilla de personal; planilla (SA)

headcount (col.), plantilla total (Esp.); total de empleados; planilla total (LA)

headed by, bajo la dirección de; presidido por; encabezado por; al frente del cual figura

header record, registro de cabecera

heading, membrete; encabezamiento

headquarters, sede social; oficina principal; oficina central; jefatura; casa central; sede

health certificate, patente de sanidad; carta de sanidad; certificado sanitario

Health Department (US), Ministerio de Sanidad

heavy capital inflow, fuertes entradas de capital

heavy capital outflow, fuertes salidas de capital

heavy dealings, fuerte actividad

heavy industry, industria pesada

heavy inflow of capital, fuertes entradas de capital

heavy investments, fuertes inversiones; cuantiosas inversiones; grandes inversiones; inversiones masivas

heavy outflow of capital, fuertes salidas de capital

heavy restrictions, fuertes restricciones

hedge, provisión (de fondos); cobertura; compra de futuros para cubrir una posición precedente; proveer de fondos; cubrir una posición abierta de divisas

hedge clause, cláusula de cobertura; cláusula de salvaguardia; cláusula de protección

hedge fund, fondo de cobertura; fondo especulativo; fondo de alto riesgo

hedge fund fallout, caída de los fondos de cobertura

hedge ratio, tasa de cobertura; ratio de inmunización; delta de la opción; ratio de cobertura

hedger, reductor del riesgo

hedging, cobertura de un riesgo; inmunización; límites establecidos; compraventa de contrato de futuro para tomar una posición temporal; protección para cubrir un riesgo de inversión

height of embossing (cards), altura del relieve del estampado (tarjetas); relieve del estampado (tarjetas)

heir, heredero

heir-at-law, heredero legítimo

heiress, heredera

held back, retraído; contenido (avance)

hell clause (col.), cláusula irrenunciable

hereby, por el presente; mediante el presente; en virtud del presente; a través del presente; por medio del presente

herein, en el presente

hereinafter, más abajo del presente

hereto, con tal fin; a tal efecto

heretofore, anteriormente; antes de; con anterioridad a; de más arriba

hereunder, bajo el presente; que aquí se recoge; aquí contemplado

herewith, adjunto al presente; anexo al presente; acompañando al presente

heritable mass, caudal hereditario; masa de la herencia

heritables, bienes raíces; bienes inmuebles; hacienda (bienes); propiedad inmobiliaria (n. fem.); heredad (n. fem.); testamentaría; cuerpo hereditario; masa hereditaria; cuerpo de la herencia; legar (v.)

heuristic program (comp.), programa heurístico (comp.)

hexadecimal digits, dígitos hexadecimales

hi-tech (ab. **high technology),** alta tecnología

hidden inflation, inflación subyacente; inflación furtiva; inflación latente

hidden payroll, nómina de gastos sociales

hidden reserves, reservas tácticas; reservas ocultas; reservas encubiertas en los libros

hidden unemployment, paro encubierto

hide the source, ocultar la procedencia

high, alto; precio máximo de un valor dentro de un tiempo dado; cotización máxima; cotización más alta de la sesión

high beta index funds, carteras índice de alta beta

high change, cambio elevado; cambio alto

high degree, elevada condición; alto rango

high denomination note, billete de valor elevado; billete de alta denominación

high finance, altas finanzas

high inventory, inventario alto (SA)

high level of consumption, consumismo

high order, orden superior (comp.)

high seas, altamar

high technology (hi-tech), alta tecnología

high wage level, nivel elevado de salarios; alto nivel salarial

high water clause (col.)**,** cláusula irrenunciable

high-grade Euro dollar bonds, bonos de primera clase en Eurodólares

higher yield, mayor rentabilidad

highest bidder, mejor postor

highly regarded customer, cliente muy bien conceptuado; cliente de excelente reputación

hire-purchase, arriendo con opción a la compra; compraventa a plazos

histogram, histograma

historic cost, coste histórico

historical data, datos históricos

hit, vender a un precio dado

hit or miss (col.)**,** a la buena de Dios (col.); a lo que salga (col.); hacer algo sin saber cómo va a salir

hit-on-the-fly printer (comp., col.**),** impresora de alta velocidad

hitherto, hasta ahora; hasta (el día de) la fecha

hive off, escindir

hive off (col.)**,** desinvertir; enajenar (venta); deshacerse de una inversión; salir de una inversión; realizar (venta)

hoard, acaparar; atesorar; comprar determinado valor a gran escala; comprar en su totalidad; comprar al cien por cien; comprar la participación accionaria a; comprar todas las existencias; hacer acopio de

hoarding, acaparamiento; atesoramiento

hock (n., col.**),** cárcel; talega (Esp., col.); chirona (Esp., col.)

hock (v., col.**),** hipotecar; pignorar; empeñar

hock shop (col.)**,** casa de empeños; monte de piedad (Esp.)

hokum (US)**,** recurso efectista; tremendismo (Esp.)

hold (n. & v.)**,** bodega (de barco o avión); estar en posesión de

hold a ballot on, votar sobre; celebrar una votación respecto a

hold a diploma in international banking, tener (un) diploma en banca internacional; ser diplomado en banca internacional; estar diplomado en banca internacional

hold an auction, celebrar una subasta

hold for ransom, retener hasta que se pague un rescate

hold harmless, mantener libre de perjuicio; eximir de responsabilidades

hold office, ocupar un cargo; desempeñar un cargo; ejercer un cargo

holder, tenedor; portador; titular; comprador de una opción; beneficiario (de un pago)

holder in due course, tenedor legal

holder in good faith, tenedor de buena fe

holder of a chattel mortgage, acreedor prendario

holder of account, titular de la cuenta

holder of procuration, apoderado; funcionario autorizado; responsable (n., masc. & fem.); mandatario; poderhabiente; representante del titular; empleado con poderes de firma

holder of record, tenedor registrado

holding, sociedad instrumental; sociedad de cartera; sociedad de control

holding costs, gastos de almacenaje

holdings, valores en cartera; participaciones accionarias; existencias (n. fem. pl.); remanentes (n. masc. pl.); inversiones (cartera) (n. fem. pl.)

holdings in foreign banks, participaciones en bancos extranjeros

holidays with pay, vacaciones retribuidas

holographic will, testamento ológrafo

home banking, banca a domicilio; operaciones bancarias de ámbito nacional

home loop, operación local; circuito autónomo

home office (GB), sede social; oficina principal; oficina central; jefatura; casa central; sede

home savings account, cuenta ahorro vivienda

homestead, casa solariega

homeward bound, viaje de vuelta; regreso al puerto de salida

homework system, sistema de trabajo a domicilio

honor a check (GB: **honor = honour; check = cheque),** pagar un cheque; atender (el pago de) un cheque

honour (US: **honour = honor),** acoger (la presentación de) un efecto; atender una letra; aceptar un efecto; pagar una letra; aceptar una letra

honour a contract (US: **honour = honor),** cumplir un contrato

honour a credit card (US: **honour = honor),** aceptar una tarjeta de crédito

honour a cheque (US: **honour = honor; cheque = check),** pagar un cheque; atender (el pago de) un cheque

honour a draft (US: **honour = honor),** acoger un giro; atender (el pago de) una letra

honoured bill (US: **honoured = honored),** letra pagada; factura atendida; recibo pagado

hooks (ships), ganchos (para carga/descarga de mercancías) (barcos)

hopeful sign, signo esperanzador; síntoma esperanzador

horizontal spread, arbitraje horizontal

horizontal spread (options), margen estacional (opciones)

hostile takeover bid (HTB), oferta pública de adquisición hostil (OPAH); OPAH (ab. = oferta pública de adquisición hostil)

hot card, tarjeta a retirar; tarjeta denunciada (por robo, descubierto, estafa, etc.); tarjeta "caliente" (col.; denunciada por robo, descubierto, estafa, etc); tarjeta a retener

hot card notice, aviso de tarjeta a retener; aviso de tarjeta a retirar; aviso de retención de tarjeta; notificación de alerta (tarjeta robada, en descubierto, falsificación, estafa, etc.)

hot money (col.), dinero especulativo; dinero caliente (col.)

hotel occupancy rate, tasa de ocupación hotelera

House of Commons (GB), Cámara de los Comunes (GB)

House of Lords (GB), Cámara de los Lores (GB)

House of Representatives (US), Cámara de Representantes (US)

house-to-house selling, venta a domicilio

housekeeping card (comp.), tarjeta de preparación (comp.)

housing development, complejo inmobiliario residencial

HTB (ab. = **hostile takeover bid),** oferta pública de adquisición hostil (OPAH); OPAH (ab. = oferta pública de adquisición hostil)

huge, ingente; enorme; gigantesco

huge amounts of money, ingentes cantidades de dinero; grandes sumas de dinero; enormes sumas de dinero

human resources department, departamento de personal; departamento de recursos humanos

humble degree, condición humilde

hybrid computer (comp.), ordenador mixto (Esp., comp.); computadora mixta (SA., comp.)

hypothecate, hipotecar; pignorar; empeñar

hypothecated assets, activo pignorado

hypothecation, hipoteca; pignoración; prenda; garantía prendaria

hypothetic(al), hipotético

hypothetical value, valor teórico

I

I acknowledge receipt, obra en mi poder; acuso recibo

I am in receipt, obra en mi poder; acuso recibo

I Owe You (IOU) (col.), pagaré (extendido, generalmente, sobre papel sin timbrar); pagaré privado; pagaré sin protocolizar

I.F.C. (ab. = **International Finance Corporation),** Corporación Financiera Internacional (ab. C.F.I.); C.F.I. (ab. = Corporación Financiera Internacional)

IADB. (ab. = **Inter-American Development Bank),** Banco Interamericano de Desarrollo (BID); BID (ab. = Banco Interamericano de Desarrollo)

IATA (ab. = **International Air Transport Association),** Asociación Internacional para la Aviación Civil

IBEX 35 index (Esp.), índice selectivo IBEX 35 (Esp.)

IBF (ab. = **international banking facilities),** servicios bancarios internacionales; programa bancario internacional

IBRD (International Bank for Reconstruction and Development), Banco Internacional de Reconstrucción y Desarrollo (BIRD); BIRD (ab. = Banco Internacional de Reconstrucción y Desarrollo)

ICC (ab. = **International Chamber of Commerce),** Cámara de Comercio Internacional (CCI); CCI (ab. Cámara de Comercio Internacional)

ICC (ab. **Institute Cargo Clauses),** cláusulas de seguro de transporte (Instituto de Aseguradores de Londres)

ICC with Wartime Extension (ICC = Institute Cargo Clauses), Cláusulas de transporte marítimo del ICC cubriendo riesgos de guerra

id est (IE) (Lat.), o sea; es decir

IDA (ab. **International Development Association),** Asociación para el Desarrollo Internacional (ADI); ADI (ab. Asociación para el Desarrollo Internacional)

IDB (ab. **interdealer broker),** broker ciego; mediador de deuda anotada (MEDA) (col.); MEDA (ab. mediador de deuda anotada) (col.); entidad intermediaria que mantiene el anonimato entre comprador y vendedor; intermediario ciego (mercados de deuda)

identification code, código de identificación; referencia técnica; clave de identificación

identity card, tarjeta de identidad; documento nacional de identidad (DNI) (Esp.); carnet de identidad (DNI) (Esp.); DNI (ab. documento nacional de identidad) (Esp.)

idle (adj.), desocupado (adj.); sin trabajo; desempleado (adj.); en el paro (Esp.); cesante (adj.); parado (adj.)

idle balances, saldos inactivos

idle capacity, capacidad no utilizada

idle capacity cost, costo de la capacidad no utilizada

idle capacity loss, pérdida por capacidad desperdiciada

idle capital, capital improductivo; recursos no aplicados; recursos no rentables

idle cash, tesorería ociosa (Esp.); fondos improductivos; dinero no invertido; dinero sin rentabilizar

idle economic resources, tesorería ociosa (Esp.); fondos improductivos; dinero no invertido; dinero sin rentabilizar

idle funds, tesorería ociosa (Esp.); fondos improductivos; dinero no invertido; dinero sin rentabilizar

idle plant, planta parada; planta inactiva

idle time, tiempo ocioso; tiempo inactivo; tiempo de inactividad

IE (Lat., ab. **= id est),** o sea; es decir

if need be, si así fuere preciso; de ser así preciso; en caso necesario

ignorance of the law is no defense, la ignorancia de la ley no excusa su cumplimiento

ignorance of the law is no excuse, la ignorancia de la ley no excusa su cumplimiento

IIT (ab. = **incoming interchange tape) (electronic clearing),** cinta de intercambio de entrada (CIE) (compensación electrónica); CIE (ab. cinta de intercambio de entrada) (compensación electrónica)

ILO (ab. **International Labour Organization),** Organización Internacional del Trabajo (OIT); OIT (ab. Organización Internacional del Trabajo)

ILU (ab. **Institute of London Underwriters),** Instituto de Aseguradores de Londres (IAL); IAL (ab. Instituto de Aseguradores de Londres)

ill, enfermo (adj.)

illegal (adj.), ilegal(adj., masc. & fem.); ilícito; ilegítimo; contrario a la ley

illegal interest, interés ilegal

illegal strike, huelga ilegal

illegality clause, claúsula de ilegalidad

illegible number, número ilegible

illegible photocopy, fotocopia ilegible

illicit funds, dinero ilegal; dinero de origen ilegítimo

illiquid funds, fondos no realizables

illiquid security, valor de escaso movimiento; valor difícilmente realizable

illiquidity, falta de liquidez; tesorería insuficiente; desprovisión de numerario

IMF (ab. **International Monetary Fund),** Fondo Monetario Internacional (FMI); FMI (ab. = Fondo Monetario Internacional)

IMF Articles of Agreement, convenio constitutivo del Fondo Monetario Internacional

immaterial assets, fondo de comercio; llave (fondo de comercio); plusvalía; valor intrínseco de un negocio mercantil; activo nominal; activo intangible; activo inmaterial; activo aparente; incremento de valor (plusvalía); aprecio (plusvalía)

immediate access storage (comp.), memoria de acceso inmediato (comp.)

immediate delivery, correo urgente; entrega inmediata (paquetería); mensajería urgente

immediate investment requirements, necesidades inmediatas de inversión

immediate payment, pago inmediato; desembolso inmediato

immediately available funds, fondos inmediatamente disponibles; recursos de disponibilidad inmediata

immigration quota, cuota de inmigración; cupo de inmigrantes

immovables, bienes raíces; bienes inmuebles; hacienda (bienes); propiedad inmobiliaria (n. fem.); heredad (n. fem.); testamentaría; cuerpo hereditario; masa hereditaria; cuerpo de la herencia; legar (v.)

impact (n. & v.), impacto; incidencia; repercusión (n. fem.); impactar; impresionar

impact of inflation, incidencia de la inflación; impacto de la inflación

impair, dañar; afectar; perjudicar

impairment of international liquidity positions, empeoramiento de las posiciones de liquidez internacional

implead, entablar pleito; iniciar un pleito; meterse en pleitos (Esp., col.); demandar; pleitear; litigar; interponer querella; llevar ante los tribunales

implement, lograr; conseguir; alcanzar; instrumentar; materializar; poner en marcha

implement a plan, poner en marcha un programa

implementation, puesta en marcha; materialización

implementation of preventive safeguards, aplicación de salvaguardias preventivas; introducción de medidas precautorias

implements, útiles; herramientas

implications of draught, implicaciones de la sequía; consecuencias de la sequía

implicit interest rate, tipo de interés implícito

implied alpha, exceso esperado de rentabilidad de una acción sobre el conjunto de la cartera; alfa implícita

implied consent, consentimiento tácito; autorización implícita; conformidad tácita

implied contract, contrato implícito; cuasicontrato

implied duties, obligaciones implícitas; deberes tácitos

implied engagement, acuerdo tácito; compromiso tácito; convenio tácito; asentimiento tácito

implied rescission, rescisión tácita; resolución implícita

implied volatility, volatilidad implícita

implied waiver, renuncia tácita

import (n. & v.), importación (n. fem.); importar

import application, solicitud de importación

import credit, crédito a la importación

import duties, derechos de importación

import duties receivable, derechos de importación recuperables

import expenditures, gastos de importación

import goods, artículos de importación

import liberalization, liberalización de las importaciones; apertura del régimen de importación

import licence (US: **licence = license),** licencia de importación; permiso de importación

import licence extension (US: **licence = license),** prórroga a la licencia de importación

import permit, licencia de importación; permiso de importación

import quota, cuota de importaciones; contingente de importación; cupo de importación

import upsurge, expansión de las importaciones

import-export ratio, índice de cobertura

importation (n.), importación (n. fem.); importar

importer, importador

importing, importador (adj.)

importing countries, países importadores

imposable, evaluable fiscalmente; imponible (fiscalmente) (Esp.); gravable; sujeto a contribución; tributable

impose, imponer; implantar

impose a tax, aplicar un impuesto; gravar con un impuesto; implantar un impuesto

impost, contribución; impuesto; exacción

impress, detener; capturar; confiscar; embargar; decomisar; incautar; expropiar

imprest system, sistema de saldo fijo

improve (v.), impulso; estímulo; incentivo; impulsar; potenciar; mejorar; perfeccionar; optimizar; promocionar (escalafón, ventas, etc.); ascender (promocionar)

improve liquidity, potenciar la liquidez

improved rate of return, alza de la rentabilidad; tasa de rentabilidad mejorada; evolución favorable de la tasa de rentabilidad

improved risk conditions, mejoría en las condiciones del riesgo; evolución positiva de las condiciones del riesgo

improvement in communications, mejora de las comunicaciones

in accordance with, de acuerdo con; conforme a; de conformidad con; según

in accordance with our records, según nuestros registros; conforme a nuestros registros; de acuerdo con nuestros registros; de conformidad con nuestros registros

in advance, anticipadamente; de antemano; previamente; como anticipo; con anticipación

in any event, en todo caso

in arrears, vencido (interés)

in attendance, de servicio

in banking terms, en términos bancarios

in behalf of (B/O), a favor de; en favor de

in bond, en depósito

in brackets, entre paréntesis

in bulk, a granel

in cash, en efectivo

in compliance with the request, de acuerdo con la solicitud; conforme a lo solicitado; según (lo que) se solicita

in conformity with, de acuerdo con; conforme a; de conformidad con; según

in connivance with, en connivencia con

in exchange for, a cambio de

in favour of (US: **favour = favor),** a favor de; en favor de

in fee, en propiedad

in figures, en cifra(s)

in good faith, buena fe; de buena fe

in ink, en letra; por escrito

in lieu of, en lugar de

in line with, en línea con

in our favour (US: **favour = favor),** a nuestro favor

in outline, en líneas generales; a grandes rasgos

in partial payment, en (concepto de) pago parcial; como pago a cuenta

in particular, en particular; en concreto; concretamente

in process, en (fase de) proceso; en (curso de) fabricación; en trámite

in process of realization, en vías de desinversión

in real terms, en términos reales

in return for, a cambio de

in specie, en metálico; en dinero contante y sonante (Esp., col.)

in stock, en almacén; en existencia; en stock

in strict confidence, en confianza; bajo absoluta reserva; con la mayor discreción

in the course of the year, en el transcurso del año; a lo largo del ejercicio

in the event of, en (el) caso de

in the money (ITM), en dinero; precio de ejercicio mayor al del mercado al contado

in the money option, opción cuyo ejercicio reporta un beneficio

in the region of 10,000 euros, alrededor de 10.000 Euros

in times of crisis, en tiempos de crisis

in two copies, en dos copias; con original y copia; por duplicado

in ways of negotiation, en vías de negociación

in witness whereof, para que así conste; en testimonio de lo cual

in words, en letra; por escrito

in working order, en buen (estado de) funcionamiento; en perfecto (estado de) funcionamiento

in writing, en letra; por escrito

in-connector (comp.), conector de entrada (comp.); conector de procedencia (comp.)

in-depth (adj.), desglosado; detallado; pormenorizado; en profundidad; completo; exhaustivo; íntegro

in-depth analysis, análisis exhaustivo; estudio pormenorizado

in-depth study, estudio en profundidad

in-house (adj.), doméstico; nacional (adj., masc. & fem.); interno (adj.); interior (adj., masc. & fem.); de carácter interno; de régimen interior

in-house form, formulario de régimen interior; impreso para uso interno

in-house funds, fondos (en depósito) de clientes

in-house procedures, procedimientos internos

in-the-money (adj.), dentro del precio

in-the-money option, opción dentro del precio; opción "in the money"

inactive account, cuenta inactiva; cuenta sin movimiento

inactive equipment, equipo inactivo

inactive equipment and material report, informe de equipo y material inactivo

inadequacy, insuficiencia

inadmissible assets, activo no confirmado; activo no computable; activo no aprobado; activo no admitido; activo no aceptado

Inc. (ab. **incorporated)** (US), sociedad por acciones; sociedad anónima; sociedad accionaria en comandita

incentive stock options plan (US), plan de incentivos basado en la adjudicación de opciones sobre acciones

incentives, incentivos

incentives payment, pago de incentivos

incentives plan, plan de incentivos

incentives system, sistema de incentivos

incentives to foreign investors, incentivos al inversor extranjero

incept a company, constituir una sociedad; formar una compañía; crear una sociedad

income, beneficio realizado; ganancias obtenidas; beneficio obtenido; beneficio alcanzado; rentas; entradas; percepciones

income analysis, análisis de resultados

income and return, resultados y rentabilidad

income before taxes, beneficio antes de impuestos; resultado antes de impuestos

income bond, obligación participativa; obligación con derecho a participar en beneficios; bono de participación en utilidades; bono de participación en beneficios

income effect, efecto renta

income from investments, utilidades provenientes de inversiones en valores

income policy, política de rentas; política de distribución de beneficios

income statement, cuenta de pérdidas y ganancias; cuenta de resultados; estado de pérdidas y ganancias; balance de resultados; declaración de beneficios

income tax, impuesto sobre la renta

income tax blank, formulario para declaración del impuesto sobre la renta; impreso de declaración del impuesto de utilidades

income tax reserve, reserva para (atender el pago del) impuesto sobre la renta

incoming interchange tape (IIT) (electronic clearing), cinta de intercambio de entrada (CIE) (compensación electrónica); CIE (ab. cinta de intercambio de entrada) (compensación electrónica)

incompetence, incompetencia; ineptitud

inconsistency, discrepancia

incorporate a company (US)**,** constituir una sociedad; formar una compañía; crear una sociedad

incorporated (Inc.) (US)**,** sociedad por acciones; sociedad anónima; sociedad accionaria en comandita

incorporation papers (US)**,** escritura de constitución; acta de constitución; documento constitucional; escritura social; escritura constitutiva; certificado de constitución; acta fundacional

incorrect, incorrecto; equivocado; inexacto

incorrect account number, número de cuenta incorrecto; número de cuenta equivocado

incorrect control digit, dígito de control incorrecto; dígito de control inexacto

increase (n.)**,** aumento; incremento; crecimiento; subida; alza; elevación

increase (v.)**,** aumentar; incrementar(se); crecer; subir

increase at par, ampliación a la par

increase capital, aumentar el capital

increase in dividend, aumento de dividendo

increase in financial costs, aumento de los costes financieros; incremento de los costes financieros; subida de los costes financieros

increase in profits, aumento del beneficio; subida del beneficio; incremento del beneficio

increase in the discount rate, alza en el tipo de descuento; subida del tipo de descuento

increase in value, revalorización; revaluación; revalúo (LA); aprecio (revalorización); incremento de valor

increase interest rates, subir los tipos de interés; aumentar los tipos de interés; elevar los tipos de interés

increase profits by 10%, aumentar el beneficio (en) un 10%; incrementar el beneficio (en) un 10%

increased cost clause, cláusula de aumento de coste

increasing, al alza; en alza; emergente; en aumento; creciente

increasing competition, competencia creciente

increasing interdependence, creciente interdependencia; interdependencia en aumento

increment, aumento; incremento; crecimiento; subida; alza; elevación

incremental cost, coste marginal; coste diferencial; costo directo

incremental scale, escala de incrementos

incur a debt, incurrir en una deuda

incur no charges, sin gastos

indebtedness, deudas contraidas; saldo vivo del endeudamiento

indecipherable data, datos indescifrables

indemnification, reparación (compensatoria) (n. fem.); satisfacción (compensatoria) (n. fem.)

indemnify, indemnificar

indemnitee, indemnizado

indemnitor, indemnizante; indemnizador

indemnity, reparación (compensatoria) (n. fem.); satisfacción (compensatoria) (n. fem.)

indenture, escritura de contrato; contrato con el comisariado; clausulado de obligaciones legales contraídas por el emisor

independent, independiente; autónomo

independent audit, auditoría independiente

independent bank, banco independiente; banco autónomo; entidad bancaria no afiliada

index, coeficiente; índice; relación; cociente; tasa; tipo; razón (ratio) (n. fem.); ratio

index numbers, números índice

index of liquidity, índice de liquidez

index option, opción sobre índices bursátiles

index portfolio, cartera índice

index portfolio strategy, estrategia índice

index-tied loan, préstamo reajustable según índice; préstamo a tipo de interés según índice; préstamo a tipo indexado

indexation, indexación; indiciación

indexed bond, obligación indexada; obligación indiciada; bono indexado

indexing, indexación; indiciación

indicator, indicador

indirect expenses, gastos indirectos; cargas indirectas

indirect hedging, cobertura indirecta

indirect holding, participación indirecta

indirect labour (US: **labour = labor),** mano de obra indirecta

indirect liabilities, pasivo contingente; pasivo eventual

indirect materials, materiales indirectos

indirect taxes, impuestos indirectos

individual, persona particular; particular (n. masc. & fem.)

individual (person), persona física

individual contract, contrato individual

individual income tax, impuesto individual sobre la renta; impuesto sobre la renta de las personas físicas (Esp., ab. IRPF); IRPF (Esp., ab. = impuesto sobre la renta de las personas físicas)

individual note, pagaré con una sola firma; pagaré a cargo propio

individual shareholder, accionista individual

individual stockholder, accionista individual

individual wage agreement, pacto salarial individual; pacto individual (PI) (Esp.); PI (ab. pacto individual) (Esp.)

indorsee, endosatario; tenedor por endoso

indorsement (n.)**,** suplemento; complemento; apéndice; separata; complementar

indorser, endosante

industrial (adj.), industrial (n. & adj.)

industrial bank, banco industrial; banco de negocios; banco de inversiones

industrial credit line, línea de crédito para financiaciones industriales

industrial estate, polígono industrial

industrial insurance, seguro contra accidentes de trabajo; seguro de accidentes laborales

industrial partnership, participación obrera en beneficios

industrial refuse, residuos industriales

industrial sector, sector industrial

industrial stocks, valores industriales

industrial techniques, técnicas industriales

industrialist (n.), industrial (n. & adj.)

industrialize, industrializar

industry, actividad; industria

inflate figures, inflar las cifras; hinchar las cifras; abultar las cifras

inflation, inflación

inflation and balance of payments problems, problemas de inflación y balanza de pagos

inflation rate, tasa de inflación; índice de precios al consumo (IPC) (Esp.); IPC (ab. índice de precios al consumo) (Esp.)

inflationary, inflacionario; inflacionista (adj., masc. & fem.)

inflationary pressures, presiones inflacionistas

inflationary trend, tendencia inflacionista

inflexible (adj.), riguroso (adj.); ajustado (adj.); estrecho (adj.); rígido (adj.); inflexible (adj., masc. & fem.); restringido (adj.); restrictivo (adj.); estricto (adj.)

inflows, beneficio realizado; ganancias obtenidas; beneficio obtenido; beneficio alcanzado; rentas; entradas; percepciones

influx of capital, entrada de capitales

informant, informante

information, información

information bit (comp.), bit de información (comp.)

information retrieval (comp.), recuperación de información

information systems, sistemas informativos

infraction, infracción; violación; incumplimiento; falta de cumplimiento; infringir (lo pactado); violar (un acuerdo); incumplir

infrastructure, infraestructura

inherit, heredar

inheritance, herencia

initial change, cambio inicial; cambio de apertura

initial deposit, depósito inicial; depósito de garantía

initial margin, margen inicial

initial par value, paridad inicial

initial private placement, colocación privada inicial

initial public offering, oferta pública inicial

initial steps, pasos iniciales

initiate, iniciar; dar comienzo

initiate a transaction, iniciar una operación

inland bill, letra sobre el interior

inland freight, flete terrestre

input (comp.), entrada (comp.)

input data (comp.), datos de entrada (comp.)

input preparation (comp.), preparación de datos para el proceso (comp.)

input-output analysis, análisis de entradas-salidas

input-output control unit (comp.), unidad de control de entradas-salidas (comp.)

inside trading range option, opción válida dentro de un rango

insider dealing (GB), tráfico de confidencias; utilización lucrativa de información privilegiada; operaciones ilegales basadas en información privilegiada

insider information, información confidencial; información privilegiada

insider trading (GB: **trading = dealing),** tráfico de confidencias; utilización lucrativa de información privilegiada; operaciones ilegales basadas en información privilegiada

insofar as, en la medida que

insolvency, quiebra; bancarrota; insolvencia; colapso; desplome; derrumbamiento; hundimiento

insolvent, quebrado; insolvente; fallido; en situación de quiebra

inspection, inspección

inspection certificate, certificado de inspección

inst. (ab. = **instant),** corriente (mes); en curso (mes)

instalment (GB: **instalment = installment),** pago parcial; pago a cuenta; plazo

installment (US: **installment) = instalment),** pago parcial; pago a cuenta; plazo

installment buy (US: **installment = instalment),** compra a plazos

installment buying (US: **installment = instalment),** comprar a plazos

installment credit (US: **installment = instalment),** crédito para compras a plazos

installment loans (US: **installment = instalment),** préstamo reembolsable a plazos; préstamo amortizable a plazos

installment mortgage (US: **installment = instalment),** hipoteca pagadera a plazos; hipoteca amortizable a plazos

installment note (US: **installment = instalment),** letra a cargo propio, con varios vencimientos

installment purchase (US: **installment = instalment),** compra a plazos

instant (ab. **inst.),** corriente (mes); en curso (mes)

Institute Cargo Clauses (ICC), cláusulas de seguro de transporte (Instituto de Aseguradores de Londres)

Institute Cargo Clauses with Wartime Extension, Cláusulas de transporte marítimo del ICC cubriendo riesgos de guerra

Institute of London Underwriters (ILU), Instituto de Aseguradores de Londres (IAL); IAL (ab. Instituto de Aseguradores de Londres)

Institute Strike Clauses (ISC), cláusulas de seguro contra riesgos de huelga (Institute of London Underwriters)

institutional fund, fondo institucional; fondo para inversores institucionales

institutional investor, inversor institucional

instruction code (comp.), código de instrucción (comp.)

instruction format (comp.), formato de instrucción (comp.)

instructions, instrucciones; indicaciones

instrument, documento; documentar

instrument in writing, documento por escrito

instrumental capital, capital de explotación

insufficient, insuficiente; escaso

insufficient actions, acciones insuficientes; actuaciones insuficientes; medidas insuficientes

insufficient funds, fondos insuficientes; saldo insuficiente; provisión de fondos insuficiente; falta de fondos

insufficient protection measures against money laundering, medidas de protección insuficientes contra el blanqueo de dinero; medidas de protección antiblanqueo insuficientes

insurable, asegurable

insurable value, valor asegurable

insurance, seguro

insurance and bonds, seguros y fianzas

insurance broker, agente de seguros

insurance certificate, certificado de seguro; póliza de seguro (Esp.)

insurance fund, fondo de autoseguro

insurance policy, póliza de seguro

insurance premium, prima de seguro

insurance reserve, reserva actuarial; reserva para seguro

insure against all risks, asegurar contra todo riesgo

insured deposit, depósito asegurado

insured party, parte asegurada

intangible, intangible; nominal; inmaterial

intangible assets, fondo de comercio; llave (fondo de comercio); plusvalía; valor intrínseco de un negocio mercantil; activo nominal; activo intangible; activo inmaterial; activo aparente; incremento de valor (plusvalía); aprecio (plusvalía)

intangible fixed assets, activo fijo intangible

intangible value, valor intangible

integrated asset and liability management, gestión integrada de activos y pasivos

integrated circuit, circuito integrado

integrated data processing, proceso integrado de datos

integrated program package (comp.), paquete de programas integrados (comp.)

integration, integración

integration program, programa de integración

integrity, integridad; honestidad; probidad; honradez

integrity of staff, integridad del personal

intensive, intensivo; masivo; a gran escala

intensive dissemination of press releases, distribución a gran escala de comunicados de prensa

intensive distribution, distribución intensiva; distribución masiva; distribución a gran escala

Inter-American Development Bank (IADB), Banco Interamericano de Desarrollo (BID); BID (ab. = Banco Interamericano de Desarrollo)

interbank (adj.), interbancario (adj.)

interbank deposits, depósitos interbancarios

interbank interest rate, tipo de interés interbancario

interbank market, mercado interbancario

interbank market repurchase agreements, operaciones de dobles del mercado interbancario

interbank trading, actividad interbancaria

interbranch transactions in transit, operaciones internas en camino; operaciones internas en curso

interchange (n. & v.), intercambio

interchange paper, documentos de intercambio

interchange tape (comp.), cinta de intercambio (comp.)

interdealer broker (ab. **IDB),** broker ciego; mediador de deuda anotada (MEDA) (col.); MEDA (ab. mediador de deuda anotada) (col.); entidad intermediaria que mantiene el anonimato entre comprador y vendedor; intermediario ciego (mercados de deuda)

interdependence, interdependencia

interdependence of asset and liability operations, interdependencia de las operaciones de activo y pasivo

interdivisional transfers-in, traspasos interdivisionales enviados

interest, interés

interest accrued, intereses acumulados; interés devengado; intereses vencidos; cupón corrido

interest charges coverage, cobertura de intereses

interest differential, diferencial de intereses

interest due but not paid, interés devengado pero no pagado

interest expenses, coste de los recursos; remuneración del pasivo; costes financieros

interest income, productos financieros

interest option, opción sobre tipos de interés

interest payable, intereses por pagar

interest plus fees, interés más comisiones

interest rate, tipo de interés; tasa de interés

interest rate arbitrage, compraventa de divisas al contado para invertir en un activo monetario

interest rate cap, tope máximo de tipos de interés

interest rate curve, curva de tipos de interés

interest rate differential, diferencial entre tipos de interés

interest rate futures, futuros sobre tipos de interés

interest rate increase, alza en los tipos de interés

interest rate swap, permuta de tipos de interés; trueque de tipos de interés; swap de tipos de interés

interest receivable, interés a cobrar

interest revenues, rendimiento de los empleos; productos obtenidos; margen financiero; productos de empleos

interest risk, riesgo de interés

interest spread, margen entre tipos de interés

interest tables, tablas de cálculo de intereses; planillas de intereses

interest today, intereses hasta la fecha

interest-adjustment clause, cláusula sobre revisión del tipo de interés

interest-bearing liabilities, recursos medios ajenos

interest-free loan, préstamo sin interés

interest-rate instrument, instrumento sobre tipos de interés

interest-rate risk, riesgo tasa de interés

interested parties, partes interesadas

interface (comp.), acoplamiento mutuo (comp.); interfaz (comp.)

interim, interino (adj.); en funciones; provisional (adj., masc. & fem.); en (el) ejercicio; provisorio; condicional (adj., masc. & fem.)

interim assessment, informe provisional

interim audit, auditoría provisional

interim dividend, dividendo provisional; dividendo (activo) a cuenta

interim financial statements, estados financieros provisionales

interim period, período interino

interleave, interpolar; simultanear

interlocking, interbloqueo; bloqueo mutuo

interlocking shareholdings, participaciones accionarias de interbloqueo

intermediate credit, crédito a medio plazo

intermediate goods, mercancías semiacabadas; productos semielaborados; bienes de producción

intermediate storage (comp.), memoria intermedia (comp.)

intermediation, intermediación

intermediation function, función intermediadora

intermediation of financial assets, intermediación de activos financieros

internal audit, auditoría interna; auditoría privada

internal auditor, auditor interno

internal benchmarking, investigación y desarrollo de mejoras organizativas internas

internal consumption, consumo interno

internal controls, controles internos

internal convertibility, convertibilidad interna

internal fraud, fraude interno

internal interchanges, intercambios internos

internal loan, préstamo interno

internal loan in foreign currency, préstamo interno en divisas

internal operating programs, programas de explotación interna

internal rate of return, tasa de rentabilidad interna; rentabilidad total

internal resources, recursos internos; medios internos

internal revenue, rentas internas

internal sources, fuentes internas

internal storage (comp.), memoria interna (comp.); almacenamiento (de información) interno (comp.); almacenaje interno (de datos) (comp.)

internal value of the currency, valor interno de la moneda

international, internacional

international activity, actividad internacional

International Air Transport Association (ab. **IATA),** Asociación Internacional para la Aviación Civil

international anti-laundering measures, medidas antiblanqueo internacionales

international bank, banco internacional

International Bank for Reconstruction and Development (IBRD), Banco Internacional de Reconstrucción y Desarrollo (BIRD); BIRD (ab. = Banco Internacional de Reconstrucción y Desarrollo)

international banking, banca internacional

international banking facilities (IBF), servicios bancarios internacionales; programa bancario internacional

international banking transactions, operaciones bancarias internacionales

international bond market, mercado internacional de obligaciones en divisas

international capital movements, movimientos internacionales de capitales

international commodities agreement, convenio internacional sobre mercancías

International Chamber of Commerce (ICC), Cámara de Comercio Internacional (CCI); CCI (ab. Cámara de Comercio Internacional)

International Development Association (IDA), Asociación para el Desarrollo Internacional (ADI); ADI (ab. Asociación para el Desarrollo Internacional)

International Finance Corporation (ab. **IFC),** Corporación Financiera Internacional (ab. CFI); CFI (ab. = Corporación Financiera Internacional)

international forwarding, transportes internacionales

international gold standard, patrón oro internacional

International Labour Organization (ILO) (US: **Labour = Labor),** Organización Internacional del Trabajo (OIT); OIT (ab. Organización Internacional del Trabajo)

international markets, mercados internacionales

International Monetary Fund (IMF), Fondo Monetario Internacional (FMI); FMI (ab. = Fondo Monetario Internacional)

international recession, recesión internacional

international relations, relaciones internacionales

interplead, pleitear con otro demandante sobre una misma cosa

interpolate, interpolar; simultanear

interpolation, interpolación

interpretation of balances, interpretación de balances

interpreter, intérprete; traductor

interpreting, interpretativo

interpreting chart, tabla interpretativa

interpreting forecast, pronóstico interpretativo

interregional balance, equilibrio interregional

interrelated programs (comp.), programas interrelacionados (comp.)

interstate, interestatal

interstate commerce, comercio interestatal

interval timer, cronómetro

intervening period, período de intervención

intervention, intervención; contraloría (SA)

intervention exchange rate, tipo de cambio de intervención

intervention exchange rates, tipos cambiarios de intervención

intervention point, punto de intervención

intervention rate of the Bank of Spain, tipo de intervención del Banco de España; precio oficial del dinero (Esp., col.)

intervention stocks, partidas de choque; existencias de intervención

intestate, intestado

intragroup fund transfers, trasvases internos de fondos

intrinsic value, valor intrínseco

introduction of new products and services, introducción de nuevos productos y servicios

introductory price, precio de introducción

intrusion alarm system, sistema de alarma contra intrusos

invalid (adj.), nulo; sin efecto; sin efectividad

invalid clause, cláusula invalidada; cláusula impracticable; cláusula no valida

invalidate, invalidar

invalidate an agreement, invalidar un acuerdo; invalidar un contrato; anular un convenio; dejar sin efecto un pacto

inventory, inventario; existencias de mercancías; existencias en almacén

inventory book, libro de inventarios y balances; libro de almacén

inventory control card, tarjeta para control de existencias

inventory controls, control de inventarios

inventory holding cost, coste de almacenaje

inventory items, partidas de inventario; artículos de inventario

inventory losses, pérdidas por ajuste de inventario

inventory pricing (GB = stock valuation), valoración de existencias

inventory report, informe de existencias

inventory risk, riesgo de cartera

inventory sales, ventas de existencias

inventory sheet, hoja de inventario

inverse ratio, relación inversa; proporción inversa; razón inversa

inverted interest rate curve, curva invertida de rentabilidad

inverted market, mercado invertido; inversión (mercado de futuros)

invest, invertir; colocar

invest money on, invertir dinero en; meter dinero en (Esp., col.); poner dinero en (Esp., col.)

invested capital, capital invertido; capital aportado

investee, participado (adj.); sujeto de la inversión realizada

investee company, sociedad participada

investment, inversión; colocación de capitales; aplicación del capital; inversiones de capital

investment advisor, asesor de inversiones

investment bank (GB = merchant bank), banco industrial; banco de negocios; banco de inversiones

investment banking, banca industrial; operaciones de banca industrial; transacciones bancarias con grandes empresas

investment company, sociedad instrumental; sociedad de cartera; sociedad de control

investment credit, crédito de inversión

investment file, archivo de inversiones

investment financing, financiación de inversiones

investment fund, fondo de inversión

investment goods, bienes de inversión; bienes de equipo

investment horizon, horizonte de inversión

investment of reserves, inversión de reservas y fondos de previsión

investment planning, planificación de inversiones

investment policy, política de inversiones

investment portfolio, cartera de inversiones

investment portfolios management, gestión de carteras de inversión

investment program, programa de inversiones

investment rate, tasa de inversiones

investment ratio, coeficiente de inversión; relación de inversión; ratio de inversión

investment reserve, reserva para inversiones

investment securities, valores para inversión

investment trust, trust de inversión

investments, valores en cartera; participaciones accionarias; existencias (n. fem. pl.); remanentes (n. masc. pl.); inversiones (cartera) (n. fem. pl.)

investments in foreign countries, inversiones exteriores; inversiones en países extranjeros

investments in real estate, inversiones inmobiliarias

investor, inversor; inversionista

investor('s) guidance and counselling (US: **counselling = counseling),** asesoramiento y orientación del inversor bursátil

invisibles balance, balanza de invisibles

invisibles export, exportación de invisibles

invite subscriptions for a loan, sacar a suscripción un empréstito

invoice (US: **invoice = bill)** (n. & v.), factura; recibo; talón (recibo); guía (talón); expedir un recibo; facturar; emitir una factura

invoice amount, importe de la factura

invoice copybook, libro copiador de facturas

invoice cost, coste según factura

invoice file, archivo de facturas

invoice form, formulario de factura; modelo de factura

invoice price, precio según factura

invoice register, registro de facturas; registro de efectos a pagar o cobrar; libro de facturas

invoice value, valor de la factura; valor (según factura); valor-factura

invoiced, facturado; cargado en factura; adeudado mediante factura

invoiced value, valor facturado; valor según factura

invoices to collect, facturas al cobro

invoices to pay, facturas a pagar

invoicing, facturación

invoicing machine, máquina facturadora

involuntary, accidental; casual; fortuito; involuntario; coyuntural; circunstancial

involuntary bankruptcy, quiebra involuntaria

involuntary trust, fideicomiso implícito

IOU (ab. = **I Owe You)** (col.), pagaré (extendido, generalmente, sobre papel sin timbrar); pagaré privado; pagaré sin protocolizar

Iron Curtain, Telón de Acero

irrecoverable, irrecuperable (adj., masc. & fem.); sin posibilidad de recuperación; no recuperable

irrecoverable loan, préstamo irrecuperable

irredeemable, irredimible

irrevocable, irrevocable (adj., masc. & fem.); sin posibilidad de revocación

irrevocable D/C (ab. **irrevocable documentary credit),** crédito documentario irrevocable

irrevocable documentary credit (ab. **irrevocable D/C),** crédito documentario irrevocable

irrevocable L/C (ab. **irrevocable letter of credit,** crédito documentario irrevocable

irrevocable letter of credit (ab. **irrevocable L/C),** crédito documentario irrevocable

ISC (ab. **Institute Strike Clauses),** cláusulas de seguro contra riesgos de huelga (Institute of London Underwriters)

ISM (ab. **issuer set margin),** margen establecido por el emisor

isolationist (adj.), aislacionista (adj.)

isolationist policy, política aislacionista

issuance of import licenses, emisión de licencias de importación

issue (n. & v.), emisión; libramiento; emitir

issue a check (GB: **check = cheque),** extender un cheque; librar un cheque; emitir un cheque

issue a cheque (US: **cheque = check),** extender un cheque; librar un cheque; emitir un cheque

issue a denial, publicar un mentís; hacer público un desmentido

issue a draft, librar una letra; girar un efecto (Esp.); extender una letra; girar una letra

issue a ruling, emitir un dictamen; promulgar una normativa

issue a writ, dictar un auto

issue against non-monetary subscriptions, emisión contra aportaciones no dinerarias; emitir contra aportaciones no dinerarias

issue bonds, emitir bonos; emitir obligaciones; emitir renta fija

issue for date, fecha de emisión

issue of currency, emisión de moneda

issue of debt, emisión de obligaciones; emisión de bonos; emisión de pagarés; emisión de renta fija

issue of domestic bonds, emisión de bonos nacionales; emisión de pagarés nacionales

issue of foreign bonds, emisión de bonos exteriores; emisión de obligaciones exteriores; emisión de pagarés exteriores

issue paper at sub-market rates, emitir papel a tipos inferiores a los vigentes en el mercado

issue placement, colocación de una emisión

issue premium, prima de emisión

issue price, precio de emisión; tipo de emisión; precio de lanzamiento

issue rate, precio de emisión; tipo de emisión; precio de lanzamiento

issued and outstanding, emitido y en circulación

issued as full-paid and non-assessable shares, acciones emitidas con carácter de liberadas

issued stock, acciones emitidas; media de las acciones en circulación

issuer, emisor

issuer identification, identificación del emisor

issuer set margin (ISM), margen establecido por el emisor

issuer's right of rejection, derecho de rechazo por el emisor

issuing agent, agente emisor

issuing bank (LCs, acceptances, guarantees, etc.), banco emisor (créditos documentarios, aceptaciones, avales, etc.); entidad emisora (créditos documentarios, aceptaciones, avales, etc.)

issuing country, país emisor

issuing house (LCs, acceptances, guarantees, etc.), banco emisor (créditos documentarios, aceptaciones, avales, etc.); entidad emisora (créditos documentarios, aceptaciones, avales, etc.)

issuing member, miembro emisor

issuing of new coupons, emisión de nuevos cupones; renovación de hojas de cupones

item, capítulo (epígrafe); epígrafe; renglón (epígrafe); capción (n. fem.); opción de compraventa futura de un "cap" mediante pago de prima; artículo (de clausulado); partida

item inventory, inventario de artículos

item of tariff, partida arancelaria; fracción arancelaria

item of the assets side, partida de activo

item of the liabilities side, partida de pasivo

itemize, desglosar; descomponer por partidas; pormenorizar; detallar

itemized invoice, factura detallada; factura desglosada; factura pormenorizada

itemized prices, precios detallados

iterate, iterativo

iterative process, proceso iterativo

ITM (ab. **in the money),** en dinero; precio de ejercicio mayor al del mercado al contado

J

jack of all trades (col.), aprendíz de mucho y maestro de nada (col.); empleado comodín

jacket, bolsa (transparente) portadocumentos; carpetilla; carpeta portadocumentos

jail (GB), cárcel; talega (Esp., col.); chirona (Esp., col.)

jail for life, condenar a cadena perpetua

jailbird (col.), delincuente habitual (col.); carne de comisaría (Esp., col.)

jailbreak, fuga de la cárcel; huída de un establecimiento penitenciario (Esp.); fuga de un centro de internamiento (Esp.)

jailhouse (US), cárcel; talega (Esp., col.); chirona (Esp., col.)

jam, atasco; atascamiento

janitor, portero; conserje

jargon, jerga

Jason clause, cláusula de responsabilidad restringida del transportista

jazz (col.), rollo (Esp., col.); peñazo (Esp., col.); coñazo (Esp., col.); palabrería; historias (Esp., col.); macanas (LA, col.)

jet lag, desfase horario

jetsam, pecio; restos flotantes de un naufragio; echazón

jettison, tirar por la borda; lanzar por la borda; arrojar por la borda; echar al mar; tirar al mar

jetty, dársena; embarcadero; muelle de carga/descarga; malecón

jib at paying (col.), resistirse a pagar

jigger, falsear (col.); alterar (col.); amañar (col.); manipular

jinx a business, gafar un negocio; traerle mala suerte a un negocio

job (human resources), trabajo (puesto); empleo (puesto); puesto (de trabajo); trabajo a destajo; trabajar a destajo

job (n.), cargo; puesto de trabajo; empleo; prestación laboral (n. fem.)

job (v.), especular en bolsa; jugar a la bolsa; arriesgarse a jugar en bolsa

job application, solicitud de empleo; petición de trabajo

job as a middleman, trabajar de intermediario; actuar como mediador

job bidding, oferta de empleo; oferta de puestos de trabajo

job enlargement, enriquecimiento del trabajo

job evaluation, evaluación de puestos de trabajo; valoración de puestos de trabajo

job hopper (col.), trabajador que cambia de empresa frecuentemente; empleado que cambia de trabajo a menudo

job in bills, especulación con letras; agiotaje de efectos

job in stocks, especular con valores bursátiles

job losses, pérdida de puestos de trabajo

job lot, lote de artículos de ocasión; montón de gangas (Esp., col.)

job price, precio de destajo

job ranking, evaluación de puestos de trabajo; valoración de puestos de trabajo

job reduction, reducción de plantilla (Esp.); reducción de puestos de trabajo; reducción del número de empleos

job rotation, rotación por distintos puestos de trabajo

job setup, preparación del trabajo

job sharing, trabajo compartido; puesto (de trabajo) compartido

job specifications, perfil del puesto de trabajo; características del puesto de trabajo; requisitos del empleo; condiciones exigidas para ocupar un puesto; especificación del puesto de trabajo

job-time recording clock, reloj de control de entrada y salida de personal

jobber, agente de cambio y bolsa (GB); especulador por cuenta propia; agente por cuenta propia; agiotista

jobber (casual worker), trabajador interino; empleado eventual; interino (n.); trabajador sin contrato fijo

jobber (London stock exchange) (GB)**,** intermediario financiero (Bolsa de Londres (GB)

jobbery, corrupción (n. fem.); prevaricación (n. fem.); chanchullo (Esp., col.); corruptela

jobbing, especulación; empresa especulativa; riesgo especulativo; agiotaje

jobcentre (GB)**,** agencia de colocaciones; bolsa de empleo; agencia de trabajo

jobholder (US)**,** auxiliar administrativo; empleado; oficinista; dependiente; trabajador (n.)

jobhunting, búsqueda de trabajo

jobless (adj.)**,** desocupado (adj.); sin trabajo; desempleado (adj.); en el paro (Esp.); cesante (adj.); parado (adj.)

jobless total, nivel de parados; nivel de desempleados; grado de desocupación

Joe public (GB, col.; US: **Joe public = ordinary Joe),** Fulano de tal; nombre genérico (fulano)

John Bull (GB)**,** inglés (personificación de cuanto tiene origen inglés)

John Doe (US)**,** americano medio (US); hombre de la calle; ciudadano de a pie; persona corriente; ciudadano medio; fulano de tal (figurado, desconocido o general); fulanito (figurado, desconocido o general); nombre (m.) figurado, desconocido o general

John Q Public (US)**,** americano medio (US); hombre de la calle; ciudadano de a pie; persona corriente; ciudadano medio; fulano de tal (figurado, desconocido o general); fulanito (figurado, desconocido o general); nombre (m.) figurado, desconocido o general

Johnny-come-lately (col.)**,** advenedizo; recién llegado; paracaidista (Esp., col.); trepa (Esp., col.); lambiscón (LA); adulador; pelota (n., masc. & fem., Esp., fam); pelotillero (Esp., col.); trepa (n. masc. & fem., Esp., col.)

Johnny-on-the-spot (col.)**,** arréglalotodo (Esp., col.); sábelotodo (Esp., col.); Gustavín (Esp., col.)

join stocks, juntar acciones; acumular acciones; reunir acciones

join the queue, hacer cola; formar cola; aguardar turno

joinder of parties, unión de las partes

joint (adj.)**,** conjunto (adj.); mancomunado; colectivo (adj.)

joint account, cuenta conjunta; cuenta mancomunada; cuenta indistinta

joint adventure, empresa colectiva; sociedad en participación; asociación especulativa en participación; sociedad de riesgo en común; alianza a riesgo participado

joint and several creditor, acreedor mancomunado; acreedor solidario; coacreedor

joint and several liability, responsabilidad solidaria; obligaciones solidarias; compromisos mancomunados

joint committee, comisión mixta

joint contract, contrato colectivo

joint costs, costos mancomunados; costos conexos; costes incidentales

joint covenant, pacto mancomunado

joint creditor, acreedor mancomunado; acreedor solidario; coacreedor

joint debtor, deudor mancomunado; deudor solidario; codeudor

joint declaration, declaración conjunta

joint enterprise, empresa colectiva; sociedad en participación; asociación especulativa en participación; sociedad de riesgo en común; alianza a riesgo participado

joint group investment, inversión colectiva del grupo

joint guarantee (guarantee = guaranty), garantía mancomunada; garantía solidaria

joint insurance, seguro colectivo; seguro mancomunado

joint lessor, coarrendador

joint liabilities, pasivo mancomunado; compromisos de asunción mancomunada; compromisos solidariamente asumidos

joint liability, responsabilidad solidaria; obligaciones solidarias; compromisos mancomunados

joint loan, empréstito conjunto

joint manager, codirector; cogerente

joint note, obligación mancomunada (documento); pagaré mancomunado; obligación solidaria (documento)

joint owner, copropietario

joint ownership, condominio; régimen de propiedad horizontal; propiedad horizontal

joint policy, póliza conjunta

joint products, productos complementarios; productos conjuntos; productos paralelos

joint proprietor, copropietario

joint resolution, resolución conjunta

joint return, declaración conjunta de rentas; declaración de rentas en régimen ganancial (Esp.)

joint share in the bank's stock, participación conjunta en el capital del banco

joint surety, fiador mancomunado; avalista solidario y mancomunado

joint trustee, cofiduciario

joint venture, empresa colectiva; sociedad en participación; asociación especulativa en participación; sociedad de riesgo en común; alianza a riesgo participado

joint will, testamento mancomunado

joint(ly) and several(ly), conjunta y solidariamente; mancomunada y solidariamente; individual y colectivamente

joint-account holders, titulares de cuenta mancomunada; titulares de cuenta conjunta; titulares de cuenta indistinta

joint-stock company, sociedad por acciones; sociedad anónima; sociedad accionaria en comandita

jointly, mancomunadamente; conjuntamente; en común; a nombre de dos titulares

jointly and severally liable, solidaria y mancomunadamente responsable; individual y colectivamente responsable

jointly liable, mancomunadamente responsable; solidariamente responsable

joke about (col.), vacilar sobre (Esp., col.); bromear sobre; estar de vacile respecto a (Esp., col.)

jot down, anotar a toda prisa; anotar sobre la marcha; tomar nota sobre la marcha

jotter (GB), bloc

jotting (col.), asiento (anotación); registro (anotación); anotación; apunte; alta

journal (newspaper), diario (periódico)

journal (US: **journal = diary)** (n.), diario; libro diario; libro de actas; diario de navegación

journal book, diario; libro diario; libro de actas; diario de navegación

journal entry, asiento en el Diario; anotación en el diario de navegación

journalize, asentar en el Diario; anotar en el diario de navegación; pasar al Diario

journeyman (col.), empleado muy trabajador; empleado competente; buen trabajador

JP (ab. **Justice of the Peace),** juez de paz

Jr. (ab. **junior),** hijo (US); subalterno; empleado de menor antigüedad o categoría; abogado de categoría inferior (GB)

judg(e)ment, fallo judicial; juicio (criterio); sentencia; criterio

judg(e)ment by arbitration, laudo arbitral; decisión de los árbitros; fallo de los amigables componedores; dictamen arbitral; sentencia arbitral; arbitraje

judge (n.), juez (n. m.; n. fem.: jueza); magistrado

judicial, judicial

judicial authority, autoridad judicial

judicial bond, fianza judicial

judicial review (US), recurso de inconstitucionalidad; revisión de sentencia; reconsideración de sanción administrativa

juicer (col.), exprimidor (col.); sacajugos (col.); explotador

jumble sale, mercadillo (benéfico) de artículos de segunda mano

jumbo loan, megacrédito; megapréstamo; crédito de enorme cuantía; préstamo de enorme cuantía

jump a clause, pasar por alto una cláusula; saltarse una cláusula

jump ahead of one's peers, ascender por encima de compañeros de igual categoría

jump the queue, colarse; saltarse la cola; saltarse el turno

jumped-up officer (col.), jefecillo de reciente ascenso, pretencioso e inaguantable; jefe recién ascendido, autosuficiente y engreído; funcionario petulante, que alardea de su nuevo cargo

jumping-off place (col.), centro de operaciones

junior (Jr.), hijo (US); subalterno; empleado de menor antigüedad o categoría; abogado de categoría inferior (GB)

junior accountant, auxiliar administrativo (Esp.); ayudante de contable

junior creditor, acreedor no preferente; acreedor no prioritario; acreedor subordinado; acreedor común; acreedor no privilegiado

junior debt, deuda subordinada

junior mortgage, hipoteca subordinada; hipoteca secundaria

junior partner, socio menor; socio de reciente incorporación

junk bonds (col.), bonos basura (col.); obligaciones de alto riesgo; bonos especulativos; bonos de elevada rentabilidad y alto riesgo

junk value, salvamento; valor residual; valor de desecho; mercaderías rescatadas; valor de rescate; valor de desguace; salvar; rescatar (naufragio)

junkie, drogadicto; yonki (Esp., col.); drogata (Esp., col.)

junkyard, depósito de chatarra; almacén de material en desuso

junta, junta (militar)

jurisdiction, jurisdicción; competencia (jurisdiccional)

jurisdiction of a court, competencia de un tribunal; jurisdicción de un juzgado (Esp.)

jurisprudence, jurisprudencia; derecho común

jurist, jurista

juror, jurado (persona); miembro del jurado

jury, jurado (grupo)

jury box, estrado del jurado (Esp.); tribuna del jurado

jury foreman, presidente del jurado

just debt, deuda legítima; deuda justa

just in time, a tiempo; en el preciso momento; oportunamente

justice (GB), juez (n. m.; n. fem.: jueza); magistrado

justice (gen.), justicia (gen.)

Justice of the Peace (JP), juez de paz

justifiable expenditures, gastos justificables

justification, justificación

justify, rendir cuentas; presentar cuentas; justificar

justify a way of behaving, justificar un modo de comportarse

juvenile delinquency, delincuencia de menores; delincuencia juvenil

juvenile delinquency rate, tasa de delincuencia juvenil

juvenile delinquent, delincuente juvenil

K

kam (ab. **key account manager**), gestor de grandes cuentas

kangaroo court (col.), tribunal de constitución irregular y procedimientos arbitrarios (col.)

KBE (ab. = **Knight of the British Empire**), Caballero del Imperio Británico

keelage, derechos portuarios de anclaje; derechos de quilla

keep (a) tally of expenses incurred, llevar cuenta de los gastos habidos; ir anotando los gastos que se han producido

keep a good business relationship with, mantener una buena relación comercial con

keep a record, llevar un registro

keep above the exchange, mantenerse sobre el cambio

keep ahead of competitors, mantener la delantera sobre los competidores

keep an account with, mantener (una) cuenta con

keep away from doing unlawful transactions, abstenerse de realizar operaciones contrarias a la ley; evitar llevar a cabo operaciones ilegales

keep down expenses, recortar el gasto; restringir gastos; reducir gastos

keep in force, mantener en vigor; mantener vigente

keep in with customers, mantener buenas relaciones con los clientes

keep posted, llevar los asientos al día

keep the books, llevar los libros; llevar la contabilidad; ocuparse de la contabilidad

kerb imports, controlar las importaciones

kerb market (GB), transacciones (realizadas) fuera de la Bolsa; operaciones extrabursátiles; mercado secundario; mercado extrabursátil; mercado gré-à-gré; mercado previo a la emisión; negociación extrabursátil de valores; bolsín (Esp.)

kerb spenditure, controlar el gasto; frenar el gasto

kernel of a matter, meollo de la cuestión (Esp., col.); quid del asunto (Esp., col.)

key, clave; llave; tecla

key account management, gestión de grandes cuentas

key account manager (ab. **kam**), gestor de grandes cuentas

key accounts, grandes cuentas

key assignment, puesto clave

key currency, moneda clave

key figures, cifras clave

key indicator, indicador fundamental; indicador de clave de codificación

key industry, industria esencial; sector fundamental

key job, puesto clave

keyboard, teclado; introducir datos a través del teclado

keyboard computer, ordenador manejado por teclado (Esp.); computadora operada por teclado (SA)

keyboard entry, entrada (de datos, instrucciones, etc.) por teclado

keyboard operator, operador de toma de datos

keypad, teclado numérico

keypunch, perforadora de teclado

keystroke, pulsación sobre el teclado

kick against traditional banking practices, rebelarse contra las prácticas bancarias tradicionales

kickabout (col.)**,** libramiento de letras cruzadas; circulación de cheques sin fondos; peloteo (Esp., col.)

kickback (col.)**,** soborno; cohecho; mordida (LA, n. fem.); coima (LA, n. femenino); concusión (n. fem.)

kidnap (n.)**,** secuestro; rapto

kidnap (v.)**,** secuestrar; raptar

kidnapping, secuestro; rapto

kilobyte (GB, col.**),** mil libras esterlinas (GB, col.)

killjoy (col.)**,** aguafiestas

kin to somebody, mantener vínculos familiares con alguien; estar emparentado con alguien; ser familiar de alguien

kindred activities, actividades similares; actividades análogas

kinfolk, parientes; familiares

kingmaker (col.), persona muy influyente

kinks (col.), problemas

kinsman (pl. = **kinsmen),** familiar (n.m.; pl. = familiares)

kinswoman (pl. = **kinswomen),** familiar (n.f.; pl.= familiares)

kite (col.)**,** cheque sin fondos; efecto de colusión; cheque en descubierto; cheque (de) pelota (Esp., col.)

kiting (col.)**,** libramiento de letras cruzadas; circulación de cheques sin fondos; peloteo (Esp., col.)

kitty (col.)**,** fondo común

kiwi bond, obligación emitida por sociedad extranjera en el mercado neozelandés

Knight of the British Empire (ab. **KBE),** Caballero del Imperio Británico

knighthood (GB)**,** derecho al tratamiento de Sir (GB)

knockdown, adjudicación (en subastas); caída de las cotizaciones; baja de cotización

know all men by these presents, a quien corresponda; a quien pueda interesar; conste por el presente

know-how, conocimientos técnicos; experiencia técnica

knowledge of foreign languages, conocimiento de idiomas extranjeros

knowlingly, deliberadamente

kurtosis (statistics), apuntamiento (estadística); curtosis (estadística)

L

£ (ab. **pound sterling),** libra esterlina (£)

label, etiqueta; símbolo; etiquetar

labour (US: **labour = labor),** trabajo; faena; actividad laboral (fem.); mano de obra (fem.); obrero (n. & adj.); laboral (adj., masc. & fem.); desarrollar una actividad laboral (v.); ocupación laboral

labour accident fund reserve (US: **labour = labor),** reserva para accidentes laborales

labour agreement (US: **labour = labor),** convenio laboral; contrato de trabajo

labour allowances and make up, pagos adicionales por mano de obra y compensaciones

labour code (US: **labour = labor),** código laboral; código del trabajo; código de los trabajadores

labour conduct (US: **labour = labor),** comportamiento profesional; conducta en el trabajo; comportamiento laboral

labour conflict (US: **labour = labor),** conflicto laboral

labour contract (US: **labour = labor),** convenio laboral; contrato de trabajo

labour court (US: **labour = labor),** tribunal de lo laboral; Magistratura del Trabajo (Esp.)

labour demonstration (US: **labour = labor),** manifestación en favor de reivindicaciones laborales

labour dispute (US: **labour = labor),** conflicto laboral

labour force (US: **labour = labor),** población activa; mano de obra; masa obrera

labour law (US: **labour = labor),** legislación laboral; ley del trabajo; ley del trabajador

labour leader (US: **labour = labor),** dirigente obrero; agente sindical de los trabajadores; representante sindical de los trabajadores; dirigente laborista

labour shortage (US: **labour = labor),** escasez de mano de obra

labour supply (US: **labour = labor),** aportación de mano de obra; aportación de recursos humanos

Labour Union (US: **Labour = Labor),** Comisiones Obreras (CCOO) (Esp.); CCOO (ab. Comisiones Obreras) (Esp.)

labour wages (US: **labour = labor),** jornal por mano de obra

labouring class (US: **labouring = laboring),** clase obrera; clase trabajadora

lack in credibility, falta de credibilidad

lack of individual customers, falta de clientes particulares

lack of inventory, falta de existencias

lack of liquidity, falta de liquidez; tesorería insuficiente; desprovisión de numerario

lack of participation, falta de participación

lack of punctuality, falta de puntualidad; impuntualidad

lack of support, falta de apoyo

laddering, escalonamiento; división por tramos

lading, cargamento; carga; embarque; flete; remesa; consignación; expedición

lanace cash, hacer arqueo

land, atracar en puerto; arribar a puerto; desembarcar; aterrizar

land agent, corredor de fincas

land bank, banco hipotecario; banco de crédito territorial; banco de crédito hipotecario

land jobber, especulador inmobiliario

land jobbing, especulación sobre terrenos; compraventa especulativa de terrenos

land tax, impuesto predial; impuesto sobre activos inmobiliarios; impuesto de erradicación (Esp.); impuesto catastral (Esp.)

landed estate, bienes raíces; bienes inmuebles; hacienda (bienes); propiedad inmobiliaria (n. fem.); heredad (n. fem.); testamentaría; cuerpo hereditario; masa hereditaria; cuerpo de la herencia; legar (v.)

landed weight, peso al desembarque; peso sobre muelle

lands, bienes raíces; bienes inmuebles; hacienda (bienes); propiedad inmobiliaria (n. fem.); heredad (n. fem.); testamentaría; cuerpo hereditario; masa hereditaria; cuerpo de la herencia; legar (v.)

language, idioma; lenguaje

lapse (n.), lapso; lapsus; caducidad (n. fem.); prescripción (n. fem.)

lapse (v.), expirar; vencer; caducar; prescribir

lapsed discount, descuento caducado; descuento prescrito

lapsed option, opción caducada; opción vencida

lapsed policy, póliza caducada

larceny, ratería; sisa; hurto; robo parcial de mercancías durante su transporte; sustracción; escamoteo (Esp., col.); abstracción (hurto)

large amounts of paper (fig. banknotes), grandes cantidades de dinero (fig. billetes de banco)

large sales of government debt, venta a gran escala de títulos de la deuda pública

laser printer, impresora laser

last day of trading, último día de cotización bursátil; última sesión de bolsa

last resort, última instancia

last trading day, último día de cotización bursátil; última sesión de bolsa

last will, testamento; última voluntad

last-in first-out (LIFO), última entrada, primera salida (LIFO); salidas en orden inverso a las entradas (LIFO)

late arrival, retraso en la llegada; llegada con retraso; llegada fuera de plazo

late presentation, presentación fuera de plazo

latent goodwill, plusvalía latente; plusvalía subyacente

latest reason for undertaking credit risks, razón última por la que se asumen riesgos crediticios

launch, lanzar; poner en circulación

launch an issue, lanzar una emisión; poner en circulación una emisión; sacar una emisión al mercado

launch an option, lanzar una opción

launch date, fecha de lanzamiento

launder money, blanquear dinero

laundering (col.), blanqueo de dinero

laundering and investment, blanqueo e inversión

laundering techniques, técnicas de blanqueo

law action, actuaciones judiciales; diligencias judiciales; apremio judicial

law enforcement, ejecución de la ley; aplicación de la legalidad

law enforcement authorities, agentes de la ley; autoridad ejecutiva; autoridades encargadas de que se cumpla la ley

law expenses, costas (Esp.); gastos judiciales

law for the development of transformation industries, ley para el fomento de las industrias de transformación

law merchant, código de comercio; derecho mercantil

law of corporations, ley de sociedades; ley de régimen jurídico de las sociedades anónimas

law of diminishing returns, ley de rendimientos decrecientes

law of mortgages, ley hipotecaria; legislación hipotecaria; derecho hipotecario

law of negotiable instruments, ley cambiaria

law of supply and demand, ley de la oferta y la demanda

law office, bufete; despacho de abogados

lawbreaker, infractor de la ley

lawful (adj.), legal (adj.)

lawful day, día hábil; día laborable; día comercial

lawful reserve, reserva legal; reserva estatutaria

lawsuit, pleito; litigio; proceso ante los tribunales; juicio; vista judicial

lawyer, abogado; defensor; letrado (US); asesor jurídico; procurador

lawyer's bill, minuta de letrado; honorarios de abogado

lay an embargo, aplicar un embargo; imponer un embargo

lay damages, reclamar daños

lay days, estadía; días de plazo para la carga o descarga

lay something on with a trowel (col.), pasarse (de la raya) (Esp., col.); cargar las tintas (Esp., col.); írsele a uno algo de la mano (col.)

lay-away (col.), pago adelantado; pago anticipado; anticipo a cuenta; adelanto; señal (anticipo)

layering, diversificación de dinero negro para su blanqueo

layoffs, despidos

layoffs subject to negotiation with trade unions, despidos colectivos sujetos a negociación con los sindicatos

LC (ab. **letter of credit),** crédito documentario

LDC (ab. **less developed countries),** países subdesarrollados; países menos desarrollados

lead a life of debauch, llevar una vida disipada

lead manager, banco gestor (emisones de pagarés); jefe de fila; director de emisión

lead to, dar pie a

leading bank, banco de primera fila; banco de primer orden

leading limit, límite de crédito

leading zeros, ceros a la izquierda

leads and lags, adelantos y atrasos

leakage, pérdida (por derramamiento o filtración); derramamiento; filtración (por fisura, etc.)

lease (n.)**,** arrendamiento financiero; alquiler con opción a la compra; alquiler-compra; arriendo; arrendar

lease (v.)**,** arrendar con derecho a compra, alquilar con opción a la compra

lease contract, contrato de arrendamiento

lease rental, cánon de arrendamiento

lease-back, alquiler-venta; arrendamiento con opción a la compra

leased line, línea alquilada

leased line network, red de comunicaciones privada

leaseholder, arrendatario; inquilino

leasing, arrendamiento financiero; alquiler con opción a la compra; alquiler-compra; arriendo; arrendar

leasing agreement, contrato de arrendamiento

leave blank, dejar en blanco; dejar sin rellenar; dejar sin cumplimentar

leave of absence, faltas con permiso; ausencias justificadas

ledger (book), Mayor (libro)

ledger account, cuenta del Mayor

ledger assets, activo (registrado) en los libros

ledger balance, saldo del Mayor

ledger entry, asiento del Mayor

ledger headings, títulos de cuentas del Mayor

ledger value, valor contable

legacy, legado

legal adjustment of securities, saneamiento legal de valores

legal adviser (adviser = advisor), asesor legal

legal age, mayoría de edad

legal amortization, amortización legal

legal bill, billete de curso legal

legal capacity, capacidad legal; situación jurídica

legal capital, capital legal

legal connection, conexión jurídica

legal counsel, asesor legal

legal damages, daños compensables

legal day, día hábil; día laborable; día comercial

legal department, asesoría jurídica; departamento jurídico; departamento de asesoría; cuerpo de abogados

legal discount, descuento legal

legal discount limit, coeficiente legal de inversión

legal duty, obligación legal; compromiso legal

legal entity, persona jurídica; ente jurídico

legal expenses, gastos legales; gastos jurídicos; costas

legal fees, honorarios de letrado; minuta de abogado

legal hours, horario de trabajo; jornada de trabajo; horas hábiles; horas laborables

legal interest, interés legal

legal liability, responsabilidad legal

legal link, vínculo jurídico

legal margin, margen legal

legal owner, propietario en derecho; dueño legal

legal proceedings, acto jurídico; actuaciones legales

legal profits, beneficios legales

legal rate of interest, tipo de interés legal

legal requirements, normas legales; requisitos legales; exigencias legales

legal reserve, reserva legal; reserva estatutaria

legal reserve ratio, coeficiente de reserva legal; encaje legal

legal rights, derechos legales

legal schedule, horario legal; calendario legal

legal status, capacidad legal; situación jurídica

legal strike, huelga autorizada; huelga legal

legal support, soporte jurídico

legal tender, moneda (de curso) legal

legally separate, jurídicamente independiente

legatee, asignatario

legible, legible

legible photocopy, fotocopia legible

legislate, legislar

legislation, legislación

legislative (adj.), legislativo

legitimate (adj.), legítimo

legitimate money, dinero legítimo; fondos de procedencia legal; blanquear dinero de procedencia ilegal (v.)

legs, lados; posiciones de compra o venta de opciones que forman la combinación

lend (lent, lent), prestar

lend at (an) interest, prestar dinero a interés

lend credence to, dar crédito a; prestar crédito a

lend on collateral, prestar con (garantía de) colateral

lend on mortgage, prestar sobre hipoteca

Lend-Lease Act, Ley de Préstamo y Arriendo

lender, prestamista

lender of last resort, prestamista de último recurso; prestamista en última instancia

lender on bottomry, prestamista a la gruesa

lending, concesión de préstamos; aportación de recursos a título de préstamo; créditos concedidos; inversión crediticia

lending activity, actividad crediticia

lending institutions, banca; bancos; entidades de crédito y ahorro

lending position, posición activa

lending to the public sector, crédito al sector público

lending to underdeveloped countries, crédito a los países subdesarrollados

less developed countries (LDC), países subdesarrollados; países menos desarrollados

lessee, arrendatario; inquilino

lessor, arrendador

let the records show, conste en acta; que conste en acta; hágase constar en acta

letter, carta; letra (alfabeto)

letter book, libro copiador de cartas; copiador de cartas (libro); cronológico de correspondencia (cartas)

letter box, buzón de correos (GB)

letter file, archivo de correspondencia

letter of advice, carta de aviso; notificación; carta de notificación

letter of attorney, poder; carta de autorización; carta de otorgamiento de poderes; otorgamiento de poderes

letter of commitment, carta de compromiso

letter of credit (LC), crédito documentario

letter of delegation, carta de delegación

letter of guaranty (guaranty = guarantee), carta de garantía; carta de aval

letter of hypothecation, carta de pignoración; carta de constitución hipotecaria

letter of indemnity, carta de garantía; carta de aval

letter of introduction, carta de presentación; carta de recomendación

letter of license, carta de moratoria; carta de espera

letter of subordination, carta de subordinación a un crédito

letterhead, membrete de carta

letters requisitorial, amonestación; advertencia; apercibimiento; exhorto; conminación

letters rogatory, rogatoria

letters testamentary, auto testamentario; auto de albacea

level of prices, nivel de precios

level of security, nivel de seguridad; grado de seguridad

level of unemployment, nivel de desempleo

level-line repayment, amortización en cuotas iguales

leverage, apalancamiento; suma reducida que permite controlar otra mucho mayor; depósito mínimo para garantizar el total; relación entre recursos propios y activos crediticios; depósito de garantía sobre el contrato de futuros

leverage coefficient, coeficiente de apalancamiento

leveraged buyout (LBO), compra mediante endeudamiento; compra apalancada

leveraged management buyout (LMBO), compra de la empresa por sus directivos a crédito sobre beneficios

leveraged recap, apalancamiento defensivo

leviable, evaluable fiscalmente; imponible (fiscalmente) (Esp.); gravable; sujeto a contribución; tributable

levy (n. & v.), contribución (n. fem.); exacción (n. fem.); tasa (tributo); gravamen (pl.: gravamen = gravámenes); embargo (n. masc.); cobrar contribuciones; aplicar gravámenes

levy (v.), embargo, incautación, decomiso; comiso; penalización; confiscación; aprehensión; expropiación

liabilities, pasivo (balance)

liabilities to foreign monetary authorities, pasivos frente a autoridades monetarias del exterior

liability accounts, cuentas de pasivo

liability control, control de riesgos

liber, registro de la propiedad hipotecaria

liberalization, aflojamiento; liberalización; aminoramiento; moderación

liberalization of exchange controls, liberalización de los controles de divisas; liberalización de los controles cambiarios

liberalization of interest rates, liberalización de los tipos de interés

liberalize, aflojar; liberalizar; suavizar; aminorar; moderar; desregular

LIBOR (ab. **London inter-bank interest rate),** tipo de interés interbancario de Londres (LIBOR); LIBOR (ab. tipo de interés interbancario de Londres)

LIBOR (London Interbank Offered Rate), tipo de interés del mercado interbancario de Londres; tipo LIBOR

library, biblioteca

licence (licence = license), licencia; permiso; autorización

licencee (licencee = licensee), concesionario de la licencia

license (license = licence), licencia; permiso; autorización

licensee, concesionario de una licencia

licensee (licensee = licencee), concesionario de la licencia

licenser (licenser = licensor), otorgante de la licencia

licensor (licensor = licenser), otorgante de la licencia

licensure, otorgamiento de licencia para ejercer una actividad profesional

lick the boss' boots (col.), hacerle la pelota al jefe (col.)

lien, embargo preventivo; derecho prendario; retención hipotecaria

lienee, embargado (n.)

lienor, embargador (n.); embargante (n.)

life, vida; duración; vigencia

life annuity, anualidad vitalicia; renta vitalicia; pensión vitalicia

life expectancy, expectativa de vida; expectativas de supervivencia

life insurance, seguro de vida

life insurance policy, póliza de seguro de vida

life of a guaranty (guaranty = guarantee), vigencia de una garantía

life of a loan, vigencia de un préstamo; plazo de un préstamo

life of delivery, duración del contrato

life rent, anualidad vitalicia; renta vitalicia; pensión vitalicia

life tenant, propietario vitalicio

life to maturity, plazo de vencimiento

lifetime high and low, cotizaciones máxima y mínima durante la vida del contrato

LIFO (last-in first-out), última entrada, primera salida (LIFO); salidas en orden inverso a las entradas (LIFO)

lift, ascensor; cancelar una hipoteca; suprimir una prohibición; levantar una restricción; tomar una oferta de bonos a un precio dado

lift a blockade, levantar un bloqueo

lift and embargo, levantar un embargo; levantar una prohibición

lighter, barcaza; gabarra; alijador; lanchón

lightning strike, huelga sin previo aviso

likewise, del mismo modo; igualmente

limit, límite; variación máxima diaria autorizada (futuros)

limit down, caída de un valor hasta el mínimo permitido en una misma sesión

limit up, subida de un valor hasta el máximo permitido en una misma sesión

limitations act, ley de prescripción

limitations law, ley de prescripción

limited (LTD), limitada (sociedad) (SL / Sdad. Ltda.); SL (ab. sociedad limitada); Sdad. Ltda. (ab. sociedad limitada)

limited accommodation, aval restringido

limited audit, auditoría limitada

limited authority to sign, poderes de firma restringidos

limited liability company, comandita; sociedad comanditaria; sociedad (reunida) en comandita (SRC); sociedad colectiva; sociedad de responsabilidad limitada; SRC (ab. sociedad reunida en comandita)

limpet (col.)**,** funcionario que se aferra al cargo; sillón de mis entretelas (Esp., hum.); lapa

line, línea

line of goods, línea de artículos; gama de artículos

line production, producción en serie

linear programming, programación lineal

linear regression, regresión lineal

liner, buque de línea regular

liner terms, condiciones de las líneas marítimas regulares

link, vínculo; eslabón; nexo; vincular; unir

lion´s share (col.)**,** parte del león (col.)

liquid assets, activo realizable a corto plazo; activo circulante; activo corriente; capital circulante; activo semifijo; activo de explotación; realizable a corto; activo flotante; activo líquido

liquid reserves, reservas líquidas; reservas realizables; reservas disponibles

liquid resources, recursos líquidos

liquidate, liquidar; saldar; ajustar

liquidate a company, liquidar una sociedad

liquidating dividend, dividendo de liquidación

liquidating value, valor liquidable; valor de liquidación; valor de realización

liquidation, abolición; supresión; derogación; anulación; abrogación; casación

liquidation of holdings, liquidación de la cartera de valores; liquidación de participaciones accionarias

liquidation value, valor liquidable; valor de liquidación; valor de realización

liquidity (treasury), liquidez (tesorería); disponibilidad inmediata (tesorería)

liquidity and money markets, tesorería y mercados monetarios

liquidity diversification, diversificación de la liquidez

liquidity index, índice de liquidez

liquidity position, posición de liquidez; situación de liquidez

liquidity ratio, relación entre activo disponible y pasivo corriente; coeficiente de liquidez a corto plazo; ratio de tesorería; coeficiente de tesorería

liquidity risk, riesgo de liquidez

liquidity surpluses, excedentes de liquidez

list, lista; nómina de empleados; planilla (LA); listar; cotizar en Bolsa

list notes on the stock exchange, cotizar pagarés en Bolsa

list of attendance, lista de asistencia

list of authorized signatures, lista de firmas autorizadas; listín de firmas autorizadas; libro de firmas autorizadas

list of foreign exchange rates, lista de cambio de divisas; boletín de cambios (de moneda)

list of quotations, boletín de cotizaciones; lista de cotizaciones

listed, cotizado en Bolsa; que cotiza en Bolsa; incluido en una lista; listado (adj.)

listed securities, valores cotizados en Bolsa; valores bursátiles; títulos que cotizan en Bolsa; valores cotizables; valores inscritos en Bolsa

listed stock, valores cotizados en Bolsa; valores bursátiles; títulos que cotizan en Bolsa; valores cotizables; valores inscritos en Bolsa

listing, cotización; admisión a bolsa de un valor; precio de mercado de un valor bursátil; listado; cambio bursátil; tipo de cambio bursátil; cita literal

listing fee, comisión de cotización

litigant, litigante

litigate, entablar pleito; iniciar un pleito; meterse en pleitos (Esp., col.); demandar; pleitear; litigar; interponer querella; llevar ante los tribunales

litigation, pleito; litigio; proceso ante los tribunales; juicio; vista judicial

live file, archivo activo; fichero activo

live market, mercado animado; mercado activo

live on a day-to-day basis, vivir al día

live record, registro activo

living standard, nivel de vida

living trust, fideicomiso activo

living wage, salario base

Lloyd´s form, póliza normalizada de seguro marítimo de Lloyd´s

LMBO (ab. **leveraged management buyout),** compra de la empresa por sus directivos a crédito sobre beneficios

load (n.), cargamento; carga; embarque; flete; remesa; consignación; expedición

load (v.), cargar mercancía; cargar a bordo; embarcar mercancía

loaded premium, sobreprima; prima complementaria; suplemento de prima; prima adicional; prima mejorada

loading on board, carga a bordo

loan account, cuenta de crédito; cuenta acreedora

loan against collateral, crédito pignoraticio; préstamo con garantía de bienes; préstamo colateral; préstamo con garantía prendaria

loan against securities, préstamo sobre valores

loan agreement, contrato de préstamo; contrato de crédito

loan application, solicitud de préstamo; petición de crédito

loan ceiling, límite máximo de un préstamo

loan commitment, compromiso sobre un préstamo

loan contract, contrato de préstamo; contrato de crédito

loan floor, límite mínimo de un préstamo

loan fund, fondo para préstamos

loan guarantee, garantía sobre un préstamo

loan investment, inversión viva

loan loss recoveries, recuperación de activos en suspenso

loan office, casa de préstamos

loan on bottomry, préstamo a la gruesa; empréstito a la gruesa; contrato a la gruesa; cambio marítimo

loan on first mortgage, préstamo sobre primera hipoteca

loan on pledge, préstamo sobre garantía

loan on policy, anticipo sobre póliza

loan portfolio, cartera de préstamos

loan secured by a pledge, crédito pignoraticio; préstamo con garantía de bienes;

préstamo colateral; préstamo con garantía prendaria

loan selldowns, cesiones de créditos

loan services, servicios crediticios

loan shark (col.), usurero

loan stock (GB), obligaciones

loan transactions, operaciones activas; operaciones de activo

loans and discounts, préstamos y descuentos; inversión bancaria típica (IBT); IBT (inversión bancaria típica); inversión libre; inversiones crediticias; efectos y créditos

loans and discounts to customers, créditos y descuentos a clientes

loans granted, concesión de préstamos; aportación de recursos a título de préstamo; créditos concedidos; inversión crediticia

loans granted to individuals, préstamos otorgados a particulares; préstamos a personas físicas

loans secured by collateral and mortgages, créditos deudores con garantía real; préstamos garantizados por colateral hipotecario

loans secured by monetary deposits, créditos garantizados por depósitos dinerarios

loans to employees, préstamos a empleados

loans transferred to suspense accounts, activos en suspenso regularizados

loans written off as bad debts, créditos amortizados como fallidos

lobby (n. & v.), cabildeo; grupo de presión; cabildear; ejercer presión colectiva para que se apruebe o no algo (leyes, etc.)

lobster shift (col.), turno de noche

lobster trick (col.), turno de noche

local (n.), local (n., masc. & fem.); operador bursátil independiente que actúa por cuenta propia

local bank, banco local

local bill, letra sobre la plaza; efecto sobre la plaza

local branch (office), agencia urbana

local call, llamada local

local draft, letra sobre la plaza; efecto sobre la plaza

local excise taxes, arbitrios locales

local government, gobierno local; gobierno municipal; gobierno autonómico (Esp.)

local markets, mercados nacionales; mercados locales

local policies in force, políticas locales en vigor

local production, producción local

local trade, comercio local; comercio nacional

location, cargo; puesto de trabajo; empleo; prestación laboral (n. fem.)

locked in, encerrado (posición coyuntural difícil)

lockout, paro forzoso impuesto por la patronal (Esp.); cierre patronal; huelga patronal

lockup, encarcelamiento; enchironamiento (Esp., col.)

log, cuaderno de bitácora; diario de actividad; cronológico de actividad; registro cronológico; registrar en el cronológico de actividad; anotar en el registro cronológico

logging, anotación en el cronológico de actividad; registro de incidencias

logical operation, operación lógica

logo (ab. **logotype),** logotipo

logotype (logo), logotipo

Lombard (n., col.**),** banquero; empleado de banca (US); banquero (col.); prestamista (col.)

Lombard loan, crédito pignoraticio; préstamo con garantía de bienes; préstamo colateral; préstamo con garantía prendaria

Lombard rate, tipo de interés aplicable a créditos con garantía de valores

London inter-bank interest rate (LIBOR), tipo de interés interbancario de Londres (LIBOR); LIBOR (ab. tipo de interés interbancario de Londres)

London Interbank Offered Rate (LIBOR), tipo de interés del mercado interbancario de Londres; tipo LIBOR

London stock exchange (LSE), bolsa de valores de Londres

long, compra de futuros para restablecer una posición de mercado; posición de un cliente con exceso de compras sobre ventas; comprador de una posición a plazo

long bill, letra con vencimiento a largo plazo

long bond (US), letra del Tesoro a 30 años (US)

long dozen, docena de trece unidades; docena de fraile (Esp.)

long end of the market, mercado de capitales a largo plazo

long futures, posición larga

long hedge, cobertura, en contrato de futuros, con posición larga; cobertura larga

long hedging, cobertura ante posibles subidas bursátiles

long hundred, ciento veinte

long position, posición larga

long range planning, planificación a largo plazo; planificación de gran alcance

long straddle, straddle comprado; straddle inferior; compra "straddle"

long strangle, strangle inferior; compra "strangle"; strangle comprado

long synthetic call, compra conjunta de activo al contado y opción de venta sobre el mismo

long synthetic put, venta en descubierto de activo y compra de opción de compra sobre el mismo

long ton (LT) (GB), tonelada larga

long-dated (adj.), a largo plazo; amplia cobertura; de amplia cobertura; de gran alcance

long-standing business relationship, relación comercial muy antigua

long-term (adj.), a largo plazo; amplia cobertura; de amplia cobertura; de gran alcance

long-term bill (LT-bill) (US: **bill = draft),** letra a largo plazo

long-term bonds (LT bonds), bonos a largo plazo

long-term capital management (ab. **LTCM),** gestión de capitales a largo plazo (GCLP); GCLP (ab. gestión de capitales a largo plazo)

long-term creditors, acreedores a largo plazo

long-term draft (LT draft) (US), letra con vencimiento a largo plazo

long-term Eurodollar bonds (LT Eurodollar bonds), bonos a largo plazo en Eurodólares

long-term forecasting, previsiones a largo plazo

long-term funds, fondos a largo plazo; dinero a largo plazo

long-term interest rates, tipos de interés a largo plazo

long-term investment, inversión a largo plazo

long-term liabilities, pasivo a largo plazo

long-term receivables, cuenta a cobrar a largo plazo

long-term structural problems, problemas estructurales a largo plazo

long-time bill (GB), letra con vencimiento a largo plazo

longshoreman, estibador

look forward to, quedar a la espera de

lookback price, precio retrospectivo

looking forward to your reply, a la espera de su contestación

loop (comp.), bucle

loophole, vacío legal; laguna legal

loose cargo, cargamento a granel

loose ends (col.), cabos sueltos (col.); flecos (Esp., col.); asuntos sin resolver; temas pendientes de solventar

loosen the purse (col.), aflojar la pasta (Esp., col.); aflojar la mosca (Esp., col.); retratarse (Esp., col.); pasar por ventanilla (Esp., col.); soltar la plata (LA); rascarse el bolsillo (Esp., col.)

lorry, camión de mercancías (GB); vagón de mercancías (US)

lose control of, perder el control de

lose one's rag (GB., col.), perder los estribos (col.)

lose track of, perder la pista a

loss, merma; pérdida; quebranto

loss leader, artículo de gancho (Esp., col.); producto en oferta; artículo promocional; producto en venta promocional

loss or damages in transit, pérdidas o daños en tránsito

loss statement, declaración de pérdidas

losses, pérdidas; minusvalías

losses in the sale of tangible fixed assets previously revalued, minusvalías por enajenación de partidas del inmovilizado material

losses through vandalism, quebrantos por delitos contra la propiedad

lost card, tarjeta extraviada

lost production, producción perdida

lost report (US), denuncia por extravío; aviso de pérdida; notificación de extravío

lot, lote (contrato de futuros, individualmente considerado; contrato de futuros, individualmente considerado (lote)

low, precio mínimo alcanzado por un valor durante un plazo dado; bajo; cotización más baja de la sesión; cotización mínima

low capacity, baja capacidad; capacidad limitada

low change, cambio bajo

low degree, condición humilde

low denomination note, billete de baja denominación; billete de valor bajo

low interest, interés bajo

low inventory, inventario bajo; nivel reducido de existencias

low wage level, bajo nivel salarial; nivel de salarios bajo

low wages, salarios bajos

low yield, bajo rendimiento; poca rentabilidad

low-down (col.), informe de índole confidencial

low-interest (adj.), a bajo interés; de bajo interés

low-interest loan, préstamo a bajo interés; préstamo a tipo de interés reducido

low-yield (adj.), de poco rendimiento; de baja rentabilidad

lowest common denominator, mínimo común denominador

loyalty, lealtad

loyalty to the company, lealtad hacia la empresa

LSD (ab. **pounds, shillings and pence) (GB.,** col.**),** libras, chelines y peniques

LSE (ab. **London stock exchange),** bolsa de valores de Londres

LT (ab. **long ton)** (GB), tonelada larga

LT bonds (ab. **long-term bonds),** bonos a largo plazo

LT draft (ab. **long-term draft)** (US), letra con vencimiento a largo plazo

LT Eurodollar bonds (ab. **long-term Eurodollar bonds),** bonos a largo plazo en Eurodólares

LT-bill (ab. **long-term bill)** (US: **bill = draft),** letra a largo plazo

LTCM (ab. **long-term capital management),** gestión de capitales a largo plazo (GCLP); GCLP (ab. gestión de capitales a largo plazo)

LTD (ab. **limited),** limitada (sociedad) (SL / Sdad. Ltda.); SL (ab. sociedad limitada); Sdad. Ltda. (ab. sociedad limitada)

lucky strike (col.), golpe de suerte (col.); guiño de la fortuna (col.)

lump entry, asiento compuesto; apunte múltiple; asiento combinado; asiento global; apunte compuesto

lump sum, suma alzada; tanto alzado; suma redondeada; cantidad global

lump-sum bid, oferta a tanto alzado

lump-sum charter, flete a tanto alzado

luxury goods, artículos de lujo

luxury tax, impuesto de lujo; impuesto suntuario

M

M&A (ab. **mergers and acquisitions),** fusiones y adquisiciones

macro (ab. **macroinstruction) (comp.),** macroinstrucción

macroeconomic framework, estructura macroeconómica

macroeconomic targets, objetivos macroeconómicos

macroeconomics, macroeconomía

macroinstruction (macro) (comp.), macroinstrucción

machine, máquina

machine language (comp.), lenguaje-máquina (comp.); lenguaje de ordenador (comp.)

machine processing (comp.), procesamiento mecanizado (comp.); proceso mecanizado (comp.)

machine-hours (MH), horas-máquina (HM); HM (ab. horas-máquina)

machinery and equipment, maquinaria y equipo

machines per operator, máquinas por operador(a)

Madam chairman, presidenta (del consejo)

made bill, letra endosada por un tercero

made in Spain, fabricado en España; fabricación española

made out to bearer, pagadero al portador

made out to order, extendido a la orden

Madrid interbank interest rate (MIBOR), MIBOR (ab. tipo de interés interbancario de Madrid); tipo de interés interbancario de Madrid (MIBOR)

Madrid interbank offered rate (MIBOR), tipo ofertado del mercado interbancario de Madrid (MIBOR)

Madrid stock exchange general index, índice general de la Bolsa de Madrid

mag (ab. **magazine),** depósito; revista de publicación periódica

magazine, almacén; grandes almacenes; gran superficie comercial; hipermercado (Esp.); hiper (Esp., col.)

magazine (mag), depósito; revista de publicación periódica

magnetic core (comp.), núcleo magnético)

magnetic disk (comp.), disco magnético (comp.)

magnetic head (comp.), cabeza magnética (comp.)

magnetic stripe (comp.), banda magnética (comp.)

magnetic stripe reading terminal (MSRT), terminal de lectura de banda magnética (comp.)

magnetic tape (comp.), cinta magnética (comp.)

mail (GB: **mail = post),** correo; correspondencia

mail bag, saco (para transporte) de correspondencia; saca postal (Esp.)

mail box (US), buzón de correo

mail carrier (GB: **mail carrier = postman),** cartero; repartidor de correo

mail charges, gastos de correo; gastos postales

Mail Office (GB: **mail office = Post Office),** Oficina de Correos; Correos (Esp.)

mail order, encargo formulado por correo

mail pouch, saco (para transporte) de correspondencia; saca postal (Esp.)

mail sack, saco (para transporte) de correspondencia; saca postal (Esp.)

mail transfer (MT), transferencia postal; transferencia por correo

mailable (adj.)**,** susceptible de envío por correo; postal (susceptible de envío por correo)

mailing list, lista de direcciones para envíos postales

mailing machine, máquina para imprimir direcciones; máquina de franquear

main memory (comp.), memoria principal (comp.)

main office, sede social; oficina principal; oficina central; jefatura; casa central; sede

maintenance, mantenimiento; conservación

maintenance and service contract, contrato de mantenimiento y servicio

maintenance costs, costes de mantenimiento

maintenance charges, gastos de conservación

maintenance margin, margen de mantenimiento

maintenance shop, unidad de mantenimiento; taller de mantenimiento

maintenance unit, unidad de mantenimiento; taller de mantenimiento

major expense items, principales partidas de gastos

major player (p.ej. in syndicated bank loans), protagonista (p.ej., en préstamos bancarios sindicados)

major products and services, productos y servicios especializados más importantes; principales productos y servicios

major shareholder, accionista mayoritario

majority of shares, mayoría accionaria

majority-held subsidiary, subsidiaria bajo control mayoritario

make a bill, librar una letra; girar un efecto (Esp.); extender una letra; girar una letra

make a bill payable at, domiciliar una letra en; domiciliar un efecto en

make a booking, hacer una reserva

make a contract, celebrar un contrato; formalizar un contrato; suscribir un contrato; firmar un contrato; ejecutar un contrato; cerrar un contrato

make a good showing (col.)**,** presentar buenos resultados

make a killing (col.)**,** forrarse (col.); inflarse a ganar pasta (Esp., col.); hincharse a ganar dinero (Esp., col.); hacer un negocio redondo (Esp., col.)

make a motion, presentar una moción

make a note, hacer una nota; redactar una nota; tomar una nota; extender un pagaré privado

make a poor showing, presentar malos resultados

make a provision, constituir una provisión; tomar nota de una disposición

make a settlement, practicar una liquidación

make a statement, prestar declaración

make an entry, asentar una partida

make an oath, jurar; prestar juramento

make available to, facilitar a; poner a (la) disposición de

make concessions, hacer concesiones; otorgar concesiones

make delivery of, hacer entrega de

make distributions in bonus shares, distribuir dividendos en acciones

make lots of money (col.)**,** ganar montones de dinero (Esp., col.); ganar el dinero a puñados (Esp., col.); ganar pasta por un tubo (Esp., col.); ganar dinero a espuertas (Esp., col.); amasar dinero (Esp., col.); ganar a manos llenas (Esp., col.); hacer el Agosto (Esp., col.); hincharse a ganar cuartos (Esp., col.); sacar tajada (de) (Esp., col.)

make out a draft (US)**,** extender un cheque; librar un cheque; emitir un cheque

make out a receipt, extender un recibo

make over, asignar (utilidades); ceder; traspasar; transferir; imputar; atribuir; aplicar; distribuir (beneficios); consignar (mercancías)

make personal appearance, comparecer en persona; hacer acto de presencia

make public, revelar; hacer público; divulgar; levantar el secreto; romper la confidencialidad

make quick profits, conseguir beneficios rápidos

make up a deficit of, generar un déficit de; arrojar un déficit de

make up the figures (col.), maquillar las cifras (col.); inflar las cifras (col.); hinchar los números (col.); falsear los resultados; alterar las cuentas

make-do (adj.), interino (adj.); en funciones; provisional (adj., masc. & fem.); en (el) ejercicio; provisorio; condicional (adj., masc. & fem.)

make-shift (adj.), interino (adj.); en funciones; provisional (adj., masc. & fem.); en (el) ejercicio; provisorio; condicional (adj., masc. & fem.)

make-up price, precio de liquidación

maker, otorgante; donante; cesionista; cedente; vendedor de una opción; librador (de pagaré, etc.)

maker (signatory), firmante; signatario

maker´s name, marca registrada; marca comercial; marca de fábrica; marca del fabricante

makeup time (comp.), tiempo de puesta a punto (comp.)

mala fide holder, tenedor de mala fe

malthusianism, maltusianismo

malversation, desfalco; malversación

malversation of public funds, malversación de fondos públicos; malversación de caudales públicos (Esp.)

manage, dirigir; gestionar; administrar; arreglárselas para

managed account, cuenta discrecional; cuenta gestionada

management, dirección (equipo gestor); equipo gestor; cuadro directivo; ejecutiva (n.); directorio; órgano de gestión; comité ejecutivo; comité de dirección; gerencia (LA)

management buyout (MBO), compra de una empresa por su equipo directivo

management by objectives, dirección por objetivos; gestión por objetivos

management by walking around, gestión basada en el contacto permanente con los empleados

management by wandering around, gestión basada en el contacto permanente con los empleados

management committee, dirección (equipo gestor); equipo gestor; cuadro directivo; ejecutiva (n.); directorio; órgano de gestión; comité ejecutivo; comité de dirección; gerencia (LA)

management control, control de gestión; control de operaciones

management fee, comisión del agente (créditos sindicados); comisión de intermediación; comisión de gestión; gastos de gestión

management group, grupo de gestión; grupo gestor; grupo directivo

management information system, sistema de información de gestión

management model, modelo de gestión

management of investment portfolios, gestión de carteras de inversión

management of security investments, administración de la cartera de valores; gestión de la cartera de títulos

management report, informe de gestión

management shares, acciones de administrador; acciones de (socio) fundador

management structure, estructura de gestión; estructura de dirección

management techniques, técnicas de administración

manager (fem.: manager = manageress), director; gerente; jefe de departamento; responsable de una unidad; jefe de negociado

manager (stock exchange), gestor de la emisión

manager bank, banco director (encargado de colocar una emisión)

manageress (masc. = manager), directora; gestora; administradora; empresaria

managerial, ejecutivo (n. & adj.); directivo (n. & adj.)

managerial ability, capacidad gestora; habilidad para dirigir

managerial assignment, puesto directivo; cargo directivo

managerial capability, capacidad gestora; habilidad para dirigir

managerial know-how, capacidad de dirección (fem.)

managerial post, puesto directivo; cargo directivo

managership, dirección (n. fem.); gestión (n. fem.)

managing director (GB)**,** consejero delegado (ejecutivo); primer ejecutivo; director general ejecutivo; consejero ejecutivo; administrador delegado

managing partner, socio administrador; socio gestor

mandatory, obligatorio; de obligado cumplimiento

mandatory investment of special reserves, inversión obligatoria de reservas especiales

mandatory provisions, provisiones obligatorias

mandatory regulation, norma de obligado cumplimiento

mandatory reserves, reservas de constitución obligatoria

manifold (n.)**,** multiplicidad (n. fem.); variedad (n. fem.); sacar copias; hacer copias

manual (n. & adj.)**,** manual (n.); libro de consulta; libro de instrucciones; manual (adj.); de mano

manual procedure, procedimiento manual

manufacture, manufactura; fabricación; fabricar; manufacturar

manufacture in process, fabricación en curso

manufacturer, productor; fabricante

manufacturer of export goods, fabricante de mercancías para la exportación; fabricante de artículos destinados a la exportación; fabricante de géneros susceptibles de exportación

manufacturer´s trademark, marca registrada; marca comercial; marca de fábrica; marca del fabricante

manufacturing, fabricación; producción

manufacturing accounting, contabilidad industrial

manufacturing cost variation, variación sobre costos de fabricación

manufacturing costs, costes de fabricación; costos de producción

manufacturing in process, fabricación en curso

manufacturing to order, fabricación bajo pedido; fabricación por encargo

margin (n. & v.)**,** margen; reserva; compra de títulos bajo crédito parcial del propio agente; depósito de garantía (futuros); aportar garantía para compra de títulos; marginar

margin account, cuenta de garantía

margin buying, crédito al mercado

margin call, llamada a reponer la garantía

margin of profit, margen de utilidad; margen de beneficio

margin transactions, operaciones a crédito

marginal cost, costo marginal

marginal income, renta marginal; ingreso marginal; beneficio marginal

marginal profit, renta marginal; ingreso marginal; beneficio marginal

marginal propensity to consume, propensión marginal hacia el consumo

marginal rate, tipo marginal

marginal revenue, renta marginal; ingreso marginal; beneficio marginal

marginal term-deposit taking, contratación marginal de depósitos a plazo

marginal trends, tendencias marginales

marginalia, apostillas; notas marginales; acotaciones

marine, flota mercante; ministerio de marina; marítimo (adj.)

marine bill of lading (MBL), conocimiento de embarque marítimo

marine insurance, seguro marítimo

marine loan, préstamo a la gruesa; empréstito a la gruesa; contrato a la gruesa; cambio marítimo

marine risk, riesgo marítimo; riesgos del mar

marital status, estado civil; situación conyugal

maritime code, derecho marítimo

maritime law, derecho marítimo

maritime loan, préstamo a la gruesa; empréstito a la gruesa; contrato a la gruesa; cambio marítimo

maritime perils, riesgo marítimo; riesgos del mar

mark (n. & v.), marca; señal identificativa; primo (persona incauta) (col.); marcar; señalar

mark-to-market, ajuste por valoración continua; valoración continua conforme al mercado; valorar según mercado; ajustar al valor de mercado

markdown, rebaja de precio

marked cheque (US: **cheque = check, draft),** cheque confirmado; cheque certificado; cheque aprobado; cheque conformado

marked to market, ajuste de cuenta según evolución diaria del mercado

markedly favo(u)rable development, evolución sumamente favorable

market, mercado; plaza comercial; feria regional; centro de subastas

market (v.), comerciar; hacer tratos; operar; negociar (hacer tratos); traficar; cotizarse; dedicarse a la distribución (ventas); ejercer como distribuidor (ventas); realizar operaciones mercantiles

market breadth, cotizaciones extremas de unos títulos

market capitalization, capitalización bursátil; valor de la empresa conforme a la cotización de sus acciones

market conditions, condiciones del mercado; situación del mercado

market cost, costo del mercado

market coverage, cobertura del mercado

market development, desarrollo de mercados; ampliación del mercado

market dullness, atonía del mercado

market fluctuations, fluctuaciones del mercado

market health, salud del mercado

market impact, impacto sobre el mercado

market liberalization, liberalización del mercado

market liquidity, liquidez del mercado

market maker, mediador en el mercado secundario; sociedad de contrapartida; sociedad de mercado (deuda pública); creador de mercado

market potential, potencial del mercado; posibilidades de mercado

market price, valor de cotización; valor de mercado; precio de mercado; precio corriente; cotización de mercado; valor comercial

market price per share, cotización por acción

market report, informe de mercados

market research, investigación de mercados; estudio de mercados; análisis mercadotécnico; investigación de preferencias de los consumidores

market research and planning, planificación y estudio de mercados

market risk, riesgo de mercado

market segmentation, segmentación de mercados

market segments, segmentos del mercado

market share, cuota de mercado; participación en el mercado

market sources of finance, fuentes de financiación de mercados

market survey, investigación de mercados; estudio de mercados; análisis mercadotécnico; investigación de preferencias de los consumidores

market test, prueba de mercado

market trends, tendencias de los mercados

market valuation, valoración aplicada por el mercado

market valuation of shares, valoración de acciones en el mercado

market value, valor de cotización; valor de mercado; precio de mercado; precio corriente; cotización de mercado; valor comercial

market yield, rentabilidad de mercado

marketability, capacidad de venta; grado de aceptación en el mercado

marketable, vendible; realizable; comerciable; comercializable

marketable collateral, garantía negociable; garantía corriente

marketable securities, documentos negociables; títulos negociables; efectos de comercio negociables; valores negociables

marketing, mercadotecnia; análisis de mercados y comercialización de productos; mercadología

marketing board, junta de coordinación y control publicitario y de ventas

marketing cooperative (association), cooperativa de ventas; asociación para la venta en régimen cooperativo

marketing mix, conjunto de actividades orientadas hacia la venta

marketing of narcotics, narcotráfico; tráfico de sustancias estupefacientes

markets, mercados; centros de contratación

markets analyst (analyst = annalist), analista de mercados

markup, margen de beneficio bruto; subida de precio

mart, mercado; plaza comercial; feria regional; centro de subastas

Mary Doe (col.), Fulana de Tal (nombre indeterminado) (Esp., col.); Fulanita (nombre indeterminado) (Esp., col.)

Mary Doe (US), fulana de tal (n.f. figurado, desconocido o general); fulanita (n.f. figurado, desconocido o general); nombre figurado, desconocido o general

mass data, datos masivos

mass media, medios de comunicación

mass production, producción masiva

Massachusetts trust, asociación voluntaria

massage the figures (col.), maquillar las cifras (col.); inflar las cifras (col.); hinchar los números (col.); falsear los resultados; alterar las cuentas

massive, intensivo; masivo; a gran escala

master (n.), empresario; patrono; empleador

master (of ship), capitán de barco mercante; patrón de embarcación

master (v.), ser experto en; conocer a fondo un trabajo; dominar una actividad

master card (comp.), tarjeta maestra (comp.)

master clock (comp.), reloj maestro (comp.)

master feeder, fondo subordinado; fondo que invierte su patrimonio en otro fondo; fondo nodriza

master file (comp.), fichero maestro (comp.)

master in business administration (MBA), Master en Administración de Empresas

master key, llave maestra; clave principal

master´s protest, acta del capitan; declaración por escrito del capitán

Matador bond, bono Matador; bono en pesetas emitido por un emisor extranjero; bono emitido en España, en pesetas, por prestatarios no residentes

match, casar con (coincidir); coincidir con; ajustarse a

matched order, orden bursátil de compra y venta al mismo precio

matching, simetría (entre plazos de recursos ajenos e inversión bancaria)

matching (of assets and liabilities), equilibrio (entre activo y pasivo)

mate´s receipt (MR), recibo de a bordo

materials and supplies, materiales y suministros

materials in transit, materiales en tránsito

maternity leave, licencia laboral por maternidad; permiso de maternidad (Esp.)

matricial printer, impresora matricial; impresora de agujas

matter (n.), asunto; cuestión (n. fem.); negocio (asunto); acontecimiento; tema (n. masc.)

matter (v.), importar (por su trascendencia); tener trascendencia

matter of fact, cuestión de hecho; realidad palpable; cosa de cajón (Esp., col.)

matter of principles, cuestión de principios

mature, maduro; vencido (fecha); pagadero; vencer (fecha)

matured liabilities, compromisos vencidos; deudas a pagar; pasivo vencido; deudas vencidas; deudas vencidas y pendientes de liquidar

maturity (pl.: maturity = maturities), fecha de vencimiento; fecha de caducidad; fecha convenida; fecha acordada; fecha de pago

maturity date, fecha de vencimiento; fecha de caducidad; fecha convenida; fecha acordada; fecha de pago

maturity of an instal(l)ment, vencimiento de un plazo

maturity of bill, vencimiento de una letra

maturity of draft, vencimiento de una letra

maturity range, escala de vencimientos

maturity schedule, calendario de vencimientos; programa de vencimientos; estructura de los vencimientos

maturity tickler, recordatorio de vencimiento

maturity value, valor al vencimiento

maximum amount, cantidad máxima

maximum capacity, capacidad máxima

maximum margin, margen máximo

maximum term, plazo máximo

maximum yield, rendimiento máximo

mazuma (US., col.**),** mosca (dinero) (Esp., col.); tela (dinero) (Esp., col.); pasta (dinero) (Esp., col.)

MBA (ab. **Master in Business Administration),** Master en Administración de Empresas

MBL (ab. **marine bill of lading),** conocimiento de embarque marítimo

MBO (ab. **management buyout),** compra de una empresa por su equipo directivo

MD (ab. **months after date),** meses fecha (MF); MF (ab. meses fecha)

MDSE (ab. **merchandise)** (n.), mercancía; mercadería

meagre (meagre = meager) (adj.), mezquino (adj.); insignificante; poco importante; de poca categoría; irrelevante; de poca monta (Esp., col.)

meagre amounts, cantidades insignificantes; sumas de poca cuantía

meagre results, resultados pobres

mean (adj., col.**),** pesetero (adj., col.)

mean (n. & adj.), media (n.); promedio (n.); medio (adj.); significar (v.); querer decir (v.); intentar (v.); tratar de (v.)

means of payment, medios de pago

means of support, fuente de ingresos; medios de subsistencia

means of transport, medios de transporte

measurable, mensurable (adj., masc. & fem.)

measurable costs, costos mensurables

measure, medida; medir; calibrar

measure the level of potential credit risk, medir el nivel potencial de riesgo crediticio

measurement and evaluation of earnings, medición y valoración de los resultados

measurement bill, certificado de arqueo del buque

measures taken, medidas emprendidas

measures to stimulate exports, medidas para estimular las exportaciones; medidas de estímulo a la exportación

meaty behaviour (US: **behaviour = behavior)** (col.), comportamiento que da qué pensar

mechanized(-system) accounting, sistema de contabilidad mecanizada; contabilidad mecanizada

meddling, intromisión; ingerencia

media planning, planificación de medios

mediatize, mediatizar

mediator, mediador; intercesor

mediator to the execution of an agreement, mediador en la firma de un contrato

medical certificate, certificado médico

medium (pl.: medium = media /mediums), medio (n.)

medium term, medio plazo

medium-term (adj.), a medio plazo

medium-term bonds, bonos a medio plazo; obligaciones a medio plazo

medium-term commitment, compromiso a medio plazo

medium-term Eurodollar loan, eurocrédito a medio plazo; préstamo en eurodólares a medio plazo

medium-term forecasts, previsiones a medio plazo

medium-term notes, pagarés a medio plazo

medium-term strategy, estrategia a medio plazo

meet (v.), encontrarse con; reunirse con; entrevistarse con; cumplir con los compromisos adquiridos; pagar lo adeudado; saldar lo pendiente

meet a bill (US: **bill = draft),** pagar una letra a su vencimiento; atender un efecto a su vencimiento

meet a deadline, ajustarse al plazo establecido

meet a debt, liberarse de una deuda; descargarse de deudas; pagar la totalidad de lo adeudado; liquidar una deuda; satisfacer el importe de una deuda; pagar una deuda; hacer frente a una deuda

meet expenses with fresh funds, hacer frente a los gastos con nuevos fondos; afrontar los gastos con nuevos recursos

meet the costs, hacer frente a los gastos; correr con los gastos; soportar el costo; hacerse cargo del costo; atender los gastos

meeting, asamblea; junta; reunión

meeting of minds, coincidencia de opiniones; acuerdo de voluntades

meeting of shareholders, junta de accionistas; asamblea de accionistas

meeting of stockholders, junta de accionistas; asamblea de accionistas

meeting of the board, sesión del consejo (n. fem.); junta del consejo; reunión del consejo (n. fem.); reunión de consejeros (n. fem.)

meeting point, punto de reunión; punto de encuentro; lugar de encuentro

megabuck (US., col.**),** millón de dólares

megaloan, megapréstamo (US., col.); préstamo de gran envergadura (USD 300 / 6.000 millones +/-)

member, miembro; integrante (n. & adj.); elemento componente

member countries, países miembros

member of a cooperative society, socio cooperativo; cooperativista

members involved, miembros involucrados

memo (ab. **memorandum)** (col.)**,** síntesis de instrucciones; resumen (recapitulación); recapitulación (resumen); extracto (resumen); memorándum; sintetización (n. fem.)

memo order (col.)**,** nota de pedido; formulario para hacer pedidos

memorandum (memo), síntesis de instrucciones; resumen (recapitulación); recapitulación (resumen); extracto (resumen); memorándum; sintetización (n. fem.)

memorandum account, cuenta de orden

memorandum bill of lading, copia acreditativa de emisión del conocimiento de embarque original

memorandum clause, cláusula de exención

memorandum invoice, factura provisional

memorandum of deposit, minuta de constitución de depósito

memorandum order, nota de pedido; formulario para hacer pedidos

memory storage (comp.), almacenamiento en memoria (comp.)

mercantile, comercial (adj., masc. & fem.); mercantil (adj., masc. & fem.); especulativo

mercantile accounting, contabilidad mercantil

mercantile paper, efectos comerciales; papel financiero; bonos de caja a corto plazo; pagarés de empresa; activos financieros privados a corto plazo; papel comercial; efectos negociables

mercantile partnership, sociedad mercantil

mercantile registry, registro mercantil

merchandise (MDSE) (n.)**,** mercancía; mercadería

merchandise (v.)**,** comerciar; hacer tratos; operar; negociar (hacer tratos); traficar; cotizarse; dedicarse a la distribución (ventas); ejercer como distribuidor (ventas); realizar operaciones mercantiles

merchandise account, cuenta de mercancías; cuenta de mercaderías

merchandising, comercialización; promoción comercial

merchant, comerciante (n. masc.); negociante (n. masc.); tratante (n. masc.); operador (n. masc.)

merchant (adj.)**,** comercial (adj., masc. & fem.); mercantil (adj., masc. & fem.); especulativo

merchant agreement, contrato con el comerciante

merchant bank (US = investment bank), banco industrial; banco de negocios; banco de inversiones

merchant marine, marina mercante

merchant navy (MN), marina mercante (MM); MM (ab. marina mercante)

merchant outlet, punto de venta

merchant ship (MS), barco a vapor; buque a vapor; vapor (barco); barco mercante; buque mercante

merge, fusionar; amalgamar; consolidar; unificar; fusionarse

merge in, ser absorbido por; fusionarse con

merge into, convertirse en; transformarse en; fusionarse para pasar a ser

merger expenses, gastos de fusión

mergers and acquisitions (M&A), fusiones y adquisiciones

message, mensaje; enviar un mensaje

messenger, mensajero; correo (servicio de mensajería); rutero (SA); repartidor de mensajería

Messieurs (Messrs; sin.: Mister / Mr.), Sres. (ab. Señores; sing.: Señor / Sr.); Señores (Sres.; sing.: Señor / Sr.)

Messrs (ab. **Messieurs; sing.: Mister / Mr.),** Sres. (ab. Señores; sing.: Señor / Sr.); Señores (Sres.; sing.: Señor / Sr.)

method, método

method of payment, método de pago; forma de pago

methodical analysis, análisis metódico

methodological, metodológico

methods and procedures, sistemas y procedimientos

MH (ab. **machine-hours),** horas-máquina (HM); HM (ab. horas-máquina)

MIBOR (ab. **Madrid inter-bnak interest rate),** MIBOR (ab. tipo de interés interbancario de Madrid); tipo de interés interbancario de Madrid (MIBOR)

MIBOR (ab. **Madrid interbank offered rate),** tipo ofertado del mercado interbancario de Madrid (MIBOR)

microeconomics, microeconomía

microfiche, microficha

microfiche-verification system, sistema de verificación por microfichas

micromarketing, micromarketing; microsegmentación comercial

micropayments, micropagos; pagos de ínfima cuantía

microprocessor (comp.), microprocesador (comp.)

middle class, burguesía; clase media

middle management, cuadros intermedios (Esp.); niveles intermedios de gestión

middle market rate, tipo medio de mercado

middle price, precio medio

middleman, intermediario; revendedor

migration of unlawful money, migración de dinero negro (col.); migración de dinero (de procedencia) ilegal

mill, prensa de acuñar moneda; fábrica (esp., hilaturas)

mill certificate, certificado de fabricación; certificado de fábrica

million, millón

mini-crash of the economy, miniderrumbamiento de la economía; desplome de mínima incidencia sobre la economía

mini-max bond, obligación con tipos de interés máximo y mínimo prefijados

minimization of unperformings, minimización de las insolvencias

minimize credit risk, minimizar el riesgo crediticio; reducir al mínimo el riesgo de los créditos

minimum, mínimo (n. & adj.); bajo (n. & adj.)

minimum interest rate, tipo mínimo de interés

minimum mandatory provisions, provisiones mínimas obligatorias

minimum rate, tipo mínimo

minimum risk hedge ratio, coeficiente de cobertura

minimum security standards, normas mínimas de seguridad

minimum stockholders´equity, recursos propios mínimos; intereses minoritarios en el capital accionario; participaciones accionarias minoritarias

minimum upset price, tipo mínimo de subasta

minimum wages, salario mínimo

minimum yield, rendimiento mínimo; rentabilidad mínima

ministerial order, orden ministerial

Ministry of Commerce (GB), Ministerio de Comercio

Ministry of Foreign Affairs (GB), Ministerio de Asuntos Exteriores

Ministry of the Interior, Ministerio del Interior; Ministerio de la Gobernación

Ministry of the Treasury (GB), ministerio de hacienda (Esp.); hacienda pública; ministerio del tesoro

minority shareholder, accionista minoritario

mint, casa de la moneda; ceca; dineral (col.); acuñar

mint par of exchange, paridad monetaria

mintage, acuñación

minter, acuñador

minting, acuñación

minus balance, saldo negativo

minus sign, signo negativo; signo menos

minutely, detalladamente; minuciosamente; con todo lujo de detalles; con puntos y comas (Esp., col.)

minutely explained, explicado minuciosamente

minutes book, diario; libro diario; libro de actas; diario de navegación

minutes of the meeting, acta de la reunión

mirror swap, permuta simétrica; swap simétrico

misappropriation, apropiación indebida

miscellaneous, heterogéneo

miscellaneous income, ingresos ajenos a la explotación; otros productos; productos varios; productos diversos

misconstruct, malinterpretar

misconstruction of a clause, interpretación errónea de una cláusula; malinterpretación de una cláusula

misdate, fecha errónea; fechar equivocadamente

misleading, falso; fraudulento; engañoso; falsificado; equívoco

misleading information, información engañosa

misleading wording of an agreement, redacción engañosa de un contrato

mismatch, diferencia negativa; déficit; desfase máximo/mínimo del día; desequilibrio; hueco (n.); vacío (n.)

mismatch (pl. = **mismatches),** asimetría; desajuste; disparidad

mismatch risk, riesgo de desfase

mismatched floating rate note (mismatched FRN), bono a tipo variable, no coincidente con el de referencia al pago de intereses

mismatched FRM (ab. **mismatched floating rate note),** bono a tipo variable, no coincidente con el de referencia al pago de intereses

mispricing, minusvaloración del futuro; error de ajuste por volatilidad; precio del futuro distinto al teórico

Miss (n. fem.), Señorita (Srta.); Srta. (ab. Señorita)

miss (v.), errar; perder; omitir; faltar

missing signature, firma omitida

Mister (+ surname) (Mr.; pl.: messieurs / Messrs), Señor (+ apellido) (Sr.; pl.: Señores / Sres.); Sr. (+ apellido) (ab. Señor; pl.: Señores / Sres.)

Mistress (Mrs.), Señora

misunderstand, entender erróneamente

misunderstanding, malentendido

misuse, uso indebido; utilización impropia; empleo inadecuado; usar indebidamente; utilizar impropiamente; emplear inadecuadamente

mixed accounts, cuentas mixtas

MMC (ab. **money market company),** sociedad mediadora del mercado de dinero (SMMD); SMMD (ab. sociedad mediadora del mercado de dinero)

MN (ab. **merchant navy),** marina mercante (MM); MM (ab. marina mercante)

mnemonic operation codes (comp.), códigos nemotécnicos de operación (comp.)

mock auction, subasta simulada; remedo de subasta

modem (comp.), módem (comp.)

moderate rally, recuperación moderada

moderate rise, alza moderada; subida moderada

modified duration of a bond, duración modificada de un bono

MOFF (multi-option financing facility), facilidad financiera multinacional

momentum (n.), impulso; estímulo; incentivo; impulsar; potenciar; mejorar; perfeccionar; optimizar; promocionar (escalafón, ventas, etc.); ascender (promocionar)

momentum indicators, indicadores de tendencia

Monday morning quarterback (col.), adivino del pasado (col.); profeta del pasado (col.); don yo ya lo sabía (Esp., col.); torero a toro pasado (Esp., col.); listillo (Esp., col.)

monetary (adj.), moneda (euros, dólares, pesetas, etc.); monetario (adj.); financiero (adj.)

monetary assets, activos monetarios

monetary control, control monetario

monetary convertibility, convertibilidad monetaria

monetary depreciation, depreciación monetaria

monetary developments, evolución monetaria

monetary expansion, expansión monetaria

monetary law, legislación (en materia) monetaria

monetary market, mercado monetario

monetary policy instruments, instrumentos de política monetaria

monetary reserves, reservas monetarias

monetary standard, patrón monetario

monetary system, sistema monetario

monetary unit, unidad monetaria

monetizable at long term, monetizable a largo plazo

monetization, monetización

monetize, monetizar; poner legalmente en circulación

money (at the money, ATM), precio de ejercicio igual al del mercado subyacente; a dinero; posición dinero

money at call, dinero de día a día

money broker, intermediario financiero

money broking company, sociedad de mediación financiera; sociedad intermediaria financiera

money contribution, aportación dineraria

money changer, cambista (n. masc.)

money exchange operating companies (Esp.), sociedades rectoras de las bolsas de valores (Esp.)

money forward, a dinero "forward"; precio sobre divisas igual a la cotización "forward" hasta vencimiento; dinero (a dinero "forward")

money fund, fondo de dinero

money in circulation, dinero en circulación

money income, ingresos en metálico

money launderer, tintorero (col.); blanqueador de dinero negro

money laundering, blanqueo de dinero

money laundering deterrence and detection, detección y lucha contra el blanqueo de dinero

money laundering offence, delito de blanqueo de dinero

money laundering techniques, técnicas de blanqueo de dinero; técnicas para el blanqueo de dinero negro

money lender, prestamista

money market, mercado monetario

money market brokerage company, sociedad mediadora en los mercados de dinero

money market company (MMC), sociedad mediadora del mercado de dinero (SMMD); SMMD (ab. sociedad mediadora del mercado de dinero)

money market instrument, instrumento del mercado monetario

money market liquidity, liquidez del mercado monetario

money market mutual fund, fondo de inversión en activos del mercado monetario (FIAMM); FIAMM (ab. fondo de inversión en activos del mercado monetario)

money on hand, dinero disponible; recursos de inmediata disponibilidad; tesorería; dinero en caja; encaje; liquidez; numerario (tesorería) (Esp.)

money on short notice, dinero a corto plazo

money order, orden de pago; giro postal

money rate, tipo monetario

money scarcity, escasez de dinero

money spread, arbitraje vertical; spread vertical

money squeeze, escasez de dinero

money stringency, escasez de dinero

money supply, medio circulante; masa monetaria

money transfer, movilización de fondos; transferencia de fondos

money withdrawal, retirada de dinero; disposición de dinero

moneys paid in, cobranzas; cobros; ingresos

moneys paid out, pagos por caja; pagos de caja; pagos realizados

monies (sing.: monies = money), caudales (col.); fondos (col.)

monitor (n.), monitor (Esp.); pantalla de ordenador (Esp.); monitor de computadora (LA)

monitor (v.), controlar; supervisar; realizar un seguimiento

monitoring, control; seguimiento

monopolist(ic) (adj.), monopolizador

monopolize, monopolizar

monopoly, monopolio

monopsony, monopsomio

monthly, revista mensual; mensualmente; con periodicidad mensual; que aparece mensualmente

monthly instal(l)ment, mensualidad; plazo mensual

monthly interest, interés mensual

monthly summary, resumen mensual

months after date (MD), meses fecha (MF); MF (ab. meses fecha)

months after sight (MS), meses vista (MV); MV (ab. meses vista)

months sight (MS), meses vista

moonlight (n. & v.), pluriempleo; segundo empleo; tener un segundo empleo; doblar turno; estar pluriempleado; hacer doblete (Esp., col.)

moonlighter (col.), pluriempleado

mop competitors (col.), vencer aplastantemente a los competidores; quitarse de enmedio a los competidores

moral (adj.), moral (adj., masc. & fem.)

moral obligation, obligación moral (n. fem.)

mortality, mortalidad; mortandad

mortality tables, tablas (actuariales) de mortalidad

mortgage (n.), hipoteca; pignoración; prenda; garantía prendaria

mortgage (v.), hipotecar; pignorar; empeñar

mortgage bank, banco hipotecario; banco de crédito territorial; banco de crédito hipotecario

mortgage bond, título hipotecario; cédula hipotecaria; obligación hipotecaria

mortgage certificate, título hipotecario; cédula hipotecaria; obligación hipotecaria

mortgage credit, crédito hipotecario

mortgage debenture, título hipotecario; cédula hipotecaria; obligación hipotecaria

mortgage deed, escritura de hipoteca

mortgage discharge, cancelación de hipoteca; liberación de hipoteca

mortgage holder, acreedor hipotecario

mortgage interest, interés hipotecario

mortgage law, ley hipotecaria; legislación hipotecaria; derecho hipotecario

mortgage loan, préstamo hipotecario; credito hipotecario

mortgage note, título hipotecario; cédula hipotecaria; obligación hipotecaria

mortgage payable, hipoteca a pagar

mortgage receivable, hipoteca a cobrar

mortgage right, derecho de hipoteca

mortgage secured on property, hipoteca garantizada por bienes

mortgage securities, obligaciones hipotecarias

mortgage security, garantía hipotecaria

mortgage-backed, garantizado mediante hipoteca; respaldado por una hipoteca; afianzado mediante hipoteca

mortgage-backed securities, cédulas hipotecarias; títulos con garantía hipotecaria

mortgageable, hipotecable

mortgagee, acreedor hipotecario

mortgager (mortgager = mortgagor), deudor hipotecario

mortgagor (mortgagor = mortgager), deudor hipotecario

most favoured beneficiary (US: **favoured = favored),** beneficiario más favorecido

most favoured nation agreement (US: **favoured = favored),** tratado de nación más favorecida

mother company, sociedad matriz; compañía principal de un grupo

motion, demanda; súplica; instancia; demanda de siniestro; reclamación por daños; requerimiento; moción; recurso

motion to adjourn, moción para levantar la sesión

motivation, antecedentes; orígenes; motivación; trasfondo; razón (motivo); razonar; discurrir

motivation research, estudio de motivaciones; análisis de los motivos

motor carrier, empresa de transportes por camión; transportista por carretera

motor ship (MS), barco a vapor; buque a vapor; vapor (barco); barco mercante; buque mercante

motor truck (US), camión de transporte

motor vessel (MV), barco a vapor; buque a vapor; vapor (barco); barco mercante; buque mercante

mouse, ratón (comp.); andar al acecho; estar a la que salta (Esp., col.)

movable effects, muebles; mobiliario; enseres; bienes muebles; efectos mobiliarios; artículos de uso personal

movables, muebles; mobiliario; enseres; bienes muebles; efectos mobiliarios; artículos de uso personal

moving average, media móvil; media fluctuante; media dinámica

MR (ab. **mate´s receipt),** recibo de a bordo

Mr. (+ surname) (ab. **Mister; pl.: messieurs / Messrs),** Señor (+ apellido) (Sr.; pl.: Señores / Sres.); Sr. (+ apellido) (ab. Señor; pl.: Señores / Sres.)

Mrs. (ab. **Mistress),** Señora

MS (ab. **months after sight),** meses vista (MV); MV (ab. meses vista)

MS (ab. **months sight),** meses vista

MS (ab. **motor ship / merchant ship),** barco a vapor; buque a vapor; vapor (barco); barco mercante; buque mercante

Ms. (ab. **Miss/Mrs.),** Señora o Señorita (Sra./Srta.); Sra./Srta. (ab. Señora o Señorita)

MSRT (ab. **magnetic stripe reading terminal),** terminal de lectura de banda magnética (comp.)

MT (ab. **mail transfer),** transferencia postal; transferencia por correo

multi-bank (adj.), multibancario (adj.)

multi-bank guarantee (guarantee = guaranty), garantía multibancaria

multi-currency credit facility (pl.: facility = facilities), línea de crédito multidivisa; facilidad crediticia multidivisa

multi-currency loan, préstamo multidivisas

multi-option financing facility (MOFF), facilidad financiera multinacional

multifactor values, valores multivariables

multilateral (adj.), multilateral (adj., masc. & fem.)

multilateral portfolio securities, inversiones de cartera multilaterales

multimillionaire, multimillonario

multimodal tranoport B/L (D/L = bill of lading), documento de transporte multimodal; conocimiento de embarque multimodal; multimodal (n. masc.) (documento de transporte / conocimiento de embarque); multimodal (adj., masc. & fem.)

multimodal transport bill of lading, documento de transporte multimodal; conocimiento de embarque multimodal; multimodal (n. masc.) (documento de transporte / conocimiento de embarque); multimodal (adj., masc. & fem.)

multinational (adj.), multinacional (adj., masc. & fem.)

multinational bank, banco multinacional

multinational development plan, plan de desarrollo multinacional

multiple (n. & adj.), múltiple (adj., masc. & fem.); múltiplo (n.)

multiple assembly (comp.), compaginación de programas múltiples (comp.)

multiple cost accounts, cuentas de costos múltiples

multiple currency practices, prácticas con tipos de cambios múltiples

multiplexor (comp.), multiplexor

multiplier, multiplicador (n.)

multiply, multiplicar

multiplying, multiplicador (adj.)

multiplying effect, efecto multiplicador

multipoint line, línea multipunto; línea de puntos múltiples

multiprocessing (comp.), multiproceso (inf.)

multiprogramming (comp.), multiprogramación (comp.)

multivariable (adj.), multivariable (adj.)

multivariant analysis, análisis multivariante

municipal bonds, obligaciones municipales (bonos, pagarés)

municipal jurisdiction, jurisdicción municipal

municipal statute, reglamento municipal; ordenanza municipal

municipality, municipio; distrito municipal (US); municipalidad

municipalization of local services, municipalización de los servicios locales

municipalize, municipalizar

muster book, lista de efectivos humanos; rol de dotación

muster roll, lista de efectivos humanos; rol de dotación

mutilated credit card, tarjeta de crédito mutilada (para impedir su uso)

mutilated message, mensaje mutilado

mutual, mutuo (adj.); recíproco

mutual aid, ayuda mutua

mutual cooperation in developing new banking products, mutua cooperación en el desarrollo de nuevos productos bancarios

mutual fund, fondo de inversión

mutual fund participation, participación de fondo de inversión

mutual insurance company, compañía de seguros mutuos; mutua aseguradora (Esp.)

mutual savings bank, caja mutua de ahorros

mutual trust, mutua confianza; confianza mutua

mutualism, mutualismo

mutualist, mutualista

mutuality, mutualidad

MV (ab. **motor vessel / merchant vessel),** barco a vapor; buque a vapor; vapor (barco); barco mercante; buque mercante

N

NA (ab. **no account),** sin cuenta; no mantiene cuenta

naked authority, autorización unilateral

naked call, opción de compra vendida en descubierto

naked cap, cap desnudo; cap emitido por un banco sin la debida cobertura de sus recursos generados

naked debenture, obligación emitida sin garantía específica

naked position, posición descubierta

naked put, opción de venta vendida en descubierto

naked trust, fideicomiso pasivo

naked warrant, warrant desnudo; warrant desligado de un bono

naked writing, venta de opciones en descubierto

name day, segundo día de cotización en Bolsa

name of an account, títular de una cuenta

namely, a saber

Narcotic Control Act, Ley sobre Control del Narcotráfico

narcotrafficking, narcotráfico; tráfico de sustancias estupefacientes

narrow market, escasa demanda de un valor bursátil

nascent, incipiente; naciente

nascent market, mercado incipiente

NASD (ab. **National Association of Security Dealers),** Asociación Nacional de Agentes Intermediarios Bursátiles (ANAIB); ANAIB (ab. Asociación Nacional de Agentes Intermediarios Bursátiles)

national (n. & adj.), nacional (n. & adj.); ciudadano (de un país determinado)

National Association of Security Dealers (NASD), Asociación Nacional de Agentes Intermediarios Bursátiles (ANAIB); ANAIB (ab. Asociación Nacional de Agentes Intermediarios Bursátiles)

national bond markets, mercados nacionales de bonos

national debt, deuda pública; fondos públicos; valores del estado; bonos del Tesoro; deuda nacional; obligaciones del Tesoro; títulos del sector público; valores del sector público

national income, renta nacional

national lottery, lotería nacional

national product (NP), producto nacional (PN); PN (ab. producto nacional)

National Registry of Foreigners, Registro Nacional de Extranjería

national revenue, renta pública; ingresos públicos

nationalize, nacionalizar

natural person, persona física

natural resources, recursos naturales

natural wastage, uso y desgaste; desgaste natural; deterioro por el uso; merma natural

nay, voto negativo

NBL (ab. **negotiable bill of lading),** conocimiento de embarque a la orden; conocimiento de embarque negociable; carta de porte negociable; albarán al portador

near date, fecha cercana

near money, dinero cuasi-líquido; activo cuasi-líquido; cuasi-dinero

negative balance, saldo negativo

negative covenants, disposiciones negativas

negative check(ing), verificación por saldos negativos

negative goodwill, plusvalía negativa

negative mortgage security clause, cláusula hipotecaria negativa

negative pledging clause, cláusula de pignoración negativa; cláusula de salvaguardia de garantía

negative verification, comprobación negativa; verificación negativa

negotiability, negociabilidad

negotiable (adj.), transferible; negociable (adj., masc. & fem.); traspasable (adj., masc. & fem.); susceptible de traspaso (masc. & fem.)

negotiable bill of lading (NBL / negotiable blading), conocimiento de embarque a la orden; conocimiento de embarque negociable; carta de porte negociable; albarán al portador

negotiable blading (ab. **negotiable bill of lading),** conocimiento de embarque a la orden; conocimiento de embarque negociable; carta de porte negociable; albarán al portador

negotiable draft, efecto negociable

negotiable instruments, documentos negociables; títulos negociables; efectos de comercio negociables; valores negociables

negotiable LC (ab. **negotiable letter of credit),** crédito negociable

negotiable letter of credit (negotiable LC), crédito negociable

negotiable note, pagaré negociable; pagaré a la orden

negotiate, negociar

negotiate a loan, negociar un préstamo

negotiated deal, emisión negociada

negotiated offer, oferta negociada

negotiation, manipulación; tramitación; negociación

negotiation of rights, negociación de derechos

negotiator, negociador

net, neto; líquido

net accounts receivable, cuentas netas a cobrar

net added value, valor añadido neto; renta neta añadida

net amount, cantidad neta; montante neto; monto neto (SA)

net asset differential, diferencial neto activo

net assets, activo neto; capital contable; capital líquido; patrimonio líquido; patrimonio neto; valor neto patrimonial

net assets worth, valor del activo neto

net avails, productos líquidos

net balance, saldo líquido

net balance of the securities portfolio, saldo neto de la cartera de valores

net book value, valor contable neto

net borrowing, empréstitos netos

net cash against documents, al contado contra documentos

net current assets, activo circulante neto

net charter, fletamento con todos los gastos por cuenta del fletador

net decrease, disminución neta

net dividend to shareholders, dividendo líquido a los accionistas

net earnings, beneficio neto; ganancias netas; utilidades líquidas; productos netos; renta neta; utilidad neta; ingresos líquidos; renta líquida; entradas netas

net earnings per share, beneficio neto por acción

net effect, efecto neto

net income, beneficio neto; ganancias netas; utilidades líquidas; productos netos; renta neta; utilidad neta; ingresos líquidos; renta líquida; entradas netas

net income for the year, beneficio neto del ejercicio

net income per share, beneficio neto por acción

net increase, incremento neto

net interest, interés neto

net interest revenue, margen financiero neto

net investment, inversión neta

net lending, préstamos netos; inversión bancaria típica neta

net liability differential, diferencial neto pasivo

net loss, pérdida neta

net margin, margen neto

net of taxes, exento de impuestos; libre de tasas; no sujeto a exacciones; libre de aranceles aduaneros; franco de pago de derechos; exento de tributación; libre de impuestos

net operating income, productos netos de explotación; renta neta generada

net participation, participación neta

net position, posición neta

net price, precio neto

net proceeds, beneficio neto; ganancias netas; utilidades líquidas; productos netos; renta neta; utilidad neta; ingresos líquidos; renta líquida; entradas netas

net profit, beneficio neto; ganancias netas; utilidades líquidas; productos netos; renta neta; utilidad neta; ingresos líquidos; renta líquida; entradas netas

net provisions, provisiones netas; dotaciones netas

net provisions to allowances, dotación neta a provisiones

net quick assets, activo neto realizable

net receipts, entradas líquidas; ingresos netos

net remuneration, remuneración neta; retribución neta

net return, beneficio neto; ganancias netas; utilidades líquidas; productos netos; renta neta; utilidad neta; ingresos líquidos; renta líquida; entradas netas

net return on average total assets, beneficio neto sobre activos totales medios

net revenue, beneficio neto; ganancias netas; utilidades líquidas; productos netos; renta neta; utilidad neta; ingresos líquidos; renta líquida; entradas netas

net salary, no perks (NSNP) (col.), sueldo neto, sin pluses; sueldo justo, sin más incentivos (Esp., col.); sueldo pelado (Esp., col.)

net sales, ventas netas

net settlement terms, condiciones de liquidación neta

net surplus, excedente neto

net value, valor líquido

net weight, peso neto

net working capital, valor de explotación neto

net yield on shares, rentabilidad en efectivo de las acciones; rentabilidad neta de las acciones

netting, cancelación de cuentas mutuas mediante saldos netos

network, red

network of shipping routes, red de rutas marítimas

new branch offices, nuevas sucursales

new burst of inflation, resurgimiento de la inflación; renacimiento de la inflación

new coupon sheet issuance, emisión de nuevos cupones; renovación de hojas de cupones

new Jason clause, cláusula de responsabilidad del transportista

new services, nuevos servicios

new shares, nuevas acciones

new stock, nuevas acciones

New York common stock index (NYSE index) (US), índice ordinario de la bolsa de Nueva York

New York Stock Exchange (NYSE), Bolsa de Nueva York

NF (ab. **no funds),** sin fondos; en descubierto; en rojo (Esp., col.); en números rojos (Esp., col.)

NIF (ab. **note issuance facility),** servicio de emisión de pagarés; línea de emisión de pagarés

night deposit (US: **night = night / nite / nit),** depósito nocturno

night safe, caja automática para ingresos nocturnos

night shift, turno de noche

NIKKEI 225 stock average index, índice Nikkei 225

nil report, estado negativo de movimientos; declaración de inactividad; resumen de actividad cero; ausencia de movimientos; no se registran movimientos

nine, nueve

nineteen, diecinueve

nineteenth, decimonoveno; decimonono

ninety, noventa

ninth, noveno

no account (NA), sin cuenta; no mantiene cuenta

no bar, no es óbice

no funds (NF), sin fondos; en descubierto; en rojo (Esp., col.); en números rojos (Esp., col.)

no-charge share distribution, distribución gratuita de acciones

no-charge share issue, emisión gratuita de acciones

no-par value of shares, acciones sin valor nominal

No. (ab. **number),** número (Nº); Nº (ab. número)

nominal (interest) rate, tipo (de interés) nominal

nominal accounts, cuentas nominales

nominal capital, capital nominal; capital autorizado

nominal increase, aumento nominal

nominal interest rate, tipo de interés nominal

nominal value, valor nominal; par principal (opciones y futuros); valor facial; nominal (n.); principal (importe) (n.)

nominal yield, rentabilidad actual; rendimiento nominal; rendimiento corriente; rentabilidad del cupón

nominate, nombrar; designar; señalar (una fecha); citar; convocar; emplazar; requerir la presencia

nomination, nombramiento; designación; cita

nominative, nominativo

nominative shares, acciones nominativas

nominee, nominatario

non leviable goods in deposit, mercancías en depósito no susceptibles de embargo

non-acceptance, falta de aceptación

non-accepting party to the agreement, parte no aceptante del convenio

non-admitted, no admitido; no aceptado

non-admitted assets, activo no confirmado; activo no computable; activo no aprobado; activo no admitido; activo no aceptado

non-amortizable, no amortizable

non-assenting stockholders, accionistas disidentes; accionistas disconformes; accionariado disidente; accionariado disconforme

non-assignable (adj.)**,** no negociable

non-banking correspondents, corresponsales no bancarios; corresponsales parabancarios

non-banking hours, horas no hábiles (a efectos de operativa interbancaria); horario inhábil (a efectos de atención a la clientela bancaria)

non-business day, día no laborable; día festivo; día feriado; día inhábil

non-callable (adj.)**,** no redimible

non-collectable amounts, cantidades incobrables; sumas incobrables; importes imposibles de cobrar

non-compensable, no compensable; no indemnizable

non-competitive bid, petición no competitiva; puja no competitiva

non-conventional reserve assets, activos de reserva atípicos; activos de reserva de carácter no tradicional

non-counter transaction (col.)**,** operación atípica; transacción atípica

non-cumulative (adj.)**,** no acumulable; no cumulativo; no acumulativo

non-cumulative dividend, dividendo no acumulativo

non-cumulative sinking fund, fondo de amortización no acumulable

non-current assets, activo no circulante

non-durable goods, mercancías perecederas

non-dutiable, no imponible; no gravable; exento de contribución; no sujeto al pago de derechos

non-earning (adj.)**,** no rentable

non-earning assets, activos no rentables

non-forfeitable (adj.)**,** no caducable

non-fundable debt, deuda no consolidable

non-government securities, valores del sector privado

non-inflationary growth, crecimiento no inflacionario

non-interest bearing (adj.)**,** que no devenga interés

non-interest bearing loan, préstamo que no devenga interés; préstamo no sujeto al pago de intereses

non-leviable (adj.), no embargable; no susceptible de embargo

non-liable (adj.), no responsable; sin responsabilidad; exento de responsabilidad

non-monetary (adj.), no monetario; no dinerario; no pecuniario

non-monetary assets, activos no dinerarios

non-monetary risks, riesgos de carácter no dinerario

non-negotiable (adj.), no negociable

non-negotiable cheque (US: cheque = check, draft), cheque nominativo; cheque para abonar en cuenta

non-negotiable sea waybill, documento de embarque no negociable

non-occupational accident, accidente no laboral; accidente no ocupacional; accidente ajeno al trabajo

non-occupational diseases, enfermedades no laborales; enfermedades ordinarias

non-oil developing countries, países en vías de desarrollo no productores de petróleo

non-operating earnings, ingresos ajenos a la explotación; otros productos; productos varios; productos diversos

non-paid up shares, acciones no liberadas; acciones sin liberar

non-paid up stock, acciones no liberadas; acciones sin liberar

non-par stock, acciones sin valor nominal

non-performing loans, insolvencias; morosidades; morosos; créditos morosos; fallidos incobrables; créditos de dudoso cobro

non-performing loans/qualifying risks, dudosos sobre total de riesgos

non-performing, doubtful and bad loans, deudores morosos, dudosos y fallidos

non-productive assets, activo improductivo; activo no rentable

non-profit (adj.), no lucrativo; de carácter no lucrativo; filantrópico

non-profit institution, entidad filantrópica; institución de carácter no lucrativo

non-recourse (adj.), sin recurso

non-recoverable, irrecuperable (adj., masc. & fem.); sin posibilidad de recuperación; no recuperable

non-recoverable expenses, gastos no recuperables

non-recovery of loans and discounts, irrecuperabilidad de la inversión crediticia

non-recurring charges, cargos extraordinarios; imputaciones atípicas

non-remunerated (adj.), no remunerado; sin remunerar

non-remunerated deposit, depósito no remunerado; depósito que no devenga intereses

non-remunerated tranche, tramo no remunerado

non-resident (adj.), no residente

non-resident national, ciudadano no residente en el país

non-stock institution, entidad no accionaria

non-surplus reserves, reservas provisionales

non-taxable, no imponible; no gravable; exento de contribución; no sujeto al pago de derechos

non-transferable, intransferible

non-underwritten euronote, europagaré no asegurado

non-union workers, trabajadores no sindicados; personal sin (a)filiación sindical

non-volatile (adj.) **(comp.),** permanente (adj., masc. & fem.; comp.); residente (adj., m. & fem.); no volátil

non-volatile storage (comp.), almacenamiento permanente en memoria (comp.)

non-voting (adj.), no votante; que no vota; sin derecho a voto; que no ejerce el (derecho al) voto

non-voting stock, acciones sin derecho al voto; acciones que no ejercen el voto; acciones no votantes

non-working day, día no laborable; día festivo; día feriado; día inhábil

nonperformings (col.), insolvencias; morosidades; morosos; créditos morosos; fallidos incobrables; créditos de dudoso cobro

normal ratios of classified expenses and profits to sales, razones normales entre gastos y utilidades

normally closed contacts, contactos cerrados normalmente

not for resale, prohibida la venta

not in order, no en regla; que no está en regla; no ajustado a la regla; no conforme con la regla

not redeemable before, no rescatable antes de

not sufficient funds (NSF), fondos insuficientes; saldo insuficiente; provisión de fondos insuficiente; falta de fondos

notarial affidavit, certificado notarial; certificación de notario; atestación notarial

notarial certificate, certificado notarial; certificación de notario; atestación notarial

notarial certificate of protest, certificado notarial de protesto; certificado de protesto del notario; acta notarial de protesto

notarial certification, certificado notarial; certificación de notario; atestación notarial

notarial deed, instrumento notarial; escritura notarial; escritura de notario

notarial instrument, instrumento notarial; escritura notarial; escritura de notario

notarial protest certificate, certificado notarial de protesto; certificado de protesto del notario; acta notarial de protesto

notarial statement, certificado notarial; certificación de notario; atestación notarial

notary public, notario público

notary´s affidavit, certificado notarial; certificación de notario; atestación notarial

notary´s certificate, certificado notarial; certificación de notario; atestación notarial

notary´s certificate of protest, certificado notarial de protesto; certificado de protesto del notario; acta notarial de protesto

notary´s certification, certificado notarial; certificación de notario; atestación notarial

notary´s deed, instrumento notarial; escritura notarial; escritura de notario

notary´s instrument, instrumento notarial; escritura notarial; escritura de notario

notary´s office, notaría; escribanía (LA)

notary´s protest certificate, certificado notarial de protesto; certificado de protesto del notario; acta notarial de protesto

notary´s statement, certificado notarial; certificación de notario; atestación notarial

note, nota

note denomination, denominación (montante y moneda) del pagaré

note issuance facility (NIF), servicio de emisión de pagarés; línea de emisión de pagarés

note maturity date, fecha de vencimiento del pagaré

note of hand, pagaré

note of protest, nota de protesto; apunte notarial sobre el documento protestado

note redemption, rescate de pagarés

noted bill, letra protestada; efecto protestado

noteholder, tenedor del pagaré

noteholder´s risk, riesgo asumido por el tenedor del pagaré

notes discounted, letras descontadas; efectos descontados; papel descontado; cartera de efectos

notes in circulation, billetes en circulación

notes on hand, efectos en cartera

notes payable, efectos a pagar

notes payable and other liabilities, efectos y demás obligaciones a pagar

notes receivable, efectos a cobrar; letras (de cambio) al cobro; partidas al cobro; remesas al cobro; efectos al cobro; facturas a cobrar; facturas al cobro (n. fem. pl.); activo exigible

notes to be paid, efectos a pagar

notes to the financial statements, notas a los estados financieros; observaciones sobre la documentación financiera

noteworthy, notable; relevante

notice, comunicación; aviso; declaración (comunicación)

notice day, día de aviso

notice deposits, depósitos sujetos a preaviso

notice of claim, notificación de reclamación; aviso de impugnación; deje de cuenta

notice of change, aviso de cambio; notificación de cambio

notice of dishonour (US: **dishonour = dishonor),** notificación de impago

notice of loss, denuncia por extravío; aviso de pérdida; notificación de extravío

notice of note redemption, comunicación de rescate de pagarés; aviso de amortización de pagarés

notice of protest, notificación de protesto; aviso de protesto

notice of termination (of employment), notificación de despido

notify, informar; comunicar; dar parte; denunciar; participar (comunicar); anunciar; poner al corriente; poner en conocimiento; cursar aviso; notificar

notify to, notifíquese a

noting, diligencia notarial de impago; protesto de una letra; protesto de un efecto por impago

noting and protest, levantamiento de protesto; anotación y protesto

notional bond, bono nocional; bono definidor del activo subyacente para contratos de futuros

notional cost, costo nocional; coste probable

notional principal amount, nocional (n.); suma nocional; principal nocional

NP (ab. **national product),** producto nacional (PN); PN (ab. producto nacional)

NSF (ab. **not sufficient funds),** fondos insuficientes; saldo insuficiente; provisión de fondos insuficiente; falta de fondos

NSNP (ab. **net salary, no perks)** (col.), sueldo neto, sin pluses; sueldo justo, sin más incentivos (Esp., col.); sueldo pelado (Esp., col.)

nuisance taxes, impuestos menores sobre el consumo

nuisance value, valor de los daños

null and void, nulo y sin valor

nullify, cancelar; anular; rescindir; revocar; abolir; derogar; casar (revocar); cesar; retirar; retractarse

number (No.), número (Nº); Nº (ab. número)

numeric, numérico

numeric code, clave numérica

numeric display, representación numérica

numeric distribution, distribución numérica

numeric representation, representación numérica

numeric value, valor numérico

NYSE (ab. **New York Stock Exchange),** Bolsa de Nueva York

NYSE index (ab. **New York common stock index),** índice ordinario de la bolsa de Nueva York

O

OAS (ab. **Organization of American States),** Organización de Estados Americanos (OEA); OEA (ab. Organización de Estados Americanos)

oath of office, juramento de cargo

object language (comp.), lenguaje objeto (comp.)

object program (comp.), programa objeto (comp.)

object to, poner una objeción; alegar una objeción; formular una objeción; plantear una objeción

objective estimate, estimación objetiva

objective evaluation, estimación objetiva

objective value, valor objetivo

OBL (ab. **ocean bill of lading),** conocimiento de embarque marítimo

obligate, comprometerse; obligarse a; responsabilizarse de; garantizar que; transigir respecto a

obligate a sum, consignar una suma en firme

obligation, acuerdo; contrato; pacto; concierto; arreglo; compromiso; tratado; responsabilidad (n. fem.); deuda contraída (n. fem.)

obligation under seal, contrato sellado

obligator, obligado (n. masc.); deudor

obligee, obligado; garante; avalista; fiador

obligor, obligado (n. masc.); deudor

obscure (adj. & v.), opaco; oscuro; entorpecer; dificultar

obscure audit trail, dificultar el seguimiento; obstaculizar las averiguaciones; entorpecer la auditoría

obsolescence, obsolescencia; desuso; caída en desuso

obsolete, obsoleto; fuera de uso

obverse and reverse, anverso y reverso

obvious, obvio; evidente (adj., masc. & fem.); palpable (adj., masc. & fem.)

obvious outcome, resultado palpable

obvious purpose, finalidad evidente

obvious risk, riesgo evidente

occasioner, causante

occupation, trabajo; faena; actividad laboral (fem.); mano de obra (fem.); obrero (n. & adj.); laboral (adj., masc. & fem.); desarrollar una actividad laboral (v.); ocupación laboral

occupational accident, accidente de trabajo; accidente laboral

occupational disease, enfermedad laboral

occupational hazards, riesgos profesionales

ocean bill of lading (OBL / ocean blading), conocimiento de embarque marítimo

ocean blading (ab. **ocean bill of lading),** conocimiento de embarque marítimo

ocean freight, flete marítimo

odd, impar; y pico (Esp.) (twenty dollars odd = veinte dólares y pico)

odd figure, número impar

odd lot, unidad de contratación (menos de 100 acciones; menos de USD 10,000)

odd-even check (comp.), control de paridad (comp.); comprobación par-impar (comp.); verificación de paridad (comp.)

OECD (Organization for Economic Cooperation and Development), Organización de Cooperación y Desarrollo Económico (OCDE); OCDE (ab. Organización de Cooperación y Desarrollo Económico)

OECD industrial production, producción industrial de la OCDE

OECD member country, país miembro de la OCDE

OEEC (ab. **Organization for European Economic Cooperation),** Organización Europea de Cooperación Económica (OECE); OECE (ab. Organización Europea de Cooperación Económica)

of age, mayor de edad; adulto

of even date herewith, de igual fecha que el presente

off season, temporada baja

off shore, a lo largo de la costa

off the record, extraoficialmente; confidencialmente; de modo confidencial; con carácter extraoficial

off-balance sheet activities, operaciones fuera de balance; operaciones no integradas en balance

off-balance sheet risks, riesgos sin inversión

off-line (adj.), fuera de línea; autónomo (adj.)

off-line processing (comp.), proceso autónomo (comp.)

off-season prices, precios de temporada baja

off-the-record comments, comentarios extraoficiales; comentarios marginales

offer (n. & v.), oferta; propuesta; plica; licitación (n. fem.); concurso; ofertar; hacer una propuesta; licitar (v.); presentar oferta (v.)

offer a loan for subscription, sacar un empréstito a suscripción; lanzar un empréstito a suscripción

offer easy terms, ofrecer facilidades de pago

offer for sale, oferta de venta

offer to buy, oferta de compra

offer without engagement, oferta sin compromiso

offered market, oferta superior a la demanda

offered rate, tipo de oferta

offerer, postor; licitante; licitador; ofertante; parte licitadora; pujador; requintador (LA)

offering circular, circular de oferta

offering price, precio de oferta

offhand buy, compra directa e improvisada

office, oficina; despacho

office equipment, equipo de oficina

office expenses, gastos de oficina

office manager, jefe de oficina

office supplies, material de escritorio; artículos de escritorio; artículos de papelería

official, funcionario público; oficial (n. & adj.)

official auction, subasta pública

official check (US), cheque emitido por un banco

official exchange rate, tipo oficial de cambio

official export credit, crédito oficial a la exportación

official export credit bank, banco oficial de crédito a la exportación

official export financing, financiación oficial a las exportaciones

official gold holding, tenencia oficial de oro; reserva oficial de oro

official intervention in exchange markets, intervención oficial en los mercados cambiarios

official liquidation, liquidación judicial

official market, mercado oficial

official quotation, cotización oficial

official records, documentos oficiales; documentación de carácter oficial

official schedule, horario legal; calendario legal

official seal of the company, sello oficial de la sociedad

official statement, comunicado oficial

official status, situación reconocida oficialmente; estado formalmente reconocido

official submission, subasta pública

official sworn translator's seal of office, sello oficial de intérprete jurado (Esp.)

official trading, mercado oficial

official unrequitted transfers, transferencias unilaterales

officially fixed price, precio de tasa; precio establecido oficialmente

offset (n.), contrapartida por compensación (n. fem.); cancelación de saldo (n. fem.);

contrarreclamación (n. fem.); liquidación a través de cuenta (n. fem.); compensación por saldos (n. fem.)

offset a negative balance, compensar un saldo negativo

offset account, contracuenta

offset credit, saldo compensatorio

offset earlier losses, compensar pérdidas anteriores

offsetting (adj.), compensatorio (adj.); compensador (adj.)

offsetting flows, flujos compensatorios; movimientos compensatorios de capital

offsetting transactions, operaciones mutuamente compensables

offshore, extraterritorial

offshore banking, actividad bancaria en lugares acogidos a regímenes fiscales especiales

offshore financial centre (US: **centre = center),** centro financiero transnacional; centro financiero supranacional

oil crisis, crisis del petróleo; crisis del crudo

oil industry, industria petrolera; industria del petróleo; industria del crudo

oil sector, sector hidrocarburos; sector del petróleo; sector del crudo; sector de los crudos

oils, petróleos; crudos; acciones de compañías petroleras (Bolsa)

oils (stock exchange), petróleos (Bolsa); crudos (Bolsa); hidrocarburos (Bolsa)

OIT (ab. **outgoing interchange tape),** cinta de intercambio de salida

old age, edad avanzada

old age pension, pensión de ancianidad

Old Lady of Threadneedle Street (col.), Banco de Inglaterra (col.)

oligopoly, oligopolio

omit (v.), errar; perder; omitir; faltar

omitted figure, cifra omitida

omnibus bill, proyecto de ley sobre diversos asuntos; paquete de medidas (Esp.); paquete de proyectos legislativos

on a best effort basis, al mejor (orden bursátil) (Esp.)

on a bid basis, según presupuesto

on a large scale, intensivo, masivo, a gran escala

on a payment basis, a título oneroso

on a seniority basis, por orden de antigüedad

on a yearly basis, anualmente; todos los años; cada año; con carácter anual; con periodicidad anual; al año; por año; anual (adj., masc. & fem.)

on account, a cuenta

on behalf of, en nombre de

on call, previa solicitud; a petición; cuando se solicite; mediante solicitud; por encargo; sobre encargo; previo encargo; sobre pedido

on condition that, a condición de que; con la condición de que

on consignment, en consignación; bajo consignación

on deck, sobre cubierta

on delivery, mediante entrega

on demand, a la vista; a su presentación

on hand, disponible

on line, en línea; conectado

on mortgage security, con garantía hipotecaria

on presentation, a la vista; a su presentación

on request, previa solicitud; a petición; cuando se solicite; mediante solicitud; por encargo; sobre encargo; previo encargo; sobre pedido

on shore, en tierra; sobre tierra

on short notice, con poco tiempo de aviso

on sight of, a la vista de

on the job, en el centro de trabajo

on top of the ranking, en el primer puesto de la clasificación; en el primer lugar del ranking

on-line broker, intermediario bursátil en tiempo real ("on line")

on-the-job training, formación práctica; adiestramiento sobre la marcha; capacitación práctica en el propio centro de trabajo

once, una vez

once a year, una vez al año

one, uno

one hundred, cien; ciento

one hundred thousand, cien mil

one thousand, mil; millar; un millar

one-horse (adj., col.**),** mezquino (adj.); insignificante; poco importante; de poca categoría; irrelevante; de poca monta (Esp., col.)

one-horse business (col.), negocio insignificante

one-industry economy, economía monoindustrial

one-time (adj.), singular (adj.); único (adj.); no repetitivo (adj.)

one-time non-recurrent operation, operación singular y no repetitiva

one-to-one marketing, publicidad por contacto directo

one-to-one training, formación individualizada; acción formativa individual

onerous, caro; costoso; gravoso; oneroso

onerous title, título oneroso

ongoing, continuo; continuado

ongoing operating processes, procesos operativos continuados

onshore (US), local (n. & adj.); del propio país

onus probandi (Lat.), onus probandi (Lat.) (obligación de probar); obligación de probar (Lat.: onus probandi)

opacity of certain funds, opacidad de ciertos fondos

OPEC (ab. **Organization of Petroleum Exporting Countries),** Organización de Países Exportadores de Petróleo (OPEP); OPEP (ab. Organización de Países Exportadores de Petróleo)

open, primer precio de cruce (en la compraventa de un activo financiero); cotización de apertura; apertura (precio inicial de compraventa de un activo)

open a branch, abrir una sucursal

open a case, abrir un caso; iniciar una causa

open a credit, abrir un crédito; aperturar un crédito (Esp., barb.)

open a set of books, abrir los libros (contables)

open account, cuenta abierta

open an account with a leading European bank, abrir cuenta con un importante banco europeo

open arrest, arresto menor (Esp.)

open bids, abrir propuestas; propuestas abiertas

open court, iniciar la vista (tribunales)

open charter, contrato de fletamento abierto; contrato de fletamento sin especificación de puerto o destino

open date, fecha abierta; fecha a determinar

open door policy, política de puertas abiertas; política aperturista; política no restrictiva; política no excluyente

open insolvency, insolvencia notoria

open interest, contratos aún vigentes por no haberse liquidado; conjunto de contratos abiertos y no cancelados; saldo vivo de contratos de futuros en un momento dado

open letter to the shareholders, carta abierta a los accionistas

open loop (comp.), círculo abierto

open market, mercado abierto; mercado liberalizado

open new markets to domestic surpluses, abrir nuevos mercados a los excedentes nacionales

open order, orden de compraventa de títulos pendiente de ejecución; orden de compraventa de títulos sin fecha límite de ejecución

open outcry, a viva voz

open policy, póliza flotante

open port, puerto franco

open position, posición abierta

open routine (comp.), rutina de apertura (comp.)

open subroutine (comp.), subrutina abierta (comp.)

open the door to fresh investments, abrir la puerta a (las) nuevas inversiones

open the meeting, abrir la sesión

open-account export financing, financiación de exportaciones en régimen de cuenta abierta

open-and-shut reasoning, razonamiento indiscutible

open-end investment fund, sociedad instrumental; sociedad de cartera; sociedad de control

open-end mortgage, hipoteca ilimitada

open-end task force, grupo de trabajo abierto; equipo de trabajo sin número fijo de integrantes

opening, apertura; oportunidad; ocasión; empleo vacante

opening balance, saldo de apertura; saldo inicial

opening change, cambio inicial; cambio de apertura

opening entries, asientos de apertura; asientos de constitución

opening inventory, inventario inicial; inventario de apertura

opening inventory at selling cost, inventario inicial a precio de venta

opening inventory in units, inventario inicial por unidades

opening of a credit, apertura de un crédito

opening of an account, apertura de una cuenta

opening of bankruptcy proceedings, apertura del procedimiento de quiebra

opening of the books, apertura de los libros

opening of the stock exchange, apertura de la bolsa; inicio de la sesión bursátil

opening price, precio de base; precio inicial; precio de salida (Esp.)

operating agreement, concierto operativo

operating audit, auditoría funcional

operating budget, presupuesto de explotación

operating control and management records, documentos operativos de control y seguimiento de gestión

operating costs, costes operativos

operating deficit, déficit de explotación

operating expenses, gastos operativos; gastos de explotación; costes de explotación

operating exposure, exposición operativa

operating flexibility, agilidad operativa; flexibilidad operativa

operating income, productos de explotación; margen de explotación; utilidades de explotación

operating level, nivel operativo; nivel de explotación

operating leverage, apalancamiento operativo

operating performance, resultado operativo; resultado de la gestión

operating profitability, rentabilidad de la gestión

operating ratio, ratio de explotación; razón de explotación

operating regulations, normas operativas

operating results, evolución de los resultados

operating statement, estado de resultados de operación

operating supplies, materiales de consumo

operating surplus, superávit de explotación

operating system, sistema operativo; sistema de contratación bursátil

operating time, tiempo de ejecución

operational research (GB), investigación operativa

operational studies, estudios sobre operaciones; estudios operativos

operations control, control de gestión; control de operaciones

operations division, división de operaciones

operations research (US), investigación operativa

operator (business), operador; corredor (agente); agente (intermediario)

operator (swindler), timador; estafador; embaucador; defraudador

operator´s control panel (comp.), cuadro de mandos del operador (comp.)

opposite value, valor inverso

optical character reader, lector óptico

optimistic forecasts, previsiones halagüeñas (fem.); pronósticos optimistas

optimization, optimización; perfeccionamiento

optimize (v.), impulso; estímulo; incentivo; impulsar; potenciar; mejorar; perfeccionar; optimizar; promocionar (escalafón, ventas, etc.); ascender (promocionar)

optimum output, producción óptima

option, opción

option call, vale; bono de prenda; póliza de depósito; opción de compra; instrumento negociable de compra condicionada de acciones anejo al bono

option exercise, ejercicio de una opción

option forward, forward con opción; contrato "forward" con opción

option life, vida de una opción

option on CBT T-bonds futures, opción sobre futuros en bonos del Tesoro, contratado en CBT

option on futures, opción sobre contratos de futuros; opción sobre futuros

option on IMM Eurodollar futures, futuro sobre Eurodólares cotizado en el IMM

option put, opción de compra (o venta)

option style, estilo de una opción

option time value, valor potencial de la opción

option to buy, opción de compra (o venta)

option warrant, certificado de compra de acciones a precio cerrado

optional, optativo; voluntario

optional dividend, dividendo optativo

optional redemption, reembolso operativo; cláusula de amortización anticipada

optional subfield (comp.), subcampo optativo; subcampo de libre cumplimentación

Options Clearing Corporation (OTC), Cámara de Compensación de Opciones

options market, mercado de opciones

options, futures and futures options, opciones, futuros y opciones sobre futuros

order, orden (n. fem.); pedido; encargo; mandado (LA); encargar; mandamiento judicial; cursar una orden

order (decree), decreto; ley (n. fem.); acto; acta

order acceptance, aceptación de un pedido; aceptación de un mandado (LA)

order bill of lading (order BL / order blading), conocimiento de embarque a la orden; conocimiento de embarque negociable; carta de porte negociable; albarán al portador

order BL (ab. **order bill of lading),** conocimiento de embarque a la orden; conocimiento de embarque negociable; carta de porte negociable; albarán al portador

order blading (ab. **order bill of lading),** conocimiento de embarque a la orden; conocimiento de embarque negociable; carta de porte negociable; albarán al portador

order blank, nota de pedido; formulario para hacer pedidos

order book, listín de pedidos

order by mail, encargar por correo; pedir por correo; formular un pedido por vía postal

order cheque (US: **cheque = draft / check),** cheque a la orden

order in writing, orden por escrito; pedido formulado por escrito; mandado formulado por escrito (LA)

order instrument, instrumento a la orden; instrumento negociable

order of, por orden de; a la orden de

ordinary dividend, dividendo ordinario

ordinary hazards, riesgos normales

ordinary income and net income, resultado ordinario y beneficio neto

ordinary interest, interés ordinario; interés calculado sobre año comercial (360 días)

ordinary investment, inversión normal

ordinary Joe (US, col.; GB: **ordinary Joe = Joe public),** Fulano de tal; nombre genérico (fulano)

ordinary loans and discounts, préstamos y descuentos; inversión bancaria típica (IBT); IBT (inversión bancaria típica); inversión libre; inversiones crediticias; efectos y créditos

ordinary operating income, resultado ordinario de gestión

ordinary share, acción ordinaria

ordinary share capital, capital en acciones ordinarias

ordinary stock, capital accionario; acciones ordinarias; acciones comunes; acciones con derecho a voto; acciones de pleno derecho; capital en acciones; capital social

organic law, ley orgánica

organization, organización; estructura de administración y gobierno

organization chart, organigrama

organization expenses, gastos de organización; gastos de constitución

Organization for Economic Cooperation and Development (OECD), Organización de Cooperación y Desarrollo Económico (OCDE); OCDE (ab. Organización de Cooperación y Desarrollo Económico)

Organization for European Economic Cooperation (OEEC), Organización Europea de Cooperación Económica (OECE); OECE (ab. Organización Europea de Cooperación Económica)

organization meeting, asamblea constitutiva; asamblea constituyente

Organization of American States (OAS), Organización de Estados Americanos (OEA); OEA (ab. Organización de Estados Americanos)

Organization of Petroleum Exporting Countries (OPEC), Organización de Países Exportadores de Petróleo (OPEP); OPEP (ab. Organización de Países Exportadores de Petróleo)

organized consortium (Lat., pl.: consortium = corsortia), consorcio organizado

organized crime, crimen organizado; delito organizado; actividades mafiosas

original bill, letra de cambio original; letra de cambio vendida antes de su endoso

original bill of lading (original BL / original blading), conocimiento de embarque original

original BL (ab. **original bill of lading),** conocimiento de embarque original

original blading (ab. **original bill of lading),** conocimiento de embarque original

original capital, capital inicial; capital de constitución

original cost, precio de fábrica; coste de fábrica

original instruments, documentos originales; documentación original

original paper, documentos originales; documentación original

OTC (ab. **Options Clearing Corporation),** Cámara de Compensación de Opciones

OTC market (ab. **over-the-counter market),** transacciones (realizadas) fuera de la Bolsa; operaciones extrabursátiles; mercado secundario; mercado extrabursátil; mercado gré-à-gré; mercado previo a la emisión; negociación extrabursátil de valores; bolsín (Esp.)

OTC options, opciones negociadas directamente entre comprador y vendedor

other assets, otros activos

other compensations, otras compensaciones

other income, ingresos ajenos a la explotación; otros productos; productos varios; productos diversos

other interest, otros intereses

other items, otras partidas; otras cuentas

other liabilities, otros pasivos

other payables, otras obligaciones a pagar

other reconciling items, otras partidas de conciliación

other securities, otros valores

OTM (ab. **out of the money),** fuera de dinero; por debajo del precio actual en el mercado "spot" o al contado

our records show, según nuestros registros; conforme a nuestros registros; de acuerdo con nuestros registros; de conformidad con nuestros registros

out of debt, libre de deudas (masc. & fem.); desendeudado

out of term, fuera de plazo

out of the money (OTM), fuera de dinero; por debajo del precio actual en el mercado "spot" o al contado

out-of-court settlement, arreglo extrajudicial

out-of-pocket expenses, gastos de bolsillo; gastos menudos; gastos de menor cuantía

out-of-the-money option, opción fuera de precio; opción "out of the money"; opción cuyo ejercicio no reporta beneficio

outbid, sobrepujar

outbidder, postor; licitante; licitador; ofertante; parte licitadora; pujador; requintador (LA)

outcry (col.), subasta pública

outdated (adj.), desfasado (adj.); obsoleto (adj.)

outflows, pagos en efectivo; salidas de caja; egresos; desembolsos; erogaciones; expendios

outgoes (sing.: **outgoes = outgo),** pagos en efectivo; salidas de caja; egresos; desembolsos; erogaciones; expendios

outgoing, saliente; de salida

outgoing interchange, intercambio de salida

outgoing interchange tape (OIT), cinta de intercambio de salida

outgoing partner, socio saliente; socio que se retira

outgoing steamer dock, muelle portuario de salida

outlaw, proscrito (n.); proscribir; dejar fuera de la ley; declarar ilegal; ilegalizar

outlays (sing.: **outlays = outlay),** pagos en efectivo; salidas de caja; egresos; desembolsos; erogaciones; expendios

outlet, punto de venta

outlines, líneas generales; grandes rasgos; generalidades

outlook, perspectivas; probabilidades

output, producción total; volumen total de producción

output stagnation, estancamiento de la producción

outright, en firme

outright forward, forward simple; contrato "forward" simple

outright sale, venta en firme

outsell, vender más que; registrar mayor volumen de ventas que

outside party, tercero (participante en contrato mercantil)

outside trading range option, opción válida fuera de un rango

outsider, advenedizo (n. & adj.); extraño (n. & adj.); ajeno a la empresa (n. & adj.); de fuera (adj.); tercero en discordia (Esp., col.)

outsourcing, recurso al exterior; exteriorización de actividades; asignación de tareas a empresas externas; encargo de trabajos a firmas del exterior

outstanding, pendiente (adj., masc. & fem.); vivo (saldo en cuenta) (adj.)

outstanding accounts, cuentas pendientes

outstanding amount, saldo vivo; resto pendiente; suma pendiente; importe pendiente; cantidad pendiente; resto; remanente; arrastre (suma y sigue); suma y sigue; excedente

outstanding capital, capital desembolsado; capital suscrito; capital pagado; capital realizado; capital exhibido; capital integrado

outstanding event, hecho destacable

outstanding loans, préstamos sin amortizar; préstamos con saldo vivo

outstanding note, pagaré no amortizado; pagaré pendiente de rescate

outstanding shares (US: **shares = stock),** acciones en circulación

outstandings, saldo vivo; resto pendiente; suma pendiente; importe pendiente; cantidad pendiente; resto; remanente; arrastre (suma y sigue); suma y sigue; excedente

outtrade, operación no compensada

outward bound, saliente (adj.); que sale; de ida

outward cargo, carga de salida

outward draft, efecto de remesa

outward freight, flete a cargo del vendedor; acarreo(s) por cuenta del vendedor

outward payments, pagos por caja; pagos de caja; pagos realizados

outward switching, salida de capital por compra de moneda extranjera contra moneda local

over and short account, cuenta de compensación; cuenta de liquidación; cuenta puente; cuenta transitoria; cuenta provisional

over the threshold, por encima del límite; sobre el límite; por encima del umbral

over-the-counter market (OTC market), transacciones (realizadas) fuera de la Bolsa; operaciones extrabursátiles; mercado secundario; mercado extrabursátil; mercado gré-à-gré; mercado previo a la emisión; negociación extrabursátil de valores; bolsín (Esp.)

over-the-counter options, opciones negociadas directamente entre comprador y vendedor

overall average return, rendimiento medio global

overall balance, balance global

overall deficit, déficit global

overall environment, circunstancias del entorno

overall figures, datos globales

overall flow of resources to developing countries, flujo global de recursos a países en vías de desarrollo

overall provision, dotación global

overall surplus (pl.: surplus = surpluses), superávit global

overall total, total global

overbooking, sobreventa de billetaje; sobreventa de reservas

overbuy, comprar en exceso

overcapitalize, sobrecapitalizar

overcharge (n. & v.)**,** sobretasa; recargo; sobreprecio; aplicar una sobretasa; imponer un recargo; gravar con una sobretasa

overdebit (n. & v.)**,** sobretasa; recargo; sobreprecio; aplicar una sobretasa; imponer un recargo; gravar con una sobretasa

overdraft, sobregiro; descubierto en cuenta; giro en descubierto; anticipo en cuenta corriente

overdrafts, deudores a la vista

overdraw, sobregirar; girar en descubierto

overdraw a credit, rebasar un crédito; excederse en (la disposición de) un crédito

overdrawn account, cuenta en rojo; cuenta en descubierto; cuenta con saldo insuficiente; cuenta sin cobertura; cuenta rebasada; cuenta sobreexcedida

overdrawn credit, crédito en descubierto

overdue, vencido y pendiente de pago; vencido y a cobrar; vencido y no pagado; en mora

overflow, desbordamiento; capacidad excedida; desbordar la capacidad máxima

overflow line, línea final de página

overhead and payroll expenses, gastos generales y de personal

overhead expenses, gastos generales

overheated, recalentado (adj.); forzado (adj.)

overheated economy, economía recalentada

overheating, recalentamiento

overinvest, invertir en exceso; realizar inversiones excesivas; llevar a cabo un exceso de inversiones

overinvestment, inversión excesiva; exceso de inversión

overload, sobrecarga; sobrecargar

overnight, a una noche; de la noche a la mañana; a un (solo) día

overnight funds, dinero de día a día

overnight interest rate, tipo de interés a un (solo) día

overnight loan, préstamo a un (solo) día

overnite funds (US., col.**),** dinero de día a día

override a clause of the agreement, derogar una cláusula del contrato

overriding clause, cláusula derogatoria

overrun commitment, compromiso de financiación de excesos de costos

oversell, vender por encima de las disponibilidades; ponderar exageradamente (col.)

overshipped goods, mercancía embarcada en exceso; sobrecarga (exceso de carga)

overside, fuera del buque

oversold, infravalorado (Bolsa)

oversubscribed issue, emisión de títulos suscrita en exceso

oversupply, suministro excesivo; abastecimiento sobredimensionado; suministrar en demasía; abastecer en exceso

overtax, agobiar con (un exceso de) impuestos; aplicar unos tributos excesivos

overtime, fuera de hora; a deshora; al margen del horario estipulado

overtrade, operar por encima de las propias posibilidades

overvalue, sobrevalorar; aumentar el valor; encarecer

overvalued currency (pl.: currency = currencies), moneda sobrevalorada

owe (v.)**,** debitar; adeudar; cargar (adeudar); deber a; estar endeudado con; tener contraídas deudas con; hallarse en deuda con

owing to the fact that, debido al hecho de que; dada la circunstancia de que

own (n. & adj.)**,** ser dueño de; propio (adj.)

own account, cuenta propia

own cost and risk, costo y riesgo propios

owner, propietario; dueño; amo

owner of record, propietario registrado; titular de la propiedad

ownership, propiedad (n. fem.); dominio

P

% (ab. **per cent / per centum),** % (ab. por ciento); por ciento (%)

+ (ab. **plus),** más (+); + (ab. más); factor positivo

P&C (ab. **put and call),** opción de compraventa; doble opción

P&L (ab. **profit and loss),** pérdidas y ganancias

P&L account (ab. **profit and loss account),** cuenta de pérdidas y ganancias; cuenta de resultados; estado de pérdidas y ganancias; balance de resultados; declaración de beneficios

P&L statement (ab. **profit and loss statement),** cuenta de pérdidas y ganancias; cuenta de resultados; estado de pérdidas y ganancias; balance de resultados; declaración de beneficios

PA (ab. **Lat. per annum),** anualmente; todos los años; cada año; con carácter anual; con periodicidad anual; al año; por año; anual (adj., masc. & fem.)

PA (ab. **power of attorney),** poder notarial; poderes (de asistencia, representación, voto, firma, etc.)

PAC (ab. **postal area code),** distrito postal (DP) (Esp.); DP (ab. distrito postal); código de distrito postal; código postal (CD)

pac-man, lanzar una oferta sobre las acciones de la OPA; ofertar sobre el paquete accionario de la OPA

package, fardo; bulto; suma elevada de dinero (col.)

package deal, paquete de medidas; convenio que da cabida a intereses encontrados; venta global de artículos

packing, empaquetamiento; empaquetado; empacado; embalaje

packing box, caja para embalar

packing deal, compra de acciones por cuenta de un tercero sin identificar; operación de aparcamiento

packing expenses, gastos de embalaje

packing instructions, instrucciones de embalaje

packing list, lista de bultos; lista de paquetes

packing paper, papel de embalar; papel de envolver (Esp.)

pact, acuerdo; contrato; pacto; concierto; arreglo; compromiso; tratado; responsabilidad (n. fem.); deuda contraída (n. fem.)

pacted and agreed, pactado y convenido

paid (PD), pagado; liquidado

paid-in capital, capital desembolsado; capital suscrito; capital pagado; capital realizado; capital exhibido; capital integrado

paid-up capital, capital desembolsado; capital suscrito; capital pagado; capital realizado; capital exhibido; capital integrado

paid-up stock, acciones liberadas; acciones cubiertas

paid/unpaid drafts ratio, relación entre efectos pagados/impagados

pallet, paleta; tarima; soporte de carga; palé (Esp.)

paper, papel; posición papel (Bolsa); diario (periódico) (col.); texto de una disertación; artículo periodístico

paper currency, papel moneda; billetes de banco

paper money, papel moneda; billetes de banco

paper profits, utilidades no realizadas; beneficio sin realizar

paper tape (comp.), cinta perforada (comp.)

papers, documentos acreditativos (personales, académicos, etc.); papeleras (valores bursátiles)

par, paridad; paridad cambiaria; cambio a la par; paridad real intercambiaria; contravalor; equivalencia; par (valor)

par items, efectos al cobro sin devengo de comisión; efectos a cobrar sin pago de comisión

par of exchange, paridad; paridad cambiaria; cambio a la par; paridad real intercambiaria; contravalor; equivalencia; par (valor)

par value, valor nominal; par principal (opciones y futuros); valor facial; nominal (n.); principal (importe) (n.)

par value of a share, valor nominal de una acción; valor a la par de un título; valor paritario de una acción

par value rate of exchange, tipo de cambio central

par-value stock, acciones con valor nominal; acciones que cotizan al nominal; títulos cotizados a su nominal

paragraph, párrafo (LA: párrafo = acápite); acápite (Esp.: acápite = párrafo)

parallel, paralelo; parejo; en paralelo

parallel access (comp.), acceso en paralelo (comp.)

parallel banking networks, redes bancarias paralelas

parallel choice, opción paralela; posibilidad de opción paralela

parallel market, mercado paralelo; mercado libre

parallel option, opción paralela; posibilidad de opción paralela

parallel rate of exchange, tipo de cambio paralelo; tipo de cambio extraoficial

parallel storage (comp.), memoria de acceso en paralelo (comp.)

parameter, parámetro

paraph, firma; rúbrica; signatura notarial

paraphernal, parafernal (adj., masc & fem.)

paraphernal property, bienes parafernales; objetos de uso personal; mobiliario de propiedad personal

paraphernalia, bienes parafernales; objetos de uso personal; mobiliario de propiedad personal

parcel, paquete; parcela de terreno; empaquetar; dividir en lotes; parcelar terrenos

parcel of shares, paquete accionario; participación accionaria; paquete de acciones; lote de acciones

parcel post receipt (PPR), resguardo de paquete postal

parent company, sociedad matriz; compañía principal de un grupo

pari passu clause, cláusula pari passu; cláusula de garantía del respeto a la igualdad (entre acreedores)

Paris Interbank Offered Rate (PIBOR), tipo ofertado del mercado interbancario de París (PIBOR); PIBOR (ab. tipo ofertado del mercado interbancario de París)

parity bit (comp.), bit de paridad (comp.)

parity change, paridad; paridad cambiaria; cambio a la par; paridad real intercambiaria; contravalor; equivalencia; par (valor)

parity check (comp.), verificador de paridad (comp.)

parole agreement, acuerdo verbal

part shipment, envío parcial de mercancía; embarque parcial de mercancía; expedición parcial de mercancía

part shipments allowed, expediciones parciales permitidas; se permiten las expediciones parciales

part shipments not allowed, expediciones parciales prohibidas; no se permiten las expediciones parciales

part shipments prohibited, expediciones parciales prohibidas; no se permiten las expediciones parciales

part-time, a tiempo parcial; con jornada parcial

part-time employee, empleado con jornada parcial

partial, parcial; incompleto; sin objetividad

partial acceptance, aceptación parcial

partial acquittance, quita (condonación parcial de deuda); finiquito parcial; condonación parcial de deuda (quita)

partial shipment, embarque parcial

partial shipments, envíos parciales; envíos fraccionados

partial shipments allowed, embarques parciales permitidos; se permiten los embarques parciales

partially deductible, parcialmente deducible

participating forward contract, forward participativo; contrato "forward" participativo

participating mortgage, hipoteca conjunta; hipoteca en participación

participating preferred stock, acciones participantes preferentes

participating reinsurance, reaseguro prorrateado

participation, participación

participation account, cuenta de participación

participation certificate, certificado de participación

participation fee, comisión de participación

participation in profits, participación en los beneficios; participación en las utilidades

participatory, participativo

particular average, avería simple; avería particular; pérdida parcial

partly convertible account, cuenta parcialmente convertible

partly offset, parcialmente compensado

partly paid, parcialmente pagado

partly paid bonds, obligaciones parcialmente liberadas; bonos de desembolso aplazado

partly paid shares, acciones parcialmente liberadas

partly paid stock, acciones parcialmente liberadas

partner, socio; asociado

partnership, comandita; sociedad comanditaria; sociedad (reunida) en comandita (SRC); sociedad colectiva; sociedad de responsabilidad limitada; SRC (ab. sociedad reunida en comandita)

partnership articles, escritura de constitución; acta de constitución; documento constitucional; escritura social; escritura constitutiva; certificado de constitución; acta fundacional

partnership assets, bienes sociales

party and party, demandante y demandado

party in interest, parte interesada

pass a bill, aprobar una ley

pass a dividend, no declarar un dividendo

pass a low-down, pasar un informe (de índole) confidencial

passbook, libreta de depósito; libreta bancaria; cartilla de ahorro; libreta de imposiciones

passive bond, bono sin interés

passive strategies, estrategias pasivas

passive trust, fideicomiso pasivo

passthrough (col.), abolición; supresión; derogación; anulación; abrogación; casación

password, contraseña; clave de acceso (comp.)

past due, vencido y pagadero; sobrevencido; de vencimiento atrasado

past due account, cuenta vencida

PAT (ab. **profit after taxes = net profit),** beneficio después de impuestos (= beneficio neto) (benefº d/ imptos.); benefº d/ imptos. (ab. beneficio después de impuestos = benefº neto)

PAT (ab. **profit after taxes),** beneficio después de (pagar) impuestos

patent, patente; patentar

patent and trademark office, oficina de patentes y marcas

patent claim, reivindicación de patente

patent office, oficina de (registro de) patentes; registro de la propiedad industrial

patent pending, patente en tramitación

patent royalty, derechos de explotación de patentes

patrimonial integrity, integridad patrimonial; consistencia de los recursos propios

patrimony, recursos propios; patrimonio; derecho de propiedad; propiedad patrimonial; recursos propios de los accionistas; recursos propios de la sociedad

patron, solicitante; peticionario; ordenante; proponente; cliente

pattern, configuración; esquema; contorno

pattern of falling prices, tendencia descendente de los precios

pawn (n.), crédito pignoraticio; préstamo con garantía de bienes; préstamo colateral; préstamo con garantía prendaria

pawn (v.), hipotecar; pignorar; empeñar

pawnbroker, prestamista

pawning (n.), crédito pignoraticio; préstamo con garantía de bienes; préstamo colateral; préstamo con garantía prendaria

pawnshop, casa de empeños; monte de piedad (Esp.)

pay (in) cash, pagar al contado; pagar en efectivo; pagar dinero en mano (Esp., col.); pagar a tocateja (Esp., col.); pagar en metálico (Esp.)

pay (n.), salario; sueldo; remuneración (n. fem.); retribución (n. fem.); percepciones salariales; emolumentos; paga; jornal; emolumentos salariales

pay back a loan, reembolsar un crédito

pay by instal(l)ments, pagar a plazos

pay damages, pagar daños y perjuicios

pay in advance, pagar por adelantado; pagar anticipadamente; pagar con antelación

pay in arrears, pagar a plazo vencido

pay increases, aumentos salariales; subida de las percepciones salariales

pay off a mortgage, redimir una hipoteca

pay on account, pagar a cuenta

pay on delivery, pago a la entrega; pago contra entrega (de la mercancía)

pay out, pagar (dividendo); distribuir (dividendo); repartir (dividendo)

pay the balance, liquidar el saldo

pay to the bearer, páguese al portador

pay to the order of, pagar a la orden de; páguese a la orden de

pay-back period, plazo de amortización

pay-in slip, resguardo de entrega; ticket de caja (Esp.); recibí (recibo) (Esp.)

pay-through bond, obligación hipotecaria amortizable por lotes

payable (adj.), pendiente de pago; sin pagar; impagado; sin cancelar; pendiente de liquidar

payable at destination, a pagar en destino; pagadero en destino

payable at sight, pagadero a la vista; pagadero a su presentación

payable by, a cargo de; pagadero por

payable in advance, pagadero por adelantado

payable in instal(l)ments, pagadero a plazos

payable on delivery, pagadero a la entrega

payable on demand, pagadero a la vista; pagadero a su presentación

payable semi-annually in arrears, pagadero por semestres vencidos

payable to, pagadero a

payable to bearer, pagadero al portador

payable to order, pagadero a la orden

payables, efectos a pagar

payee, tenedor; portador; titular; comprador de una opción; beneficiario (de un pago)

payer, cajero; cajero pagador; ayudante de caja (Esp.); habilitado (Esp.)

paying agent, agente pagador

paying teller (US), cajero; cajero pagador; ayudante de caja (Esp.); habilitado (Esp.)

paymaster, pagador; habilitado

payment, pago

payment bond, fianza de pago

payment by cheque (US: **cheque = check / draft),** pago mediante cheque

payment by instal(l)ments, pago a plazos

payment deficit, déficit de pagos

payment in full, pago completo; pago por la totalidad; pago por el montante total

payment in kind, pago en especie

payment on account, pago parcial; pago a cuenta; plazo

payment on first presentation, pago a la primera presentación

payment received, resguardo de entrega; ticket de caja (Esp.); recibí (recibo) (Esp.)

payment tender, oferta de pago

payment terms, condiciones de pago

payment under protest, pago bajo protesto

payments, pagos por caja; pagos de caja; pagos realizados

payments schedule, estructura de pagos; calendario de pagos; organización de los pagos

payments structure, estructura de pagos; calendario de pagos; organización de los pagos

payout, beneficio destinado al pago de dividendo; parte del beneficio destinado a dividendos

payout rate, porcentaje del beneficio destinado a dividendos; tasa de distribución de beneficios

payout ratio, porcentaje del beneficio destinado a dividendos; tasa de distribución de beneficios

payroll, personal en activo; plantilla activa; nómina (plantilla de empleados); planilla de sueldos (LA)

payroll account, cuenta de nóminas

PBT (ab. **profit before taxes),** beneficio antes de impuestos (benefº a/ imptº); benefº a/imptº (ab. beneficio antes de impuestos)

PC (ab. **personal computer),** ordenador personal (comp.)

PC (personal computer), ordenador personal

PCF ratio (ab. **price/cashflow ratio),** relación precio-recursos generados

PCFR (ab. **price/cashflow ratio),** relación precio/recursos generados

PD (paid), pagado; liquidado

PDM managing company (ab. **public debt market managing company),** entidad gestora de mercado de deuda pública

PE yield (ab. **price/earnings yield),** rentabilidad en dividendo

peak (n.), cresta de una gráfica; cota máxima; nivel máximo; techo (col.)

peak (v.), alcanzar una cota máxima; llegar a una cresta; situarse en un nivel máximo

peak day, día punta

peak hours, horas punta (Esp.); horas de máxima actividad; horas de mayor afluencia

peak load, carga máxima

peculate, desfalcar; malversar

peculation, desfalco; malversación

peculator, malversador; desfalcador

peculium (Lat.), caudal propio; hacienda personal

peekaboo, verificación por superposición; comprobación mediante superposición

peer competitor, competidor de categoría similar

pegged, estabilizado

pegged exchange rates, tipos de cambio estabilizados; cambios fijos

pegging purchase, compra de apoyo

penal code, código penal; leyes penales; legislación penal

penal interest, interés de penalización; intereses de demora; interés por moratoria

penal laws, código penal; leyes penales; legislación penal

penalize, penalizar; sancionar

penalty, multa; traspaso inmobiliario mediante juicio ficticio; recargo por demora; sanción por incumplimiento (n. fem.); recargo por infracción; multar; poner (una) multa; echar (una) multa

penalty clause, cláusula de penalización

penalty interest, interés de penalización; intereses de demora; interés por moratoria

pending collection, pendiente de cobro; a cobrar; al cobro; a recibir; por cobrar

pending payment, pendiente de pago; sin pagar; impagado; sin cancelar; pendiente de liquidar

penny / pence (ab. **d),** penique / peniques; fallecido / falleció

penny stocks (GB), acciones de escaso valor

pension fund, fondo de retiro; caja de jubilaciones; caja de pensiones; fondo de pensiones

pension fund reserve, reserva para pensiones

pension off, jubilar

pension scheme, plan de pensiones

pension updating, actualización de pensiones

pensionable (adj.), pensionable; con derecho a pensión; que da derecho a pensión

pensionable professional activities, actividades profesionales que dan derecho al devengo de pensión

pensioner, pensionista

pensions, pensiones

people of substance (col.), gente acaudalada; ricachones (Esp., col.)

people´s court, tribunal popular; tribunal del pueblo

peppercorn rent (col.), alquiler nominal

PER (ab. **price/earnings ratio),** relación precio/beneficio; relación beneficio/valor bursátil; ratio precio/beneficio (RPB); RPB (ab. ratio precio/beneficio; ab. relación precio/beneficio); relación beneficio/precio de cotización

per annum (PA) (Lat.), anualmente; todos los años; cada año; con carácter anual; con periodicidad anual; al año; por año; anual (adj., masc. & fem.)

per books, según los libros; conforme a los libros; según las cuentas (Esp., col.); contablemente

per capita (Lat.), per cápita (Lat.); por cabeza

per capita domestic income, renta nacional per cápita

per capita income, renta per cápita

per capita national income, renta nacional per cápita

per cent (%), % (ab. por ciento); por ciento (%)

per centum (%), % (ab. por ciento); por ciento (%)

per diem (Lat.), per diem (Lat.); por día; al día

per procuration (PP), por poder (PP); PP (ab. por poder)

perceived banking risk, riesgo bancario percibido

percentage, porcentaje

percentage of coverage, porcentaje de cobertura

percentage of dealings, porcentaje de contrataciones

percentage of stock, porcentaje del capital accionario

percentage point, punto porcentual

percents, bono a interés fijo (GB)

perfect trust, fideicomiso perfecto; fideicomiso formalizado

perform a professional activity as a financial analyst, desarrollar una actividad profesional como analista financiero

performance, resultado (evolución); ejecución; desempeño

performance bond, fianza de cumplimiento; garantía de buena ejecución; fianza de ejecución

performance of a covenant, cumplimiento de un convenio

performance rating, evaluación del rendimiento (rendimiento efectivo)

perils of the sea, peligros del mar; riesgos marítimos

period, período; ciclo; fase; etapa

period cost (GB: **period cost = fixed cost),** coste fijo

period of grace, período de gracia; moratoria

period of validity, plazo de validez

periodic (adj.), periódico (adj.)

periodic audit, auditoría periódica

periodic payments, pagos periódicos

periodically, periódicamente

peripheral (adj.), periférico (adj.)

peripheral coding and sorting (comp.), equipo periférico de marcaje y clasificación (comp.)

peripheral equipment (comp.), equipo periférico (comp.)

perjury, falso testimonio; perjurio

perk(s) (col.), beneficios complementarios al sueldo; complementos salariales; gratificaciones complementarias; complementos (Esp.); pluses (Esp.)

permanent (adj.), permanente (adj.); invariable (adj.)

permanent assets, activo fijo; activo inmovilizado; bienes de capital; inmovilizaciones

permanent disability, incapacidad permanente

permanent investments, inversiones permanentes; inversiones a largo plazo

permanent records, archivo permanente

permanent storage (comp.), memoria permanente (comp.)

permissive, permisivo

permissive use, uso permisivo; utilización permisiva (n. fem.)

permit (n.), licencia; permiso; autorización

permit (v.), permitir; autorizar; dejar; conceder; otorgar permiso; conceder licencia

permitee, titular de la licencia; titular de la patente; beneficiario de la concesión

permitter, otorgante del permiso

perpetrate a theft, perpetrar un robo; consumar un robo

perpetration, perpetración; consumación

perpetual bond, bono sin vencimiento fijo; obligación de la Deuda Perpetua (Esp.)

perquisites, beneficios complementarios al sueldo; complementos salariales; gratificaciones complementarias; complementos (Esp.); pluses (Esp.)

personal accounts, cuentas personales

personal computer (ab. **PC),** ordenador personal

personal computer (PC), ordenador personal (comp.)

personal covenant, responsabilidad personal; obligación personal; compromiso personal

personal data, datos personales

personal effects, bienes de uso personal

personal estate, muebles; mobiliario; enseres; bienes muebles; efectos mobiliarios; artículos de uso personal

personal fiscal number (PFN), número de identificación fiscal (NIF); NIF (ab. número de identificación fiscal)

personal guarantee (guarantee = guaranty), garantía personal

personal identification number (PIN), NIP (ab. número de identificación personal); número de identificación personal (NIP)

personal income tax, impuesto sobre la renta de las personas físicas (IRPF) (Esp.); IRPF (ab. impuesto sobre la renta de las personas físicas)

personal liability (pl.: liability = liabilities), responsabilidad personal; obligación personal; compromiso personal

personal loan, préstamo personal; crédito personal; préstamo (con garantía) personal

personal property, muebles; mobiliario; enseres; bienes muebles; efectos mobiliarios; artículos de uso personal

personal security, garantía personal

personal surety, obligado; garante; avalista; fiador

personal warranty, garantía personal

personator, impostor

personnel, personal; plantilla; empleados

personnel contract, contrato de personal

personnel department, departamento de personal; departamento de recursos humanos

personnel files, expedientes del personal

personnel hiring, contratación de personal

personnel office, oficina de colocación; oficina de empleo

personnel policies, políticas de personal

peseta deposits translated into euros, depósitos en pesetas convertidos en euros; depósitos en pesetas traspasados a euros

Peter´s principle, principio de Peter

petition, demanda; súplica; instancia; demanda de siniestro; reclamación por daños; requerimiento; moción; recurso

petition (v.), apelar; recurrir; elevar apelación; solicitar; suplicar; rogar; presentar una solicitud ante; formular una petición; presentar (un) recurso

petition in bankruptcy, petición de quiebra

petition the court for dissolution, solicitar la disolución ante el tribunal

petitioner, solicitante; peticionario; ordenante; proponente; cliente

petitioning creditor, acreedor recurrente

petroleum industry, industria petrolera; industria del petróleo; industria del crudo

petroleum sector, sector hidrocarburos; sector del petróleo; sector del crudo; sector de los crudos

petroleums (stock exchange) (GB), petróleos (Bolsa); crudos (Bolsa); hidrocarburos (Bolsa)

pettifogger, leguleyo; abogado picapleitos

pettifoggery, triquiñuela legal

petty average, avería ordinaria; avería menor

petty cash, caja de gastos menores (Esp.); caja chica (LA)

petty cash book, registro de caja chica (LA); registro de gastos menores (Esp.)

petty cash voucher, recibo de caja chica (LA); comprobante de gastos menores (Esp.); justificante de gastos menores (Esp.); boleta de gastos menores (Esp.)

petty expenditures, gastos menores; gastos de poca cuantía

petty larceny, ratería; sisa; hurto; robo parcial de mercancías durante su transporte; sustracción; escamoteo (Esp., col.); abstracción (hurto)

petty theft, ratería; sisa; hurto; robo parcial de mercancías durante su transporte; sustracción; escamoteo (Esp., col.); abstracción (hurto)

PFN (ab. **personal fiscal number),** número de identificación fiscal (NIF); NIF (ab. número de identificación fiscal)

phantom freight, falso flete

phone (col.) (n. & v.), teléfono; telefonear; hacer una llamada de teléfono; realizar una llamada telefónica; llamar por teléfono; dar un telefonazo (Esp., col.)

phone banking, banca telefónica

phone order, orden telefónica; orden cursada por teléfono; pedido telefónico; encargo telefónico

phone service of the money market (Esp.), servicio telefónico de compensación y liquidación (Esp.)

phony document, documento falso

photocopy (n. & v.), fotocopia; xerocopia (r); fotocopiar; hacer fotocopias; sacar fotocopias

photostat (n. & v.), fotocopia; xerocopia (r); fotocopiar; hacer fotocopias; sacar fotocopias

photostatic copy, fotocopia; xerocopia (r); fotocopiar; hacer fotocopias; sacar fotocopias

PHSC (ab. **phytosanitary certificate),** certificado fitosanitario

physical, físico (adj.); material (adj.); efectivo (adj.)

physical assets, activos tangibles

physical depreciation, depreciación material

physical inventory, inventario físico; inventario real; inventario extracontable

phytosanitary (adj.), fitosanitario

phytosanitary certificate (PHSC), certificado fitosanitario

PIBOR (ab. **Paris Interbank Offered Rate),** tipo ofertado del mercado interbancario de París (PIBOR); PIBOR (ab. tipo ofertado del mercado interbancario de París)

pick up (col., v.), analizar antecedentes; estudiar el historial; seleccionar; depurar; elegir

pick up a bargain, hacer un buen negocio

pick up the loose ends (col.), resolver los temas pendientes; atar cabos sueltos (col.); solventar lo pendiente; cerrar flecos (Esp., col.)

picket (vigilance, control, information, strike), piquete (de vigilancia, control, informativo, de huelga)

pickup date, fecha de recogida

piece of evidence, evidencia probatoria; prueba testifical; testimonio; justificante

piece wages, jornal a destajo; jornal por horas

pignorate, hipotecar; pignorar; empeñar

pignoration, hipoteca; pignoración; prenda; garantía prendaria

pilfer, ratear; hurtar; sisar; robar; sustraer; apropiarse de

pilferage, ratería; sisa; hurto; robo parcial de mercancías durante su transporte; sustracción; escamoteo (Esp., col.); abstracción (hurto)

pilot, práctico de puerto (n. masc.)

pilot plan, plan piloto

pilotage dues, derechos de práctico de puerto

PIN (ab. **personal identification number),** NIP (ab. número de identificación personal); número de identificación personal (NIP)

PIN validation field, campo de validación del NIP

pit, corro bursátil

pivot rate, tipo pivote

pizza-style management (col.), gestión de tipo horizontal; gestión desjerarquizada; gestión monoestamento interrelacionada (fem.)

place an embargo, aplicar un embargo; imponer un embargo

place an issue, colocar una emisión

place an order, hacer un pedido; formular un pedido; cursar un pedido; cursar un mandado (LA)

place and date of issue, lugar y fecha de emisión

place funds abroad, situar fondos en el extranjero

place money, colocar dinero

place of delivery, lugar de entrega

place of issue, lugar de emisión

place reliance on senior employees, depositar la confianza en los empleados más antiguos

placed in receivership, declarado en suspensión de pagos; hallarse en suspensión de pagos; estar bajo suspensión de pagos

placement, colocación

placement memorandum, folleto de la emisión

placement of financial assets, colocación de activos financieros

placement of official reserves, aplicación de reservas oficiales

placement office, oficina de colocación; oficina de empleo

placing agent, agente colocador

placing memorandum, folleto de emisión

placing power, capacidad de colocación

plain vanilla (adj., col.**),** corriente (adj., col.); tradicional (adj., masc. & fem., col.); clásico (adj., col.)

plain vanilla swap (col.)**,** swap clásico (Esp.); swap fijo-variable

plainspoken dialogue between the bank and its customer base, diálogo franco entre el banco y su clientela

plaintiff, apelante (n., masc. & fem.); demandante (n., masc. & fem.); recurrente (n., masc. & fem.); solicitante (n., masc. & fem.); querellante (n., masc. & fem.); reclamante (n., masc. & fem.)

plan of accounts, plan de contabilidad; plan contable; estructura de contabilización

planned overtime, horas extra programadas

planning, planificación; formulación; programación

planning committee, comité de planificación

planning of parallel tasks, planificación de tareas paralelas

plant, planta; fábrica; instalación industrial; pista falsa; falso indicio; prueba adulterada; aportar pistas falsas; sembrar indicios equívocos

plastic (col.)**,** tarjeta de plástico (col.)

plastic (credit card) (col.), tarjeta de crédito

plastic card, tarjeta de plástico (col.)

plastic money (col. = **debit and credit cards),** dinero de plástico (col. = tarjetas de débito y crédito)

plate, placa; muestra (rótulo); rótulo

platform, plataforma; muelle de almacén; andamio; programa de principios (col.); declaración formal de intenciones (col.)

platform car, vagón de carga; vagón-plataforma; vagón de carga descubierto

platoon (milit., col.**),** equipo de trabajo; equipo de ayuda; fuerza de choque; grupo operativo

PLC (ab. **public limited company),** sociedad anónima (SA); SA (ab. sociedad anónima)

PLC (ab. **public limited company)** (GB), sociedad por acciones; sociedad anónima; sociedad accionaria en comandita

plea in abatement, instancia de nulidad

plead, entablar pleito; iniciar un pleito; meterse en pleitos (Esp., col.); demandar; pleitear; litigar; interponer querella; llevar ante los tribunales

plead guilty, declararse culpable; autoinculparse

plead not guilty, declararse inocente

pleader, abogado defensor; letrado por la defensa

pleading, pleito; litigio; proceso ante los tribunales; juicio; vista judicial

please acknowledge receipt, sírvanse acusar recibo; rogámosles acusen recibo; agradeceremos acusen recibo

please let us have, sírvanse facilitarnos; rogamos nos faciliten; agradeceremos nos faciliten

please turn over (PTO), ver al dorso

pledge, aval; garantía; respaldo; apoyo; caución; colateral (n.); señal

pledge (v.)**,** dar en prenda; dejar bajo caución; entregar en garantía; abonar una señal

pledge contract, contrato prendario; contrato con garantía prendaria; contrato con aportación de colateral

pledge loan, crédito pignoraticio; préstamo con garantía de bienes; préstamo colateral; préstamo con garantía prendaria

pledge one´s word, dar palabra; empeñar la palabra

pledged accounts, cuentas pignoradas

pledged assets, activos pignorados

pledgee, tenedor de la prenda; depositario de la señal

pledger (pledger = pledgor), prendador; empeñador

pledging, hipoteca; pignoración; prenda; garantía prendaria

pledging of securities, pignoración de valores

plenary assembly, asamblea plenaria

plenary session, sesión plenaria

plenary suit, juicio ordinario

plunder, saqueo; pillaje; despojo; expolio; saquear; despojar; expoliar

plus (+), más (+); + (ab. más); factor positivo

plus accrued interest, más (el) interés acumulado

PM (ab. **post meridiem),** post meridiem (PM; de la tarde, de la noche; de 12:00 a 24:00 horas); PM (ab. post meridiem; de la tarde, de la noche; de 12:00 a 24:00 horas; desde las 12:00 a las 24:00 horas (PM); horario de tarde y/o noche (12:00 a 24:00 horas; PM)

PN (ab. **promissory note),** pagaré

PO box (ab. **Post Office box),** apartado de correos; casilla postal (LA)

point, punto bursátil; punto separador de decimales (equivalente a la coma)

point and figure, método de análisis que contempla exclusivamente una variable

point of departure, punto de partida; marco; umbral

point of meeting, punto de reunión; punto de encuentro; lugar de encuentro

point of sale (POS), punto de venta

point of view, punto de vista

point-of-sale terminal (POS terminal, POST), terminal instalado en el punto de venta; terminal instalado en el establecimiento vendedor

poison pill (hostile takeover bids) (col.), píldora envenenada (opas hostiles) (col.); píldora venenosa (opas hostiles) (col.)

police (n. pl.), policía (n. fem. sing.)

police car, coche patrulla (Esp.); radiopatrulla

police constable (GB), guardia (n. masc. & fem.); policía (n. masc. & fem.)

police station, comisaría (Esp.); cuartel de policía

police station (US: **police station = station house),** comisaría de policía

policeman (pl. policeman = policemen), guardia (n. masc.)

policewoman (pl.: policewoman = policewomen), policía (n. fem.)

policy (pl.: policy = policies), certificado; póliza; atestado; partida (certificado) (Esp.); comprobante

policy holder, asegurado (n. masc.); titular de la póliza; tenedor de la póliza

policy of containment, política de restricción; política de contención

political crisis (pl.: crisis = crises), crisis política (crisis = n. sing. & pl.)

political economics of emerging countries, economía política de los países emergentes

political economy, economía política

political price, precio político

politics, política (estatal, autonómica)

polyglot, políglota

polyglot(t)ism, poliglotía; poliglotismo

poll (n. & v.), encuesta; votación mediante papeletas; escrutinio; emitir un voto; votar por; recabar el voto; solicitar el voto; pedir el voto

polling booth, cabina para votar

polling station, colegio electoral

pool, consorcio; mancomunidad; comisión residual; fideicomiso (trust); cártel de empresas

pooling of interests, combinación de intereses

poor quality, baja calidad

poor quality customer services, servicios de baja calidad a la clientela

population, población

population birth versus death rates, tasa de nacimientos frente a la de fallecimientos

population control, control demográfico

population growth, crecimiento demográfico; aumento de la población

port, puerto

port duties, derechos portuarios

port of arrival, puerto de llegada, puerto de entrega

port of delivery, puerto de entrega; puerto de llegada

port of departure, puerto de salida

port of discharge, puerto de descarga

port of distress, puerto de arribada forzosa; puerto de refugio; puerto de amparo

port of loading, puerto de embarque

portfolio, cartera; valores o activos totales poseídos por una entidad

portfolio (securities, investments, collections, etc.), cartera (de valores, inversiones, efectos al cobro, etc.)

portfolio company, sociedad instrumental; sociedad de cartera; sociedad de control

portfolio enhancement, incremento en la rentabilidad de carteras

portfolio insurance, venta de futuros o compra de opciones (en caso de baja bursátil); aseguramiento de cartera; seguro de carteras

portfolio management, gestión de carteras

portfolio manager, gestor de carteras

portfolio managing company, sociedad gestora de carteras (SGC)

portfolio optimisation, optimización de la cartera

portfolio return, rentabilidad de la cartera

portfolio sale, venta de valores en cartera

portfolio securities, valores en cartera; participaciones accionarias; existencias (n. fem. pl.); remanentes (n. masc. pl.); inversiones (cartera) (n. fem. pl.)

portfolio turnover, movimiento de la cartera

portfolio volatility, volatilidad de la cartera

POS (ab. **point of sale),** punto de venta

POS terminal (ab. **point-of-sale terminal),** terminal instalado en el punto de venta; terminal instalado en el establecimiento vendedor

position, posición; posición en el mercado; posición a corto bajo contrato abierto; situar

position of an account, situación de una cuenta

position trader, operador en posiciones

positioning, posicionamiento

possess (v.), poseer

possession by entireties, posesión indivisa

possession in trust, dominio fiduciario

possessor, poseedor

POST (ab. **point-of-sale terminal),** terminal instalado en el punto de venta; terminal instalado en el establecimiento vendedor

post (n.), cargo; puesto de trabajo; empleo; prestación laboral (n. fem.)

post (US: **post = mail),** correo; correspondencia

post bail for, pagar la fianza de

post meridiem (PM), post meridiem (PM; de la tarde, de la noche; de 12:00 a 24:00 horas); PM (ab. post meridiem; de la tarde, de la noche; de 12:00 a 24:00 horas; desde las 12:00 a las 24:00 horas (PM); horario de tarde y/o noche (12:00 a 24:00 horas; PM)

post mortem session (col.), examen de los resultados

Post Office (US: **Post Office = Mail Office),** Oficina de Correos; Correos (Esp.)

Post Office box (PO box), apartado de correos; casilla postal (LA)

Post Office giro account, cuenta de giros postales

postal area code (PAC), distrito postal (DP) (Esp.); DP (ab. distrito postal); código de distrito postal; código postal (CD)

postal receipt, resguardo de envío postal

postal savings bank, caja postal de ahorros

postal zone, distrito postal (DP) (Esp.); DP (ab. distrito postal); código de distrito postal; código postal (CD)

postdate, aplicar fecha posterior; poner una fecha posterior

postdated (adj.), de fecha posterior; con una fecha posterior; postfechado; postdatado

postdated cheque (US: **cheque = check / draft),** cheque con fecha posterior

posting, asiento; traspaso a los libros oficiales

postman (US: **postman = mail carrier),** cartero; repartidor de correo

postpay, pagar con retraso; pagar con demora; pagar con posterioridad

postpayment, pago diferido

potential (adj.), subsidiario; subyacente; dependiente de; secundario; complementario; potencial (adj.)

potential businessess to be handled by foreign branch offices, negocios potenciales a gestionar por las sucursales del extranjero

potential commitments with other banks, compromisos potenciales con otros bancos

potential credit risk, riesgo potencial del crédito

potential delinquency (pl.: delinquency = delinquencies), morosidades potenciales; posibles impagados

potential investments, inversiones potenciales

potential market, mercado potencial; potencial de ventas

potential value, valor potencial

poultry ranch (US), granja avícola; explotación agrícola

pound sterling (£), libra esterlina (£)

pounds, shillings and pence (LSD) (GB., col.), libras, chelines y peniques

power, potencia; exponente de un número

power of appointment, poder de nombramiento; poder de designación; poder de disposición de bienes raíces

power of attorney, poder; carta de autorización; carta de otorgamiento de poderes; otorgamiento de poderes

power of attorney (PA), poder notarial; poderes (de asistencia, representación, voto, firma, etc.)

powers, poderes; autoridad; facultades; mandato; mandamiento

PP (ab. **per procuration),** por poder (PP); PP (ab. por poder)

PPR (ab. **parcel post receipt),** resguardo de paquete postal

practitioner (medicine, law, etc.), profesional (medicina, derecho, etc.) (n. & adj., masc. & fem.)

praecipium (Lat.), comisión por mediación

praedial (adj.), predial (adj., masc. & fem.)

precarious (adj.), precario

precarious economy, economía precaria

precatory trust, fideicomiso implícito

precautionary, precautorio (adj.); preventivo (adj.); cautelar (adj., masc. & fem.)

precautionary measures, medidas precautorias; medidas preventivas; medidas cautelares; medidas de prevención

preclude, evitar; soslayar; eludir; prevenir

predator (business, takeover bids) (col.), depredador (negocios) (col.); tiburón (opas) (col.)

predetermine, predeterminar

predetermined exchange rate, tipo de cambio predeterminado

preemption, derecho de prioridad para comprar

preemptor, comprador prioritario; comprador preferente

preestablish, preestablecer

preference stock (GB), acciones preferentes; acciones privilegiadas

preference voting, votación por orden de preferencia

preferential allocation, asignación preferente; aplicación preferencial

preferential creditor, acreedor privilegiado; acreedor asegurado; acreedor real (LA); acreedor pignoraticio; acreedor preferente

preferential duty, derecho de importación preferente

preferential subscription right, derecho de preferencia para la suscripción

preferential tariff, arancel preferencial; tarifa preferencial

preferential voting, votación por orden de preferencia

preferred dividend, dividendo preferente

preferred ship mortgage, hipoteca preferente sobre el buque

preferred stock, acciones preferentes; acciones privilegiadas

prefinance future projects, prefinanciar futuros proyectos

prefinancing, prefinanciación (n. fem.)

prefix, prefijo; anteponer; prefijar

prefix configuration, configuración del prefijo

prefix designation, designación de prefijos

preliminary (adj.), proforma (adj., masc. & fem.); simulado (adj.); a efectos meramente formales; preliminar (adj., masc. & fem.); previo (adj.)

preliminary balance sheet, balance general preliminar

preliminary design, anteproyecto

preliminary project, anteproyecto

premature (adj.), prematuro (adj.); extemporáneo (adj.)

premise, premisa; condición preliminar; observación previa; establecer una premisa; sentar una premisa

premises, instalaciones; oficinas (lugar de emplazamiento); inmuebles

premium (pl.: premium = premiums / premia), prima (Esp.); gratificación (n. fem.); sobresueldo; participación en beneficios (n. fem.); premio; recompensa; sin (tener que realizar) pago alguno; gratificar; recompensar; premiar

premium bond, obligación con (pago de) prima

premium bond (GB), bono Premium (GB); bono del estado con derecho a sorteos mensuales de premios (GB)

premium bonus system, sistema de retribución mediante incentivos

premium for the put, prima sobre la acción a vender

premium forward exchange, contrato "forward" con premio; forward con premio

premium on redemption, prima de reembolso

premium rate, tipo elevado; precio elevado

preopening, preapertura

prepaid, pagado por adelantado; pagado anticipadamente

prepaid expenses, gastos anticipados; cargos diferidos

prepaid interest, intereses pagados por anticipado

prepaid salaries, sueldos anticipados; salarios anticipados; anticipos salariales

prepaid taxes, impuestos anticipados

prepay (v.), pagar por adelantado; pagar anticipadamente; pagar con antelación

prepayment, pago adelantado; pago anticipado; anticipo a cuenta; adelanto; señal (anticipo)

prescribe, expirar; vencer; caducar; prescribir

prescription, prescripción

prescriptive right, derecho de prescripción

present, obsequio; presente (obsequio); regalo; obsequiar; hacer un regalo

present (adj.), actual (adj., masc. & fem.); corriente (actual) (adj., masc & fem.); presente (adj., masc. & fem.); en curso

present a bill for acceptance, presentar una letra para su aceptación

present for collection, presentar para su pago; presentar al cobro

present for payment, presentar para su pago; presentar al cobro

present value, valor actual

present worth, valor actual

presentation, a la vista; a su presentación

presentation for collection, presentación para su pago; presentación al cobro

presentation for payment, presentación para su pago; presentación al cobro

presenting bank, banco presentador; banco cedente; banco remitente

presently, de inmediato; sin demora; en breve; dentro de poco; sin dilación; en seguida

president (GB: **president = general manager),** presidente (ejecutivo); director general

president (US), consejero delegado (ejecutivo); primer ejecutivo; director general ejecutivo; consejero ejecutivo; administrador delegado

Presidium (col.), consejo de administración; junta directiva; directorio (LA)

press, prensa (medios de comunicación escritos); medios de comunicación escrita (prensa); presionar; hacer presión sobre; ejercer presión para

press clipping, recorte de prensa

press conference, conferencia de prensa; rueda de prensa

press release, comunicado de prensa; nota de prensa

pressure from wage costs, presiones de los costos salariales

pressure group (lobby), cabildeo; grupo de presión; cabildear; ejercer presión colectiva para que se apruebe o no algo (leyes, etc.)

prestige goods, artículos de lujo

pretax income, beneficio antes de impuestos; resultado antes de impuestos

pretax profit, beneficio antes de impuestos; resultado antes de impuestos

pretty penny, ojo de la cara (Esp., col.); suma de dinero muy elevada; montón de dinero (col.)

prevailing, predominante (adj. masc. & fem.); persistente (adj. masc. & fem.)

prevailing market conditions, situación persistente del mercado (n. fem.)

prevailing market rate, tipo vigente en el mercado

prevaricate, prevaricar

prevarication, corrupción (n. fem.); prevaricación (n. fem.); chanchullo (Esp., col.); corruptela

prevaricator, prevaricador; farsante

prevent, evitar; soslayar; eludir; prevenir

prevention, prohibición (n. fem.); veto; impedimento; prevención (prohibición) (n. fem.)

prevention of money laundering, prevención del blanqueo de dinero

preventive action, acción preventiva; proceso cautelar; mantenimiento preventivo

preventive measures, medidas precautorias; medidas preventivas; medidas cautelares; medidas de prevención

previous (adj.), proforma (adj., masc. & fem.); simulado (adj.); a efectos meramente formales; preliminar (adj., masc. & fem.); previo (adj.)

previous year, ejercicio precedente; año anterior

price, precio; precio de cotización

price and yield of shares, precio y rentabilidad de las acciones

price appreciation, subida de las cotizaciones; alza de precios; apreciación de las cotizaciones; subida de precios; aumento de precios

price ceiling, cota máxima de precios

price controls, controles de precios; reglamentación de precios; intervención sobre los precios

price diversification, diversificación de precios

price fall clause, cláusula sobre caídas de precios

price floor, cota mínima de precios

price forecast, previsiones sobre precios

price freeze, congelación de precios

price freezing, congelación de precios

price increase, subida de las cotizaciones; alza de precios; apreciación de las cotizaciones; subida de precios; aumento de precios

price level, nivel de precios

price lining, diversificación de precios

price outlook, perspectivas de evolución de los precios

price range, banda de fluctuación de los precios

price range of stock, evolución en la cotización de las acciones

price recovery, repunte de los precios; recuperación de los precios

price rise, subida de las cotizaciones; alza de precios; apreciación de las cotizaciones; subida de precios; aumento de precios

price stability, estabilidad de los precios

price support, mantenimiento de los precios

price upsurge, subida de las cotizaciones; alza de precios; apreciación de las cotizaciones; subida de precios; aumento de precios

price war, guerra de precios

price/cashflow ratio (PCF ratio), relación precio-recursos generados

price/cashflow ratio (PCFR), relación precio/recursos generados

price/earnings ratio (PER), relación precio/beneficio; relación beneficio/valor bursátil; ratio precio/beneficio (RPB); RPB (ab. ratio precio/beneficio; ab. relación precio/beneficio); relación beneficio/precio de cotización

price/earnings yield (PE yield), rentabilidad en dividendo

price/wage differential, diferencial precios/salarios

primary commodities, materias primas; primeras materias; productos básicos

primary deposit, depósito de apertura; ingreso inicial

primary liability, responsabilidad directa

primary market, primer mercado para nuevas emisiones; mercado primario

primary producing countries, países de producción primaria

primary reserves, reservas líquidas; reservas realizables; reservas disponibles

prime area, área primaria

prime bank, banco de primera fila; banco de primer orden

prime bankers´ acceptance rate, tipo de descuento para aceptaciones preferentes sobre Nueva York; tipo de interés preferencial; tasa de interés preferencial; interés aplicado a clientes preferenciales

prime rate, tipo (de interés) preferencial

prime rate for commercial loans, tipo de interés preferencial sobre préstamos comerciales; tasa de interés preferencial aplicable a clientes de primer orden

principal, cantidad principal de un préstamo (n. fem.); valor nominal neto; ordenante (n., masc. & fem.); comitente; mandante; delegante; constituyente; representado

principal (amount), valor nominal; par principal (opciones y futuros); valor facial; nominal (n.); principal (importe) (n.)

principal and interest, capital total más intereses acumulados; principal más intereses; suma de principal más intereses devengados; capital e intereses

principal member, miembro principal

principle, principio (ético)

printed circuit (comp.), circuito impreso (comp.)

printed form, formulario impreso

printed in Spain, impreso en España

printed letter, letra de molde

printed matter, impresos (n. pl.); material impreso; publicidad impresa

printer (comp.), impresora

printer´s dozen, docena larga; trece por doce; docena de fraile (Esp., col.)

printing (comp.), impresión (comp.)

printing machine (comp.), impresora

printout, impresión definitiva (n. fem.); tirada tipográfica

prior charges, gastos precedentes; gastos prioritarios

prior lien, gravamen precedente

prior to, anteriormente; antes de; con anterioridad a; de más arriba

prior to ship unloading, antes de abrir escotillas; antes de descargar el barco; con anterioridad a la descarga del barco

prior to the allocation of the year´s earnings, antes de la aplicación de los resultados del ejercicio

prior year cash dividend, dividendo correspondiente al año anterior; dividendo correspondiente al ejercicio precedente

priority rating, clasificación preferencial

priority share, acción preferente; acción privilegiada

prison regime (regime = régime), régimen penitenciario

private accountant, contable particular; contador privado (SA)

private area, zona privada; área de acceso restringido

private bank, banco privado

private banking, banca privada

private business, empresa privada; negocio particular

private capital market, mercado de capital privado

private commercial bank, banco comercial privado

private debt, deuda privada; deuda particular

private demand, demanda privada

private deposit, depósito privado

private dick (col.), detective privado; sabueso (Esp., col.)

private enterprise, empresa privada; negocio particular

private export credit, crédito privado a la exportación

private eye (col.), detective privado; sabueso (Esp., col.)

private financial flows, movimientos financieros privados; flujos financieros de particulares

private individual, persona física

private limited company, sociedad limitada

private loans, préstamos a particulares; préstamos personales; créditos personales (Esp.)

private office, oficina privada; despacho particular

private person, persona particular; particular (n. masc. & fem.)

private placement, colocación privada

private property, propiedad privada

private sector, sector privado

private sector company, empresa del sector privado

private securities portfolio, cartera de valores privados

private-sector peseta deposits translated into euros, depósitos en pesetas del sector privado convertidos en euros; recursos en pesetas procedentes del sector privado traspasados a euros

private-sector securities, valores privados

private-sector variable-yield securities, valores privados de renta variable

privies (sing. = **privies** = **privy),** copartícipes en un bien común; partes en común

privilege, privilegio; prerrogativa; privilegiar; otorgar prerrogativas

privileged, privilegiado (adj.)

privileged debt, deuda privilegiada; deuda preferente

privileged stock, acciones preferentes; acciones privilegiadas

privy seal (GB)**,** sello real

prize (n.)**,** prima (Esp.); gratificación (n. fem.); sobresueldo; participación en beneficios (n. fem.); premio; recompensa; sin (tener que realizar) pago alguno; gratificar; recompensar; premiar

PRN (ab. **purchase request notice),** notificación de solicitud de compra

pro forma (pro forma = proforma) (adj.)**,** proforma (adj., masc. & fem.); simulado (adj.); a efectos meramente formales; preliminar (adj., masc. & fem.); previo (adj.)

pro rata, prorrata; proporcionalmente; en proporción

pro tem (pro tem = pro tempore) (Lat.)**,** por el momento; de momento

pro tempore (pro tempore = pro temp) (Lat.)**,** por el momento; de momento

probability (pl.: probability = probabilities), probabilidad (n. fem.); perspectiva (probabilidad)

probate court, tribunal testamentario; tribunal sucesorio

probation officer, agente judicial de vigilancia

probity, integridad; honestidad; probidad; honradez

problem, problema

problem difficult to cope with, problema difícil de afrontar

procedural, procesal (adj., masc. & fem.)

procedure, citación; convocatoria; derecho a redimir bonos antes de su vencimiento; redención de un bono; procedimiento judicial; causa ante los tribunales; auto judicial; exhorto de comparecencia

procedure chart, gráfica de procedimientos

proceed against, proceder contra; entablar pleito contra; iniciar actuaciones judiciales contra; llevar ante los tribunales a; presentar (una) demanda contra

proceeding for collection, expediente de apremio

proceeding of crime, fruto del delito

proceedings, acta de sesiones; acontecimientos; desarrollo de la vista; evolución del procedimiento judicial

proceeds, cifra resultante; suma resultante; cantidad resultante; importe resultante; líquido (n.); producto neto; importe neto

proceeds of discount, producto del descuento

process (n.)**,** citación; convocatoria; derecho a redimir bonos antes de su vencimiento; redención de un bono; procedimiento judicial; causa ante los tribunales; auto judicial; exhorto de comparecencia

process control (comp.), control de procesos (comp.)

process of garnishment, proceso de embargo

process server, encargado de la entrega de notificaciones judiciales; agente judicial; alguacil

processing date (comp.), fecha de proceso (comp.)

processing error (comp.), error de proceso (comp.)

processing for reexportation, perfeccionamiento y acabado para la reexportación; tráfico de perfeccionamiento (Esp.)

processing of interchange tapes (comp.), proceso de cintas de intercambio (comp.)

processing of shareholder records, gestión de ficheros de accionistas

processing time limits (comp.), fechas tope de proceso (comp.)

procuration fee, comisión por mediación en la concesión de un préstamo

procurator lawyer, procurador (Esp.); abogado procurador

procure money, procurar (la obtención de) dinero; recabar fondos; reunir fondos; conseguir dinero

procurement, aprovisionamiento

produce (n. & v.), producto (agrícola, etc.); producir; sacar

produce a fresh witness, presentar un nuevo testigo

produce evidence, presentar pruebas

producer, productor; fabricante

producer goods, elementos de producción

producing countries (countries: sing. = **country),** países productores

product life-cycle, ciclo de vida de un producto

product range breadth, amplitud del surtido; variedad del muestrario de productos

production bonus, prima de producción; plus de productividad (Esp.)

production control, control de producción

production credit, crédito a la producción

production department, departamento de producción

production efficiency, eficiencia de producción

production hold-up, mantenimiento de la producción

production schedule, programación de la producción; planificación de la producción

production tax, impuesto sobre la producción

production units, unidades de producción

productive assets, activo productivo; activo que rinde intereses; activo que genera beneficios

productive investment, inversión productiva; inversión rentable

productive labour (US: **labour = labor),** mano de obra directa; mano de obra productiva

productive wages, mano de obra directa; mano de obra productiva

productiveness (productiveness = productivity), productividad

productivity (productivity = productiveness), productividad

productivity plan, plan de productividad

productivity prospects, perspectivas de productividad

productivity ratio, ratio de productividad

productivity schedule, plan de productividad

professional, profesional (n. & adj., masc. & fem.)

professional competence, competencia profesional

professional conduct, comportamiento profesional; conducta en el trabajo; comportamiento laboral

professional dealings, relación profesional

professional ethics, ética profesional

professional fees, honorarios profesionales

professional level, categoría profesional; nivel profesional; rango profesional

professional proficiency, competencia profesional

professional rank, categoría profesional; nivel profesional; rango profesional

professional record, historial profesional; antecedentes laborales; hoja de servicios

professional union, agrupación profesional; sindicato profesional

proficiency, destreza; habilidad adquirida; experiencia práctica; pericia; capacidad laboral

profile (v.), perfilar; determinar; fijar; establecer; estipular; formular un planteamiento

profile of new candidates to the job, perfil de los nuevos candidatos al puesto

profile of the average interest rate, perfil del tipo medio de interés

profit, beneficio; ganancia; utilidad (beneficio); renta; producto (beneficio)

profit after taxes (= net profit) (PAT), beneficio después de impuestos (= beneficio neto) (benefº d/ imptos.); benefº d/ imptos. (ab. beneficio después de impuestos = benefº neto)

profit after taxes (PAT), beneficio después de (pagar) impuestos

profit and loss (P&L), pérdidas y ganancias

profit and loss account (P&L account), cuenta de pérdidas y ganancias; cuenta de resultados; estado de pérdidas y ganancias; balance de resultados; declaración de beneficios

profit and loss appropriation account, cuenta de distribución de resultados

profit and loss sharing, participación en beneficios y pérdidas

profit and loss statement (P&L statement), cuenta de pérdidas y ganancias; cuenta de resultados; estado de pérdidas y ganancias; balance de resultados; declaración de beneficios

profit before taxes (PBT), beneficio antes de impuestos (benefº a/ imptº); benefº a/imptº (ab. beneficio antes de impuestos)

profit centre (US: **centre = center),** centro de beneficios; banco o unidad que genera grandes beneficios (US, col.)

profit from gambling, beneficios del juego; productos del juego

profit margin, margen de utilidad; margen de beneficio

profit sharing, distribución de beneficios; reparto de beneficios; aplicación de utilidades; dotación con cargo a beneficios

profit taking, toma de beneficios

profit-earning capacity, capacidad de generar beneficios

profit-sharing debenture, obligación participativa; obligación con derecho a participar en beneficios; bono de participación en utilidades; bono de participación en beneficios

profit-sharing reserve, reserva para participación de utilidades

profit-worth rate, relación de utilidades a capital

profit-worth ratio, relación de utilidades a capital

profitability, rentabilidad; tasa de rendimiento; rentabilidad de gestión; producto (renta); renta (producto); producir (beneficio); rentar

profitability ratio, ratio de rentabilidad; coeficiente de rentabilidad

profitable, rentable (adj. masc & fem.)

profitable investment, inversión productiva; inversión rentable

profits tax, impuesto sobre el beneficio

proforma (proforma = pro forma) (adj.), proforma (adj., masc. & fem.); simulado (adj.); a efectos meramente formales; preliminar (adj., masc. & fem.); previo (adj.)

proforma balance sheet, balance simulado

proforma invoice, factura simulada; factura proforma

proforma statement, balance simulado

prognoses (sing.: **prognoses = prognosis),** cálculos; expectativas; previsiones cara al futuro

prognosis (pl.: prognosis = prognoses), pronóstico para el futuro

program (n. & v.), calendario de objetivos; tabla de horarios; programa de metas a alcanzar; agenda de trabajo; programar; estructurar; organizar

program (n.), programa (n. masc.)

program package (comp.), paquete de programas (comp.); conjunto de programas para ordenador (Esp., comp.); programa-filtro (comp.)

program trading, contratación automática mediante ordenador (Esp.); contratación a través de computadora (LA)

programme, programa (n. masc.)

programmed check (comp.), control programado (comp.)

programmer, programador (n.)

programming (comp.), programación (comp.); programación de computadoras (LA); programación de ordenadores (Esp.); programación informática

progress (v.), progresar; avanzar; anticipar; adelantar una señal (Esp.)

progression, secuencia; cadena secuencial; ordenación en serie; progresión

progressive (adj.), progresivo; escalonado; secuencial (adj., masc. & fem.); de serie; en serie

progressive decline in unemployment, disminución progresiva del índice de desempleo

progressive payments, pagos parciales; pagos secuenciales; pagos escalonados

progressive scale, escala progresiva

prohibit (v.), prohibir; vetar; impedir

prohibited risk, riesgo no asegurable

prohibition, prohibición (n. fem.); veto; impedimento; prevención (prohibición) (n. fem.)

prohibitive prices, precios prohibitivos

project, proyecto; plan; proyectar; planear

project financing, financiación de proyectos

project management, gestión de proyectos

prolegomenon (pl. prolegomenon = prolegomena), prolegómeno; introducción; preliminares

proletarian, proletario (n. & adj.)

proletariat, proletariado

prolocutor, presidente de mesa; presidente de comisión; jefe de delegación; portavoz

promisee, tenedor de una promesa; receptor de una promesa

promiser (promiser = promisor), prometedor (n.)

promising, prometedor (adj.); halagüeño (adj.)

promising prospects, perspectivas halagüeñas

promisor (promisor = promiser), prometedor (n.)

promissory note, pagaré

promissory note (PN), pagaré

promote, patrocinador; promotor; padrino (col.); patrocinar; promover; apadrinar; fomentar

promote (job, sales, etc.) (v.), impulso; estímulo; incentivo; impulsar; potenciar; mejorar; perfeccionar; optimizar; promocionar (escalafón, ventas, etc.); ascender (promocionar)

promote an employee to a higher position, ascender a un empleado a un puesto superior

promote an objective, promover un objetivo

promote liaison, promover los contactos

promote transborder trade, fomentar las operaciones comerciales de ámbito transfronterizo; promover el comercio transfronterizo

promotion, promoción; ascenso; fomento; potenciación

promotion actions, campaña de promoción

promotion expenses, gastos de promoción

promotion of new banking products, campaña de promoción de nuevos productos bancarios

promotional allowance, descuento promocional; bonificación promocional

promotional expenditures, gastos de promoción

promotor´s shares, acciones de promotor

prompt, recordatorio (n.); aviso de recordatorio; plazo de pago de mercancías compradas a crédito; inducir a

promulgate, promulgar

promulgate a decreee-law, promulgar un decreto-ley

promulgation, promulgación

promulgation of a royal decree, promulgación de un real decreto

proof of loss, prueba de la pérdida

proof of posting, comprobante de asiento en los libros; justificante de inscripción

propaganda (political), propaganda (política)

propensity to economic stagnation, propensión al estancamiento económico

proper, propio; apropiado; adecuado; excelente (GB); chachi (adj., Esp., col.)

proper fraction, fracción propia (n., fem.)

proper party, parte interesada

propertied (adj.), adinerado (adj.); acaudalado (adj.); rico (adj.)

property, propiedad; propiedades inmobiliarias; bienes inmobiliarios (Bolsa)

property developer, promotor inmobiliario; promotora inmobiliaria; sociedad de promoción inmobiliaria; urbanizadora (n., Esp.)

property development company, promotor inmobiliario; promotora inmobiliaria; sociedad de promoción inmobiliaria; urbanizadora (n., Esp.)

property market, mercado inmobiliario

property net worth, valor líquido del patrimonio inmobiliario

property tax, impuesto sobre la propiedad inmobiliaria; derechos reales

propertyless (adj.), carente de bienes

proportional, proporcional (adj., masc. & fem.)

proportional share, parte proporcional

proposal (n.), oferta; propuesta; plica; licitación (n. fem.); concurso; ofertar; hacer una propuesta; licitar (v.); presentar oferta (v.)

proposed distribution of earnings, propuesta de distribución de beneficios

proposer, solicitante; peticionario; ordenante; proponente; cliente

proposition, proposición; teorema; tío (Esp., col.); fulano (Esp., col.)

propounder, solicitante; peticionario; ordenante; proponente; cliente

proprietary company (PTY) (Australia, New Zealand), sociedad limitada (Australia, Nueva Zelanda)

proprietary (pl.: **proprietary = proprietaries)** (US), propietario (US); concesionario (US); dueño (US); titular de una partente (US); comunidad de propietarios (US)

proprietary equity, valor líquido de una propiedad individual

proprietary trading, operaciones bursátiles por cuenta propia

proprietor (n. masc..; fem.: **proprietor = proprietress)** (US), propietario (US); concesionario (US); dueño (US); titular de una partente (US); comunidad de propietarios (US)

proprietor´s account, cuenta de capital (empresa individual)

proprietorship, recursos propios; patrimonio; derecho de propiedad; propiedad patrimonial; recursos propios de los accionistas; recursos propios de la sociedad

proprietorship certificate, certificado de propiedad

proprietress (n. fem.; masc.: **proprietress = proprietor)** (US), propietaria (n. fem.); dueña

prorate (US, v.), sacar la media; prorratear; calcular el promedio

proration, prorrateo; derrama; reparto

pros and cons, pros y contras; ventajas y desventajas

prosecutable, enjuiciable (adj., masc. & fem.)

prosecuting attorney, abogado fiscal; fiscal (Esp.); ministerio fiscal (Esp.); acusador; abogado de la parte querellante; letrado de la parte demandante

proslavery boss (col.), negrero (col.); latiguero (col.); jefe demasiado exigente

prospect, probabilidad (n. fem.); perspectiva (probabilidad)

prospects for investment, perspectivas de inversión

prospectus, prospecto; folleto informativo; prospecto informativo (detalles de una emisión)

protect, abogar por; defender; preconizar; proteger; actuar por la defensa

protect customers´ personal data, proteger los datos personales de los clientes

protection, amortiguador; protección (n. fem.); amortiguar

protection money, soborno (en evitación de daños); impuesto ilegal; impuesto revolucionario (pol.)

protective covenant, cláusula de cobertura; cláusula de salvaguardia; cláusula de protección

protective custody, custodia preventiva

protective measures, medidas proteccionistas

protective put, put de cobertura; acciones más "put" o una "call"; cobertura con opción de venta

protective put with index options, cobertura con "put" sobre índices

protective put with stock options, cobertura de opciones de venta sobre acciones

protective tariff, arancel proteccionista

protest (n. & v.), queja; protesta; protesto; presentar una queja; formular una reclamación; quejarse; reclamar; recusar; protestar

protest charges, gastos de protesto; cuenta de resaca (Esp.); cuenta de regreso (LA)

protest of dishonoured drafts (US: **dishonoured = dishonored),** protesto de efectos impagados

protest waived, sin gastos (Esp.); no protestar en caso de impago

protested bill (US: **bill = draft),** letra protestada; efecto protestado

protested draft, letra protestada; efecto protestado

provable debt, deuda justificable; deuda demostrable; deuda comprobable

prove (v.), demostrar ante la ley; probar fehacientemente; aportar pruebas; justificar de modo fehaciente

prove the cash, hacer arqueo (Esp.); hacer caja (Esp., col.); comprobar la caja; verificar las entradas y salidas por caja

provide collateral, avalar; garantizar; endosar; colaterizar; prestar fianza; aportar aval

provide evidence, demostrar ante la ley; probar fehacientemente; aportar pruebas; justificar de modo fehaciente

provide evidence of identity, identificarse; acreditar la personalidad

provide for (v.), perfilar; determinar; fijar; establecer; estipular; formular un planteamiento

provide information, proporcionar información; aportar información; facilitar información

provided it be paid, salvo buen fin; siempre que sea pagado

provided that, a menos que; salvo que; excepto si

provincial bank, banco provincial

provincial savings bank, caja de ahorros provincial

provision, artículo; cláusula (n. fem.); disposición (n. fem.); condición (n. fem.); condicionante (n. masc.)

provision account, cuenta de reserva

provision for accelerated depreciation, provisión para amortización libre

provision for bad debts, provisión para incobrables; provisión para fallidos; provisión para insolvencias

provision for corporate income tax, provisión para impuesto de sociedades

provision for country risk, provisión para riesgo-país

provision for credit losses, provisión para incobrables; provisión para fallidos; provisión para insolvencias

provision for depreciations, provisión para amortizaciones

provision for pensions, provisión para pensiones

provision for statutory payments, provisión para atenciones estatutarias

provision for taxes, provisión para impuestos

provision for writedown of securities portfolio, provisión para saneamientos de la cartera de valores

provision for writedowns, provisión para saneamientos

provision of funds, provisión de fondos; imputación de fondos; distribución de fondos; asignación de fondos

provision to allowances, provisiones para reservas

provision(s) market, mercado de abastecimientos; mercado de abastos (Esp.)

provisional account, cuenta de compensación; cuenta de liquidación; cuenta puente; cuenta transitoria; cuenta provisional

provisional figures, cifras provisionales

provisions and writedowns, provisiones y saneamientos

provisions of the agreement, disposiciones del acuerdo

proviso (pl.: proviso = provisos / provisoes), artículo; cláusula (n. fem.); disposición (n. fem.); condición (n. fem.); condicionante (n. masc.)

provisory (adj.), interino (adj.); en funciones; provisional (adj., masc. & fem.); en (el) ejercicio; provisorio; condicional (adj., masc. & fem.)

proxy, carta-poder; delegación de voto; poder para votar en representación del titular

proxy marriage, matrimonio por poderes

proxyholder, apoderado; funcionario autorizado; responsable (n., masc. & fem.); mandatario; poderhabiente; representante del titular; empleado con poderes de firma

psychological tests, pruebas (p)sicológicas; tests sicológicos (Esp.)

PTO (ab. **please turn over),** ver al dorso

PTY (ab. **proprietary company) (Australia, New Zealand),** sociedad limitada (Australia, Nueva Zelanda)

public auction, subasta pública

public audit, auditoría pública

public consumption, consumo público

public debt, deuda pública; fondos públicos; valores del estado; bonos del Tesoro; deuda nacional; obligaciones del Tesoro; títulos del sector público; valores del sector público

public debt market managing company (PDM managing company), entidad gestora de mercado de deuda pública

public defender, abogado de oficio (Esp.)

public good, bienestar público; interés público

public hearing, audiencia pública

public knowledge, notoriedad

public law, derecho público

public liability, responsabilidad civil; responsabilidad ante terceros

public limited company (PLC) (GB), sociedad por acciones; sociedad anónima; sociedad accionaria en comandita

public limited company (PLS), sociedad anónima (SA); SA (ab. sociedad anónima)

public offering, oferta pública de enajenación (OPE); OPE (ab. oferta pública de enajenación)

public officer, funcionario público; oficial (n. & adj.)

public official (GB), funcionario público; oficial (n. & adj.)

public opinion, opinión pública

public ownership, propiedad estatal; propiedad municipal

public prosecutor, abogado fiscal; fiscal (Esp.); ministerio fiscal (Esp.); acusador; abogado de la parte querellante; letrado de la parte demandante

public relations, relaciones públicas

public relations head, encargado de relaciones públicas; director de relaciones públicas

public sector, sector público

public sector company, empresa pública; empresa del sector público

public sector deficit, déficit del sector público

public utilities (sing.: **utilities = utility),** servicios públicos

public utility company, empresa de servicios públicos

public weight master, pesador oficial

public works, obras públicas

public-good (adj.), de interés público

publicity, publicidad; propaganda (publicitaria)

punctated, marcado con una línea de puntos

punch in, fichar (registrar la hora de llegada mediante tarjeta) (Esp.)

punch out, fichar (registrar la hora de salida mediante tarjeta) (Esp.)

punishable (adj.), punible (adj., masc. & fem.); sancionable (adj., masc. & fem.)

punishable crime, delito punible

punishable offence, delito punible

punt (Ir., col.**),** libra (Ir., col.)

purchasable employee, empleado corruptible; empleado venal

purchase (n), compra; adquisición (n. fem.)

purchase an issue outright, adquirir una emisión en firme; comprar en firme una emisión

purchase and sale prices, precios de compraventa

purchase and sale prices of the assets traded, precios de compra y venta de los activos negociados

purchase for cash, compra satisfecha en efectivo; compra al contado; comprar al contado

purchase forward, comprar a término

purchase fund, fondo de recompra; fondo de rescate

purchase option, opción a la compra

purchase order, orden de compra

purchase price, precio de adquisición; precio de compra

purchase request notice (PRN), notificación de solicitud de compra

purchase(s) agent, agente comprador; agente de compras (Esp.)

purchaser, comprador; adquirente

purchases of raw materials, compras de primeras materias; compra de materias primas

purchasing agent, agente comprador; agente de compras (Esp.)

purchasing bidder, rematador de una subasta

purchasing potential, potencial de compras

purchasing power, poder adquisitivo

purchasing power parity, paridad del poder adquisitivo

pure endowment, capital diferido

pure food certificate, certificado de pureza alimenticia

pure interest, interés neto

purloin, ratear; hurtar; sisar; robar; sustraer; apropiarse de

purport, significado; sentido; dar a entender; querer decir

purported (adj.)**,** supuesto (adj.); pretendido (adj.)

purporting to be the real cardholder, pretendiendo ser el auténtico titular de la tarjeta; intentando pasar por auténtico titular de la tarjeta

purpose, meta; fin; propósito; finalidad; objeto (finalidad)

purse up (col.)**,** hacer efectivo; cobrar en metálico; percibir en efectivo; embolsarse

purse-bearer (col.)**,** tesorero; pesetero (Esp, col, n.)

purser (merchant marine), sobrecargo (marina mercante)

pursuant to, de acuerdo con; conforme a; de conformidad con; según

push, despido (GB); destitución (GB)

push the rates of interest on current accounts up, subir los tipos de interés de las cuentas corrientes

put, acuerdo de recompra; compromiso de recompra; cesión temporal de activos; venta de valores con pacto de recompra; compra de activos al contado con pacto simultáneo de venta a plazo; cesión temporal de activos con pacto de recompra; opción a vender; opción de venta; pacto de readquisición; pago de bienes o servicios con lo que con ellos se fabrica

put and call (P&C), opción de compraventa; doble opción

put buy, compra de una opción de venta

put illegal funds on a current account, depositar fondos de procedencia ilegal en cuenta corriente

put in brackets, poner entre paréntesis

put in suit, entablar pleito; iniciar un pleito; meterse en pleitos (Esp., col.); demandar; pleitear; litigar; interponer querella; llevar ante los tribunales

put in the money, precio de ejercicio alto

put out a feeler (col.)**,** hacer un sondeo

put out of the money, precio de ejercicio por debajo del actual de la acción

put out to tender, sacar a concurso

put premium, prima de opción a vender

put sale, venta de una opción de venta

put up cash, aportar efectivo

put up price, precio inicial de subasta

puttable bond, bono con opción de reventa

pyramid of command, estructura jerárquica

pyramid-style management structure, estructura de gestión (de tipo) piramidal

pyramidal organization, organización piramidal

pyramiding, piramidación; efecto cascada

Q

QTY(ab. = **quantity),** cantidad

quadratic equation, ecuación de segundo grado

qualification (n.), cualificación (salvedad); reserva (salvedad); salvedad; observación; formular una observación; hacer una salvedad; destacar (el hecho de que)

qualification shares, acciones de depósito obligatorio

qualified acceptance, aceptación condicional; aceptación limitada; aceptación restringida; aceptación con reservas

qualified affidavit, declaración jurada con reservas

qualified certificate, certificado con salvedades; certificación con reservas

qualified endorsement, aval limitado; endoso completo, con exclusión de responsabilidad

qualified life insurance, seguro de vida condicional; seguro de vida sujeto a determinada condición

qualified report, informe con salvedades; informe con reservas

qualified rights, derechos condicionales; derechos restringidos

qualified staff, personal cualificado

qualify for an executive assignment, calificarse para acceder a un cargo ejecutivo; reunir méritos para el acceso a un cargo directivo

qualifying period, período de prueba para pasar a fijo (Esp.); período no sujeto a devengo de intereses

qualifying shares, acciones en pago de servicios

qualitative, cualitativo

qualitative assessment, evaluación cualitativa

qualitative results, resultados cualitativos

quality, calidad

quality assessment, valoración de la calidad; evaluación de calidad

quality circle, círculo de calidad

quality control, control de calidad

quality of life, calidad de vida

quality seal, sello de calidad

qualms, escrúpulos; reparos

quango (col.), ente semiautónomo; organismo semiautónomo

quantifiable, cuantificable

quantifiable losses, pérdidas cuantificables

quantify, tasar; fijar el valor; justipreciar; evaluar; peritar

quantitative, cuantitativo

quantitative import controls, controles cuantitativos sobre la importación

quantitative information, información cuantitativa

quantitative synthesis, síntesis cuantitativa

quantity (QTY), cantidad

quantity discount, descuento por cantidad

quantum of customer service, grado de servicio al cliente; nivel de servicio a la clientela

quarantine, cuarentena

quarrelsome customer, cliente reclamista; cliente picapleitos

quarry for further data, indagar para conseguir más datos; hacer indagaciones para lograr mayor información

quarter, cuarto (cuarta parte); barriada; barrio; zona; dividir en cuatro partes

quarter day, día de vencimiento de un pago por trimestres

quarter stock (US)**,** acciones de 25 dólares nominales

quarter-to-quarter deposits drop, caída intertrimestral de los recursos ajenos; descenso de los depósitos trimestralmente comparados

quarter-to-quarter drop in accounts, descenso intertrimestral del número de cuentas

quarter-to-quarter variation, variación intertrimestral; variación de un trimestre a otro; diferencia entre trimestres

quarterage, montante del pago trimestral

quarterly, trimestral; trimestralmente; cada tres meses; revista trimestral

quarterly amortization, amortización trimestral

quarterly average, media trimestral

quartile, cuartil; cuartillo

quarto sheet, cuartilla (papel); papel tamaño cuartilla

quash a sentence, anular una sentencia

quasi-, casi; semi

quasi-banking subsidiaries, sociedades filiales parabancarias; filiales parabancarias

quasi-public companies, empresas mixtas; sociedades semipúblicas; empresas privadas de interés público; empresas semioficiales

quay, dársena; embarcadero; muelle de carga/descarga; malecón

queen bee (col.)**,** mandamás (mujer) (col.); jefa (col.)

Queen's Bench (GB)**,** Tribunal de lo Penal (GB)

query (pl. = **queries),** consulta; pregunta; poner en tela de juicio; preguntar; consultar

query a report, poner en duda el contenido de un informe

question (n.)**,** asunto; cuestión (n. fem.); negocio (asunto); acontecimiento; tema (n. masc.)

question (v.)**,** revisar; examinar; investigar; analizar; indagar; pasar revista; escrutar; considerar; inquirir; cuestionar

question mark, signo de interrogación; interrogación; interrogante

questionable, refutable; discutible; cuestionable

questioner, interrogador; interpelante; contestatario

questionnaire, cuestionario

queue, fila; cola

quick assets, caja y bancos; efectivo en caja y bancos; activo disponible; liquidez (caja y bancos); activo realizable; activo de realización inmediata; disponibilidades; valores realizables; disponibles (n. masc. & fem.); activo de fácil realización

quick ratio, relación activo disponible / pasivo corriente

quickie strike, huelga salvaje

quid (GB., col), libra esterlina

quid pro quo (Lat.)**,** a cambio de qué (quid pro quo) (Lat.); quid pro quo (Lat.) (a cambio de qué)

quintillion (US)**,** trillón

quit, abandonar la ejecución de un programa (informático); salir de una aplicación (informática)

quit from a debt, liberarse de una deuda; descargarse de deudas; pagar la totalidad de lo adeudado; liquidar una deuda; satisfacer el importe de una deuda; pagar una deuda; hacer frente a una deuda

quite legible, perfectamente legible

quittance, descargo; finiquito; pago final; quita; liquidación del saldo pendiente; pago de la deuda; cumplimiento de compromiso; desgravación; carta de pago; acuse de recibo, por escrito, de un pago

quiz, interrogar; poner a prueba; someter a interrogatorio

quorate (GB)**,** formar quórum; reunir quórum; conseguir quórum

quorum, quórum

quota, cuota; cupo; asignación (porcentaje); contingente (cupo asignado); participación (cuota asignada); acción (título de participación en el capital de una sociedad)

quotation, cotización; admisión a bolsa de un valor; precio de mercado de un valor bursátil; listado; cambio bursátil; tipo de cambio bursátil; cita literal

quotation marks, comillas

quotation screen, pantalla de cotizaciones

quotations bulletin, boletín de cotizaciones; lista de cotizaciones

quote (v.)**,** citar literalmente; cotizar; presentar presupuesto

quote unquote (GB., col.**),** mal llamado

quoted currency, divisa cotizada

quoted shares, acciones cotizadas

quoted stocks, valores de renta variable cotizados en bolsa

quotes, comillas

quotient, coeficiente; índice; relación; cociente; tasa; tipo; razón (ratio) (n. fem.); ratio

R

R&D (ab. **research and development),** investigación y desarrollo (I&D); I&D (ab. investigación y desarrollo)

R&I dept. (ab. **research and innovation department),** departamento de estudios e innovaciones

racial discrimination, discriminación racial

racket (col.), follón (Esp., col); tinglado (asunto ilegal) (Esp., col.); lío (asunto ilegal) (Esp., col.); barullo (asunto ilegal) (Esp., col.); asunto ilegal

racketeer, mafioso

racketteering, crimen organizado; delito organizado; actividades mafiosas

rackrent, alquiler a precio exorbitante; arrendamiento abusivo; alquilar a un precio exorbitante; arrendar a un precio abusivo

raffle, rifar; sortear

RAFT (ab. = **revolving acceptance facility by tender),** línea renovable de financiación mediante aceptaciones por subasta

ragtag collection of proposals (col.), batiburrillo de propuestas (Esp., col.); proposiciones variopintas (Esp., col.)

raid (n.), retirada masiva de depósitos; agresión (opas); compra de acciones por sorpresa; toma de posiciones inesperada; allanamiento (opas); ataque (opas)

raider, especulador (opa); tiburón (col.); atracador

raider (institution), entidad que intenta absorber a otra

rail transport, transporte ferroviario; transporte por tren; transporte por ferrocarril; transporte por vía férrea

railroad (GB: **railroad = railway),** ferrocarril; ferroviario (adj.); tramitar de un plumazo (Esp., col.)

railroad B/L (US: ab. **railroad bill of lading),** talón de ferrocarril; resguardo de transporte por vía férrea; recibo de transporte ferroviario de mercancías; conocimiento de embarque ferroviario; hoja de ruta ferroviaria; carta de porte por ferrocarril

railroad bill of lading (US; railroad B/L), talón de ferrocarril; resguardo de transporte por vía férrea; recibo de transporte ferroviario de mercancías; conocimiento de embarque ferroviario; hoja de ruta ferroviaria; carta de porte por ferrocarril

railway (US: **railway = railroad),** ferrocarril; ferroviario (adj.); tramitar de un plumazo (Esp., col.)

railway B/L (GB; ab. **railway bill of lading),** talón de ferrocarril; resguardo de transporte por vía férrea; recibo de transporte ferroviario de mercancías; conocimiento de embarque ferroviario; hoja de ruta ferroviaria; carta de porte por ferrocarril

railway bill of lading (GB; ab. **railway B/L),** talón de ferrocarril; resguardo de transporte por vía férrea; recibo de transporte ferroviario de mercancías; conocimiento de embarque ferroviario; hoja de ruta ferroviaria; carta de porte por ferrocarril

rain-damaged, dañado por la lluvia

raise, aumento de sueldo; subida salarial; promoción jerárquica; salto (Esp., col.)

raise a blockade, levantar un bloqueo

raise a loan, obtener un crédito; concertar un empréstito; financiarse mediante un crédito

raise an embargo, levantar un embargo; levantar una prohibición

raise an objection, poner una objeción; alegar una objeción; formular una objeción; plantear una objeción

raise funds, recaudar fondos; obtener fondos; conseguir fondos; captar fondos

raise interest rates, subir los tipos de interés; aumentar los tipos de interés; elevar los tipos de interés

raising of rents, aumento de los alquileres; subida de alquileres

rake in a pretty penny (GB, col.**),** ganar montones de dinero (Esp., col.); ganar el dinero a puñados (Esp., col.); ganar pasta por un tubo (Esp., col.); ganar dinero a espuertas (Esp., col.); amasar dinero (Esp., col.); ganar a manos llenas (Esp., col.); hacer el Agosto (Esp., col.); hincharse a ganar cuartos (Esp., col.); sacar tajada (de) (Esp., col.)

rally, recuperación; alza de precios pronunciada; subida de precios acusada; repunte; período de recuperación; evolución alcista; tendencia ascendente

rally in prices, repunte de los precios; recuperación de los precios

RAM memory (random access memory), memoria de acceso aleatorio; memoria RAM (Esp.); memoria de acceso directo

ramifications of laundering organizations, ramificaciones de las organizaciones dedicadas al blanqueo

ramp (GB., col.**),** robo a mano armada (col.)

ranch hand (US), peón; bracero (Esp.)

random, aleatorio

random access, acceso directo; acceso aleatorio

random access memory (RAM memory), memoria de acceso aleatorio; memoria RAM (Esp.); memoria de acceso directo

random number, número aleatorio

random sampling, muestreo aleatorio; muestreo al azar

randomly, aleatoriamente; al azar

randomly selected, seleccionado aleatoriamente; elegido al azar

range (n.), ámbito; campo; límites; gama; recorrido de una variable; campo de una variable

range (v.)**,** extenderse; expansionarse

range forward, opción de rango

range of derivative instruments, gama de instrumentos derivados; serie de productos derivados

rank (n.)**,** categoría; rango; posición (n. fem.); situación (n. fem.); nivel; dignidad (n. fem.); estado

rank above, estar por encima (en categoría, etc.)

rank below, estar por debajo de (en categoría, etc.)

rank the company's staff, incorporarse a la plantilla de la empresa; entrar a formar parte del personal de la empresa

rank the line, ponerse en la cola (Esp.); colocarse en la fila; hacer cola (Esp.)

ranker (col.)**,** jefe que empezó desde la nada

ranking, clasificación; tabla (por categorías, etc.); ordenación; agrupamiento

ranking first, en el primer puesto de la clasificación; en el primer lugar del ranking

ranks of the unemployed, filas de parados; filas de desempleados

ransom, amortización (n. fem.); redención (n. fem.); depreciación (n. fem.); rescate; reembolso progresivo de la deuda contraida mediante pagos parciales; amortización gradual de la deuda mediante pagos parciales de la misma

ransom demand, petición de pago de rescate; exigencia de pago de rescate

ransom for, pagar rescate por

rap sheet, antecedentes penales

rapacity, rapacidad; codicia; avaricia; voracidad

rape, violación (estupro); estupro; rapto con violación

rapport, comunicación; aviso; declaración (comunicación)

rashly decision, decisión precipitada

rat, canalla; mala persona; rata (col.)

ratbag (GB, col.**),** cascarrabias; protestón; contestatario impenitente

rate (n.), coeficiente; índice; relación; cociente; tasa; tipo; razón (ratio) (n. fem.); ratio

rate (v.), tasar; fijar el valor; justipreciar; evaluar; peritar

rate base, base tarifada

rate cap, tipo máximo de interés (durante la vigencia del crédito)

rate of earnings on common stockholders' equity, relación entre utilidades y capital representado por acciones comunes

rate of earnings on total capital employed, relación entre utilidades y capital total empleado

rate of exchange, tipo cambiario; tipo de cambio

rate of inflation, tasa de inflación; índice de precios al consumo (IPC) (Esp.); IPC (ab. índice de precios al consumo) (Esp.)

rate of interest, tipo de interés; tasa de interés

rate of issue, precio de emisión; tipo de emisión; precio de lanzamiento

rate of juvenile delinquency, tasa de delincuencia juvenil

rate of profit, tasa de beneficio

rate of rental, tasa de arrendamiento

rate of return, rentabilidad; tasa de rendimiento; rentabilidad de gestión; producto (renta); renta (producto); producir (beneficio); rentar

rate of taxation, tipo impositivo; tipo imponible; tipo fiscal; fiscalidad

rateable value (GB), valor catastral

ratepayer, contribuyente; sujeto (fiscal) pasivo (Esp.); persona obligada a declarar

ratification, ratificación

ratify, ratificar

rating, clasificación crediticia; valoración del grado de solvencia; calificación de valores bursátiles; calificación de solvencia financiera; evaluación del colateral aportado

ratio, coeficiente; índice; relación; cociente; tasa; tipo; razón (ratio) (n. fem.); ratio

ratio analysis, análisis de ratios

ratio of accounts receivable to credit sales, relación entre cuentas al cobro y ventas a crédito

ratio of earnings retained to net income, relación entre utilidades retenidas y rendimiento líquido

rational, racional, lógico, sensato

rationale, razones; motivos; fundamento

ratty customer (col.), cliente malhumorado; cliente cabreado (col.)

raw (adj.), inexperto; sin baquetear (Esp., col.); sin tablas (Esp., col.); crudito (Esp., col.)

raw data, datos sin procesar

raw materials, materias primas; primeras materias; productos básicos

raw materials yield, rendimiento de las materias primas

raw translation, traducción en sucio; traducción sin corregir; traducción sin pulir

razzmatazz, publicar a bombo y platillo (Esp., col.); realizar un gran alarde publicitario; anunciar a bombo y platillo (Esp., col.); hacer un alarde publicitario

RCL (ab. **restricted card list),** lista de tarjetas restringidas

re-account, cuenta de resaca

re-count, recuento; segundo escrutinio de votos

re-elect, reelegir

re-election, reelección

re-exchange, letra de resaca

reaction capability, capacidad de reacción

reach a consensus, alcanzar un consenso

reach a top position in the ranking, alcanzar un puesto elevado dentro de la clasificación; clasificarse en uno de los puestos más altos; acceder a uno de los más altos puestos de la clasificación

read through, leer en su totalidad (un documento); leer íntegramente; leerse de cabo a rabo (Esp., col.)

reader, lectora (máquina)

readily available, fácilmente localizable

readily marketable, fácilmente realizable; fácilmente negociable; de fácil realización

readily marketable money instruments, instrumentos monetarios fácilmente realizables

readiness, disponibilidad; buena disposición; viveza; agilidad

readiness to invest, disposición a invertir

readjust current wages, reajustar los salarios actuales

readjust to the new environmental circumstances, readaptarse a las nuevas circunstancias del entorno

readjustment of current wages, reajuste de los salarios actuales

ready and willing, dispuesto a todo; dispuesto a lo que sea; abierto a cuanto haga falta; para todo cuanto sea preciso

ready money, dinero disponible; recursos de inmediata disponibilidad; tesorería; dinero en caja; encaje; liquidez; numerario (tesorería) (Esp.)

ready property movables, muebles; mobiliario; enseres; bienes muebles; efectos mobiliarios; artículos de uso personal

ready reckoner, baremo

ready-made services, servicios de disponibilidad inmediata

reaffirm, reafirmar; reiterar; reforzar (un argumento); remachar (Esp., col.)

real (interest) rate, tipo (de interés) real; tipo (de interés) corregido con la inflación

real chattels, bienes raíces; bienes inmuebles; hacienda (bienes); propiedad inmobiliaria (n. fem.); heredad (n. fem.); testamentaría; cuerpo hereditario; masa hereditaria; cuerpo de la herencia; legar (v.)

real damages, daños efectivos; daños reales

real discount, descuento real

real estate, bienes raíces; bienes inmuebles; hacienda (bienes); propiedad inmobiliaria (n. fem.); heredad (n. fem.); testamentaría; cuerpo hereditario; masa hereditaria; cuerpo de la herencia; legar (v.)

real estate credit, crédito inmobiliario

real estate investments, inversiones inmobiliarias

real estate loan, préstamo inmobiliario

real estate tax, impuesto predial; impuesto sobre activos inmobiliarios; impuesto de erradicación (Esp.); impuesto catastral (Esp.)

real estate tax receipt, justificante de pago del impuesto predial; carta de pago del impuesto sobre activos inmobiliarios; recibo de pago del impuesto catastral; justificante de pago del impuesto de erradicación

real exchange rate, tipo de cambio real

real growth, crecimiento real

real growth from year to year, evolución interanual del crecimiento real; crecimiento real interanual

real income, renta real; ingresos reales; entradas efectivas; percepciones efectivas

real interest rate, tasa real de interés; tasa de interés efectiva; tipo de interés real

real money, dinero legítimo en efectivo; monedas de curso legal; monedas (de oro o plata)

real output, producción real

real par of exchange, paridad; paridad cambiaria; cambio a la par; paridad real intercambiaria; contravalor; equivalencia; par (valor)

real price, precio real

real property, bienes raíces; bienes inmuebles; hacienda (bienes); propiedad inmobiliaria (n. fem.); heredad (n. fem.); testamentaría; cuerpo hereditario; masa hereditaria; cuerpo de la herencia; legar (v.)

real return, tasa de rentabilidad efectiva; rentabilidad efectiva; rentabilidad real

real time (RT), tiempo real

real value, valor real; valor efectivo; valor ajustado a la tasa de inflación

real wages, salario real

real yield, tasa de rentabilidad efectiva; rentabilidad efectiva; rentabilidad real

real-time data transmission, transmisión de datos en tiempo real

real-time processing, proceso en tiempo real

real-time trading system, sistema operativo en tiempo real

realign current salaries, reajustar los salarios actuales

realignment, reajuste; re(e)structuración; realineamiento; venta parcial de activos

realignment of current wages, reajuste de los salarios actuales

realistic (adj.), realista (adj., masc. & fem.)

realistic terms, condiciones razonables; términos razonables

realizable assets, activos realizables

realizable property, bienes realizables; propiedades inmobiliarias realizables; activos inmobiliarios realizables; bienes susceptibles de venta

realization, realización (n. fem.); venta de un activo

realization account, cuenta de compensación; cuenta de liquidación; cuenta puente; cuenta transitoria; cuenta provisional

realization of seized property, realización de bienes inmobiliarios embargados; venta de propiedades inmobiliarias procedentes de embargos

realization of stocks, realización de existencias; venta de existencias; venta de valores de renta variable

realization value, valor liquidable; valor de liquidación; valor de realización

realtor, agente inmobiliario

realty, bienes raíces; bienes inmuebles; hacienda (bienes); propiedad inmobiliaria (n. fem.); heredad (n. fem.); testamentaría; cuerpo hereditario; masa hereditaria; cuerpo de la herencia; legar (v.)

reallowance, incentivo sobre las ventas iniciales de una nueva emisión

ream (US., col., **v.),** estafar; timar; embaucar; defraudar; desplumar (Esp., col.)

reappraisal, revalorización; revaluación; revalúo (LA); aprecio (revalorización); incremento de valor

reappraisal of assets special reserve, reserva especial para regularización del balance

reappraise, revaluar

rearrangement, reorganización; cambio de fecha; cambio de hora; cambio del orden del día (temas a tratar)

reason (n. & v.)**,** antecedentes; orígenes; motivación; trasfondo; razón (motivo); razonar; discurrir

reason (ratio), coeficiente; índice; relación; cociente; tasa; tipo; razón (ratio) (n. fem.); ratio

reasonable, razonable (adj. masc. & fem.)

reasonable care, prudencia razonable

reasonable value, valor equitativo

reassert, reafirmar; reiterar; reforzar (un argumento); remachar (Esp., col.)

reassess, reexaminar; volver a estudiar; reconsiderar

reassurance, reafirmación

reassure, reafirmar; reiterar; reforzar (un argumento); remachar (Esp., col.)

reattach, reembargar

reattachment, reembargo

rebate (n), reducción (n. fem.); bonificación (n. fem.); descuento; rebaja; reembolso; reintegro; devolución; reembolsar; reintegrar; devolver

rebate (v.)**,** descontar; bonificar; rebajar; deducir; desgravar

reborrow, refundir una deuda; efectuar nuevas disposiciones del crédito; realizar una nueva disposición con cargo al crédito

rebound (v.)**,** recuperar; recobrar; recuperarse

rebound tax, impuesto repercutido

recall faulty bank promotional literature, retirar de la circulación material publicitario defectuoso del banco

recap (col.)**,** síntesis de instrucciones; resumen (recapitulación); recapitulación (resumen); extracto (resumen); memorándum; sintetización (n. fem.)

recap (col.) (v.)**,** condensar; resumir; sintetizar; compendiar; recapitular

recapitalization, recapitalización

recapitalize, recapitalizar

recapitulation entry, asiento compuesto; apunte múltiple; asiento combinado; asiento global; apunte compuesto

receipt (n.)**,** factura; recibo; talón (recibo); guía (talón); expedir un recibo; facturar; emitir una factura

receipt in full, descargo; finiquito; pago final; quita; liquidación del saldo pendiente; pago de la deuda; cumplimiento de compromiso; desgravación; carta de pago; acuse de recibo, por escrito, de un pago

receipt is acknowledged, acuso(/acusamos) recibo

receipts, beneficio realizado; ganancias obtenidas; beneficio obtenido; beneficio alcanzado; rentas; entradas; percepciones

receipts and disbursements, entradas y salidas

receipts and expenditures, entradas y salidas

receivable (adj.)**,** pendiente de cobro; a cobrar; al cobro; a recibir; por cobrar

receivable from the tax administration, recuperable del fisco

receivables, efectos a cobrar; letras (de cambio) al cobro; partidas al cobro; remesas al cobro; efectos al cobro; facturas a cobrar; facturas al cobro (n. fem. pl.); activo exigible

receive, recepcionar (mercancías robadas)

receive in exchange, recibir a cambio

received dividend, dividendo recibido

received for shipment B/L (ab. **received for shipment bill of lading),** justificante de recepción de la mercancía para su carga; albarán de entrada de mercancía para su carga; conocimiento de entrada de mercancía para su carga

received for shipment bill of lading (received for shipment B/L), justificante de recepción de la mercancía para su carga; albarán de entrada de mercancía para su carga; conocimiento de entrada de mercancía para su carga

receiver, síndico (en suspensiones de pagos / quiebras); administrador judicial; interventor (suspensión de pagos); tomador; depositario judicial; liquidador

receivership, sindicatura (en suspensión de pagos / quiebra)

receiving bank, banco receptor

receiving order, designación judicial de síndico en una suspensión de pagos

receiving teller, cajero de ingresos; cajero de cobros; cajero cobrador

recent opening, apertura reciente

recess, receso; suspensión de actividades

recipient, receptor

reciprocal contract, contrato bilateral; contrato recíproco

reciprocal covenants, garantías recíprocas; garantías mutuas

reciprocation, reciprocidad

reciprocity, reciprocidad

reckless endangerment, imprudencia temeraria

reckless spending, desperdicio; derroche; despilfarro

reckon (up), revisar; examinar; investigar; analizar; indagar; pasar revista; escrutar; considerar; inquirir; cuestionar

reckoning, cálculos; expectativas; previsiones cara al futuro

recognition by the parties, reconocimiento por las partes

recognizance, prenda (garantía); fianza; garantía real; colateral; activo de garantía; título bursátil

recognize, reconocer; admitir

recognize a debt, reconocer una deuda; reconocerse deudor

recommence, reanudar; reiniciar

recommend, recomendar; aconsejar

recommendation, recomendación

recommendation letter, carta de presentación; carta de recomendación

reconcile accounts, conciliar cuentas; ajustar cuentas

reconcile figures, cuadrar cifras

reconcilement, ajuste; corrección; liquidación mediante ajuste; conciliación; conformación; movimiento contrario a la tendencia, sin alterarla

reconciliation of accounts, conciliación de cuentas; ajuste de cuentas

reconciliation of capital funds, evolución de los recursos propios

reconciling of figures, cuadre de las cifras (Esp.)

reconsider, reexaminar; volver a estudiar; reconsiderar

reconsideration of a proposal, reconsideración de una propuesta

reconvey, traspasar de nuevo

record, archivo; expediente; legajo; carpeta de archivo (Esp.); historial; archivar; presentar (hacer entrega)

record (n. & v.), registro (lugar / inscripción); protocolo (registro); inscripción (n. fem.); registrar (inscribir); protocolizar

record a corporate provision, tomar nota de una disposición corporativa

record a mortgage, inscribir una hipoteca

record a provision, constituir una provisión; tomar nota de una disposición

record a vote, realizar una votación a mano alzada

record evidence, hacer constar

record figure, cifra sin precedentes

record high, cifra máxima sin precedentes; cotización máxima registrada

record length, longitud de registro, campo del registro

record low, cifra mínima sin precedentes; cotización mínima registrada

record of attendance, registro de asistencias; control de asistentes

record of matters discussed, acta de los asuntos sometidos a discusión

record retention, conservación de antecedentes; mantenimiento de antecedentes

record time, tiempo récord

recordable, registrable; susceptible de registro

recordation (office), registro legal

recorded delivery, entrega contra firma del destinatario

records, archivos; registros

recourse, apelación; recurso (apelación); alzada; solicitud

recourse to competent courts, recurso a los tribunales competentes

recover (v.), recuperar; recobrar; recuperarse

recover damages, recuperar daños y perjuicios; ser indemnizado por daños y perjuicios; recibir indemnización por daños y perjuicios

recoverable, recuperable (adj., masc. & fem.)

recoverable expenses, gastos recuperables

recoverable waste, desperdicios susceptibles de aprovechamiento; desechos recuperables

recovered expenses, gastos recuperados

recovered unperformings, insolvencias recuperadas; créditos insolventes recuperados

recovery, recuperación; alza de precios pronunciada; subida de precios acusada; repunte; período de recuperación; evolución alcista; tendencia ascendente

recovery of bad debts written off, recuperación de fallidos amortizados

recovery of GDP (Gross Domestic Product), recuperación del PIB (Producto Interno Bruto); recuperación del PNB (Producto Nacional Bruto)

recovery of nonperforming loans, recuperación de créditos dudosos

recovery of prices, repunte de los precios; recuperación de los precios

recovery package, paquete de medidas de recuperación; paquete de medidas de reactivación

recovery warehouse, bodega de recuperación

recruitment of qualified personnel, contratación de personal cualificado

rectify (v.), corregir; rectificar; reformar

rectitude of behaviour (US: behaviour = behavior), rectitud de comportamiento

recurrent, recurrente

recurrent problems, problemas recurrentes

recycle, reciclar

recycled material, material reciclado

recycling, reciclaje; reciclado

recharter, refletar

red clause, cláusula roja; cláusula de anticipo al exportador

red clause credit, crédito "cláusula roja" (permite anticipos contra simple recibo)

red chip, acción de firma de Hong Kong con activos en China continental; acción de firma estatal china cotizada en Hong Kong; acción H; valor rojo

red herring (col.), planta; fábrica; instalación industrial; pista falsa; falso indicio; prueba adulterada; aportar pistas falsas; sembrar indicios equívocos

red herring (US, col.**),** prospecto informativo de nueva emisión; anuncio preliminar de una emisión

red label, etiqueta roja (mercancías peligrosas)

red tape (col.), papeleo (Esp., col.); formulismos; trámites burocráticos

redate, poner fecha nueva; rectificar la fecha

redeem a pledge, rescatar una prenda

redeem bonds, amortizar pagarés; redimir bonos

redeem from pawn (col.), desempeñar; sacar de la casa de empeños; sacar del Monte de Piedad (Esp.)

redeem from the pawnshop (col.)**,** desempeñar; sacar de la casa de empeños; sacar del Monte de Piedad (Esp.)

redeem mortgaged land, rescatar terrenos hipotecados

redeem notes prior to maturity, rescatar pagarés antes del vencimiento

redeemable, rescatable; amortizable; redimible

redeemable bonds, bonos amortizables

redeemable shares, acciones amortizables

redeliver, retornar (devolver); volver a entregar; devolver (retornar)

redemption, amortización (n. fem.); redención (n. fem.); depreciación (n. fem.); rescate; reembolso progresivo de la deuda contraida mediante pagos parciales; amortización gradual de la deuda mediante pagos parciales de la misma

redemption date, fecha de rescate

redemption fund, amortizaciones acumuladas; fondo de amortización

redemption of a debt, extinción de una deuda

redemption of debts, amortización de deudas

redemption of notes, rescate de pagarés

redemption price, precio de demanda; precio de amortización; precio de rescate

redeploy staff, reubicar al personal; modificar la ubicación de la plantilla

rediscount, redescuento; redescontar

rediscount and endorsement of notes, redescuento y endoso de efectos

rediscount of drafts, redescuento de efectos

rediscount rate, tipo de redescuento

rediscounted notes, efectos redescontados

rediscounted or endorsed bills, efectos redescontados o endosados

redistribution of economic resources, redistribución de recursos económicos

redistributive, redistributivo

redraft (n.)**,** letra de resaca

redraft (v.)**,** redactar de nuevo; volver a redactar; girar un nuevo efecto; volver a girar una letra; emitir una letra de resaca (Esp.)

redress (n. & v.)**,** reparación de daños; resarcimiento por daños; compensación por daños; reparar los daños causados; compensar los daños ocasionados; resarcir los daños causados

reduce par value, reducir la paridad

reduce to the ranks (col.)**,** desposeer a un jefe de su autoridad, degradándolo; quitarle a un jefe sus poderes, bajándole de categoría; anularle los poderes a un jefe, degradándolo a simple empleado

reducing-balance depreciation, amortización anticipada; redención adelantada; depreciación acelerada; amortización libre; amortización acelerada

reduction of 10%, reducción del 10%

redundancy (GB)**,** cese en un puesto de trabajo; despido laboral

redundancy with incentives, retiro incentivado; baja incentivada

redundant, redundante

reel, carrete

reenactment of the robbery, reconstrucción del atraco

refer to a counsel, consultar con un abogado

refer to drawer, devuelto por falta de fondos; consultar con el librador; dirigirse al librador; devolver al librador por falta de fondos; retornar al librador por estar en descubierto

referee (n.)**,** árbitro; tercero (mediador arbitral); mediador en litigio no judicial; juez de controversias; amigable componedor; árbitro amistoso; juez extrajudicial; mediador arbitral; informante designado para aportar referencias

referee (v.)**,** arbitrar; terciar; componer; decidir; mediar

reference, referencia

reference agent, agente de referencia

reference digit, dígito de referencia

reference is made of your letter dated..., hacemos referencia a su carta de fecha; nos referimos a su carta de fecha...; con referencia a su carta de fecha...

reference manual, manual de referencia

reference rate, tipo base; tipo de referencia; referencial (n. masc.); tarifa base

referent, referente

refinance, refinanciar

refinance loans, refinanciar créditos

refinancing, refinanciación

refit a branch office, reacondicionar una sucursal; modernizar una sucursal

reflation, reflación

reflex rally, corrector de un exceso de compra o venta, contrario a la tendencia

reflex reaction, corrector de un exceso de compra o venta, contrario a la tendencia

refloat, reflotar; poner a flote; sacar a flote

reformat, reformatear

refresher (GB), honorarios adicionales

refuel pressures, reavivar las presiones; intensificar las presiones

refuel speculations, intensificar las especulaciones

refund (n. & v.), reducción (n. fem.); bonificación (n. fem.); descuento; rebaja; reembolso; reintegro; devolución; reembolsar; reintegrar; devolver

refundable expenses, gastos reembolsables

refundable interest, interés reintegrable; interés restituible

refunded, reembolsado

refunded expenses, gastos reembolsados

refunding, reducción (n. fem.); bonificación (n. fem.); descuento; rebaja; reembolso; reintegro; devolución; reembolsar; reintegrar; devolver

refunding bonds, bonos de reintegro; bonos reintegrables; bonos convertibles; obligaciones convertibles

refunding of a loan, reconversión de un empréstito

refusable, rechazable; denegable

refuse a draft, rehusar un efecto; rechazar una letra

refuse consent to, negar el consentimiento para

refuse payment, rechazar el pago; rehusar el pago

regarding, respecto a; en lo referente a; con relación a; en lo que a .... se refiere.......; con respecto a; en lo que a .... respecta

regardless of professional level, sin distinción de categoría profesional

regimentation, régimen disciplinario estricto; reglamentación disciplinaria

region, región

regional capital markets, mercados regionales de capital

regional commercial bank, banco comercial regional

regional development under review, desarrollo regional sujeto a análisis

regional foreign department, departamento extranjero regional

regional government, gobierno regional

regional headquarters, dirección regional; servicios centrales regionales

regional manager, director regional; jefe de zona

regional markets, mercados regionales

regionalism, regionalismo

register (n. & v.), registro (lugar / inscripción); protocolo (registro); inscripción (n. fem.); registrar (inscribir); protocolizar

register (n.), libro; registro

register a trademark, registrar una marca de fábrica; registrar una marca comercial

register of deeds, registro general de escrituras

register of ships, registro de barcos

registered bond, título nominativo; bono nominativo; obligación nominativa

registered capital, capital social escriturado

registered holder, tenedor inscrito; titular registrado

registered letter, carta certificada

registered mail (US), correo certificado

registered shares, acciones nominativas

registered stock (GB: **stock = shares**), acciones nominativas

registered trademark, marca registrada; marca comercial; marca de fábrica; marca del fabricante

registrar, registrador

registrar of deeds, registrador de la propiedad

registration details, referencias de registro

registration with receipt requested, certificado con acuse de recibo

registry office, registro civil (Esp.); juzgado de paz

regression, regresión

regression analysis, análisis de regresión

regressive tax, tributo regresivo

regular course of business, curso normal del negocio; desarrollo normal de los negocios; evolución normal de la actividad comercial

regular customer, cliente habitual

regular indorsement, endoso en blanco

regular job, trabajo habitual; trabajo fijo; puesto de trabajo fijo; empleo fijo

regularization, regularización

regularization account, cuenta de regularización

regularization account balance, saldo de la cuenta de regularización

regulate, regular; reglamentar

regulated and nonearning assets, empleos reglamentados y no rentables

regulated assets, activos reglamentados; empleos reglamentados

regulated company, sociedad controlada por el estado; sociedad de control estatal

regulated environment, entorno sujeto a regulación

regulated funds, fondos reglamentados

regulations, reglamentación normativa

regulations in force, normas vigentes; leyes en vigor; legislación vigente

regulator (n.)**,** regulador

regulatory (adj.)**,** regulador

regulatory agency, organismo de control; organismo regulador

rehabilitate, reinstaurar; restituir; rehabilitar; restablecer

rehabilitation, rehabilitación

rehypothecate, rehipotecar

reimbursable, reembolsable

reimbursable expenses, gastos reembolsables

reimbursement, reducción (n. fem.); bonificación (n. fem.); descuento; rebaja; reembolso; reintegro; devolución; reembolsar; reintegrar; devolver

reinforce (an argument), reafirmar; reiterar; reforzar (un argumento); remachar (Esp., col.)

reinforce antilaundering prevention measures, reforzar las medidas preventivas antiblanqueo; intensificar las medidas preventivas antiblanqueo

reinforce control systems, potenciar los sistemas de control

reinstate, reinstaurar; restituir; rehabilitar; restablecer

reinsurance, reaseguro

reinsure, reasegurar

reintegration into society, reinserción social

reinvest, reinvertir

reinvestment, reinversión

reinvestment of profits, reinversión de beneficios

reinvestment risk, riesgo de reinversión

reissue, reexpedir; reemitir

reject, rechazar; rehusar; desestimar

reject an appeal, rechazar una apelación; desestimar un recurso

rejoinder, dúplica

rejuvenate staff, rejuvenecer la plantilla

relative, relativo

relative market quota, cuota de mercado relativa

relative strength line, comportamiento (de un valor frente a un sector o índice en general)

relay on bail, libertad bajo fianza; libertar bajo fianza; poner en libertad bajo fianza

release (n.)**,** descargo; finiquito; pago final; quita; liquidación del saldo pendiente; pago de la deuda; cumplimiento de compromiso; desgravación; carta de pago; acuse de recibo, por escrito, de un pago

release from a tax, liberar (del pago) de un impuesto; exonerar (del pago) de un impuesto

release from attachment, descongelar (col.); desbloquear; desembargar; levantar el bloqueo; liberar del embargo; levantar el embargo

release funds, liberar fondos retenidos

release of funds, liberación de los fondos retenidos

release of funds under receivership, liberalización de los fondos bajo administración

release of rights, liberación de derechos

release on bail, libertad bajo fianza; libertar bajo fianza; poner en libertad bajo fianza

release on parol, poner en libertad condicional; dejar en libertad condicional

released B/L (ab.**released bill of lading),** conocimiento de embarque con responsabilidad limitada de transportista

released bill of lading (released B/L), conocimiento de embarque con responsabilidad limitada de transportista

released provisions (upon satisfactory settlement of related loans), provisiones disponibles (tras resolución satisfactoria de los créditos

relevant amount, suma correspondiente; cantidad principal

relevant figures, cifras principales; cifras más significativas

reliability, fiabilidad

reliability of detection systems, fiabilidad de los sistemas de detección

reliable (adj.), formal (adj., masc. & fem.); cumplidor (adj.); fiable (adj., masc. & fem.)

reliable security controls, sistemas de seguridad fiables

reliable statistics, estadísticas fiables

reliance, dependencia

reliance on foreign investments, dependencia de las inversiones extranjeras

relic (col.), antigualla (Esp., col.)

relief, descargo; finiquito; pago final; quita; liquidación del saldo pendiente; pago de la deuda; cumplimiento de compromiso; desgravación; carta de pago; acuse de recibo, por escrito, de un pago

relief awarded, compensación otorgada

relief fund, fondo de ayuda

relief fund reserve, reserva para auxilios a empleados; fondo de asistencia a los empleados

religious institutions, instituciones religiosas

reload a program, recargar un programa; recargar una aplicación informática

relocate, trasladar

relocation, traslado

reluctance to cooperate in money laundering activities, rechazo a cooperar en actividades de blanqueo de capitales

reluctance to provide information, reticencia a facilitar información

remain deadlocked (negotiation), permanecer estancada (negociación); mantenerse en punto muerto (negociación)

remain outstanding, quedar pendiente; seguir pendiente; estar pendiente

remain unsold, quedar sin vender; estar pendiente de venta

remainder, saldo vivo; resto pendiente; suma pendiente; importe pendiente; cantidad pendiente; resto; remanente; arrastre (suma y sigue); suma y sigue; excedente

remaining amount, saldo vivo; resto pendiente; suma pendiente; importe pendiente; cantidad pendiente; resto; remanente; arrastre (suma y sigue); suma y sigue; excedente

remaining term, resto del plazo de vigencia

remanded in custody, en prisión preventiva

remanded on bail, en libertad bajo fianza

remark (n. & v.), cualificación (salvedad); reserva (salvedad); salvedad; observación; formular una observación; hacer una salvedad; destacar (el hecho de que)

remedy, apelación; recurso (apelación); alzada; solicitud

reminder, agenda-recordatorio de vencimientos; recordatorio (reclamación); reclamación (recordatorio); carta recordatoria

remission, remisión (n. fem.); condonación (n. fem.)

remission of a sentence, remisión de sentencia

remitee, destinatario de una remesa

remittance accounts, cuentas de remesa

remittance for collection, cobranza; remesa al cobro

remittances in transit, remesas en camino

remittee bank, banco destinatario de la remesa

remitter, remitente (correspondencia)

remitting bank, banco presentador; banco cedente; banco remitente

remote access, acceso remoto

remote control, control remoto; control a distancia

remote processing, proceso a distancia

remote sensing of hidden weapons, detección a distancia de armas ocultas

removal from office, destitución de un cargo

removal of outdated clauses (agreements), eliminación de cláusulas desfasadas (contratos)

remove (v.), trasladarse (GB., col.); mudarse de sitio (GB., col.); quitar (suprimir); eliminar (suprimir); quitar (de un puesto)

remove an embargo, levantar un embargo; levantar una prohibición

remove from office, destituir de un cargo

remove the ban on, levantar la prohibición sobre; derogar la prohibición de

remunerate, remunerar

remunerated tranche, tramo remunerado

remuneration, salario; sueldo; remuneración (n. fem.); retribución (n. fem.); percepciones salariales; emolumentos; paga; jornal; emolumentos salariales

remuneration of employees, remuneración de los empleados; remuneración de la plantilla; retribución al personal

render, someter a estudio; someter a aprobación

render accounts, rendir cuentas; presentar cuentas; justificar

render an English text into Spanish, traducir un texto inglés al español; traducir un texto del inglés al español

render operative, entrar en funcionamiento; iniciar la actividad; ponerse en marcha

rendering of accounts, presentación de cuentas

renegotiate, renegociar

renegotiate a debt, renegociar una deuda

renegotiate the terms of the agreement, renegociar los términos del contrato; volver a negociar el condicionado del contrato

renew, renovar; novar

renew a loan, prorrogar un crédito; renovar un préstamo

renewable agreement, contrato renovable

renewal, renovación (n. fem.); prórroga; ampliación (n. fem.)

renewal fund, fondo de reposición

renewal of coupon sheets, emisión de nuevos cupones; renovación de hojas de cupones

renovate, renovar; novar

renowned bank, banco de gran renombre

rent (n.), alquiler; renta (importe del alquiler); arrendamiento (Esp.); arriendo (SA)

rent (v.), arrendar con derecho a compra; alquilar con opción a la compra

rent out, arrendar con derecho a compra; alquilar con opción a la compra

rent paid, alquiler satisfecho; arrendamiento pagado

rent tribunal (GB), tribunal que entiende entre arrendadores/arrendatarios

rental, alquiler; renta (importe del alquiler); arrendamiento (Esp.); arriendo (SA)

rental rate, tasa de arrendamiento

rented premises, instalaciones alquiladas

reopen activities in Eastern countries, reiniciar actividades en los países del Este; reanudar las actividades en los países del Este

reopening of books, reapertura de libros

reorganization, reorganización; cambio de fecha; cambio de hora; cambio del orden del día (temas a tratar)

reorganize, reorganizar

rep (ab. **representative)** (col.), delegado; representante; viajante (agente itinerante); corredor (agente en plaza); enlace sindical

repairs, reparaciones

repairs and upkeep, reparaciones y conservación

repatriate large amounts of capital, repatriar grandes cantidades de capital

repatriation, repatriación

repayable within 6 months, reembolsable dentro de 6 meses; reintegrable a los 6 meses

repayment of a loan before it is due, reembolso anticipado de un préstamo; reembolso de préstamo con anterioridad a su vencimiento

repayment schedule, calendario de amortización

repeal of a law, anulación de una ley; derogación de una ley

repeater, reincidente

repeater (loan), préstamo complementario

repel the hostile takeover bid, repeler la opa hostil

replace a retired employee, reemplazar a un empleado jubilado

replacement cost, coste de reposición

reply (n.), contestación; respuesta; réplica; razón justificativa

reply (v.), contestar; responder; replicar; justificar con una razón

reply-paid envelope, sobre a franquear en destino

REPO (ab. = **repurchase agreement),** acuerdo de recompra; compromiso de recompra; cesión temporal de activos; venta de valores con pacto de recompra; compra de activos al contado con pacto simultáneo de venta a plazo; cesión temporal de activos con pacto de recompra; opción a vender; opción de venta; pacto de readquisición; pago de bienes o servicios con lo que con ellos se fabrica

report, diferencia entre compra al contado y venta simultánea a plazo; informe

report (to the police), hacer comparecer; obligar a personarse; acusar; criticar; denunciar (ante la policía); instruir diligencias; procesar

report (v), informar; comunicar; dar parte; denunciar; participar (comunicar); anunciar; poner al corriente; poner en conocimiento; cursar aviso; notificar

report generation, generación de informes

report in writing, informe por escrito

report of the auditors, informe de los auditores; informe de auditoría; informe de los censores de cuentas

report out (US), devolver un proyecto de ley acompañado de informe explicativo

report stage, fase de debate previa al proyecto de ley

report(ing), acusación; denuncia; instrucción de diligencias; procesamiento

reporting lines, líneas de comunicación

reporting of oil crisis in the Middle East, cobertura de la crisis del crudo en Oriente Medio

reporting party, parte declarante; parte denunciante; parte comunicante

repossess, recuperar la posesión; volver a acceder a la propiedad

repossessed goods, mercancías rescatadas; mercancías recuperadas

represent, representar a; volver a presentar

representations, manifestaciones; declaraciones; garantías aportadas

representative (rep), delegado; representante; viajante (agente itinerante); corredor (agente en plaza); enlace sindical

representative office, oficina de representación

representative offices abroad, oficinas de representación en el extranjero; representaciones en el exterior

repressive measures on exchange controls, medidas represivas sobre controles cambiarios

reprise, retracción anual

reprivatization, reprivatización

reprivatized bank, banco reprivatizado

reproducer, reproductora

reptile (col.), víbora (col.)

reptilian procedures (col.), procedimientos despreciables

repurchase (v.), recomprar; readquirir; volver a comprar el activo previamente realizado

repurchase agreement (ab. **REPO),** acuerdo de recompra; compromiso de recompra; cesión temporal de activos; venta de valores con pacto de recompra; compra de activos al contado con pacto simultáneo de venta a plazo; cesión temporal de activos con pacto de recompra; opción a vender; opción de venta; pacto de readquisición; pago de bienes o servicios con lo que con ellos se fabrica

reputation, reputación

reputed firm, firma bien conceptuada; empresa solvente; empresa bien considerada; firma de buena reputación

reputed ownership, propiedad presunta

request, demanda; súplica; instancia; demanda de siniestro; reclamación por daños; requerimiento; moción; recurso

request banking services, solicitar (la prestación de) servicios bancarios; recabar (la prestación de) servicios bancarios

request for an official sworn translation, solicitud de una traducción oficial jurada; requerimiento de traducción oficial de un intérprete jurado

request for attested photocopy, solicitud de fotocopia compulsada; requerimiento de fotocopia certificada

request for bids, solicitud de ofertas

request for original paper, petición de documentos originales; solicitud de documentos originales

requesting bank, banco peticionario

requesting member, miembro solicitante; miembro peticionario

require, necesitar; precisar; requerir; exigir

required yield, rendimiento requerido

requisition, demanda; súplica; instancia; demanda de siniestro; reclamación por daños; requerimiento; moción; recurso

requital for services rendered, retribución por servicios prestados; recompensa por servicios prestados

rerun, repetición de proceso; ejecutar de nuevo un programa informático (comp.)

resale, reventa

rescind, cancelar; anular; rescindir; revocar; abolir; derogar; casar (revocar); cesar; retirar; retractarse

rescind a contract, rescindir un contrato; resolver un contrato

rescind an agreement, rescindir un contrato; resolver un contrato

rescission, rescisión; cese

rescue from bankruptcy, rescatar de la quiebra; salvar de ir a la quiebra

reschedule loans, replantear créditos

research (v.), revisar; examinar; investigar; analizar; indagar; pasar revista; escrutar; considerar; inquirir; cuestionar

research and development (R&D), investigación y desarrollo (I&D); I&D (ab. investigación y desarrollo)

research and innovation department (R&I dept.), departamento de estudios e innovaciones

research department, departamento de estudios

resell, revender

reservation of rights, reserva de derechos

reservation of title, reserva de propiedad

reserve (n. & v.), reserva (provisión); fondo de previsión; reservar

reserve account, cuenta de reserva

reserve assets, activos de reserva

reserve currency, moneda de reserva

reserve for accidents, reserva para accidentes

reserve for allowances, reserva para bonificaciones

reserve for amortizations, reserva para amortizaciones; reserva para depreciaciones

reserve for bad debts, reserva para fallidos; reserva para morosidades; reserva para incobrables

reserve for contingencies, reserva para imprevistos

reserve for depreciations, reserva para amortizaciones; reserva para depreciaciones

reserve for discounts granted, reserva para descuentos otorgados

reserve for doubtful debts, reserva para fallidos; reserva para morosidades; reserva para incobrables

reserve for government subsidized employee housing, reserva para viviendas de protección oficial

reserve for investments, reserva para inversiones

reserve for taxes, reserva para impuestos

reserve for uncollectable accounts, reserva para cuentas incobrables

reserve fund, fondo de reserva

reserve positions in the International Monetary Fund (IMF), posiciones de reserva en el Fondo Monetario Internacional (FMI)

reserve ratio, relación depósitos/reservas; ratio reservas/depósitos

reserve repo, operaciones de dobles

reset, reinicio; puesta a cero; reiniciar restaurar; poner a cero

residual amortization, amortización residual

residual cost, costo residual

residual standard deviation, desviación típica residual

residual surplus, excedente residual

residual value, salvamento; valor residual; valor de desecho; mercaderías rescatadas; valor de rescate; valor de desguace; salvar; rescatar (naufragio)

residuary estate, bienes residuales de la herencia

residuary legatee, legatario del remanente de la herencia

resign (office), renunciar a un puesto; renunciar a un cargo; dimitir de un cargo

resignation, renuncia a un puesto; dimisión de un cargo

resistance, resistencia; salida de papel a un precio que impide suba el de un valor

resistance level, nivel de resistencia

resolution, acuerdo adoptado; resolución

resolve disputes, resolver disputas

resolved, se acuerda; se aprueba; resuelto; solucionado; solventado

resort to, recurrir a; acudir a; dirigirse a

resort to surety, recurrir al avalista

resource allocation, asignación de recursos

resource gap, déficit de recursos

respite, renovación (n. fem.); prórroga; ampliación (n. fem.)

respondentia, préstamo hipotecario sobre la carga del barco

responsibility (quality), responsabilidad (cualidad) (n. fem.); solvencia

responsible (quality) (adj.), responsable (cualidad) (adj., masc. & fem.)

rest, saldo; balance; diferencia

restate, regularizar

restatement, regularización

restitution, restitución

restitution of draft, devolución de un efecto

restitution of money, restitución de dinero; devolución de dinero

restrain (v.), recortar; reducir; restringir

restraint, limitación (n. fem.); coacción (n. fem.); restricción (n. fem.)

restraint measures, medidas de contención; medidas restrictivas

restraint of trade, limitaciones al libre comercio

restraint policy, política de restricción; política de contención

restrict (v.), recortar; reducir; restringir

restrict credit to nonperformers, restringir el crédito a quienes incumplen sus compromisos

restricted card list (RCL), lista de tarjetas restringidas

restricted consumption, consumo restringido

restricted credit, crédito restringido

restricted items, artículos restringidos

restricted manufacture, fabricación restringida

restricted reserves, reservas restringidas

restrictions on money flows, restricciones en los flujos de dinero

restrictions on oil supply, restricciones en el abastecimiento de crudos

restrictions on the provision of exchange for imports, restricciones a la disponibilidad de divisas para importar

restrictive practices, prácticas restrictivas

restructuration, reajuste; re(e)structuración; realineamiento; venta parcial de activos

restructuration of debt, re(e)structuración de la deuda

restructure, reestructurar

result, resultado; resultar

resulting (adj.), resultante (adj., masc. & fem.)

resulting amount, cifra resultante; suma resultante; cantidad resultante; importe resultante; líquido (n.); producto neto; importe neto

resulting figure, cifra resultante; suma resultante; cantidad resultante; importe resultante; líquido (n.); producto neto; importe neto

resulting net value, valor liquidativo ajustado; valor neto resultante

resulting operating earnings, beneficio bruto resultante

resulting pretax income, beneficio neto resultante

results from performance, resultado de la actuación

résumé (Fr.), historial (antecedentes personales); curriculum vitae (ab. CV) (Lat.); CV (ab. = curriculum vitae) (Lat.); acápite de antecedentes personales (LA)

resumption of growth, reanudación del crecimiento

resurgence of inflation, resurgimiento de la inflación; renacimiento de la inflación

retail, menudeo; al por menor; minorista; al detall

retail banking, banca minorista; operaciones bancarias de pequeña cuantía

retail commercial banking, banca comercial minorista; operaciones de banca comercial minorista

retail dealer, vendedor al por menor; vendedor al detall; detallista; vendedor minorista

retail investor, inversor minorista; inversor a pequeña escala

retail prices, precios al detall; precios al por menor

retailer, vendedor al por menor; vendedor al detall; detallista; vendedor minorista

retailing, comercio minorista

retain, retener

retained earnings, beneficio sin distribuir; beneficio retenido; beneficio no distribuido; ingresos retenidos

retained earnings and surpluses, reservas; beneficios y superávits no distribuidos

retained tax, impuesto retenido

retaining fee, pago adelantado; pago anticipado; anticipo a cuenta; adelanto; señal (anticipo)

retention, retención

retire, amortizar (de puesto de trabajo); jubilarse; retirarse

retire a bill, retirar un efecto

retire bonds, amortizar bonos

retire debentures, amortizar bonos

retire on a pension, jubilarse como pensionista; retirarse de pensionista; convertirse en pensionista; pasar a ser pensionista

retired debt, deuda amortizada

retired employee, empleado jubilado; empleado retirado

retirement, retiro; jubilación

retirement annuity, pensión de retiro; pensión de jubilación

retirement fund, fondo de retiro; caja de jubilaciones; caja de pensiones; fondo de pensiones

retirement of debt, redención de la deuda

retirement plan, plan de jubilaciones; seguridad social (clases pasivas)

retiring partner, socio saliente; socio que se retira

retractable bond, bono amortizable antes del vencimiento; bono con opción a la amortización anticipada

retroactivity, retroactividad

return (n. & v.), rentabilidad; tasa de rendimiento; rentabilidad de gestión; producto (renta); renta (producto); producir (beneficio); rentar

return and costs, rendimientos y costes

return enhancement, incremento de la rentabilidad

return expectations, expectativas de rentabilidad

return of duties, devolución de derechos aduaneros

return of investment, recuperación de la inversión; rentabilidad de la inversión; producto de la inversión

return on assets (ab. **ROA),** rentabilidad sobre activos; rentabilidad de los activos

return on average total assets, rentabilidad neta final de gestión

return on capital, rentas del capital

return on equity (ROE), rentabilidad de los recursos propios; rentabilidad sobre recursos propios

return on financial leverage (ROFL), rentabilidad del apalancamiento financiero

return on funds, rentabilidad de los recursos

return on invested funds, rentabilidad de los fondos invertidos

return on shareholders' equity, rentabilidad de los recursos propios; rentabilidad sobre recursos propios

return on stockholders' equity, rentabilidad de los recursos propios; rentabilidad sobre recursos propios

return on the residual surplus, rentabilidad del excedente residual

return on total funds (deposits + equity), rentabilidad de los recursos totales

return ticket, billete de ida y vuelta

return to active duty, reintegrarse a las funciones activas; volver a ocupar un cargo

return to the gold standard, volver al patrón oro

return, cost and expenses, rendimiento, coste y gastos

returnable deposits, depósitos reembolsables

revaluation, revalorización; revaluación; revalúo (LA); aprecio (revalorización); incremento de valor

revaluation surplus, superávit de revaluación; plusvalía de revalorización

revalue a currency, revalorizar una moneda

revenue, entradas brutas; renta (entradas); rédito

revenue and cost accruals, periodificación temporal de productos y costes

revenue bond, obligación garantizada por otra fuente de ingresos

revenue expenditures, gastos operativos; gastos de explotación; costes de explotación

revenue stamp, timbre de la letra; timbrado del efecto

revenue-bearing, generador de rentas

revenue-bearing strategic investments, inversiones estratégicas que generan rentas

revenues and expenses, ingresos y gastos

reversal, retrocesión; retroceso

reversal entry, contraasiento; asiento de contrapartida; asiento de complemento; asiento corrector

reverse cash and carry, arbitraje inverso

reverse conversion, conversión inversa

reverse swap, permuta de reversión; swap de reversión (Esp.)

reversionary, reversible

review (n.), examen; visión retrospectiva; análisis detallado; estudio analítico; revisión (n. fem.)

review (v.), revisar; examinar; investigar; analizar; indagar; pasar revista; escrutar; considerar; inquirir; cuestionar

review committee, comisión de seguimiento

revision, examen; visión retrospectiva; análisis detallado; estudio analítico; revisión (n. fem.)

revocable, revocable

revocable credit, crédito revocable

revocation, revocación

revoke, cancelar; anular; rescindir; revocar; abolir; derogar; casar (revocar); cesar; retirar; retractarse

revolving acceptance facility by tender (ab. **RAFT),** línea renovable de financiación mediante aceptaciones por subasta

revolving credit, crédito renovable; crédito autorrenovable; crédito rotatorio; crédito de renovación automática

revolving discount facility, línea de descuento renovable

revolving underwriting facility (RUF), emisión renovable garantizada; límite renovable de aseguramiento de pagarés a corto plazo

reward (n. & v.), prima (Esp.); gratificación (n. fem.); sobresueldo; participación en beneficios (n. fem.); premio; recompensa; sin (tener que realizar) pago alguno; gratificar; recompensar; premiar

rho coefficient, coeficiente rho; coeficiente de sensibilidad frente a los cambios de tipos

Richard Roe, Fulano de Tal (Esp, nombre figurado); Fulanito (Esp., nombre figurado)

ride the yield curve, prever tipos de interés según su comportamiento esperado; posicionar cartera según tipos previsibles; gestionar la curva de tipos de interés

rider, cláusula adicional; suplemento a un contrato

rig, especular en bolsa; jugar a la bolsa; arriesgarse a jugar en bolsa

rigger (col.), especulador en valores bursátiles

rigging, especulación bursátil

right of coinage, derecho de acuñación

right of lien, embargo preventivo; derecho prendario; retención hipotecaria

right of ownership, título de propiedad; escritura de propiedad; documento notarial de propiedad; derecho (formalizado notarialmente)

right of recourse, derecho de recurso

right of redemption, derecho de retracto

right of redress, derecho a presentar recurso

right to claim, derecho a reclamar

right to discharge, derecho de despido

right to join a union, derecho de adhesión a un sindicato

right to ownership, derecho a la propiedad

right to protest, derecho a protestar

right to reject, derecho a rechazar; derecho a no aceptar

right to strike, derecho a la huelga

rigorous enforcement of import regulations, observancia rigurosa de las disposiciones sobre importación

ring, sindicato de intereses; círculo; camarilla

ring pit, corro (Bolsa)

ring up (col.) (v.), teléfono; telefonear; hacer una llamada de teléfono; realizar una llamada telefónica; llamar por teléfono; dar un telefonazo (Esp., col.)

riot, motín; amotinarse

riots and civil commotions, motines y perturbaciones civiles; levantamientos y algaradas

rise (n), aumento; incremento; crecimiento; subida; alza; elevación

rise (v.), aumentar; incrementar(se); crecer; subir

rise in consumer prices, alza de los precios al consumidor

rise in interest rates, elevación de los tipos de interés

rise in population, crecimiento demográfico; aumento de la población

rise in prices, subida de las cotizaciones; alza de precios; apreciación de las cotizaciones; subida de precios; aumento de precios

rising, al alza; en alza; emergente; en aumento; creciente

rising tendency, tendencia alcista; tendencia al alza

rising yield pattern, tendencia ascendente de los rendimientos

risk (n. & v.), exposición; riesgo; arriesgar

risk aversion, aversión al riesgo

risk capital, capital de riesgo

risk concentration, concentración del riesgo

risk concentration level, grado de concentración del riesgo

risk dispersion, dispersión del riesgo

risk expectations, expectativas de riesgo

Risk Information Centre (US: **centre = center),** Central de Información de Riesgos (Esp.)

risk management, gestión del riesgo

risk management strategies, estrategias de gestión de riesgos

risk of excess, riesgo de exceso

risk of reversal, riesgo de retrocesión

risk premium, prima de riesgo

risk-aware investment, inversión a sabiendas del riesgo implícito

risk-free loan, préstamo exento de riesgo

ROA (ab. = **return on assets),** rentabilidad sobre activos; rentabilidad de los activos

road tax, impuesto de circulación

road transport, transporte por carretera

roadshow, rueda de visitas de presentación; circuito de visitas de presentación; presentación itinerante

ROE (ab. **return on equity),** rentabilidad de los recursos propios; rentabilidad sobre recursos propios

ROFL (ab. **return on financial leverage),** rentabilidad del apalancamiento financiero

roll out the red carpet for top customers (col.), brindar un trato exquisito a los clientes importantes

roll over, recompra de "puts" a cada vencimiento

roll over (v.), renovar; novar

rollback prices, fijar precios reducidos

rollover, renovación (n. fem.); prórroga; ampliación (n. fem.)

rollover loan, préstamo con tipo de interés variable

root of title, título de propiedad; escritura de propiedad; documento notarial de propiedad; derecho (formalizado notarialmente)

rough draft, borrador de un texto; texto en sucio (col.)

rough estimate, estimación aproximada

rough profit-worth rate, relación aproximada utilidades/capital

round chartering, flete de ida y vuelta

round lot (USD 10,000), unidad de contratación (USD 10.000)

round off (figures), redondear (cifras)

round trip, comisión sobre compra y venta de un mismo futuro

round-trip charter, fletamento de ida y vuelta

roup (Scotland), subasta (Escocia)

routine, rutina; rutinario

routine expenses, gastos rutinarios

routine processes, procesos operativos habituales

routine stuff (col.), tareas rutinarias; labores rutinarias (n. fem.); trabajos de rutina

routing (comp.), canalización de transacciones (comp.)

royal decree, real decreto

royalty (pl. = **royalties),** derechos de patente; regalía (SA); cánon

RT (ab. **real time),** tiempo real

rubber cheque (col.; US: **cheque = check, draft),** cheque sin fondos; efecto de colusión; cheque en descubierto; cheque (de) pelota (Esp., col.)

RUF (ab. **revolving underwriting facility),** emisión renovable garantizada; límite renovable de aseguramiento de pagarés a corto plazo

rule of thumb, regla empírica; regla práctica regla de andar por casa (Esp., col.)

rules of conduct, normas de conducta

rules of the game, reglas del juego

run (n.), retirada masiva de depósitos; agresión (opas); compra de acciones por sorpresa; toma de posiciones inesperada; allanamiento (opas); ataque (opas)

run a bond auction, celebrar una subasta de bonos

run into debt(s), cargarse de deudas; endeudarse; meterse en deudas (Esp., col.)

run parallel to, marchar en paralelo con; correr parejo con

run short of money, no tener dinero; estar sin blanca (Esp., col.); no tener un duro (Esp., col.); andar a la cuarta pregunta (Esp., col.); no tener donde caerse muerto (Esp., col.); andar mal de fondos; andar sin un duro (Esp., col.)

run the books, preparar una emisión

runaway inflation, inflación galopante

runner (col.), mensajero; correo (servicio de mensajería); rutero (SA); repartidor de mensajería

running costs, gastos operativos; gastos de explotación; costes de explotación

running yield, rentabilidad actual; rendimiento nominal; rendimiento corriente; rentabilidad del cupón

rush hours, horas punta (Esp.); horas de máxima actividad; horas de mayor afluencia

rush order, pedido urgente

S

500 Standard & Poor´s Index, índice Standard & Poor´s; índice de los 500 valores más representativos de la bolsa de Nueva York

S&L bond index, índice de cotización de bonos Shearson-Lehman

S&M dept. (ab. **systems and methods department),** departamento de sistemas y métodos

sabotage, sabotaje; sabotear

saboteur, saboteador

safe, caja fuerte; caja de seguridad; caja de caudales

safe-custody facilities, servicios de custodia

safe-deposit box, caja fuerte; caja de seguridad; caja de caudales

safe-deposit vault, cámara acorazada; cámara de seguridad; bóveda de seguridad (LA)

safeblower (col.), ladrón de cajas fuertes (mediante explosivos)

safecracker (col.), ladrón de cajas fuertes (mediante fractura)

safeguard, salvaguardia; medida precautoria; salvaguardar

safekeeping, custodia; depósito bajo custodia

safekeeping fee, derechos de custodia; comisión de custodia

safekeeping of documents and other valuables, depósito bajo custodia de documentos y otros artículos de valor

said by shipper to contain, dice contener, según el cargador; que contiene, según declara el cargador; que, conforme declara el cargador, contiene

sailor, marino (n.); marinero

salaries and bonuses (sing.: **salaries = salary),** sueldos y gratificaciones; salarios e incentivos; percepciones salariales más incentivos

salary (pl.: salary = salaries), salario; sueldo; remuneración (n. fem.); retribución (n. fem.); percepciones salariales; emolumentos; paga; jornal; emolumentos salariales

salary advances to employees, anticipos salariales a empleados

salary committee, comité de salarios; comité salarial

salary increases, incrementos salariales; aumentos de sueldo; subidas salariales

salary tax, impuesto sobre salarios; impuesto sobre percepciones salariales

sale, venta

sale offer, oferta de venta

sale order, orden de venta

sale restrictions, restricciones de venta

sale terms, condiciones de venta

sales account, cuenta de ventas

sales agent, agente de ventas

sales analysis, análisis de ventas

sales bill, factura de venta; boleta de venta; comprobante de venta; recibo de venta; ticket de venta (Esp.)

sales check, factura de venta; boleta de venta; comprobante de venta; recibo de venta; ticket de venta (Esp.)

sales department, departamento de ventas

sales discount, descuento por pago al contado; descuento por pago en efectivo; descuento por pronto pago; bonificación por pago al contado

sales draft, factura de venta; boleta de venta; comprobante de venta; recibo de venta; ticket de venta (Esp.)

sales executive, ejecutivo de ventas

sales finance company, financiera (n. fem., Esp.); sociedad de financiación de ventas

sales forecast, pronóstico sobre ventas

sales from the portfolio, ventas de cartera (de títulos)

sales journal, diario de ventas

sales ledger, libro Mayor de ventas

sales manager, jefe de ventas; director de ventas; gerente de ventas; encargado de ventas

sales outlet, punto de venta

sales potential, mercado potencial; potencial de ventas

sales promotion, promoción de ventas; fomento de ventas

sales quota, cuota de ventas

sales revenue (GB: **sales revenue = turnover),** cifra de negocio; volumen de negocio

sales slip, factura de venta; boleta de venta; comprobante de venta; recibo de venta; ticket de venta (Esp.)

sales tax, impuesto sobre la venta

sales trend, tendencia de las ventas

sales-arguments book, argumentario

salient features, características más destacadas

salient figures, cifras principales; cifras más significativas

salvage (n. & v.), salvamento; valor residual; valor de desecho; mercaderías rescatadas; valor de rescate; valor de desguace; salvar; rescatar (naufragio)

salvage award, prima de salvamento

salvage charges, prima de salvamento

salvage value, salvamento; valor residual; valor de desecho; mercaderías rescatadas; valor de rescate; valor de desguace; salvar; rescatar (naufragio)

salvageable (adj.), recuperable (adj., masc. & fem.)

sample, muestra; modelo; espécimen (pl.: espécimen = especímenes)

sample book, catálogo de muestras; muestrario

sample order, pedido de muestra; pedido de prueba

sampling, muestreo

sampling permit, permiso de cala; autorización para (la) toma de muestras

Samurai bond, bono Samurai; bono en yens emitido por un emisor extranjero

sanctionable (adj.), punible (adj., masc. & fem.); sancionable (adj., masc. & fem.)

satisfaction, descargo; finiquito; pago final; quita; liquidación del saldo pendiente; pago de la deuda; cumplimiento de compromiso; desgravación; carta de pago; acuse de recibo, por escrito, de un pago

satisfy, satisfacer; finiquitar

save, ahorrar; economizar

save a company from bankruptcy, salvar a una empresa de (ir a) la quiebra

save as otherwise stated, salvo indicación en contrario; a menos que se indique de otro modo; siempre que no se indique de otro modo; excepto por indicación en contrario

save clause, cláusula de cobertura; cláusula de salvaguardia; cláusula de protección

save for a rainy day (col.), ahorrar dinero para afrontar tiempos difíciles; hacer granero para cuando lleguen las vacas flacas (Esp., col.)

save for the fact that, salvo por el hecho de que

save money to face hard times, ahorrar dinero para afrontar tiempos difíciles; hacer granero para cuando lleguen las vacas flacas (Esp., col.)

saver, ahorrador

saver´s decisions, pautas de conducta de los ahorradores

savings, ahorros

savings account, cuenta de ahorro

savings analysis, análisis de economías; estudio sobre el ahorro

savings and loans institution, entidad de crédito y ahorro

savings bank (US: **savings bank = thrift),** caja de ahorros

savings bond, bono de ahorro

savings book, cartilla de ahorro(s); libreta de ahorro(s)

savings department, departamento de cuentas de ahorro; negociado de cartillas de ahorro

savings deposit, imposición en cartilla de ahorro(s); depósito en cuenta de ahorro(s)

savings institution, entidad de ahorro

savings market, mercado del ahorro

savings ratio, proporción del ahorro; tasa de ahorro(s)

SBL (ab. **straight bill of lading),** conocimiento de embarque nominativo; conocimiento de embarque corrido; carta de porte nominativa

scab (US), esquirol; rompehuelgas; revientahuelgas; vendido (revientahuelgas); amarillo (vendido / revientahuelgas) (Esp.); delator; soplón; esquirolear; reventar una huelga; trabajar durante una huelga

scale (n.), escala; balanza; escalafón; envergadura; magnitud (n. fem.)

scale buying, comprar gradualmente; adquirir escalonadamente

scale of wages, escala salarial; escala de sueldos; escalafón salarial; planilla salarial (LA)

scale weight, peso de báscula

scanning stage, fase de prospección

scapegoat (col.), testaferro; hombre de paja (Esp., col.); cabeza de turco (Esp., col.); marioneta (col.); chivo expiatorio (Esp., col.)

scarcity (pl.: scarcity = scarcities), escasez

scarcity of capital to invest in underdeveloped countries, escasez de capital para invertir en países subdesarrollados

scarcity of raw materials, escasez de materias primas; carestía de los productos básicos; restricciones (en la disponibilidad) de primeras materias

scientific notation, notación científica

scope, ámbito de cobertura; alcance; posibilidades de expansión

scope of authority, alcance de los poderes; grado de autoridad; nivel de facultades

scope of the examination, alcance de la auditoría; ámbito de la auditoría

score, puntuación; valoración asignada; veintena; puntuar

Scotland Yard (GB), brigada policial de investigación criminal (GB)

scrap, desecho; chatarra

scrap paper, papel para borradores

scrap value, salvamento; valor residual; valor de desecho; mercaderías rescatadas; valor de rescate; valor de desguace; salvar; rescatar (naufragio)

screen (n. & v.), pantalla (comp.); criba (selección); cribar (seleccionar); practicar un reconocimiento médico

screen low-performing staff, hacer limpieza de empleados con bajo nivel de productividad

screen-based system, sistema de contratación por pantalla

screening, selección; depuración

screening of candidates, selección de candidatos

screening of nonperforming loans, depuración de insolvencias

screening of undesirable customers, depuración de clientes poco recomendables; limpieza de clientes indeseables (col.)

scrip, vale al portador; cédula al portador; póliza al portador; certificado provisional al portador

scrip certificate, certificado de dividendo diferido

scrip dividend, dividendo en acciones; dividendo en pagarés

scrip holder, tenedor del certificado de titularidad

scrip issue, emisión de acciones liberadas

schedule (n. & v.), calendario de objetivos; tabla de horarios; programa de metas a alcanzar; agenda de trabajo; programar; estructurar; organizar

schedule of conditions, especificaciones; pliego de condiciones

schedule of charges, pliego de cargos

schedule of maturities, calendario de vencimientos; programa de vencimientos; estructura de los vencimientos

schedule of payments, estructura de pagos; calendario de pagos; organización de los pagos

scheduled maturity, vencimiento establecido; vencimiento fijado

scheduled overtime, horas extra programadas

scheduled shipping time, fecha de embarque prevista; fecha de embarque programada

scheduled territories (GB), zona de la libra esterlina

scheduling of parallel tasks, planificación de tareas paralelas

SDR (ab. **special drawing rights),** derechos especiales de giro (DEG); DEG (ab. derechos especiales de giro)

sea carrier, empresa de transportes marítimos

sea freight, flete marítimo

sea insurance, seguro marítimo

sea insurance in compliance with latest Lloyd´s terms, seguro marítimo según disposiciones más recientes de Lloyd´s

sea letter, patente de navegación; certificado de navegación; carta de navegación

sea perils, peligros del mar; riesgos marítimos

sea transport, transporte marítimo; transporte por mar

seal, sello; timbre; cuño; estampilla; troquel; sellar; timbrar; estampillar; troquelar

seal an agreement, celebrar un contrato; formalizar un contrato; suscribir un contrato; firmar un contrato; ejecutar un contrato; cerrar un contrato

seal an envelope, cerrar un sobre

seal of approval, sello de aprobación

seal of office of official sworn translator, sello oficial de intérprete jurado (Esp.)

seal with wax, lacrar

sealed and delivered as of this date, sellado y firmado con esta fecha

search (n.), búsqueda; registro (búsqueda); examen minucioso; buceo (análisis)

search (v.), buscar; registrar (buscar); bucear en; tratar de localizar; intentar conseguir

search warrant, orden de registro; mandamiento (judicial) de registro; orden de cateo (LA)

season, estación (época); temporada

season of mergers and acquisitions, temporada de fusiones y adquisiciones

seasonal, estacional (adj., masc. & fem.); de temporada; coyuntural (adj., masc. & fem.)

seasonal adjustment, ajuste coyuntural

seasonal business, negocio de campaña

seasonal business cycles, ciclos estacionales del negocio

seasonal credit, crédito estacional; crédito de temporada

seasonal factors, factores estacionales

seasonal fluctuations, fluctuaciones estacionales

seasonal goods, artículos de campaña; productos de temporada

seasonal sale, venta de campaña; venta de temporada

seasoned securities (col.), valores muy cotizados

seawater damages, daños causados por el agua del mar

seawater-damaged, dañado por agua de mar

seaworthiness, navegabilidad

seaworthy, en condiciones de navegar

seaworthy packing, embalaje apto para el transporte marítimo

SEC (ab. **Securities and Exchange Commission),** Comisión de Bolsa y Valores (CBV); CBV (ab. Comisión de Bolsa y Valores)

second, segundo

second a motion, apoyar una moción; respaldar una moción; secundar una moción

second count, recuento; segundo escrutinio de votos

second mortgage, segunda hipoteca

second of exchange, segunda de cambio

second-class mail, servicio postal ordinario

second-class mail rate, tarifa postal para impresos

secondary, secundario (adj.); no preferente; sin prioridad

secondary deposit, depósito emanante de la concesión de un crédito

secondary market, transacciones (realizadas) fuera de la Bolsa; operaciones extrabursátiles; mercado secundario; mercado extrabursátil; mercado gré-à-gré; mercado previo a la emisión; negociación extra bursátil de valores; bolsín (Esp.)

secondary placement, colocación secundaria

secondary storage (comp.), almacenamiento en memoria secundaria (comp.)

seconder, defensor (quien secunda o apoya); padrino (Esp., col.)

secret partnership for wrongdoing, asociación secreta para la comisión de actos delictivos

secret reserves, reservas tácticas; reservas ocultas; reservas encubiertas en los libros

secretariat, secretaría

Secretary of the Treasury (US), Ministro de Hacienda (Esp.); Ministro del Tesoro (LA); Secretario del Tesoro (LA)

secretary to the board of directors, secretario del consejo de administración

secretary-cum-teller, secretaria a la vez que empleada de caja

secretary´s office, secretaría

sector (n.), segmento; sector; segmentar; sectorizar

sector loan, crédito sectorial (Esp.); préstamo sectorial

sectorization, sectorización

sectorize (v.), segmento; sector; segmentar; sectorizar

secure, seguro (adj.); estable (adj., masc. & fem.); asegurar(se) (apoyo, votos, ayuda)

secure a loan, obtener un crédito; concertar un empréstito; financiarse mediante un crédito

secured accounts, cuentas garantizadas

secured claim, acreedor privilegiado; acreedor asegurado; acreedor real (LA); acreedor pignoraticio; acreedor preferente

secured creditor, acreedor privilegiado; acreedor asegurado; acreedor real (LA); acreedor pignoraticio; acreedor preferente

secured debt, deuda respaldada; deuda asegurada

secured liabilities, pasivo respaldado; pasivo garantizado; deudas con garantía; riesgos con garantía

secured loan, crédito pignoraticio; préstamo con garantía de bienes; préstamo colateral; préstamo con garantía prendaria

securities (sing.: securities = security), valores; títulos; valores mobiliarios; cartera de títulos; cartera de valores mobiliarios

Securities and Exchange Commission (SEC), Comisión de Bolsa y Valores (CBV); CBV (ab. Comisión de Bolsa y Valores)

securities annalist (annalist = analyst), analista de valores bursátiles

securities approved for investment, valores aprobados para inversión

securities deposit, depósito de títulos; depósito de valores

securities deposited by customers, depósitos de valores; valores depositados por clientes

securities held in pawn, valores entregados en prenda; títulos bajo custodia como garantía

securities holding, títulos en cartera

securities market, mercado bursátil; bolsa de valores; mercado de valores; mercado de títulos

securities owned, títulos poseidos

securities portfolio, valores; títulos; valores mobiliarios; cartera de títulos; cartera de valores mobiliarios

securities portfolio writedowns, saneamiento de la cartera de valores

securities price fluctuation allowance, fondo para fluctuación de valores

securitization, titul(ar)ización; transformación de préstamos en títulos; desintermediación; recurso a los mercados de capitales

securitize, titulizar

security (pl.: security = securities), prenda (garantía); fianza; garantía real; colateral; activo de garantía; título bursátil

security forces, fuerzas de seguridad

security investment company, sociedad de inversión mobiliaria (SIM)

security investment fund, fondo de inversión mobiliaria

security level, nivel de seguridad; grado de seguridad

security price valuation reserve, fondo para fluctuación de valores

security standards, normas de seguridad

security systems, sistemas de seguridad

seek approval from the stockholders´ meeting, someter a la aprobación de la junta

seek redress, tratar de ser compensado; intentar ser resarcido

seek remedy for, exigir reparación

seemingly legitimate, aparentemente legítimo; de aparente legitimidad

seemingly legitimate income, ingresos de (una) aparente legitimidad

segment (n. & v.)**,** segmento; sector; segmentar; sectorizar

segmentation, segmentación

segregate, segregar; desagregar

seize, detener; capturar; confiscar; embargar; decomisar; incautar; expropiar

seized property, bienes incautados

seizing of funds, incautación de fondos; embargo de fondos

seizure, embargo; incautación; decomiso; comiso; penalización; confiscación; aprehensión; expropiación

select (adj.)**,** excelente (adj., masc. & fem.); de primera (clase); escogido

select (v.)**,** analizar antecedentes; estudiar el historial; seleccionar; depurar; elegir

selection, selección; depuración

selection against the insurer, antiselección (seguros)

selective distribution, distribución selectiva

selective import controls, controles selectivos de importación

selective trade controls, controles selectivos del comercio

selector channel (comp.), canal selector (comp.)

self-control, autocontrol

self-checking digit (comp.), dígito de autoverificación (comp.); número autoverificador (comp.)

self-employed individual, empresa individual; negocio individual; autónomo (n., Esp.); autoempleado (n., Esp.)

self-finance, autofinanciarse

self-financing, autofinanciación

self-insurance, autoseguro

self-insuring party, parte autoaseguradora

self-liquidating loan, préstamo de liquidación automática

self-supporting institution, entidad autofinanciada

sell, desinvertir; enajenar (venta); deshacerse de una inversión; salir de una inversión; realizar (venta)

sell at a loss, vender con pérdida

sell at a profit, vender con beneficio

sell at auction, subastar; rematar; sacar a subasta; vender mediante subasta

sell bear, vender a plazo en firme

sell for future delivery, vender a término

sell forward, vender a término

sell off, vender a bajo precio para liquidar existencias

sell on credit, vender a crédito

sell on the black market, vender en el mercado negro; vender de estraperlo (Esp., col.)

sell out, vender en su totalidad; realizar; liquidar (existencias)

sell securities "on a best effort basis", vender valores "al mejor" (Esp.)

sell short, vender en descubierto

sell stocks, enajenar acciones

sell-off, baja bursátil; venta a bajo precio para liquidar existencias; rebajas por liquidación (Esp.)

selldowns of loans, cesiones de créditos

seller, vendedor

selling agreement, contrato de venta

selling commission, comisión de venta

selling concession, concesión de venta

selling conditions, condiciones de venta

selling expenses, gastos de venta

selling group, grupo vendedor

selling period, período de venta; plazo de suscripción

selling rate, precio de venta; precio inicialmente fijado por el vendedor; cambio de venta

selling terms, condiciones de venta

sellout, venta postbalance; liquidación de existencias; saldo postbalance; venta de restos

semi-private bank, banco semioficial

semiannual, semestral (adj., masc. & fem.); semianual (adj., masc. & fem.)

semiannual amortization, amortización semestral

semiannual coupon, cupón semestral

send, enviar (una carta); dirigir (un escrito); remitir (un sobre); cursar (correspondencia); mandar (un paquete)

send away, echar; poner (de patitas) en la calle (Esp., col.)

send back, retornar (devolver); volver a entregar; devolver (retornar)

send off, poner en el correo; echar al correo (Esp., col.)

sender (mail), remitente (correspondencia)

sender (shipper), expedidor; remitente de la mercancía; transitario; embarcador

senior accountant, jefe de contabilidad (Esp.); contador jefe (LA)

senior debt, deuda principal

senior officer (Sr. officer), empleado de mayor antigüedad; empleado de mayor edad

senior partner, socio (más) antiguo

senior posts, puestos directivos; altos cargos

senior securities, acciones con derecho de prioridad

seniority, antigüedad

seniority rights, derechos de antigüedad; derechos adquiridos por antigüedad

sensitivity of rates, sensibilidad de los tipos

separate (adj. & v.), separado (adj.); segregado (adj.)

separate covenant, pacto solidario

sequence (sequence = sequency), secuencia; cadena secuencial; ordenación en serie; progresión

sequency (sequency = sequence), secuencia; cadena secuencial; ordenación en serie; progresión

sequential (adj.), progresivo; escalonado; secuencial (adj., masc. & fem.); de serie; en serie

sequential access (comp.), acceso secuencial

sequential number (comp.), número secuencial (comp.)

sequester, detener; capturar; confiscar; embargar; decomisar; incautar; expropiar

sequestered account, cuenta embargada

sequestered funds, fondos confiscados

serial (adj.), progresivo; escalonado; secuencial (adj., masc. & fem.); de serie; en serie

serial access (comp.), acceso secuencial

serial bonds, bonos de vencimiento escalonado

serial processing (comp.), proceso en serie (comp.)

serve an office, ocupar un cargo; desempeñar un cargo; ejercer un cargo

serve on a jury, formar parte de un jurado

serve with a writ, hacer entrega de una notificación

server, alguacil encargado de entregar notificaciones judiciales

service, cargo; puesto de trabajo; empleo; prestación laboral (n. fem.)

service (fee) revenues, ingresos por servicios

service (v.), prestar servicio (mantenimiento); atender (un puesto de trabajo)

service notice on someone, notificarle algo a alguien

service pensioner, jubilado por antigüedad

service record, historial profesional; antecedentes laborales; hoja de servicios

service(s) company, sociedad de servicios

service(s) contract, contrato de servicios

service-output depreciation method, depreciación calculada sobre la producción

services rendered, servicios prestados

serving personnel, personal en activo; plantilla activa; nómina (plantilla de empleados); planilla de sueldos (LA)

serving staff, personal en activo; plantilla activa; nómina (plantilla de empleados); planilla de sueldos (LA)

set (n.), juego; serie (n., fem.); colección (n., fem.); persistente (adj., masc. & fem.); inmovilista (adj., masc. & fem.); de ideas fijas (masc. & fem.); de piñón fijo (Esp., col., masc. & fem.)

set (v.), perfilar; determinar; fijar; establecer; estipular; formular un planteamiento

set forth the reason, indicar la razón; justificar el motivo

set of books, juego de libros

set of documents, lote (de tarjetas o documentos); juego (de tarjetas o documentos)

set of exchange, juego de letras

set or records, conjunto de registros; conjunto de antecedentes

set over, asignar (utilidades); ceder; traspasar; transferir; imputar; atribuir; aplicar; distribuir (beneficios); consignar (mercancías)

set theory, teoría de conjuntos

set up a business, establecer un comercio; poner en marcha un comercio; iniciar una actividad comercial

setback, descenso; caída; empeoramiento; retroceso (empeoramiento); estancamiento; punto muerto; paralización; punto de equilibrio; umbral de rentabilidad; recesión

setoff (n), contrapartida por compensación (n. fem.); cancelación de saldo (n. fem.); contrarreclamación (n. fem.); liquidación a través de cuenta (n. fem.); compensación por saldos (n. fem.)

setoff (v.), cancelar; anular; rescindir; revocar; abolir; derogar; casar (revocar); cesar; retirar; retractarse

setoff clause, cláusula de compensación

settle, cotización al cierre de la sesión

settle a bill, liquidar una factura

settle a claim, cancelar una reclamación

settle a dispute, dirimir una discrepancia; resolver una disputa

settled, pagado; liquidado

settled account, cuenta liquidada; cuenta saldada

settlement, cancelación (n. fem.); liquidación (n. fem.); domicilio habitual; instalación (ubicación) (n. fem.); establecimiento (ubicación); ubicación (n. fem.); lugar de residencia

settlement date, fecha de liquidación

settlement day, día de liquidación

settlement flow, flujo de liquidación

settlement of accounts, liquidación de cuentas

settlement of claim, siniestro pagado; finiquito (Esp.); liquidación de siniestro

settlement price, precio de liquidación

settlement system, sistema de liquidación

settling day, día de liquidación

setup, estructura; estructuración de un proyecto; estructura financiera

seven, siete

sevenscore, siete veintenas

seventeen, diecisiete

seventeenth, decimoséptimo; diecisieteavo

seventh, séptimo

seventy, setenta

sever a business relationship, cortar una relación comercial; zanjar una relación mercantil

sever relation with undesirable customers, dar por terminadas las relaciones con clientes poco recomendables

several liability, responsabilidad solidaria; obligaciones solidarias; compromisos mancomunados

several note, pagaré a cargo propio, con una sola firma

several obligation, responsabilidad solidaria; obligaciones solidarias; compromisos mancomunados

several responsibility, responsabilidad solidaria; obligaciones solidarias; compromisos mancomunados

severally, separadamente; individualmente; por separado

severance pay, indemnización por despido

sex discrimination, discriminación por sexo

sexagesimal (adj.), sexagesimal (adj., masc. & fem.)

sexpartite, dividido en seis; repartido entre seis

SFFM (ab. **Spanish Financial Futures Market),** Mercado Español de Futuros Financieros (MEFF); MEFF (ab. Mercado Español de Futuros Financieros)

shade (col.), rebajar ligeramente el precio

shady activities, actividades poco claras

shady businesses, negocios turbios

shake hands, estrecharse las manos; alcanzar un acuerdo (col.)

shake up the company, reorganizar la empresa a fondo; darle a la empresa la vuelta del calcetín (Esp., col.)

shallow(-draft) port for the transhipment of goods, puerto de poco calado para el transbordo de mercancías

sham, falsificación (n. fem.); impostura; montaje (Esp., col.); falso (adj.); espurio (adj.); falsificar; fingir; usurpar la personalidad; hacerse pasar por

sham auction, subasta simulada; remedo de subasta

sham dividend, dividendo ficticio

sham plea, alegato ficticio; falso alegato

sham robbery, simulacro de robo; robo simulado

shamus (col.), detective privado; sabueso (Esp., col.)

shape, configuración; esquema; contorno

share, cuota; cupo; asignación (porcentaje); contingente (cupo asignado); participación (cuota asignada); acción (título de participación en el capital de una sociedad)

share (v.), compartir; repartirse; participar en el reparto

share capital, capital accionario; acciones ordinarias; acciones comunes; acciones con derecho a voto; acciones de pleno derecho; capital en acciones; capital social

share certificate, certificado de acciones

share consolidated book value, valor contable de las acciones

share dealings, contratación de acciones

share dividend, dividendo en acciones; dividendo en pagarés

share hype (col.), tensión accionarial

share index, índice bursátil; índice de contratación de acciones; índice de cotizaciones

share issue, emisión de acciones

share liquidity, liquidez de las acciones

share list, índice bursátil; índice de contratación de acciones; índice de cotizaciones

share market, mercado de valores de renta variable; mercado accionario

share market risk, riesgo del mercado de valores de renta variable; riesgo implícito en el mercado de acciones; riesgo que comporta el mercado accionario

share offer to employees, oferta de acciones a los empleados

share option bonus scheme (GB), plan de incentivos basado en la adjudicación de opciones sobre acciones

share price and yield, precio y rentabilidad de las acciones

share price high and low, cotizaciones extremas de las acciones; cotizaciones máxima y mínima de las acciones

share quotation, cotización de las acciones

share split, desdoblamiento de acciones; fraccionamiento de acciones

share warrant, certificado de compra de acciones

share yield, rendimiento de la acción; relación dividendo anual/precio de cotización

shared information, información compartida

shared memory (comp.), memoria compartida (comp.)

shared premises, instalaciones compartidas

shareholder (US: **shareholder = stockholder),** accionista (n., masc & fem.); tenedor de acciones; titular de acciones

shareholder of record (US: **shareholder = stockholder),** accionista inscrito como tal en el registro de la sociedad; titular registrado de las acciones; propietario registrado de las acciones

shareholders´ equity (US: **shareholders´ = stockholders),** recursos propios; patrimonio; derecho de propiedad; propiedad patrimonial; recursos propios de los accionistas; recursos propios de la sociedad

shareholders´meeting, junta de accionistas; asamblea de accionistas

shareholding, paquete accionario; participación accionaria; paquete de acciones; lote de acciones

sharepusher (GB, col.**),** corredor de bolsa (esp., que intenta contratar títulos de poco valor)

shares admitted to listing (US: **shares = stocks),** acciones admitidas a contratación; valores de renta variable admitidos a cotizar

shares admitted to trading (US: **shares = stocks),** acciones admitidas a contratación; valores de renta variable admitidos a cotizar

shares assigned to workers as a participation in profits, acciones adjudicadas a los empleados como participación en beneficios

shares bought (US: **shares = stocks),** acciones compradas

shares dealt (US: **shares = stocks),** acciones contratadas

shares deposited in scrow (US: **shares = stocks),** acciones (depositadas) en caución; acciones sujetas a caución; acciones bajo caución

shares deposited on trust (US: **shares = stocks),** acciones (depositadas) en caución; acciones sujetas a caución; acciones bajo caución

shares held (US: **shares: stocks),** acciones poseídas

shares held on 1 January (US: **stocks held on January 1),** acciones poseídas al 1 de enero

shares in default of payment (US: **shares = stocks),** acciones desiertas

shares in period of subscription (US: **shares = stocks),** acciones en período de suscripción

shares outstanding (US: **shares = stock),** acciones en circulación

shares quoted on the Madrid stock exchange, acciones cotizadas en la bolsa de Madrid

shares sold (US: **shares = stocks),** acciones vendidas

shares without a par value (US: **shares = stock),** acciones sin valor nominal

sharing clause, cláusula de participación; cláusula de solidaridad

sharing of profit and losses, participación en beneficios y pérdidas

shark (col, hostile takeover bids), tiburón (col, OPAs hostiles)

shark-repellant measure (col., **hostile takeover bids),** medida antitiburones (col., OPAs hostiles)

sharp call, exigencia de liquidación inmediata

sharp decline, notable descenso; acusada caída; fuerte reajuste

sharp decrease, notable descenso; acusada caída; fuerte reajuste

sharp increase, fuerte incremento; notable aumento; alza acusada

sharp rise, fuerte incremento; notable aumento; alza acusada

sharp upturn, fuerte incremento; notable aumento; alza acusada

sharp-nosed (adj.), de fino olfato (adj., masc. & fem.); que tiene (un) olfato muy fino (masc. & fem.)

shekel (col.), caudales (col.); fondos (col.)

shift, cambio de turno; variación de tendencia; cambiar de turno; variar de tendencia

shift of deposits to savings banks, desplazamiento de los depósitos hacia las cajas de ahorro

shift personnel, personal (integrante) del turno

shift work, trabajo por turnos

shifting board (bulk carriers), mamparo de contención (barcos de transporte de mercancía a granel)

shifty of the overall balance, variación de la balanza global

shilling, chelín

ship, buque; barco; nave

ship broker, corredor marítimo; agente de seguros marítimos

ship canal, canal navegable por buques de gran calado

ship chandler, proveedor de efectos navales

ship in quarantine, barco en cuarentena; buque sujeto a cuarentena

ship´s bag, saco postal del barco; cajilla del buque (LA)

ship´s company, tripulación; equipo de personas

ship´s husband, consignatario del buque

ship´s log, cuaderno de bitácora; diario de actividad; cronológico de actividad; registro cronológico; registrar en el cronológico de actividad; anotar en el registro cronológico

ship´s odour (US: **odour = odor),** olor de la bodega del buque

ship´s papers, documentación del buque; documentación de a bordo

ship´s passport, pasaporte del buque; carta de mar (LA); patente del buque

ship´s protest, declaración de avería; acta de avería

ship´s receipt, recibo de a bordo

ship´s surveyor, arqueador

ship´s sweat, empañamiento de la bodega; exudación de la bodega

shipboard, bordo del barco

shipbuilding, construcción naval

shipload, cargamento completo; carga completa

shipmaster, capitán de barco mercante; patrón de embarcación

shipment, cargamento; carga; embarque; flete; remesa; consignación; expedición

shipowner, armador; naviero

shipowner´s liability, responsabilidad del naviero

shippable (adj.), embarcable (adj., masc. & fem.)

shipped on board, mercancía colocada a bordo

shipper, expedidor; remitente de la mercancía; transitario; embarcador

shipper´s load and count, cargo y cuenta del cargador

shipper´s draft, letra del expedidor

shipping (stock exchange), navieras (valores bursátiles)

shipping agent, expedidor; remitente de la mercancía; transitario; embarcador

shipping bill, factura de embarque

shipping company, compañía armadora; empresa naviera; naviera (n.)

shipping conference, asociación de empresas navieras

shipping expenses, gastos de embarque

shipping routes, rutas marítimas

shipping ton (measure), cuarenta pies cúbicos (medidas)

shipping weight, peso al embarque

shipside, dársena; embarcadero; muelle de carga/descarga; malecón

shipwreck (n. & v.), naufragio; quiebra (col.); irse al garete (quebrar) (Esp., col.)

shipwrecked (col.), quebrado; insolvente; fallido; en situación de quiebra

shipyard, patio; yarda (medida); astillero

Shogun bond, obligación Shogun (emitida en USD, para su venta a firmas japonesas)

shop, tienda; hacer compras

shopgirl, dependienta

shopkeeper (US: **shopkeeper = storekeeper),** tendero; comerciante (dependiente de una tienda); dependiente (de comercio) (n.)

shoplifter, mechero (ladrón de tiendas) (Esp., col.); ratero de tiendas

shopman (GB), tendero; comerciante (dependiente de una tienda); dependiente (de comercio) (n.)

shopping centre (US: **centre = center),** almacén; grandes almacenes; gran superficie comercial; hipermercado (Esp.); hiper (Esp., col.)

shopping district, distrito comercial; zona comercial; barrio comercial

shopwalker (GB), vigilante de seguridad de un comercio

shopwindow, escaparate (Esp.); vitrina (LA)

shore, costa; ribera; playa; escora; escorar

shore patrol (US), servicio de vigilancia costera; patrulla guardacostas

short, venta de futuros para restablecer una posición de mercado; posición de un cliente con exceso de ventas sobre compras

short account, cuenta en rojo; cuenta en descubierto; cuenta con saldo insuficiente; cuenta sin cobertura; cuenta rebasada; cuenta sobreexcedida

short against the box, venta al descubierto de títulos

short bill, letra a vencimiento corto

short covering, compra de cobertura; compra para cubrir ventas al descubierto

short delivery, entrega inferior a lo solicitado; remesa menor a lo estipulado

short discount, descuento por pago al contado; descuento por pago en efectivo; descuento por pronto pago; bonificación por pago al contado

short exchange, letra a corto plazo; efecto a corto plazo

short form, impreso abreviado

short futures, posición corta; posición vendedora

short hedge, cobertura corta

short hedging, limitación del riesgo a un nivel dado

short of cash, falta de liquidez; tesorería insuficiente; desprovisión de numerario

short position, posición corta; posición vendedora

short sale, venta al descubierto

short seller, vendedor al descubierto

short selling, venta al descubierto

short shipment, pedido no servido en su totalidad

short sight, imprevisión

short squeeze, tómalo todo

short straddle, straddle superior; venta "straddle"; straddle vendido

short strangle, strangle superior; strangle vendido; venta "strangle"

short term, corto plazo

short ton, tonelada corta

short-dated (adj.), a corto plazo

short-run developments, evolución a corto plazo

short-term (adj.), a corto plazo

short-term bill (US: **bill = draft**), letra a corto plazo; efecto a corto plazo

short-term draft (GB: **draft = bill**), letra a corto plazo; efecto a corto plazo

short-term eurodollar rates, tipos de interés a corto plazo en eurodólares

short-term financing, financiación a corto plazo

short-term financing costs for bond inventories, financiación del coste de bonos a corto plazo

short-term forecasts, previsiones a corto plazo

short-term funds, dinero a corto (plazo); fondos a corto (plazo); recursos a corto (plazo)

short-term interest rates, tipos de interés a corto (plazo)

short-term liabilities (ST-liabilities), obligaciones a corto plazo

short-term loan, préstamo a corto (plazo)

shortage, diferencia negativa; déficit; desfase máximo/mínimo del día; desequilibrio; hueco (n.); vacío (n.)

shortage cost, coste de ruptura

shortage of capital, escasez de capitales

shortage of foreign exchange, escasez de divisas

shortchange, devolver cambio de menos

shortfall, diferencia negativa; déficit; desfase máximo/mínimo del día; desequilibrio; hueco (n.); vacío (n.)

shorthand, taquigrafía; estenografía

shorthand-typist, taquimecanógrafa

shortouts, mercancía no embarcada

show a balance, arrojar un saldo

show a loss amounting to, arrojar (unas) pérdidas por valor de

show a profit lower than, arrojar un beneficio inferior a

show a trend to, mostrar tendencia hacia; mostrarse proclive a

show an incidence on current rates, denotar una incidencia sobre los tipos vigentes

show an increase, arrojar un aumento; mostrar un aumento; evidenciar un alza

show of hands, votación a mano alzada

shroff (in Asian countries), cambista (en países asiáticos); banquero (en países asiáticos)

shuffle out of a risky business, conseguir salir a duras penas de un negocio arriesgado

shy of an unknown customer, receloso de un nuevo cliente

shy of granting fresh funds, reacio a aportar nuevos fondos

shy of money (col.), falto de dinero

shyster (US, col.**),** picapleitos (col.); leguleyo (col.); tinterillo (LA, col.)

sib, pariente (n. & adj., masc. & fem.); familiar (n.,& adj., masc. & fem.); consanguíneo (n. & adj.)

sick, enfermo (adj.)

sick leave, licencia por enfermedad; baja por enfermedad (Esp.)

sick pay, subsidio por enfermedad

side effect of credit shortage, efecto colateral de la restricción crediticia

sight assets, activos a la vista

sight bill (US: **bill = draft**), letra a la vista; giro a la vista

sight credit, crédito instantáneo; crédito a la vista

sight deposit, depósito a la vista; imposición a la vista; pasivo exigible a la vista; ingreso en cuenta corriente

sight draft (GB: **draft = bill)**, letra a la vista; giro a la vista

sight letter of credit, crédito documentario a la vista

sight liabilities, obligaciones a la vista

sighting, presentación de una letra; presentación de un efecto

sign, firmar

sign a contract, celebrar un contrato; formalizar un contrato; suscribir un contrato; firmar un contrato; ejecutar un contrato; cerrar un contrato

sign manual of notary public, signo y rúbrica de notario público

sign up, firmar el contrato; aceptar el empleo

sign up for, firmar (el) contrato por

signatory (pl.: signatory = signatories), firmante; signatario

signature, firma; rúbrica; signatura notarial

signet, impronta (del sello aplicado)

significant (adj.)**,** significativo (adj.); importante (adj., masc. & fem.); notable (adj., masc. & fem.)

silent partner, socio capitalista

silent partnership, comandita; sociedad comanditaria; sociedad (reunida) en comandita (SRC); sociedad colectiva; sociedad de responsabilidad limitada; SRC (ab. sociedad reunida en comandita)

silk-stocking (adj., US, col.**),** adinerado (adj.); acaudalado (adj.); rico (adj.)

silver, plata (n. fem.)

silver bullion, plata en lingote; lingote de plata

silver coin, moneda de plata

silver jubilee, bodas de plata (25 años)

silver standard, patrón plata

simple bond, pagaré personal

simple contract, contrato informal

simple equation, ecuación de primer grado

simple fraction, fracción común; quebrado simple

simple interest, interés simple

simple quantity, número simple; cantidad simple

simulacrum (pl.: simulacrum = simulacra / simulacrums), simulacro; farsa; imitación

simultaneous interpretation, interpretación simultánea

simultaneous translation, traducción simultánea

since, considerando; por cuanto; visto que; dado que; como quiera que; puesto que; en vista de que

single bond, obligación incondicional

single tax, impuesto único

single-entry bond, fianza de declaración única

single-name paper, pagaré(s) sin endoso; documento(s) con una sola firma

single-premium life policies SPLP) (sing.: **policies = policy),** primas únicas (Esp.)

sink into desuetude, caer en desuso

sinkhole (col.)**,** saco sin fondo (Esp., col.); inversión que sólo genera gastos

sinking fund, amortizaciones acumuladas; fondo de amortización

sit on, formar parte de; ser miembro de

sit on a jury, formar parte de un jurado

sit pretty (col.)**,** ocupar una posición ventajosa

sit-down strike, huelga de brazos caídos; sentada (Esp.); huelga de brazos cruzados; ocupación pasiva del puesto de trabajo; demostración pacífica de protesta

sit-in (col.)**,** huelga de brazos caídos; sentada (Esp.); huelga de brazos cruzados; ocupación pasiva del puesto de trabajo; demostración pacífica de protesta

sitting duck (col.)**,** blanco fácil de acertar; objetivo de fácil consecución

sitting tenant, inquilino imposible de desalojar

situation, situación

situation of extreme financial weakness, situación de extrema debilidad financiera

six, seis

sixteen, dieciséis

sixteenth, decimosexto; dieciseisavo

sixth, sexto

sixty, sesenta

size, escala; balanza; escalafón; envergadura; magnitud (n. fem.)

size (v.)**,** tasar; fijar el valor; justipreciar; evaluar; peritar

size of a loan, magnitud de un préstamo; montante de un préstamo; monto de un préstamo (LA)

size of a problem, magnitud de un problema

skill, destreza; habilidad adquirida; experiencia práctica; pericia; capacidad laboral

skilled labour (US: **labour = labor),** mano de obra cualificada

skilled technician, técnico experimentado (n.)

skillful specialist (n.)**,** especialista diestro (n.)

skip (comp.), saltarse una instrucción (comp.); pasar por alto (comp.); omitir un comando (comp.)

SLC (ab. **straight letter of credit),** carta de crédito confirmado irrevocable

slight (adj.)**,** insignificante (adj., masc. & fem.); trivial (adj., masc. & fem.); de escasa magnitud; de poca importancia

slight development in ordinary income, evolución moderada del resultado ordinario

slight recovery, ligera recuperación

slip of the pen, error de pluma; lapsus calami; el mejor escribano echa un borrón (Esp., col.)

slippage, deslizamiento; diferencia entre coste estimado y real de una operación

slippery debtor, deudor marrullero; moroso escurridizo

slot, pase de anuncio publicitario; ranura de inserción (monedas, tarjetas, etc.)

slumlord (col.)**,** casero arrendador de viviendas modestas a precios caros

small and medium-sized companies (SMSCos), pequeñas y medianas empresas (PYMES) (Esp.); PYMES (ab. pequeñas y medianas empresas) (Esp.)

smart alec(k) (col.)**,** sábelotodo (n., masc. & fem., col.); marisabidillo (n., col.)

smart money, gratificación por accidente laboral

smart set, gente de buen tono; clientes provenientes de la buena sociedad

smartie (col.)**,** sábelotodo (n., masc. & fem., col.); marisabidillo (n., col.)

smarty (col.)**,** sábelotodo (n., masc. & fem., col.); marisabidillo (n., col.)

smarty-pants (col.)**,** sábelotodo (n., masc. & fem., col.); marisabidillo (n., col.)

smell a rat, sospechar que hay gato encerrado (col.); olerse algo sospechoso (col.); escamarse (col.)

SMS Cos. (ab. **small and medium-sized companies),** pequeñas y medianas empresas (PYMES) (Esp.); PYMES (ab. pequeñas y medianas empresas) (Esp.)

smuggle, contrabando; matute (Esp., col.); contrabandear; pasar de contrabando; matutear (Esp., col.)

smuggle in, meter de contrabando; pasar de contrabando (entrada); colar de matute (entrada) (Esp., col.)

smuggle out, sacar de contrabando; pasar de contrabando (salida); colar de matute (salida) (Esp., col.)

smuggler, contrabandista; matutero (Esp., col.)

smuggling activities, actividades contrabandistas

smurf dirty money (technique), atomizar dinero negro (técnica)

smurfing, atomización de dinero negro (técnica); división de una suma en otras inferiores para evitar su declaración

snake (n. & v.)**,** serpiente monetaria (n, fem.); fluctuar (col.)

snake (n., col.**),** víbora (n., masc. & fem., col.)

snap decision (col.)**,** decisión impremeditada

snap purchase (col.)**,** compra compulsiva

sneak (col.)**,** ladrón de guante blanco (col.)

snip (GB, col.**),** ganga; ocasión (ganga)

so-called (adj.)**,** así llamado; denominado

social insurance, seguro (de previsión) social

social reintegration, reinserción social

social security, seguridad social

social services, servicios de asistencia social; asistencia social; bienestar social; auxilio social

social uneasiness, inestabilidad social

social welfare, servicios de asistencia social; asistencia social; bienestar social; auxilio social

social worker, asistente social

Socialist General Labour Union (Esp.), Unión General de Trabajadores (UGT) (Esp.); UGT (ab. Unión General de Trabajadores) (Esp.)

Socialist system, sistema socialista

society, sociedad (no mercantil); asociación (no mercantil)

socko banking product (col.), producto bancario muy popularizado; producto bancario de amplia difusión

soft credit, crédito blando; crédito en condiciones de favor; crédito a tipo de interés mínimo

soft currency, moneda inestable; moneda débil

soft loan, crédito con interés preferencial; crédito blando (Esp., col.)

soft loans, préstamos blandos (col.); préstamos en condiciones favorables

soft touch (col.), blandengue (Esp., col.); pusilánime (Esp., col.)

soft transition measures, medidas de transición no traumáticas

software (comp.), conjunto de programas informáticos (comp.); equipo lógico (comp.)

sole agent, agente exclusivo

sole dealer, distribuidor exclusivo

sole placing agent, agente colocador exclusivo

sole trader, empresa individual; negocio individual; autónomo (n., Esp.); autoempleado (n., Esp.)

solvency, responsabilidad (cualidad) (n. fem.); solvencia

solvent (adj.), solvente (adj., masc. & fem.)

sophisticated security systems, sistemas de seguridad sofisticados

soundness, integridad (consistencia) (n., fem.); consistencia; solidez (n. fem.)

soundness of equity, integridad patrimonial; consistencia de los recursos propios

soundness of the balance sheet, integridad contable del balance

source, fuente (n., fem.); origen; procedencia

source handbook, manual de consulta

source of funds, origen de los fondos

source of funds declaration (US: **declaration = report),** declaración sobre la procedencia de los fondos; declaración de origen del dinero

source of funds report (GB: **report = declaration),** declaración sobre la procedencia de los fondos; declaración de origen del dinero

Spanish Financial Futures Market (SFFM), Mercado Español de Futuros Financieros (MEFF); MEFF (ab. Mercado Español de Futuros Financieros)

Spanish national, ciudadano español

Spanish resident, residente en España

Spanish-born, oriundo de España

Spanish-made, fabricado en España; fabricación española

Spanish-resident peseta deposits translated into euros, recursos de pesetas de residentes en España convertidos en euros

speak for, hablar en favor de; hablar en nombre de

speak for itself, hablar por sí mismo

speak straightforward, hablar sin rodeos; ir directamente al grano (Esp., col.); no andarse con divagaciones

speak to the point, hablar sin rodeos; ir directamente al grano (Esp., col.); no andarse con divagaciones

special act, ley especial; resolución legislativa (de carácter) especial

special allowances, fondos especiales

special authority (pl.: authority = authorities), autorización especial

special damages (insurance), daños indirectos (seguros); daños colaterales

special delivery, correo urgente; entrega inmediata (paquetería); mensajería urgente

special drawing rights (SDR), derechos especiales de giro (DEG); DEG (ab. derechos especiales de giro)

special jury, jurado especial

special lien, gravamen específico

special partner, socio de responsabilidad limitada

special pleading, alegato de réplica; argumento parcial y tendencioso

specialist, especialista (masc. & fem.); entidad encargada de mantener fluido el mercado para un valor concreto

specialist team, equipo de especialistas; equipo especializado

specialize in merchant banking, especializarse en banca industrial

specialties, instrumento formalizado y sellado

specific duties, deberes específicos; obligaciones específicas

specific risk, riesgo específico

specifications, especificaciones; pliego de condiciones

specimen, muestra; modelo; espécimen (pl.: espécimen = especímenes)

specimen signature, modelo de firma; firma modelo; espécimen de firma

speculate, especular; formular hipótesis

speculation, especulación; empresa especulativa; riesgo especulativo; agiotaje

speculative (adj.), especulativo (adj.)

speculator, especulador (n. & adj.)

spend, gastar; consumir; pasar

spend money in updating obsolete equipment, gastar dinero en actualizar equipos anticuados

spend the time, pasar el tiempo

spending, gasto

spending money, dinero para gastos personales

spin-off, escisión

split, desdoblamiento; aumento de acciones sin aumento de capital; desdoble

split the commission, partir la comisión

SPLP (ab. **single-premium life policies),** primas únicas (Esp.)

spokesman, portavoz (Esp.); vocero (LA)

sponsor (n. & v.), patrocinador; promotor; padrino (col.); patrocinar; promover; apadrinar; fomentar

spot, plazo entre la fecha-valor "spot" e igual día de la semana siguiente

spot check, comprobación aleatoria

spot futures parity theorem, paridad de mercados de futuro y spot

spot loan, tipo de cambio al contado

spot market, mercado "spot"; mercado al contado; precio en el mercado de contado

spot money, dinero al contado; dinero contante y sonante (col.)

spot month, mes inmediato

spot rate, cotización "spot"

spot seller, vendedor de una opción de compra en el mercado al contado

spot transaction, operación al contado

spot-next, permuta valorada de "spot" a día hábil siguiente

spread, margen ("spread"); diferencial entre precios de oferta y demanda ("spread"); margen añadido a un tipo de interés de referencia ("spread"); diferencial; descuento o prima sobre el contrato que difiere del contrato par

spread (futures transaction), spread (operación con futuros)

spread pricing, diferencial de precios

spread ratio (options), ratio "spread" (opciones)

sprinkler, extintor de incendios automático por aspersión; aspersor automático contra incendios

sprinkler system, sistema automático de detección y extinción de incendios por aspersión

spurious personality, personalidad falsa; falsa personalidad

spurious signature, firma falsificada

squeaker (GB), esquirol; rompehuelgas; revientahuelgas; vendido (revientahuelgas); amarillo (vendido / revientahuelgas) (Esp.); delator; soplón; esquirolear; reventar una huelga; trabajar durante una huelga

squeeze, cuello de botella (col.); estrangulamiento; poner impedimentos; dámelo todo (col.)

Sr. officer (ab. **senior officer),** empleado de mayor antigüedad; empleado de mayor edad

SRCC clause (ab. **strikes, riots and civil commotions clause),** cláusula sobre riesgos de huelga, motines y desórdenes internos

ST-liabilities, obligaciones a corto plazo

stability of demand and savings deposits, estabilidad de los depósitos a la vista y de ahorro

stacking of foreign investments, concentración de las inversiones extranjeras

stacks of applications, montones de peticiones (Esp., col.); montañas de solicitudes (Esp., col.)

staff, personal; plantilla; empleados

staff (pl.: staffs / staves), personal (administrativo); plantilla (de personal); empleados (plantilla); funcionariado (plantilla)

staff hiring, contratación de personal

staff promotions, ascensos (de categoría profesional); promociones (de categoría profesional)

staff remuneration, remuneración de los empleados; remuneración de la plantilla; retribución al personal

staff training, formación del personal; capacitación de los empleados

staff training centre (US: **centre = center),** centro de formación del personal; centro de capacitación de empleados

staff training program, programa de formación profesional para empleados; plan de acciones formativas destinadas a los empleados

stag, especulador al alza en nuevas emisiones (col.)

stagflation, estanflación; estagflación

stagnancy, descenso; caída; empeoramiento; retroceso (empeoramiento); estancamiento; punto muerto; paralización; punto de equilibrio; umbral de rentabilidad; recesión

stagnant (adj.)**,** estancado (adj.); inactivo (adj.)

stagnate, estancarse

stagnated property market, mercado inmobiliario estancado

stagnation, descenso; caída; empeoramiento; retroceso (empeoramiento); estancamiento; punto muerto; paralización; punto de equilibrio; umbral de rentabilidad; recesión

stale, caducado; vencido; pasado; sin validez; expirado

stale bill of lading, conocimiento de embarque caducado

stale date, fecha atrasada

stall, dar largas (Esp., col.); andar con rodeos (Esp., col.); marear la perdiz (Esp., col.)

stamp, sello; timbre; cuño; estampilla; troquel; sellar; timbrar; estampillar; troquelar

stamp pad, almohadilla de entintado (sellos); tampón de entintado (sellos)

stamp tax, derechos de timbre

stamping press, prensa de troquelar

stand bail for, pagar la fianza de

stand for re-election, presentarse a la reelección

standard, norma; ley (monedas) (n. fem.); peso legal (monedas); corriente (adj., masc. & fem.); normal (adj., masc. & fem.); normalizado; reglamentario

Standard & Poor's rating, calificación de solvencia asignada por Standard & Poor's

Standard & Poor´s 500 Index, índice Standard & Poor´s; índice de los 500 valores más representativos de la bolsa de Nueva York

standard cost, coste normalizado; coste normal

standard deviation, desviación típica; grado de dispersión (distribución)

standard error, error tabular

standard of living, nivel de vida

standard operating services, servicios típicos de gestión; servicios operativos habituales

standard periods, períodos normalizados; períodos estandarizados (Esp.)

standard prices, precios corrientes; precios normales; precios ajustados a norma

standard rate, tipo corriente; tasa actual

standard services, servicios homologados

standard time, hora oficial; hora legal

standardization, normalización; homologación

standardize, normalizar; homologar; ajustar a la norma

standardized schedule, formato normalizado; estructura normalizada

standby, contingente (adj.); a la espera; de reserva; para contingencias; en reserva, para utilizar cuando sea necesario; temporalmente inactivo

standby committee, comité permanente

standby credit, crédito de contingencia; crédito contingente; crédito de disponibilidad inmediata

standby letter of credit, crédito documentario autorrenovable; crédito de garantía

standing, categoría; rango; posición (n. fem.); situación (n. fem.); nivel; dignidad (n. fem.); estado

standing committee, comisión permanente

standpoint, punto de vista

standstill, descenso; caída; empeoramiento; retroceso (empeoramiento); estancamiento; punto muerto; paralización; punto de equilibrio; umbral de rentabilidad; recesión

staple, ramo de comercio; artículo principal; materia prima

staple goods, materias primas; primeras materias; productos básicos

stapler, negociante en productos básicos de consumo

star product, artículo de gancho (Esp., col.); producto en oferta; artículo promocional; producto en venta promocional

starting from, a partir de; desde

stash (col.)**,** alijo (col.); ahorrar (a escondidas) (col.)

stash illegal money, ocultar dinero de origen ilegal

stasis, descenso; caída; empeoramiento; retroceso (empeoramiento); estancamiento; punto muerto; paralización; punto de equilibrio; umbral de rentabilidad; recesión

state (n.)**,** categoría; rango; posición (n. fem.); situación (n. fem.); nivel; dignidad (n. fem.); estado

state (v.)**,** perfilar; determinar; fijar; establecer; estipular; formular un planteamiento

state aid, subvención estatal; ayuda gubernamental

State Department (US)**,** Departamento de Estado (US)

state in writing, exponer por escrito; declarar por escrito

state jurisdiction, jurisdicción estatal

state of crisis, estado de crisis

state of emergency, estado de emergencia

state of war, estado de guerra

state pension, pensión estatal

state policy, política estatal

state sector, sector público

state support, apoyo estatal

state tax, impuesto estatal

state trade, comercio de estado

state-of-the-art, último modelo; punta (lo más reciente) (col.); más reciente

state-of-the-art technology, tecnología punta

state-support-based development scheme, plan de desarrollo basado en el apoyo estatal; plan de expansión con base al respaldo estatal

stated term, plazo indicado

stateless (adj.)**,** apátrida (adj., masc. & fem.)

statement, comunicación; aviso; declaración (comunicación)

statement of (financial) position, balance general; balance de situación

statement of changes in financial position, estados de origen y aplicación de fondos

statement of changes in shareholders´ equity, evolución de los recursos propios

statement of damage, declaración de avería; acta de avería

statement of principles, declaración de principios

statement of transactions, estado de operaciones realizadas; relación de transacciones

statement under oath, declaración jurada; declaración bajo juramento

statewide, ámbito estatal; a nivel de todo un estado

station house (GB: **station house = police station),** comisaría de policía

stationery, material de escritorio; artículos de escritorio; artículos de papelería

statistical, estadístico (adj.)

statistician (n.)**,** estadístico (n.); especialista en estadística (n.)

statistics, estadística (n:)

status (pl. status = statuses), categoría; rango; posición (n. fem.); situación (n. fem.); nivel; dignidad (n. fem.); estado

status of transactions, situación de las transacciones

status report, informe de solvencia

statute, estatuto; reglamentación

statute book, código (libro)

statute law, derecho escrito; ley plasmada por escrito

statute of limitations, ley de prescripción

statutes, estatutos; reglamento

statutes of incorporation, escritura de constitución; acta de constitución; documento constitucional; escritura social; escritura constitutiva; certificado de constitución; acta fundacional

statutory, establecido por la ley; en aplicación de la ley

statutory fees, atenciones estatutarias; emolumentos de los consejeros; honorarios de los consejeros

statutory payments, atenciones estatutarias; emolumentos de los consejeros; honorarios de los consejeros

statutory reserve, reserva legal; reserva estatutaria

steal (n., col.**),** ganga (col.); regalo (col.)

steal (stole, stolen) (v.), ratear; hurtar; sisar; robar; sustraer; apropiarse de

steel industry, industria siderúrgica; siderurgia; sector del acero

steel sector, industria siderúrgica; siderurgia; sector del acero

steel worker, obrero siderúrgico

steelworks, acería; planta siderúrgica

steep prices, precios altos; precios caros; precios elevados

steering commission, comisión ejecutiva

steersman, timonel; consejero delegado (col.); director ejecutivo (col.)

steno (col.), taquígafo (LA: taquígrafo = estenógrafo); estenógrafo (Esp.: estenógrafo = taquígrafo)

stenographer, taquígafo (LA: taquígrafo = estenógrafo); estenógrafo (Esp.: estenógrafo = taquígrafo)

step by step, paso a paso

step-down bond, bono declinante; bono de interés variable, ajustable a la baja

step-up bond, bono a tipo variable, con diferencial ajustable al alza

stickup, atraco (col.)

stipend, estipendio

stipendiary allowance, estipendio

stipulate (v.), perfilar; determinar; fijar; establecer; estipular; formular un planteamiento

stipulation, estipulación (n. fem.)

stirrer (GB., col.**),** liante (n., masc. & fem.); barullas (n. sing., masc. & fem.; Esp., col.)

stock (col.), colectivo accionario; accionariado

stock and surplus capacity, existencias en almacén y capacidad excedentaria

stock carrier, sociedad anónima de seguros

stock company, sociedad por acciones; sociedad anónima; sociedad accionaria en comandita

stock dividend, dividendo en acciones; dividendo en pagarés

stock exchange, mercado bursátil; bolsa de valores; mercado de valores; mercado de títulos

stock exchange broker, corredor de bolsa; cambista bursátil; agente de (cambio) y bolsa

stock index futures, futuros sobre índices bursátiles

stock majority, mayoría accionaria

stock market crisis, crisis bursátil

stock market index, índice bursátil; índice de contratación de acciones; índice de cotizaciones

stock market interconnection system, sistema de interconexión bursátil (SIB); SIB (ab. sistema de interconexión bursátil)

stock market manipulations, maniobras de bolsa; manipulaciones bursátiles

stock market movements, fluctuaciones (en los mercados) bursátiles (n. fem.)

stock market order, orden bursátil (n. fem.); orden de bolsa (n. fem.)

stock market value, valor bursátil

stock note, pagaré garantizado por acciones

stock on hand, inventario de existencias; existencias de productos acabados y semiacabados

stock option, opción sobre acciones

stock option bonus plan, plan de incentivos basado en la adjudicación de opciones sobre acciones

stock option jackpot (col.), stockazo (Esp., col.)

stock option jackpot winner (col.), beneficiario de un "stockazo" (Esp., col.)

stock power, carta-poder sobre acciones

stock price graph, gráfica de cotización

stock price index, índice bursátil; índice de contratación de acciones; índice de cotizaciones

stock price range, banda de cotización; evolución de la cotización

stock price range adjusted to capital increases, cotización de las acciones ajustada a las ampliaciones de capital

stock ratio, ratio bursátil

stock register, libro registro de acciones

stock rights, derechos de suscripción; derechos de compra de acciones

stock split-up, aumento del número de acciones sin aumentar la cuenta de capital

stock subscribed, acciones suscritas

stock valuation (US = inventory pricing), valoración de existencias

stock warrants, bonos de reintegro; bonos reintegrables; bonos convertibles; obligaciones convertibles

stock watering, dilución del capital

stock yield (US), rendimiento de la acción; relación dividendo anual/precio de cotización

stock(-exchange) broker, broker (Esp.); agente de bolsa; colocador de pagarés; intermediario financiero por cuenta propia; agente mediador; contratista por cuenta de terceros; operador bursátil por cuenta propia; contratista por cuenta propia; concesionario de ventas

stock(-exchange) floor, parqué (Bolsa) (Esp.)

stock(-exchange) market, mercado bursátil; bolsa de valores; mercado de valores; mercado de títulos

stock(-exchange) ring, corro de contratación (Bolsa)

stock-exchange (adj.), bursátil (adj., masc. & fem.)

stockbroker (GB: **stockbroker = stockjobber),** broker (Esp.); agente de bolsa; colocador de pagarés; intermediario financiero por cuenta propia; agente mediador; contratista por cuenta de terceros; operador bursátil por cuenta propia; contratista por cuenta propia; concesionario de ventas

stockbroker belt (col.), zona residencial periférica de gran lujo

stockbroking, correduría bursátil (n. fem.); corretaje de valores bursátiles

stockbuilding, acumulación de existencias; constitución de un paquete accionario

stockholder (GB: **stockholder = shareholder),** accionista (n., masc & fem.); tenedor de acciones; titular de acciones

stockholder of record (GB: **stockholder = shareholder),** accionista inscrito como tal en el registro de la sociedad; titular registrado de las acciones; propietario registrado de las acciones

stockholder-auditors, accionistas-censores de cuentas

stockholder´s meeting, junta de accionistas; asamblea de accionistas

stockholders´ equity (GB: **stockholders´ = shareholders´),** recursos propios; patrimonio; derecho de propiedad; propiedad patrimonial; recursos propios de los accionistas; recursos propios de la sociedad

stockholding, paquete accionario; participación accionaria; paquete de acciones; lote de acciones

stockholding company, sociedad por acciones; sociedad anónima; sociedad accionaria en comandita

stockist (US: **stockist = dealer),** proveedor; distribuidor; suministrador; abastecedor

stockjobber (US: **stockjobber = stockbroker),** broker (Esp.); agente de bolsa; colocador de pagarés; intermediario financiero por cuenta propia; agente mediador; contratista por cuenta de terceros; operador bursátil por cuenta propia; contratista por cuenta propia; concesionario de ventas

stocks, existencias disponibles; acciones (n. fem. pl.); valores de renta variable (n. masc. pl.)

stocks admitted to listing (GB: **stocks = shares),** acciones admitidas a contratación; valores de renta variable admitidos a cotizar

stocks admitted to trading (US: **stocks = shares),** acciones admitidas a contratación; valores de renta variable admitidos a cotizar

stocks bought (GB: **stocks = shares),** acciones compradas

stocks dealt (GB: **stocks = shares),** acciones contratadas

stocks deposited in escrow (GB: stocks = shares), acciones (depositadas) en caución; acciones sujetas a caución; acciones bajo caución

stocks deposited on trust (GB: stocks = shares), acciones (depositadas) en caución; acciones sujetas a caución; acciones bajo caución

stocks held, acciones poseídas

stocks held on January 1 (GB: shares held on 1 January), acciones poseídas al 1 de enero

stocks in default of payment (GB: stocks = shares), acciones desiertas

stocks in period of subscription (GB: stocks = shares), acciones en período de subscripción

stocks not listed, valores no cotizados en bolsa; títulos no cotizados; títulos que no cotizan en bolsa

stocks not quoted, valores no cotizados en bolsa; títulos no cotizados; títulos que no cotizan en bolsa

stocks sold (GB: stocks = shares), acciones vendidas

stocktaking (GB), inventario; existencias de mercancías; existencias en almacén

stocktaking clearance, venta postbalance; liquidación de existencias; saldo postbalance; venta de restos

stocktaking sale, venta postbalance; liquidación de existencias; saldo postbalance; venta de restos

stone-broke (US, adj.), sin blanca (col.); sin un duro (Esp., col.); sin una perra (Esp., col.); a la cuarta pregunta (Esp., col.)

stop, posición límite

stop a cheque (US: cheque = check / draft), bloquear el pago de un cheque; suspender el pago de un talón

stop order, orden de suspensión; orden de bloqueo; orden de retención (tarjetas de crédito); orden "stop" (LA)

stop payment, suspender el pago

stop payment for overexceeded limit, suspéndase el pago por límite sobreexcedido

stop point, punto de protección; precio límite

stop(-and)-go policy (pl.: policy = policies) (col.), política de para y arranca (col.); política de frena y avanza (col.)

stop-gap loan, crédito puente; financiación de contingencia (n., fem.); préstamo puente; crédito de emergencia; crédito coyuntural; crédito transitorio

stop-payment card, tarjeta-orden de suspensión de pago

stop-payment notification, notificación de bloqueo; aviso de suspensión de pago; orden de suspensión de pago

stoppage in transit, embargo de las mercancías en tránsito por el vendedor

storage, almacenaje; almacenamiento; memoria (comp.)

storage capacity, capacidad de almacenamiento

storage costs, costos de almacenaje; costes de almacenamiento

storage dumping (comp.), volcado de memorias (comp.)

storage key (comp.), clave de memoria (comp.)

store (v.), almacenar; apilar; guardar en depósito

storehouse, depósito de almacenamiento; bodega de almacenaje

storekeeper (GB: storekeeper = shopkeeper), tendero; comerciante (dependiente de una tienda); dependiente (de comercio) (n.)

storeroom, depósito de almacenamiento; bodega de almacenaje

story, historia; cuento; (LA) macana; cuento chino (Esp.)

stow, guardar; estibar

stowage, estiba

stowage capacity, capacidad de la bodega

stowage charges, gastos de estiba

straddle, compraventa "straddle" (opciones)

straddle (options), compra "straddle" (opciones); compra simultánea de opciones similares de compra y venta

straight bill, letra simple; efecto no acompañado de documentos

straight bill of lading (SBL), conocimiento de embarque nominativo; conocimiento de embarque corrido; carta de porte nominativa

straight bond, bono no convertible a interés fijo; obligación normal

straight debt, deuda no convertible

straight letter of credit (SLC), carta de crédito confirmado irrevocable

straight loan, préstamo sin caución; préstamo al descubierto; préstamo no amortizado

straight remittance, remesa simple

straight-line, lineal

straight-line depreciation, amortización lineal

straight-line depreciation method, método de depreciación lineal; depreciación (por el método) lineal (n. fem.)

straightforward, por la directa; francamente; por las claras (Esp., col.); sin rodeos (Esp., col.)

strain of liquidity, estrechamiento de la liquidez

strangle, compraventa "strangle"; strangle (compraventa)

strap, adquisición de más opciones de compra que de venta, esperando suban; compra de opciones con pérdida limitada

strategic (adj.)**,** estratégico (adj.)

strategic asset allocation, distribución estratégica de activos; optimización de carteras

strategic purchases and sales, compraventas estratégicas

strategic team, equipo estratégico

strategist (n.)**,** estratega (n. masc. & fem.)

strategy (pl: strategy = strategies), estrategia

stratify, estratificar

straw bail, fianza sin valor

straw bill (col.)**,** muestra sin valor

straw certificate, certificado de desinfección de la paja usada en el embalaje

straw man (col.)**,** testaferro; hombre de paja (Esp., col.); cabeza de turco (Esp., col.); marioneta (col.); chivo expiatorio (Esp., col.)

straw poll (col.)**,** sondeo informal de opinión

stream of repayments, serie de reembolsos; flujo de reembolsos

street loan, préstamo bancario para operaciones de bolsa

strength, integridad (consistencia) (n., fem.); consistencia; solidez (n. fem.)

strengthening, recuperación; alza de precios pronunciada; subida de precios acusada; repunte; período de recuperación; evolución alcista; tendencia ascendente

strict (adj.)**,** riguroso (adj.); ajustado (adj.); estrecho (adj.); rígido (adj.); inflexible (adj., masc. & fem.); restringido (adj.); restrictivo (adj.); estricto (adj.)

strict confidence, estricta confidencia

strictiest patrimonial integrity, máxima integridad patrimonial

strike, huelga; paro laboral

strike a balance, hacer balance; arrastrar un saldo

strike a bargain, cerrar un trato; llegar a un acuerdo; alcanzar un acuerdo; encontrar una ganga

strike and lockout clause, cláusula de huelga y cierre patronal

strike breaker, esquirol; rompehuelgas; revientahuelgas; vendido (revientahuelgas); amarillo (vendido / revientahuelgas) (Esp.); delator; soplón; esquirolear; reventar una huelga; trabajar durante una huelga

strike call, emplazamiento a la huelga; llamada a la huelga

strike fund, fondo de huelga; caja de resistencia para huelgas

strike price, precio al que puede ejercitarse una opción; precio de ejercicio; precio de ejecución (opciones); precio "strike" (opciones); precio a pagar por el activo subyacente al expirar la opción; precio de compraventa (contratos de opciones)

strike rate, tipo de ejercicio

striker, huelguista

strikes, riots and civil commotions, huelgas, motines y desórdenes internos

strikes, riots and civil commotions clause (SR&CC clause), cláusula sobre riesgos de huelga, motines y desórdenes internos

stringent (adj.)**,** riguroso (adj.); ajustado (adj.); estrecho (adj.); rígido (adj.); inflexible (adj., masc. & fem.); restringido (adj.); restrictivo (adj.); estricto (adj.)

stringent regulations, normativa rígida; reglas estrictas

stringent restrictions, restricciones drásticas (n. fem.)

strip, adquisición de más opciones de venta que de compra, esperando bajen; posición (en una serie cronológica de vencimientos); compra de opciones con pérdida limitada al coste de las primas

strip search, registrar integralmente (con desnudo de la persona registrada)

strip-search, registro integral (con desnudo de la persona registrada)

stripped Treasury obligations, obligaciones del Tesoro con principal e intereses segregados (US)

stripping, desdoblamiento; aumento de acciones sin aumento de capital; desdoble

strips, cupones separados

strong, fuerte (adj., masc. & fem.); firme (adj., masc. & fem.); afianzado (adj.); sólido (adj.); consistente (adj., masc. & fem.)

strong box, caja fuerte; caja de seguridad; caja de caudales

strong prices, precios altos; precios caros; precios elevados

strong prices trend, tendencia hacia los precios altos

strong room (col.)**,** cámara acorazada; cámara de seguridad; bóveda de seguridad (LA)

strong upward trend, tendencia hacia la fuerte expansión

strong-arm policy (pl.: policy = policies), política de mano dura

strongly recommended, muy bien recomendado; excelentemente recomendado; encarecidamente recomendado (Esp.)

structural (adj.)**,** estructural (adj., masc. & fem.)

structural costs, costos estructurales

structural problems, problemas estructurales

structural shortcomings, defectos estructurales; carencias estructurales

structure, estructura; estructuración de un proyecto; estructura financiera

structure of deposits, estructura de los depósitos; estructura de los recursos ajenos

structure of payments, estructura de pagos; calendario de pagos; organización de los pagos

stub, matriz (resguardo); talón (resguardo); resguardo (talón)

study in depth, estudiar en profundidad; estudiar detenidamente; analizar exhaustivamente

stuffing, propaganda de relleno (incluida en sobres, carpetas, etc.)

stumer (col.)**,** cheque sin provisión de fondos; suspensión de pagos (GB., col.)

stumer (GB, col.**),** cheque sin fondos; efecto de colusión; cheque en descubierto; cheque (de) pelota (Esp., col.)

sub judice, sub júdice

sub rosa (col.)**,** de forma secreta; sin que nadie se dé cuenta; bajo cuerda (col.)

subcontract, subcontratar

subcontractor, subcontratista (n. masc.)

subdelegate, subdelegado (n. & adj.); subdelegar (v.)

subject, asunto; cuestión (n. fem.); negocio (asunto); acontecimiento; tema (n. masc.)

subject to (v.)**,** someter a; estar sujeto a; depender de

subject to approval, sujeto a aprobación

subject to being paid on maturity, sujeto a ser satisfecho a su vencimiento

subject to control, sometido a control

subject to return, sujeto a devolución; con carácter devolutivo

subject to tax, sujeto al pago de impuestos; fiscalmente imputable

sublease, subarriendo; subarrendar

sublessee, subarrendatario

sublessor, subarrendador

sublet, subarriendo; subarrendar

sublet premises, instalaciones subarrendadas (n. fem.)

subliminal advertising, publicidad subliminal

submission (n.)**,** oferta; propuesta; plica; licitación (n. fem.); concurso; ofertar; hacer una propuesta; licitar (v.); presentar oferta (v.)

submit, presentar; someter

submit a report, presentar un informe

submit a tender for, licitar; presentarse a concurso; acudir a una licitación; pujar; presentar una oferta

submit to a vote, someter a voto; someter a votación

submortgage, hipoteca garantizada por otra

subordinate, subordinar

subordinated bond, obligación subordinada

subordinated debt, deuda subordinada

subordinated loan, préstamo subordinado

subordination agreement, carta de anterioridad

suborn (v.), sobornar; cohechar; untar la mano (Esp., col.)

subornation, soborno; cohecho; mordida (LA, n. fem.); coima (LA, n. femenino); concusión (n. fem.)

suborner, cohechador; sobornador

subparagraph, apartado (de cláusula, artículo, texto); inciso; subpárrafo

subpoena, citación; convocatoria; derecho a redimir bonos antes de su vencimiento; redención de un bono; procedimiento judicial; causa ante los tribunales; auto judicial; exhorto de comparecencia

subpoena (v.), citar a comparecer

subrental, subarriendo; subarrendar

subrogate, subrogar

subrogation, subrogación

subroutine (comp.), subrutina (comp.)

subscribe for a new share issue, suscribir una nueva emisión de acciones

subscribe to a loan, suscribir un préstamo

subscribe to an amendment to the agreement, suscribir una enmienda al contrato

subscriber, suscriptor

subscript, subíndice

subscription, subscripción

subscription account, cuenta de suscripción

subscription agreement, acuerdo de suscripción; contrato de suscripción

subscription period, período de suscripción

subscription rate, tasa de suscripción

subscription rights, derechos de suscripción; derechos de compra de acciones

subscription warrant, resguardo de suscripción; cédula de suscripción

subsection, apartado; subinciso

subsidiary (adj.), subsidiario; subyacente; dependiente de; secundario; complementario; potencial (adj.)

subsidiary (GB = daughter company), sociedad filial; empresa filial; compañía filial; empresa controlada; subsidiaria; sociedad sujeta a intervención (de otra, principal)

subsidiary accounts, cuentas auxiliares; cuentas puente; subcuentas

subsidiary banks, bancos filiales; bancos subsidiarios

subsidiary credit facility, línea de crédito subsidiaria

subsidiary ledger (book), libro auxiliar del Mayor; libro de cuentas corrientes

subsidiary loan, préstamo subsidiario

subsidize, subvencionar; otorgar un subsidio; respaldar mediante subvenciones; mantener a base de subsidios

subsidy, subsidio; prima (gratificación); subvención (n. fem.)

subsistence wages, sueldos de hambre; jornales de miseria

substantial (adj.), sustancial (adj., masc. & fem.)

substantial increase, aumento sustancial; crecimiento notable

substantiating documents, documentación acreditativa; documentos acreditativos

substitute (adj.), sustituto (adj.); suplente (adj., masc. & fem.)

subtenant, subarrendatario

subtract, restar

subtrahend, su(b)straendo

subtreasurer, vicetesorero

subvention, subsidio; prima (gratificación); subvención (n. fem.)

succeed, dar buen resultado; tener éxito; triunfar; suceder (en un cargo)

success, éxito; buen fin; triunfo; consecución (n. fem.)

success fee, comisión de buen fin; comisión por buena ejecución

successful (adj.), exitoso (adj.); próspero (adj.)

succession duty, impuesto de sucesión

succession tax, impuesto de sucesión

sue, entablar pleito; iniciar un pleito; meterse en pleitos (Esp., col.); demandar; pleitear; litigar; interponer querella; llevar ante los tribunales

sue for damages, demandar por daños y perjuicios

suffer damages from nonperformings, sufrir perjuicios a causa de las morosidades; resentirse (como consecuencia) de las insolvencias

suggest, sugerir

suggestion, sugerencia

suit, pleito; litigio; proceso ante los tribunales; juicio; vista judicial

suit for collection, apremio al pago

suit for damages, procedimiento judicial por daños y perjuicios

suitor, apelante (n., masc. & fem.); demandante (n., masc. & fem.); recurrente (n., masc. & fem.); solicitante (n., masc. & fem.); querellante (n., masc. & fem.); reclamante (n., masc. & fem.)

sum (n.)**,** cantidad (cuantía); importe; suma; monto (LA); cuantía; montante (n., masc.)

summarize (v.)**,** condensar; resumir; sintetizar; compendiar; recapitular

summary, síntesis de instrucciones; resumen (recapitulación); recapitulación (resumen); extracto (resumen); memorándum; sintetización (n. fem.)

summary offence, falta (delito)

summary sheet, hoja-resumen

summit (meeting), cumbre (reunión)

summons, citación; convocatoria; derecho a redimir bonos antes de su vencimiento; redención de un bono; procedimiento judicial; causa ante los tribunales; auto judicial; exhorto de comparecencia

sundries (sing.: **sundries = sundry**)**,** gastos varios; gastos diversos

sundry accounts, cuentas diversas

sundry advances, anticipos varios

sundry creditors, cuentas vencidas; acreedores diversos; contabilidad de acreedores; cuentas a pagar; acreedores varios; deudores varios

sundry demand loans, deudores varios a la vista

sundry expenses, gastos varios; gastos diversos

sundry fixed securities, títulos varios cotizados en bolsa

sundry taxes, contribuciones diversas; impuestos varios

sundry unlisted securities, títulos varios no cotizados en bolsa

superannuate, jubilar

superannuation, pensión de retiro; pensión de jubilación

superannuation contribution, cotización al fondo de pensiones; aportación al fondo de pensiones

superannuation fund, fondo de retiro; caja de jubilaciones; caja de pensiones; fondo de pensiones

superannuation scheme, plan de jubilación

superintendent (SUPT), comisario de policía (Esp.); superintendente

superior (n. & adj.)**,** superior (n. & adj.)

supersede, sobreseer; sobrepasar; desbancar

supertanker, superpetrolero

supervise (v.)**,** controlar; supervisar; realizar un seguimiento

supervision, supervisión (n. fem.)

supervisor, supervisor (n.)

supervisory, supervisor (adj.)

supervisory and regulatory agency, órgano de supervisión y control; organismo supervisorio y de control

supplement (n. & v.)**,** suplemento; complemento; apéndice; separata; complementar

supplemental (adj.)**,** suplementario (adj.); complementario (adj.); adicional (adj., masc. & fem.)

supplemental credit, crédito suplementario; crédito adicional

supplementary (adj.)**,** suplementario (adj.); complementario (adj.); adicional (adj., masc. & fem.)

supplementary credit, crédito suplementario; crédito adicional

supplier, proveedor; distribuidor; suministrador; abastecedor

supplies, suministros; abastecimientos; abastos (Esp.)

supply, suministro(s); provisión (n. fem.); remesa (abastecimiento); abastecimiento(s); suministrar; abastecer; proveer; proporcionar

supply a shortfall, reponer un déficit; reparar un déficit

supply and demand, oferta y demanda

supply of savings, oferta de ahorros; aportación de recursos emanantes del ahorro

supply shortage, restricciones en el abastecimiento; recorte del suministro

supply side, sector real; parte suministradora (n. fem.)

supply with a good deal of fresh news, facilitar una buena cantidad de nuevas noticias

supply-side economy, economía de la oferta

support (n.), aval; garantía; respaldo; apoyo; caución; colateral (n.); señal

support (v.), apoyar; sustanciar; respaldar

support a resolution, apoyar una resolución; secundar una resolución

support level, nivel de soporte

support price, precio soporte

support the market, apoyar los precios del mercado; mantener el mercado; sujetar el mercado

supporting documents, documentación acreditativa; documentos acreditativos

suppress, eliminar; suprimir; borrar; tachar

suppress from the wording, suprimir en el texto; quitar del texto; eliminar del texto

suppression, abolición; supresión; derogación; anulación; abrogación; casación

suppression of all former penalty clauses, supresión de todas las anteriores cláusulas de penalización

suppression of money laundering activities, supresión de actividades de blanqueo de dinero

supranational, supranacional

supranational agencies, organismos supranacionales; órganos de carácter supranacional

Supreme Court, Tribunal Supremo (Esp.); Corte Suprema (LA); Suprema Corte de Justicia (LA)

SUPT (ab. **superintendent),** comisario de policía (Esp.); superintendente

surcharge (n. & v.), sobretasa; recargo; sobreprecio; aplicar una sobretasa; imponer un recargo; gravar con una sobretasa

surety, obligado; garante; avalista; fiador

suretyship, obligado; garante; avalista; fiador

surface mail, correo de superficie (vía terrestre o marítima)

Surgeon General (US), Dirección General de Salud Pública

surmount a crisis, superar una crisis; vencer una crisis

surname, apellido

surplus (pl: surplus = surpluses), superávit (n.); excedente (n.); sobrante (n.); reservas de capital; excedentario (adj.); sobrante (adj., masc. & fem.)

surplus capacity, capacidad excedentaria

surplus country, país excedentario

surplus reserve, reserva de excedentes; superávit de reserva; excedentes consignados al fondo de reserva; exceso de provisión

surrender (n.), entrega; presentación (documentos, etc.) (n. fem.)

surrender (v.), presentar (documentos); entregar; renunciar; claudicar; hacer dejación de

surrender of coupons, presentación de cupones; exhibición de cupones; entrega de cupones

surrender value, valor de redención; valor de renuncia; valor de cancelación; valor en liquidación

surrogate, juez (del tribunal) testamentario (US); surrogar

surtax (n. & v.), sobretasa; recargo; sobreprecio; aplicar una sobretasa; imponer un recargo; gravar con una sobretasa

surveil, vigilar

surveillance, vigilancia; supervisión

surveillance licensing, concesión de licencias vigiladas

surveillance report, informe de inspección

survey (n. & v.), peritación (n. fem.); examen pericial; inspección (n. fem.); sondeo; realizar un sondeo; practicar una peritación

surveyor, inspector; inspector de compañía de seguros; perito de compañía de seguros; perito tasador

Sushi bond, bono Sushi; bono en dólares para su compra por entidades japonesas

suspect (n.), sospechoso (n.)

suspect (v.), sospechar; recelar

suspended sentence, sentencia no aplicable sino en caso de reincidencia

suspense accounts, cuentas de orden; cuentas cruzadas; contracuentas; cuentas de contrapartida; cuentas transitorias

suspense items, activos y pasivos transitorios; partidas en suspenso

suspension from duty, separación del cargo

suspension from work without pay, suspensión de empleo y sueldo

suspicious (adj.), sospechoso (adj.)

suspicious transactions involving potential money laundering, operaciones sospechosas referidas a un potencial blanqueo de dinero

sustain a loss, soportar una pérdida

sustainable (adj.), sostenible (adj., masc. & fem.)

sustained development, desarrollo mantenido; evolución mantenida

sustained upswing, evolución al alza; repunte al alza

sustaining program, programa sin (un) patrocinador

swap (n. & v.), permuta; permuta de divisa a plazo por otra al contado; swap (de divisas, intereses, etc.); permuta (divisas, etc.); intercambio (valores, etc.); crédito cruzado; cambio de préstamo (modificando alguna condición de los anteriores); permutar; intercambiar; canjear

swap point, punto "swap"; diferencial de interés entre dos divisas (contratos "forward")

swaption, swapción; derecho condicionado de permuta

swear an affidavit, formular una declaración jurada por escrito

swear an oath, jurar; prestar juramento

sweatshop (col.), empresa que explota a sus trabajadores

sweetheart agreement (col.), convenio colectivo favorable al empresario

swindle (n.), estafa; timo; engaño; fraude; embaucamiento

swindle (v.), estafar; timar; embaucar; defraudar; desplumar (Esp., col.)

swindler, timador; estafador; embaucador; defraudador

swing credit (col.), crédito recíproco al descubierto

swing from surplus to deficit, pasar de superávit a déficit

swing in demand for inventory, movimiento de la demanda de existencias

swingline, obtención de fondos de cobertura a corto ("swingline")

swings, fluctuaciones; oscilaciones

switch, comercio triangular en divisas; venta de un valor sin perspectivas para reinvertir, a corto, en otro; desvío; conmutador (comp.); interruptor (inf.); conmutar

sworn declaration, declaración jurada; declaración bajo juramento

sworn statement, declaración jurada; declaración bajo juramento

sworn translation, traducción jurada (Esp.); traducción certificada (LA); traducción oficial

sworn translator, intérprete jurado (Esp.); traductor oficial (LA)

symptomatic (adj.), sintomático (adj.)

symptoms of money laundering, indicios de blanqueo de dinero

syndic, síndico

syndicalism, sindicalismo

syndicate, agrupación; consorcio de emisión; sindicato mafioso

syndicated loan market, mercado de créditos sindicados

syndication, sindicación

synergy, sinergia

synthesize, condensar; resumir; sintetizar; compendiar; recapitular

synthetic (adj.), sintético (adj.)

synthetic future, futuro sintético; futuro combinado

synthetic securities, productos sintéticos; valores sintéticos

system, sistema

system of accounts, sistema de cuentas; sistema contable

systematize, sistematizar

systemic risk, riesgo sistémico

systems analysis, análisis de sistemas
systems analyst, analista de sistemas
systems and methods department (S&M dept), departamento de sistemas y métodos

T

3G products (ab. **third generation products)**, productos de (la) tercera generación

T (ab. **The Treasury / Treasury Department)** (US), ministerio de hacienda (Esp.); hacienda pública; ministerio del tesoro

T-bill, bono del Tesoro; pagaré del Tesoro; letra del Tesoro (LT); obligación del Tesoro; LT (ab. letra del Tesoro)

T-bond, bono del Tesoro; pagaré del Tesoro; letra del Tesoro (LT); obligación del Tesoro; LT (ab. letra del Tesoro)

TAA (ab. **tactical asset allocation),** colocación estratégica de activos; distribución táctica de activos; aplicación táctica de activos

table, diagrama; gráfico; gráfica; tabla de gráficos; cuadro; tabular (v.); hacer un diagrama

table of exchange rates, cuadro de tipos de cambio

table processed data (v.), tabular los datos procesados; presentar los datos procesados en formato tabular

tabular mortality, mortalidad esperada

tabulate, computar; calcular; tabular

tabulating machine, máquina tabuladora

tabulation, tabulación

tabulator, tabulador (n.)

tacit, tácito (adj.)

tacit agreement, acuerdo tácito; compromiso tácito; convenio tácito; asentimiento tácito

tacit consent, consentimiento tácito; autorización implícita; conformidad tácita

tacit mortgage, hipoteca legal

tacking of mortgages, fusión hipotecaria

tackle a problem, enfrentarse a un problema; abordar un problema; coger el toro por los cuernos (Esp., col.); afrontar un problema; hacer frente a un problema

tactful, diplomático (adj.); discreto (adj.); de tacto (persona)

tactic (adj.), táctico (adj.)

tactical asset allocation (TAA), colocación estratégica de activos; distribución táctica de activos; aplicación táctica de activos

tactics (n.), táctica (n.)

tailor-made contract, contrato a la medida; contrato ajustado a unas necesidades específicas; contrato no estandarizado

take a ballot on, votar sobre; celebrar una votación respecto a

take a bribe, dejarse sobornar; aceptar un soborno; tomar la mordida (SA)

take a pew (GB, col.), tómatelo con calma (Esp., col.); tome Vd. asiento

take advantage of, aprovecharse de

take appropriate measures, tomar las medidas adecuadas; adoptar las medidas pertinentes; aplicar las medidas oportunas

take back (v.), cancelar; anular; rescindir; revocar; abolir; derogar; casar (revocar); cesar; retirar; retractarse

take correcting measures, adoptar medidas correctoras

take charge of, hacerse cargo de; tomar las riendas de (col.); coger el timón de (col.); tomar la batuta (Esp., col.); coger la batuta (Esp., col.); asumir un puesto ejecutivo; acceder al cargo de

take down, aceptar valores adjudicados en una nueva emisión

take effect, entrar en vigor; surtir efectos; ser efectivo; hacerse efectivo

take into custody, detener; capturar; confiscar; embargar; decomisar; incautar; expropiar

take into charge, hacerse cargo de; tomar las riendas de (col.); coger el timón de (col.); tomar la batuta (Esp., col.); coger la batuta (Esp., col.); asumir un puesto ejecutivo; acceder al cargo de

take inventory, hacer inventario

take legal action against, entablar demanda judicial contra; interponer pleito contra

take off, despegar; dispararse (col.)

take off a balance, arrojar un balance

take office, asumir el cargo de

take or pay, compra o paga; lo tomas o lo pagas; si no lo tomas, lo pagas

take over, hacerse cargo de; tomar las riendas de (col.); coger el timón de (col.); tomar la batuta (Esp., col.); coger la batuta (Esp., col.); asumir un puesto ejecutivo; acceder al cargo de

take over a company, absorber a una sociedad

take possession of, tomar posesión de; entrar en posesión de; hacerse con

take private, salir de bolsa; dejar de cotizar en bolsa

take something on board (GB), responsabilizarse; asumir todas las responsabilidades

take stock, hacer inventario

take the floor (col.), tomar la palabra; hacer uso de la palabra

take the reins (col.), hacerse cargo de; tomar las riendas de (col.); coger el timón de (col.); tomar la batuta (Esp., col.); coger la batuta (Esp., col.); asumir un puesto ejecutivo; acceder al cargo de

take the stand (col.), tomar la palabra; hacer uso de la palabra

take to court, proceder contra; entablar pleito contra; iniciar actuaciones judiciales contra; llevar ante los tribunales a; presentar (una) demanda contra

take up a bill, acoger (la presentación de) un efecto; atender una letra; aceptar un efecto; pagar una letra; aceptar una letra

take-home pay (col.), sueldo neto; haberes netos; percepciones netas; salario neto; haberes devengados tras practicar deducciones

take-up fee, comisión de adquisición

takeover bid, OPA (ab. oferta pública de adquisición); oferta pública de adquisición (OPA); precio de compra ofertado; puja; oferta (puja)

takeover bid (TB), oferta pública de adquisición de acciones (OPA)

talk at cross-purposes, mantener un diálogo de sordos (Esp., col.)

tall story (col.), cuento chino (Esp., col.); macana (LA)

tall tale (col.), cuento chino (Esp., col.); macana (LA)

tally, recuento; segundo escrutinio de votos

tally (v.), cuadrar

tallyman (GB), visitador de empresa de venta a plazos

TAM (transfer by air mail), transferir fondos por correo aéreo

tangible assets, activo tangible; inmovilizado material

tangible equity, recursos propios tangibles; capital propio tangible

tangible fixed assets, activo propio tangible; activo fijo material

tangible net worth, recursos propios tangibles; capital propio tangible

tangible property, bienes tangibles

tangible value, valor tangible

tanker ship (TS), petrolero; barco petrolero; buque cisterna

tap issue, emisión escalonada; emisión gota a gota (col.)

tape number, número (identificativo) de cinta

tardy debtor (col.), deudor moroso

tare, tara

target, meta; fin; propósito; finalidad; objeto (finalidad)

tariff, arancel aduanero; tarifa aduanera

tariff law, ley arancelaria

tariff quotas, cuotas arancelarias

tariff regulations, normativa arancelaria

tariffs item, partida arancelaria; fracción arancelaria

taring, determinación de la tara

task, tarea

task analysis, evaluación de tareas

task force (mil., col.**),** equipo de trabajo; equipo de ayuda; fuerza de choque; grupo operativo

tax, contribución; impuesto; exacción

tax abatement, reducción de impuestos; desgravación fiscal; aminoramiento de la presión fiscal; reducción de la carga tributaria; deducción impositiva; rebaja de la fiscalidad aplicable; disminución de la presión impositiva

tax accruals, impuestos acumulativos; devengos fiscales acumulados; acumulación de devengos fiscales

tax advisor, asesor fiscal

tax alleviations, desgravaciones fiscales

tax base, base imponible; base impositiva

tax benefits, ventajas fiscales; beneficios tributarios

tax burden, carga tributaria; presión fiscal; carga fiscal

tax code, régimen tributario

tax collection, cobro de impuestos; recaudación de impuestos

tax collector, recaudador de impuestos; recaudador de contribuciones

tax concession, concesión tributaria

tax court, tribunal de temas fiscales; juzgado de lo fiscal

tax credit, deducción fiscal; abono de impuestos; devolución de tributos satisfechos en demasía

tax declaration, declaración fiscal; declaración a efectos tributarios

tax deduction, reducción de impuestos; desgravación fiscal; aminoramiento de la presión fiscal; reducción de la carga tributaria; deducción impositiva; rebaja de la fiscalidad aplicable; disminución de la presión impositiva

tax dodging, evasión de impuestos; evasión fiscal

tax evader, evasor (del pago) de impuestos

tax event, hecho imponible

tax examiner, inspector de tributos; inspector fiscal

tax gimmick, trampa fiscal

tax haven, paraíso fiscal

tax incentives, incentivos fiscales

tax inspector, inspector tributario

tax laws, disposiciones tributarias; legislación tributaria; ley de régimen fiscal

tax liability, cuota tributaria

tax lien, gravamen sobre impuestos no pagados; embargo fiscal; embargo por impago de tributos

tax policy, política fiscal; política tributaria

tax pressure, carga tributaria; presión fiscal; carga fiscal

tax purposes, efectos fiscales

tax rebate, devolución de impuestos; devolución tributaria; devolución de retenciones fiscales

tax receipt, justificante del pago de impuestos; recibo de ingreso tributario

tax reform, reforma fiscal

tax refund, devolución de impuestos; devolución tributaria; devolución de retenciones fiscales

tax regulations, disposiciones tributarias; legislación tributaria; ley de régimen fiscal

tax relief, reducción de impuestos; desgravación fiscal; aminoramiento de la presión fiscal; reducción de la carga tributaria; deducción impositiva; rebaja de la fiscalidad aplicable; disminución de la presión impositiva

tax roll, censo de contribuyentes; empadronamiento a efectos tributarios

tax statement, declaración fiscal; declaración a efectos tributarios

tax structure, sistema fiscal; sistema tributario; sistema impositivo

tax system, sistema fiscal; sistema tributario; sistema impositivo

tax valuation, evaluación fiscal; avalúo catastral (LA)

tax-deductible (adj.), deducible a efectos fiscales; fiscalmente deducible (adj., masc. & fem.); susceptible de deducción fiscal (adj., masc. & fem.); desgravable (adj,. masc. & fem.)

tax-deductible expenses, gastos desgravables (Esp.); gastos deducibles a efectos fiscales; gastos no sujetos a tributación

tax-deductible investments, inversiones exentas de impuestos

tax-deductible loss, pérdida deducible a efectos fiscales; pérdida no sujeta a tributación

tax-free (adj.), exento de impuestos; libre de tasas; no sujeto a exacciones; libre de aranceles aduaneros; franco de pago de derechos; exento de tributación; libre de impuestos

tax-free gains, beneficio libre de impuestos; beneficio no sujeto a tributación

tax-free provisions, provisiones libres de impuestos; provisiones no sujetas a tributación

tax-payable (adj.), pagadero a efectos tributarios; pagadero a efectos fiscales

tax-paying capacity, capacidad contributiva; capacidad de cumplimiento de obligaciones tributarias

tax-sheltered, fiscalmente opaco; opaco a efectos tributarios

tax-sheltered income, beneficio fiscalmente opaco

tax-sheltered savings, ahorro fiscalmente opaco

taxable, evaluable fiscalmente; imponible (fiscalmente) (Esp.); gravable; sujeto a contribución; tributable

taxable income, líquido imponible; renta imponible; utilidad imponible; ingresos imponibles; beneficio imponible; rentas sujetas a gravamen; ingresos tributables; percepciones sujetas a retención fiscal

taxation at source, imposición fiscal en origen

taxes other than income tax, tributos varios

taxpayer, contribuyente; sujeto (fiscal) pasivo (Esp.); persona obligada a declarar

TB (ab. **takeover bid),** oferta pública de adquisición de acciones (OPA)

TBL (ab. **through bill of lading),** conocimiento de embarque directo (cubre transbordos)); conocimiento de embarque corrido (cubre transbordos)

TEA (ab. **Trade Expansion Act)** (US), Ley de Expansión Comercial (US)

teaser advertising, publicidad de intriga; campaña publicitaria basada en la duda

technical (adj.), técnico (adj.)

technical analysis, análisis técnico

technical assumption, supuesto técnico

technical drop, bajada técnica

technical nature of the report, carácter técnico del informe

technical obstacle, barrera técnica; obstáculo técnico

technical overdraft, sobregiro aparente; descubierto técnico; descubierto aparente

technical pitfall, escollo técnico; dificultad técnica; pega técnica (Esp., col.)

technical profit, beneficio técnico; beneficio aparente

technical qualification, cualificación técnica

technical report, informe técnico

technical reserve, reserva técnica

technical reserve coverage, cobertura de reservas técnicas

technical secretary general, secretario general técnico

technically unfeasible, técnicamente irrealizable; técnicamente impracticable; técnicamente inviable

technician (n.), técnico (n.)

technique, técnica (n.)

techniques of administration, técnicas de administración

techniques of management, técnicas de administración

techniques to export illicit money, técnicas para exportar dinero negro

telegraphic transfer (TT), transferencia telegráfica

telephone (n. & v.), teléfono; telefonear; hacer una llamada de teléfono; realizar una llamada telefónica; llamar por teléfono; dar un telefonazo (Esp., col.)

telephone and telegraph, teléfono y telégrafo

telephone order, orden telefónica; orden cursada por teléfono; pedido telefónico; encargo telefónico

telephonic transfer, transferencia telefónica; transferencia cursada por teléfono

teleprocess information (TP info), información mediante teleproceso

teleprocess(ing), teleproceso

telex, telex; cursar mensajes por telex; remitir mensajes vía telex

telex charges, gastos de telex

teller (GB: **teller = cashier),** ayudante de caja; cajero (empleado de caja); pagador (empleado de caja)

teller (US), cajero; cajero pagador; ayudante de caja (Esp.); habilitado (Esp.)

teller´s proof, comprobación diaria de entradas y salidas de caja; arqueo (Esp.)

temporary (office) premises, instalaciones provisionales; oficinas provisionales

temporary admission, admisión temporal

temporary admission of goods for further reexport, admisión temporal de mercancías para su ulterior reexportación

temporary annuity, anualidad temporal

temporary association, asociación temporal

temporary factors, factores temporales

temporary financing, financiación temporal

temporary import, importación temporal

temporary partnership, asociación temporal

temporary receivership, suspensión de pagos temporal; administración judicial temporal

temporary sale of assets, cesión temporal de activos (CTA); CTA (ab. cesión temporal de activos); venta de activos bajo compromiso de recompra)

temporary sale of single-premium life policies, cesión temporal de primas únicas

temporary transfer of powers and duties, transferencia temporal de poderes y funciones

ten, diez

ten hundred, mil; millar; un millar

ten thousand, diez mil

tenant, arrendatario; inquilino

tender (n. & v.)**,** oferta; propuesta; plica; licitación (n. fem.); concurso; ofertar; hacer una propuesta; licitar (v.); presentar oferta (v.)

tender of payment, oferta de pago

tender panel, panel de licitaciones; junta de licitación

tenor, condiciones de pago

tense relationship, relaciones tensas

tense situation, situación tensa

tenth, décimo

term, plazo (de tiempo); período (de tiempo)

term bond, bono con vencimiento fijo

term credit financing, financiación crediticia a plazo

term deposit, depósito a plazo; imposición a plazo (Esp.)

term loan, préstamo a plazo

term structure of interest rates, estructura temporal de los tipos de interés

term-deposit taking, aceptación de depósitos a plazo; aceptación de imposiciones a plazo (Esp.)

terminal, terminal

terminate, cancelar; anular; rescindir; revocar; abolir; derogar; casar (revocar); cesar; retirar; retractarse

terminate a contract, rescindir un contrato; resolver un contrato

terminate an agreement, rescindir un contrato; resolver un contrato

termination, rescisión; cese

termination clause, cláusula resolutoria

terms of a credit, condiciones de un crédito

terms of contract, términos del contrato; condiciones del contrato

terms of delivery, condiciones de entrega

terms of sale, condiciones de venta

terms of the agreement, términos del contrato; condiciones del contrato

territorial jurisdiction, jurisdicción territorial

territorial waters, aguas territoriales; aguas jurisdiccionales

territory, territorio

test (v.), ensayar; probar

test checks, pruebas aisladas; pruebas selectivas; calas (Esp.)

test market, mercado de prueba

test number, número de clave

test reliability of computer applications, probar la fiabilidad de las aplicaciones informáticas

testament, testamento; última voluntad

testamentary, testamentario (adj.)

testamentary capacity, capacidad testamentaria; capacidad reconocida para otorgar testamento

testamentary executor, albacea testamentario

testamentary trust, fideicomiso testamentario

testator, testador (n. masc.., n. fem.); otorgante del testamento

testatrix (testatrix = testator) (fem. n.), testadora (FEM.); otorgante del testamento (n. fem.)

testimonial evidence, prueba testimonial

the bearded lady has gone bold, todo se ha ido al garete (Esp., col.); las cosas han salido mal; el negocio ha sido un fracaso; se nos fastidió el asunto

the chair recognizes the bank´s counsel, se concede el uso de la palabra al abogado del banco

The Old Lady (col.), Banco de Inglaterra (col.)

the Treasury (US), el Tesoro; el Fisco

theft insurance, seguro antirrobo (Esp.); seguro contra robos

theoretical credit risk, riesgo teórico del credito

theoretical depreciation, depreciación teórica

theoretical risk of credit, riesgo teórico del credito

theoretical value, valor teórico

thereinafter, posteriormente; más abajo; más adelante

thereinbefore, anteriormente; antes de; con anterioridad a; de más arriba

theretofore, hasta entonces

theta coefficient, coeficiente theta; coeficiente de variación del precio de una opción

thief, ladrón; ratero (Esp., col.); caco (Esp., col.)

thieves' den (col.), cueva de ladrones (col.)

things of value, objetos valiosos; objetos de valor; artículos de valor

things personal, muebles; mobiliario; enseres; bienes muebles; efectos mobiliarios; artículos de uso personal

third, tercero (numeral)

third generation products (3G products), productos de (la) tercera generación

third party (pl.: party = parties), árbitro; tercero (mediador arbitral); mediador en litigio no judicial; juez de controversias; amigable componedor; árbitro amistoso; juez extrajudicial; mediador arbitral; informante designado para aportar referencias

third-party account, por cuenta ajena; por cuenta de terceros; por cuenta de otros

third-party insurance, seguro de responsabilidad civil; seguro frente a terceros

third-party interests, intereses de terceros

thirteen, trece

thirteenth, decimotercero; decimotercio; trezavo

thirty, treinta

threat, peligro; amenaza

threaten, amenazar; poner en peligro

three, tres

three-digit amount, cantidad de tres dígitos; cifra de tres dígitos; cantidad entre 100 y 999

three-year bonds, bonos (con vencimiento) a tres años

three-year term, plazo de tres años

three-year treasury bills, letras del tesoro (con vencimiento) a tres años

threshold, punto de partida; marco; umbral

threshold price, precio umbral

thrift (GB: **thrift = savings bank),** caja de ahorros

thrift account (US), cuenta de ahorro

thrift department (US), departamento de (cuentas de) ahorro

thrift deposit (US), imposición en cuenta de ahorro; depósito en cartilla de ahorros

thrift shop (US), tienda de (compraventa de) artículos usados; chamarilería (Esp.)

through bill of lading (TBL), conocimiento de embarque directo (cubre transbordos); conocimiento de embarque corrido (cubre transbordos)

throughput, producción total; volumen total de producción

throw into jail, meter en la cárcel

throw on the market, lanzar al mercado; sacar al mercado; poner en el mercado

throw out of work, echar del trabajo

throw overboard (col.), desechar; deshacerse de; desembarazarse de; dar por inutil; tirar por la borda (col.)

tick, punto (unidad mínima de medida de fluctuación); unidad mínima de medida de fluctuación; tic; límite mínimo en el cambio de precio; valor mínimo de variación; puntear

tick volume, volumen de contratación; volumen de intercambios; volumen de operaciones; volumen de transacciones

ticker, transmisión de precios por teleimpresora

ticker symbol, código-valor para transmitir información

ticket, billete (boleto); entrada (boleto); boleto; pasaje; boleta (LA)

ticket scalper (col.), revendedor de billetes; revendedor de entradas (Esp.)

ticket tout (GB, col.), revendedor de billetes; revendedor de entradas (Esp.)

tickler (col.), agenda-recordatorio de vencimientos; recordatorio (reclamación); reclamación (recordatorio); carta recordatoria

tickler clause, cláusula de "no disponer"

ticklish problem, problema peliagudo

ticktack (col., **stock exchange brokers**), lenguaje de signos (corredores de Bolsa)

tie up the loose ends (col.), resolver los temas pendientes; atar cabos sueltos (col.); solventar lo pendiente; cerrar flecos (Esp., col.)

tied housing, vivienda temporal proporcionada por la empresa al trabajador (GB)

tied loan, préstamo condicionado

tight (adj.), riguroso (adj.); ajustado (adj.); estrecho (adj.); rígido (adj.); inflexible (adj., masc. & fem.); restringido (adj.); restrictivo (adj.); estricto (adj.)

tight bank liquidity, liquidez bancaria estrecha

tight cost control, control de costes riguroso

tight credit policy, política crediticia restrictiva; política de restricción crediticia

tight import policy, política de importaciones restrictiva

tight money, dinero escaso; dinero caro

tight personnel policy, política de personal rigurosa

till money (col.), dinero en metálico; dinero contante y sonante (Esp., col.)

time, tiempo; vez; cronometrar; tomar tiempos; medir tiempos

time bargain, venta bursátil en descubierto

time bill, letra de cambio a plazo fijo; giro a plazo fijo

time call spread, margen estacional

time charter, contrato de alquiler de barco por plazo determinado

time deposit, depósito a plazo fijo; imposición a plazo fijo; pasivo exigible a plazo fijo; depósito a término

time deposits at over one year, imposiciones a más de un año; depósitos a plazo superior al año

time draft, letra de cambio a plazo fijo; giro a plazo fijo

time factor, factor tiempo

time lag, desfase horario

time lock, cerradura temporizada; cerradura dotada de temporizador

time money, dinero a plazo fijo

time of crisis, momento de crisis

time period adjustment, periodificación; ajuste de tiempos

time sharing, tiempo compartido; tiempo en común

time sheet, hoja de jornales devengados por horas de trabajo; relación de jornales por trabajos a destajo

time spread, arbitraje temporal

time to market, adecuación al mercado

time value, valor tiempo; valor temporal

time watch, temporizador (reloj); reloj temporizador

time(-and-motion) study, estudio de tiempos; análisis de productividad; estudio para la racionalización del trabajo

time-consuming (adj.), dilatado (que requiere una gran inversión de tiempo); prolongado (que exige la dedicación de mucho tiempo)

time-honoured (adj.), acreditado por su antigüedad (adj.); de gran solera (Esp.); avalado por el tiempo (adj.); consagrado por la tradición

time-honoured firm, firma acreditada por su antigüedad; empresa de gran solera; negocio avalado por la tradición

timekeeper, cronometrador

timekeeping, puntualidad

timely, oportuno

timer (watch), temporizador (reloj); reloj temporizador

times and sales (futures, US), registro de transacciones (futuros, US)

timing, distribución estratégica de activos; optimización de carteras

timing error, error de sincronización

timing option, opción de sincronización

tip off (col.), dar el soplo (Esp., col.); dar el chivatazo (Esp., col.); largar (información) (Esp., col.)

tipo de cambio fijo, fixed rate

tips, pistas; información bursátil confidencial

tiro (= tyro) (col.), principiante (n., masc. & fem.); neófito; pipiolo (Esp., col.)

title, título de propiedad; escritura de propiedad; documento notarial de propiedad; derecho (formalizado notarialmente)

title deed, título de propiedad; escritura de propiedad; documento notarial de propiedad; derecho (formalizado notarialmente)

title of record, título registrado

to bearer, al portador

to sundries (accounting), a varios (contabilidad)

to tax purposes, a efectos fiscales

to the best of my knowledge and belief, a mi mejor saber y entender

to the letter, al pie de la letra

to the order of, por orden de; a la orden de

to whom it may concern, a quien corresponda; a quien pueda interesar; conste por el presente

token, moneda (pieza); ficha (para teléfonos, máquinas, etc.); señal (dinero a cuenta) (Esp.); formulario (adj.); testimonial (adj.); simbólico (adj.)

token money, moneda fiduciaria; dinero sin cobertura; moneda de curso forzoso

token payment, pago parcial; pago a cuenta; plazo

token promises, promesas de cortesía; promesas de mero formulismo

toll, peaje (Esp.); cuota (de paso) (LA)

toll call (US), llamada (telefónica) interurbana

toll production, producción a maquila

tom-next (ab. **tomorrow-next),** permuta con valoraciones a mañana contra pasado mañana (días hábiles); swap (permuta) con valoraciones a mañana-pasado mañana (días hábiles)

tombstone (col.), anuncio (impreso) de emisión cubierta; esquela (impresa) de cierre de suscripción (col.)

tomorrow-next (tom-next), permuta con valoraciones a mañana contra pasado mañana (días hábiles); swap (permuta) con valoraciones a mañana-pasado mañana (días hábiles)

top copy, ejemplar original

top management, dirección general; alta dirección; cúpula directiva; cúpula gestora

top of the ranking, primer lugar del ranking; primer puesto de la clasificación

top out, cota bursátil más alta

top straddle, straddle superior; venta "straddle"; straddle vendido

top strangle, strangle superior; strangle vendido; venta "strangle"

top-down analysis, análisis macroeconómico

total (n. & v.), total; totalizar

total assets, activos totales; empleos totales; total de empleos; total de activos

total balance, saldo total

total collections and disbursements, volumen global de cobros y pagos; total de cobros y pagos; pagos y cobros totales

total commitments, total de obligaciones contraídas

total commitments to date, total de obligaciones a la fecha

total deposits, depósitos totales

total equity, recursos propios totales

total exposure, exposición total; riesgo vivo

total flow of financial resources, movimiento total de recursos financieros

total growth, crecimiento global

total investment, inversión total

total loans and discounts, inversión total

total loss, pérdida total

total net dividend, dividendo total neto

total net flow, movimiento total neto

total net revenue, productos netos totales; productos netos financieros

total operating costs, costes operativos totales

total par value of stock traded, volumen nominal de contratación de acciones

total real value of dealings in stock, volumen efectivo contratado de acciones

total risk, riesgo total

total shareholders, colectivo accionario; accionariado

total staff, plantilla total (Esp.); total de empleados; planilla total (LA)

touch bottom, tocar fondo; alcanzar el mínimo; llegar al mínimo

tout (col.), vendedor de información confidencial; recomendación interesada de compraventa de un valor bursátil

tower´s liability, responsabilidad del remolcador

towers, conjunto de tres turnos diarios de ocho horas

towing charges, derechos de remolque

town clerk, encargado del registro municipal; secretario municipal

town council (GB), ayuntamiento; cabildo; casa consistorial

town councillor, concejal; edil

townee (= townie, towny), residente en una ciudad; urbanita (frente al paleto) (Esp., col.)

townie (= towny, townee) (col.), residente en una ciudad; urbanita (frente al paleto) (Esp., col.)

township (US), ayuntamiento; cabildo; casa consistorial

towny (= townie, townee) (col.), residente en una ciudad; urbanita (frente al paleto) (Esp., col.)

TP info (ab. **teleprocess information),** información mediante teleproceso

track, pista

tracking error, error de seguimiento; error de rastreo

tracking work, labor de seguimiento; estudio de antecedentes

trade (n.), comercio, negocio, tráfico (mercantil); oficio (col.); profesión (col.); actividad profesional (col.)

trade (v.), comerciar; hacer tratos; operar; negociar (hacer tratos); traficar; cotizarse; dedicarse a la distribución (ventas); ejercer como distribuidor (ventas); realizar operaciones mercantiles

trade acceptance, aceptación comercial

trade accounts payable, cuentas de proveedores a pagar

trade accounts receivable, cuentas de clientes a cobrar

trade activities, actividades comerciales; actividades mercantiles

trade agreement, contrato comercial; contrato mercantil; acuerdo comercial; tratado comercial

trade association, agrupación gremial; asociación gremial; sindicato; agrupación sindical; asociación profesional

trade balance, balanza comercial

trade bills, efectos comerciales; papel financiero; bonos de caja a corto plazo; pagarés de empresa; activos financieros privados a corto plazo; papel comercial; efectos negociables

trade bills discounted, efectos comerciales descontados

trade broker, corredor de comercio

trade coverage, cobertura comercial

trade credit, crédito comercial

trade credit financing, financiación del crédito comercial

trade date, fecha de ejecución

Trade Department (US), Ministerio de Comercio

trade development service, servicio de promoción comercial

trade discount, descuento comercial

trade embargo, embargo comercial

Trade Expansion Act (TEA) (US), Ley de Expansión Comercial (US)

trade fairs and exhibitions, ferias y exposiciones

trade liabilities, pasivo comercial

trade loans and discounts, crédito comercial

trade mark, marca registrada; marca comercial; marca de fábrica; marca del fabricante

trade name, marca registrada; marca comercial; marca de fábrica; marca del fabricante

trade notes over ninety days, efectos de comercio a más de noventa días

trade notes up to ninety days, efectos de comercio hasta noventa días

trade surplus, balanza comercial favorable; superavit de la balanza comercial

trade systems, sistemas comerciales

trade union, sindicato obrero

trade union (n.)**,** agrupación gremial; asociación gremial; sindicato; agrupación sindical; asociación profesional

trade usage, costumbre de la plaza; uso local

trade-in value, evaluación al cambio

trade-union (adj.)**,** sindicalista (adj.); sindical (adj.); gremial (adj.)

trader, comerciante (n. masc.); negociante (n. masc.); tratante (n. masc.); operador (n. masc.)

trading capital, capital de explotación

trading company, sociedad mercantil

trading concern, empresa mercantil

trading environment, entorno operativo

trading income, utilidad bruta; beneficio comercial

trading months, meses de negociación

trading partnership, sociedad (regular) colectiva

trading range, banda de tipos máximos y mínimos para el libre cambio de divisas; banda de fluctuación

trading system, sistema operativo; sistema de contratación bursátil

trading volume, volumen de contratación; volumen de intercambios; volumen de operaciones; volumen de transacciones

trading year, año fiscal; ejercicio fiscal; ejercicio económico; año de ejercicio

traditional intermediation of savings channels, canales tradicionales de intermediación del ahorro

training, capacitación

training expenses, gastos de capacitación

training program, programa formativo; plan de formación; programa de capacitación; programa de formación

tramp, buque de servicio irregular; barco que no cubre una línea regular

tramp corporation, sociedad constituida en un estado donde no opera (US)

tranche, tramo; parte de una emisión; emisión parcial; fracción; fracción de un crédito

transact (v.)**,** comerciar; hacer tratos; operar; negociar (hacer tratos); traficar; cotizarse; dedicarse a la distribución (ventas); ejercer como distribuidor (ventas); realizar operaciones mercantiles

transacted business, operaciones formalizadas; transacciones cerradas; total de negocio realizado

transaction, transacción; operación; movimiento especulativo

transaction date, fecha de la operación

transaction record, registro de transacción; registro de operación

transactions file, fichero de transacciones; fichero de movimientos

transactions statement, estado de operaciones realizadas; relación de transacciones

transactions status, situación de las transacciones

transactions volume, volumen de contratación; volumen de intercambios; volumen de operaciones; volumen de transacciones

transcribe (v.)**,** copia; ejemplar (n.); transcribir

transfer, cesión; traspaso; transferencia; asignación; desplazamiento

transfer (v.)**,** asignar (utilidades); ceder; traspasar; transferir; imputar; atribuir; aplicar; distribuir (beneficios); consignar (mercancías)

transfer by air mail (TAM), transferir fondos por correo aéreo

transfer by cheque (US: **cheque = draft / check),** transferencia mediante cheque; transferir por (medio de) cheque

transfer by legacy, transmisión por sucesión

transfer entry, asiento de traspaso

transfer fee, comisión por transferencia; gastos de transferencia

transfer money, transferir dinero

transfer of funds, movilización de fondos; transferencia de fondos transfer of title, traspaso de propiedad

transfer price, precio de cesión

transfer to capital, incorporación al capital; traspaso a capital

transfer transaction, operación de transferencia

transferable (adj.), transferible; negociable (adj., masc. & fem.); traspasable (adj., masc. & fem.); susceptible de traspaso (masc. & fem.)

transferable credit, crédito transferible

transferee, beneficiario de una transferencia

transferred, transferido; trasladado

transferred from another department, trasladado desde otro departamento

transferred to a foreign branch, trasladado a una sucursal del extranjero

transhipments allowed, tra(n)sbordos permitidos; se permiten los tra(n)sbordos

transhipments not allowed, tra(n)sbordos nop permitidos; no se permiten los tra(n)sbordos

transit accounts, cuentas de orden; cuentas cruzadas; contracuentas; cuentas de contrapartida; cuentas transitorias

transit bill, pase; salvoconducto

transit clause, cláusula "de almacén a almacén"; cláusula "de puerta a puerta" (Esp.); cláusula de seguro de la mercancía en tránsito

transit duties, derechos de tránsito

transit visa, visado de tránsito

transitory accounts, cuentas de orden; cuentas cruzadas; contracuentas; cuentas de contrapartida; cuentas transitorias

transitory credit, crédito puente; financiación de contingencia (n., fem.); préstamo puente; crédito de emergencia; crédito coyuntural; crédito transitorio

transitory liabilities, pasivos transitorios

transitory provisions, disposiciones transitorias

translate, traducir; convertir (de una moneda a otra)

translate pesetas (in)to euros, convertir pesetas en euros; pasar pesetas a euros

translation, traducción

translation and dealing gains, resultados por diferencias de cambio

translation form, impreso predefinido para traducciones

translation from dollars into euros, conversión de dólares en euros; traspaso de dólares a euros

translation of reserve funds into euros and dollars, conversión de fondos de reserva en euros y dólares

translations department, departamento de traducciones; gabinete de traducciones

translator, intérprete; traductor

transmission, cesión; traspaso; transferencia; asignación; desplazamiento

transmission of shares, cesión de acciones; traspaso de acciones

transmittal letter, carta de envío

transparency of financial statements, transparencia de los estados financieros

transparent (adj.), transparente (adj., masc. & fem.)

transparent accountancy, contabilidad transparente

transparent accounting, contabilidad transparente

transport, transporte por camión; acarreo; transportar por carretera

transportation, transporte por camión; acarreo; transportar por carretera

transshipment, tra(n)sbordo

traumatic layoffs, despidos de personal traumáticos

travel, viaje; viajar

travel and entertainment expenses, gastos de viaje y representación

travel claim, reclamación de reembolso de gastos de viaje

traveller´s cheque (US: **traveller´s cheque = traveler´s check),** cheque de viaje(ro)

traveller´s letter of credit (US: **traveller´s = traveler´s) (outdated),** carta de crédito de viajero (en desuso)

treasure, tesoro

treasurer, tesorero; pesetero (Esp, col, n.)

Treasury bill, bono del Tesoro; pagaré del Tesoro; letra del Tesoro (LT); obligación del Tesoro; LT (ab. letra del Tesoro)

Treasury bill auction (US), subasta de pagarés del Tesoro

Treasury bill market (US), mercado de pagarés del Tesoro

Treasury bond, bono del Tesoro; pagaré del Tesoro; letra del Tesoro (LT); obligación del Tesoro; LT (ab. letra del Tesoro)

treasury bond futures contract, contrato de futuros sobre bonos del tesoro

Treasury Department (T) (US), ministerio de hacienda (Esp.); hacienda pública; ministerio del tesoro

Treasury note, bono del Tesoro; pagaré del Tesoro; letra del Tesoro (LT); obligación del Tesoro; LT (ab. letra del Tesoro)

treasury stock (GB: **stock = shares),** acciones en caja; acciones de tesorería; autocartera (Esp.); acciones recuperadas por la empresa; acciones amortizadas; activos de tesorería

treasury´s fund, fondtesoro; fondo de inversión exclusivo en títulos de la deuda pública

treaty (pl.: treaty = treaties), acuerdo; contrato; pacto; concierto; arreglo; compromiso; tratado; responsabilidad (n. fem.); deuda contraída (n. fem.)

Treaty of Rome, Convenio de Roma; Acuerdo de Roma

trend, tendencia; tónica

trends in the 2000, tendencias en el 2000

trial, pleito; litigio; proceso ante los tribunales; juicio; vista judicial

trial by jury, juicio ante jurado; proceso mediante jurado

trial court, juzgado de primera instancia; juzgado de instrucción

trial run, pasada de prueba

triangular agreement, acuerdo tripartito

triangular trade, comercio triangular; comercio tripartito

tribunal (GB)**,** comisión investigadora

trickster (US)**,** timador; estafador; embaucador; defraudador

triennial convention, convención trienal

trillion (US)**,** billón (1 billón = 1.000 millardos)

trim (n. & v.)**,** reducción (n. fem.); bonificación (n. fem.); descuento; rebaja; reembolso; reintegro; devolución; reembolsar; reintegrar; devolver

trim (v.)**,** recortar; reducir; restringir

trim budgets, recortar (los) presupuestos

trim expenditure, recortar el gasto; restringir gastos; reducir gastos

trim expenses, recortar el gasto; restringir gastos; reducir gastos

trip charter, fletamento por un viaje

trip somebody (col.)**,** zancadillear a alguien; ponerle la zancadilla a alguien

troubled balance of payments, balanza de pagos con dificultades

troubled country (pl: country = countries), país en dificultades (pl: país = países)

troubled financial situation, situación financiera apurada

troubleshooter (col.)**,** mediador en un problema; conciliador; desatascador (Esp., col.); bombero (Esp., col.); especialista; técnico del equipo de mantenimiento

troubleshooting, resolución de problemas; reparación de averías

trough of the recession, punto mínimo de la recesión

truck, camión (US); vagón (GB); furgón de ferrocarril (GB); transportar por camión

truck driver, camionero

truckage (US)**,** transporte por camión; acarreo; transportar por carretera

trucker, camionero

trucking (US)**,** transporte por camión; acarreo; transportar por carretera

trucking company, agencia de transportes por carretera

true copy, copia auténtica

true discount, descuento real

true profit, beneficio real

true version of translated agreement, versión fideligna del contrato traducido; traducción fideligna del contrato

true-bred banker, banquero de pura cepa (col.); bancario de toda la vida (Esp., col.); empleado de banca de pura raza (Esp., col.)

trueborn banker (col.)**,** banquero de pura cepa (col.); bancario de toda la vida (Esp., col.); empleado de banca de pura raza (Esp., col.)

truly yours, (US)**,** de Ustedes atentamente (ab.: Ustedes = de Vdes.; atentamente = atte.) (despedida de carta); de Vdes. atte.

(ab. – Vdes. = Ustedes; atte. – atentamente) (despedida de carta)

trumpet a merger by acquisition (col.), anunciar a bombo y platillo una fusión mediante absorción (col.)

truncate, truncar

truncation, truncamiento

truncation error, error de truncamiento

trunk call, llamada telefónica interurbana; llamada telefónica de larga distancia

trust, consorcio; mancomunidad; comisión residual; fideicomiso (trust); cártel de empresas

trust account, cuenta fiduciaria

trust and loan companies (US), banca; bancos; entidades de crédito y ahorro

trust bank, caja de depósitos

trust bursting, desmantelamiento de un monopolio

trust certificate, certificado de participación en una sociedad inversionista; certificado de partícipe en una sociedad de inversiones

trust company, sociedad fiduciaria

trust deed (US: **trust deed = trust indenture),** contrato de compromiso; escritura fiduciaria; título de constitución de hipoteca

trust department, departamento de administración de bienes

trust fund, fondo fiduciario

trust indenture (GB: **trust indenture = trust deed),** contrato de compromiso; escritura fiduciaria; título de constitución de hipoteca

trust mortgage, hipoteca fiduciaria

trust receipt, recibo fiduciario

trusted employee, empleado de confianza

trustee, depositario; fiduciario; fideicomisario

trustee in bankruptcy, síndico de una quiebra

trusteeship, principal menos intereses; principal de una herencia; fondo; fideicomiso

trusteeship (assignment), puesto de consejero interventor

trustworthiness, integridad; honestidad; probidad; honradez

trustworthy employee, empleado de confianza

truthfully worded, redactado con veracidad; fielmente redactado

TS (ab. **tanker ship),** petrolero; barco petrolero; buque cisterna

TT (ab. **telegraphic transfer),** transferencia telegráfica

turf out (col.), echar de un trabajo; despedir; poner (de patitas) en la calle (Esp., col.)

turn (col.), beneficio; ganancia; utilidad (beneficio); renta; producto (beneficio)

turn a business away, rechazar una operación; declinar la invitación a participar en un negocio; declinar la participación en un negocio

turn into cash, convertir en efectivo; pasar a dinero contante y sonante (Esp., col.)

turn the corner (col.), iniciar la recuperación; repuntar

turnaround time, tiempo de respuesta

turnkey, llave en mano

turnkey agreement, contrato llave en mano

turnkey job, contrato llave en mano

turnover (US: **turnover = sales revenue),** cifra de negocio; volumen de negocio

turnover tax, impuesto sobre el volumen de negocio

twelfth, duodécimo; dozavo

twelve, doce

twentieth, vigésimo

twenty, veinte

twenty-first, vigésimoprimero

twenty-one, veintiuno

twice, dos veces

twice a year, semestralmente; con carácter semestral; dos veces al año; cada seis meses

two, dos

two-name (adj.), mancomunadamente; conjuntamente; en común; a nombre de dos titulares

two-name instrument, instrumento mancomunado; documento mancomunado

tycoon (US), magnate

type letter, letra de molde

typewrite, escribir a máquina; mecanografiar

typewriter, máquina de escribir

typewriting, mecanografía

typewriting machine, máquina de escribir

typical investment, inversión típica

typist, mecanógrafa

tyro (= tiro) (col.), principiante (n., masc. & fem.); neófito; pipiolo (Esp., col.)

U

UA (ab. = **unit of account),** unidad de cuenta

ult. (ab. = **ultimo),** último (mes); mes último; próximo pasado (ab. p/pdo.); p/pdo. (ab. = próximo pasado

ultimo (ab. **ult.),** último (mes); mes último; próximo pasado (ab. p/pdo.); p/pdo. (ab. = próximo pasado

ullage, merma; pérdida; quebranto

umpire, árbitro; tercero (mediador arbitral); mediador en litigio no judicial; juez de controversias; amigable componedor; árbitro amistoso; juez extrajudicial; mediador arbitral; informante designado para aportar referencias

unadjusted assets, activo transitorio; activo diferido; valores transitorios; activo pendiente de ajuste

unadjusted liabilities, pasivo diferido; pasivo transitorio; pasivo no exigible

unadmitted assets, activo no confirmado; activo no computable; activo no aprobado; activo no admitido; activo no aceptado

unallocated costs, costos no distribuidos; costes sin distribuir

unamortized, sin amortizar; pendiente de amortizar

unappropriated surplus, superávit no sujeto a intervención; superávit disponible; superávit no sujeto a cargas; excedente sin consignar

unassignable, intransferible

unattached property, propiedad no embargada

unaudited balance, balance sin revisar

unaudited figures, cifras sin auditar; cifras sin revisar

unauthorized signature, firma no autorizada

unavoidable, inevitable

unbalance, diferencia negativa; déficit; desfase máximo/mínimo del día; desequilibrio; hueco (n.); vacío (n.)

unbalanced entry, asiento descuadrado; apunte sin cuadrar

unbinding offer, oferta sin compromiso

uncertain change, cambio incierto

uncertain price outlook, expectativas inciertas sobre la evolución de los precios

uncertain prospects, perspectivas inciertas

unclaimed dividend, dividendo no reclamado

unclean B/L (B/L = bill of lading), conocimiento de embarque con reservas; conocimiento de embarque sucio (Esp., col.); conocimiento de embarque con reservas (sobre mercancía, embalajes, etc

unclean bill of lading (bill of lading = B/L / blading), conocimiento de embarque con reservas; conocimiento de embarque sucio (Esp., col.); conocimiento de embarque con reservas (sobre mercancía, embalajes, etc

unclean blading (blading = bill of lading), conocimiento de embarque con reservas; conocimiento de embarque sucio (Esp., col.); conocimiento de embarque con reservas (sobre mercancía, embalajes, etc

uncollected items, efectos a cobrar; letras (de cambio) al cobro; partidas al cobro; remesas al cobro; efectos al cobro; facturas a cobrar; facturas al cobro (n. fem. pl.); activo exigible

uncollectible, incobrable

uncommitted surplus, superávit no sujeto a intervención; superávit disponible; superávit no sujeto a cargas; excedente sin consignar

unconditional, irrevocable (adj., masc. & fem.); sin posibilidad de revocación

unconditional acceptance, aceptación incondicional; aceptación irrevocable

unconditionally guaranteed note, pagaré garantizado incondicionalmente; pagaré avalado por garantía irrevocable

unconfirmed credit, crédito no confirmado

unconsolidated, a nivel no consolidado; sin consolidar; opción "en el precio"; opción que cotiza exactamente a su precio de ejercicio; no consolidado

unconsolidated financial statements, documentación financiera sin consolidar

uncontrolled, sin controlar; sin intervenir; no sujeto a intervención; no sujeto a control

uncontrolled currency, moneda no intervenida

uncovered cheque (US: **cheque = check, draft),** cheque sin fondos; efecto de colusión; cheque en descubierto; cheque (de) pelota (Esp., col.)

uncrossed, sin cruzar; sin barrar; no cruzado; no barrado; para presentar directamente al cobro por ventanilla (Esp., cheques)

uncrossed cheque (US: **cheque = check),** cheque no cruzado; cheque no barrado; cheque sin cruzar; cheque sin barrar; cheque que puede presentarse directamente al cobro por ventanilla; cheque abierto

undated, sin fecha; perpetuo; de plazo ilimitado

undepreciated, sin depreciar; no depreciado; sin devaluar; no devaluado

undepreciated currency, moneda sin depreciar; moneda sin devaluar

undepreciated value, valor sin depreciar

under average, bajo avería

under bond, bajo fianza; sujeto a fianza; afianzado

under contract, bajo contrato; según contrato

under control of, bajo control de

under date of, con fecha (del)

under deck, bajo cubierta

under dual control, bajo doble control

under my hand and seal, bajo mi firma y sello; firmado y sellado por mí

under oath, bajo juramento

under penalty of, bajo sanción de

under protest, bajo protesto

under the caption, bajo el epígrafe; según epígrafe

under the laws of, según las leyes de; conforme a (lo dispuesto por) las leyes de; al amparo de (lo establecido por) las leyes de; de conformidad con lo legalmente establecido; de acuerdo con lo que por las leyes se dispone

under the name of, bajo el nombre de; bajo la razón social de

under the provisions of, conforme a lo dispuesto por; al amparo de lo establecido por; de acuerdo con lo que se dispone en; de conformidad con lo dispuesto en

under the sponsorship of, bajo los auspicios de; bajo el patrocinio de

under the table (col.), bajo cuerda (Esp., col.)

under usual reserves (UUR), bajo las reservas usuales; salvo buen fin (SBF); SBF (ab. salvo buen fin)

under-secretary, vicesecretario; subsecretario

undercapitalize, descapitalizar

undercapitalized, descapitalizado

undercapitalized concern, empresa descapitalizada

underdeveloped, subdesarrollado

underdeveloped countries, países subdesarrollados; países menos desarrollados

underestimate, subestimar

underestimation, subestimación

underestimation error, error de subestimación

underlease, subarriendo; subarrendar

underline in red, subrayar en rojo

underlying (adj.), subsidiario; subyacente; dependiente de; secundario; complementario; potencial (adj.)

underlying asset, activo básico; activo subyacente; activo físico sobre el que se define un contrato de futuros u opción; activo de referencia en contrato de futuros u opción

underlying company, sociedad subyacente

underlying instrument, instrumento subyacente

underlying market, transacciones (realizadas) fuera de la Bolsa; operaciones extrabursátiles; mercado secundario; mercado extrabursátil; mercado gré-à-gré; mercado previo a la emisión; negociación extrabursátil de valores; bolsín (Esp.)

underlying motivations, motivaciones subyacentes

underlying property, bienes subyacentes; bienes hipotecados

underlying target, meta subyacente; objetivo no revelado; propósito oculto; intención sin desvelar

undermentioned, mencionado más abajo; indicado al pie; que más abajo se cita; más abajo referido; abajo citado; citado al pie

undermined, minado; socavado; erosionado; afectado

undermined integrity, integridad erosionada; probidad socavada

undershipped merchandise, mercancía no embarcada en su totalidad; embarque de mercancía inferior a lo estipulado

undersigned, abajo firmante

undertake, comprometerse; obligarse a; responsabilizarse de; garantizar que; transigir respecto a

underwrite, asegurar (la colocación de) una emisión de títulos; suscribir; garantizar la colocación de una emisión de valores bursátiles

underwrite an issue in Euros, suscribir una emisión en Euros; asegurar la colocación de una emisión en Euros

underwriter, colocador de una emisión; asegurador de una emisión; garante de la colocación de una emisión

underwriters, compañía aseguradora

underwriting, colocación de emisiones; aseguramiento de colocación; seguro de colocación

underwriting agreement, acuerdo de colocación de emisión; convenio para (encargarse de) colocar una emisión

underwriting fee, comisión de colocación

underwriting syndicate, consorcio asegurador

undigested securities, acciones no colocadas entre el público; valores no vendidos a los inversores

undistributed profits, beneficios retenidos; utilidades no distribuidas; beneficios sin distribuir

undrawn balance, saldo no utilizado (líneas de crédito); remanente no dispuesto; disponible sin utilizar

undrawn portion of a loan, parte no utilizada de un préstamo; saldo no utilizado de un préstamo

undue, no vencido

unearned, no devengado; no ganado; sin devengar; sin ganar

unearned discount, descuento no devengado

unearned income, renta no ganada; renta no generada sobre inversiones

unearned interest collected, interés cobrado sin devengar; intereses cobrados y no vencidos

unemployed (adj.)**,** desocupado (adj.); sin trabajo; desempleado (adj.); en el paro (Esp.); cesante (adj.); parado (adj.)

unemployment, desempleo; paro; desocupación; cesantía

unemployment benefit (US: **benefit = compensation)**, subsidio de desempleo; subsidio de paro

unemployment drop, disminución del paro; baja del (índice de) desempleo; caída del paro; descenso (del número) de parados

unemployment insurance, seguro de desempleo; seguro de paro

unemployment rate, tasa de desempleo; cifra de desocupados; número de parados; ratio de desempleados

unencumbered, libre de hipotecas; libre de cargas; exento de gravámenes; no sujeto a cargas; sin cargas

unencumbered surplus, superávit no sujeto a intervención; superávit disponible; superávit no sujeto a cargas; excedente sin consignar

unfair, desleal

unfair competition, competencia desleal

unfavourable change (US: **unfavourable = unfavorable),** cambio desfavorable

unfeasible, irrealizable; inviable; impracticable; imposible de llevar a efecto

unfilled order, pedido no despachado; pedido no atendido

unfit, no apto

unfit for human consumption, no apto para el consumo humano

unfreeze (col.), descongelar (col.); desbloquear; desembargar; levantar el bloqueo; liberar del embargo; levantar el embargo

unfreezed funds, fondos desbloqueados; fondos descongelados; fondos desembargados; fondos liberados

unfunded debt, pasivo flotante; pasivo circulante; pasivo corriente; deuda flotante

unfunded securities, valores con dividendo variable

unfunded trust, fideicomiso sin depósito de fondos

unified management, unidad de gestión; gestión unificada; sindicatura de gestión; gestión sindicada

unified mortgage, hipoteca consolidada; consolidación del endeudamiento hipotecario

unify, fusionar; amalgamar; consolidar; unificar; fusionarse

uninsured, no asegurado; sin asegurar

uninsured deposit, depósito no asegurado

union (adj.), sindicalista (adj.); sindical (adj.); gremial (adj.)

union (n.), agrupación gremial; asociación gremial; sindicato; agrupación sindical; asociación profesional

union dues, cuotas sindicales

union leader, dirigente sindical

union man (fem.: man = woman), sindicado (n.); afiliado a un sindicato; sindicalista (n.); perteneciente a un sindicato

union official, dirigente sindical

union rank and file, bases sindicales; afiliados al sindicato

union-management joint committee, comisión mixta sindicatos-empresarios; comisión mixta agentes sociales-patronal

unionization, sindicación (afiliación sindical); afiliación sindical; ingreso en un sindicato

unionize, sindicar

unissued, no emitido; sin emitir

unissued stock, acciones no emitidas; títulos sin emitir

unit (n. & adj.), unidad (n. fem.); unitario (adj.)

unit banking, sistema bancario constituido por bancos independientes entre sí

unit cost, costo unitario

unit link (= unit linked), seguro de vida vinculado a fondos de inversión; plan de pensiones ligado a un fondo de inversión

unit linked (= unit link), seguro de vida vinculado a fondos de inversión; plan de pensiones ligado a un fondo de inversión

unit of account (UA), unidad de cuenta

unit record, registro unitario

unit value, valor unitario

unitary (adj.), unidad (n. fem.); unitario (adj.)

unitary rate, tipo de cambio único; tasa de cambio única

universal, universal

universal banking, banca global; banca universal

universal suffrage, sufragio universal

unlawful (adj.), ilegal(adj., masc. & fem.); ilícito; ilegítimo; contrario a la ley

unlawful money, dinero ilegal; dinero de origen ilegítimo

unlawful practices, prácticas ilegales; prácticas contrarias a la ley

unless, a menos que; salvo que; excepto si

unless otherwise agreed, salvo acuerdo en contrario; a menos que se acuerde de otro modo; salvo pacto en contrario; siempre que no se pacte otra cosa

unless otherwise indicated, salvo indicación en contrario; a menos que se indique de otro modo; siempre que no se indique de otro modo; excepto por indicación en contrario

unlike, a diferencia de; por el contrario a; como contraposición a

unlimited, ilimitado; sin límite

unlimited credit, crédito ilimitado

unlimited responsibility, responsabilidad ilimitada; plena responsabilidad; responsabilidad total

unliquid, sin liquidez; carente de liquidez

unliquid assets, activos sin liquidez

unlisted, no cotizado; sin cotizar; que no cotiza

unlisted securities, valores no cotizados en bolsa; títulos no cotizados; títulos que no cotizan en bolsa

unloading charges, gastos de descarga

unloading of goods, descarga de mercancía

unmarketable, invendible; imposible de vender; no susceptible de venta; no realizable; no vendible; no comercializable

unmatured, sin vencer; aún no vencido; pendiente de vencimiento

unmatured coupons, cupones no vencidos

unpacking directions, instrucciones para el desembalado; guía de desembalaje

unpaid, pendiente de pago; sin pagar; impagado; sin cancelar; pendiente de liquidar

unpaid capital, capital no desembolsado; capital sin desembolsar

unpirage, laudo arbitral; decisión de los árbitros; fallo de los amigables componedores; dictamen arbitral; sentencia arbitral; arbitraje

unqualified, limpio; sin reservas; sin interés acumulado; simple; no documentado; sin salvedades; sin observaciones; sin objeciones; sin restricciones

unqualified (auditors') opinion, auditoría sin salvedades; auditoría sin reservas

unqualified audit, auditoría sin salvedades; auditoría sin reservas

unqualified certificate, certificado sin salvedades; certificado sin reservas; certificación sin observaciones

unquote, fin de transcripción literal; final de una cita literal

unrated order, pedido no preferente

unrealized gains, plusvalías tácitas; plusvalías genéricas

unrealized losses, minusvalías tácitas; minusvalías genéricas

unrecoverable, irrecuperable (adj., masc. & fem.); sin posibilidad de recuperación; no recuperable

unremarkable (adj.), mezquino (adj.); insignificante; poco importante; de poca categoría; irrelevante; de poca monta (Esp., col.)

unremarkable cash deposit, depósito de una pequeña suma; ingreso de una cantidad reducida

unrequitted transfer, transferencia sin contrapartida

unreserved surplus, superávit no sujeto a intervención; superávit disponible; superávit no sujeto a cargas; excedente sin consignar

unrestricted, limpio; sin reservas; sin interés acumulado; simple; no documentado; sin salvedades; sin observaciones; sin objeciones; sin restricciones

unrestricted reserves, reservas de libre disposición

unscheduled, sin programar; no programado

unscheduled overtime, horas extra(ordinarias) no programadas; tiempo extra sin programar

unsecured, sin garantía

unsecured credit, deuda sin colateral; compromiso no avalado; endeudamiento sin colateral; préstamo en descubierto; crédito sin caución

unsecured creditor, acreedor sin garantía; acreedor no avalado

unsecured indebtedness, deuda sin colateral; compromiso no avalado; endeudamiento sin colateral; préstamo en descubierto; crédito sin caución

unsecured loan, deuda sin colateral; compromiso no avalado; endeudamiento sin colateral; préstamo en descubierto; crédito sin caución

unsecured loan stock, obligación simple (título)

unsettled accounts, cuentas no saldadas; cuentas sin saldar

unskilled worker, obrero inexperto

unstable interest, interés variable

unsubscribed stock (GB: **stock = shares),** acciones no suscritas

untransferable, intransferible

unused credit lines, líneas de crédito no utilizadas; créditos disponibles por terceros

unveiled, desvelado (adj.); aflorado (adj.); divulgado (adj.)

unveiled opacity, opacidad desvelada; opacidad aflorada

unwitting accomplice, cómplice involuntario

unwitting instruments for money laundering, instrumentos involuntarios para el blanqueo de dinero

unwitting intermediary, intermediario involuntario

up to (the present) date, hasta ahora; hasta (el día de) la fecha

up to a maximum amount of, hasta un montante máximo de

update, actualización; puesta al día; anulación del texto (clausulado, publicación, etc.) precedente; actualizar; poner al día

updated, actualizado; puesto al día

updated banking regulations, normativa bancaria actualizada

updated figures, cifras actualizadas

updated file, archivo actualizado

updated record, registro actualizado

upon, tras; después de; una vez (después de)

upon having learned that, una vez se haya sabido que; tras enterarse de que; tras saber que; después de conocerse que; cuando se sepa que

upon request, previa solicitud; a petición; cuando se solicite; mediante solicitud; por encargo; sobre encargo; previo encargo; sobre pedido

upset price, precio de subasta

upswing, recuperación; alza de precios pronunciada; subida de precios acusada; repunte; período de recuperación; evolución alcista; tendencia ascendente

uptick, operación concertada a precio superior al de la precedente

uptime (comp.), tiempo productivo (comp.); tiempo activo (comp.)

upturn, recuperación; alza de precios pronunciada; subida de precios acusada; repunte; período de recuperación; evolución alcista; tendencia ascendente

upward pressure on interest rates, presión alcista sobre los tipos de interés

upward trend, tendencia alcista; tendencia al alza

urgent, urgente

urgent mail (GB: **mail = post),** correo urgente; entrega inmediata (paquetería); mensajería urgente

urgent post (US: **post = mail),** correo urgente; entrega inmediata (paquetería); mensajería urgente

urgent reminder, recordatorio (de reclamación) urgente

urgent request, petición urgente

urtel (ab. **your telegram),** su telegrama; (con referencia a) su telegrama

US government guaranteed (ab. **USGG),** garantizado por el gobierno de Estados Unidos; con la garantía del gobierno de Estados Unidos

usance, uso

usance draft, letra a vencimiento fijo

usances, plazo de entrega de divisas (operaciones de cambio)

use of derivatives in funds, utilización de derivados en fondos

use of proceeds, utilización del importe líquido; empleo del líquido

use of restrictions, aplicación de restricciones

useful, útil (adj.)

useful life, vida útil

user, usuario

user-friendly (comp.), amistoso (comp.)

USGG (ab. **= US Government guaranteed),** garantizado por el gobierno de Estados Unidos; con la garantía del gobierno de Estados Unidos

usual covenants, garantías usuales; garantías al uso; garantías de rigor

usual place of abode, lugar de residencia habitual; domicilio actual; señas actuales (Esp.)

usual risks, riesgos usuales

usufruct, usufructo; posesión en (regímen de) usufructo

usurer, usurero (n.)

usurious (adj.), usurero (adj.)

usurious interest, interés de usura

usury, agio; especulación a la alza; usura

utilities (gas, electricity, water, telephone, etc.), servicios públicos (gas, electricidad, agua, teléfono, etc.)

utility programs (comp.), programas de utilidad(es) (comp.)

utility software (comp.), programas de utilidad(es) (comp.)

utilize a credit, utilizar un crédito; disponer de un crédito

utilized capacity, capacidad utilizada; capacidad aprovechada

UUR (ab. **under usual reserves),** bajo las reservas usuales; salvo buen fin (SBF); SBF (ab. salvo buen fin)

V

V. (ab. **versus),** contra; frente a; en contra de; contrariamente a

vacate a position, dejar libre un puesto de trabajo; abandonar un cargo; causar baja en un cargo

valid character, carácter válido; número válido

valid until, válido hasta; vigente hasta; en vigor hasta

validate, validar; habilitar

validation field, campo de validación

validity check, verificación de validez

valuables, objetos valiosos; objetos de valor; artículos de valor

valuation, valoración; tasación; evaluación; avalúo (LA); peritación (Esp.); gravamen aplicable; estimación; justiprecio

valuation at average cost, valoración al costo medio

value, valor; valía; valorar

value added tax (ab. **VAT),** impuesto sobre el valor añadido (IVA); IVA (ab. impuesto sobre el valor añadido)

value added to the GDP (ab. **Gross Domestic Product),** valor añadido al Producto Interno Bruto (PIB); valor añadido al Producto Nacional Bruto (PNB); valor añadido al PIB (ab. Producto Interno Bruto); valor añadido al PNB (ab. Producto Nacional Bruto)

value added to the Gross Domestic Product (GDP), valor añadido al Producto Interno Bruto (PIB); valor añadido al Producto Nacional Bruto (PNB); valor añadido al PIB (ab. Producto Interno Bruto); valor añadido al PNB (ab. Producto Nacional Bruto)

value at maturity, valor al vencimiento

value at risk (ab. **VAR),** valor en riesgo

value date, fecha efectiva; fecha valor; día de pago

value for collection, valor al cobro

value for collection only (VCO), valor sólo para cobro

value in account, valor en cuenta

value into account, acreditar en cuenta; abonar en cuenta

value of money, valor del dinero; poder adquisitivo del dinero

value of notes discounted, importe de los efectos descontados

value of the inventory, valor del inventario

value on account, valor a cuenta

value received, valor recibido

value retained, valor retenido

value today, valor (al día de) hoy; valor (al día de la) fecha

value tomorrow, valor (al día de) mañana; valor (fecha de) mañana

value upon, girar a cargo de; girar con cargo a

valued inventory, inventario valorado

valuer, inspector; inspector de compañía de seguros; perito de compañía de seguros; perito tasador

valuta, unidad monetaria

VAR (value at risk), valor en riesgo

variable, variable; cambio variable

variable cost, coste variable

variable(interest rate, tipo (de interés) flotante; tipo de interés fluctuante

variable-length instruction, instrucción de longitud variable

variable-rate interest, tipo de interés variable

variable-yield securities, renta variable; títulos de renta variable; valores de renta variable; instrumentos de renta variable; acciones y participaciones

variance, varianza

variance analysis, análisis de desviaciones

variation in manufacturing costs, variación sobre costos de fabricación

variations and transfers, variaciones y traspasos

various, varios; diversos

various items not corresponding to the period under reviee, partidas varias no imputables al período examinado

various taxes, tributos varios

VAT (ab. **value added tax),** impuesto sobre el valor añadido (IVA); IVA (ab. impuesto sobre el valor añadido)

vault, cámara acorazada; cámara de seguridad; bóveda de seguridad (LA)

VCO (ab. **value for collection only),** valor sólo para cobro

Vecino de (la) Cibeles (col.), Banco de España

vega coefficient, coeficiente vega; coeficiente de cambio de precio de una opción

vendee, comprador; adquirente

vending machine, máquina expendedora; expendedor automático

vending machine sale, venta automatizada; venta mediante máquina automática

vendor, vendedor

vendor program lease, leasing a través del proveedor; arrendamiento a través del proveedor

vendue (US), subasta pública

venture, operación especulativa; arriesgarse; asumir un riesgo

venture capital, capital riesgo; crédito por participación en riesgo; capital de participación en riesgo

venture capital company, empresa de capital-riesgo; empresa de riesgo conjunto

verification, comprobación (n. fem.); verificación (n. fem.); averiguación (n. fem.); determinación (n. fem.); chequeo (LA)

verifier, verificador

verify (v.), verificar; cotejar; compulsar; refundir; chequear (LA)

verify an account, auditar una cuenta; analizar una cuenta; comprobar una cuenta; revisar una cuenta

verify the signature, verificar la firma; comprobar la firma; reconocer la firma; cotejar la firma

versus (v.), contra; frente a; en contra de; contrariamente a

vertical spread, arbitraje vertical; spread vertical

very truly yours (US), atentamente (despedida de carta) (ab. atte.); atentamente les saluda (despedida de carta) (ab.: atentamente = atte.); les saluda atentamente (despedida de carta) (ab.: atentamente = atte.); atte. (ab. = atentamente) (despedida de carta)

very truly yours, (US), de Ustedes atentamente (ab.: Ustedes = de Vdes.; atentamente = atte.) (despedida de carta); de Vdes. atte. (ab. = Vdes. = Ustedes; atte. = atentamente) (despedida de carta)

vessel, buque; barco; nave

vessel term bond, fianza de buque a término

vice, defecto; fallo; vicio

vice chairman, vicepresidente del consejo de administración

vice in the goods, defectos en las mercancías

vice president, vicepresidente; subdirector general (US)

vice treasurer, vicetesorero

vice-, vice-; sub-

violate, violar; infringir; contravenir

violate provisions, violar disposiciones; contravenir lo dispuesto; infringir las disposiciones

void, nulo; sin efecto; sin efectividad

void contract, contrato nulo; contrato sin efecto; contrato sin validez

volatile storage, almacenamiento inestable (comp.); almacenamiento volátil (comp.)

volatility, volatilidad; inestabilidad

volatility degree, coeficiente beta (beta = ß); coeficiente ß (ß = beta); ratio de volatilidad; grado de volatilidad; ratio beta (beta = ß); ratio ß (ß = beta)

volume, volumen

volume discount, descuento por volumen

volume of dealings, volumen de contratación; volumen de intercambios; volumen de operaciones; volumen de transacciones

volume of debt, volumen de la deuda

volume of Euro-bond issues, volumen de ofertas en Eurobonos

volume of exports, volumen de exportaciones

volume of imports, volumen de importaciones

volume of trading, volumen de contratación; volumen de intercambios; volumen de operaciones; volumen de transacciones

volume of transactions, volumen de contratación; volumen de intercambios; volumen de operaciones; volumen de transacciones

voluntary assignment, cesión voluntaria

voluntary bankruptcy, quiebra voluntaria

voluntary redundancy, baja voluntaria; retiro voluntario

voluntary repayment, reembolso voluntario

voluntary reserves, reservas voluntarias

voluntary termination, rescisión voluntaria

voluntary trust, fideicomiso voluntario

vote (n. & v.)**,** voto; votar

vote of confidence, voto de confianza

voting right, derecho de voto

voting stock (GB: **stock = shares),** capital accionario; acciones ordinarias; acciones comunes; acciones con derecho a voto; acciones de pleno derecho; capital en acciones; capital social

vouch, responder de; dar fe de

voucher, certificado; póliza; atestado; partida (certificado) (Esp.); comprobante

voucher check (GB: **check = cheque),** cheque con comprobante

voucher cheque (US: **cheque = check),** cheque con comprobante

voucher file, archivo de comprobantes

voucher register, registro de comprobantes; registro de pólizas

voyage charter, fletamento de barco por un solo viaje; contrato de alquiler de barco por un solo viaje; alquiler de barco por un solo viaje

W

WABO (ab. **we are buyers of),** somos compradores de

wage bill, capítulo de gastos de personal

wage control, control salarial

wage costs, costos salariales

wage earner, asalariado

wage explosion, explosión salarial

wage level, nivel salarial

wage restraint, moderación salarial

wage-push inflation, inflación provocada por los aumentos salariales

wages, salario; sueldo; remuneración (n. fem.); retribución (n. fem.); percepciones salariales; emolumentos; paga; jornal; emolumentos salariales

wages and salaries, salario; sueldo; remuneración (n. fem.); retribución (n. fem.); percepciones salariales; emolumentos; paga; jornal; emolumentos salariales

wages awards, aumentos salariales; subida de las percepciones salariales

wages ceiling, tope salarial

wages floor, salario base

wages freeze, congelación salarial

wages rise, aumento salarial

wages unclaimed, sueldos no reclamados

waiting period, período de espera

waive, presentar (documentos); entregar; renunciar; claudicar; hacer dejación de

waive a right, renunciar a un derecho

waive notice, renunciar a la observancia del plazo de preaviso

waiver (n.), renuncia; claudicación (n. fem.)

waiver clause, cláusula de renuncia; declaración de limitación de responsabilidad

walking zero, cero a la izquierda (persona incapaz o ignorante); persona que no pinta nada (Esp., col.)

wanton negligence, imprudencia temeraria

war chest (col.), fondos destinados a un fin especial; caja de resistencia (Esp., col.)

warehouse, depósito de almacenamiento; bodega de almacenaje

warehouse man, almacenero; empleado de almacén

warehouse receipt, resguardo de depósito; justificante de depósito; abonaré; resguardo de ingreso; guía de almacén; guía de depósito

warehouse warrant, certificado de depósito en almacén

warn, informar; comunicar; dar parte; denunciar; participar (comunicar); anunciar; poner al corriente; poner en conocimiento; cursar aviso; notificar

warning, amonestación; advertencia; apercibimiento; exhorto; conminación

warning notice, alerta; notificación de alerta; nota de advertencia

warrant, vale; bono de prenda; póliza de depósito; opción de compra; instrumento negociable de compra condicionada de acciones anejo al bono

warrant bond, bono con warrant; bono con derecho a adquirir acciones o bonos bajo ciertas condiciones

warrant for payment, orden de pago; giro postal

warrant of arrest, auto de detención

warrant of attorney, poder; carta de autorización; carta de otorgamiento de poderes; otorgamiento de poderes

warrant swap, swap con warrant (Esp.)

warranty, garantía (de funcionamiento, etc.); asunción de compromiso

wash transaction, operación ficticia; operación de prueba

washed overboard, barrido por las olas

washing of coupons (col.), lavado de cupones (col.)

WASO (ab. **we are sellers of),** somos vendedores de

wastage, merma; pérdida; quebranto

waste (n.), desperdicio; derroche; despilfarro

waste (v.), desperdiciar; derrochar; malgastar

wasting assets, activo amortizable; activo decreciente; activo agotable; bienes agotables

watered assets, activo diluido

watered capital, capital diluido; capital inflado

watered shares (GB: **shares = stock),** acciones diluidas

watered stock (US: **stock = shares),** acciones diluidas

wave, oleada

wave of inflation, ola de inflación; ola inflacionista

wax seal, sello de lacre

we acknowledge receipt, obra en nuestro poder; acusamos recibo

we are buyers of (WABO), somos compradores de

we are in receipt, obra en nuestro poder; acusamos recibo

we are sellers of (WASO), somos vendedores de

we refer to your letter of 10 December, nos referimos a su carta de fecha 10 de Diciembre; con referencia a su carta del 10 de Diciembre; hacemos referencia a su carta del 10 de Diciembre

weak currency, moneda inestable; moneda débil

weak demand, escasa demanda; atonía de la demanda

weakened payments position, posición de pagos debilitada

weakness, atonía; debilidad

wealth, riqueza

wealth tax, impuesto sobre el patrimonio; impuesto patrimonial; impuesto sobre el capital; tributo patrimonial

wealthy, rico; próspero

wear and tear, uso y desgaste; desgaste natural; deterioro por el uso; merma natural

week (WK), semana

weigh, pesar

weight, peso

weight certificate, lista de pesos; nota de peso; certificado de peso

weight note, lista de pesos; nota de peso; certificado de peso

weighted average, media ponderada

weighted distribution, distribución ponderada; distribución racional

weighted hedge, cobertura ponderada

welcome, dar la bienvenida; acoger favorablemente; prestar buena acogida

wharfage, derechos de muelle; canon de atraque

whereas, considerando; por cuanto; visto que; dado que; como quiera que; puesto que; en vista de que

whereas clauses, considerandos

whiplash (col.), latigazo (col.); alternancia de posiciones compradoras y vendedoras, todas con pérdida

white knight (col., **takeover bids),** caballero blanco (col., opas); príncipe (col., opas)

wholehearted service, servicio abnegado; dedicación

wholesale, mayoreo; venta al por mayor

wholesale price index, índice de precios al por mayor

wholesaler, almacenista; mayorista; comerciante al por mayor

wholly-owned, perteneciente en su totalidad a; totalmente perteneciente a; propiedad exclusiva de

wholly-owned subsidiary of, subsidiaria totalmente perteneciente a; filial al 100% de

whom it may concern, a quien corresponda; a quien pueda interesar; conste por el presente

wildcat (col.), empresa ilegal (col.)

wildcat strike (col.), huelga salvaje (col.)

will, testamento; última voluntad

win renown, adquirir nombre internacional

win-win-win target, objetivo: siempre ganar

wind down inflation, frenar la inflación; reducir la inflación; desacelerar la inflación

windbill (col.), letra de favor; letra de complacencia

windfall profits (col.), resultados atípicos

window dressing (col.), maquillaje (col.); artificios contables para abultar ficticiamente una cuenta o balance

wipe off a debt (col.), cancelar una cuenta

wire stockbroker, agencia de bolsa con red de sucursales interconectadas

wired instructions, instrucciones por panel de control; instrucciones a través de pantalla

with a view to, con vistas a; a efectos de

with liberty to run trials as necessary, con libertad para realizar las pruebas necesarias; facultado para realizar las pruebas necesarias

with particular average (WPA), con avería particular

with regard to, respecto a; en lo referente a; con relación a; en lo que a .... se refiere.......; con respecto a; en lo que a .... respecta

with the authority of, con facultades de; con autorización de; autorizado por; facultado por; por delegación de

with the authority to, apoderado (adj.); con capacidad para; con poderes para; facultado para; autorizado a

with the purpose of, con objeto de

with the stipulation that, a condición de que; con la condición de que

withdraw a bid, retirar una propuesta; rescindir una propuesta

withdraw a charge, retirar una acusación

withdraw cash, retirar dinero en efectivo

withdraw from membership, separarse; desafiliarse; causar baja; darse de baja

withdraw from the partnership, abandonar la sociedad; retirarse de la sociedad

withdrawal of money, retirada de dinero; disposición de dinero

withdrawals, extracciones de fondos

withdrawing partner, socio saliente, socio que se retira

withhold at source, retener en origen

withholding, retención

withholding (income) tax, retención sobre la renta; retenciones (Esp., col.)

withholding at source, retención en origen; cobro en origen; recaudación en origen

within easy reach, a mano

within the limits set by law, dentro de los límites legales

within the reach of, al alcance de

within two business days, dentro de dos días laborables; en el curso de dos días hábiles; en el transcurso de dos días laborables

within two working days, dentro de dos días laborables; en el curso de dos días hábiles; en el transcurso de dos días laborables

without a qualm, sin el menor reparo; sin escrúpulos

without let or hindrance, sin impedimento ni obstáculo

without our responsibility (WOR), sin nuestra responsabilidad; sin compromiso por nuestra parte

without protest (ab. **WP),** sin protesto; sin gastos (de protesto)

without recourse, sin recurso

witness (n.), testigo

witness (v.), atestiguar; dar fe; certificar; legalizar; formalizar; compulsar (legalizar)

witness a signature, reconocer una firma; atestiguar una firma; dar fe de la autenticidad de una firma

WK (ab. **week),** semana

WOR (ab. = **without our responsibility),** sin nuestra responsabilidad; sin compromiso por nuestra parte

word processing, proceso de textos

word processor, procesador de textos

work (n. & v.), trabajo; faena; actividad laboral (fem.); mano de obra (fem.); obrero (n. & adj.); laboral (adj., masc. & fem.); desarrollar una actividad laboral (v.); ocupación laboral

work cycle, ciclo de trabajo

work in process, asuntos en trámite; trabajo(s) en curso; manufactura(s) en proceso

work in relays, trabajar por turnos; trabajar por relevos

work length, duración del trabajo

work like billyo(h) (GB, col.)**,** trabajar a marchas forzadas; trabajar a toda mecha

work load, carga de trabajo

work overtime, hacer horas extras

work sheet, hoja de trabajo

work team, equipo de trabajo; equipo de ayuda; fuerza de choque; grupo operativo

work to rule, hacer huelga de celo; trabajar conforme a la normativa

working assets, activo realizable a corto plazo; activo circulante; activo corriente; capital circulante; activo semifijo; activo de explotación; realizable a corto; activo flotante; activo líquido

working capital loan, crédito de explotación

working credit, crédito de explotación

working day, día hábil; día laborable; día comercial

working funds, fondos de explotación

working hours, horario de trabajo; jornada de trabajo; horas hábiles; horas laborables

working life, vida activa; vida laboral

working order, buen estado de funcionamiento

working papers, papeles de trabajo; documentación de trabajo

working partner, comanditado; socio industrial; socio activo

working population, población activa; mano de obra; masa obrera

working reserve, reserva general para operaciones

working storage, almacenamiento de trabajo (memoria)

working trial balance, estado general del trabajo

workmate, compañero de trabajo

world, mundo; mundial

world demand, demanda mundial

world economic conditions, situación económica mundial

world economic recovery, recuperación económica mundial

worth, valor; valía; valorar

WP (ab. = **without protest),** sin protesto; sin gastos (de protesto)

WPA (ab. **with particular average),** con avería particular

wrap-up (US)**,** artículos que se venden bien; géneros de buena salida

writ, orden (n. fem.); pedido; encargo; mandado (LA); encargar; mandamiento judicial; cursar una orden

writ of attachment, auto de embargo; mandamiento de embargo

writ of error, auto de casación

writ of execution, auto de ejecución

write, escribir; grabar (comp.)

write down, amortizar parcialmente; rebajar el valor; reajustar el montante; reducir el importe

write off (v.)**,** sanear activos mediante depreciación

write time, tiempo de grabación (comp.)

write up, pasar asientos

write up shares, revalorizar acciones

write-off (n.)**,** cargo por depreciación; saneamiento por depreciación de activos

writedown of assets, saneamiento de activos

writedown of nonperforming loans, amortización de activos para sanear

writedown of the securities portfolio, saneamiento de la cartera de valores

writedown provision, provisión para saneamientos

writedowns, saneamientos

writer, emisor de opción

writing-off, amortización contable

writing-off of bad debts, amortización de fallidos

written complaint, queja por escrito

written notice, notificación por escrito

written request, petición por escrito

WS, straddle; gestión de volatilidad; liquidez más venta de una "call" y una "put"

X

xerox (r) (n. & v.), fotocopia; xerocopia (r); fotocopiar; hacer fotocopias; sacar fotocopias

Xerox machine (r), xerocopiadora (r); fotocopiadora Xerox (r)

XL size (ab. **extra large size),** tamaño extragrande

Y

Y2K (ab. **year 2000**) (col.)**,** año 2000

Yankee (US)**,** yanqui; estadounidense (esp., norteño); gringo (col.)

Yankee bond, bono en dólares emitido en Estados Unidos por una entidad extranjera

yard, patio; yarda (medida); astillero

yard gang, cuadrilla de obreros; piquete de obreros; personal de almacén; trabajadores de astillero

yawn (col.)**,** rollo (Esp., col.); peñazo (Esp., col.); coñazo (Esp., col.); palabrería; historias (Esp., col.); macanas (LA, col.)

yea (US)**,** voto afirmativo; voto favorable; voto a favor; sí (votaciones)

year 2000 (Y2K) (col.)**,** año 2000

year free of premium, anualidad liberada de prima

year of a coin, año de acuñación de una moneda

year-end, de fin(al) de año

year-end financial statements, documentación financiera de fin de año; documentación financiera a final del ejercicio; estados financieros de final de ejercicio

year-end market price, cotización a fin de año

year-end report, informe de fin de año

year-end sale, rebajas de fin de año

year-end total, evolución de las cifras a fin de ejercicio

year-round, todo el año; durante todo el año; a lo largo de todo el año; durante todo el ejercicio; a lo largo de todo el ejercicio

yearbook, anuario

yearly, anualmente; todos los años; cada año; con carácter anual; con periodicidad anual; al año; por año; anual (adj., masc. & fem.)

yearly allowance, anualidad; renta anual; pago periódico

yearly income, anualidad; renta anual; pago periódico

yearly quota, cuota anual; contribución anual; aportación anual

yearly sales, ventas anuales

yellow pages (phone directory), páginas amarillas (guía telefónica)

yellow press, prensa sensacionalista; prensa amarilla (col.)

yeoman farmers union (GB)**,** agrupación sindical de pequeños agricultores

yeomanry, pequeños terratenientes; pequeños y medianos agricultores (Esp.; PYMA); PYMA (Esp., ab. pequeños y medianos agricultores)

yesses, votos a favor

yield (n. & v.)**,** rentabilidad; tasa de rendimiento; rentabilidad de gestión; producto (renta); renta (producto); producir (beneficio); rentar

yield (v.)**,** generar

yield a good profit, producir (un) buen rendimiento; rendir mucho; dar mucho beneficio

yield a poor profit, producir poco rendimiento; rendir poco; dar poco beneficio

yield a profit, dar beneficio; producir beneficio

yield curve, curva de rentabilidad

yield interest, producir interés

yield to maturity, rentabilidad hasta la fecha; tasa de rendimiento interno; rendimientos hasta el vencimiento

yo-yo (col.), fluctuar; oscilar; variar

your favour (GB, old; US: **favour = favor),** su atenta carta (antic.); su apreciado escrito (antic.)

your telegram (urtel), su telegrama; (con referencia a) su telegrama

yours (very) truly (US), atentamente (despedida de carta) (ab. atte.); atentamente les saluda (despedida de carta) (ab.: atentamente = atte.); les saluda atentamente (despedida de carta) (ab.: atentamente = atte.); atte. (ab. = atentamente) (despedida de carta)

yours faithfully (GB), atentamente (despedida de carta) (ab. atte.); atentamente les saluda (despedida de carta) (ab.: atentamente = atte.); les saluda atentamente (despedida de carta) (ab.: atentamente = atte.); atte. (ab. = atentamente) (despedida de carta)

yours truly, (US), de Ustedes atentamente (ab.: Ustedes = de Vdes.; atentamente = atte.) (despedida de carta); de Vdes. atte. (ab. = Vdes. = Ustedes; atte. = atentamente) (despedida de carta)

yours very truly, (US), de Ustedes atentamente (ab.: Ustedes = de Vdes.; atentamente = atte.) (despedida de carta); de Vdes. atte. (ab. = Vdes. = Ustedes; atte. = atentamente) (despedida de carta)

Z

zap a directory (comp.), borrar un directorio (comp.)

zero, cero

zero coupon bond, bono emitido con gran descuento y sin intereses hasta su vencimiento; bono cupón cero

zero suppression, supresión de ceros

zero-based budget, presupuesto base cero

zero-coupon bonds, obligaciones con liquidación de interés y principal al vencimiento; obligaciones cupón cero

zero-coupon swap, swap cupón cero

zero-filled, rellenado con ceros

zero-filled field, campo rellenado con ceros

zero-rated, no imputable (tributos); sin IVA (Esp.)

zero-rated item, artículo no sujeto al pago de IVA

zilch, ni cinco (Esp., col.); ni un duro (Esp., col.)

zillion (of) things to do (col.)**,** tropecientas cosas que hacer (col.); infinidad de cosas que hacer

zillmerization, zilmerización

zip code (US)**,** distrito postal (DP) (Esp.); DP (ab. distrito postal); código de distrito postal; código postal (CD)

zone punch, perforación de zona

SEGUNDA PARTE

DICCIONARIO BANCARIO ESPAÑOL-INGLÉS

Por RAFAEL GIL ESTEBAN
Intérprete Jurado,
Apoderado del
BANCO POPULAR ESPAÑOL

INTRODUCTION
(A Preface to the Third Edition)

The smart slogan "don't be humble!" could also apply in an identical, humorous mood to this English-Spanish Banking Dictionary I have the intention to present. I am well aware of the fact that presenting to the public an umpteenth, revised and enlarged edition of a dictionary whose category and prestige are generally reckoned is rather a complex task since "one may sin either in default or in excess". An extended presentation could give the impression that one is dealing with something which is barely known. Instead, abbreviating data might leave a number of capital items overseen.

Stating that "this Dictionary is a useful tool" is the best compliment it may be granted. "Since it is most useful to me in my professional work..." is the introductory comment of an official translator when requesting a copy of the second edition.

I can in no way disregard the logical fact that courtesy is a must when asking our Bank for complimentary copies of this Dictionary. But now that all of such letters are in my hands I have been surprised to ascertain the standards of quality, variety and amount of the letters so received. The Dictionary is requested, praised and acknowledged in all of them. Domestic and foreign banks, universities, embassies and ministries; public libraries and data bases; multinational corporations, airlines, agencies and quite diverse organisations; official interpreters and chartered sworn translators; lexicographers, teachers and students; official mercantile brokers, representatives and notaries; media speakers and journalists are but a few examples I have hastily taken on the uptake. This Dictionary has aroused public interest with no more advertising than its "having been on everyone's lips".

The merits of this Dictionary lie with its author, Rafael Gil Esteban, who had been preparing -for further publication- a polylingual dictionary for almost twenty years. Rafael Gil -not only a banking executive but also a teacher at the Official School of Languages and an Official Sworn Translator by charter of the Spanish Ministry of Foreign Affairs- further noticed that becoming bilingual and mastering English as a quasi-mother tongue was the ideal for everyone of our Bank's staff as well as for professional bankers as a whole. It took long to take his reasoning into account but his perseverance has finally led him to success. And success is the best award any effort may be rewarded with.

"The great usefulness and convenience it has when making translations of a financial or economic nature..." -a translator writes- has impelled, and also allows, our Bank to place this Dictionary in the market, that is, to make it available in commercial bookseller networks. Quite a few people had complained, prior to apologising for requesting a copy of this Dictionary, that it was not for sale in public bookshops. Looking forward to 1992, to make it now available to everybody is but a logical step in line with the EU's Single Market.

LUIS VALLS TABERNER

Madrid, on the Feast Day of the Virgin of Almudena, year 2000

INTRODUCTION
(A Preface to the Eighth Edition)

Rafael Gil Esteban was known as a professional banker twenty-one years ago. It was by then that his thorough and silent work developed into a bilingual banking dictionary.

Banking is regarded to be quite a demanding activity. Generally speaking, any business concern (not just banks) demands from its staff not only time -dedication- and professionalism; i.e., to keep their practical skills up to date. Family, physical fitness and social relationships rank second. Whether or not this may be debatable, professional dedication often goes beyond one's family, sport and social life. This is a plain fact; just statistics.

I have brought this up not to be controversial but to stress the merit of the compiler of this Dictionary: a banking executive, a teacher, an author.

These comments of mine still hold good now that 21 years have elapsed since this Dictionary was first put to trial because time is the gauge that best measures success.

In practical terms, the Eighth Edition of this Banking Dictionary means double the number of entries covered in the previous edition. So this is a revised, updated edition, not just a reprint. The following step will be to make it available, via Internet, to an ever increasing number of people who have heard of this book of reference as a consequence of its being on everyone's lips, a plain yet most efficient way of advertising.

Nine years ago, all of a sudden, "such as sometimes happens when an idea has long been developing in our souls, I thought that it would be good to praise the book." This sentence of Romano Guardini (1) fits the purpose quite well. I could never express in a better way what I felt that day of 1990 devoted to the Virgin of Almudena. It was right then that I wrote some lines of praise in the form of a Preface to the Third Edition of this Dictionary. Those four paragraphs still hold good to date.

It is not by chance that this edition was ready for printing on the Feast Day of the Virgin of Almudena in 1999. The fact that the youngest daughter of the Author is named Almudena has also helped have this book dated as such.

LUIS VALLS TABERNER

On the Feast Day of the Virgin of Almudena, 1999

---

(1) Romano Guardini. "Praise of the Book". An elegant edition published by Ediciones Encuentro, 1998

FOREWORD

With he publication of this revised and updated eighth edition of BPE's English-Spanish Banking Dictionary we aim to make available a comprehensive book of reference covering most of the latest technical banking terms -computer terms excluded- as well as many of those colloquial words and expressions collectively referred to as "bankers' jargon" or plain slang informally used in back offices by bank employees in the course of any business day.

Offering as many definitions and/or possibilities of translating a given term from English into Spanish and vice versa has been our major goal. This Dictionary is far from being "the perfect tool". Its only merit -if any- is that of having been compiled on a continuous term pickup from the many documents the author has translated in twenty-nine years of continuous professional service at the Banco Popular Español.

Rafael Gil Esteban

ABBREVIATIONS USED

ab.	abbreviation for
adj.	adjective
adj. masc. & fem.	adjective, masculine and feminine gender
col.	colloquially
Esp.	especially in Spain
Esp., col.	colloquially, in Spain
Fr.	taken from the French
GB	especially in Great Britain
GB, col.	colloquially, in Great Britain
comp.	computers
Lat.	taken from the Latin
LA	especially in Latin America
m. & fem.	masculine and feminine genders
n.	noun
n. & adj.	noun and adjective
n.& v.	noun and verb
n. fem.	feminine noun
n. masc. & fem.	masculine and feminine noun
pl.	plural
SA	especially in South America
sing.	singular number
US	especially in North America
US, col.	colloquially, in North America
v.	verb

BRACKETS ( )

Brackets are used in the following cases:

1. to enclose any of the above abbreviations:
2. to isolate a letter or letters which may be suppressed (US spelling);
3. to isolate letters which may be suppressed with no alteration of the overall sense of a sentence since their own sense is fully understood.

HYPHEN -

Compound words are commonly built up by joining two of them (often adjectives) with a hyphen. Since there is no generally accepted rule to follow, integrating two nouns into one is also possible (CASH-FLOW: CASHFLOW), yet bearing in mind that choosing an option does not mean the other is wrong, incorrect or neglected.

ABBREVIATIONS

Irrespective of previous editions, practice suggests to suppress points and transcribe every letter in block capitals (cash on delivery = COD).

A

& (y), ampersand (&); & (ampersand)

a, @ (ab. at)

a ... días vista, at ... days after sight (at ... DAS); at ... DAS (ab. at ... days after sight)

a ... D/V (ab. **at ... días vista),** at ... days after sight (at ... DAS); at ... DAS (ab. at ... days after sight)

a bajo interés, low-interest (adj.)

a bordo, aboard

a cambio de, in exchange for; in return for

a cambio de qué (quid pro quo) (Lat.), quid pro quo (Lat.)

a cargo de, payable by

a causa de lo establecido por la ley, due to statutory provisions

a cobrar, pending collection; receivable (adj.)

a comienzos del año, at the beginning of the year; at the start of the year

a condición de que, on condition that; with the stipulation that

a consecuencia de la presión económica, as a result of economic pressure

a consecuencia, sobre todo, de, due mainly to

a corto plazo, at short term; short-term (adj.); short-dated (adj.)

a costa de, at the cost of

a cualquier precio contraofertado, at the money

a cuenta, on account

a deshora, overtime

a destajo, by the job

a diferencia de, unlike

a dinero, at the money (ATM); money (at the money, ATM); ATM (at the money)

a dinero "forward", at the money forward (ATM forward); ATM forward (ab. at the money forward); money forward

a dinero "spot", at the money spot (ATM spot); ATM spot (ab. at the money spot)

a dinero (opciones), at the money (ATM); ATM (ab. at the money)

a discreción, ad libitum (Lat); ad lib (Lat.); at random

a disposición del público, available to the public

a efectos de, with a view to

a efectos de consolidación, for consolidation purposes

a efectos de valoración, for value date

a efectos exclusivos de cobro, for collection only

a efectos fiscales, to tax purposes

a efectos meramente formales, pro forma (pro forma = proforma) (adj.); proforma (proforma = pro forma) (adj.); preliminary (adj.); previous (adj.)

a favor de, in favour of (US: favour = favor); in behalf of (B/O); B/O (ab. in behalf of); F/O (ab. in favour of)

a final de 2000, at the end of 2000

a final de los dos ejercicios precedentes, at the end of the two previous economic years

a final de los dos últimos ejercicios, at the end of the two previous economic years

a final del ejercicio, at the end of the year

a finales de año, at the end of the year

a flote, afloat (AFLT); AFLT (ab. afloat)

a gran escala, intensive; massive; on a large scale

a grandes rasgos, in outline

a granel, in bulk

a instancias de, at the request of; at the behest of

a jornada completa, full-time

a la atención de, attention of (att.); att. (ab. attention of)

a la baja, falling (adj.); bear; bearish (adj.); diminishing (adj.)

a la buena de Dios (col.)**,** hit or miss (col.)

a la cabeza del sector, ahead the sector

a la cuarta pregunta (Esp., col.)**,** stone-broke (US, adj.)

a la deriva, adrift

a la espera, standby

a la espera de su contestación, looking forward to your reply

a la espera de su legítimo propietario, abeyant

a la fecha del balance, at (the) balance sheet date

a la mayor brevedad posible, as soon as possible (ASAP); ASAP (as soon as possible)

a la orden de, order of; to the order of

a la par, at par

a la par que, cum (Lat.)

a la venta, available on the market

a la venta por encargo, available on request

a la vez que, cum (Lat.)

a la vista, at sight (A/S); A/S (ab. at sight); at call; on demand; on presentation; presentation

a la vista de, on sight of

a largo plazo, long-term (adj.); long-dated (adj.)

a lo largo de la costa, off shore

a lo largo de todo el año, all (the) year round; year-round

a lo largo de todo el ejercicio, all (the) year round; year-round

a lo largo del ejercicio, in the course of the year

a lo que salga (col.)**,** hit or miss (col.)

a lo sumo, at most

a los efectos que corresponda, for the purposes as may be required

a los tipos de mercado, at market rates

a mano, within easy reach

a medio plazo, medium-term (adj.)

a menos que, unless; provided that; failing

a menos que se acuerde de otro modo, unless otherwise agreed; except as otherwise agreed

a menos que se indique de otro modo, unless otherwise indicated; save as otherwise stated

a mi mejor saber y entender, to the best of my knowledge and belief

a nivel consolidado, at consolidated level

a nivel de cliente, at customer level

a nivel de cliente y sector de actividad, at customer and industry level

a nivel de explotación, at operating level

a nivel de todo un estado, statewide

a nivel no consolidado, at unconsolidated level; at the money option; unconsolidated

a nivel operativo, at operating level

a nombre de dos titulares, jointly; conjointly; two-name (adj.)

a nuestro favor, in our favour (US: favour = favor)

a pagar en destino, payable at destination

a partir de, starting from

a partir de cero (col.)**,** from scratch (col.)

a partir de esta fecha, from and after this date

a partir de hoy, as from today

a petición, on request; upon request; on call

a petición de, at the request of; at the behest of

a plazo, forward

a plazos, by instal(l)ments

a precio de coste, at cost

a precio de coste o valor de reembolso, si éste es inferior, at the lower of cost or redemption value

a precio de mercado, cuando ésto sea inferior al de coste, at the lower of cost or market

a principios de año, at the beginning of the year; at the start of the year

a prorrata, at pro-rata

a prueba de accidentes, accident-proof

a prueba de falsificaciones, forgery-proof

a prueba de humedad, damp-proof

a prueba de robos, burglarproof

a quien corresponda, as interest may appear; know all men by these presents; whom it may concern; to whom it may concern

a quien pueda interesar, as interest may appear; know all men by these presents; whom it may concern; to whom it may concern

a recibir, pending collection; receivable (adj.)

a saber, namely

a su presentación, at sight (A/S); A/S (ab. at sight); at call; on demand; on presentation; presentation

a tal efecto, hereto

a tanto alzado, flat (adj.); constant; continual

a tiempo, just in time

a tiempo parcial, part-time

a título de donación, as a grant

a título no oneroso, ad honorem Lat.)

a título oneroso, on a payment basis

a todo riesgo, against all risks (AAR); AAR (ab. against all risks)

a todos los niveles de decisión, at all decision-making levels

a través del presente, hereby

a un (solo) día, overnight

a una noche, overnight

a varios (contabilidad), to sundries (accounting)

a viva voz, open outcry

a voluntad, ad libitum (Lat); ad lib (Lat.); at random

a vuelta de correo, by return mail

a.J.C. (ab. **antes de Jesucristo),** BC (ab. before Christ); before Christ (BC)

ABA (ab. **Asociación de Banqueros Americanos),** American Bankers Association (ABA); ABA (ab. American Bankers Association)

abajo citado, as referred to below; undermentioned

abajo firmante, undersigned

abandonar el patrón oro, abandon the gold standard

abandonar la ejecución de un programa (informático), quit

abandonar la sociedad, withdraw from the partnership

abandonar un cargo, vacate a position

abandono, abandonment

abandono al asegurador, abandonment to insurers

abandono bajo reserva, abandonment under reserve

abandono de apelación, abandonment of appeal

abandono de derechos, abandonment of rights

abandono del buque y de los fletes, abandonment of ship and freight

abandono no autorizado de la propiedad arrendada, abandonment of leased property

abarrote, dunnage

abastecedor, stockist (US: stockist = dealer); dealer (GB: dealer = stockist); supplier

abastecer, supply; furnish

abastecer en exceso, oversupply

abastecimiento sobredimensionado, oversupply

abastecimiento(s), supply; furnish, supplies

abastos (Esp.), supplies

abierto a cuanto haga falta, ready and willing

abogacía, bar

abogado, advocate (n); advocator; barrister (GB); counsel (n.); attorney-at- law (US); counsellor(-at-law) (US: counsellor = counselor); counselor (GB: counselor = counsellor); lawyer

abogado criminalista, criminal lawyer

abogado de categoría inferior (GB), junior (Jr.); Jr. (ab. junior)

abogado de la parte querellante, prosecuting attorney; public prosecutor

abogado de oficio (Esp.), public defender

abogado defensor, defending counsel; counsel for the defense; pleader

abogado fiscal, prosecuting attorney; public prosecutor

abogado penalista, criminal lawyer

abogado picapleitos, pettifogger

abogado procurador, procurator lawyer

abogar por, advocate (v); defend; protect

abolición, abolition; abrogation; annulment; defeasance; cancellation; liquidation; passthrough (col.); suppression

abolición del coeficiente de inversión, abolition of the investment ratio

abolir, cancel; annul; revoke; abolish; abrogate; nullify; setoff (v.); terminate; rescind; take back (v.)

abonado en cuenta, accredited

abonar en cuenta, credit an account; credit into account; value into account

abonar la suma de, credit the amount of

abonar una señal, pledge (v.)

abonaré, deposit receipt note; deposit slip; deposit note; deposit ticket; warehouse receipt

abono (apunte contable) (Esp.), credit entry

abono condicional de fondos en cuenta, conditional credit of funds into account

abono de impuestos, tax credit

abonos diferidos, deferred payments

abordar un problema, deal with a problem; tackle a problem

abrasión (monedas metálicas), abrasion (metal coins)

abreviatura, abbreviation

abrir cuenta con un importante banco europeo, open an account with a leading European bank

abrir la puerta a (las) nuevas inversiones, open the door to fresh investments

abrir la sesión, open the meeting

abrir los libros (contables), open a set of books

abrir nuevos mercados a los excedentes nacionales, open new markets to domestic surpluses

abrir propuestas, open bids

abrir un caso, open a case

abrir un crédito, open a credit

abrir una sucursal, open a branch

abrogación, abolition; abrogation; annulment; defeasance; cancellation; liquidation; passthrough (col.); suppression

abrogación de una ley, annulment of a law

absentismo, absenteeism

absolución a la demanda, acquittal of defendant

absolución del acusado, acquittal of defendant

absolver a un acusado, acquit

absorber a una sociedad, take over a company

absorber con cargo a una dotación extraordinaria, absorb against an extraordinary provision

absorber la mitad de las pérdidas, absorb half of the losses

absorber la pérdida, absorb the loss

absorción de costos, absorption costing

absorción de liquidez, absorption of liquidity

abstenerse de realizar operaciones contrarias a la ley, keep away from doing unlawful transactions

abstracción (hurto), pilferage; larceny; petty larceny; petty theft; abstraction

absuelto (tribunales), free of charge(s)

abuelete (Esp, col. = **empleado de mayor edad en un departamento),** daddy (col.)

abultar las cifras, inflate figures

abundancia de dinero, glut of money (col.)

abusar, abuse (v.)

abuso, abuse (n.)

abuso de autoridad, abuse of authority

abuso de confianza, abuse of confidence; breach of trust; betrayal of confidence; betrayal of trust

acaparamiento, hoarding

acaparar, buy up; hoard; corner the market; buy out

acápite (Esp.: **acápito = párrafo**), paragraph

acápite de antecedentes personales (LA), résumé (Fr.); curriculum vitae (ab. CV) (Lat.); CV (ab. curriculum vitae) (Lat.)

acarrear cambios económicos, bring about economic changes

acarreo, cartage; transport; transportation; carriage (US); truckage (US); trucking (US)

acarreo(s) por cuenta del vendedor, outward freight

acatamiento de la ley, compliance with laws

acaudalado (adj.), silk-stocking (adj., US, col.); propertied (adj.)

acceder, accede

acceder a (propiedad, derecho, etc), acquire; buy (v.)

acceder a uno de los más altos puestos de la clasificación, reach a top position in the ranking

acceder al cargo de, take into charge; take over; take charge of; take the reins (col.)

acceso a la información, access to information

acceso al cargo, accession to office

acceso aleatorio, random access; direct access

acceso directo, random access; direct access

acceso en paralelo (comp.), parallel access (comp.)

acceso remoto, remote access

acceso secuencial, sequential access (comp.); serial access (comp.)

accesorias (legal), fee (n.)

accidental, accidental; adventitious; involuntary; casual

accidental (adj., masc. & fem.), fortuitous (adj.)

accidente ajeno al trabajo, non-occupational accident

accidente de trabajo, accident at work; occupational accident

accidente laboral, accident at work; occupational accident

accidente no laboral, non-occupational accident

accidente no ocupacional, non-occupational accident

accidentes de navegación, accidents of navigation

acción (título de participación en el capital de una sociedad), quota; allocation; allotment; share

acción a que hubiere lugar, action which may lie

acción al portador, bearer share

acción bélica, act of war

acción caducada, forfeited share

acción con derecho a percibir dividendos, carrying share; dividend share

acción con prima, bonus share

acción correctora, corrective action

acción de apremio, action of debt

acción de dividendo, carrying share; dividend share

acción de firma de Hong Kong con activos en China continental, red chip

acción de firma estatal china cotizada en Hong Kong, red chip

acción de valor nominal inferior a USD 50, half stock

acción en caída, declining share

acción en equidad, action in equity

acción formativa de desarrollo y optimización de directivos, coaching

acción formativa individual, one-to-one training

acción gratuita, bonus share

acción H, red chip

acción liberada, bonus share

acción ordinaria, common share; ordinary share

acción pignoraticia, action of pledge

acción por incumplimiento de contrato, actio ex contractu (Lat.)

acción preferente, priority share

acción preventiva, preventive action

acción privilegiada, priority share

acción productiva, carrying share; dividend share

acción que produce dividendos, carrying share; dividend share

acción que rinde dividendo, carrying share; dividend share

acción rescisoria, actio rescissoria (Lat.)

accionariado, total shareholders; stock (col.)

accionariado disconforme, non-assenting stockholders

accionariado disidente, non-assenting stockholders

acciones (a)cumulativas, cumulative stock

acciones (de la) clase A, A shares; A stock; A equity

acciones (depositadas) en caución, shares deposited in scrow (US: shares = stocks); shares deposited on trust (US: shares = stocks); stocks deposited in scrow (GB: stocks = shares); stocks deposited on trust (GB: stocks = shares)

acciones (n. fem. pl.), stocks

acciones acumulables, cumulative stock

acciones adjudicadas a los empleados como participación en beneficios, shares assigned to workers as a participation in profits

acciones admitidas a contratación, shares admitted to trading (US: shares = stocks); shares admitted to listing (US: shares = stocks); stocks admitted to trading (US: stocks = shares); stocks admitted to listing (GB: stocks = shares)

acciones afirmadas, defensive shares

acciones al portador, bearer stock

acciones amortizables, redeemable shares

acciones amortizadas, treasury stock (GB: stock = shares); amortized stock (GB: stock = shares)

acciones bajo caución, shares deposited in scrow (US: shares = stocks); shares deposited on trust (US: shares = stocks); stocks deposited in scrow (GB: stocks = shares); stocks deposited on trust (GB: stocks = shares)

acciones bancarias, bank shares; bank stock

acciones compradas, shares bought (US: shares = stocks); stocks bought (GB: stocks = shares)

acciones comunes, common stock; ordinary stock; voting stock (GB: stock = shares); share capital; fully qualified stock; capital stock

acciones con derecho a dividendo en última instancia, deferred stock

acciones con derecho a voto, common stock; ordinary stock; voting stock (GB: stock = shares); share capital; fully qualified stock; capital stock

acciones con derecho de prioridad, senior securities

acciones con dividendo diferido, deferred stock

acciones con dividendo mínimo garantizado, guaranteed stock

acciones con valor nominal, par-value stock

acciones contratadas, shares dealt (US: shares = stocks); stocks dealt (GB: stocks = shares)

acciones cotizadas, quoted shares

acciones cotizadas en la bolsa de Madrid, shares quoted on the Madrid stock exchange

acciones cubiertas, paid-up stock

acciones de (socio) fundador, management shares

acciones de 25 dólares nominales, quarter stock (US)

acciones de administrador, management shares

acciones de compañías petroleras (Bolsa), oils

acciones de depósito obligatorio, qualification shares

acciones de escaso valor, penny stocks (GB)

acciones de fundador, founder´s shares

acciones de pleno derecho, common stock; ordinary stock; voting stock (GB: stock = shares); share capital; fully qualified stock; capital stock

acciones de primera categoría, blue chips (col.); blue-chip shares; blue onips (col.)

acciones de primera clase, blue chips (col.); blue-chip shares; blue onips (col.)

acciones de promotor, promotor´s shares

acciones de tesorería, treasury stock (GB: stock = shares); amortized stock (GB: stock = shares)

acciones de una sociedad, corporate stock

acciones desiertas, shares in default of payment (US: shares = stocks); stocks in default of payment (GB: stocks = shares)

acciones diferidas, deferred stock

acciones diluidas, watered stock (US: stock = shares); watered shares (GB: shares = stock)

acciones donadas, donated capital stock

acciones emitidas, average shares outstanding; issued stock; bonus stock

acciones emitidas con carácter de liberadas, issued as full-paid and non-assessable shares

acciones emprendidas durante el año, actions taken during the year

acciones en caja, treasury stock (GB: stock = shares); amortized stock (GB: stock = shares)

acciones en circulación, outstanding shares (US: shares = stock); shares outstanding (US: shares = stock)

acciones en pago de servicios, qualifying shares

acciones en período de suscripción, shares in period of subscription (US: shares = stocks); stocks in period of subscription (GB: stocks = shares)

acciones exhibidas, fully-paid shares

acciones fraccionables, fractional shares

acciones fraccionarias, fractional shares

acciones insuficientes, insufficient actions

acciones judiciales relativas a la quiebra, bankruptcy proceedings

acciones liberadas, paid-up stock

acciones más "put" o una "call", protective put

acciones no colocadas entre el público, undigested securities

acciones no emitidas, unissued stock

acciones no liberadas, non-paid up shares; non-paid up stock

acciones no suscritas, unsubscribed stock (GB: stock = shares)

acciones no votantes, non-voting stock

acciones nominativas, registered shares; registered stock (GB: stock = shares); nominative shares

acciones ordinarias, common stock; ordinary stock; voting stock (GB: stock = shares); share capital; fully qualified stock; capital stock

acciones orientadas a impulsar la economía, economic pump priming

acciones pagaderas, called-up capital stock

acciones para depurar defectos en un título de propiedad, action to quiet title

acciones parcialmente liberadas, partly paid shares; partly paid stock

acciones participantes preferentes, participating preferred stock

acciones plenamente liberadas, fully-paid shares

acciones por daños y perjuicios, action for damages

acciones poseídas, shares held (US: shares: stocks); stocks held

acciones poseídas al 1 de enero, shares held on 1 January (US: stocks held on January 1); stocks held on January 1 (GB: shares held on 1 January)

acciones preferentes, preference stock (GB); preferred stock; privileged stock

acciones privilegiadas, preference stock (GB); preferred stock; privileged stock

acciones privilegiadas con dividendo acumulativo, cumulative preferred stock

acciones que cotizan al nominal, par-value stock

acciones que no ejercen el voto, non-voting stock

acciones que no producen dividendo, dead stock

acciones recuperadas por la empresa, treasury stock (GB: stock = shares); amortized stock (GB: stock = shares)

acciones sin derecho al voto, non-voting stock

acciones sin liberar, non-paid up shares; non-paid up stock

acciones sin valor nominal, no-par value of shares; non-par stock; shares without a par value (US: shares = stock)

acciones sujetas a caución, shares deposited in scrow (US: shares = stocks); shares deposited on trust (US: shares = stocks); stocks deposited in scrow (GB:

stocks = shares); stocks deposited on trust (GB: stocks = shares)

acciones suscritas, stock subscribed

acciones totalmente desembolsadas, fully-paid shares

acciones vendidas, shares sold (US: shares = stocks); stocks sold (GB: stocks = shares)

acciones y participaciones, equity securities; equities; variable-yield securities

accionista (n., masc & fem.)**,** stockholder (GB: stockholder = shareholder); shareholder (US: shareholder = stockholder)

accionista individual, individual shareholder; individual stockholder

accionista inscrito como tal en el registro de la sociedad, shareholder of record (US: shareholder = stockholder); stockholder of record (GB: stockholder = shareholder)

accionista institucional mayoritario, controlling institutional stockholder; controlling institutional shareholder

accionista mayoritario, controlling shareholder; controlling stockholder; major shareholder

accionista minoritario, minority shareholder

accionistas constituyentes, founding stockholders

accionistas disconformes, non-assenting stockholders

accionistas disidentes, non-assenting stockholders

accionistas-censores de cuentas, stockholder-auditors

aceleración, acceleration

acelerador (teoría económica), accelerator (economic theory)

aceptabilidad, acceptability

aceptable como activo, acceptable as an asset

aceptación, acceptance; accession; acquiescence; approval; assent

aceptación bancaria, bank acceptance; banker's acceptance

aceptación comercial, commercial acceptance; trade acceptance

aceptación con reservas, conditional acceptance; qualified acceptance

aceptación condicional, conditional acceptance; qualified acceptance

aceptación contra (entrega de) documentos, delivery against acceptance (DAA); documents against acceptance (DAA); DAA (ab.: delivery against acceptance; documents against acceptance)

aceptación contra documentos, acceptance against documents

aceptación de complacencia, accommodation acceptance

aceptación de depósitos, acceptance of deposits

aceptación de depósitos a plazo, term-deposit taking

aceptación de imposiciones a plazo (Esp.)**,** term-deposit taking

aceptación de un mandado (LA)**,** order acceptance; acceptance of an order

aceptación de un pedido, order acceptance; acceptance of an order

aceptación del contrato, acknowledg(e)ment

aceptación después del protesto, acceptance supra protest; acceptance for honour (US: honour = honor); acceptance by special endorser

aceptación en blanco, acceptance in blank

aceptación incondicional, unconditional acceptance; absolute acceptance

aceptación irrevocable, unconditional acceptance; absolute acceptance

aceptación libre, general acceptance; clean acceptance

aceptación limitada, conditional acceptance; qualified acceptance

aceptación parcial, partial acceptance

aceptación por intervención, acceptance supra protest; acceptance for honour (US: honour = honor); acceptance by special endorser

aceptación restringida, conditional acceptance; qualified acceptance

aceptación sin restricciones, general acceptance; clean acceptance

aceptaciones, avales y créditos documentarios, acceptances, guarantees and documentary letters of credit

aceptado para su transporte, accepted for carriage

aceptante, acceptant; acceptor

aceptar, accept; admit; agree

aceptar el empleo, sign up

aceptar por cuenta de ..., accept for the account of ...

aceptar siempre que, accept provided that

aceptar un cargo, accept an appointment

aceptar un efecto, honour (US: honour = honor); accept a draft; accept a bill; take up a bill; discharge a bill

aceptar un nombramiento, accept an appointment

aceptar un soborno, take a bribe; accept a bribe

aceptar una letra, honour (US: honour = honor); accept a draft; accept a bill; take up a bill; discharge a bill

aceptar una tarjeta de crédito, honour a credit card (US: honour = honor)

aceptar valores adjudicados en una nueva emisión, take down

acería, steelworks

acoger (la presentación de) un efecto, honour (US: honour = honor); accept a draft; accept a bill; take up a bill; discharge a bill

acoger favorablemente, welcome

acoger un giro, honour a draft (US: honour = honor)

acompañando al presente, herewith

acompañar, append; annex (v.); enclose

acondicionamiento, conditioning

acondicionamiento de oficinas, conditioning of offices

acondicionar, condition

aconsejar, recommend

acontecimiento, affair; matter (n.); subject; question (n.)

acontecimientos, proceedings

acoplamiento mutuo (comp.), interface (comp.)

acordar, accept; admit; agree

acordar una resolución, adopt a resolution

acotaciones, marginalia

acreditado, accredited

acreditado (n.), accreditee

acreditado por su antigüedad (adj.), time-honoured (adj.)

acreditar, accredit; credit (v.)

acreditar en cuenta, credit an account; credit into account; value into account

acreditar la personalidad, provide evidence of identity

acreditar la suma de, credit the amount of

acreedor asegurado, secured claim; secured creditor; preferential creditor

acreedor común, junior creditor; common creditor; general creditor

acreedor con derecho a ejecución, execution creditor

acreedor embargante, attaching creditor

acreedor extranjero, foreign creditor

acreedor hipotecario, encumbrancer; mortgage holder; mortgagee

acreedor mancomunado, joint creditor; joint and several creditor

acreedor no avalado, unsecured creditor

acreedor no preferente, junior creditor; common creditor; general creditor

acreedor no prioritario, junior creditor; common creditor; general creditor

acreedor no privilegiado, junior creditor; common creditor; general creditor

acreedor pignoraticio, secured claim; secured creditor; preferential creditor

acreedor preferente, secured claim; secured creditor; preferential creditor

acreedor prendario, holder of a chattel mortgage

acreedor privilegiado, secured claim; secured creditor; preferential creditor

acreedor real (LA), secured claim; secured creditor; preferential creditor

acreedor recurrente, petitioning creditor

acreedor sin garantía, unsecured creditor

acreedor solidario, joint creditor; joint and several creditor

acreedor subordinado, junior creditor; common creditor; general creditor

acreedores (banca), deposits

acreedores (por depósitos), customers' deposits; due to customers; customers´ funds

acreedores a largo plazo, long-term creditors

acreedores diversos, accounts due (to); accounts payable; sundry creditors

acreedores en divisas, customers' foreign currency deposits

acreedores en moneda extranjera, foreign currency deposits; deposits in foreign currency; foreign deposits

acreedores en pesetas, customers' peseta deposits

acreedores varios, accounts due (to); accounts payable; sundry creditors

acta, decree; diktat; order (decree); act

acta de avería, statement of damage; ship´s protest

acta de constitución, act of incorporation; incorporation papers (US); certificate of incorporation; general franchise; partnership articles; statutes of incorporation; corporation papers (US); articles of association; articles of partnership; articles of incorporation

acta de denuncia del capitán del barco, captain's protest

acta de la reunión, minutes of the meeting

acta de los asuntos sometidos a discusión, record of matters discussed

acta de pignoración, consent to pledge

acta de protesta del capital, captain's protest

acta de protesto, certificate of protest; deed of protest

acta de quiebra, act of bankruptcy

acta de sesiones, proceedings

acta del capitan, master´s protest

acta fundacional, act of incorporation; incorporation papers (US); certificate of incorporation; general franchise; partnership articles; statutes of incorporation; corporation papers (US); articles of association; articles of partnership; articles of incorporation

acta notarial, affidavit

acta notarial de protesto, notarial protest certificate; notary´s protest certificate; notarial certificate of protest; notary´s certificate of protest

actitud optimista ante, bullish attitude towards

actitud pesimista ante, bearish attitude towards

actiud agresiva, aggressive attitude

activación de los gastos, expense capitalization; capitalization of expenses

activación de mercados, activation of markets

actividad, activity; industry

actividad bancaria en lugares acogidos a regímenes fiscales especiales, offshore banking

actividad crediticia, lending activity

actividad crediticia a escala nacional, domestic credit

actividad delictiva, criminal activity

actividad económica, economic activity

actividad financiera, financial activity

actividad general, general activity

actividad interbancaria, interbank trading

actividad internacional, international activity

actividad laboral (fem.)**,** labour (US: labour = labor); work (n. & v.); occupation

actividad profesional (col.)**,** business (n.); commerce (n.); trade (n.)

actividades análogas, kindred activities

actividades comerciales, commercial activities; trade activities; business activities

actividades contrabandistas, smuggling activities

actividades de banca comercial, commercial banking

actividades de banca global, global banking activities

actividades desarrolladas de buena fe, bona fide activities

actividades legales, bona fide activities

actividades mafiosas, organized crime; racketteering

actividades mercantiles, commercial activities; trade activities; business activities

actividades poco claras, shady activities

actividades poco recomendables, discreditable activities

actividades por cuenta propia, BFS (ab. business for self); business for self (BFS)

actividades primarias, agriculture and the like

actividades profesionales que dan derecho al devengo de pensión, pensionable professional activities

actividades similares, kindred activities

activo, (n.), assets; (adj.), dynamic; active (adj.)

activo (no del balance, globalmente considerado), asset

activo (registrado) en los libros, ledger assets

activo acumulado, accrued assets

activo agotable, diminishing assets; depreciable assets; wasting assets; depletable assets

activo amortizable, diminishing assets; depreciable assets; wasting assets; depletable assets

activo aparente, goodwill; intangible assets; immaterial assets; going value (col.)

activo básico, basic asset; underlying asset

activo circulante, current assets; circulating capital; working assets; floating assets; liquid assets

activo circulante neto, net current assets

activo con precio igual a su nominal, at par assets

activo contingente, contingent assets

activo corriente, current assets; circulating capital; working assets; floating assets; liquid assets

activo cuasi-líquido, near money

activo de explotación, current assets; circulating capital; working assets; floating assets; liquid assets

activo de fácil realización, cash and due from banks; cash on hand and with banks; funds available (cash and banks); quick assets; available assets

activo de garantía, collateral (n. & adj.); security (pl.: security = securities); bond of indemnity; recognizance

activo de realización inmediata, cash and due from banks; cash on hand and with banks; funds available (cash and banks); quick assets; available assets

activo de referencia en contrato de futuros u opción, basic asset; underlying asset

activo decreciente, diminishing assets; depreciable assets; wasting assets; depletable assets

activo del balance, assets

activo diferido, deferred assets; unadjusted assets

activo diluido, watered assets

activo disponible, cash and due from banks; cash on hand and with banks; funds available (cash and banks); quick assets; available assets

activo eventual, contingent assets

activo exigible, bills (of exchange) for collection; collect bills; collection items; bills receivable; drafts to collect; drafts to be collected; bills to collect; notes receivable; receivables; uncollected items

activo fijo, capital assets; fixed assets; permanent assets

activo fijo intangible, intangible fixed assets

activo fijo material, tangible fixed assets

activo financiero, financial asset; financial claim

activo financiero con precio acorde al de otro activo básico, contingent assets

activo fingido, fictitious assets

activo físico sobre el que se define un contrato de futuros u opción, basic asset; underlying asset

activo flotante, current assets; circulating capital; working assets; floating assets; liquid assets

activo improductivo, non-productive assets

activo inmaterial, goodwill; intangible assets; immaterial assets; going value (col.)

activo inmovilizado, capital assets; fixed assets; permanent assets

activo intangible, goodwill; intangible assets; immaterial assets; going value (col.)

activo líquido, current assets; circulating capital; working assets; floating assets; liquid assets

activo neto, net assets

activo neto contable, book net assets

activo neto realizable, net quick assets

activo no aceptado, unadmitted assets; inadmissible assets; non-admitted assets

activo no admitido, unadmitted assets; inadmissible assets; non-admitted assets

activo no aprobado, unadmitted assets; inadmissible assets; non-admitted assets

activo no circulante, non-current assets

activo no computable, unadmitted assets; inadmissible assets; non-admitted assets

activo no confirmado, unadmitted assets; inadmissible assets; non-admitted assets

activo no rentable, non-productive assets

activo nominal, goodwill; intangible assets; immaterial assets; going value (col.)

activo pendiente de ajuste, deferred assets; unadjusted assets

activo pignorado, hypothecated assets

activo productivo, productive assets

activo propio tangible, tangible fixed assets

activo que genera beneficios, productive assets

activo que rinde intereses, productive assets

activo realizable, cash and due from banks; cash on hand and with banks; funds available (cash and banks); quick assets; available assets

activo realizable a corto plazo, current assets; circulating capital; working assets; floating assets; liquid assets

activo semifijo, current assets; circulating capital; working assets; floating assets; liquid assets

activo sin valor, dead assets

activo social, assets of a partnership

activo subyacente, basic asset; underlying asset

activo tangible, tangible assets

activo transitorio, deferred assets; unadjusted assets

activo y pasivo del balance, assets and liabilities; assets and funds; borrowing and lending; funds and assets

activo(s) congelado(s), frozen assets

activo(s) excluido(s), assets not admitted

activo(s) no admitido(s), assets not admitted

activos (n.), assets

activos a la vista, sight assets

activos adjudicados en pago de créditos, assets appropriated in payment of loans

activos afectos a un coeficiente, assets assigned to a ratio

activos amortizables, amortizable assets

activos comprendidos en el balance, assets on the balance sheet

activos computables, admissible assets

activos conjuntos, combined assets

activos de reserva, reserve assets

activos de reserva atípicos, non-conventional reserve assets

activos de reserva de carácter no tradicional, non-conventional reserve assets

activos de tesorería, treasury stock (GB: stock = shares); amortized stock (GB: stock = shares)

activos del mercado monetario, cash assets

activos demandados por los clientes, assets called for by customers

activos destinados a cobertura del coeficiente de caja, assets assigned to the cash ratio

activos disponibles, cash assets

activos dudosos, doubtful assets

activos en divisa, assets in foreign currencies

activos en moneda extranjera, assets in foreign currencies

activos en oro, gold assets

activos en suspenso regularizados, loans transferred to suspense accounts

activos expresados en Euros, Euro-denominated assets

activos financieros, financial assets

activos financieros privados a corto plazo, commercial paper; busines paper; mercantile paper; trade bills

activos inmobiliarios realizables, realizable property

activos medios totales, average total assets

activos medios totales (AMT), average total assets (ATA); ATA (ab. average total assets)

activos monetarios, monetary assets

activos nacionales, domestic assets

activos no dinerarios, non-monetary assets

activos no rentables, non-earning assets

activos ocultos, concealed assets

activos pignorados, pledged assets

activos realizables, realizable assets

activos reglamentados, regulated assets

activos sin liquidez, unliquid assets

activos tangibles, physical assets

activos totales, total assets

activos totales medios consolidados, consolidated average total assets

activos vendidos bajo compromiso de recompra, financial assets sold under repurchase agreements

activos y pasivos (como partidas no globales del balance), assets and liabilities; assets and funds; borrowing and lending; funds and assets

activos y pasivos transitorios, suspense items

acto, decree; diktat; order (decree); act

acto bélico, act of war

acto criminal, criminal act

acto de comercio, commercial transaction

acto de dominio, act of ownership

acto de dominio (sobre el patrimonio inmobiliario), act of estate

acto de insolvencia, act of bankruptcy

acto de intervención, act of hono(u)r

acto de presencia, aid (n.); attendance; appearance

acto delictivo, criminal offence

acto jurídico, legal proceedings; act of law

actuación de los colegas, actions of peers

actuación delictiva, criminal act

actuación inmediata, fast track

actuaciones insuficientes, insufficient actions

actuaciones judiciales, law action; court action

actuaciones legales, legal proceedings; act of law

actuaciones llevadas a cabo en el ejercicio, actions taken during the year

actuaciones tendentes al fomento económico, economic pump priming

actual (adj., masc. & fem.), current (adj.); present (adj.)

actualización, update

actualización de ficheros (comp.), file maintenance (comp.); file updating (comp.)

actualización de pensiones, pension updating

actualizado, updated

actualizar, update

actuar, act (v.)

actuar como fiador, act as surety

actuar como fiduciario, act as trustee

actuar como mediador, job as a middleman

actuar deliberadamente, act knowingly

actuar en complicidad, connive (n.)

actuar en connivencia con, collude with

actuar por la defensa, advocate (v); defend; protect

actuarial, actuarial (adj.)

actuario (adj.), actuarial (adj.)

actuario (n.), actuary

acudir, attend

acudir a, resort to

acudir a alguien, come back on someone

acudir a una licitación, submit a tender for; bid (v.)

acuerdo, agreement; compact; arrangement; deal (n.); pact; treaty (pl.: treaty = treaties); compromise (n.); engagement; obligation

acuerdo adoptado, resolution

acuerdo base, general agreement

acuerdo comercial, commercial agreement; trade agreement; commercial treaty

acuerdo condicional, conditional agreement

acuerdo de apertura de relaciones de corresponsalía, agency agreement

acuerdo de cártel, cartel agreement

acuerdo de colocación de emisión, underwriting agreement

acuerdo de compensación, clearing arrangement; clearing agreement

acuerdo de compraventa a plazo con liquidación previa a tipo prefijado, break-forward

acuerdo de deisgnación del agente fiscal de emisión, fiscal agency agreement

acuerdo de pago bajo jurisdicción de quiebra, composition and extension

acuerdo de quita y espera según la ley de quiebras (Esp.), composition and extension

acuerdo de recompra, repurchase agreement (ab. REPO); REPO (ab. = repurchase agreement); put; buy-back

Acuerdo de Roma, Treaty of Rome

acuerdo de suscripción, subscription agreement

acuerdo de voluntades, meeting of minds

acuerdo en contrario, agreement to the contrary

acuerdo entre aseguradores de una emisión, agreement among(st) underwriters

acuerdo entre caballeros, gentlemen´s agreement

acuerdo entre dos partes, agreement between two parties

acuerdo entre fallido y acreedores, composition in bankruptcy

acuerdo entre varias partes, agreement among several parties

acuerdo final, closing agreement

Acuerdo General sobre Tarifas Aduaneras y Comercio, General Agreement on Tariffs and Trade (GATT); GATT (ab. General Agreement on Tariffs and Trade)

acuerdo sujeto a condiciones, conditional agreement

acuerdo tácito, implied engagement; tacit agreement

acuerdo tripartito, triangular agreement

acuerdo verbal, parole agreement

acumulable, cumulative; accumulative

acumulación, accumulation; accrual

acumulación de devengos fiscales, tax accruals

acumulación de existencias, stockbuilding

acumulación de factores, accumulation of factors

acumulación de riesgos, accumulation of risk

acumulación de riesgos sobre niveles prefijados, accumulation of risks beyond predefined levels

acumulado, aggregate; accrued

acumulado (adj.), aggregate (adj.)

acumulador, accumulator

acumular, accrue; accumulate; bear (v.)

acumular acciones, join stocks

acumular divisas, accrue exchange

acumular interés, bear (an) interest; accrue (an) interest; draw (an) interest; earn (an) interest

acumular(se), accrue; accumulate; bear (v.)

acumulativo, cumulative; accumulative

acuñación, act of coining; mintage; minting

acuñación de moneda, coinage; coining

acuñador, minter

acuñar, mint

acuñar moneda, coin (money)

acuñar una nueva jerga profesional, coin a new professional jargon

acusación, arraignment; report(ing)

acusación de robo, accusation of robbery

acusada caída, sharp decline; sharp decrease

acusado, defendant; appellee

acusador, prosecuting attorney; public prosecutor

acusamos recibo, we are in receipt; we acknowledge receipt

acusar, arraign; report (to the police)

acusar (US), article (v.)

acusar recibo, acknowledge; acknowledge receipt

acusar recibo a una carta, acknowledge (receipt of) a letter

acuse (de recibo), acknowledg(e)ment of receipt

acuse de recibo, acknowledg(e)ment

acuse de recibo de pago, acknowledg(e)ment of payment

acuse de recibo, por escrito, de un pago, release (n.); acquitment; discharge (n.); quittance; relief; acquittance; apocha; receipt in full; satisfaction

acuso recibo, I am in receipt, I acknowledge receipt
acuso/acusamos recibo, receipt is acknowledged
ad usum (Lat.)**,** ad usum (Lat.); by custom; by practice
ad valorem (Lat.)**,** ad valorem (Lat.)
adaptar al personal al nuevo entorno tecnológico, adapt staff to the new technological environment
adecuación al mercado, time to market
adecuado, proper
adecuar a las necesidades individuales específicas, customize
adelantar el pago, advance payment (v.)
adelantar el pago a cuenta de, advance payment on account of (v.)
adelantar el reembolso, advance repayment (v.); anticipate repayment
adelantar fondos, advance money; advance funds
adelantar una señal (Esp.)**,** progress (v.)
adelantarse en una oferta, beat the gun (col.)
adelanto, advance payment (n.); prepayment; lay-away (col.); advancement; retaining fee
adelanto contra entrega de títulos en garantía, advance against pledged securities
adelanto de fondos, advance of funds; advance of money
adelantos a cuenta efectuados por los clientes, advances from customers
adelantos y atrasos, leads and lags
adeudado mediante factura, invoiced
adeudar, charge (v.); debit (v.); owe (v.); be in debt with
adeudar una cuenta, debit an account
adeudo, debit entry; charge entry
adeudo inmediato, direct billing; direct debit
adherido (adj.)**,** affiliated (adj); associated (adj
adherido (n.)**,** affiliate (n.); associate (n.)
adherirse, accede
adherirse a una política, adhere to a policy
ADI (ab. **Asociación para el Desarrollo Internacional),** International Development Association (IDA); IDA (ab. International Development Association)
adicional (adj., masc. & fem.)**,** supplementary (adj.); supplemental (adj.)
adiestramiento sobre la marcha, on-the-job training
adinerado (adj.)**,** silk-stocking (adj., US, col.); propertied (adj.)
adivino del pasado (col.)**,** Monday morning quarterback (col.)
adjudicación, award
adjudicación (en subastas), knockdown
adjudicación de (un) contrato, acceptance of tender
adjudicación de acciones, allotment of shares
adjudicación de contrata, acceptance of tender
adjudicación de contratos, awarding of contracts
adjudicación de derechos, adjudication of rights
adjudicador, adjudicator; awarder
adjudicar, adjudicate
adjudicatario, grantee; awardee
adjuntar, append; annex (v.); enclose
adjunto (adj)**,** deputy
adjunto (adj.)**,** attached
adjunto (n & a)**,** assistant (n & a)
adjunto (n, Fr.)**,** attaché (Fr.)
adjunto (n. & adj.)**,** assistant (n. & adj.); adjunct (n. & adj.); auxiliary (adj.)
adjunto (n.)**,** affiliate (n.); associate (n.)
adjunto a la dirección, deputy director; assistant manager
adjunto a la dirección general, deputy general manager; deputy president (US)
adjunto al presente, herewith
adjunto les remitimos, enclosed please find
administración comercial, business management; business administration; commercial management
administración de activos patrimoniales, asset portfolio management
administración de bienes, asset portfolio management

administración de empresas, business management; business administration; commercial management

administración de la cartera de valores, management of security investments

administración empresarial, business management; business administration; commercial management

administración judicial temporal, temporary receivership

administrador, administrator (n.m.; f.: administratrix)

administrador de (bienes) inmuebles, administrator of estates

administrador de aduanas, collector of customs; customs collector

administrador de fincas, administrator of estates

administrador de los bienes, bailiff of estate

administrador delegado, chief executive officer (CEO); CEO (US: ab. chief executive officer; GB = managing director); executive director; managing director (GB); president (US)

administrador judicial, receiver

administradora, manageress (masc. = manager); businesswoman (m. businesswoman = businessman); administratrix (n.f.; m. = administrator)

administrar, manage

administrar un patrimonio, administer property

administrativo (adj.), clerical (adj.); administrative (adj.)

administrativo (empleado), accountant; bookkeeper

admisión a bolsa de un valor, listing; quotation

admisión de títulos a cotización oficial, admission of securities to the stock market

admisión temporal, temporary admission; admission temporaire (Fr.)

admisión temporal de mercancías para su ulterior reexportación, temporary admission of goods for further reexport

admitido como prueba, admitted as evidence

admitido para ejercer una profesión, admitted to practice

admitir, recognize

admitir a un nuevo socio, admit a new partner

admitir la autoría en actuación contraria a la ley, admit wrongdoing

adopción de decisiones, decision making

adopción de nuevas políticas, adoption of fresh policies

adoptar (una postura), assume

adoptar las medidas pertinentes, take appropriate measures

adoptar medidas correctoras, take correcting measures

adoptar una resolución, adopt a resolution

adquirente, buyer; purchaser; vendee; acquirer

adquirido en firme, acquired outright

adquirir, acquire; buy (v.)

adquirir derechos, acquire rights; buy rights

adquirir escalonadamente, scale buying

adquirir la propiedad de un bien patrimonial, acquire property

adquirir nombre internacional, win renown

adquirir un paquete accionario de la sociedad instrumental, acquire a stake from the holding company

adquirir una emisión en firme, purchase an issue outright

adquisición (n. fem.), purchase (n); acquisition

adquisición de más opciones de compra que de venta, esperando suban, strap

adquisición de más opciones de venta que de compra, esperando bajen, strip

adquisición irrevocable de facturas al cobro, forfeiting

adquisiciones y cesiones temporales de activos, asset repos and reverse repos

adquisiciones y enajenaciones, acquisitions and disposals

aduana, customhouse (US; GB: customhouse = customs house); customs house (GB; US: customs house = customhouse)

aduanero, customs officer; customs agent

adulador, Johnny-come-lately (col.)

adulto, of age

advenedizo, Johnny-come-lately (col.)

advenedizo (n. & adj.), outsider

adverso, adverse

advertencia, caveat (Lat.); admonition; warning; letters requisitorial

advertencia de la Administración, administrative admonition

aerocarga (LA), air freight; airfreight(ing)

aeronáuticas (n. genérico de títulos de compañías aéreas cotizados), aircrafts

aeronave, aircraft

aeropuerto de destino, airport of delivery

aerotransportar, airlift

aerotransporte, air transport

afectado, undermined

afectar, impair

afectar a, concern (v.)

afianzado, under bond

afianzado (adj.), strong

afianzado mediante hipoteca, mortgage-backed

afianzamiento, corporate bonding

afianzamiento de comparecencia, appearance bail

afianzamiento de empleados, bonding of employees

afianzarse, firm up

afiliación, affiliation

afiliación sindical, unionization

afiliado (adj.), affiliated (adj); associated (adj.)

afiliado (n), affiliate (n.); associate (n.)

afiliado a un sindicato, union man (fem.: man = woman)

afiliados al sindicato, union rank and file

afiliar(se), associate (v); affiliate (v.)

afiliarse, accede

afirmación de falsedad constatable, demonstrable false statement

afirmación de veracidad constatable, demonstrable true statement

afirmar, avouch (= avow); avow (= avouch); assure; assert

afirmarse (el mercado), firm up

afirmativo, affirmative

aflojamiento, easing; liberalization

aflojar, ease; deregulate; liberalize; free (v.)

aflojar el control de las importaciones, ease import controls

aflojar la mosca (Esp., col.), loosen the purse (col.); cough up (col.)

aflojar la pasta (Esp., col.), loosen the purse (col.); cough up (col.)

aflorado (adj.), unveiled

afluencia de capitales, afflux of capital; capital inflow

afluencia de divisas, exchange inflow

afrontar los efectos negativos, counteract the adverse effects

afrontar los gastos con nuevos recursos, meet expenses with fresh funds

afrontar un problema, deal with a problem; tackle a problem

agarrar con las manos en la masa (Esp., col.), catch red-handed

agencia, agency; branch

agencia bursátil fraudulenta, bucket shop (col.)

agencia bursátil semiclandestina, bucket shop (col.)

agencia buscatalentos, head hunting agency

agencia cazatalentos, head hunting agency

agencia de bolsa con red de sucursales interconectadas, wire stockbroker

agencia de bolsa poco fiable, bucket shop (col.)

agencia de captación y selección de personal altamente cualificado, head hunting agency

agencia de colocaciones, jobcentre (GB); employment bureau

agencia de trabajo, jobcentre (GB); employment bureau

agencia de transportes por carretera, trucking company

agencia publicitaria, advertising agency

agencia urbana, city branch (office); local branch (office)

agenda, agenda

agenda de trabajo, schedule (n. & v.); program (n. & v.)

agenda-recordatorio de vencimientos, tickler (col.); reminder

agente (intermediario), operator (business)

agente colocador, placing agent

agente colocador exclusivo, sole placing agent

agente comisionista, commission agent

agente comprador, purchase(s) agent; purchasing agent

agente de (cambio) y bolsa, exchange broker; stock exchange broker; agent of exchange

agente de aduanas, customs broker

agente de bolsa, broker; agent middleman; stock(-exchange) broker; stockbroker (GB: stockbroker = stockjobber); stockjobber (US: stockjobber = stockbroker))

agente de bolsa que cobra una comisión, floor broker

agente de cambio y bolsa (GB)**,** jobber

agente de cambio(s), foreign exchange broker; foreign exchange dealer; foreign exchange trader; bill broker

agente de carga, factor (agent); freight agent; freight forwarder

agente de compras (Esp.)**,** purchase(s) agent; purchasing agent

agente de referencia, reference agent

agente de seguros, insurance broker

agente de seguros marítimos, ship broker

agente de ventas, sales agent

agente del servicio aduanero, customs officer; customs agent

agente embarcador, factor (agent); freight agent; freight forwarder

agente emisor, issuing agent

agente encargado de conseguir financiación (clientes, etc.), finder

agente exclusivo, sole agent

agente general, general agent

agente inmobiliario, realtor

agente judicial, process server

agente judicial de vigilancia, probation officer

agente mediador, broker; agent middleman; stock(-exchange) broker; stockbroker (GB: stockbroker = stockjobber); stockjobber (US: stockjobber = stockbroker))

agente pagador, paying agent

agente pagador complementario, additional paying agent

agente por cuenta propia, jobber

agente productor, acquisition agent

agente sindical de los trabajadores, labour leader (US: labour = labor)

agente transitario, forwarding agent

agentes de la ley, law enforcement authorities

ágil, dynamic; active (adj.)

agilidad, readiness; availability

agilidad operativa, operating flexibility

agio, agio; usury

agiotaje, adventure; jobbing; speculation

agiotaje de efectos, job in bills; bill jobbing

agiotista, jobber

agobiar con (un exceso de) impuestos, overtax

agotamiento (de existencias), depletion

agotamiento de reservas de divisas, depletion of foreign exchange reserves

agotar (los) recursos, exhaust resources

agradecer, acknowledge; acknowledge receipt

agradeceremos acusen recibo, please acknowledge receipt

agradeceremos nos faciliten, please let us have

agradecimiento, acknowledg(e)ment

agravio, grievance

agravio justiciable, actionable tort

agredir (opas), assault (v.)

agregado, aggregate; accrued

agregado (adj.)**,** aggregate (adj.)

agregado (n.,Fr.)**,** attaché (Fr.)

agregado (n.)**,** aggregate (n.)

agregar, add (up); aggregate (v.)

agregar al almacenamiento de memoria (calculadoras), add to storage (calculating machines)

agresión (consumada) con (resultado de) lesiones, assault and battery

agresión (opas), raid (n.); run (n.)

agricultor autónomo, dirt farmer

agricultura y afines, agriculture and the like

agrupación, syndicate

agrupación gremial, trade association; union (n.); trade union (n.)

agrupación profesional, professional union

agrupación sindical, trade association; union (n.); trade union (n.)

agrupación sindical de pequeños agricultores, yeoman farmers union (GB)

agrupamiento, ranking; classification; groupage; grouping

agrupamiento de cuentas, classification of accounts

agrupamiento de registros, grouping of records

agrupar, group

agua dulce, fresh water

aguafiestas, killjoy (col.)

aguardar turno, join the queue

aguas jurisdiccionales, territorial waters

aguas territoriales, territorial waters

ahorrador, saver

ahorrar, save

ahorrar (a escondidas) (col.), stash (col.)

ahorrar dinero para afrontar tiempos difíciles, save money to face hard times; save for a rainy day (col.)

ahorro fiscalmente opaco, tax-sheltered savings

ahorro por reducción de costos, cost displacement

ahorros, savings

AIE (ab. **Asociación de Intermediarios del Euromercado),** Association of International Bond Dealers (AIBD); AIBD (ab. Association of International Bond Dealers)

aislacionista (adj.), isolationist (adj.)

ajeno a la empresa (n. & adj.), outsider

ajetreado, busy

ajustado (adj.), tight (adj.); strict (adj.); stringent (adj.); inflexible (adj.)

ajustar, liquidate; adjust

ajustar a la norma, standardize

ajustar al valor de mercado, mark-to-market

ajustar cuentas, reconcile accounts

ajustar el valor contable, adjust the book value

ajustar la cascada de resultados, adjust the income cascade

ajustarse a, match

ajustarse a la normativa legal, adhere to fiscal regulations

ajustarse a las normas, conform to the standards

ajustarse a las reglas, abide by the rules

ajustarse al plazo establecido, meet a deadline

ajuste, adjustment; reconcilement; correction

ajuste coyuntural, seasonal adjustment

ajuste de cuenta según evolución diaria del mercado, marked to market

ajuste de cuentas, reconciliation of accounts; account reconciliation

ajuste de la balanza de pagos, adjustment of the balance of payments

ajuste de los tipos de cambio, exchange rate adjustment

ajuste de prima al vencimiento, adjustment of premium at maturity

ajuste de tiempos, time period adjustment

ajuste del desfase inflacionario, adjustment for inflation mismatches

ajuste medio de los tipos de cambio, average exchange rate adjustment

ajuste periodificado de pagos diferidos y anticipados, accruals and prepayments

ajuste por coste de la vida, cost-of-living adjustment

ajuste por valoración contínua, mark-to-market

ajustes contables, accounting adjustments

ajustes por desfases temporales en los pagos, adjustment to temporary differences in payments

ajustes por periodificación, accruals and prepayments

al 31 de Diciembre, as of December 31; as at 31 December

al alcance de, within the reach of

al alza, rising; increasing

al amparo de (lo establecido por) las leyes de, under the laws of

al amparo de lo establecido por, under the provisions of

al año, every year; on a yearly basis; annually; PA (ab. Lat. per annum); per annum (PA) (Lat.); yearly

al azar, randomly

al cierre (de la sesión bursátil), at close

al cierre de 2002, at the close of 2002

al cierre de los dos últimos ejercicios, at the end of the two previous economic years

al cierre del ejercicio, at the end of the year

al cobro, pending collection; receivable (adj.)

al comienzo del ejercicio, at the beginning of the year; at the start of the year

al contado contra documentos, net cash against documents

al corriente de las normas bancarias, acquainted with banking regulations

al costado del buque, DEQ (ab. delivered ex quay); delivered ex quay (DEQ); alongside (AS); AS (ab. alongside); ex dock; ex pier; ex quay; free alongside vessel (FAS vessel / ship); FAS vessel (ab. free alongside vessel / ship)

al costo, at cost

al detall, retail

al día, per diem (Lat.)

al final de los dos años precedentes, at the end of the two previous economic years

al final del año, at the end of the year

al frente del cual figura, headed by

al margen de toda broma, all joking aside

al margen del horario estipulado, overtime

al más favorable, at or better

al mejor, at or better

al mejor (orden bursátil) (Esp.)**,** on a best effort basis

al mejor (precio, cambio, cotización, etc), at best

al pie de la letra, to the letter

al por mayor, bulk

al por menor, retail

al portador, to bearer

al precio de, @ (ab. at)

al tanto de, clued-up about

alarma antirrobo, burglar alarm

alarma de incendio, fire alarm

albacea mancomunado, coexecutor

albacea testamentaria (n. fem.)**,** executrix

albacea testamentario (n. masc.), executor

albacea universal, general executor

albarán, consignment note; delivery note; freight bill

albarán al portador, order bill of lading (order BL / order blading); order BL (ab. order bill of lading); order blading (ab. order bill of lading); bill of lading to order (BL to order); BL to order (ab. bill of lading to order); negotiable bill of lading (NBL / negotiable blading); NBL (ab. negotiable bill of lading); negotiable blading (ab. negotiable bill of lading)

albarán de depósito en almacén, dock warrant

albarán de entrada de mercancía en almacén para su carga, dock charges

albarán de entrada de mercancía para su carga, received for shipment bill of lading (received for shipment B/L); received for shipment B/L (ab. received for shipment bill of lading)

albarán de expedición, dispatch note

alborotos, disturbances

alcábala, excise tax

alcance, scope

alcance de la auditoría, scope of the examination; audit scope

alcance de los poderes, scope of authority

alcance del daño, degree of damage

alcanzar, achieve; implement

alcanzar (unos) objetivos concretos, achieve specific targets

alcanzar el mínimo, touch bottom

alcanzar un acuerdo, strike a bargain

alcanzar un acuerdo (col.)**,** shake hands

alcanzar un consenso, reach a consensus

alcanzar un puesto elevado dentro de la clasificación, reach a top position in the ranking

alcanzar una cota máxima, peak (v.)

alcanzar una meta, achieve a goal

alcista (n.)**,** bullist

aleatoriamente, randomly

aleatorio, random

alegación, allegement; allegation

alegación afirmativa que implica otra, negativa, affirmative pregnant

alegar, allege

alegar una objeción, raise an objection; file an objection; object to

alegato, allegement; allegation

alegato de réplica, special pleading

alegato ficticio, sham plea

alerta, warning notice

alfa implícita, implied alpha

alfanumérico, alphanumeric

álgebra de Boole, Boole´s algebra; Boolean algebra

ALGOL (lenguaje algorítmico), algorithmic language (ALGOL); ALGOL (algorithmic language)

algoritmo, algorithm

alguacil, process server

alguacil encargado de entregar notificaciones judiciales, server

alhajas de fantasía, costume jewellery (US: jewellery = jewelry); costume jewelry (GB: jewelry = jewellery)

alhóndiga, corn exchange (US)

aliado, allied (adj.)

alianza, confederacy

alianza a riesgo participado, joint adventure; joint venture; joint enterprise

alianza empresarial, combine

alias, alias (pl = aliases)

alienable, alienable

alienación, alienation

alienación de bienes, alienation of property

alienar, alienate

alijador, lighter; barge

alijo (col.), stash; cache

almacén, department store (n); magazine; shopping centre (US: centre = center)

almacén de depósito, bonded warehouse

almacén de material en desuso, junkyard

almacén de materias primas, commodity warehouse

almacén de mercancía(s), goods yard; freight yard

almacén provisional para mercancías pignoradas, field warehouse

almacén sujeto a control, controlled storage room

almacenaje, storage

almacenaje interno (de datos) (comp.), internal storage (comp.)

almacenamiento, storage

almacenamiento (de información) interno (comp.), internal storage (comp.)

almacenamiento complementario en memoria, auxiliary storage

almacenamiento de trabajo (memoria), working storage

almacenamiento en memoria (comp.), memory storage (comp.)

almacenamiento en memoria secundaria (comp.), secondary storage (comp.)

almacenamiento externo, external storage

almacenamiento inestable (comp.), volatile storage

almacenamiento permanente en memoria (comp.), non-volatile storage (comp.)

almacenamiento volátil (comp.), volatile storage

almacenar, store (v.)

almacenero, warehouse man

almacenista, wholesaler

almohadilla de entintado (sellos), stamp pad

alquilar a un precio exorbitante, rackrent

alquilar con opción a la compra, lease (v.); rent out; rent (v.)

alquilar un barco, charter (v); affreight

alquiler, rent (n.); rental

alquiler a precio exorbitante, rackrent

alquiler con opción a la compra, lease (n.); leasing

alquiler de barco por un solo viaje, voyage charter

alquiler nominal, peppercorn rent (col.)

alquiler satisfecho, rent paid

alquiler-compra, lease (n.); leasing

alquiler-venta, lease-back

alquiler-venta que elimina inmovilizado y aumenta la liquidez del balance, cosmetic leasing

alrededor de, circa (Lat., ab. c); c (circa)

alrededor de 10.000 Euros, in the region of 10,000 euros

alrededor del 10% +/-, about 10% +/-

alta, entry; jotting (col.)

alta dirección, general management; top management

alta tecnología, high technology (hi-tech); hi-tech (ab. high technology)

altamar, high seas

altas esferas (Esp., col.)**,** corridors of power

altas finanzas, high finance

alteración de cantidades, alteration of amounts

alteración temporal e inesperada de los precios, flurry (col.)

alteraciones cambiarias, exchange alterations

alteraciones del orden, disturbances

alterar (col.)**,** cook; jigger

alterar el contrato de sociedad, alter the partnership agreement

alterar las cifras del balance, alter the balance

alterar las cuentas, massage the figures (col.); make up the figures (col.)

alterar los libros, alter the books

alternancia de posiciones compradoras y vendedoras, todas con pérdida, whiplash (col.)

alternar, alternate (v.)

alternativo, alternative (adj.)

alternativo (comp.)**,** half duplex

alterno, alternative (adj.)

altibajos en los tipos de cambio, exchange rate fluctuations; fluctuations in exchange rates

alto, high

alto nivel salarial, high wage level

alto rango, high degree

alto volumen operativo con una elevada volatilidad, climax

altos cargos, senior posts

altura del relieve del estampado (tarjetas), height of embossing (cards)

alza, increase (n.); rise (n); growth; accretion; increment

alza acusada, sharp rise; sharp increase; sharp upturn

alza constante, constant rise

alza de la rentabilidad, improved rate of return

alza de los precios al consumidor, rise in consumer prices

alza de precios, price appreciation; price increase; price rise; price upsurge; rise in prices

alza de precios pronunciada, rally; recovery; strengthening; upswing; upturn

alza en el tipo de descuento, increase in the discount rate

alza en los tipos de interés, interest rate increase

alza ficticia, bull trap

alza moderada, moderate rise

alzada, appeal (n.); claim of recourse; recourse; remedy

alzas de precios generalizadas, across the board rises; across the board uprise in prices

allanamiento (opas), raid (n.); run (n.)

allanamiento de morada, breaking into a house

allanar (opas), assault (v.)

amalgama, amalgamation; consolidation

amalgamar, amalgamate (v.); merge; consolidate; unify

amañar (col.)**,** cook; jigger

amañar una auditoría, cook an audit

amarillo (vendido / revientahuelgas) (Esp.)**,** blackleg; fink (n. & v.); squeaker (GB); scab (US); strike breaker

amasar dinero (Esp., col.)**,** make lots of money (col.); rake in a pretty penny (GB, col.); get a rake-off (from) (col.)

ambas fechas inclusive, both dates included (BDI); BDI (ab. both dates included)

ambicioso (adj.)**,** ambitious (adj.)

ámbito, range (n.)

ámbito de cobertura, scope

ámbito de la auditoría, scope of the examination; audit scope

ámbito estatal, statewide

ámbito nacional, country-wide

amejoramientos, betterments

amenaza, threat

amenazar, threaten

americano medio (US), John Q Public (US); John Doe (US)

amigable componedor, arbiter; arbitrator; referee (n.); umpire; compounder; amicable compounder; amicable referee; conciliator; third party (pl.: party = parties)

amigo del tribunal, amicus curiae (Lat.)

aminoramiento, easing; liberalization

aminoramiento de la presión fiscal, tax relief; tax deduction; tax abatement

aminorar, ease; deregulate; liberalize; free (v.)

aminorar el crecimiento del crédito, ease credit growth

aminorar los controles de importación, ease import controls

amistoso (comp.), user-friendly (comp.)

amo, owner

amonestación, caveat (Lat.); admonition; warning; letters requisitorial

amonestación administrativa, administrative admonition

amonestar, apperceive; admonish

amortiguador, cushion; protection

amortiguador cambiario, foreign exchange cushion

amortiguador de las diferencias en el cambio de divisas, foreign exchange cushion

amortiguador frente a la inflación, cushion against inflation

amortiguador frente al impacto (col.), buffer

amortiguar, cushion; protection

amortizable, redeemable; amortizable; callable

amortización (n. fem.), amortization; depreciation; redemption; ransom

amortización acelerada, accelerated amortization; reducing-balance depreciation; accelerated depreciation

amortización anticipada, accelerated amortization; reducing-balance depreciation; accelerated depreciation

amortización anual, annual amortization

amortización complementaria, extraordinary depreciation

amortización constante, constant amortization

amortización contable, writing-off

amortización de activos para sanear, writedown of nonperforming loans

amortización de capital, amortization of capital

amortización de deuda, amortization of debt

amortización de deudas, redemption of debts; debit redemption

amortización de fallidos, writing-off of bad debts

amortización de instalaciones y equipos, depreciation of premises and equipment

amortización de obligaciones, amortization of bonds

amortización de pagarés, amortization of notes

amortización de un empréstito, amortization of a loan

amortización de un préstamo, amortization of a loan

amortización decreciente, decreasing amortization

amortización del inmovilizado material, depreciation of tangible fixed assets

amortización en cuotas iguales, level-line repayment

amortización gradual de la deuda mediante pagos parciales de la misma, amortization; depreciation; redemption; ransom

amortización legal, legal amortization

amortización libre, accelerated amortization; reducing-balance depreciation; accelerated depreciation

amortización lineal, straight-line depreciation

amortización real, actual depreciation

amortización residual, residual amortization

amortización semestral, half-yearly amortization; semiannual amortization

amortización trimestral, quarterly amortization

amortizaciones acumuladas, amortization fund; depreciation fund; redemption fund; sinking fund

amortizado, depreciated; amortized

amortizar, depreciate; amortize

amortizar (de puesto de trabajo), retire

amortizar bonos, retire bonds; retire debentures

amortizar pagarés, redeem bonds

amortizar parcialmente, write down

amortizar una pérdida a través de la cuenta de resultados, charge off

amotinarse, riot

amparado frente a, covered against

amparado por la ley, covered by law

amplia cobertura, long-term (adj.); long-dated (adj.)

ampliación (n. fem.)**,** renewal; extension; respite; rollover

ampliación a la par, increase at par

ampliación de capital con prima, capital increase at premium rate

ampliación de capital, aumento de capital, capital increase

ampliación del mercado, market development

ampliación y terminación de obras, extension and termination of projects

ampliar, extend

amplitud, amplitude

amplitud de miras, breadth of vision

amplitud del surtido, product range breadth

AMT (ab. **activos medios totales),** average total assets (ATA); ATA (ab. average total assets)

ANAIB (ab. **Asociación Nacional de Agentes Intermediarios Bursátiles),** National Association of Security Dealers (NASD); NASD (ab. National Association of Security Dealers)

análisis, breakdown

análisis ascendente, bottom-up analysis

análisis causal, causal analysis

análisis costo-beneficio, cost-benefit analysis

análisis de balances, balance sheet analysis

análisis de créditos, credit analysis

análisis de cuentas, account analysis

análisis de desviaciones, variance analysis

análisis de distribución por valores, analysis of distribution by value

análisis de economías, savings analysis

análisis de entradas-salidas, input-output analysis

análisis de gastos, analysis of expenditures; analysis of expenses; expenditures analysis

análisis de la gestión del riesgo de crédito, analysis of credit risk management

análisis de los motivos, motivation research

análisis de mercados y comercialización de productos, marketing

análisis de productividad, time(-and-motion) study

análisis de ratios, ratio analysis; analysis of ratios

análisis de regresión, regression analysis

análisis de resultados, income analysis

análisis de sistemas, systems analysis

análisis de varianza, analysis of variance

análisis de ventas, sales analysis

análisis del mercado, analysis of the market

análisis del riesgo, assessment of risk

análisis detallado, review (n.); revision

análisis económico, economic analysis

análisis en cascada, cluster analysis

análisis en racimo, cluster analysis

análisis exhaustivo, in-depth analysis

análisis factorial, factorial analysis

análisis grafológico, analysis of handwriting

análisis macroeconómico, top-down analysis

análisis mercadotécnico, market research; market survey; consumer research

análisis metódico, methodical analysis

análisis multivariante, multivariant analysis

análisis por (medio de) razones, analysis by ratios

análisis profundo, deep analysis

análisis técnico, technical analysis

analista (n., masc. & fem.)**,** annalist (= analyst) (n., masc. & fem.); analyst (=

annalist) (n., masc. & fem.); chartist (n., masc. & fem.)

analista de mercados, markets analyst (analyst = annalist)

analista de sistemas, systems analyst

analista de valores bursátiles, securities annalist (annalist = analyst)

analista financiero, financial analyst

analítico, analytic; analytical

analizar, research (v.); analyze (v.); review (v.); reckon (up); question (v.)

analizar antecedentes, select (v.); choose (v.); pick up (col., v.)

analizar exhaustivamente, study in depth

analizar la variación con mayor detalle, analyze variation in greater detail

analizar las cifras con cierto grado de desagregación, analyze figures with a certain degree of disaggregation

analizar sintácticamente, construct

analizar una cuenta, audit an account; verify an account; check an account

andamio, platform

andar a la cuarta pregunta (Esp., col.)**,** be dead broke (col.); run short of money; be on beam-ends (GB, col.)

andar a tientas, grope around

andar al acecho, mouse

andar con rodeos (Esp., col.)**,** stall

andar dando palos de ciego, grope around

andar entre rejas (Esp., col.)**,** be in (the) jug (col.)

andar escaqueándose de (Esp., col.)**,** be behindhand with

andar escaso de dinero, be short of money

andar mal de fondos, be dead broke (col.); run short of money; be on beam-ends (GB, col.)

andar metido en un lío (col.)**,** be in a jam (col.)

andar retrasado con, be behindhand with

andar retrasado con los pagos (col.)**,** be in arrears with payments

andar sin un duro (Esp., col.)**,** be dead broke (col.); run short of money; be on beam-ends (GB, col.)

anexo, exhibit; annex(e); appendant; addendum (pl. Lat. = addenda); appendix (pl. = appendixes, appendices)

anexo (adj.)**,** attached

anexo al presente, herewith

anexo de la letra para recoger endosos adicionales, allonge

anexo explicativo, exhibit; annex(e); appendant; addendum (pl. Lat. = addenda); appendix (pl. = appendixes, appendices)

anexos, enclosures

angaria, angaria

animado, dynamic; active (adj.)

ánimo de lucro, animus lucrandi (Lat.)

ánimo de revocar, animus revocandi (Lat.)

anomalía, anomaly

anómalo, anomalous (adj.)

anónimo, blackmail; chantage

anotación, entry; jotting (col.)

anotación en cuenta, account entry

anotación en el cronológico de actividad, logging

anotación en el diario de navegación, journal entry

anotación en el haber, credit entry

anotación farragosa, blind entry

anotación y protesto, noting and protest

anotar a toda prisa, jot down

anotar al Haber de una cuenta, accredit; credit (v.)

anotar en el diario de navegación, journalize

anotar en el registro cronológico, log; ship´s log

anotar sobre la marcha, jot down

ante mí, before me

ante mí, funcionario responsable de este registro oficial, before me, the officer in charge of this official registry

ante mí, el notario público, before me, the notary public

antecedentes, background; motivation; reason (n. & v.)

antecedentes de auditoría, audit trail

antecedentes de la crisis del petróleo, background of oil crisis

antecedentes de la cuenta, account history

antecedentes laborales, professional record; service record

antecedentes penales, rap sheet; criminal record

antedatado, dated ahead

antedatar, antedate; date back; backdate; foredate

antedicho, aforesaid; aforementioned; aforenamed; as referred to above; before-written; before-mentioned; above-cited; above-mentioned (a/m); above-said; a/m (ab. above-mentioned)

antefechado, dated ahead

antefechar, antedate; date back; backdate; foredate

anteponer, prefix

anteproyecto, preliminary design; preliminary project

anterior (adj.), antecedent

anteriormente, heretofore; prior to; thereinbefore

anteriormente citado, aforesaid; aforementioned; aforenamed; as referred to above; before-written; before-mentioned; above-cited; above-mentioned (a/m); above-said; a/m (ab. above-mentioned)

antes (de), B4 (ab. before); before (B4)

antes citado, aforesaid; aforementioned; aforenamed; as referred to above; before-written; before-mentioned; above-cited; above-mentioned (a/m); above-said; a/m (ab. above-mentioned)

antes de, heretofore; prior to; thereinbefore

antes de abrir escotillas, before hatch opening; before unloading the ship; prior to ship unloading

antes de descargar el barco, before hatch opening; before unloading the ship; prior to ship unloading

antes de impuestos, before taxes

antes de Jesucristo (a.J.C.), BC (ab. before Christ); before Christ (BC)

antes de la aplicación de los resultados del ejercicio, prior to the allocation of the year´s earnings

anticipadamente, beforehand; in advance

anticipar, progress (v.)

anticipar dinero contra (entrega de) títulos en garantía, advance money on securities

anticipar el pago, advance payment (v.)

anticipar el pago a cuenta de, advance payment on account of (v.)

anticipar el reembolso, advance repayment (v.); anticipate repayment

anticipar fondos, advance money; advance funds

anticipo a contratistas, cash advance to contractors

anticipo a corto plazo, bridging advance

anticipo a cuenta, advance payment (n.); prepayment; lay-away (col.); advancement; retaining fee

anticipo a cuenta contra documentos de embarque, advance against shipping documents

anticipo a cuenta sobre pignoración de valores, advance against pledged securities

anticipo bancario, banker's advance; bank loan

anticipo de cuenta corriente, advance from a current account

anticipo de dinero, advance of funds; advance of money

anticipo de efectivo (antpo. efvo., cash advance (CA); CA (ab. cash advance)

anticipo de fondos, advance of funds; advance of money

anticipo en cuenta corriente, overdraft

anticipo sobre el flete, advance on freight

anticipo sobre la factura cuya gestión de cobro se asume, factoring

anticipo sobre póliza, loan on policy

anticipos a contratistas, advances to contractors

anticipos a cuenta realizados por los clientes, advances from customers

anticipos a empleados para gastos, expense advances to employees

anticipos a proveedores, accounts receivable from vendors

anticipos para gastos, expense advances; advances for expenses

anticipos salariales, prepaid salaries

anticipos salariales a empleados, salary advances to employees

anticipos varios, sundry advances

anticuado, dated (ab. dd.); dd. (ab. dated)

antidilución, antidilution

antigualla (Esp., col.), relic (col.)

antigüedad, seniority

antigüedad media de los efectos a cobrar, average age of receivables

antiguos países comunistas, former Communist countries

antimonopolio, antitrust

antiselección (seguros), selection against the insurer

antpo. efvo. (ab. **anticipo de efectivo),** cash advance (CA); CA (ab. cash advance)

anual, annual

anual (adj., masc. & fem.), every year; on a yearly basis; annually; PA (ab. Lat. per annum); per annum (PA) (Lat.); yearly

anualidad, annuity; yearly allowance; annual income; yearly income

anualidad aplazada, deferred annuity

anualidad con vencimiento imprevisto, contingent annuity

anualidad de pago inicial inmediato, annuity due

anualidad diferida, deferred annuity

anualidad incondicional, annuity certain

anualidad liberada de prima, year free of premium

anualidad temporal, temporary annuity

anualidad vencida, annuity due

anualidad vitalicia, life annuity; life rent

anualizado, annualized

anualizar, annualize

anualmente, every year; on a yearly basis; annually; PA (ab. Lat. per annum); per annum (PA) (Lat.); yearly

anuario, yearbook

anulación, abolition; abrogation; annulment; defeasance; cancellation; liquidation; passthrough (col.); suppression

anulación de un asiento, cancellation of an entry

anulación de una ley, repeal of a law

anulación del texto (clausulado, publicación, etc.) precedente, update

anular, cancel; annul; revoke; abolish; abrogate; nullify; setoff (v.); terminate; rescind; take back (v.)

anular un auto, abate a writ

anular un convenio, invalidate an agreement

anular un crédito, cancel a credit

anular un mandamiento, abate a writ

anular una orden anterior, countermand

anular una sentencia, quash a sentence

anularle los poderes a un jefe, degradándolo a simple empleado, reduce to the ranks (col.)

anunciante, advertiser

anunciar, report (v); notify; announce (v.); acquaint (with); advise; warn; give notice

anunciar a bombo y platillo (Esp., col.), razzmatazz

anunciar a bombo y platillo una fusión mediante absorción (col.), trumpet a merger by acquisition (col.)

anunciar una subida del 25% de beneficio, boast a 25% rise in earnings

anunciar(se), advertise

anuncio (comunicación), announcement

anuncio (impreso) de emisión cubierta, tombstone (col.)

anuncio impreso entregado en mano, dodger

anuncio preliminar de una emisión, red herring (US, col.)

anuncio publicitario, advertisement (ad); ad (ab. advertisement)

anuncio redaccional, advertorial

anuncios por palabras, classified advertisements

anverso de la tarjeta, face of card

anverso del efecto, face of the bill

anverso y reverso, face and reverse; front and back; obverse and reverse

añadir, add (up); aggregate (v.)

año 2000, Y2K (ab. year 2000) (col.); year 2000 (Y2K) (col.)

año actual, current year

año anterior, previous year

año civil, calendar year

año comercial (360 días), commercial year

año corriente, current year

año de acuñación de una moneda, year of a coin

año de ejercicio, business year; financial year; fiscal year; trading year

año en curso, current year

año fiscal, business year; financial year; fiscal year; trading year

año sí, año no, every other year; every second year

apaciguar la crisis financiera, defuse an economic crisis

apadrinar, sponsor (n. & v.); promote

apalancamiento, leverage

apalancamiento defensivo, leveraged recap

apalancamiento financiero, financial gearing (US: gearing = leverage); financial leverage (US: leverage = gearing)

apalancamiento operativo, operating leverage

aparecer, appear

aparecer en una lista, appear on a list

aparente, apparent

aparentemente legítimo, seemingly legitimate

apariencia, aid (n.); attendance; appearance

apariencia de titularidad, colour of title (US: colour = color)

apartado, subsection

apartado (de cláusula, articulo, texto), subparagraph

apartado de correos, PO box (ab. Post Office box); Post Office box (PO box)

apartarse de, disengage from

apátrida (adj., masc. & fem.), stateless (adj.)

apelable, appealable

apelación, appeal (n.); claim of recourse; recourse; remedy

apelación al capital, capital call

apelación al capital de los suscriptores, flotation

apelante (n., masc. & fem.), appellant; claimant; complainant; plaintiff; suitor

apelar, appeal (v.); appellate; petition (v.); file an application with

apellido, surname

apéndice, supplement (n. & v.); endorsement (n.); indorsement (n.)

apéndice aclaratorio, exhibit; annex(e); appendant; addendum (pl. Lat. = addenda); appendix (pl. = appendixes, appendices)

apercibimiento, caveat (Lat.); admonition; warning; letters requisitorial

apercibir, apperceive; admonish

apertura, opening

apertura (precio inicial de compraventa de un activo), open

apertura de cuenta, account opening

apertura de la bolsa, opening of the stock exchange

apertura de los libros, opening of the books

apertura de un crédito, opening of a credit

apertura de una cuenta, opening of an account

apertura del procedimiento de quiebra, opening of bankruptcy proceedings; adjudication of bankruptcy

apertura del régimen de importación, import liberalization

apertura reciente, recent opening

aperturar un crédito (Esp., barb.), open a credit

ápice, apex (pl. = apexes, apices); apexes (sing. apex); apices (sing. apex)

apilar, store (v.)

aplazado, deferred; delayed

aplazamiento, deferral

aplazamiento del pago, deferment of payment

aplicable, allocable; assignable; attributable; chargeable

aplicación (Bolsa), application (stock exchange)

aplicación de criterios estrictamente profesionales, application of strictly professional criteria

aplicación de fondos, funds used

aplicación de la legalidad, law enforcement

aplicación de los fondos, application of funds

aplicación de principios contables, application of accounting principles

aplicación de provisiones, allocation of provisions

aplicación de recursos humanos, deployment of human resources

aplicación de reservas oficiales, placement of official reserves

aplicación de restricciones, use of restrictions

aplicación de salvaguardias preventivas, implementation of preventive safeguards

aplicación de utilidades, distribution of income; distribution of earnings; appropriation of income; profit sharing

aplicación defectuosa, defective application

aplicación del beneficio neto, appropriation of net income

aplicación del capital, investment; capital investment

aplicación del líquido, allocation of proceeds

aplicación del método de equivalencia, application of the equity method

aplicación informática, application (comp.)

aplicación preferencial, preferential allocation

aplicación táctica de activos, tactical asset allocation (TAA); TAA (ab. tactical asset allocation)

aplicado directamente a reservas, added directly to reserves

aplicar, assign; allocate; attribute (v.); make over; transfer (v.); distribute; appropriate; set over

aplicar fecha anterior, antedate; date back; backdate; foredate

aplicar fecha posterior, postdate

aplicar gravámenes, levy (n. & v.)

aplicar las medidas oportunas, take appropriate measures

aplicar los beneficios del año, allocate income for the year

aplicar recursos a la compra de nuevos paquetes accionarios, allocate resources to buying fresh stakes

aplicar un descuento, allow a discount

aplicar un embargo, lay an embargo; place an embargo

aplicar un impuesto, impose a tax

aplicar un impuesto sobre el consumo, excise

aplicar un mismo tratamiento, equalize

aplicar una cantidad a un fondo de pensiones, allocate an amount to a pension allowance

aplicar una sobretasa, surcharge (n. & v.); overcharge (n. & v.); overdebit (n. & v.); additional tax; surtax (n. & v.)

aplicar unos tributos excesivos, overtax

apoderado, accountable officer; holder of procuration; attorney in fact; authorized officer; agent; actor; proxyholder

apoderado (adj.)**,** empowered to; with the authority to

apoderado por delegación, assignee; cessionary

apodo, alias (pl = aliases)

aportación, contribution; grant

aportación al capital, contribution to capital

aportación al fondo de pensiones, superannuation contribution

aportación anual, annual contribution; yearly quota

aportación de capital, capital contribution

aportación de dinero con fines benéficos, donated money

aportación de mano de obra, labour supply (US: labour = labor)

aportación de recursos a título de préstamo, lending; loans granted

aportación de recursos emanantes del ahorro, supply of savings

aportación de recursos humanos, labour supply (US: labour = labor)

aportación dineraria, money contribution

aportación masiva de ideas, brainstorming

aportar, contribute

aportar aval, back (v.); guarantee (v.); collateralize; endorse; bail; furnish bail; bond (v.); provide collateral; furnish security; give bond

aportar capital, furnish capital

aportar efectivo, put up cash

aportar garantía para compra de títulos, margin (n. & v.)

aportar información, provide information

aportar pistas falsas, plant; red herring (col.)

aportar pruebas, prove (v.); provide evidence

apostar, gamble

apostillas, marginalia

apoyar, support (v.)

apoyar los precios del mercado, support the market

apoyar una moción, second a motion

apoyar una resolución, support a resolution

apoyo, backing; aval; support (n.); guarantee (US: guarantee = guaranty); collateral (n.); bail bond; pledge

apoyo estatal, state support

apoyo financiero, financial assistance

apoyo gubernamental, government support

apreciación de las cotizaciones, price appreciation; price increase; price rise; price urpsurge; rise in prices

aprecio (plusvalía), goodwill; intangible assets; immaterial assets; going value (col.)

aprecio (revalorización), appreciation; increase in value; revaluation; reappraisal

aprehensión, attachment; forfeit; forfeiture; seizure; embargo (pl.: embargo = embargoes); garnishee; levy (v.); distraint

apremiar, compel to; bind to

apremiar al pago, compel payment

apremio al pago, suit for collection

apremio judicial, law action; court action

aprendiz, apprentice

aprendíz de mucho y maestro de nada (col.), jack of all trades (col.)

aprendizaje, apprenticeship

aprobación, acceptance; accession; acquiescence; approval; assent

aprobación de operaciones, approval of transactions

aprobar la concesión de un crédito, approve granting of a loan

aprobar un acuerdo, confirm an arrangement

aprobar una ley, pass a bill

aprobar una moción, carry a motion

aprobar una resolución, adopt a resolution

apropiación indebida, conversion (GB); misappropriation

apropiado, proper

apropiarse de, pilfer; purloin; steal (stole, stolen) (v.)

aprovechar(se), avail of

aprovecharse de, take advantage of

aprovisionamiento, procurement

aproximadamente, circa (Lat., ab. c); c (circa)

aptitud, capacity; ability

aptitud para el trabajo, capacity to work

apto para el consumo, fit for consumption

apuesta, gamble

apuntamiento (estadística), kurtosis (statistics)

apunte, entry; jotting (col.)

apunte acreedor, credit entry

apunte compuesto, compound entry; recapitulation entry; concentrated entry; lump entry

apunte contable, accounting entry

apunte de complemento, complementing entry

apunte en cuenta, account entry

apunte múltiple, compound entry; recapitulation entry; concentrated entry; lump entry

apunte notarial sobre el documento protestado, note of protest

apunte sin cuadrar, unbalanced entry

apuros económicos, financial straits

aquí contemplado, hereunder

aquiescencia, acceptance; accession; acquiescence; approval; assent

aquilatar oro, assay gold

arancel, duty

arancel aduanero, tariff

Arancel Aduanero Comunitario, Common Customs Tariff (CCT); CCT (ab. Common Customs Tariff)

arancel aduanero suplementario, compound duty

arancel de aduanas, customs tariff

arancel de exportación, export duties

arancel preferencial, preferential tariff

arancel proteccionista, protective tariff

aranceles según valor, ad valorem duties (Lat.)

arbitraje, arbitrium (Lat.); arbitral award; judg(e)ment by arbitration; arbitrage; arbitration; arbitrament; unpirage; award (n.)

arbitraje (operación), arbitrage (transaction)

arbitraje alcista (futuros), bull spread

arbitraje bajista, bear spread

arbitraje comercial, commercial arbitration

arbitraje de cambio, arbitrage of exchange

arbitraje de quejas, grievance arbitration

arbitraje diagonal, diagonal spread

arbitraje directo, cash and carry

arbitraje en divisas, foreign exchange arbitrage

arbitraje forzoso, compulsory arbitration

arbitraje horizontal, horizontal spread

arbitraje inverso, reverse cash and carry

arbitraje mercantil, commercial arbitration

arbitraje temporal, time spread

arbitraje vertical, vertical spread; money spread

arbitrajista, arbitrager

arbitral, arbitral

arbitrar, arbitrate; referee (v.)

arbitrario, arbitrary

arbitrios, excise tax

arbitrios locales, local excise taxes

árbitro, arbiter; arbitrator; referee (n.); umpire; compounder; amicable compounder; amicable referee; conciliator; third party (pl.: party = parties)

árbitro amistoso, arbiter; arbitrator; referee (n.); umpire; compounder; amicable compounder; amicable referee; conciliator; third party (pl.: party = parties)

árbol de decisión, decision tree

archivador (mueble), card file; filing cabinet

archivar, file; archive; record

archivar una copia, file a copy

archivo, file; archive; record

archivo activo, active file; live file

archivo actualizado, updated file, current file

archivo confidencial, confidential file

archivo contable, accounting file

archivo de actividad, activity file

archivo de antecedentes de solvencia, credit file

archivo de comprobantes, voucher file

archivo de correspondencia, correspondence file; letter file

archivo de facturas, invoice file

archivo de inversiones, investment file

archivo permanente, permanent records

archivos, records

área de acceso restringido, private area

área de influencia dominante, area of dominant influence (ADI); ADI (ab. area of dominant influence)

área del franco, Franc area

área financiera, financial area

área monetaria, currency area

área primaria, prime area

área subdesarrollada, backward area

áreas geoeconómicas, geographic and economic areas

áreas geográficas y económicas, geographic and economic areas

argumentario, sales-arguments book

argumento parcial y tendencioso, special pleading

aritmética (n & a)**,** arithmetic (n./adj.)

aritmético (adj.)**,** arithmetic (n./adj.)

armador, shipowner

armónico, balanced

arqueador, ship´s surveyor

arqueo, cash audit; cash count; cash gauging (col.); cash proof; checking of cash

arqueo (Esp.)**,** teller´s proof

arramblar con los cuartos (Esp., col.)**,** have one´s fingers in the till (col.)

arrancar (separar), detach

arras, arra (= arrha); arrha (= arra); down payment; hand money; handsel

arrastrar un saldo, strike a balance

arrastre (suma y sigue), remaining amount; remainder; outstanding amount; carry-over (n.); outstandings; balance outstanding; carried forward (CF); CF (ab. carried forward)

arrastre a posición extremo derecha (comp.), end-around carry (forward) (comp.)

arréglalotodo (Esp., col.), Johnny-on-the-spot (col.)

arreglárselas para, manage

arreglo, agreement; compact; arrangement; deal (n.); pact; treaty (pl.: treaty = treaties); compromise (n.); engagement; obligation

arreglo extrajudicial, out-of-court settlement

arrendador, lessor

arrendamiento (Esp.), rent (n.); rental

arrendamiento a través del proveedor, vendor program lease

arrendamiento abusivo, rackrent

arrendamiento con derecho a compra, demise

arrendamiento con opción a la compra, lease-back

arrendamiento financiero, lease (n.); leasing

arrendamiento pagado, rent paid

arrendar, lease (n.); leasing

arrendar a un precio abusivo, rackrent

arrendar con derecho a compra, lease (v.); rent out; rent (v.)

arrendatario, leaseholder; lessee; tenant

arresto mayor (Esp.), close arrest

arresto menor (Esp.), open arrest

arribada del buque, arrival of vessel

arribar a puerto, land

arriendo, lease (n.); leasing

arriendo (SA), rent (n.); rental

arriendo con opción a la compra, hire-purchase

arriesgar, exposure; risk (n. & v.)

arriesgarse, venture

arriesgarse a jugar en bolsa, rig; job (v.); gamble (stock exchange); dabble on the stock exchange

arrojar (unas) pérdidas por valor de, show a loss amounting to

arrojar por la borda, jettison

arrojar un aumento, show an increase

arrojar un balance, take off a balance

arrojar un beneficio inferior a, show a profit lower than

arrojar un déficit de, make up a deficit of

arrojar un saldo, show a balance

articulado (de estatutos, ley, decreto, etc) (n.), articles

artículo, article; clause; covenant (n.); provision; proviso (pl.: proviso = provisos / provisoes)

artículo (de clausulado), caption; item

artículo de gancho (Esp., col.), loss leader; star product

artículo no sujeto al pago de IVA, zero-rated item

artículo periodístico, paper

artículo principal, staple

artículo promocional, loss leader; star product

artículos, goods

artículos acabados, finished goods; finished products; goods completed

artículos afines, allied products

artículos de campaña, seasonal goods

artículos de consumo diario, convenience goods

artículos de contrabando, contraband goods

artículos de escritorio, office supplies; stationery

artículos de exportación, exports; export commodities

artículos de gran aceptación, best sellers

artículos de importación, import goods

artículos de inventario, inventory items

artículos de lujo, luxury goods; prestige goods

artículos de papelería, office supplies; stationery

artículos de propaganda, advertising supplies

artículos de uso personal, movables; movable effects; personal estate; personal property; ready property movables; things personal; goods and chattels; bona mobilis (Lat.); contents (personal property); fixtures

artículos de valor, things of value; valuables

artículos deficientes, defective goods

artículos en curso de fabricación, goods in process

artículos que se venden bien, wrap-up (US)

artículos que se venden con gran facilidad, best sellers

artículos restringidos, restricted items

artículos terminados, finished goods; finished products; goods completed

artificial (adj., masc. & fem.), fictitious (adj.); cosmetic (adj.)

artificios contables para abultar ficticiamente una cuenta o balance, window dressing (col.)

ASA (ab. **Asociación Americana de Normas),** American Standards Association (ASA); ASA (ab. American Standards Association)

asalariado, wage earner

asaltar, assault (v.)

asamblea, assembly; meeting

asamblea constitutiva, organization meeting

asamblea constituyente, organization meeting

asamblea de accionistas, stockholder´s meeting; shareholders´meeting; meeting of shareholders; meeting of stockholders

asamblea general, general meeting

asamblea general anual de accionistas, annual general meeting of shareholders

asamblea plenaria, full meeting; plenary assembly

ascender (promocionar), boost (n. & v.); momentum (n.); enhance (v.); optimize (v.); improve (v.); promote (job, sales, etc.) (v.)

ascender a (la cantidad de), amount (v)

ascender a 1 billón de Pesetas, amount to Peseta 1t (1t = 1 trillion = 1,000 billion)

ascender a 1 millardo de Pesetas (1 millardo = 1.000 millones), amount to Peseta 1b (1b = 1 billion = 1,000 million)

ascender a 1 millón de ECUs, amount to ECU 1m

ascender a 1 millón de Pesetas, amount to Peseta 1m (1m = 1 million)

ascender a 1.000 millones de Pesetas, amount to Peseta 1b (1b = 1 billion = 1,000 million)

ascender a un empleado a un puesto superior, promote an employee to a higher position

ascender a un importe absoluto de, amount overall to

ascender por encima de compañeros de igual categoría, jump ahead of one's peers

ascender, en términos contables, a, amount, per books, to

ascenso, promotion

ascenso por antigüedad, advance in seniority

ascensor, lift

ascensos (de categoría profesional), staff promotions

asegurable, insurable

asegurado (n. masc.), policy holder

asegurador (especialmente marítimo), assecurator

asegurador de una emisión, underwriter

asegurador directo, direct insurer

aseguramiento de cartera, portfolio insurance

aseguramiento de colocación, underwriting

aseguramiento en firme, firm underwriting

asegurar (fiabilidad), avouch (= avow); avow (= avouch); assure; assert

asegurar (la colocación de) una emisión de títulos, underwrite

asegurar contra todo riesgo, insure against all risks

asegurar la colocación de una emisión en Euros, underwrite an issue in Euros

asegurar(se) (apoyo, votos, ayuda), secure

asegurarse, ascertain

asentar en el Diario, journalize

asentar una partida, make an entry

asentimiento, acceptance; accession; acquiescence; approval; assent

asentimiento tácito, implied engagement; tacit agreement

asesor, adviser (US = advisor); advisor (GB = adviser); consultant

asesor de inversiones, investment advisor

asesor fiscal, tax advisor

asesor jurídico, advocate (n); advocator; barrister (GB); counsel (n.); attorney-at-law (US); counsellor(-at-law) (US: counsellor = counselor); counselor (GB: counselor = counsellor); lawyer

asesor legal, legal adviser (adviser = advisor); legal counsel

asesor legal de la sociedad, counsel to the company

asesor monetario, currency advisor

asesoramiento y orientación del inversor bursátil, investor('s) guidance and counselling (US: counselling = counseling)

asesorar, counsel (v.)

asesoría, consultancy

asesoría jurídica, legal department

asestar el golpe de gracia, give the quietus

así llamado, so-called (adj.)

asiento, posting

asiento (anotación), entry; jotting (col.)

asiento al debe, debit entry; charge entry

asiento al haber, credit entry

asiento combinado, compound entry; recapitulation entry; concentrated entry; lump entry

asiento complementario, complementing entry

asiento compuesto, compound entry; recapitulation entry; concentrated entry; lump entry

asiento confuso, blind entry

asiento corrector, balancing entry; correcting entry; reversal entry; chargeback; contra debit

asiento correlativo, correlative entry

asiento cruzado, cross entry

asiento de abono, credit entry

asiento de adeudo, debit entry; charge entry

asiento de ajuste, adjusting entry (pl.: entry = entries)

asiento de caja, cash entry

asiento de cargo, debit entry; charge entry

asiento de complemento, balancing entry; correcting entry; reversal entry; chargeback; contra debit

asiento de contabilización, accounting entry

asiento de contrapartida, balancing entry; correcting entry; reversal entry; chargeback; contra debit

asiento de regularización, adjusting entry (pl.: entry = entries)

asiento de traspaso, transfer entry

asiento del Mayor, ledger entry

asiento descuadrado, unbalanced entry

asiento deudor, debit entry; charge entry

asiento doble, dual posting

asiento en cuenta, account entry

asiento en el Diario, journal entry

asiento falsificado, false entry

asiento global, compound entry; recapitulation entry; concentrated entry; lump entry

asiento incompleto, blind entry

asientos de apertura, opening entries

asientos de cierre, closing entries

asientos de clausura, closing entries

asientos de constitución, opening entries

asignable, allocable; assignable; attributable; chargeable

asignación, assignation; cession; transfer; transmission; displacement

asignación (de una labor), assignment

asignación (porcentaje), quota; allocation; allotment; share

asignación (sobreoferta que afecta al precio de un valor), distribution

asignación de fondos, allocation of funds; provision of funds

asignación de gastos generales, burden adjustment

asignación de NIP (NIP = número de identificación personal), assignment of PIN (PIN = personal identification number)

asignación de números de registro, assignment of registry numbers

asignación de prefijos, assignment of prefixes

asignación de recursos, resource allocation

asignación de tareas a empresas externas, outsourcing

asignación dinámica de activos, dynamic asset allocation

asignación preferente, preferential allocation

asignación satisfecha a la mujer divorciada, estovers

asignado funcionalmente, allocated functionally

asignar (utilidades), assign; allocate; attribute (v.); make over; transfer (v.); distribute; appropriate; set over

asignatario, legatee

asimetría, asymmetry (pl = asymmetries); disparity; mismatch (pl. = mismatches)

asimetrías, errores y omisiones, asymmetries, errors and omissions

asistencia, aid (n.); attendance; appearance

asistencia financiera, financial assistance

asistencia para el desarrollo, development assistance

asistencia por representante, appearance by attorney (US); appearance by counsel (GB)

asistencia social, social services; social welfare

asistente, attendant

asistente (n. & adj.), assistant (n. & adj.); adjunct (n. & adj.); auxiliary (adj.)

asistente social, social worker

asistido por ordenador, computer-assisted

asistir (concurrir), attend

asistir a una reunión, attend a meeting

asociación, association

asociación (no mercantil), society

Asociación Americana de Normas (ASA), American Standards Association (ASA); ASA (ab. American Standards Association)

asociación cooperativa, cooperative union

asociación corporativa, body

asociación de armadores con fletes unificados, adscritos a la C.L., Conference Line

Asociación de Banqueros Americanos (ABA), American Bankers Association (ABA); ABA (ab. American Bankers Association)

asociación de empresas navieras, shipping conference

Asociación de Intermediarios del Euromercado (AIE), Association of International Bond Dealers (AIBD); AIBD (ab. Association of International Bond Dealers)

asociación empresarial, business trust

asociación especulativa en participación, joint adventure; joint venture; joint enterprise

Asociación Europea de Libre Comercio (EFTA), European Free Trade Association (EFTA); EFTA (ab. European Free Trade Association)

asociación gremial, trade association; union (n.); trade union (n.)

Asociación Internacional para la Aviación Civil, International Air Transport Association (ab. IATA); IATA (ab. = International Air Transport Association)

Asociación Nacional de Agentes Intermediarios Bursátiles (ANAIB), National Association of Security Dealers (NASD); NASD (ab. National Association of Security Dealers)

Asociación para el Desarrollo Internacional (ADI), International Development Association (IDA); IDA (ab. International Development Association)

asociación para la venta en régimen cooperativo, marketing cooperative (association)

asociación profesional, trade association; union (n.); trade union (n.)

asociación secreta para la comisión de actos delictivos, secret partnership for wrongdoing

asociación temporal, temporary association; temporary partnership

asociación voluntaria, Massachusetts trust

asociado, partner

asociado (adj.), affiliated (adj); associated (adj.)

asociado (n.), affiliate (n.); associate (n.)

asociar(se), associate (v); affiliate (v.)

aspersor automático contra incendios, sprinkler

aspirante a la admisión, applicant to membership

aspirar a conseguir, aim (v.)

astillero, yard; shipyard; boatyard

asumir, assume

asumir el cargo de, take office

asumir la pérdida, absorb the loss

asumir las pérdidas a medias, absorb half of the losses

asumir todas las responsabilidades, take something on board (GB)

asumir un compromiso, assume an obligation

asumir un puesto ejecutivo, take into charge; take over; take charge of; take the reins (col.)

asumir un riesgo, venture

asunción, assumption

asunción de compromiso, warranty

asunción de la deuda, assumption of indebtedness

asunción de los compromisos contraidos, assumption of obligations

asunción del riesgo, assumption of risk

asunto, affair; matter (n.); subject; question (n.)

asunto ilegal, racket (col.)

asunto tratado, concern (n.)

asuntos distintos, alia (Lat)

asuntos en trámite, work in process

asuntos fiscales, fiscal matters

asuntos sin resolver, loose ends (col.)

atacar, assault (v.)

ataque (opas), raid (n.); run (n.)

atar cabos sueltos (col.), pick up the loose ends (col.); tie up the loose ends (col.)

atareado, busy

atascamiento, jam

atasco, jam

atención de los compromisos inherentes a la deuda, debt service

atenciones estatutarias, statutory fees; statutory payments; directors´ fees

atender (el pago de) un cheque, honour a cheque (US: honour = honor; cheque = check); honor a check (GB: honor = honour; check = cheque)

atender (el pago de) una letra, honour a draft (US: honour = honor)

atender (un puesto de trabajo), service (v.)

atender los gastos, meet the costs

atender un efecto a su vencimiento, meet a bill (US: bill = draft)

atender un mandado (LA), execute an order; fill an order

atender una letra, honour (US: honour = honor); accept a draft; accept a bill; take up a bill; discharge a bill

atentado, attempt (n.

atentamente (despedida de carta) (ab. **atte.),** very truly yours (US); yours (very) truly (US); yours faithfully (GB); faithfully yours (GB)

atentamente les saluda (despedida de carta) (ab.: **atentamente = atte.),** very truly yours (US); yours (very) truly (US); yours faithfully (GB); faithfully yours (GB)

atentar contra, attempt (v.)

atenuante, diminished responsibility

atenuar la crisis, alleviate the crisis

aterrizar, land

atesoramiento, hoarding

atesorar, buy up; hoard; corner the market; buy out

atestación notarial, notarial certificate; notarial affidavit; notarial certification; notary´s certificate; notary´s affidavit; notary´s certification; notarial statement; notary´s statement

atestado, certificate; policy (pl.: policy = policies); voucher

atestiguación forense, affidavit by process server

atestiguar, witness (v.); attest (v.); certify; evidence (v.)

atestiguar una firma, witness a signature; acknowledge a signatory; acknowledge a signature

atípico, atypical; freakish

atípicos, but-for income

atomización de dinero negro (técnica), smurfing

atomizar dinero negro (técnica), smurf dirty money (technique)

atonía, weakness; atony

atonía de la demanda, weak demand

atonía del mercado, market dullness

atracador, raider

atracar en puerto, land

atraco (col.), stickup

atraco a un banco, bank raid

atraer depósitos, attract deposits

atrasado, deferred; delayed

atrasos, arrears

atribución a reservas, allocation to reserves

atribuciones reducidas, diminished attributions

atribuible, allocable; assignable; attributable; chargeable

atribuir, assign; allocate; attribute (v.); make over; transfer (v.); distribute; appropriate; set over

atte. (ab. = **atentamente) (despedida de carta),** very truly yours (US); yours (very) truly (US); yours faithfully (GB); faithfully yours (GB)

Audiencia de lo Criminal, Assize Court (GB)

audiencia pública, public hearing

auditado, audited (adj.)

auditar en detalle, audit in detail (v.)

auditar estados financieros, audit financial statements

auditar las cuentas, audit (v.)

auditar una cuenta, audit an account; verify an account; check an account

auditor, auditor

auditor externo, external auditor

auditor fiscal, fiscal auditor

auditor interno, internal auditor

auditoría, auditing; audit

auditoría (oficina), auditor's office

auditoría completa, complete audit; full audit

auditoría contable, examination of (the) books; auditing of (the) books; auditing of accounts

auditoría continua, continuous audit

auditoría de caja, cash audit; cash count; cash gauging (col.); cash proof; checking of cash

auditoría de estados financieros, audit of financial statements

auditoría del balance, balance sheet audit(ing)

auditoría detallada, audit in detail (n.); detailed audit

auditoría externa, external audit

auditoría funcional, operating audit

auditoría independiente, independent audit

auditoría interna, internal audit

auditoría limitada, limited audit

auditoría periódica, periodic audit

auditoría privada, internal audit

auditoría provisional, interim audit

auditoría pública, public audit

auditoría sin reservas, unqualified audit; unqualified (auditors') opinion

auditoría sin salvedades, unqualified audit; unqualified (auditors') opinion

auge, boom

auge de los productos básicos, commodity boom

auge del consumo, boom in consumption

aumentar, increase (v.); rise (v.); go up (v.)

aumentar el beneficio (en) un 10%, increase profits by 10%

aumentar el capital, increase capital

aumentar el valor, overvalue

aumentar los tipos de interés, raise interest rates; increase interest rates

aumento, increase (n.); rise (n); growth; accretion; increment

aumento cíclico de la productividad, cyclical rise in productivity

aumento de acciones sin aumento de capital, split; stripping

aumento de dividendo, increase in dividend

aumento de la población, rise in population; population growth

aumento de las morosidades, additions to nonperformings

aumento de los alquileres, raising of rents

aumento de los costes financieros, increase in financial costs

aumento de precios, price appreciation; price increase; price rise; price urpsurge; rise in prices

aumento de sueldo, raise

aumento del beneficio, increase in profits

aumento del número de acciones sin aumentar la cuenta de capital, stock split-up

aumento lineal de (los) precios, across the board rises; across the board uprise in prices

aumento medio, average rise

aumento nominal, nominal increase

aumento salarial, wages rise

aumento sustancial, substantial increase

aumentos de sueldo, salary increases

aumentos salariales, pay increases; wages awards

aumentos y disminuciones de inmovilizado material, additions and retirements to premises and equipment

aún no vencido, unmatured

ausencia, absence

ausencia de movimientos, nil report

ausencias, absences

ausencias justificadas, leave of absence

ausente con permiso, absent with leave

ausente sin permiso, absent without leave (AWOL); absentee; AWOL (ab. absent without leave)

austeridad, austerity

autenti(fi)cación, authentication; countersignature

autenti(fi)cación de firmas, authentication of signatures

autenti(fi)cación de pagarés, authentication of notes

autenticidad, authenticity

auténtico, authentic

auto, breve

auto de albacea, letters testamentary

auto de casación, writ of error

auto de deshaucio, certificate of eviction

auto de detención, warrant of arrest

auto de ejecución, writ of execution

auto de embargo, writ of attachment

auto de emplazamiento sustitutorio de otro anterior, alias summons (Lat)

auto de nulidad, decree of nullity

auto de quiebra, declaration of bankruptcy

auto definitivo, final decision

auto ejecutorio, fieri facias (Lat.)

auto judicial, call (n.); process (n.); subpoena; summons; procedure

auto judicial de detención, bench warrant

auto judicial de embargo, attachment writ

auto testamentario, letters testamentary

autocartera (Esp.), treasury stock (GB: stock = shares); amortized stock (GB: stock = shares)

autocartera media, average treasury stock

autocartera media mantenida, average treasury stock held

autocodificador, autocoder

autocontrol, self-control

autocorrelación, autocorrelation

autoempleado, BFS (ab. business for self); business for self (BFS)

autoempleado (n., Esp.), self-employed individual; sole trader

autofinanciación, self-financing

autofinanciarse, self-finance

autoinculparse, plead guilty

automa(tiza)ción, automation

automóviles y camiones, automobiles and trucks

autónomo, independent

autónomo (adj.), off-line (adj.)

autónomo (Esp.), BFS (ab. business for self); business for self (BFS)

autónomo (n., Esp.), self-employed individual; sole trader

autor de un anónimo, blackmailer

autoregresión, autoregression

autoridad, powers; authority (pl.: = authorities); authorization

autoridad aparente, apparent authority

autoridad competente, competent authority

autoridad ejecutiva, law enforcement authorities

autoridad judicial, judicial authority

autoridades aduaneras, customs authorities

autoridades encargadas de que se cumpla la ley, law enforcement authorities

autorización, licence (licence = license); license (license = licence); permit (n.)

autorización denegada, declined authorization

autorización emanante de desestimación de demanda, authority by estoppel

autorización especial, special authority (pl.: authority = authorities)

autorización implícita, implied consent; tacit consent

autorización oficial previa de blindaje, golden share; golden right

autorización para (la) toma de muestras, sampling permit

autorización para (realizar) el pago, authority to pay

autorización para comprar, authority to purchase

autorización para la compraventa de moneda extranjera, foreign exchange permit

autorización para negociar efectos, authority to negotiate drafts

autorización para que el agente actúe como intermediario e inversor, dual capacity

autorización para vender, authority to sell

autorización por impedimento, authority by estoppel

autorización unilateral, naked authority

autorizado (adj.)**,** authorized (adj.)

autorizado a, empowered to; with the authority to

autorizado por, with the authority of; by proxy

autorizar, allow; permit (v.); grant (v.)

autorizar sin restricciones, give a blank cheque (US: cheque = check)

autoseguro, self-insurance

auxiliar, aid (v.)

auxiliar (n. & adj.)**,** assistant (n. & adj.); adjunct (n. & adj.); auxiliary (adj.)

auxiliar (n.)**,** assistant clerk

auxiliar administrativo, clerk; accounts clerk; employee (pl. employee = employees / staff); jobholder (US)

auxiliar administrativo (Esp.)**,** junior accountant

auxiliar administrativo (n.)**,** assistant bookkeeper

auxiliar interino en fase de formación, articled clerk

auxilio social, social services; social welfare

aval, backing; aval; support (n.); guarantee (US: guarantee = guaranty); collateral (n.); bail bond; pledge

aval bancario, bank guarantee (guarantee = guaranty); bankers´ guarantee (guarantee = guaranty)

aval en favor de la aduana, customs bond

aval limitado, qualified endorsement

aval restringido, limited accommodation

avalado por el tiempo (adj.)**,** time-honoured (adj.)

avalar, back (v.); guarantee (v.); collateralize; endorse; bail; furnish bail; bond (v.); provide collateral; furnish security; give bond

avalar una letra, guarantee a bill of exchange (US: bill of exchange = draft)

avales y otras cauciones, guarantees and other sureties

avalista, covenantor; financial backer; guarantor; obligee; surety; suretyship; answerer; bailor; bailer; personal surety

avalista de un efecto, acceptor for hono(u)r; acceptor supra protest

avalista solidario y mancomunado, joint surety

avalúo (LA)**,** appraisal; assessment; appraising; evaluation; estimate (n.); valuation

avalúo catastral (LA)**,** assessed valuation (LA); assessed value; tax valuation

avance(s), behaviour (US: behaviour = behavior); development(s); deportment

avances en la lucha contra el narcotráfico, developments in anti-drug traffic

avanzar, progress (v.)

avaricia, rapacity

avería, average (n.); damage (n.)

avería común, general average (GA); GA (ab. general average); gross average

avería gruesa, general average (GA); GA (ab. general average); gross average

avería menor, petty average

avería ordinaria, petty average

avería particular, particular average; common average; average loss

avería simple, particular average; common average; average loss

averiguación (n. fem.), ascertainment; verification; check (n.)

aversión al riesgo, risk aversion

avión, aircraft

avión de línea comercial regular, airliner

avión fletado, charter(ed) plane

aviso, communication; notice; rapport; statement

aviso anticipado de incumplimiento del contrato, anticipatory breach of contract

aviso de abono, credit voucher; credit advice; credit note

aviso de adeudo, debit advice; debit note

aviso de amortización de pagarés, notice of note redemption

aviso de cambio, change notice; notice of change

aviso de cargo, debit advice; debit note

aviso de ejecución, advice of execution; confirmation slip

aviso de impugnación, notice of claim

aviso de pérdida, notice of loss; lost report (US)

aviso de protesto, notice of protest

aviso de reclamación, claim notice

aviso de recordatorio, prompt

aviso de retención de tarjeta, hot card notice

aviso de suspensión de pago, stop-payment notification

aviso de tarjeta a retener, hot card notice

aviso de tarjeta a retirar, hot card notice

ayuda, aid (n.); attendance; appearance

ayuda al desarrollo, development assistance

ayuda gubernamental, state aid

ayuda mutua, mutual aid

ayudante (n & a), assistant (n & a)

ayudante (n. & adj.), assistant (n. & adj.); adjunct (n. & adj.); auxiliary (adj.)

ayudante (n., masc. & fem.), aid (n.); attendance; appearance

ayudante de caja, teller (GB: teller = cashier); cashier (US: cashier = teller)

ayudante de caja (Esp.), payer; teller (US); paying teller (US); cashier (GB)

ayudante de contable, junior accountant

ayudar a los bancos en dificultades con respaldo financiero, assist ailing banks with financial backing

ayudar a un cliente extranjero, attend a foreign customer

ayuntamiento, city hall; town council (GB); township (US)

azar, chance

B

ß de rendimiento (ß = beta), beta yield (beta = ß); ß yield (ß = beta)

bache, downturn

BAD (ab. **Banco Asiático de Desarrollo),** Asian Development Bank (ADB); ADB (ab. Asian Development Bank)

BAFD (ab. **Banco Africano de Desarrollo),** African Development Bank (AFDB); AFDB (ab. African Development Bank)

baja, absence

baja bursátil, sell-off

baja calidad, poor quality

baja capacidad, low capacity

baja de cotización, knockdown

baja de precios, fail in prices

baja del (índice de) desempleo, unemployment drop

baja en cambios, break

baja incentivada, redundancy with incentives

baja por enfermedad (Esp.), sick leave

baja voluntaria, voluntary redundancy

bajada de precio rápida y sensible, break

bajada de precios, break

bajada en los cambios, fall in prices

bajada técnica, technical drop

bajar (v.), fall (v.); drop (v.)

bajar hasta mínimos, go to the devils (col.); go to hell (col.); go kaput (col.)

bajo, low

bajo (en categoría, etc.), below

bajo (n. & adj.), minimum

bajo absoluta reserva, in strict confidence

bajo avería, under average

bajo consignación, on consignment

bajo contrato, under contract

bajo control de, under control of

bajo cubierta, under deck

bajo cuerda (Esp., col.), under the table; sub rosa (col.)

bajo doble control, under dual control

bajo el epígrafe, under the caption

bajo el nombre de, under the name of

bajo el patrocinio de, under the sponsorship of

bajo el presente, hereunder

bajo fianza, under bond

bajo juramento, under oath

bajo la dirección de, headed by

bajo la par, below par

bajo la razón social de, under the name of

bajo las reservas usuales, under usual reserves (UUR); UUR (ab. under usual reserves)

bajo los auspicios de, under the sponsorship of

bajo mi firma y sello, under my hand and seal

bajo nivel salarial, low wage level

bajo propio riesgo, for one´s own risk

bajo protesto, under protest

bajo rendimiento, low yield

bajo sanción de, under penalty of

bajos fondos, gangland

balance, balance (n.); rest

balance a nuestro favor, balance in our favo(u)r

balance analítico, analytical balance sheet

balance consolidado, consolidated balance sheet

balance de almacén, balance of stocks

balance de cierre, bottomline; closing balance

balance de comprobación, balance of verification

balance de comprobación ajustado, adjusted trial balance

balance de resultados, profit and loss account (P&L account); profit and loss statement (P&L statement); P&L statement (ab. profit and loss statement); P&L account (ab. profit and loss account); gain and loss exhibit; income statement

balance de saldo favorable, balance showing a profit

balance de situación, balance sheet (B/S); B/S (ab. balance sheet); statement of (financial) position

balance deficitario, balance sheet showing a loss

balance falseado, faked balance sheet

balance final, bottomline; closing balance

balance general, balance sheet (B/S); B/S (ab. balance sheet); statement of (financial) position

balance general de situación, GBS (ab. general balance sheet); general balance sheet (GBS)

balance general del ejercicio, annual statement; annual report

balance general preliminar, preliminary balance sheet

balance global, overall balance

balance simulado, proforma balance sheet; proforma statement

balance sin revisar, unaudited balance

balances comparados, comparative statements of condition

balanza, scale (n.); size

balanza comercial, balance of trade; trade balance

balanza comercial (con saldo) favorable, advantageous balance of trade; active trade balance

balanza comercial deficitaria, adverse balance of payments

balanza comercial desfavorable, adverse balance of trade

balanza comercial favorable, trade surplus

balanza comercial ventajosa, advantageous balance of trade; active trade balance

balanza de invisibles, invisibles balance

balanza de pagos, balance of payments

balanza de pagos con dificultades, troubled balance of payments

banca, banking (system); trust and loan companies (US); credit institutions; lending institutions

banca a domicilio, home banking

banca agrupada, banking group

banca comercial, commercial banking

banca comercial minorista, retail commercial banking

banca e inversión, banking and investment

banca electrónica, electronic banking

banca global, global banking; universal banking

banca industrial, investment banking

banca internacional, international banking

banca mancomunada, banking group

banca minorista, retail banking

banca nacional, domestic banks

banca privada, private banking

banca telefónica, phone banking

banca universal, global banking; universal banking

bancario de toda la vida (Esp., col.), trueborn banker (col.); true-bred banker

bancarrota, bankruptcy; failure (bankruptcy); insolvency; crack (n., col.); crash (n., col.)

bancarrota financiera, financial crack

banco, bank (n. & v.); banking company (US); banking house (GB); banking institution

banco afiliado, associated bank; affiliate(d) bank

Banco Africano de Desarrollo (BAFD), African Development Bank (AFDB); AFDB (ab. African Development Bank)

banco agente, agent bank

Banco Asiático de Desarrollo (BAD), Asian Development Bank (ADB); ADB (ab. Asian Development Bank)

banco asociado, associated bank; affiliate(d) bank

banco autónomo, independent bank

banco cedente, presenting bank; remitting bank

banco central, central bank; bank of issue; bank of circulation

banco cobrador, collecting bank

banco comercial, commercial bank

banco comercial privado, private commercial bank

banco comercial regional, regional commercial bank

banco compensador, clearing bank

banco concertado, arranged bank

banco confirmador, confirming bank

banco consorcial, consortium bank

banco corresponsal, correspondent bank

banco de compensación, clearing bank

banco de crédito, credit bank

banco de crédito agrícola, agricultural credit bank; farm loan bank

banco de crédito hipotecario, mortgage bank; land bank

banco de crédito territorial, mortgage bank; land bank

banco de datos, data bank

banco de depósito(s), deposit bank

banco de descuento, accepting house; bank of discount; acceptance house; discount bank; finance company; credit company; commercial credit company

Banco de España, Cibeles' neighbour (US: neighbour=neighbor) (col.)

Banco de España e intermediarios financieros (origen de los fondos), due to Bank of Spain and to financial institutions (funds provided)

Banco de Exportaciones e Importaciones de Washington (EXIMBANK), Export and Import Bank of Washington (EXIMBANK); EXIMBANK (ab. Export and Import Bank of Washington)

banco de fomento agrario, agricultural credit bank; farm loan bank

banco de gran renombre, bank of great renown; renowned bank

Banco de Inglaterra, BE (ab. Bank of England); Bank of England (BE)

Banco de Inglaterra (col.), Old Lady of Threadneedle Street (col.); Bank of England; The Old Lady (col.)

banco de inversiones, industrial bank; investment bank (GB = merchant bank); merchant bank (US = investment bank)

banco de negocios, industrial bank; investment bank (GB = merchant bank); merchant bank (US = investment bank)

Banco de Pagos Internacionales (BPI), BIS (ab. Bank for International Settlements); Bank for International Settlements (BIS)

banco de primer orden, prime bank; leading bank

banco de primera fila, prime bank; leading bank

banco de(dicado al) comercio exterior, foreign trade bank

banco dependiente de otro, que actúa como jefe de fila, alias bank

banco depositario, depository bank

banco destinatario de la remesa, remittee bank

banco director (encargado de colocar una emisión), manager bank

banco emisor, central bank; bank of issue; bank of circulation

banco emisor (créditos documentarios, aceptaciones, avales, etc.), issuing bank (LCs, acceptances, guarantees, etc.); issuing house (LCs, acceptances, guarantees, etc.)

banco encargado del cobro, collecting bank

banco estatal, government bank

Banco Europeo de Inversiones, European Investment Bank (EIB); EIB (European Investment Bank)

banco extranjero, foreign bank

banco federal (US), federal bank (F-bank, Fed bank) (US); F-bank (ab. federal bank) (US); Fed bank (US)

banco filial, associated bank; affiliate(d) bank

banco garante exclusivo, front bank

banco gestor (emisones de pagarés), lead manager

banco global, global bank

banco gubernamental, government bank

banco habilitado para (realizar) operaciones en divisa, authorized foreign exchange bank

banco hipotecario, mortgage bank; land bank

banco independiente, independent bank

banco industrial, industrial bank; investment bank (GB = merchant bank); merchant bank (US = investment bank)

Banco Interamericano de Desarrollo (BID), Inter-American Development Bank (IADB); IADB. (ab. = Inter-American Development Bank)

banco intermediario, agent bank

banco internacional, international bank

Banco Internacional de Reconstrucción y Desarrollo (BIRD), International Bank for Reconstruction and Development (IBRD); IBRD (International Bank for Reconstruction and Development)

banco liquidador, clearing bank

banco local, local bank

banco multinacional, multinational bank

banco nacional, government bank

banco o unidad que genera grandes beneficios (US, col.), profit centre (US: centre = center)

banco oficial, government bank

banco oficial de crédito a la exportación, official export credit bank

banco peticionario, requesting bank

banco presentador, presenting bank; remitting bank

banco privado, private bank

banco provincial, provincial bank

banco que cubre toda la gama de servicios bancarios, all-purpose bank

banco receptor, receiving bank

banco receptor del depósito, deposit-taking bank

banco remitente, presenting bank; remitting bank

banco reprivatizado, reprivatized bank

banco semioficial, semi-private bank

bancos, banking (system); trust and loan companies (US); credit institutions; lending institutions

bancos con dificultades, ailing banks

bancos de la reserva federal, Federal Reserve banks

bancos domésticos, domestic banks

bancos filiales, subsidiary banks; banking subsidiaries (sing. subsidiaries = subsidiary)

bancos nacionales, domestic banks

bancos subsidiarios, subsidiary banks; banking subsidiaries (sing. subsidiaries = subsidiary)

bancos y banqueros, banks and bankers

banda de cotización, stock price range

banda de fluctuación, fluctuation range; trading range

banda de fluctuación de los precios, price range

banda de tipos máximos y mínimos para el libre cambio de divisas, fluctuation range; trading range

banda magnética (comp.), magnetic stripe (comp.)

banda máxima y mínima de pagaré a tipo flotante, collar

bandeja portaformularios (Esp.), application holder

bandidaje, banditry

bandolerismo, banditry

banquero, banker; Lombard (n., col.)

banquero (col.), banker; Lombard (n., col.)

banquero (en países asiáticos), shroff (in Asian countries)

banquero de pura cepa (col.), trueborn banker (col.); true-bred banker

banqueros de Zurich, gnomes of Zurich (col.)

baratería, barratry

baratería del capitán y la tripulación, barratry of the master and mariners

barcaza, lighter; barge

barco, ship; vessel; craft

barco a vapor, motor ship (MS); motor vessel (MV); MV (ab. motor vessel / merchant vessel); MS (ab. motor ship / merchant ship); merchant ship (MS)

barco adherido a la Conference Line, Conference Line vessel

barco de óptima construcción, A1 ship

barco en cuarentena, ship in quarantine

barco mercante, motor ship (MS); motor vessel (MV); MV (ab. motor vessel / merchant vessel); MS (ab. motor ship / merchant ship); merchant ship (MS)

barco petrolero, tanker ship (TS); TS (ab. tanker ship)

barco portacontenedores, container vessel; container ship

barco que no cubre una línea regular, tramp

baremo, ready reckoner

baremo de invalidez, disability percentage ratio

barra de metal precioso, bar

barrel (unidad de medida anglosajona; varía según el producto), barrel

barrera de salida, exit barrier

barrera técnica, technical obstacle

barreras de entrada, entry barriers

barriada, quarter

barrido por las olas, washed overboard

barril, barrel

barril metálico, drum

barrio, quarter

barrio comercial, shopping district

barullas (n. sing., masc. & fem.; Esp., col.), stirrer (GB., col.)

barullo (asunto ilegal) (Esp., col.), racket (col.)

basar, basis (pl. = bases); base

base, basis (pl. = bases); base

base actuarial, actuarial basis

base de datos, data base

base imponible, tax base

base impositiva, tax base

base liquidable, assessment base; final tax base

base tarifada, rate base

bases de presentación y consolidación, basis of presentation and consolidation

bases de recursos ajenos, deposit bases

bases sindicales, union rank and file

básico (adj.), centre (US: centre = center); center (GB: center = centre); core

bastanteo (Esp.), authentication; countersignature

batiburrillo de propuestas (Esp., col.), ragtag collection of proposals (col.)

beca (GB), exhibition; fellowship

benefº a/imptº (ab. **beneficio antes de impuestos),** PBT (ab. profit before taxes); profit before taxes (PBT)

benefº d/ imptos. (ab. **beneficio después de impuestos = benefº neto),** PAT (ab. profit after taxes = net profit); profit after taxes (= net profit) (PAT)

beneficiario (de un pago), holder; beneficiary; payee

beneficiario (del abono), accreditee

beneficiario (del crédito, etc), accommodated party

beneficiario de la anualidad, annuitant

beneficiario de la cesión, assignee; cessionary

beneficiario de la concesión, permitee

beneficiario de la donación, grantee; awardee

beneficiario de un "stockazo" (Esp., col.), stock option jackpot winner (col.)

beneficiario de un bien, alienee

beneficiario de una renta, annuitant

beneficiario de una transferencia, transferee

beneficiario más favorecido, most favoured beneficiary (US: favoured = favored)

beneficio, benefit; profit; turn (col.); earnings

beneficio acumulado, earned surplus

beneficio agregado, aggregate benefit

beneficio alcanzado, earned profit; income; inflows; receipts

beneficio antes de impuestos, income before taxes; pretax income; pretax profit

beneficio antes de impuestos (benefº a/ imptº), PBT (ab. profit before taxes); profit before taxes (PBT)

beneficio aparente, technical profit

beneficio atípico, extraordinary earnings

beneficio bruto resultante, resulting operating earnings

beneficio comercial, trading income; gross profit

beneficio consolidado, consolidated earnings

beneficio consolidado antes de impuestos, consolidated pretax income

beneficio consolidado por acción, consolidated earnings per share

beneficio contable, book profits; accounting profit; book gains

beneficio de inventario, benefit of inventory

beneficio después de (pagar) impuestos, profit after taxes (PAT); PAT (ab. profit after taxes)

beneficio después de impuestos (= beneficio neto) (benefº d/ imptos.), PAT (ab. profit after taxes = net profit); profit after taxes (= net profit) (PAT)

beneficio destinado al pago de dividendo, payout

beneficio fiscalmente opaco, tax-sheltered income

beneficio imponible, taxable income; assessed income

beneficio imputable, attributable profit

beneficio imputado, appropriated profits

beneficio justo, fair return

beneficio libre de impuestos, tax-free gains

beneficio líquido, clear profit

beneficio marginal, marginal income; marginal profit; marginal revenue

beneficio neto, net earnings; net income; net proceeds; net profit; net return; net revenue; after-tax yield; after-tax earnings

beneficio neto ajustado, adjusted net income

beneficio neto consolidado, consolidated net profit

beneficio neto de consolidación, consolidation surplus

beneficio neto de libre aplicación, free surplus

beneficio neto del ejercicio, net income for the year

beneficio neto disponible, free surplus

beneficio neto final, final net income

beneficio neto por acción, net income per share; net earnings per share

beneficio neto resultante, resulting pretax income

beneficio neto sobre activos totales medios, net return on average total assets

beneficio no distribuido, retained earnings

beneficio no sujeto a tributación, tax-free gains

beneficio obtenido, earned profit; income; inflows; receipts

beneficio por acción (BPA), earnings per share (EPS); EPS (ab. earnings per share)

beneficio previsto, anticipated profits

beneficio real, true profit

beneficio realizado, earned profit; income; inflows; receipts

beneficio retenido, retained earnings

beneficio según libros, book profits; accounting profit; book gains

beneficio sin distribuir, retained earnings

beneficio sin realizar, paper profits

beneficio sobre cesión de acciones, beneficium cedendarum actionum (Lat.)

beneficio supuesto, assumed profits

beneficio técnico, technical profit

beneficio(s) bruto(s), gross earnings; gross income; gross return

beneficios adicionales, fringe benefits

beneficios complementarios, fringe benefits

beneficios complementarios al sueldo, perk(s) (col.); perquisites

beneficios del juego, profit from gambling

beneficios extraordinarios, extraordinary earnings

beneficios legales, legal profits

beneficios provinientes de las exportaciones, export earnings

beneficios retenidos, undistributed profits

beneficios sin distribuir, undistributed profits

beneficios tributarios, tax benefits

beneficios y superávits no distribuidos, retained earnings and surpluses

beneficioso para los inversores institucionales, beneficial to institutional investors

beta de rendimiento (beta = ß), beta yield (beta = ß); ß yield (ß = beta)

bianual, biennial

biblioteca, library

biblioteca imagen de memoria (ordenadores), core image library (computers)

bicentenario, bicentenary; bicentennial

BID (ab. = **Banco Interamericano de Desarrollo),** Inter-American Development Bank (IADB); IADB. (ab. = Inter-American Development Bank)

bidireccional, duplex

bidireccional (comp.), half duplex

bien conceptuado, good name; good reputation

bien constituyente del depósito, bailment

bien informado sobre, clued-up about

bien patrimonial, asset

bienal, biennial

bienes agotables, diminishing assets; depreciable assets; wasting assets; depletable assets

bienes combinados, combined assets

bienes consumibles, consumables; consumer goods

bienes de capital, capital assets; fixed assets; permanent assets

bienes de consumo, consumables; consumer goods

bienes de consumo duraderos, consumer durables

bienes de equipo, investment goods; capital goods

bienes de inversión, investment goods; capital goods

bienes de producción, intermediate goods

bienes de uso personal, personal effects

bienes dotales, dowry

bienes enajenables, alienable property

bienes fungibles, expendables (n.)

bienes gananciales, community property

bienes hipotecados, underlying property

bienes incautados, seized property

bienes inmobiliarios (Bolsa), property

bienes inmuebles, estate (n.); landed estate; lands; real estate; bona immobilis (Lat.); realty; real property; immovables; heritables; real chattels

bienes mostrencos revertidos al estado, escheat

bienes muebles, movables; movable effects; personal estate; personal property; ready property movables; things personal; goods and chattels; bona mobilis (Lat.); contents (personal property); fixtures

bienes muebles (GB), chattels; furniture and fixtures

bienes no declarados, concealed assets

bienes parafernales, paraphernal property; paraphernalia

bienes patrimoniales, fee (n.)

bienes raíces, estate (n.); landed estate; lands; real estate; bona immobilis (Lat.); realty; real property; immovables; heritables; real chattels

bienes realizables, realizable property

bienes residuales de la herencia, residuary estate

bienes sociales, partnership assets

bienes subyacentes, underlying property

bienes susceptibles de venta, realizable property

bienes tangibles, tangible property

bienes testamentarios, estate of deceased

bienes y servicios, goods and services

bienestar público, public good

bienestar social, social services; social welfare

bifurcación, agency; branch

bifurcar, agency; branch

bilateralismo, bilateralism

billete (boleto), ticket

billete de alta denominación, high denomination note

billete de baja denominación, low denomination note

billete de banco, bank note

billete de banco (US, col.), bill (US, col., money)

billete de cinco dólares, fiver (US., col.)

billete de curso legal, legal bill

billete de ida y vuelta, return ticket

billete de valor bajo, low denomination note

billete de valor elevado, high denomination note

billetera, billfold

billetes de banco, paper currency; paper money; flat money (col.); banknotes; currency paper

billetes de banco falsos, counterfeit banknotes

billetes en circulación, notes in circulation

billetes falsos, flash notes (col.)

billón (1 billón = 1.000 millardos), trillion (US)

bimensual, bimonthly

bimensualmente, bimonthly

bimestral, bimonthly

binario, binary

BIRD (ab. = **Banco Internacional de Reconstrucción y Desarrollo),** International Bank for Reconstruction and Development (IBRD); IBRD (International Bank for Reconstruction and Development)

bisemanal, biweekly

bisemanalmente, biweekly

bit (unidad de información), bit

bit de paridad (comp.), parity bit (comp.)

bit de verificación, control character

bits delimitadores, framing bits (comp.)

blanco fácil de acertar, sitting duck (col.)

blandengue (Esp., col.), soft touch (col.)

blanqueador de dinero negro, money launderer; cash launderer

blanquear dinero, launder money

blanquear dinero de procedencia ilegal (v.), legitimate money

blanqueo de dinero, cash laundering; money laundering; laundering (col.)

blanqueo e inversión, laundering and investment

blindaje (cláusula de salvaguardia en caso de despido (Esp., col.), golden parachute (protection clause against firing) (col.)

bloc, jotter (GB)

bloque, block (n.); blockade (n.)

bloque de números, block of numbers

bloquear, block (n.); blockade (n.)

bloquear el pago de un cheque, stop a cheque (US: cheque = check / draft)

bloquear una cuenta, freeze an account

bloqueo, block (n.); blockade (n.)

bloqueo mutuo, interlocking

bocoy, drum

bodas de oro (50 años), golden jubilee

bodas de plata (25 años), silver jubilee

bodega (de barco o avión), hold (n.)

bodega de almacenaje, storehouse; storeroom; warehouse

bodega de recuperación, recovery warehouse

boicot, boycott (n.)

boicotear, boycott (n.)

boleta (LA), ticket

boleta de gastos menores (Esp.), petty cash voucher

boleta de venta, sales draft; sales bill; sales check; sales slip

boletín, bulletin

boletín de cambios (de moneda), list of foreign exchange rates

boletín de cancelaciones, cancellation bulletin

boletín de cotizaciones, list of quotations; quotations bulletin

boleto, ticket

bolsa (transparente) portadocumentos, jacket

bolsa de cambios, foreign exchange market

bolsa de comercio, commodity exchange

bolsa de divisas, foreign (currency) market

bolsa de empleo, jobcentre (GB); employment bureau

bolsa de granos, corn exchange (US)

Bolsa de Nueva York, New York Stock Exchange (NYSE); NYSE (ab. New York Stock Exchange)

bolsa de opciones sobre valores de renta variable, equity options exchange

bolsa de trabajo (Esp.), employment exchange

bolsa de valores, securities market; stock(-exchange) market; stock exchange

bolsa de valores de Londres, London stock exchange (LSE); LSE (ab. London stock exchange)

bolsa paralela, bucket shop (col.)

bolsín (Esp.), gré-à-gré market; gray market; grey market; after market; over-the-counter market (OTC market); OTC market (ab. over-the-counter market); secondary market; underlying market; curb market; kerb market (GB)

bombero, fireman (pl. fireman = firemen)

bombero (Esp., col.), troubleshooter (col.)

bombón (col.), crown jewel (col.)

bonificación (n. fem.), abatement; rebate (n); discount (n); allowance; abating; trim (n. & v.); refund (n. & v.); refunding; reimbursement

bonificación acumulada, aggregate allowance; accumulated fund

bonificación complementaria, aggregate allowance; accumulated fund

bonificación por pago al contado, cash discount; sales discount; short discount; anticipation discount; discount for prompt payment

bonificación promocional, promotional allowance

bonificación sobre flete, freight allowance

bonificación sobre ventas, discount-sales bonus

bonificar, discount (v.); rebate (v.); deduct; abate; disencumber

bono, debenture; debt

bono a interés fijo (GB), percents

bono a tipo variable ajustable al de referencia hasta un tope máximo, capped floating rate note (capped FRN); capped FRN (ab. capped floating rate note)

bono a tipo variable, con diferencial ajustable al alza, step-up bond

bono a tipo variable, no coincidente con el de referencia al pago de intereses, mismatched floating rate note (mismatched FRN); mismatched FRM (ab. mismatched floating rate note)

bono a vencimiento fijo, dated bond

bono aceptable para atender el compromiso en un contrato de futuros, delivery bond

bono al portador, coupon bond

bono alcista, bull bond

bono amortizable antes del vencimiento, retractable bond

bono bajista, bear bond

bono canjeable por acciones del mismo emisor bajo ciertas condiciones, convertible bond

bono colateral, guaranteed bond; bond debenture

bono con cláusula de opción al pago en otra moneda a un tipo flotante, floating rate option note (FRON); FRON (ab. floating rate option note)

bono con cupón diferido, deferred coupon bond

bono con derecho a adquirir acciones o bonos bajo ciertas condiciones, warrant bond

bono con interés fijo, fixed bond

bono con interés sujeto al precio de una mercancía determinada a fecha dada, commodity-backed loan

bono con opción a la amortización anticipada, retractable bond

bono con opción a la conversión, flip-flop note

bono con opción de recompra, callable bond

bono con opción de reventa, puttable bond

bono con vencimiento fijo, term bond

bono con vencimiento único, bullet bond

bono con warrant, warrant bond

bono convertible, convertible bond

bono cupón cero, zero coupon bond

bono de ahorro, savings bond

bono de caja, bond (n.); cash warrant; capital debenture

bono de garantía con aportación de colateral, collateral trust bond

bono de interés flotante, floating rate note (FRN); FRN (ab. floating rate note)

bono de interés variable, ajustable a la baja, step-down bond

bono de nominal inferior a USD 1.000, baby bond (col.)

bono de participación en beneficios, profit-sharing debenture; income bond

bono de participación en utilidades, profit-sharing debenture; income bond

bono de prenda, warrant; option call; call (option)

bono de tesorería, bond (n.); cash warrant; capital debenture

bono declinante, step-down bond

bono definidor del activo subyacente para contratos de futuros, notional bond

bono del estado con derecho a sorteos mensuales de premios (GB)**,** premium bond (GB)

bono del Tesoro, Treasury bond; Treasury note; Treasury bill; T-bill; currency certificate (US); T-bond

bono EMB, cheapest to deliver bond; CTD bond

bono emitido a largo plazo por el estado alemán, bund (col.)

bono emitido con gran descuento y sin intereses hasta su vencimiento, zero coupon bond

bono emitido en España, en pesetas, por prestatarios no residentes, Matador bond

bono emitido para sondear la tendencia del mercado, bellwether bond

bono en divisa distinta a la del emisor, foreign bond

bono en dólares emitido en Estados Unidos por una entidad extranjera, Yankee bond

bono en dólares para su compra por entidades japonesas, Sushi bond

bono en moneda extranjera, foreign currency bond

bono en moneda subordinada, currency-linked bond

bono en pesetas emitido por un emisor extranjero, Matador bond

bono en yens emitido por un emisor extranjero, Samurai bond

bono entregable, delivery bond

bono entregable más barato, cheapest to deliver bond; CTD bond

bono extranjero, foreign bond

bono garantizado por otra sociedad distinta a la emisora, assumed bond

bono indexado, indexed bond

bono indiciado a tipo de interés variable, floating rate note (FRN); FRN (ab. floating rate note)

bono inversamente ligado al índice bursátil (baja aquél cuando éste sube), bear bond

bono más barato entregable, cheapest to deliver bond; CTD bond

bono Matador, Matador bond

bono MBE, cheapest to deliver bond; CTD bond

bono no convertible a interés fijo, straight bond

bono nocional, notional bond

bono nominativo, registered bond

bono perpetuo, annuity bond

bono Premium (GB)**,** premium bond (GB)

bono que permite percibir los intereses en efectivo o en bonos iguales, bunny bond

bono reinvertible, bunny bond

bono rescatable antes de su vencimiento, callable bond

bono resultante de la conversión de otro anterior, Aladdin bond

bono Samurai, Samurai bond

bono sin interés, passive bond

bono sin vencimiento fijo, perpetual bond

bono sorteado, drawn bond

bono Sushi, Sushi bond

bonos (con vencimiento) a tres años, three-year bonds

bonos a largo plazo, long-term bonds (LT bonds); LT bonds (ab. long-term bonds)

bonos a largo plazo en Eurodólares, long-term Eurodollar bonds (LT Eurodollar bonds); LT Eurodollar bonds (ab. long-term Eurodollar bonds)

bonos a medio plazo, medium-term bonds

bonos amortizables, redeemable bonds

bonos basura (col.)**,** junk bonds (col.)

bonos con alta prima de emisión, deep-discount bonds

bonos convertibles, refunding bonds; convertible bonds; stock warrants

bonos de caja a corto plazo, commercial paper; busines paper; mercantile paper; trade bills

bonos de desembolso aplazado, partly paid bonds

bonos de elevada rentabilidad y alto riesgo, junk bonds (col.)

bonos de primera clase en Eurodólares, high-grade Euro dollar bonds

bonos de reintegro, refunding bonds; convertible bonds; stock warrants

bonos de vencimiento escalonado, serial bonds; bond serial

bonos del Tesoro, government debt stock; government paper; government securities; national debt; public debt; government bonds

bonos del Tesoro británico, gilt-edged securities (GB)

bonos en libras emitidos por entidad no británica, bulldog bonds

bonos especulativos, junk bonds (col.)

bonos pagaderos en dólares, dollar bonds

bonos reintegrables, refunding bonds; convertible bonds; stock warrants

borderó, acceptance slip

bordo del barco, shipboard

borrador (de carta, contrato, etc.), bill of exchange; draft

borrador de contrato, draft contract

borrador de libro Diario, blotter book

borrador de un texto, rough draft

borrar, delete; clear (v.); suppress

borrar (comp.)**,** erase (comp.); delete (comp.)

borrar un directorio (comp.), zap a directory (comp.)

borrar un registro, delete a record

borrón y cuenta nueva (Esp., col.)**,** call it quits (col.)

bote (Esp., col.)**,** boot (col.)

bóveda (SA)**,** bank vault

bóveda de seguridad (LA)**,** strong room (col.); vault; safe-deposit vault

BPA (ab. **beneficio por acción),** earnings per share (EPS); EPS (ab. earnings per share)

BPI (ab. **Banco de Pagos Internacionales),** BIS (ab. Bank for International Settlements); Bank for International Settlements (BIS)

bracero (Esp.)**,** ranch hand (US)

brigada policial de investigación criminal (GB), Scotland Yard (GB)

brindar un trato exquisito a los clientes importantes, roll out the red carpet for top customers (col.)

broker (Esp.)**,** broker; agent middleman; stock(-exchange) broker; stockbroker (GB: stockbroker = stockjobber); stockjobber (US: stockjobber = stockbroker)

broker ciego, blind broker; interdealer broker (ab. IDB); IDB (ab. interdealer broker)

bromas aparte, all joking aside

bromear sobre, joke about (col.)

bruto, gross

bucear en, search (v.)

buceo (análisis), search (n.)

bucle, loop (comp.)

bucle de alimentación (comp.), feedback loop (comp.)

buen comportamiento, good behaviour (US: behaviour = behavior)

buen concepto alcanzado, acquired goodwill

buen estado de funcionamiento, working order

buen fin, success

buen mordisco (col.)**,** big dent (col.)

buen nombre, good name; good reputation

buen trabajador, journeyman (col.)

buena calidad general, fair average quality (FAQ); FAQ (ab. fair average quality)

buena disposición, readiness; availability

buena fama, good name; good reputation

buena fe, in good faith; bona fide (Lat.)

buena reputación, good name; good reputation

buena tajada (col.)**,** big dent (col.)

buenas relaciones con los bancos colegas, good relationship with banking peers

bufete, law office

buffer (memoria intermedia de ordenador), buffer

bulevar, blvd (ab. boulevard); boulevard (blvd)

bulkcarrier (buque de transporte a granel), bulkcarrier

bulto, package

bund (col.)**,** bund (col.); bono emitido a largo plazo por el estado alemán

buque, ship; vessel; craft

buque a vapor, motor ship (MS); motor vessel (MV); MV (ab. motor vessel / merchant vessel); MS (ab. motor ship / merchant ship); merchant ship (MS)

buque cisterna, tanker ship (TS); TS (ab. tanker ship)

buque de carga, freighter (ship)

buque de línea regular, liner

buque de primera, A1 ship

buque de servicio irregular, tramp

buque de transporte a granel (bulkcarrier), bulkcarrier

buque fletado, charter(ed) ship

buque fletado en el extranjero, foreign chartered ship

buque mercante, motor ship (MS); motor vessel (MV); MV (ab. motor vessel / merchant vessel); MS (ab. motor ship / merchant ship); merchant ship (MS)

buque portacontenedores, container vessel; container ship

buque sujeto a cuarentena, ship in quarantine

burda distorsión de los hechos, gross distortion of facts

burdo, gross

burguesía, middle class

burocracia, bureaucracy

burócrata, bureaucrat

burocrático, bureaucratic

bursátil (adj., masc. & fem.)**,** stock-exchange (adj.)

buscar, search (v.)

buscar gangas, bargain hunting

buscatalentos (col.)**,** head hunter (col.)

búsqueda, search (n.)

búsqueda de trabajo, jobhunting

buzón de correo, mail box (US); letter box (GB)

buzón de quejas y sugerencias, gripe box (col.)

C

CFI (ab. = **Corporación Financiera Internacional),** International Finance Corporation (ab. IFC); IFC (ab. = International Finance Corporation)

cabal, compos mentis (Lat.)

caballero blanco (col., opas)**,** white knight (col., takeover bids)

Caballero del Imperio Británico, Knight of the British Empire (ab. KBE); KBE (ab. = Knight of the British Empire)

caballero negro (opas), black knight (takeover bids)

cabeza de partido (Esp.)**,** county seat (US)

cabeza de turco (Esp., col.)**,** dummy (col.); front man; straw man (col.); scapegoat (col.)

cabeza magnética (comp.)**,** magnetic head (comp.)

cabildear, lobby (n. & v.); pressure group (lobby)

cabildeo, lobby (n. & v.); pressure group (lobby)

cabildo, city hall; town council (GB); township (US)

cabina para votar, polling booth

cable(grama), cable; cablegram

cabos sueltos (col.)**,** loose ends (col.)

cabotaje, coastal navigation; cabotage

caco (Esp., col.)**,** thief; burglar

cada año, every year; on a yearly basis; annually; PA (ab. Lat. per annum); per annum (PA) (Lat.); yearly

cada dos años, every other year; every second year

cada dos meses, bimonthly

cada dos semanas, biweekly

cada seis meses, biannually; twice a year

cada tres meses, quarterly

cadena de ensamblado, assembly line

cadena de montaje, assembly line

cadena secuencial, sequency (sequency = sequence); sequence (sequence = sequency); progression

caducado, stale; aged

caducar, expire; fall due; lapse (v.); prescribe

caducidad, caducity; expiration

caducidad (n. fem.)**,** lapse (n.)

caducidad de un contrato, expiration of an agreement

caducidad de un derecho, forfeiture of a right

caducidad de una fianza, forfeiture of a bond

caer (v.)**,** fall (v.); drop (v.)

caer en bancarrota, become bankrupt; fail (become bankrupt); go into bankruptcy; go into receivership; crack (v., col.)

caer en desuso, sink into desuetude

caer en picado, go to the devils (col.); go to hell (col.); go kaput (col.)

caída, decline (n.); drop (n.); decrease (n.); setback; deadlock; standstill; stasis; stagnancy; stagnation; breakeven point

caída constante, constant drop

caída de la rentabilidad de los recursos propios, fall in the return on stockholders´equity

caída de las cotizaciones, knockdown

caída de los fondos de cobertura, hedge fund fallout

caída de pantallas (Esp., inf.)**,** hangup

caída de un valor hasta el mínimo permitido en una misma sesión, limit down

caída del agio, agio drop

caída del dólar, dollar drop

caída del paro, unemployment drop

caída en desuso, obsolescence

caída intertrimestral de los recursos ajenos, quarter-to-quarter deposits drop

caja (establecimientos comerciales), checkout counter (shops / stores)

caja automática para ingresos nocturnos, night safe

caja chica (LA)**,** petty cash

caja de ahorros, savings bank (US: savings bank = thrift); thrift (GB: thrift = savings bank)

caja de ahorros provincial, provincial savings bank

caja de caudales, safe; safe-deposit box; strong box

caja de caudales empotrada, built-in safety box

caja de compensación, equalization fund

caja de depósitos, trust bank

caja de gastos menores (Esp.)**,** petty cash

caja de jubilaciones, retirement fund; pension fund; superannuation fund

caja de pensiones, retirement fund; pension fund; superannuation fund

caja de resistencia para huelgas, strike fund; war chest

caja de seguridad, safe; safe-deposit box; strong box

caja de seguridad empotrada, built-in safety box

caja fuerte, safe; safe-deposit box; strong box

caja mutua de ahorros, mutual savings bank

caja para embalar, packing box

caja postal de ahorros, postal savings bank

Caja y Banco de España (depósitos), cash and due from Bank of Spain (deposits)

caja y bancos, cash and due from banks; cash on hand and with banks; funds available (cash and banks); quick assets; available assets

caja y depósitos en el Banco de España, cash on hand and deposits with the Bank of Spain

cajera (establecimientos comerciales), checkout girl (shops / stores)

cajero, payer; teller (US); paying teller (US); cashier (GB)

cajero (empleado de caja), teller (GB: teller = cashier); cashier (US: cashier = teller)

cajero automático (Esp.)**,** cash dispenser; automatic teller machine (ATM); ATM (ab. automatic teller machine); automated teller machine (ATM)

cajero cobrador, receiving teller

cajero de cobros, receiving teller

cajero de ingresos, receiving teller

cajero pagador, payer; teller (US); paying teller (US); cashier (GB)

cajero permanente (Esp.)**,** cash dispenser; automatic teller machine (ATM); ATM (ab. automatic teller machine); automated teller machine (ATM)

cajero principal, head teller

cajilla del buque (LA)**,** ship´s bag

cajón, crate

calas (Esp.)**,** test checks

calcomanía, decal

calculadora, adding machine; calculator (machine)

calcular, compute; calculate; tabulate

calcular el promedio, average (v.); prorate (US, v.)

cálculo, calculation

cálculo a ojo de buen cubero (Esp., col.)**,** dead reckoning (col.)

cálculo de conjunto, aggregate estimate

cálculo de costos, costing

cálculo de intereses a base de saldos, equated calculation of interest

cálculo de la volatilidad, beta calculation (beta = ß); ß calculation (ß = beta)

cálculo de probabilidades, calculation of probabilities

cálculo del coeficiente beta (beta = ß), beta calculation (beta = ß); ß calculation (ß = beta)

cálculo diferencial, differential calculus

cálculos, reckoning; expectations; prognoses (sing.: prognoses = prognosis)

calderilla (Esp., col.), divisional coins; divisional money; change (col.)

calendario, calendar

calendario de amortización, repayment schedule

calendario de objetivos, schedule (n.); program (n.)

calendario de pagos, structure of payments; payments structure; payments schedule; schedule of payments

calendario de vencimientos, maturity schedule; schedule of maturities

calendario financiero, financial calendar

calendario legal, legal schedule; official schedule

calibrar, measure

calidad, quality

calidad de vida, quality of life

calificación, credit rating

calificación de máxima solvencia, AAA rating

calificación de solvencia asignada por Standard & Poor's, Standard & Poor's rating

calificación de solvencia financiera, rating

calificación de valores bursátiles, rating

calificado con la máxima solvencia, AAA-rated

calificarse para acceder a un cargo ejecutivo, qualify for an executive assignment

calmar la crisis financiera, defuse an economic crisis

cámara acorazada, strong room (col.); vault; safe-deposit vault

cámara acorazada del banco, bank vault

Cámara Baja del Parlamento (Irlanda), Dáil (Ireland)

cámara de comercio, chamber of commerce

Cámara de Comercio Internacional (CCI), International Chamber of Commerce (ICC); ICC (ab. = International Chamber of Commerce)

Cámara de Compensación de Opciones, Options Clearing Corporation (OTC); OTC (ab. Options Clearing Corporation)

cámara de compensación y liquidación, clearing house

Cámara de los Comunes (GB), House of Commons (GB)

Cámara de los Lores (GB), House of Lords (GB)

Cámara de Representantes (US), House of Representatives (US)

cámara de seguridad, strong room (col.); vault; safe-deposit vault

cámara de seguridad del banco, bank vault

camarilla, ring

cambiable, exchangeable

cambial, bill of exchange; draft

cambial sobre el extranjero, external bill (US: bill = draft)

cambiar, change (v)

cambiar a, convert into

cambiar a dólares, convert into dollars

cambiar de turno, shift

cambiar pesetas españolas a euros, convert Spanish pesetas into euros

cambio, exchange (n.)

cambio (Esp.), divisional coins; divisional money; change (col.)

cambio a la par, par of exchange; parity change; real par of exchange; countervalue; par; exchange parity

cambio a la vista, demand rate of exchange

cambio a plazo, forward rate

cambio al cierre (de la sesión bursátil), closing rate

cambio alto, high change

cambio aplicado a una moneda ("fixing"), fixing

cambio arbitrado a la par, arbitrated par of exchange

cambio bajo, low change

cambio bursátil, listing; quotation

cambio comprador, buying rate

cambio de actitud, change of attitude

cambio de apertura, initial change; opening change

cambio de base, fixing

cambio de compensación, breakeven exchange rate

cambio de divisas, foreign exchange; foreign currency (pl.: currency = currencies)

cambio de fecha, rearrangement; reorganization

cambio de hora, rearrangement; reorganization

cambio de impresiones, exchange of views

cambio de moneda extranjera, foreign exchange; foreign currency (pl.: currency = currencies)

cambio de préstamo (modificando alguna condición de los anteriores), swap (n.); barter (n.)

cambio de referencia, fixing

cambio de titularidad, change of title

cambio de turno, shift

cambio de venta, asking price; asked price; selling rate

cambio del orden del día (temas a tratar), rearrangement; reorganization

cambio desfavorable, unfavourable change (US: unfavourable = unfavorable)

cambio elevado, high change

cambio en suspenso, exchange in suspense

cambio estable, firm change

cambio favorable, favourable change (US: favourable = favorable)

cambio fijo, fixed change

cambio firme, firm change

cambio incierto, uncertain change

cambio indirecto, cross rate

cambio inicial, initial change; opening change

cambio mantenido, firm change

cambio marítimo, bottomry; gross adventure; loan on bottomry; marine loan; maritime loan

cambio medio ponderado a final del ejercicio (fixing), average year-end weighted (fixing) exchange rate

cambio sin fluctuaciones, firm change

cambio sobre la cotización al cierre de la sesión precedente, change (n.)

cambio sostenido, firm change

cambio variable, variable

cambios fijos, pegged exchange rates

cambios libres, free exchange rates

cambista, foreign exchange broker; foreign exchange dealer; foreign exchange trader; bill broker

cambista (en países asiáticos), shroff (in Asian countries)

cambista (n. masc.)**,** money changer

cambista bursátil, exchange broker; stock exchange broker; agent of exchange

camello (Esp., col.)**,** drug smuggler

camión (US)**,** truck

camión de mercancías (GB)**,** lorry

camión de transporte, motor truck (US)

camionero, truck driver; trucker

campaña de promoción, promotion actions

campaña de promoción de nuevos productos bancarios, promotion of new banking products

campaña de publicidad, advertising campaign

campaña de reducción de gastos, cost-cutting drive

campaña publicitaria, advertising campaign

campaña publicitaria basada en la duda, teaser advertising

campechanía (col.)**,** familiarity (pl. familiarity = familiarities)

campo, range (n.)

campo (comp.)**,** field (comp.)

campo alfanumérico, alphanumeric field

campo de datos, data field

campo de tarjeta, card field

campo de una variable, range (n.)

campo de validación, validation field

campo de validación del NIP, PIN validation field

campo del registro, record length

campo que se rellena con cifras y en letra (p.ej., cheques), filling

campo rellenado con ceros, zero-filled field

canal, channel (n. & v.)

canal de trasvase de dinero negro, channel for criminal funds

canal navegable por buques de gran calado, ship canal

canal selector (comp.), selector channel (comp.)

canales emergentes, emerging channels

canales tradicionales de intermediación del ahorro, traditional intermediation of savings channels

canalización de fondos, channeling of funds

canalización de transacciones (comp.), routing (comp.)

canalizar, channel (v.)

canalla, rat (adj.)

cancelación (n. fem.), settlement

cancelación de autorización, authorization cancellation

cancelación de cuentas mutuas mediante saldos netos, netting

cancelación de hipoteca, mortgage discharge

cancelación de orden de compra, cancellation of purchase order

cancelación de prima, cancellation of premium

cancelación de saldo (n. fem.), offset (n.); setoff (n)

cancelación mediante contraasiento, closing out

cancelación simultánea, cross default

cancelar, cancel; annul; revoke; abolish; abrogate; nullify; setoff (v.); terminate; rescind; take back (v.)

cancelar una cuenta, wipe off a debt (col.)

cancelar una deuda, discharge a debt

cancelar una hipoteca, lift

cancelar una reclamación, settle a claim

cancelar una reserva, cancel a booking

canje, change (n.)

canje de obligaciones, bond exchange

canjear, swap (n. & v.); barter (n. & v.)

canjear obligaciones, exchange bonds

canon, canon

cánon, royalty (pl. = royalties)

cánon de admisión (Esp.), admission fee

cánon de arrendamiento, lease rental

canon de atraque, wharfage

cánones de interpretación, canons of construction

cantar (de plano) (Esp., col.), cough (col.); avow; avouch; depose

cantidad, quantity (QTY); QTY(ab. = quantity)

cantidad (cuantía), amount (n); sum (n.)

cantidad adeudada, amount due

cantidad de tres dígitos, three-digit amount

cantidad entre 100 y 999, three-digit amount

cantidad global, alimony in gross; lump sum

cantidad importante, handle (GB, col.: handle = big figure)

cantidad máxima, maximum amount

cantidad neta, net amount

cantidad pagada de más, amount paid in excess

cantidad pagadera de inmediato, amount payable forwith

cantidad pendiente, remaining amount; remainder; outstanding amount; carry-over (n.); outstandings; balance outstanding; carried forward (CF); CF (ab. carried forward)

cantidad pendiente de pago, amount outstanding

cantidad prevista, buffer

cantidad principal, relevant amount

cantidad principal de un préstamo (n. fem.), principal; accountee; assignor; auctor; constituent

cantidad real de los intereses abonados, actual amount of interest paid

cantidad resultante, resulting figure; resulting amount; proceeds

cantidad simple, simple quantity

cantidades adeudadas a proveedores, amounts owed to suppliers

cantidades incobrables, non-collectable amounts

cantidades insignificantes, meagre amounts

cap cuya fecha de entrada en vigor es posterior a la de su contratación, deferred cap

cap desnudo, naked cap

cap diferido, deferred cap

cap emitido por un banco sin la debida cobertura de sus recursos generados, naked cap

capacidad, capacity; ability

capacidad aprovechada, utilized capacity

capacidad contributiva, tax-paying capacity

capacidad de almacenamiento, storage capacity

capacidad de colocación, placing power

capacidad de cumplimiento de obligaciones tributarias, tax-paying capacity

capacidad de dirección (fem.), managerial know-how

capacidad de endeudamiento, borrowing capacity

capacidad de expansión, expansion capacity

capacidad de expansión de la red de sucursales, branching expansion capacity

capacidad de generar beneficios, profit-earning capacity

capacidad de la bodega, stowage capacity

capacidad de pago, ability to pay

capacidad de reacción, reaction capability

capacidad de venta, marketability

capacidad excedentaria, surplus capacity

capacidad excedida, overflow

capacidad financiera, credit rating

capacidad gestora, managerial ability; managerial capability

capacidad laboral, skill; proficiency

capacidad legal, legal status; legal capacity

capacidad limitada, low capacity

capacidad máxima, maximum capacity

capacidad no utilizada, idle capacity

capacidad para desarrollar políticas y procedimientos, ability to develop policies and procedures

capacidad para generar beneficios, earning power; earning capacity

capacidad para trabajar, capacity to work

capacidad reconocida para otorgar testamento, testamentary capacity

capacidad testamentaria, testamentary capacity

capacidad utilizada, utilized capacity

capacitación, training

capacitación continuada del personal, continued staff training

capacitación de los empleados, staff training

capacitación informatizada de los empleados, computer-assisted staff training

capacitación práctica en el propio centro de trabajo, on-the-job training

capataz, foreman

capaz, able

capción (n. fem.), caption; item

capital, capital

capital accionario, common stock; ordinary stock; voting stock (GB: stock = shares); share capital; fully qualified stock; capital stock

capital activo, active capital

capital acumulado, accumulated capital

capital amortizable, callable capital

capital aportado, invested capital; contributed capital

capital autorizado, nominal capital; authorized capital; face capital

capital circulante, current assets; circulating capital; working assets; floating assets; liquid assets

capital contable, net assets

capital de constitución, original capital

capital de explotación, trading capital; instrumental capital

capital de explotación activo, active working capital

capital de participación en riesgo, venture capital; risk capital

capital declarado, declared capital

capital del condado (US), county seat (US)

capital desembolsado, capital paid-in; paid-in capital; outstanding capital; capital outstanding; paid-up capital

capital diferido, pure endowment

capital diluido, watered capital

capital e intereses, aggregate principal amount; principal and interest

capital en acciones, common stock; ordinary stock; voting stock (GB: stock = shares); share capital; fully qualified stock; capital stock

capital en acciones ordinarias, ordinary share capital

capital en circulación, capital stock outstanding

capital escriturado, declared capital

capital exhibido, capital paid-in; paid-in capital; outstanding capital; capital outstanding; paid-up capital

capital exigible, callable capital

capital fijo, fixed capital

capital flotante, floating capital

capital improductivo, idle capital; dead capital

capital inflado, watered capital

capital inicial, original capital

capital integrado, capital paid-in; paid-in capital; outstanding capital; capital outstanding; paid-up capital

capital invertido, invested capital; contributed capital

capital legal, legal capital

capital líquido, net assets

capital no desembolsado, unpaid capital

capital nominal, nominal capital; authorized capital; face capital

capital pagado, capital paid-in; paid-in capital; outstanding capital; capital outstanding; paid-up capital

capital propio tangible, tangible equity; tangible net worth

capital realizado, capital paid-in; paid-in capital; outstanding capital; capital outstanding; paid-up capital

capital resultante de la venta de obligaciones, debenture capital

capital riesgo, venture capital

capital segurado, capital assured

capital sin desembolsar, unpaid capital

capital social, common stock; ordinary stock; voting stock (GB: stock = shares); share capital; fully qualified stock; capital stock

capital social escriturado, registered capital

capital suscrito, capital paid-in; paid-in capital; outstanding capital; capital outstanding; paid-up capital

capital suscrito y no desembolsado, capital subscribed and pending payment

capital suscrito y pendiente de desembolso, capital subscribed and pending payment

capital total más intereses acumulados, aggregate principal amount; principal and interest

capitalismo, capitalism

capitalista, capitalist

capitalización, capitalization

capitalización bursátil, market capitalization

capitalización del gasto, expense capitalization; capitalization of expenses

capitalizar, capitalize

capitán de barco mercante, shipmaster; master (of ship)

capítulo (epígrafe), caption; item

capítulo de gastos de personal, wage bill

capo mafioso (col.), boss (col.)

captación de depósitos destinados a la inversión crediticia, assets and liabilities; assets and funds; borrowing and lending; funds and assets

captación de fondos, funding

captación e inversión de recursos, assets and liabilities; assets and funds; borrowing and lending; funds and assets

captar fondos, raise funds

captar recursos ajenos, attract deposits

captura y aprehensión, capture and seizure

capturar, apprehend; attach; confiscate; impress; seize; sequester; enforce; execute; arrest (v.); take into custody

cara al futuro, forward

carácter, character

carácter de control, control character

carácter del cargo y principales actividades, character of position and principal activities

carácter técnico del informe, technical nature of the report

carácter válido, valid character

características del puesto de trabajo, job specifications

características más destacadas, salient features

carátula de mensaje por fax, cover note; cover letter

cárcel, hock (n., col.); jailhouse (US); jail (GB); gaol (US)

carecer de credibilidad, be lacking in credibility

carencias estructurales, structural shortcomings

carente de bienes, propertyless (adj.)

carente de liquidez, unliquid

carente de respaldo financiero, devoid of financial support

carente de riesgo, devoid of risk

carente de sentido, devoid of sense

carestía de los productos básicos, scarcity of raw materials

carga, lading; freight; load (n.); shipment; consignment

carga (lastre, bultos), burden

carga a bordo, loading on board

carga completa, shipload

carga de salida, outward cargo

carga de trabajo, work load

carga económica, financial burden

carga financiera, financial burden

carga fiscal, tax burden; tax pressure

carga hipotecaria, encumbrance

carga imputada, applied burden

carga máxima, peak load

carga por avión, air freight; airfreight(ing)

carga tributaria, tax burden; tax pressure

carga(mento), cargo

carga(mento) de un vagón, carload

carga(mento) general, general cargo

cargado en factura, invoiced

cargamento, lading; freight; load (n.); shipment; consignment

cargamento (transportado) sobre cubierta, deck cargo

cargamento a granel, bulk cargo; loose cargo

cargamento completo, shipload

cargamento mixto, general cargo

cargar (adeudar), charge (v.); debit (v.); owe (v.); be in debt with

cargar (bultos), burden

cargar (con impuestos, etc.), encumber

cargar a bordo, load (v.)

cargar intereses, charge interest

cargar las tintas (Esp., col.)**,** lay something on with a trowel (col.)

cargar mercancía, load (v.)

cargar una venta en cuenta, charge a sale into account

cargarse de deudas, run into debt(s)

cargas familiares, dependants (US: dependants = dependents); dependents (GB: dependents = dependants)

cargas indirectas, indirect expenses

cargo, post (n.); emloyment; job (n.); service; location

cargo (apunte contable), debit advice; debit note

cargo diferido, deferred debit

cargo directivo, managerial post; managerial assignment

cargo inmediato, direct billing; direct debit

cargo por depreciación, write-off (n.)

cargo y cuenta del cargador, shipper´s load and count

cargo y data, debit and credit

cargos diferidos, prepaid expenses; deferred charges

cargos extraordinarios, non-recurring charges; extraordinary charges

cargos fijos, fixed charges

carguero (barco), freighter (ship)

carne de comisaría (Esp., col.), jailbird (col.)

carnet de identidad (DNI) (Esp.), identity card

caro, expensive; grievous; onerous

carpeta de archivo (Esp.), file; archive, record

carpeta encuadernadora, bookbinder

carpeta para archivo de documentos, file folder

carpeta portadocumentos, jacket

carpetilla, jacket

carrete, reel

carro (SA), car

carta, letter

carta (de) remesa, collection letter

carta abierta a los accionistas, open letter to the shareholders

carta autógrafa, autographic letter

carta blanca (fig.), blank cheque (US: cheque = check, draft)

carta certificada, registered letter

carta circular, form letter; circular letter

carta de (trans)porte por vía aérea, air consignment note

carta de acompañamiento de efectos al cobro, collection letter

carta de acompañamiento de otros documentos, cover note; cover letter

carta de adeudo, debit advice; debit note

carta de agradecimiento por las atenciones recibidas, bread-and-butter letter (col.)

carta de anterioridad, subordination agreement

carta de autorización, letter of attorney; power of attorney; warrant of attorney

carta de aval, letter of guaranty (guaranty = guarantee); letter of indemnity

carta de aviso, letter of advice

carta de ciudadanía, citizenship papers

carta de cobertura, cover note; cover letter

carta de cobranza, collection letter

carta de compromiso, letter of commitment

carta de confirmación, confirming letter

carta de constitución hipotecaria, letter of hypothecation

carta de crédito comercial, commercial letter of credit

carta de crédito complementaria, ancillary letter of credit

carta de crédito confirmado irrevocable, straight letter of credit (SLC); SLC (ab. straight letter of credit)

carta de crédito de viajero (en desuso), traveller´s letter of credit (US: traveller´s = traveler´s) (outdated)

carta de delegación, letter of delegation

carta de envío, transmittal letter

carta de espera, letter of license

carta de exención, bill of sufferance

carta de garantía, letter of guaranty (guaranty = guarantee); letter of indemnity

carta de intenciones, comfort letter

carta de mar (LA), ship´s passport

carta de moratoria, letter of license

carta de navegación, sea letter

carta de notificación, letter of advice

carta de objeciones, expostulatory letter

carta de otorgamiento de poderes, letter of attorney; power of attorney; warrant of attorney

carta de pago, release (n.); acquitment; discharge (n.); quittance; relief; acquittance; apocha; receipt in full; satisfaction

carta de pago (Esp.), deed of release

carta de pago del impuesto sobre activos inmobiliarios, real estate tax receipt

carta de pignoración, letter of hypothecation

carta de porte, consignment note; delivery note; freight bill

carta de porte de transportista explotador de una línea regular, common carrier bill of lading

carta de porte negociable, order bill of lading (order BL / order blading); order BL (ab. order bill of lading); order blading (ab. order bill of lading); bill of lading to order (BL to order); BL to order (ab. bill of lading to order); negotiable bill of lading (NBL / negotiable blading); NBL (ab. negotiable bill of lading); negotiable blading (ab. negotiable bill of lading)

carta de porte nominativa, straight bill of lading (SBL); SBL (ab. straight bill of lading)

carta de porte por ferrocarril, railway bill of lading (GB; ab. railway B/L); railway B/L (GB; ab. railway bill of lading); railroad bill of lading (US; railroad B/L); railroad B/L (US: ab. railroad bill of lading)

carta de presentación, letter of introduction; recommendation letter

carta de recomendación, letter of introduction; recommendation letter

carta de requerimiento de pago, dunning letter

carta de sanidad, bill of health (ab. BH); BH (ab. bill of health); health certificate

carta de sanidad sin enmiendas, clean bill of health

carta de subordinación a un crédito, letter of subordination

carta de venta, bill of sale (BOS); BOS (ab. bill of sale)

carta devuelta y no reclamada, dead letter

carta escrita a mano, autographic letter

carta preimpresa, form letter; circular letter

carta recordatoria, tickler (col.); reminder

carta-poder, proxy

carta-poder sobre acciones, stock power

cártel de empresas, consortium (pl. = consortia / consortiums); pool; trust

cártel de precios, cartel for price fixing

cartera, portfolio

cartera (con asa) (Esp., attaché case (n, Fr.)

cartera (de valores, inversiones, efectos al cobro, etc.), portfolio (securities, investments, collections, etc.)

cartera (Esp.)**,** billfold

cartera de efectos, bills discounted; discounted bills; discounted notes; notes discounted

cartera de inversiones, investment portfolio

cartera de préstamos, loan portfolio

cartera de títulos, securities (sing.: securities = security); securities portfolio

cartera de valores mobiliarios, securities (sing.: securities = security); securities portfolio

cartera de valores privados, private securities portfolio

cartera índice, index portfolio

carteras índice de alta beta, high beta index funds

carteras índice incrementadas, enhanced index

cartero, mail carrier (GB: mail carrier = postman); postman (US: postman = mail carrier)

cartilla de ahorros (Esp.)**,** bankbook (= bank book); bank book (= bankbook); passbook; deposit passbook; savings book

cartucho para monedas, coin envelope

casa (firma comercial), firm; firm´s name; firm´s title; corporate name

casa central, home office (GB); head office; main office; headquarters

casa consistorial, city hall; town council (GB); township (US)

casa de contratación, commodity exchange

casa de empeños, pawnshop; hock shop (col.)

casa de la moneda, mint

casa de los líos (Esp., col.) **(actividades poco legales),** dirty tricks centre (US: centre = center)

casa de préstamos, loan office

casa solariega, homestead

casación, abolition; abrogation; annulment; defeasance; cancellation; liquidation; passthrough (col.); suppression

casación de una sentencia previa, annulment of a previous sentence

casar con (coincidir), match

casar (revocar), cancel; annul; revoke; abolish; abrogate; nullify; setoff (v.); terminate; rescind; take back (v.)

casarse por lo civil, get married in a registry office

cascada, cluster

cascarrabias, ratbag (GB, col.)

casero arrendador de viviendas modestas a precios caros, slumlord (col.)

caseta, booth

cashflow, cash flow; cashflow

casi, quasi-

casilla postal (LA)**,** PO box (ab. Post Office box); Post Office box (PO box)

casillero portaimpresos (Esp.)**,** application holder

caso fortuito, act of God, casus fortuitus (Lat.); act of providence

casual, accidental; adventitious; involuntary; casual

catalogar, catalogue; catalog (v.)

catálogo, catalogue; catalog (n.)

catálogo de muestras, sample book

catastro, cadastre (US: cadastre = cadaster)

categoría, rank (n.); category; standing; state (n.); status (pl. status = statuses)

categoría profesional, professional level; professional rank

catorce, fourteen

catorzavo, fourteenth

cauce para el trasvase de fondos de procedencia ilegal, channel for criminal funds

caución, backing; aval; support (n.); guarantee (US: guarantee = guaranty); collateral (n.); bail bond; pledge

caudal hereditario, heritable mass

caudal propio, peculium (Lat.)

caudales (col.), monies (sing.: monies = money); shekel (col.)

causa ante los tribunales, call (n.); process (n.); subpoena; summons; procedure

causa de fuerza mayor, act of God; casus fortuitus (Lat.); act of providence

causa desestimada, case dismissed

causa rescisoria, cause of cancellation

causante, occasioner

causar baja, withdraw from membership

causar baja en un cargo, vacate a position

cautela, caution

cautelar (adj., masc. & fem.), precautionary

cazar con las manos en la masa (Esp., col.), catch red-handed

cazatalentos (col.), head hunter (col.)

CBV (ab. **Comisión de Bolsa y Valores),** Securities and Exchange Commission (SEC); SEC (ab. Securities and Exchange Commission)

CCI (ab. **Cámara de Comercio Internacional),** International Chamber of Commerce (ICC); ICC (ab. = International Chamber of Commerce)

CCOO (ab. **Comisiones Obreras)** (Esp.), Communist Labour Union (US: Labour = Labor); Labour Union (US: Labour = Labor)

CD (ab. **certificado de depósito),** certificate of deposit (CD); CD (ab. certificate of deposit)

CE (ab. **Comisión (de las Comunidades) Europea(s)),** European Commission (EC); EC (ab. European Commission)

CEA (ab. **conocimiento de embarque aéreo),** air waybill (AWB); AWB (ab. air waybill, airwaybill); airwaybill (AWB)

CEBES (ab. **certificados del Banco de España),** certificates of the Bank of Spain (CEBES); CEBES (ab. certificates of the Bank of Spain); Bank of Spain(´s) certificates (CEBES)

ceca, mint

CECA (ab. **Comunidad Europea del Carbón y del Acero),** European Coal and Steel Community (ECSC); ECSE (ab. European Coal and Steel Community)

CED (cómputo electrónico de datos), electronic data computing (EDC); electronic data processing (EDP); EDC (ab. electronic data computing); EDP (ab. electronic data processing)

cedente, grantor; maker

ceder, assign; allocate; attribute (v.); make over; transfer (v.); distribute; appropriate; set over

ceder (US), deed (v.)

ceder como garantía, assign for security

ceder un derecho, assign a right

cédula al portador, bearer scrip; scrip

cédula de suscripción, subscription warrant

cédula fiscal sobre futuros ingresos, anticipation warrant

cédula hipotecaria, mortgage bond; bond mortgage; mortgage note; mortgage certificate; mortgage debenture

cédulas hipotecarias, mortgage-backed securities

CEE (ab. **Comunidad Económica Europea),** European Economic Community (EEC); EEC (ab. European Economic Community

celebrar un contrato, enter into a contract; execute a contract; make a contract; seal an agreement; sign a contract

celebrar una subasta, hold an auction

celebrar una subasta de bonos, run a bond auction

celebrar una votación respecto a, take a ballot on; hold a ballot on

censo, census

censo de contribuyentes, tax roll

censor de cuentas, auditor

censor jurado, auditor

censor jurado de cuentas (Esp.)**,** Certified Public Accountant (CPA); CPA (ab. Certified Public Accountant)

censurar, blue-pencil (v.)

centésima, basis point (BP); BP (ab. basis point)

centésima de entero, basis point (BP); BP (ab. basis point)

Central de Información de Riesgos (Esp.)**,** Risk Information Centre (US: centre = center)

central de proceso de datos, central processing unit (CPU); CPU (ab. central processing unit)

centralización, centralization

centralización de tesorería, cash pooling

centralizar, centralize

centrarse sobre un tema espinoso, concentrate on a difficult issue

centro, centre (US: centre = center); center (GB: center = centre); core

centro autorizador de operaciones con tarjetas, cardholder authorization centre (US: centre = center)

centro de atención diurna a ancianos y discapacitados, day-care centre (US: centre = center)

centro de atención telefónica, call centre (US: centre = center)

centro de autorización de tarjetas, cardholder authorization centre (US: centre = center)

centro de autorizaciones, authorization centre (US: centre = center)

centro de beneficios, profit centre (US: centre = center)

centro de capacitación de empleados, staff training centre (US: centre = center)

centro de comercialización de excedentes, factory outlet

centro de estudios bancarios, bank training centre (US: centre = center)

centro de formación bancaria, bank training centre (US: centre = center)

centro de formación del personal, staff training centre (US: centre = center)

centro de interés, core centre (US: centre = center)

centro de negocios, business centre (US: centre = center)

centro de operaciones, jumping-off place (col.)

centro de promoción social, benefit plan centre (US: centre = center)

centro de subastas, mart; market

centro financiero, financial centre (US: centre = center)

centro financiero supranacional, offshore financial centre (US: centre = center)

centro financiero transnacional, offshore financial centre (US: centre = center)

centros de contratación, markets

CEO (ab. **conocimiento de embarque a la orden),** exchange bill of lading (EBL); EBL (ab. exchange bill of lading)

cerca de, circa (Lat., ab. c); c (circa)

cerciorarse, ascertain

cero, zero

cero a la izquierda (persona incapaz o ignorante), walking zero

ceros a la izquierda, leading zeros

cerradura dotada de temporizador, time lock

cerradura temporizada, time lock

cerrar flecos (Esp., col.)**,** pick up the loose ends (col.); tie up the loose ends (col.)

cerrar las puertas, close down

cerrar los libros, close the books

cerrar un contrato, enter into a contract; execute a contract; make a contract; seal an agreement; sign a contract

cerrar un sobre, seal an envelope

cerrar un trato, strike a bargain

cerrar una cuenta, close an account

cerrar y salir (de una aplicación informática), close and quit

certificación con reservas, qualified certificate

certificación de fallecimiento, death certificate; certificate of death

certificación de notario, notarial certificate; notarial affidavit; notarial certification; notary´s certificate; notary´s affidavit; notary´s certification; notarial statement; notary´s statement

certificación de siniestro (Esp.), certificate of damage

certificación oficial, affidavit

certificación por escrito, certificate in writing

certificación sin observaciones, unqualified certificate

certificado, certificate; policy (pl.: policy = policies); voucher

certificado con acuse de recibo, registration with receipt requested

certificado con salvedades, qualified certificate

certificado de acciones, share certificate

certificado de almacén, bond warrant

certificado de análisis, certificate of analysis

certificado de arqueo del buque, measurement bill

certificado de avería, certificate of damage

certificado de compra de acciones, share warrant

certificado de compra de acciones a precio cerrado, option warrant

certificado de confidencialidad, certificate of secrecy

certificado de conformidad, agreage certificate

certificado de conformidad a la venta realizada, bill of sale (BOS); BOS (ab. bill of sale)

certificado de constitución, act of incorporation; incorporation papers (US); certificate of incorporation; general franchise; partnership articles; statutes of incorporation; corporation papers (US); articles of association; articles of partnership; articles of incorporation

certificado de control veterinario, BAI certificate

certificado de daños y perjuicios, certificate of damage

certificado de defunción, death certificate; certificate of death

certificado de depósito, bond warrant

certificado de depósito (CD), certificate of deposit (CD); CD (ab. certificate of deposit)

certificado de depósito de mercancía en almacén, dock warrant

certificado de depósito en almacén, warehouse warrant

certificado de desinfección de la paja usada en el embalaje, straw certificate

certificado de despacho de aduanas, clearance certificate

certificado de destrucción, certificate of destruction

certificado de disolución de matrimonio, certificate of dissolution of marriage; certificate of divorce

certificado de dividendo diferido, scrip certificate

certificado de divorcio, certificate of dissolution of marriage; certificate of divorce

certificado de emisión, certificate of issuance

certificado de empréstito, certificate of indebtedness

certificado de exportación, export certificate

certificado de fábrica, certificate of manufacture(r); mill certificate

certificado de fabricación, certificate of manufacture(r); mill certificate

certificado de garantía, certificate of guarantee (guarantee = guaranty) ; certificate of guaranty (guaranty = guarantee)

certificado de incineración, cremation certificate

certificado de inscripción, certificate of registry; certificate of enrollment

certificado de inspección, inspection certificate

certificado de inspección y conformidad, certificate of inspection and acceptance

certificado de matrícula (Esp.), certificate of registry; certificate of enrollment

certificado de matrimonio, certificate of marriage

certificado de nacimiento, certificate of birth

certificado de naturalización, citizenship papers

certificado de navegación, sea letter

certificado de origen, certificate of origin

certificado de participación, participation certificate

certificado de participación al portador (CPP), BPC (ab. bearer participation certificate); bearer participation certificate (BPC)

certificado de partícipe en una sociedad de inversiones, trust certificate

certificado de peso, weight note; weight certificate

certificado de propiedad, certificate of ownership; proprietorship certificate

certificado de propiedad de acciones, certificate of stock

certificado de protesto, certificate of protest; deed of protest

certificado de protesto del notario, notarial protest certificate; notary´s protest certificate; notarial certificate of protest; notary´s certificate of protest

certificado de pureza alimenticia, pure food certificate

certificado de registro, certificate of registry; certificate of enrollment

certificado de reintegro, drawback debenture

certificado de saldo en cuenta, certificate of balance

certificado de seguro, certificate of insurance; insurance certificate

certificado de situación del balance, balance sheet certificate

certificado de titularidad sobre acciones, certificate of stock

certificado de venta, certificate of sale

certificado fitosanitario, phytosanitary certificate (PHSC); PHSC (ab. phytosanitary certificate)

certificado médico, medical certificate

certificado notarial, notarial certificate; notarial affidavit; notarial certification; notary´s certificate; notary´s affidavit; notary´s certification; notarial statement; notary´s statement

certificado notarial de protesto, notarial protest certificate; notary´s protest certificate; notarial certificate of protest; notary´s certificate of protest

certificado por escrito, certificate in writing

certificado provisional al portador, bearer scrip; scrip

certificado provisional de seguro, cover note; cover letter

certificado sanitario, bill of health (ab. BH); BH (ab. bill of health); health certificate

certificado sanitario sin modificaciones, clean bill of health

certificado sin reservas, unqualified certificate

certificado sin salvedades, unqualified certificate

certificados del Banco de España (CEBES), certificates of the Bank of Spain (CEBES); CEBES (ab. certificates of the Bank of Spain); Bank of Spain(´s) certificates (CEBES)

certificar, witness (v.); attest (v.); certify; evidence (v.)

certificar por escrito, certify in writing

cervezas (acciones de fábricas de cervezas), breweries (shares)

cesante (adj.), idle (adj.); jobless (adj.); unemployed (adj.)

cesantía, unemployment

cesar, cancel; annul; revoke; abolish; abrogate; nullify; setoff (v.); terminate; rescind; take back (v.)

cese, termination; cessation; rescission

cese del crecimiento, cessation of growth

cese en un puesto de trabajo, redundancy (GB)

cesión, assignation; cession; transfer; transmission; displacement

cesión (de un derecho, propiedad, etc), assignment

cesión de acciones, transmission of shares

cesión de cartera, cession of portfolio

cesión de créditos, assignment of credits; assignment of debts

cesión de derechos, assignment of rights

cesión de propiedad, assignment of ownership

cesión de un préstamo, assignment of a loan

cesión incondicional, absolute conveyance

cesión temporal de activos, repurchase agreement (ab. REPO); REPO (ab. = repurchase agreement); put; buy-back

cesión temporal de activos (CTA), temporary sale of assets

cesión temporal de activos con pacto de recompra, repurchase agreement (ab. REPO); REPO (ab. = repurchase agreement); put; buy-back

cesión temporal de primas únicas, temporary sale of single-premium life policies

cesión temporal de un activo con compromiso de recompra posterior, close

cesión voluntaria, voluntary assignment

cesionario de derecho, assignee in law

cesionario de hecho, assignee in fact

cesionario del derecho, assignee; cessionary

cesionario legalmente reconocido, assignee in law

cesiones de créditos, selldowns of loans; loan selldowns

cesiones temporales de activos (REPOs), assets sold under repurchase agreements

cesionista, grantor; maker

cesta de monedas, currency basket

cesta de monedas (col.)**,** basket of currencies

(cfdo.dpto./CD), certificate of deposit (CD); CD (ab. certificate of deposit)

chachi (adj., Esp., col.)**,** proper; groovy (US., adj., col.)

chamarilería (Esp.)**,** thrift shop (US)

chanchullo (Esp., col.)**,** corruption; jobbery; corrupt practices; prevarication

chantaje, blackmail; chantage (n.)

chantajear, blackmail; chantage (v.)

chantajista, blackmailer

chaquetero (Esp., col.)**,** floater (col.)

chatarra, scrap

chauchas (SA)**,** divisional coins; divisional money; change (col.)

chelín, shilling

cheque "no corriente" (Esp.)**,** bounce (col.)

cheque (de) pelota (Esp., col.)**,** kite (col.); rubber cheque (col.; US: cheque = check, draft); uncovered cheque (US: cheque = check, draft); stumer (GB, col.); cheque without funds (US: cheque = check)

cheque a cargo del propio banco emisor, cashier's cheque (USA: cheque = check)

cheque a la orden, order cheque (US: cheque = draft / check)

cheque a la orden de, cheque to the order of (US: cheque = check)

cheque abierto, uncrossed cheque (US: cheque = check)

cheque al portador, bearer cheque (US: cheque = check, draft); cheque to bearer (US: cheque = check, draft)

cheque aprobado, certified cheque (US: cheque = check, draft); marked cheque (US: cheque = check, draft)

cheque bancario, bank draft; bankers´cheque (US: cheque = check, draft); bank bill; check (banking check)

cheque barrado, crossed cheque (US: cheque = check)

cheque cancelado, cancelled cheque (US: cheque = check, draft)

cheque certificado, certified cheque (US: cheque = check, draft); marked cheque (US: cheque = check, draft)

cheque compensado, cleared cheque (US: cheque = check / draft)

cheque con comprobante, voucher cheque (US: cheque = check); voucher check (GB: check = cheque)

cheque con fecha posterior, postdated cheque (US: cheque = check / draft)

cheque confirmado, certified cheque (US: cheque = check, draft); marked cheque (US: cheque = check, draft)

cheque conformado, certified cheque (US: cheque = check, draft); marked cheque (US: cheque = check, draft)

cheque cruzado, crossed cheque (US: cheque = check)

cheque de gerencia (SA)**,** cashier's cheque (USA: cheque = check)

cheque de viaje(ro), traveller´s cheque (US: traveller´s cheque = traveler´s check)

cheque devuelto, dishonoured cheque (US: dishonored check, dishonored draft); dishonored check (GB: dishonoured cheque); dishonored draft (GB: dishonoured cheque)

cheque devuelto por falta de fondos, bounce (col.)

cheque domiciliado, address cheque (GB) (US = address draft); address draft (US) (GB = address cheque)

cheque emitido por un banco, official check (US)

cheque en blanco, blank cheque (US: cheque = check, draft)

cheque en descubierto, kite (col.); rubber cheque (col.; US: cheque = check, draft); uncovered cheque (US: cheque = check, draft); stumer (GB, col.); cheque without funds (US: cheque = check)

cheque falsificado, forged cheque (US: cheque = check / draft)

cheque garantizado, guaranteed cheque (US: cheque = check, draft)

cheque impagado, dishonoured cheque (US: dishonored check, dishonored draft); dishonored check (GB: dishonoured cheque); dishonored draft (GB: dishonoured cheque)

cheque manipulado, altered cheque (US: cheque = draft); altered draft (GB: draft = cheque)

cheque no atendido por el banco librado por falta de fondos, bounce (col.)

cheque no barrado, uncrossed cheque (US: cheque = check)

cheque no cruzado, uncrossed cheque (US: cheque = check)

cheque nominativo, non-negotiable cheque (US: cheque = check, draft)

cheque para abonar en cuenta, non-negotiable cheque (US: cheque = check, draft)

cheque que puede presentarse directamente al cobro por ventanilla, uncrossed cheque (US: cheque = check)

cheque sin barrar, uncrossed cheque (US: cheque = check)

cheque sin cruzar, uncrossed cheque (US: cheque = check)

cheque sin fondos, kite (col.); rubber cheque (col.; US: cheque = check, draft); uncovered cheque (US: cheque = check, draft); stumer (GB, col.); cheque without funds (US: cheque = check)

cheque sin provisión de fondos, stumer (col.)

chequear (LA)**,** cross-check (v.); check-up (v.); collate (v.); verify (v.)

chequeo (LA)**,** ascertainment; verification; check (n.)

chequera (SA)**,** check book (GB: check = cheque)

cheques al cobro, cheques for collection (US: cheques = checks)

cheques pendientes, cheques outstanding (cheques = checks)

chip, chip

chiringuito financiero (Esp., col.)**,** bucket shop (col.)

chirona (Esp., col.)**,** hock (n., col.); jailhouse (US); jail (GB); gaol (US)

chivo expiatorio (Esp., col.)**,** dummy (col.); front man; straw man (col.); scapegoat (col.)

chupasangres (Esp., col.)**,** Colonel Blimp (GB, col.)

cibernética, cybernetics

cíclico, cyclic(al)

ciclo, period; cycle

ciclo contable, accounting cycle

ciclo de facturación, billing cycle

ciclo de trabajo, work cycle

ciclo de vida de un producto, product life-cycle

ciclos económicos, business cycles

ciclos estacionales del negocio, seasonal business cycles

CIE (ab. **cinta de intercambio de entrada) (compensación electrónica),** incoming interchange tape (IIT) (electronic clearing); IIT (ab. = incoming interchange tape) (electronic clearing)

cien, one hundred

cien mil, one hundred thousand

ciencia actuarial, actuarial science
ciento, one hundred
ciento veinte, long hundred
cierre, close
cierre (de libros), closure (of books)
cierre anual, annual closing
cierre de bolsa, closing of stock exchange
cierre de libros, closing of books
cierre de operaciones, close of business
cierre patronal, lockout
cierto, actual
cifra, figure
cifra de desocupados, unemployment rate
cifra de negocio, turnover (US: turnover = sales revenue); sales revenue (GB: sales revenue = turnover)
cifra de tres dígitos, three-digit amount
cifra máxima sin precedentes, record high
cifra media de negocio, average turnover
cifra mínima sin precedentes, record low
cifra omitida, omitted figure
cifra resultante, resulting figure; resulting amount; proceeds
cifra sin precedentes, record figure
cifrado de textos, encoding; encryption
cifrar un texto, codify; encode
cifras actualizadas, updated figures
cifras acumuladas, accumulated figures
cifras acumuladas de costes y amortizaciones, accumulated cost and depreciation figures
cifras brutas, gross figures
cifras clave, key figures
cifras consolidadas, consolidated figures
cifras contables, book figures
cifras entre paréntesis, figures in brackets
cifras más significativas, salient figures; relevant figures
cifras principales, salient figures; relevant figures
cifras provisionales, provisional figures
cifras revisadas, adjusted figures
cifras sin auditar, unaudited figures
cifras sin revisar, unaudited figures
cinco, five
cincuenta, fifty
cinta de intercambio (comp.), interchange tape (comp.)
cinta de intercambio de entrada (CIE) (compensación electrónica), incoming interchange tape (IIT) (electronic clearing); IIT (ab. = incoming interchange tape) (electronic clearing)
cinta de intercambio de salida, outgoing interchange tape (OIT); OIT (ab. outgoing interchange tape)
cinta magnética (comp.), magnetic tape (comp.)
cinta perforada (comp.), paper tape (comp.)
circo, circus
circuit(r)ería, circuitry
circuito autónomo, home loop
circuito bancario, bank circuit
circuito de visitas de presentación, roadshow
circuito impreso (comp.), printed circuit (comp.)
circuito integrado, integrated circuit
circulación de cheques sin fondos, kiting (col.); kickabout (col.)
circulación fiduciaria, fiduciary circulation
circular (n. fem.), circular (n.)
circular de (notificación) de nombramiento, appointment circular
circular de oferta, offering circular
círculo, ring
círculo abierto, open loop (comp.)
círculo de calidad, quality circle
círculos bancarios, banking circles
círculos económicos, economic circles
círculos empresariales, business circles
círculos financieros, financial circles
circunscripción, district; constituency
circunstancia imprevisible, act of God; casus fortuitus (Lat.); act of providence
circunstancial, accidental; adventitious; involuntary; casual
circunstancias adversas, adverse circumstances
circunstancias del entorno, overall environment

cita, appointment; designation; nomination

cita literal, listing; quotation

citación, call (n.); process (n.); subpoena; summons; procedure

citado al pie, as referred to below; undermentioned

citar, appoint; nominate

citar a comparecer, subpoena (v.)

citar literalmente, quote (v.)

ciudad de Nueva York, Five Boroughs (col.)

ciudadanía, citizenship

ciudadano, citizen

ciudadano (de un país determinado), national (n. & adj.)

ciudadano de a pie, John Q Public (US); John Doe (US)

ciudadano español, Spanish national

ciudadano medio, John Q Public (US); John Doe (US)

ciudadano no residente en el país, non-resident national

clase de riesgo, class of risk

clase de seguro, class of insurance

clase media, middle class

clase obrera, labouring class (US: labouring = laboring)

clase trabajadora, labouring class (US: labouring = laboring)

clásico, conventional

clásico (adj., col.), plain vanilla (adj., col.)

clasificación, ranking; classification; groupage; grouping

clasificación crediticia, rating

clasificación de cuentas, classification of accounts

clasificación de cuentas (por saldos, movimientos, etc.), accounts sorting

clasificación de morosos por grado de antigüedad, aging of nonperformings

clasificación de saldos pendientes por grado de antigüedad, aging of balances

clasificación preferencial, priority rating

clasificador de tarjetas, card sorter

clasificar, classify

clasificarse en uno de los puestos más altos, reach a top position in the ranking

claudicación (n. fem.), waiver (n.)

claudicar, surrender (v.); deliver (v.); waive

cláusula "de almacén a almacén", transit clause

cláusula "de puerta a puerta" (Esp.), transit clause

cláusula "limpio a bordo", clean on board clause

cláusula (n. fem.), article; clause; covenant (n.); provision; proviso (pl.: proviso = provisos / provisoes)

cláusula adicional, rider

cláusula antidilución, antidilution clause

cláusula antirrenuncia, antiwaiver clause

cláusula contractual, agreement clause

cláusula de "no disponer", tickler clause

cláusula de aceptación, acceptance clause

cláusula de actualización, escalator clause

cláusula de ajuste proporcional, escalator clause

cláusula de amortización anticipada, optional redemption

cláusula de anticipo al exportador, red clause

cláusula de aumento de coste, increased cost clause

cláusula de autorización de transporte de la carga sobre cubierta, deck cargo allowed

cláusula de beneficiario, beneficiary clause

cláusula de certificación de autenticidad, attestation clause

cláusula de coaseguro, co-insurance clause (co-insurance = coinsurance); coinsurance clause (coinsurance = co-insurance)

cláusula de cobertura, hedge clause; protective covenant; save clause

cláusula de compensación, setoff clause

cláusula de declaración de daños con reclamación de importe, ad damnum clause (Lat.)

cláusula de denuncia por incumplimiento ante terceros, cross-default clause

cláusula de desvinculación, escape character

cláusula de exención, memorandum clause

cláusula de exención de responsabilidad sobre captura o secuestro, free of capture(s) and seizure(s) clause (FC&S clause); FS&C (ab. free of capture and seizure clause)

cláusula de franquicia, franchise clause

cláusula de franquicia del asegurador frente a capturas o embargos, free of capture(s) and seizure(s) clause (FC&S clause); FS&C (ab. free of capture and seizure clause)

cláusula de garantía del respeto a la igualdad (entre acreedores), pari passu clause

cláusula de huelga y cierre patronal, strike and lockout clause

claúsula de ilegalidad, illegality clause

cláusula de incendios, arson clause

cláusula de insolvencia cruzada, cross-default clause

cláusula de opción a la moneda de pago, currency option clause

cláusula de opción al pago anticipado, acceleration clause

cláusula de participación, sharing clause

cláusula de penalización, penalty clause

cláusula de pignoración negativa, negative pledging clause

cláusula de protección, hedge clause; protective covenant; save clause

cláusula de protección frente a contingencias del mercado, disaster clause

cláusula de renuncia, disclaimer; waiver clause

cláusula de responsabilidad del transportista, new Jason clause

cláusula de responsabilidad restringida del transportista, Jason clause

cláusula de revisión, escalator clause

cláusula de roturas, breakage clause

cláusula de salvaguardia, hedge clause; protective covenant; save clause

cláusula de salvaguardia de garantía, negative pledging clause

cláusula de seguro de la mercancía en tránsito, transit clause

cláusula de solidaridad, sharing clause

cláusula derogatoria, overriding clause

cláusula hipotecaria negativa, negative mortgage security clause

cláusula impracticable, invalid clause

cláusula invalidada, invalid clause

cláusula irrenunciable, hell clause (col.); high water clause (col.)

cláusula monetaria, currency clause

cláusula no valida, invalid clause

cláusula pari passu, pari passu clause

cláusula que permite retirarse de un contrato, escape character

cláusula resolutiva, cancellation clause

cláusula resolutoria, defeasance clause; termination clause

cláusula roja, red clause

cláusula sobre caídas de precios, price fall clause

cláusula sobre revisión del tipo de interés, interest-adjustment clause

cláusula sobre riesgos de huelga, motines y desórdenes internos, strikes, riots and civil commotions clause (SR&CC clause); SRCC clause (ab. strikes, riots and civil commotions clause)

cláusula verde, green clause

clausulado de obligaciones legales contraídas por el emisor, indenture

cláusulas de seguro contra riesgos de huelga (Institute of London Underwriters), Institute Strike Clauses (ISC); ISC (ab. Institute Strike Clauses)

cláusulas de seguro de transporte (Instituto de Aseguradores de Londres), Institute Cargo Clauses (ICC); ICC (ab. Institute Cargo Clauses)

Cláusulas de transporte marítimo del ICC cubriendo riesgos de guerra, Institute Cargo Clauses with Wartime Extension; ICC with Wartime Extension (ICC = Institute Cargo Clauses)

clave, key

clave criptográfica, cryptographic key

clave de acceso (comp.), password

clave de autorización, authorization number; authorization code; authorization key

clave de control, control key

clave de fraude, fraud code

clave de identificación, identification code

clave de memoria (comp.), storage key (comp.)

clave identificativa de entidad financiera, BIN (ab. bank identification number); bank identification number (BIN)

clave numérica, numeric code

clave principal, master key

cliente, applicant; petitioner; patron; proposer; propounder

cliente (GB), custom

cliente cabreado (col.), ratty customer (col.)

cliente de excelente reputación, highly regarded customer

cliente exigente, discerning customer

cliente final, end customer

cliente habitual, regular customer

cliente malhumorado, ratty customer (col.)

cliente moroso, delinquent customer

cliente muy bien conceptuado, highly regarded customer

cliente picapleitos, quarrelsome customer

cliente reclamista, quarrelsome customer

clientela, clientele

clientes provenientes de la buena sociedad, smart set

coacción (n. fem.), constraint; constriction; restraint; curtailment

coacreedor, joint creditor; joint and several creditor

coadministrador, coadministrator

coadyuvante (en pleitos contencioso-administrativos), amicus curiae (Lat.)

coafianzamiento, co-bonding (= cobonding); cobonding (= co-bonding)

coarrendador, joint lessor

coasegurador, co-insurer (= coinsurer); coinsurer (= co-insurer)

cobertura, cover; coverage; hedge

cobertura (de la campaña) publicitaria, advertising coverage

cobertura (en) oro, gold cover

cobertura ante posibles subidas bursátiles, long hedging

cobertura anticipada, anticipatory hedge

cobertura comercial, trade coverage

cobertura completa, full hedge

cobertura con "put" sobre índices, protective put with index options

cobertura con opción de venta, protective put

cobertura corta, short hedge

cobertura cruzada, cross hedge; cross hedging

cobertura de intereses, interest charges coverage

cobertura de la crisis del crudo en Oriente Medio, reporting of oil crisis in the Middle East

cobertura de los deudores morosos al 31 de Diciembre, allowance for nonperforming loans as of December 31

cobertura de morosidades referida al 31 de Diciembre, allowance for nonperforming loans as of December 31

cobertura de opciones de venta sobre acciones, protective put with stock options

cobertura de reservas técnicas, technical reserve coverage

cobertura de un riesgo, hedging

cobertura del crédito, credit hedge

cobertura del mercado, market coverage

cobertura en divisas, exchange cover

cobertura frente a descenso de tipos de interés a corto, floor

cobertura frente a todo riesgo, blanket cover

cobertura geográfica, geographic coverage

cobertura global, global cover

cobertura indirecta, indirect hedging

cobertura larga, long hedge

cobertura para cambios a plazo, forward exchange covering

cobertura ponderada, weighted hedge

cobertura total, full coverage

cobertura, en contrato de futuros, con posición larga, long hedge

cobrador, collector

cobrador de morosos, debt collector

cobrador volante (Esp.), cash messenger

cobranza, collection; remittance for collection

cobranza documentaria, documentary collection

cobranzas, collections; moneys paid in

cobranzas a reembolsar, collections repayable

cobrar, collect

cobrar al contado, cash (v.)

cobrar contra entrega del conocimiento de embarque, cash against bill of lading; cash against b/l

cobrar contribuciones, levy (n. & v.)

cobrar en efectivo, cash

cobrar en metálico, cash in; purse up (col.)

cobrar impuestos, collect taxes

cobrar impulso, gather pace

cobrar por anticipado, cash in advance

cobrar prestaciones de la seguridad social, be on relief

cobrar un cheque, cash a cheque (US: cheque = check)

cobrar una comisión, collect a commission

cobro (por) adelantado, advance collection

cobro (por) anticipado, advance collection

cobro contra conocimiento de embarque, cash against bill of lading; cash against b/l

cobro de comisiones, fee collection

cobro de cuotas, fee collection

cobro de efectos, float (n.)

cobro de impuestos, collection of taxes; tax collection

cobro de la prima, collection of premium

cobro en origen, collection at source; withholding at source

cobros, collections; moneys paid in

cobros a clientes, collections on accounts receivable

cobros por caja, cash received

cociente, coefficient; index; quotient; rate (n.); ratio; reason (ratio)

coche, car

coche patrulla (Esp.), police car

codeudor, joint debtor

codicia, rapacity

codificación, encoding; encryption

codificación alfabética, alphabetic coding

codificación alfanumérica, alphanumeric coding

codificación automática, automatic coding

codificación básica, basic encoding

codificación de cuentas, account coding

codificación de tarjetas, card encoding

codificación total, absolute coding

codificador de tarjetas, card encoder

codificar, codify; encode

código (de) país, country code

código (libro), statute book

código alfanumérico, alphanumeric code

código binario, binary code

código de acceso, access code

código de autorización, authorization number; authorization code; authorization key

código de barras, bar code

código de comercio, code of commerce; law merchant; commercial law; business law

código de conducta, ethical code

código de distrito postal, postal zone; postal area code (PAC); PAC (ab. postal area code); zip code (US)

código de formato (comp.), format code

código de identificación, identification code

código de identificación de cadena de establecimientos, chain code

código de instrucción (comp.), instruction code (comp.)

código de instrucciones al ordenador, computer instruction code

código de los trabajadores, labour code (US: labour = labor)

código de ordenador, computer code

código de respuesta, answerback code

código del trabajo, labour code (US: labour = labor)

código ético, ethical code

código laboral, labour code (US: labour = labor)

código penal, penal laws; penal code; criminal code

código postal (CD), postal zone; postal area code (PAC); PAC (ab. postal area code); zip code (US)

código-valor para transmitir información, ticker symbol

códigos nemotécnicos de operación (comp.), mnemonic operation codes (comp.)

codirector, joint manager

codirector (de colocación de títulos), co-manager

coeficiente, coefficient; index; quotient; rate (n.); ratio; reason (ratio)

coeficiente alfa, alpha coefficient

coeficiente beta, beta coefficient

coeficiente beta (beta = ß), beta coefficient (beta = ß); ß coefficient (ß = beta); beta ratio (beta = ß); ß ratio (ß = beta); volatility degree

coeficiente de aceleración, acceleration coefficient

coeficiente de amortización, depreciation rate

coeficiente de apalancamiento, leverage coefficient

coeficiente de caja, cash reserve requirement; cash ratio; bank cash ratio

coeficiente de cambio de precio de una opción, vega coefficient

coeficiente de cambio del coeficiente delta, gamma coefficient

coeficiente de circulante, current ratio

coeficiente de cobertura, minimum risk hedge ratio

coeficiente de convertibilidad, conversion ratio

coeficiente de fallidos, coefficient of bad debts

coeficiente de garantía, capital adequacy ratio

coeficiente de gastos, burden rate

coeficiente de inversión, investment ratio

coeficiente de liquidez a corto plazo, acid-test ratio; liquidity ratio

coeficiente de recursos propios, capital compliance ratio

coeficiente de rentabilidad, profitability ratio

coeficiente de rentabilidad del capital, coefficient of capital yield

coeficiente de rentabilidad media, average profitability ratio

coeficiente de reserva legal, legal reserve ratio

coeficiente de riesgo, alpha coefficient

coeficiente de sensibilidad frente a los cambios de tipos, rho coefficient

coeficiente de solvencia, capital adequacy ratio

coeficiente de tesorería, acid-test ratio; liquidity ratio

coeficiente de variación de prima de una opción, delta coefficient

coeficiente de variación del precio de una opción, theta coefficient

coeficiente de volatilidad, beta coefficient

coeficiente delta, delta coefficient

coeficiente gamma, gamma coefficient

coeficiente legal de inversión, legal discount limit

coeficiente ß (ß = beta), beta coefficient (beta = ß); ß coefficient (ß = beta); beta ratio (beta = ß); ß ratio (ß = beta); volatility degree

coeficiente theta, theta coefficient

coeficiente vega, vega coefficient

coeficiente rho, rho coefficient

cofiduciario, joint trustee

cofirmante, cosigner (= cosignatory); cosignatory (= cosigner)

cofradía profesional, company

coger con las manos en la masa (Esp., col.), catch red-handed

coger el timón de (col.), take into charge; take over; take charge of; take the reins (col.)

coger el toro por los cuernos (Esp., col.), deal with a problem; tackle a problem

coger impulso, gather pace

coger in fraganti, catch red-handed

coger la batuta (Esp., col.), take into charge; take over; take charge of; take the reins (col.)

cogerente, joint manager

cogestión, co-management (= comanagement); comanagement (= co-management)

cohechador, embrace(o)r; suborner; briber

cohechar, embrace (v.); suborn (v.); bribe (v.); graft (v.); corrupt (v.)

cohecho, bribe (n.); graft (n.); embracery (n.); subornation; embracery; bribery; kickback (col.)

coima (LA, n. fem.)**,** bribe (n.); graft (n.); embracery (n.); subornation; embracery; bribery; kickback (col.)

coincidencia de opiniones, meeting of minds

coincidir con, match

cojefe (de sindicación de un préstamo), co-manager

cojefe de fila, co-manager

cola, queue

colaborador, co-worker

colaborador (n.)**,** aid (n.); attendance; appearance

colaborador del tribunal, amicus curiae (Lat.)

colaborar, aid (v.)

colación de beneficio, advowson

colapso, bankruptcy; failure (bankruptcy); insolvency; crack (n., col.); crash (n., col.)

colar de matute (entrada) (Esp., col.)**,** smuggle in

colar de matute (salida) (Esp., col.)**,** smuggle out

colarse, jump the queue

colateral, collateral (n. & adj.); security (pl.: security = securities); bond of indemnity; recognizance

colateral (n.)**,** backing; aval; support (n.); guarantee (US: guarantee = guaranty); collateral (n.); bail bond; pledge

colaterizar, back (v.); guarantee (v.); collateralize; endorse; bail; furnish bail; bond (v.); provide collateral; furnish security; give bond

colección (n., fem.)**,** set (n.)

coleccionar, collect

colectiva e individualmente, all and sundry

colectivismo, collectivism

colectivo (adj.)**,** joint (adj.)

colectivo accionario, total shareholders; stock (col.)

colega, co-worker

colegas extranjeros de igual rango, foreign peers

colegio de abogados, bar council (GB)

colegio electoral, polling station

colindante, abutting (a.)

colocación, placement

colocación asegurada de bonos, assured placement of bonds

colocación con mejor retribución, better paid position

colocación de activos financieros, placement of financial assets

colocación de capitales, investment; capital investment

colocación de capitales ajenos a riesgo, at risk placement of third-party funds

colocación de emisiones, underwriting

colocación de una emisión, issue placement

colocación estratégica de activos, tactical asset allocation (TAA); TAA (ab. tactical asset allocation)

colocación garantizada, guaranteed placement; guaranteed placing

colocación privada, private placement

colocación privada inicial, initial private placement

colocación secundaria, secondary placement

colocador de pagarés, broker; agent middleman; stock(-exchange) broker; stockbroker (GB: stockbroker = stockjobber); stockjobber (US: stockjobber = stockbroker))

colocador de una emisión, underwriter

colocar, invest

colocar dinero, place money

colocar una emisión, place an issue

colocarse en la fila, rank the line

coludir con, collude with

colusión, connivance; collusion

colusorio (adj.)**,** collusive (adj.)

comandante en jefe (milit. & col. = **consejero delegado/primer ejecutivo),** Commander in Chief (C-in-C; milit./col.: chairman / CEO); C-in-C (ab. milit. & col: Commander in Chief = managing director, CEO)

comandita, commandite; dormant company; limited liability company; silent partnership; partnership

comanditado, active partner; working partner

comarca (Esp.), county (US)

combatir el blanqueo de dinero, combat money laundering

combinación de "cap" y "floor" expresados en términos similares, collar

combinación de bienes, combined assets

combinación de intereses, pooling of interests

comentario sobre los estados financieros, comments on the financial statements

comentarios extraoficiales, off-the-record comments

comentarios marginales, off-the-record comments

comenzar a cotizar, go public

comerciable, marketable

comercial (adj., masc. & fem.), commercial; business (adj.); mercantile; merchant (adj.)

comercializable, marketable

comercialización, merchandising

comerciante (dependiente de una tienda), storekeeper (GB: storekeeper = shopkeeper); shopkeeper (US: shopkeeper = storekeeper); shopman (GB)

comerciante (n. masc.), merchant; trader; dealer

comerciante al por mayor, wholesaler

comerciar, trade (v.); deal (v.); merchandise (v.); transact (v.); market (v.)

comercio, business (n.); commerce (n.); trade (n.)

comercio de estado, state trade

comercio e industria, commerce and trade

comercio exterior, external trade; foreign trade

comercio honesto, fair trade

comercio interestatal, interstate commerce

comercio interior, domestic trade

comercio justo, fair trade

comercio local, local trade

comercio minorista, retailing

comercio nacional, local trade

comercio triangular, triangular trade

comercio triangular en divisas, switch

comercio tripartito, triangular trade

cometer un desacato al tribunal, be in contempt of court

comienzo, beginning

comillas, quotation marks; quotes

comisaría (Esp.), police station

comisaría de policía, station house (GB: station house = police station); police station (US: police station = station house)

comisario de policía (Esp.), superintendent (SUPT); SUPT (ab. superintendent)

comisión, commission

comisión (de personas), committee

comisión bancaria, banking commission; bank commission

comisión condicional, conditional fee

comisión consultiva, advisory commission

comisión de adquisición, take-up fee; acquisition commission

comisión de asesoramiento, advisory commission

Comisión de Bolsa y Valores (CBV), Securities and Exchange Commission (SEC); SEC (ab. Securities and Exchange Commission)

comisión de buen fin, success fee

comisión de cobranza, collecting commission

comisión de colocación, underwriting fee

comisión de compra, commitment fee

comisión de compromiso, commitment fee

comisión de cotización, listing fee

comisión de custodia, safekeeping fee

comisión de disponibilidad, facility fee

comisión de domiciliación, domiciliation commission

comisión de gestión, agency fee; arrangement fee; management fee; brokerage fee

comisión de intermediación, agency fee; arrangement fee; management fee; brokerage fee

Comisión de las Comunidades Europeas (CE), European Commission (EC); EC (ab. European Commission)

comisión de participación, participation fee
comisión de seguimiento, review committee
comisión de servicio (préstamos sindicados), facility fee
comisión de venta, selling commission
comisión de vigilancia y control de los mercados de valores (US), Commodities Futures Trading Commission (ab. CFTS; US); CFTS (Commodities Futures Trading Commission)
comisión del encargado de conseguir financiación (clientes, etc), finder´s fee
comisión del agente, agent's commission
comisión del agente (créditos sindicados), agency fee; arrangement fee; management fee; brokerage fee
comisión ejecutiva, steering commission
Comisión Europea (CE), European Commission (EC); EC (ab. European Commission)
comisión investigadora, tribunal (GB)
comisión mixta, joint committee
comisión mixta agentes sociales-patronal, union-management joint committee
comisión mixta sindicatos-empresarios, union-management joint committee
comisión negociadora, bargaining commission
comisión pagadera por anticipado, front-end fee
comisión pagadera una sola vez, flat fee
comisión permanente, standing committee
comisión por buena ejecución, success fee
comisión por gestión de cobro, collecting commission
comisión por gestiones de cobranza, collection fee
comisión por mediación, praecipium (Lat.)
comisión por mediación en la concesión de un préstamo, procuration fee
comisión por reserva, booking fee
comisión por transferencia, transfer fee
comisión residual, consortium (pl. = consortia / consortiums); pool; trust
comisión singular e irrepetible, flat fee
comisión sobre anticipo de efectivo, cash advance fee
comisión sobre cobro, collection fee
comisión sobre compra y venta de un mismo futuro, round trip
comisionado (n.), appointee
comisionar a, deputize
comisionar para, depute to
comisiones acumuladas, accrued commissions
comisiones acumuladas sobre préstamos, accrued loan commissions
comisiones bancarias, bank fees; bankers´ charges
comisiones de avales y otras cauciones, fees for guarantees, other sureties and documentary credits
comisiones devengadas, accrued commissions
Comisiones Obreras (CCOO) (Esp.), Communist Labour Union (US: Labour = Labor); Labour Union (US: Labour = Labor)
comisiones sobre emisión de bonos, gross spread
comisiones y otros ingresos, commission and other revenue
comisionista, commission agent
comisionista bursátil, floor broker
comiso, attachment; forfeit; forfeiture; seizure; embargo (pl.: embargo = embargoes); garnishee; levy (v.); distraint
comité, committee
comité ad hoc (Lat.), ad hoc committee (Lat.)
comité asesor, council; advisory committee
comité competente, ad hoc committee (Lat.)
comité de acatamiento, compliance committee
comité de arbitraje, arbitration committee
Comité de Asistencia para el Desarrollo, Development Assistance Committee
comité de dirección, management; directorship; administration; executive committee; management committee
Comité de Normas de Contabilidad Financiera, Financial Accounting

Standards Board (FASB); FASB (ab. Financial Accounting Standards Board)

comité de planificación, planning committee

comité de salarios, salary committee

Comité Económico y Social, Economic and Social Committee (ESC); ESC (ab. Economic and Social Committee)

comité ejecutivo, management; directorship; administration; executive committee; management committee

comité permanente, standby committee

comité salarial, salary committee

comitente, principal; accountee; assignor; auctor; constituent

conmoción civil, civil commotions

como (ya) se explicó anteriormente, as explained earlier

como a continuación se indica, as follows

como anteriormente se apuntaba, as stated earlier

como anticipo, beforehand; in advance

como aparece recogido, as recorded

como condición graciable, as a grant

como consecuencia de lo que por ley se dispone, due to statutory provisions

como contraposición a, unlike

como medida de garantía, as a guarantee measure

como mucho, at most

como pago a cuenta, in partial payment

como quiera que, whereas; having regard to; since

como resultado de las presiones económicas, as a result of economic pressure

como se explicó, as explained

como sigue, as follows

compaginación de programas múltiples (comp.)**,** multiple assembly (comp.)

compaginar (comp.)**,** edit

compaginar (comp.)**,** assemble (comp.)

compañero de trabajo, co-worker; workmate

compañía, company

compañía armadora, shipping company

compañía aseguradora, underwriters

compañía bien llevada (Esp., col.)**,** ably-run company

compañía constituyente dentro de un grupo de afiliadas, constituent company

compañía de seguros agrícolas, agricultural insurer

compañía de seguros mutuos, mutual insurance company

compañía filial, daughter company (US = subsidiary); subsidiary (GB = daughter company); affiliated company; allied company; controlled company

compañía principal de un grupo, mother company; parent company

comparable, comparable

comparar, compare

comparecencia, aid (n.); attendance; appearance

comparecencia por medio de abogado, appearance by attorney (US); appearance by counsel (GB)

comparecer, appear

comparecer ante, appear before

comparecer ante el tribunal, appear in court

comparecer en persona, make personal appearance

compareciente, appearer

compartir, share (v.)

compendiar, condense (v.); abridge (v.); recap (col.) (v.); summarize (v.); synthesize

compensación bancaria, bank clearing

compensación de cheques, check clearing (GB: check = cheque)

compensación de efectos procedentes de sucursales, branch clearing

compensación de riesgos, balancing of credit risk

compensación directa, direct compensation

compensación otorgada, relief awarded

compensación por daños, redress (n. fem.)

compensación por saldos (n. fem.)**,** offset (n.); setoff (n)

compensaciones contables, accounting offsets

compensado, balanced

compensador (adj.)**,** compensating (adj.); clearing (adj.); countervailing (adj.); offsetting (adj.)

compensar las pérdidas, balance out losses

compensar los daños ocasionados, redress (n.)

compensar pérdidas anteriores, offset earlier losses

compensar un saldo negativo, offset a negative balance

compensar una letra, clear a bill

compensatorio (adj.), compensating (adj.); clearing (adj.); countervailing (adj.); offsetting (adj.)

competencia, competition

competencia (jurisdiccional), jurisdiction

competencia creciente, increasing competition

competencia de un tribunal, jurisdiction of a court

competencia del tribunal, competence of the court

competencia desleal, unfair competition

competencia leal, fair competition

competencia profesional, professional competence; professional proficiency

competente, able

competerle a, compete

competidor, competitor

competidor de categoría similar, peer competitor

competir con, compete with

competir en la captación de fondos, compete for funds

competir para captar recursos ajenos, compete for funds

competitividad, competitiveness

competitividad decreciente, declining competitiveness

competitividad en descenso, declining competitiveness

competitivo, competitive

compilar, assemble (v.); compile (v.)

complejo, complex

complejo inmobiliario residencial, housing development

complejo urbanístico de subvención municipal, council estate; council housing

complementar, supplement

complementario, underlying (adj.); subsidiary (adj.); ancillary (adj.); additional; potential (adj.)

complementario (adj.), supplementary (adj.); supplemental (adj.)

complemento, supplement (n.); endorsement (n.); indorsement (n.)

complementos salariales, perk(s) (col.); perquisites

completar, complete (v.)

completo, broken down; in-depth (adj.); comprehensive (adj.)

complicado, complex

cómplice, accomplice

cómplice del hecho, accessory after the fact

cómplice involuntario, unwitting accomplice

componente, element; factor

componer, arbitrate; referee (v.)

comportamiento, behaviour (US: behaviour = behavior); development(s); deportment

comportamiento (de un valor frente a un sector o índice en general), relative strength line

comportamiento aparentemente atípico, apparently abnormal behavio(u)r

comportamiento ético, ethical behaviour (US: behaviour = behavior)

comportamiento futuro de la bolsa, future conditions in the stock market

comportamiento laboral, professional conduct; labour conduct (US: labour = labor)

comportamiento profesional, professional conduct; labour conduct (US: labour = labor)

comportamiento que da qué pensar, meaty behaviour (US: behaviour = behavior) (col.)

compra, purchase (n); acquisition

compra "straddle", long straddle; bottom straddle

compra "strangle", long strangle; bottom strangle; straddle (options)

compra (bolsa), buy (n.)

compra a crédito, credit purchase

compra a plazos, installment buy (US: installment = instalment); installment purchase (US: installment = instalment)

compra al contado, purchase for cash; buy for cash; cash purchase

compra apalancada, leveraged buyout (LBO)

compra compulsiva, snap purchase (col.)

compra con retirada de género y pago inmediatos, cash and carry

compra conjunta de activo al contado y opción de venta sobre el mismo, long synthetic call

compra de acciones para su posterior remesa a la entidad emisora, greenmail (col.)

compra de acciones por cuenta de un tercero sin identificar, packing deal

compra de acciones por sorpresa, raid (n.); run (n.)

compra de activos al contado con pacto simultáneo de venta a plazo, repurchase agreement (ab. REPO); REPO (ab. = repurchase agreement); put; buy-back

compra de apoyo, pegging purchase

compra de cobertura, short covering; bear covering; bearish covering

compra de futuros para cubrir una posición precedente, cover; coverage; hedge

compra de futuros para restablecer una posición de mercado, long

compra de la empresa por sus directivos a crédito sobre beneficios, leveraged management buyout (LMBO); LMBO (ab. leveraged management buyout)

compra de materias primas, purchases of raw materials

compra de opciones con pérdida limitada, strap

compra de opciones con pérdida limitada al coste de las primas, strip

compra de títulos bajo crédito parcial del propio agente, margin (n.)

compra de una empresa por su equipo directivo, management buyout (MBO); MBO (ab. management buyout)

compra de una empresa por sus propios trabajadores, buyout

compra de una opción de compra, call buy

compra de una opción de venta, put buy

compra directa e improvisada, offhand buy

compra durante la posesión del valor subyacente, covered call writing

compra en firme, firm purchase

compra global de activos, basket purchase

compra hostil e inesperada de un paquete de acciones mayoritario, dawn raid

compra mediante endeudamiento, leveraged buyout (LBO)

compra o paga, take or pay

compra para cubrir ventas al descubierto, short covering; bear covering; bearish covering

compra satisfecha en efectivo, purchase for cash; buy for cash; cash purchase

compra simultánea de opciones similares de compra y venta, straddle (options)

compra sin recurso de facturas a cobrar, forfeiting

comprador, buyer; purchaser; vendee; acquirer

comprador de buena fe, bona fide purchaser

comprador de una opción, holder; beneficiary; payee

comprador de una opción de compra, call buyer

comprador de una posición a plazo, long

comprador preferente, preemptor

comprador prioritario, preemptor

comprar, acquire; buy (v.)

comprar (al) fiado, buy on tick (GB)

comprar a crédito, buy on credit

comprar a plazos, installment buying (US: installment = instalment)

comprar a término, purchase forward

comprar acciones por sorpresa, assault (v.)

comprar al cien por cien, buy up; hoard; corner the market; buy out

comprar al cierre, buy on close

comprar al comienzo, buy on opening

comprar al contado, purchase for cash; buy for cash; cash purchase

comprar anticipadamente, buy ahead

comprar derechos, acquire rights, buy rights

comprar determinado valor a gran escala, buy up; hoard; corner the market; buy out

comprar en exceso, overbuy

comprar en firme una emisión, purchase an issue outright

comprar en su totalidad, buy up; hoard; corner the market; buy out

comprar gradualmente, scale buying

comprar la participación accionaria a, buy up; hoard; corner the market; buy out

comprar lo que uno mismo vende (subastas), buy in (auctions)

comprar títulos a bajo precio, average down

comprar títulos a bajo precio para reducir el de la cartera, average down

comprar títulos a precio alto, average up

comprar títulos caros en espera de que suban aún más, average up

comprar todas las existencias, buy up; hoard; corner the market; buy out

comprar una participación a la sociedad instrumental, acquire a stake from the holding company

comprar y mantener (estrategia), buy and hold (strategy)

compras a plazos, consumer credit

compras de primeras materias, purchases of raw materials

compraventa, bargain and sale

compraventa "straddle" (opciones), straddle

compraventa "strangle", strangle

compraventa a plazos, hire-purchase

compraventa de contrato de futuro para tomar una posición temporal, hedging

compraventa de divisas a un cambio dado con pago diferido, forward contract; forward agreement

compraventa de divisas a un cambio determinado, con pago diferido, futures contract

compraventa de divisas al contado para invertir en un activo monetario, interest rate arbitrage

compraventa de moneda extranjera, foreign exchange trading

compraventa de títulos bursátiles, application (stock exchange)

compraventa especulativa de terrenos, land jobbing

compraventa especulativa favorable, arbitrage (transaction)

compraventas estratégicas, strategic purchases and sales

comprendido, todo (en el precio), all-around (adj., US); all-in (adj., GB)

comprensión adecuada del balance, adequate comprehension of the balance sheet

comprobación (n. fem.), ascertainment; verification; check (n.)

comprobación aleatoria, spot check

comprobación de cuentas bancarias, bank reconciliation

comprobación diaria de entradas y salidas de caja, teller´s proof

comprobación mediante superposición, peekaboo

comprobación negativa, negative verification

comprobación par-impar (comp.), odd-even check (comp.)

comprobación por saldos, balance test

comprobado sobre el terreno, field-tested

comprobante, certificate; policy (pl.: policy = policies); voucher

comprobante de asiento en los libros, proof of posting

comprobante de caja, cash voucher

comprobante de cobertura (previo a la emisión de póliza de seguro), cover note; cover letter

comprobante de gastos menores (Esp.), petty cash voucher

comprobante de pago, disbursement voucher

comprobante de venta, sales draft; sales bill; sales check; sales slip

comprobar la caja, prove the cash

comprobar la firma, verify the signature

comprobar una cuenta, audit an account; verify an account; check an account

comprometer a, compel to; bind to

comprometerse, engage; undertake; compromise (v.); covenant (v.); obligate

compromiso, agreement; compact; arrangement; deal (n.); pact; treaty (pl.: treaty = treaties); compromise (n.); engagement; obligation

compromiso a medio plazo, medium-term commitment

compromiso colateral, collateral undertaking

compromiso de donación, grant commitment; grant element

compromiso de entrega, delivery bond

compromiso de financiación de excesos de costos, overrun commitment

compromiso de los colocadores de la emisión, backstop role

compromiso de pago a primer requerimiento, demand note; demand promissory note

compromiso de recompra, repurchase agreement (ab. REPO); REPO (ab. = repurchase agreement); put; buy-back

compromiso directo, direct obligation

compromiso en firme, firm commitment

compromiso expreso, express assumpsit

compromiso legal, legal duty

compromiso no avalado, unsecured indebtedness; unsecured loan; unsecured credit

compromiso personal, personal liability (pl.: liability = liabilities); personal covenant

compromiso sobre un préstamo, loan commitment

compromiso tácito, implied engagement; tacit agreement

compromisos al día de hoy, commitments to date

compromisos de asunción mancomunada, joint liabilities

compromisos generales, general obligations

compromisos mancomunados, joint and several liability; joint liability; several obligation; several liability; several responsibility

compromisos potenciales con otros bancos, potential commitments with other banks

compromisos solidariamente asumidos, joint liabilities

compromisos vencidos, matured liabilities

compulsa, crosscheck (n.); checkup (n.)

compulsar, cross-check (v.); check-up (v.); collate (v.); verify (v.)

compulsar (legalizar), witness (v.); attest (v.); certify; evidence (v.)

computadora (SA), computer

computadora digital (SA), digital computer

computadora mixta (SA., comp.), hybrid computer (comp.)

computadora operada por teclado (SA), keyboard computer

computar, compute; calculate; tabulate

computerización (SA), computerization

computerizar (SA), computerize

cómputo, count

cómputo aritmético, arithmetic computation

cómputo electrónico de datos (CED), electronic data computing (EDC); electronic data processing (EDP); EDC (ab. electronic data computing); EDP (ab. electronic data processing)

comunica(ndo) (teléfono) (Esp., col.), busy

comunicación, communication; notice; rapport; statement

comunicación de rescate de pagarés, notice of note redemption

comunicado, bulletin

comunicado (de régimen) interior, administrative message

comunicado de prensa, press release

comunicado oficial, official statement

comunicar, report (v); notify; announce (v.); acquaint (with); advise; warn; give notice

comunidad autónoma (Esp.), autonomous community

comunidad de propietarios (US), proprietor (n. masc.; fem.: proprietor = proprietress) (US); proprietary (pl.: proprietary = proprietaries) (US)

Comunidad Económica Europea CEE), European Economic Community (EEC); EEC (ab. European Economic Community

Comunidad Europea del Carbón y del Acero (CECA), European Coal and Steel

Community (ECSC); ECSE (ab. European Coal and Steel Community)

con, cum (Lat.)

con (derecho a percibir) dividendo, cum dividend

con (la) firma y sello oficial de, bearing the signature and official seal of

con anterioridad a, heretofore; prior to; thereinbefore

con anterioridad a la descarga del barco, before hatch opening; before unloading the ship; prior to ship unloading

con anterioridad al pago de impuestos, before taxes

con anticipación, beforehand; in advance

con arreglo al valor, ad valorem (Lat.)

con autorización de, with the authority of; by proxy

con avería particular, with particular average (WPA); WPA (ab. with particular average)

con capacidad para, empowered to; with the authority to

con carácter anual, every year; on a yearly basis; annually; PA (ab. Lat. per annum); per annum (PA) (Lat.); yearly

con carácter de otorgamiento no oneroso, as a grant

con carácter devolutivo, subject to return

con carácter extraoficial, off the record

con carácter quincenal, biweekly

con carácter semestral, biannually; twice a year

con cargo a (los) resultados, against income

con dedicación exclusiva, full-time

con derecho a pensión, pensionable (adj.)

con facultades de, with the authority of; by proxy

con fecha (del), under date of

con fecha anticipada, dated ahead

con garantía hipotecaria, on mortgage security

con jornada parcial, part-time

con la condición de que, on condition that; with the stipulation that

con la garantía del gobierno de Estados Unidos, US government guaranteed (ab. USGG); USGG (ab. = US Government guaranteed)

con la mayor discreción, in strict confidence

con libertad para, free to

con libertad para realizar las pruebas necesarias, with liberty to run trials as necessary

con objeto de, with the purpose of

con original y copia, in two copies

con periodicidad anual, every year; on a yearly basis; annually; PA (ab. Lat. per annum); per annum (PA) (Lat.); yearly

con periodicidad mensual, monthly

con poco tiempo de aviso, on short notice

con poderes para, empowered to; with the authority to

con posterioridad a (los) impuestos, after-tax

con prima, above par; at a premium

con puntos y comas (Esp., col.), minutely

con referencia a su carta de fecha..., reference is made of your letter dated...

con referencia a su carta del 10 de Diciembre, we refer to your letter of 10 December

(con referencia a) su telegrama, your telegram (urtel); urtel (ab. your telegram)

con relación a, as concerns; with regard to; regarding; as to

con respecto a, as concerns; with regard to; regarding; as to

con tal fin, hereto

con toda libertad, ad libitum (Lat); ad lib (Lat.); at random

con todo lujo de detalles, minutely

con una fecha posterior, postdated (adj.)

con una rentabilidad del 10%, at a yield of 10%

con vencimiento en el año 2002, due 2002

con vistas a, with a view to

concatenación (n. fem.)**,** chaining

conceder, allow; permit (v.); grant (v.)

conceder (el uso de) la palabra, grant right to speak

conceder crédito, extend credit

conceder facilidades de pago, grant easy terms

conceder indulto, give a reprieve

conceder licencia, allow; permit (v.); grant (v.)

conceder nombramiento, charter (v); affreight

conceder plena libertad de actuación, give a blank cheque (US: cheque = check)

conceder un crédito, grant a credit

conceder un crédito contingente, bridge over

conceder un descuento, allow a discount

conceder un préstamo, extend a loan; accommodate

conceder una prórroga, grant a delay; grant an extension

concejal, councillor (= councilor); councilor (= councillor); councilman; town councillor

concejala, councilwoman

concentración de las inversiones extranjeras, stacking of foreign investments

concentración de riesgos, concentration of risk; risk concentration

concentrarse en un asunto difícil, concentrate on a difficult issue

concepto, concept; conception

conceptos de contabilidad, accounting conventions; accounting concepts; accounting regulations; accounting standards; accounting principles

conceptual, conceptual

concernir, concern (v.)

concertar el pago de un crédito, arrange for the payment of a loan

concertar un empréstito, raise a loan; secure a loan

concesión, award

concesión (de venta o representación), dealership

concesión de contratas, awarding of contracts

concesión de créditos, granting of credits

concesión de licencias vigiladas, surveillance licensing

concesión de préstamos, lending; loans granted

concesión de venta, selling concession

concesión tributaria, tax concession

concesionario, grantee; awardee

concesionario (US), proprietor (n. masc..; fem.: proprietor = proprietress) (US); proprietary (pl.: proprietary = proprietaries) (US)

concesionario de la licencia, licensee (licensee = licencee); licencee (licencee = licensee)

concesionario de una licencia, licensee

concesionario de ventas, broker; agent middleman; stock(-exchange) broker; stockbroker (GB: stockbroker = stockjobber); stockjobber (US: stockjobber = stockbroker))

concesiones fijas, fixed allowances

concierto, agreement; compact; arrangement; deal (n.); pact; treaty (pl.: treaty = treaties); compromise (n.); engagement; obligation

concierto operativo, operating agreement

conciliación, adjustment; reconcilement; correction

conciliación de cuentas, reconciliation of accounts; account reconciliation

conciliación de estados bancarios, bank reconciliation

conciliador, troubleshooter (col.)

conciliar, conciliate; accord

conciliar cuentas, reconcile accounts

conclusiones (form.), final pleadings

concluyente, final

concordancia, consistency

concretamente, in particular

concreto, actual

concurrir, attend

concurso, tender (n.); offer (n.); proposal (n.); submission (n.)

concurso de licitación, bids wanted (BW); BW (ab. bids wanted)

concusión (n. fem.), bribe (n.); graft (n.); embracery (n.); subornation; embracery; bribery; kickback (col.)

condado (US), county (US)

condenado por robo, convicted of stealing

condenar a cadena perpetua, jail for life

condensar, condense (v.); abridge (v.); recap (col.) (v.); summarize (v.); synthesize

condición (n. fem.), article; clause; covenant (n.); provision; proviso (pl.: proviso = provisos / provisoes); condition

condición de entidad bancaria, bank status

condición humilde, humble degree; low degree

condición preliminar, premise

condición social, degree

condicional (adj., masc. & fem.), acting (adj.); provisory (adj.); make-do (adj.); make-shift (adj.); interim

condicionante (n. masc.), article; clause; covenant (n.); provision; proviso (pl.: proviso = provisos / provisoes)

condiciones adicionales, additional conditions

condiciones aplicables a la deuda, debt terms

condiciones comerciales, commercial terms; hard terms

condiciones de admisión, admission terms

condiciones de entrega, terms of delivery; delivery terms

condiciones de flete comunes a buques adheridos a la Conference Line, Conference Line Freight Terms (CLFT); CLFT (ab. Conference Line Freight Terms)

condiciones de las líneas marítimas regulares, liner terms

condiciones de liquidación neta, net settlement terms

condiciones de mercado, commercial terms; hard terms

condiciones de pago, tenor; payment terms

condiciones de un crédito, terms of a credit

condiciones de venta, selling terms; selling conditions; terms of sale; sale terms

condiciones del contrato, contract terms; terms of contract; terms of the agreement

condiciones del crédito, credit terms

condiciones del mercado, market conditions

condiciones exigidas para ocupar un puesto, job specifications

condiciones generales de la póliza, general policy conditions

condiciones razonables, realistic terms

condominio, condominium; common ownership; joint ownership

condonación (n. fem.), remission; condonation

condonación parcial de deuda (quita), partial acquittance

cóndor (opciones), condor

conducta en el trabajo, professional conduct; labour conduct (US: labour = labor)

conectado, on line

conector de entrada (comp.), in-connector (comp.)

conector de procedencia (comp.), in-connector (comp.)

conexión (vinculación), association

conexión jurídica, legal connection

confecciones, dry goods

confederación, confederacy

conferencia de prensa, press conference

conferencia telefónica a cobro revertido, collect call

conferencia telefónica con cargo al destinatario, collect call

confesar, avow; avouch; depose

confesión (declaración), avowal; deposition

confesión de culpabilidad, admission of guilt

confianza mutua, mutual trust

confiar (en) que, feel confident that

confidencial, confidential

confidencialidad, confidentiality

confidencialmente, off the record

confidente, confidant (fem. = confidante); confidante (m. = confidant)

configuración, pattern; shape

configuración de estaciones de trabajo, configuration of workstations

configuración de los tipos cambiarios, exchange rate pattern

configuración del prefijo, prefix configuration

configuración final del mercado, final configuration of the market

configurar un ordenador personal, configurate a personal computer

confirmación, confirmation

confirmación de pagos, confirming

confirmación directa, direct confirmation

confirmación por carta, telex o fax, confirmation by letter, telex or facsimile message

confirmación por escrito, confirmation in writing

confirmar, confirm

confirmar la recepción de un escrito, acknowledge (receipt of) a letter

confirmar un acuerdo, confirm an arrangement

confirmar un pedido, confirm an order

confirmar un saldo, confirm a balance

confirmar una entrevista, confirm an appointment

confiscable (adj., masc. & fem.)**,** forfeitable; attachable

confiscación, attachment; forfeit; forfeiture; seizure; embargo (pl.: embargo = embargoes); garnishee; levy (v.); distraint

confiscado (adj.)**,** attached

confiscar, apprehend; attach; confiscate; impress; seize; sequester; enforce; execute; arrest (v.); take into custody

conflicto, conflict (n.)

conflicto de atribuciones, demarcation dispute

conflicto de competencias, conflict of jurisdictions; conflict of competences

conflicto de intereses, conflict of interests

conflicto jurisdiccional, conflict of jurisdictions; conflict of competences

conflicto laboral, labour conflict (US: labour = labor); labour dispute (US: labour = labor)

conformación, adjustment; reconcilement; correction

conformar, conciliate; accord

conforme a, according to; as per; consistent with; in accordance with; pursuant to; in conformity with

conforme a (lo dispuesto por) las leyes de, under the laws of

conforme a derecho, according to law

conforme a la factura, according to invoice

conforme a la ley, consistent with the law

conforme a lo dispuesto por, under the provisions of

conforme a lo esbozado, as outlined

conforme a lo estipulado, as stipulated

conforme a lo exigido por la ley, as requested by law

conforme a lo explicado, as explained

conforme a lo explicado anteriormente, as explained earlier

conforme a lo planeado, as scheduled

conforme a lo que en párrafos anteriores se apunta, as mentioned in earlier paragraphs

conforme a lo que la ley permita, as permitted by law

conforme a lo recomendado por, as per advice of

conforme a lo reseñado más arriba, as stated earlier

conforme a lo solicitado, in compliance with the request

conforme a los libros, per books

conforme a los usos del sector, custom of the trade

conforme a nuestros registros, according to our records; in accordance with our records; our records show

conforme a real decreto, as per royal decree

conforme a su petición, at your request

conforme al aviso, as per advice

conforme al uso, ad usum (Lat.); by custom; by practice

conforme se estipula (en un escrito distinto), ad referendum (Lat.)

conforme se ha registrado, as recorded

conformidad, acceptance; accession; acquiescence; approval; assent

conformidad al condicionado, acknowledg(e)ment

conformidad tácita, implied consent; tacit consent

confusión, disarray

congelación de fondos, freezing of funds

congelación de precios, price freeze; price freezing; freezing of prices

congelación salarial, wages freeze

congelar, freeze

congelar las relaciones de corresponsalía, freeze agency arrangements

congelar una cuenta, freeze an account

conglomerado de empresas, conglomerate

congreso, convention

conjunta y solidariamente, joint(ly) and several(ly)

conjuntamente, jointly; conjointly; two-name (adj.)

conjunto (adj.)**,** joint

conjunto (n.)**,** aggregate

conjunto de actividades orientadas hacia la venta, marketing mix

conjunto de antecedentes, set or records

conjunto de caracteres, character set

conjunto de contratos abiertos y no cancelados, open interest

conjunto de empleos reglamentados, aggregate regulated assets

conjunto de instrucciones, briefing

conjunto de opciones de compra (calls), floor

conjunto de opciones de venta (puts), cap

conjunto de ordenador y periféricos (Esp., comp.)**,** hardware

conjunto de programas de ordenador, computer software

conjunto de programas informáticos (comp.)**,** software (comp.)

conjunto de programas para ordenador (Esp., comp.)**,** program package (comp.); edit package (comp.)

conjunto de registros, set or records

conjunto de tres turnos diarios de ocho horas, towers

conjunto patrimonial, assets and liabilities; assets and funds; borrowing and lending; funds and assets

conminación, caveat (Lat.); admonition; warning; letters requisitorial

conminación al pago, dunning letter

conminar, apperceive; admonish

conmutador (comp.)**,** switch

conmutar, switch

conmutar la pena impuesta, give a reprieve

connivencia, connivance; collusion

conocer a fondo un trabajo, master (v.)

conocido (n.)**,** acquaintance

conocido también como, alias dictus (Lat.); also known as (AKA); AKA (ab. also known as)

conocimiento (persona o hecho), acquaintance

conocimiento de carga, freight receipt

conocimiento de embarque, bill of lading (ab. BL, blading); BL (ab. = bill of lading); blading (ab. bill of lading)

conocimiento de embarque (en) limpio, clean bill of lading (clean BL); clean BL (ab. clean bill of lading)

conocimiento de embarque a la orden, order bill of lading (order BL / order blading); order BL (ab. order bill of lading); order blading (ab. order bill of lading); bill of lading to order (BL to order); BL to order (ab. bill of lading to order); negotiable bill of lading (NBL / negotiable blading); NBL (ab. negotiable bill of lading); negotiable blading (ab. negotiable bill of lading)

conocimiento de embarque a la orden (CEO), exchange bill of lading (EBL); EBL (ab. exchange bill of lading)

conocimiento de embarque aéreo, airway bill of lading (AWBL); AWBL (ab. airway bill of lading)

conocimiento de embarque aéreo (CEA), air waybill (AWB); AWB (ab. air waybill, airwaybill); airwaybill (AWB)

conocimiento de embarque caducado, stale bill of lading

conocimiento de embarque con certificación consular, certified bill of lading; certified b/l

conocimiento de embarque con reservas (sobre mercancía, embalajes, etc, unclean bill of lading (bill of lading = B/L / blading); unclean B/L (B/L = bill of lading); unclean blading (blading = bill of lading)

conocimiento de embarque con responsabilidad limitada de transportista, released bill of lading (released B/L); released B/L (ab.released bill of lading)

conocimiento de embarque con responsabilidad total del transportista, full bill of lading (full BL); full BL (ab. full bill of lading)

conocimiento de embarque consignado a, bill of lading consigned to

conocimiento de embarque corrido, straight bill of lading (SBL); SBL (ab. straight bill of lading)

conocimiento de embarque corrido (cubre transbordos), through bill of lading (TBL); TBL (ab. through bill of lading)

conocimiento de embarque de línea regular, common carrier bill of lading

conocimiento de embarque directo (cubre transbordos), through bill of lading (TBL); TBL (ab. through bill of lading)

conocimiento de embarque emitido por un transitario, forwarder´s bill of lading (FBL / forwarder´s BL); FBL (ab. forwarder´s bill of lading)

conocimiento de embarque endosado en blanco, blank endorsed bill of lading

conocimiento de embarque ferroviario, railway bill of lading (GB; ab. railway B/L); railway B/L (GB; ab. railway bill of lading); railroad bill of lading (US; railroad B/L); railroad B/L (US: ab. railroad bill of lading)

conocimiento de embarque fluvial, barge bill of lading (barge B/L); barge B/L (ab. barge bill of lading)

conocimiento de embarque limpio a bordo, clean on board bill of lading

conocimiento de embarque marítimo, marine bill of lading (MBL); ocean bill of lading (OBL / ocean blading); MBL (ab. marine bill of lading); OBL (ab. ocean bill of lading); ocean blading (ab. ocean bill of lading)

conocimiento de embarque multimodal, bill of lading for multimodal transport; multimodal transport bill of lading; multimodal transport B/L (B/L = bill of lading)

conocimiento de embarque negociable, order bill of lading (order BL / order blading); order BL (ab. order bill of lading); order blading (ab. order bill of lading); bill of lading to order (BL to order); BL to order (ab. bill of lading to order); negotiable bill of lading (NBL / negotiable blading); NBL (ab. negotiable bill of lading); negotiable blading (ab. negotiable bill of lading)

conocimiento de embarque nominativo, straight bill of lading (SBL); SBL (ab. straight bill of lading)

conocimiento de embarque original, original bill of lading (original BL / original blading); original BL (ab. original bill of lading); original blading (ab. original bill of lading)

conocimiento de embarque por avión, air consignment note

conocimiento de embarque que sólo permite transbordo en puerto británico, continental through bill of lading

conocimiento de embarque sin reservas, clean bill of lading (clean BL); clean BL (ab. clean bill of lading)

conocimiento de embarque sin restricciones, clean bill of lading (clean BL); clean BL (ab. clean bill of lading)

conocimiento de embarque sin transbordos, direct bill of lading (direct B/L / DBL); direct B/L (ab. direct bill of lading); DBL (ab. direct bill of lading)

conocimiento de embarque sobre mercancías a bordo de buque alquilado, charter party bill of lading (CPBL); CPBL (ab. charter party bill of lading)

conocimiento de embarque sucio (Esp., col.), unclean bill of lading (bill of lading = B/L / blading); unclean B/L (B/L = bill of lading); unclean blading (blading = bill of lading)

conocimiento de embarque sujeto a contrato de fletamento, charter (party)

conocimiento de entrada de mercancía para su carga, received for shipment bill of lading (received for shipment B/L); received for shipment B/L (ab. received for shipment bill of lading)

conocimiento de favor sobre mercancía no entregada, accommodation bill of lading (accommodation B/L); accommodation B/L (ab. accommodation bill of lading)

conocimiento de idiomas extranjeros, knowledge of foreign languages

conocimiento de la marca, brand awareness

conocimientos técnicos, know-how

consagrado por la tradición, time-honoured (adj.)

consanguíneo (n. & adj.)**,** sib; blood relative (n.)

consecución, achievement; completion

consecución (n. fem.)**,** success

consecución de metas, achievement(s)

consecución de resultados, achievement(s)

consecuencias de la sequía, implications of draught

conseguir, achieve; implement

conseguir beneficios rápidos, make quick profits

conseguir dinero, procure money

conseguir fondos, raise funds

conseguir quórum, quorate (GB)

conseguir salir a duras penas de un negocio arriesgado, shuffle out of a risky business

consejero asesor, adviser (US = advisor); advisor (GB = adviser); consultant

consejero delegado (ejecutivo), chief executive officer (CEO); CEO (US: ab. chief executive officer; GB = managing director); executive director; managing director (GB); president (US); (col.), steersman

consejero delegado adjunto, deputy managing director

consejero delegado para el negocio internacional, executive director in charge of international business

consejero ejecutivo, chief executive officer (CEO); CEO (US: ab. chief executive officer; GB = managing director); executive director; managing director (GB); president (US); (col.) steersman

consejo, advice

consejo (corporación), council; advisory committee

consejo de administración, administrative board; board; board of directors; Presidium (col.)

consejo de aseguradores, board of underwriters

Consejo de Europa, Council of Europe

Consejo de la Reserva Federal (US)**,** Federal Reserve Board (Fed, FRB) (US); Fed (ab. Federal Reserve Board) (US); FRB (ab. Federal Reserve Board)

consejo de ministros, council of ministers

Consejo Rector de la Alianza de Bolsas, Exchange Alliance Board

consenso, consensus

consentimiento, acceptance; accession; acquiescence; approval; assent

consentimiento implícito, constructive assent

consentimiento tácito, implied consent; tacit consent

consentir, accept; admit; agree

conserje, janitor; gatekeeper

conservación, maintenance

conservación de antecedentes, record retention

conservación de valores, custody of stocks

conservación y control de archivos, file retention and control

conservador, custodian

considerando, whereas; having regard to; since

considerandos, whereas clauses

considerar, research (v.); analyze (v.); review (v.); reckon (up); question (v.)

considerar (de índole) confidencial, classify

considerar una fusión, contemplate a merger

consignación, lading; freight; load (n.); shipment; consignment

consignaciones enviadas, consignments out

consignaciones recibidas, consignments in

consignar (mercancías), assign; allocate; attribute (v.); make over; transfer (v.); distribute; appropriate; set over

consignar una suma en firme, obligate a sum

consignatario, consignee

consignatario del buque, ship´s husband

consistencia, soundness; strength

consistencia de los recursos propios, patrimonial integrity; soundness of equity; equity soundness

consistente (adj., masc. & fem.)**,** strong

consocio, copartner

consola, console

consola de ordenador, computer console

consolidación, amalgamation; consolidation

consolidación de balances, consolidation of balances

consolidación de cifras, consolidation of figures

consolidación de deudas, consolidation of debts

consolidación de empresas, amalgamation; consolidation

consolidación de fondos, fund consolidation

consolidación de saldos, consolidation of balances

consolidación del endeudamiento hipotecario, unified mortgage; consolidated mortgage

consolidado, consolidated

consolidar, amalgamate (v.); merge; consolidate; unify

consolidar dos entidades bancarias, consolidate two banking institutions

consorcio, consortium (pl. = consortia / consortiums); pool; trust

consorcio asegurador, underwriting syndicate

consorcio bancario, bank syndicate

consorcio de emisión, syndicate of issuance

consorcio empresarial, business syndicate

consorcio organizado, organized consortium (Lat., pl.: consortium = corsortia)

conspiración, confederacy

constante (adj., masc. & fem.), flat (adj.); constant; continual

conste en acta, let the records show

conste por el presente, as interest may appear; know all men by these presents; whom it may concern; to whom it may concern

constitución, constitution

constitución de provisiones, allowance recording

constitución de reservas y provisiones, constitution of reserves and provisions

constitución de un paquete accionario, stockbuilding

constitucional, constitutional

constituir oficialmente, charter (v); affreight

constituir una provisión, make a provision; record a provision

constituir una sociedad, constitute a company; form a company; incorporate a company (US); incept a company

constituirse en avalista, act as surety

constituirse en fiduciario, act as trustee

constituyente, principal; accountee; assignor; auctor; constituent

construcción naval, shipbuilding

consuetudinario, consuetudinary

cónsul, consul

consulado, consular office; consulate

consular, consular

consulta, query (pl. = queries)

consultar, query (v.)

consultar con, confer with

consultar con el librador, refer to drawer

consultar con un abogado, refer to a counsel

consultor, adviser (US = advisor); advisor (GB = adviser); consultant

consultoría, consultancy

consumación, perpetration

consumar un robo, perpetrate a theft

consumidor, consumer

consumir, spend

consumismo, consumerism; high level of consumption

consumo, consumption

consumo interno, internal consumption; domestic consumption

consumo público, public consumption

consumo restringido, restricted consumption

contabilidad, accounting; accountancy; bookkeeping

contabilidad administrativa, administrative accounting

contabilidad analítica, cost accounting; analytical accounting

contabilidad analítica de costes, analytical cost accounting

contabilidad de acreedores, accounts due (to); accounts payable; sundry creditors

contabilidad de costos, cost accounting; analytical accounting

contabilidad de deudores, accounts receivable; accounts due (from)

contabilidad de sucesiones, estate accounting

contabilidad fiduciaria, fiduciary accounting

contabilidad financiera, financial accounting

contabilidad fiscal, fiscal accounting

contabilidad general, general accounting

contabilidad industrial, manufacturing accounting; factory accounting

contabilidad informatizada, computerized(-system) accounting

contabilidad mecanizada, mechanized(-system) accounting

contabilidad mercantil, mercantile accounting

contabilidad por partida doble, double-entry accountancy; double-entry accounting; double-entry bookkeeping

contabilidad transparente, transparent accountancy; transparent accounting

contabilizable, accountable

contabilizar la pérdida en la cuenta de resultados, charge off

contable (n., masc. & fem.), accountant; bookkeeper

contable particular, private accountant

contablemente, per books

contactar, contact

contacto, contact

contacto con aceite o el resto de la carga, contact with oil or other cargo (ab. COOC); COOC (ab. contact with oil or other cargo)

contacto con aceite u otras mercancías del cargamento, contact with oil or other cargo (ab. COOC); COOC (ab. contact with oil or other cargo)

contacto con cuerpos extraños, contact with foreign matters (CFM); CFM (ab. contact with foreign matters)

contacto con otras mercancías del cargamento, contact with other cargo (COC); COC (ab. contact with other cargo)

contactos cerrados normalmente, normally closed contacts

contador de tarjetas, card counter

contador jefe (LA), senior accountant

contador privado (SA), private accountant

contador público (SA), Certified Public Accountant (CPA); CPA (ab. Certified Public Accountant)

contaduría, accounting; accountancy; bookkeeping

contaminar, contaminate

contango (Bolsa), contango (GB)

contar, count

contemplado por la ley, covered by law

contención, containment

contenedor, container

contenedor de monedas metálicas, coin envelope

contenido (avance), held back

contenido (índice del libro), contents (books)

conteo (SA), count

conteo regresivo (SA), countdown

contestación, answer (n.); reply (n.)

contestar, answer (v.); reply (v.)

contestatario, questioner

contestatario impenitente, ratbag (GB, col.)

contingencias financieras, financial contingency

contingente (adj.), standby; contingent

contingente (cupo asignado), quota; allocation; allotment; share

contingente de exportación, export quota

contingente de importación, import quota

continuación, continued (ab. contd.); contd. (continued)

continuado, ongoing

continuo, ongoing

contorno, pattern; shape

contra, versus (V.); V. (ab. versus); contrary to

contra pago, against payment

contra toda expectativa, contrary to expectations

contra todo riesgo, against all risks (AAR); AAR (ab. against all risks)

contraasiento, balancing entry; correcting entry; reversal entry; chargeback; contra debit

contrabandear (importación/exportación y venta ilegal), bootleg (col.); smuggle; contraband

contrabandista, smuggler

contrabando, smuggle; contraband

contracrédito, back-to-back credit

contracuentas, contra accounts; transit accounts; transitory accounts; suspense accounts; offset accounts

contrademanda, counterclaim

contradictorio, conflicting

contrafianza, back bond

contrafirma, authentication; countersignature

contrainterrogatorio, cross-examination

contralor (LA)**,** comptroller (GB = comptroller / controller; US = controler); controller (GB = controller / comptroller; US = controler); controler (US = controler; GB = comptroller / controller)

contraloría (SA)**,** comptrollership (GB = controllership; US = controlership); controllership US = controlership); intervention

contramaestre, boatswain

contraorden, countermand

contraparte, counterpart

contrapartida, counterpart

contrapartida por compensación (n. fem.)**,** offset (n.); setoff (n)

contrariamente a, versus (V.); V. (ab. versus); contrary to

contrario a la ley, unlawful (adj.); illegal (adj.)

contrarreclamación (n. fem.)**,** offset (n.); setoff (n)

contrarrestar, counteract

contrarrestar los efectos adversos, counteract the adverse effects

contraseña, password

contratación a través de computadora (LA)**,** program trading

contratación automática mediante ordenador (Esp.)**,** program trading

contratación de acciones, share dealings

contratación de mano de obra innecesaria, featherbedding

contratación de personal, personnel hiring; staff hiring

contratación de personal cualificado, recruitment of qualified personnel

contratación marginal de depósitos a plazo, marginal term-deposit taking

contratante, covenantee

contratante comprador, bargainee

contratante vendedor, bargainor

contratar, contract

contratar a jornal para un trabajo, fee (v.)

contratar a personas inexpertas, fleece (human resources) (col.)

contratar la realización de un trabajo profesional mediante pago de honorarios, fee (v.)

contratista, contractor

contratista de obras, building contractor

contratista por cuenta de terceros, broker; agent middleman; stock(-exchange) broker; stockbroker (GB: stockbroker = stockjobber); stockjobber (US: stockjobber = stockbroker))

contratista por cuenta propia, broker; agent middleman; stock(-exchange) broker; stockbroker (GB: stockbroker = stockjobber); stockjobber (US: stockjobber = stockbroker))

contrato, agreement; compact; arrangement; deal (n.); pact; treaty (pl.: treaty = treaties); compromise (n.); engagement; obligation

contrato "forward", forward contract; forward agreement

contrato "forward" con descuento, forward with rebate

contrato "forward" con opción, option forward

contrato "forward" con premio, premium forward exchange

contrato "forward" de ruptura, break forward

contrato "forward" participativo, participating forward contract

contrato "forward" simple, outright forward

contrato "forward-forward", forward-forward

contrato (de trabajo) a destajo, agreement by the job

contrato (opciones), contract

contrato a la gruesa, bottomry, gross adventure; loan on bottomry; marine loan; maritime loan

contrato a la medida, tailor-made contract

contrato a plazo, futures contract

contrato a plazo ("forward"), forward contract; forward agreement

contrato ajustado a unas necesidades específicas, tailor-made contract

contrato aleatorio, aleatory contract

contrato bilateral, reciprocal contract

contrato colectivo, joint contract

contrato comercial, commercial agreement; trade agreement; commercial treaty

contrato con aportación de colateral, collateral contract; collateral agreement; pledge contract

contrato con el comerciante, merchant agreement; dealer agreement

contrato con el comisariado, indenture

contrato con garantía prendaria, collateral contract; collateral agreement; pledge contract

contrato consensual, consensual contract

contrato de aceptación, acceptance agreement

contrato de alquiler de barco, charter party (CP); CP (ab. charter party)

contrato de alquiler de barco por plazo determinado, time charter

contrato de alquiler de barco por un solo viaje, voyage charter

contrato de arrendamiento, lease contract; contract of lease; leasing agreement

contrato de compraventa de bonos, bond indenture

contrato de compromiso, trust deed (US: trust deed = trust indenture); trust indenture (GB: trust indenture = trust deed)

contrato de crédito, borrowing agreement; loan agreement; loan contract

contrato de depósito en garantía, escrow agreement

contrato de exclusividad, agreement for exclusiveness

contrato de financiación, financing agreement

contrato de fletamento abierto, open charter

contrato de fletamento sin especificación de puerto o destino, open charter

contrato de franquicia, franchise contract

contrato de futuro sobre depósitos en eurodólares, eurodollar time deposit futures contract

contrato de futuros, futures contract

contrato de futuros sobre bonos del tesoro, treasury bond futures contract

contrato de futuros, individualmente considerado (lote), lot

contrato de mantenimiento y servicio, maintenance and service contract

contrato de personal, personnel contract

contrato de préstamo, borrowing agreement; loan agreement; loan contract

contrato de préstamo a la gruesa, bottomry bond

contrato de servicios, service(s) contract

contrato de sociedad, deed of partnership

contrato de suscripción, subscription agreement

contrato de trabajo, labour agreement (US: labour = labor); labour contract (US: labour = labor); agreement of service

contrato de venta, selling agreement

contrato de venta en firme, firm sale contract

contrato de venta sin desplazamiento, bill of sale (BOS); BOS (ab. bill of sale)

contrato entre dos partes, agreement between two parties

contrato entre varias partes, agreement among several parties

contrato fijo, fixed contract

contrato formal, formal contract

contrato implícito, implied contract

contrato individual, individual contract

contrato informal, simple contract

contrato inicial, first contract

contrato llave en mano, turnkey job; turnkey agreement

contrato mercantil, commercial agreement; trade agreement; commercial treaty

contrato no estandarizado, tailor-made contract

contrato nulo, void contract

contrato pignoraticio, contract of pledge

contrato prendario, collateral contract; collateral agreement; pledge contract

contrato recíproco, reciprocal contract

contrato renovable, renewable agreement

contrato sellado, obligation under seal

contrato sin efecto, void contract

contrato sin validez, void contract

contrato sobre tipos de cambio, exchange rate agreement (ERA); ERA (ab. exchange rate agreement)

contratos a plazo sobre tipos de interés concertados, forward rate agreements (FRAs); FRAs (ab. forward rate agreements)

contratos aún vigentes por no haberse liquidado, open interest

contratos financieros a plazo, financial futures

contratos sobre tipos de interés futuros, forward rate agreements (FRAs); FRAs (ab. forward rate agreements)

contravalor, par of exchange; parity change; real par of exchange; countervalue; par; exchange parity

contravenir, violate

contravenir lo dispuesto, violate provisions

contribución, impost; cess; tax; levy

contribución al capital, contribution to capital

contribución al Fondo de Garantía de Depósitos (Esp.), contribution to Deposit Guarantee Fund

contribución al PIB. (PIB = Producto Interno Bruto), contribution to GDP (GDP = ab. Gross Domestic Product)

contribución anual, annual contribution; yearly quota

contribuciones diversas, sundry taxes

contribuir, contribute

contribuyente, ratepayer; taxpayer

control, control (n.); monitoring

control a distancia, remote control

control cambiario, exchange control; foreign exchange regulations

control de asistentes, record of attendance

control de calidad, quality control

control de cambios, exchange control; foreign exchange regulations

control de costes, cost control

control de costes riguroso, tight cost control

control de divisas, exchange control; foreign exchange regulations

control de gestión, operations control; management control

control de gestión del grupo, group operations control

control de inventarios, inventory controls

control de la balanza de pagos, balance of payments control

control de operaciones, operations control; management control

control de operaciones en moneda extranjera, exchange control; foreign exchange regulations

control de paridad (comp.), odd-even check

control de plenos (seguros), control of line limits (insurance)

control de procesos (comp.), process control

control de producción, production control

control de riesgos, liability control

control del gasto, expense control

control del gasto (Esp.), cost control

control demográfico, population control

control monetario, monetary control

control oficial, government supervision

control presupuestario, budgetary control

control programado (comp.), programmed check (comp.)

control remoto, remote control

control salarial, wage control

controlador, comptroller (GB = comptroller / controller; US = controler); controller (GB = controller / comptroller; US = controler); controler (US = controler; GB = comptroller / controller)

controlar, control (v.); monitor (v.); supervise (v.)

controlar el gasto, curb spending; kerb spenditure

controlar las importaciones, kerb imports; curb imports

controles cuantitativos sobre la importación, quantitative import controls

controles de precios, price controls

controles internos, internal controls

controles selectivos de importación, selective import controls

controles selectivos del comercio, selective trade controls

convención, convention

convención trienal, triennial convention

convencional, conventional

convenio (laboral) colectivo, collective bargaining agreement

convenio bilateral de pagos, bilateral payments arrangement

Convenio Colectivo de Banca, Bank Collective Wage Agreement (Esp.)

convenio colectivo de trabajo, collective bargaining agreement

convenio colectivo favorable al empresario, sweetheart agreement (col.)

convenio constitutivo del Fondo Monetario Internacional, IMF Articles of Agreement; Articles of Agreement of the International Monetary Fund

convenio de compensación, clearing arrangement; clearing agreement

Convenio de Roma, Treaty of Rome

convenio entre los colocadores de la emisión, agreement among(st) underwriters

convenio internacional sobre mercancías, international commodities agreement

convenio laboral, labour agreement (US: labour = labor); labour contract (US: labour = labor); agreement of service

convenio para (encargarse de) colocar una emisión, underwriting agreement

convenio que da cabida a intereses encontrados, package deal

convenio sobre doble fiscalidad, double taxation treaty

convenio tácito, implied engagement; tacit agreement

convenir, accept; admit; agree

convergencia, convergence

convergencia de objetivos, convergence of objectives

conversaciones, discussions

conversaciones constructivas, constructive talks

conversaciones infructuosas, barren discussions

conversión a decimales, decimalization

conversión a euros, conversion into euros

conversión automática, automatic conversion

conversión de deuda en capital, debt-equity conversion

conversión de dólares en euros, translation from dollars into euros

conversión de fondos de reserva en euros y dólares, translation of reserve funds into euros and dollars

conversión de un empréstito, conversion of a loan

conversión inversa, reverse conversion

convertibilidad de una moneda, convertibility of a currency

convertibilidad externa, external convertibility

convertibilidad interna, internal convertibility

convertibilidad monetaria, monetary convertibility

convertible, convertible

convertidor, converter

convertidor de señal, data set

convertir (de una moneda a otra), translate

convertir a decimales, decimalize

convertir en, convert into

convertir en dólares, convert into dollars

convertir en efectivo, turn into cash

convertir obligaciones en acciones, convert bonds into shares

convertir pesetas en euros, translate pesetas (in)to euros

convertir pesetas españolas en euros, convert Spanish pesetas into euros

convertirse en, merge into

convertirse en pensionista, retire on a pension

convexidad, convexity

convicto de apropiación indebida, convicted of stealing

convocante, convener; convenor

convocar, appoint; nominate

convocar una huelga, call a strike

convocar una reunión, convene a meeting

convocatoria, call (n.); process (n.); subpoena; summons; procedure

coñazo (Esp., col.), yawn (col.); jazz (col.)

cooperación, cooperation

cooperación transfronteriza antiblanqueo, anti-laundering transborder cooperation

cooperar, cooperate

cooperativa (n.), co-op; co-operative (company)

cooperativa agrícola, farm(ers´) cooperative; agricultural cooperative

cooperativa de ahorro y consumo, consumers' cooperative society; cooperative retail company

cooperativa de crédito, credit union

cooperativa de ventas, marketing cooperative (association)

cooperativa rural, farm(ers´) cooperative; agricultural cooperative

cooperativista, member of a cooperative society

coordinación de datos, data coordination

coordinador, coordinator

coordinador general, general coordinator

coordinar, coordinate

coparticipación, copartnership

copartícipe, copartner

copartícipes en un bien común, privies (sing. = privies = privy)

copia, copy (n. & v.); transcribe (v.)

copia acreditativa de emisión del conocimiento de embarque original, memorandum bill of lading

copia auténtica, true copy

copia certificada, certified copy; attested copy

copia compulsada, certified copy; attested copy

copia de archivo, file copy

copia en limpio, fair copy

copiador de cartas (libro), letter book

copresidente, co-chairman (= cochairman); cochairman (= co-chairman)

copropiedad, co-ownership

copropietario, joint owner; joint proprietor

corchetes, brackets

corporación, body

corporación de gobierno del condado (US), county council (US)

Corporación Financiera Internacional (ab. **CFI),** International Finance Corporation (ab. IFC); IFC (ab. = International Finance Corporation)

corrección, adjustment; reconcilement; correction

corrector (n.), adjusting (adj)

corrector de un exceso de compra o venta, contrario a la tendencia, reflex rally; reflex reaction

corredor (agente en plaza), delegate (n.); representative (rep); rep (ab. representative) (col.); operator (business)

corredor de bolsa, exchange broker; stock exchange broker; agent of exchange

corredor de bolsa (esp., que intenta contratar títulos de poco valor), sharepusher (GB, col.)

corredor de comercio, trade broker; commercial broker

corredor de fincas, land agent

corredor marítimo, ship broker

correduría bursátil (n. fem.), stockbroking

corregir, amend (v.); correct (v.); rectify (v.)

corregir defectos, debug

correlación, correlation

correo, mail (GB: mail = post); post (US: post = mail); correspondence

correo (servicio de mensajería), courier; messenger; runner (col.); dispatch rider (GB)

correo aéreo, air mail

correo certificado, registered mail (US)

correo de primera clase, first-class mail (US)

correo de superficie (vía terrestre o marítima), surface mail

correo electrónico, electronic mail (E-mail); E-mail (ab. electronic mail) Emilio (Esp., col.)

correo urgente, urgent post (US: post = mail); urgent mail (GB: mail = post);

special delivery; immediate delivery; express courier

Correos (Esp.)**,** Post Office (US: Post Office = Mail Office); Mail Office (GB: mail office = Post Office); General Post Office (GPO); GPO (ab. General Post Office)

correr con los gastos, meet the costs

correr parejo con, run parallel to

correspondencia, mail (GB: mail = post); post (US: post = mail); correspondence

corresponder, correspond

corresponder al juzgado (Esp.)**,** be the court´s competence

corresponderle a, compete

corresponderse, correspond

corresponsales no bancarios, non-banking correspondents

corresponsales parabancarios, non-banking correspondents

corretaje, factorage; brokerage

corretaje de valores bursátiles, stockbroking

corriente (actual) (adj., masc & fem.)**,** current (adj.); present (adj.)

corriente (adj., col.)**,** plain vanilla (adj., col.)

corriente (adj., masc. & fem.)**,** standard

corriente (mes), instant (ab. inst.); inst. (ab. = instant)

corro (Bolsa), ring pit

corro bursátil, pit

corro de contratación (Bolsa), stock(-exchange) ring

corromper mediante cohecho, corrupt (v.); contaminate by way of bribery

corromper mediante mordida (LA)**,** corrupt (v.); contaminate by way of bribery

corromper mediante soborno, corrupt (v.); contaminate; contaminate by way of bribery

corrupción (n. fem.)**,** corruption; jobbery; corrupt practices; prevarication

corruptela, corruption; jobbery; corrupt practices; prevarication

corrupto (adj.)**,** corrupt (adj.); contaminated (adj.); contaminate by way of bribery

cortapisa, drawback

cortar (separar), detach

cortar una relación comercial, sever a business relationship

corte de cupones, coupon stripping

Corte Suprema (LA)**,** Supreme Court

corto plazo, short term

cosa de cajón (Esp., col.)**,** matter of fact

costa, shore

costar, cost

costas, legal expenses; (Esp.) law expenses

costas accesorias, additional costs

costas procesales, court costs

coste, cost

coste actual, current cost

coste actuarial de compromisos sobre jubilaciones, actuarial cost of commitments to retired employees

coste actuarial frente a la plantilla de jubilados, actuarial cost of commitments to retired employees

coste alternativo, alternative cost

coste aplicado, applied cost

coste de almacenaje, inventory holding cost

coste de conversión (trabajo directo más gastos generales), conversion cost

coste de fábrica, original cost

coste de financiación, cost of carry

coste de incumplimiento (tras anunciar una disposición de crédito), breakage cost

coste de la cesión, cost of the assignment

coste de la producción, cost of production

coste de la vida, cost of living

coste de las transferencias, cost of transfers

coste de las ventas, cost of sales

coste de los recursos, cost of funds; interest expenses; financial costs; financial expenses

coste de reposición, replacement cost

coste de ruptura, shortage cost

coste del acarreo, cost of carry

coste del transporte, cost of carry

coste diferencial, incremental cost

coste efectivo, actual cost

coste fijo, fixed cost (US: fixed cost = period cost); period cost (GB: period cost = fixed cost)

coste histórico, historic cost

coste imputado, applied cost

coste inicial, first cost

coste marginal, incremental cost

coste más gastos, all-in cost

coste medio, average cost

coste medio de los recursos, average cost of funds

coste medio de los recursos ajenos, average cost of customer funds

coste medio por siniestro, average claim

coste medio real, actual average cost

coste neto de financiación, cost of carry

coste normal, standard cost

coste normalizado, standard cost

coste original, aboriginal cost

coste presupuestado, budgeted cost

coste probable, notional cost

coste según factura, invoice cost

coste total, all-in cost

coste variable, variable cost

coste y flete, cost and freight (ab. C&F); C&F (cost and freight)

coste y flete (C&F), cost and freight (C&F); C&F (ab. cost and freight)

coste y flete, con derechos de aduana pagados, cost and freight customs duties paid (ab. C&FCDP); C&FCDP (ab. cost and freight customs duties paid)

coste y flete, con gastos de descarga por cuenta del vendedor, cost and freight landed (C&FL); C&FL (ab. cost and freight landed

coste, flete y todos los demás gastos por cuenta del comprador, cost and freight cleared (C&FC); C&FC (ab. cost and freight cleared)

coste, seguro y flete, cost, insurance and freight (CIF); CIF (ab. cost, insurance and freight)

coste, seguro y flete, deducidos gastos de descarga, cost, insurance and freight free out (CIFFO); CIFFO (ab. cost, insurance and freight free out)

coste, seguro, flete y gastos de cambio y negociación, cost, insurance, freight and exchange (CIF&E); CIF&E (ab. cost, insurance, freight and exchange

costes adicionales, additional costs

costes de administración, administration costs

costes de almacenamiento, storage costs

costes de explotación, operating expenses; revenue expenditures; running costs

costes de fabricación, manufacturing costs

costes de mantenimiento, maintenance costs

costes diferidos, accruals; accrued costs; accrued charges; accrued expenses

costes directos, direct expenses

costes financieros, cost of funds; interest expenses; financial costs; financial expenses

costes financieros que realmente se han producido, actual interest expenses incurred

costes financieros reales en que se ha incurrido, actual interest expenses incurred

costes incidentales, joint costs

costes operativos, operating costs

costes operativos directos, direct operating costs

costes operativos totales, total operating costs

costes sin distribuir, unallocated costs

costo, cost

costo de adquisición, first cost

costo de la capacidad no utilizada, idle capacity cost

costo del mercado, market cost

costo directo, incremental cost

costo marginal, marginal cost

costo más porcentaje, cost plus percentage

costo nocional, notional cost

costo original, first cost

costo por lotes, batch costing

costo primitivo, aboriginal cost

costo primo (LA), first cost

costo real, actual cost

costo residual, residual cost
costo unitario, unit cost
costo y flete, CFR (ab. cost and freight); cost and freight (CFR)
costo y riesgo propios, own cost and risk
costos conexos, joint costs
costos de almacenaje, storage costs
costos de capital, capital costs
costos de producción, manufacturing costs
costos directos, direct expenses
costos estructurales, structural costs
costos mancomunados, joint costs
costos mensurables, measurable costs
costos no distribuidos, unallocated costs
costos salariales, wage costs
costoso, expensive; grievous; onerous
costumbre, custom
costumbre de la plaza, trade usage
cota, benchmark
cota bursátil más alta, top out
cota máxima, peak (n.); ceiling
cota máxima de precios, price ceiling
cota mínima de precios, price floor
cotejar, cross-check (v.); check-up (v.); collate (v.); verify (v.)
cotejar la firma, verify the signature
cotejo, crosscheck (n.); checkup (n.)
cotización, listing; quotation
cotización "forward", forward rate
cotización "spot", spot rate
cotización a fin de año, year-end market price
cotización ajustada de las acciones a fin de año, adjusted market price of shares at year end
cotización ajustada por acción, adjusted market price per share
cotización al cierre, closing share price; closing stock market price
cotización al cierre de la sesión, settle(ment)
cotización al fondo de pensiones, superannuation contribution
cotización bruta del cupón, flat price of coupon
cotización cruzada, cross rate
cotización de apertura, open
cotización de las acciones, share quotation
cotización de las acciones ajustada a ampliaciones gratuitas, book value per share adjusted to bonus issues
cotización de las acciones ajustada a las ampliaciones de capital, stock price range adjusted to capital increases
cotización de las acciones al cierre (de la sesión bursátil), closing share price; closing stock market price
cotización de mercado, market price; market value
cotización del título sin considerar el interés acumulado, ex-coupon quotation; clean price
cotización en firme, firm quotation
cotización ex-cupón, ex-coupon quotation; clean price
cotización más alta de la sesión, high
cotización más baja de la sesión, low
cotización máxima, high
cotización máxima registrada, record high
cotización mínima, low
cotización mínima registrada, record low
cotización oficial, official quotation
cotización por acción, market price per share
cotizaciones extremas de las acciones, share price high and low
cotizaciones extremas de unos títulos, market breadth
cotizaciones máxima y mínima de las acciones, share price high and low
cotizaciones máxima y mínima durante la vida del contrato, lifetime high and low
cotizado en Bolsa, listed
cotizar, quote (v.)
cotizar bonos bajo la par, discount bonds
cotizar en Bolsa, list
cotizar pagarés en Bolsa, list notes on the stock exchange
cotizarse, trade (v.); deal (v.); merchandise (v.); transact (v.); market (v.)
covarianza, covariance
coyuntura, climate; conjuncture

coyuntura bursátil desfavorable, adverse stock market conditions

coyuntura económica, economic trend

coyuntura favorable, boom

coyuntural, accidental; adventitious; involuntary; casual

coyuntural (adj., masc. & fem.), seasonal

coyunturalmente, circumstantially

CPP (ab. **certificado de participación al portador),** BPC (ab. bearer participation certificate); bearer participation certificate (BPC)

creación de reservas, allowance recording

creador de mercado, market maker

crear empleo, create jobs; create employment

crear nuevos términos propios del entorno profesional, coin a new professional jargon

crear problemas, create problems

crear puestos de trabajo, create jobs; create employment

crear una sociedad, constitute a company; form a company; incorporate a company (US); incept a company

crecer, increase (v.); rise (v.); go up (v.)

creciente, rising; increasing

creciente interdependencia, increasing interdependence

crecimiento, increase (n.); rise (n); growth; accretion; increment

crecimiento anual, annualized growth

crecimiento de los activos totales medios, average total assets growth (ATA growth); ATA growth (ATA = average total assets)

crecimiento demográfico, rise in population; population growth

crecimiento económico, economic growth

crecimiento equilibrado, balanced growth

crecimiento errático, erratic growth

crecimiento global, total growth

crecimiento medio, average rise

crecimiento no inflacionario, non-inflationary growth

crecimiento notable, substantial increase

crecimiento real, real growth

crecimiento real interanual, real growth from year to year

crecimiento y expansión, growth and expansion

credibilidad, credibility

crédito, accommodation; credit (n.)

crédito garantizado, guaranteed credit

crédito "back-to-back", back-to-back credit

crédito "cláusula roja" (permite anticipos contra simple recibo), red clause credit

crédito "cláusula verde" (permite anticipos contra ciertos documentos), green clause credit

crédito a la construcción, building loan

crédito a la exportación, export credit

crédito a la importación, import credit

crédito a la producción, production credit

crédito a la vista, sight credit

crédito a los países subdesarrollados, lending to underdeveloped countries

crédito a medio plazo, intermediate credit

crédito a particulares, credit to private borrowers

crédito a tipo de interés mínimo, soft credit

crédito adicional, supplementary credit; supplemental credit

crédito agrícola, agricultural credit

crédito al consumidor, consumer credit

crédito al consumo, consumption credit

crédito al mercado, margin buying

crédito al sector privado, credit to the private sector

crédito al sector público, lending to the public sector

crédito amortizado, amortized loan

crédito autorrenovable, revolving credit

crédito bancario, bank credit; bankers´credit

crédito blando (Esp., col.), soft loan; soft credit

crédito bursátil flotante, floating security investment credit

crédito comercial, commercial credit; trade credit; trade loans and discounts

crédito con amortización única al vencimiento, bullet loan

crédito con fecha de reembolso final no predeterminada, evergreen credit (col.)

crédito con garantía, guaranteed credit

crédito con interés preferencial, soft loan

crédito confirmado, confirmed credit

crédito congelado, frozen credit

crédito contingente, standby credit

crédito coyuntural, bridge financing; bridge loan; bridging loan; stop-gap loan; transitory credit

crédito cruzado, swap (n. & v.); barter (n. & v.)

crédito de aceptación, acceptance credit

crédito de contingencia, standby credit

crédito de disponibilidad inmediata, standby credit

crédito de emergencia, bridge financing; bridge loan; bridging loan; stop-gap loan; transitory credit

crédito de enorme cuantía, jumbo loan

crédito de explotación, working capital loan; working credit

crédito de financiación, financial credit

crédito de garantía, standby letter of credit

crédito de inversión, investment credit

crédito de renovación automática, revolving credit

crédito de temporada, seasonal credit

crédito directamente realizable (sin presentar documentos), clean letter of credit (clean LC); clean LC (ab. clean letter of credit)

crédito divisible, divisible credit

crédito documentario, letter of credit (LC); LC (ab. letter of credit); documentary letter of credit (DLC); DLC (ab. documentary letter of credit)

crédito documentario a la vista, sight letter of credit

crédito documentario autorrenovable, standby letter of credit

crédito documentario contingente, back-to-back credit

crédito documentario irrevocable, irrevocable documentary credit (ab. irrevocable D/C); irrevocable letter of credit (ab. irrevocable L/C); irrevocable D/C (ab. irrevocable documentary credit); irrevocable L/C (ab. irrevocable letter of credit

crédito documentario subordinado, ancillary letter of credit

crédito documentario subsidiario, back-to-back credit

crédito en condiciones de favor, soft credit

crédito en cuenta corriente, current account credit

crédito en descubierto, overdrawn credit

crédito en divisa, foreign currency loan

crédito en firme, confirmed credit

crédito estacional, seasonal credit

crédito fraccionable, fractionable credit

credito hipotecario, mortgage loan; mortgage credi

crédito hipotecario mixto, endowment

crédito ilimitado, unlimited credit

crédito inmobiliario, real estate credit

crédito instantáneo, sight credit

crédito interno, domestic credit

crédito irrevocable, confirmed credit

crédito mercantil e impuestos, goodwill and taxation

crédito negociable, negotiable letter of credit (negotiable LC); negotiable LC (ab. negotiable letter of credit)

crédito no confirmado, unconfirmed credit

crédito no documentario, clean letter of credit (clean LC); clean LC (ab. clean letter of credit)

crédito oficial, government loan

crédito oficial a la exportación, official export credit

crédito otorgado contra pagaré, debenture loan

crédito para compras a plazos, installment credit (US: installment = instalment)

crédito permanente (col.), evergreen credit (col.)

crédito personal, personal loan

crédito pignoraticio, collateral loan; guaranteed loan; loan against collateral; loan secured by a pledge; Lombard loan; pawn (n.); pawning (n.); pledge loan; secured loan

crédito por participación en riesgo, venture capital

crédito privado a la exportación, private export credit

crédito puente, bridge financing; bridge loan; bridging loan; stop-gap loan; transitory credit

crédito recíproco al descubierto, swing credit (col.)

crédito relativo a la exportación, export-related credit

crédito renovable, revolving credit

crédito respaldado por productos básicos, commodity loan

crédito restringido, restricted credit

crédito revocable, revocable credit

crédito rotatorio, revolving credit

crédito sectorial (Esp.), sector loan

crédito simple, clean letter of credit (clean LC); clean LC (ab. clean letter of credit)

crédito sin caución, unsecured indebtedness; unsecured loan; unsecured credit

crédito suplementario, supplementary credit; supplemental credit

crédito susceptible de cesión, assignable credit

crédito transferible, transferable credit

crédito transitorio, bridge financing; bridge loan; bridging loan; stop-gap loan; transitory credit

crédito transmisible, assignable credit

crédito y cobranzas, credit and collections

créditos amortizados como fallidos, loans written off as bad debts

créditos concedidos, lending; loans granted

créditos contraídos con el extranjero, foreign debts

créditos de dudoso cobro, nonperformings (col.); non-performing loans; bad debts

créditos de firma de dudosa recuperación, doubtful off-balance sheet risks

créditos de mutuo respaldo, back-to-back loans

créditos deudores con garantía real, loans secured by collateral and mortgages

créditos disponibles por terceros, unused credit lines

créditos en moneda extranjera, foreign currency deposits; deposits in foreign currency; foreign deposits

créditos garantizados por depósitos dinerarios, loans secured by monetary deposits

créditos insolventes recuperados, recovered unperformings

créditos morosos, nonperformings (col.); non-performing loans; bad debts

créditos nacionales, domestic credit

créditos pendientes de liquidación, credits pending settlement

créditos pendientes por devoluciones de clientes, credits pending for customers' returns

créditos personales (Esp.), private loans

créditos y descuentos a clientes, loans and discounts to customers

cremación de documentos caducados, cremation of outdated documents

cresta de la banda, cap

cresta de una gráfica, peak (n.); ceiling

criba (selección), screen (n.)

cribar (seleccionar), screen (v.)

crimen organizado, organized crime; racketteering

criptografía, cryptography

crisis, crisis (pl. crises); crises (s. crisis)

crisis aguda, acute crisis

crisis bursátil, stock market crisis

crisis comercial, commercial crisis

crisis de confianza, crisis of confidence

crisis del crudo, oil crisis

crisis del petróleo, oil crisis

crisis económica, economic crisis (pl.: crisis = crises)

crisis política (crisis = n. sing. & pl.**),** political crisis (pl.: crisis = crises)

criterio, judg(e)ment

criticar, arraign; report (to the police)

cronológico, chronologic(al)

cronológico de actividad, log; ship´s log

cronológico de correspondencia (cartas), letter book

cronometrador, timekeeper

cronometrar, time

cronómetro, chrono(metre) (US: chronometre = chronometer); interval timer

cruce, exchange (n.)

crudito (Esp., col.), raw (adj.)

crudos (Bolsa), petroleums (stock exchange) (GB); oils (stock exchange)

cruzamiento, crossing

cruzar un cheque, cross a cheque (US: cheque = check)

CTA (ab. **cesión temporal de activos),** temporary sale of assets

cta. result. abrev. (ab. **cuenta de resultados abreviada),** abridged profit and loss account; abridged P&L account (ab. abridged profit and loss account)

cuaderno de bitácora, log; ship´s log

cuadrar, check out (v.); tally (v.)

cuadrar cifras, reconcile figures

cuadrar las cuentas, balance the books

cuadre de las cifras (Esp.), reconciling of figures

cuadrilla de obreros, yard gang

cuadro, diagramm (US: diagramm = diagram); diagram (GB: diagram = diagramm); graphic; table; chart

cuadro de mandos del operador (comp.), operator´s control panel (comp.)

cuadro de tipos de cambio, table of exchange rates

cuadro directivo, management; directorship; administration; executive committee; management committee

cuadros intermedios (Esp.), middle management

cualificación (salvedad), qualification (n.); remark (n.)

cualificación técnica, technical qualification

cualitativo, qualitative

cuando se sepa que, upon having learned that

cuando se solicite, on request; upon request; on call

cuantía, amount (n); sum (n.)

cuantificable, quantifiable

cuantiosas inversiones, heavy investments

cuantitativo, quantitative

cuanto antes, as soon as possible (ASAP); ASAP (as soon as possible)

cuanto sea posible, as far as possible

cuarenta, forty

cuarenta pies cúbicos (medidas), shipping ton (measure)

cuarentena, quarantine

cuartel de policía, police station

cuartil, quartile

cuartilla (papel), quarto sheet

cuartillo, quartile

cuarto, fourth

cuarto (cuarta parte), quarter

Cuarto Poder (la Prensa) (col.), Fourth Estate (col.)

cuasi-contrato, implied contract

cuasi-dinero, near money

cuatro, four

cubicar, cube

cúbico, cubic

cubierta (de un barco), deck (of a ship)

cubierta de alojamiento del buque, accommodation deck

cubierto contra, covered against

cubierto por la ley, covered by law

cubrir gastos, cover charges

cubrir la vacante, fill the vacancy

cubrir una posición, cover a position

cubrir una posición abierta de divisas, cover; coverage; hedge

cubrir una posición corta, buy in (auctions)

cuello de botella (col.), bottleneck (col.); squeeze

cuenta a cobrar a largo plazo, long-term receivables

cuenta a la vista, current account; checking account (US); charge account; cheque account; drawing account

cuenta abierta, open account

cuenta acreedora, credit account; loan account

cuenta activa, active account

cuenta ahorro vivienda, home savings account

cuenta ajena, account of another

cuenta atrás, countdown

cuenta auditada, audited account

cuenta auxiliar, adjunct account

cuenta bancaria, bank account

cuenta bloqueada, blocked account

cuenta cedida, assigned account

cuenta con preaviso de retiro, account subject to notice

cuenta con saldo insuficiente, short account; overdrawn account; delinquent account

cuenta congelada, blocked account

cuenta conjunta, joint account; account in common

cuenta corriente, current account; checking account (US); charge account; cheque account; drawing account

cuenta de absorción, absorption account

cuenta de ahorro, thrift account (US); savings account

cuenta de caja, cash account

cuenta de capital, capital account

cuenta de capital (empresa individual), proprietor´s account

cuenta de cargo, current account; checking account (US); charge account; cheque account; drawing account

cuenta de cierre, closing account

cuenta de compensación, clearing account; realization account; over and short account; provisional account

cuenta de conversiones, conversion account

cuenta de crédito, credit account; loan account

cuenta de custodia, custody account

cuenta de depósito a la vista, DDA (ab. demand deposit accout); demand deposit account (DDA)

cuenta de depósito(s), current account; checking account (US); charge account; cheque account; drawing account

cuenta de distribución de beneficios, appropriation account

cuenta de distribución de resultados, profit and loss appropriation account

cuenta de garantía, margin account

cuenta de gastos, account of expenses; disbursements account

cuenta de gastos reembolsables, expense(s) account

cuenta de gestión de tesorería, cash management account (CMA); CMA (ab. cash management account)

cuenta de giros postales, Post Office giro account

cuenta de liquidación, clearing account; realization account; over and short account; provisional account

cuenta de mercaderías, merchandise account

cuenta de mercancías, merchandise account

cuenta de nóminas, payroll account

cuenta de orden, memorandum account

cuenta de participación, participation account

cuenta de pérdidas y ganancias, profit and loss account (P&L account); profit and loss statement (P&L statement); P&L statement (ab. profit and loss statement); P&L account (ab. profit and loss account); gain and loss exhibit; income statement

cuenta de pérdidas y ganancias abreviada, abridged profit and loss account; abridged P&L account (ab. abridged profit and loss account)

cuenta de pérdidas y ganancias comparada, comparative statement of earnings

cuenta de regreso (LA), protest charges

cuenta de regularización, regularization account

cuenta de resaca, re-account

cuenta de resaca (Esp.), protest charges

cuenta de reserva, reserve account; allowance account; provision account

cuenta de reserva general, general reserve account

cuenta de resultados, profit and loss account (P&L account); profit and loss statement (P&L statement); P&L statement (ab. profit and loss statement); P&L account (ab. profit and loss account); gain and loss exhibit; income statement

cuenta de resultados comparativa, comparative statement of earnings

cuenta de resultados consolidados, consolidated statement of income

cuenta de resultados sintetizada, abridged profit and loss account; abridged P&L account (ab. abridged profit and loss account)

cuenta de suscripción, subscription account

cuenta de suscripciones a pagar, call account

cuenta de ventas, sales account

cuenta del flete, consignment note; delivery note; freight bill

cuenta del Mayor, ledger account

cuenta discrecional, discretionary account; managed account

cuenta embargada, sequestered account

cuenta en descubierto, short account; overdrawn account; delinquent account

cuenta en divisas, foreign currency account

cuenta en moneda extranjera, foreign currency account

cuenta en rojo, short account; overdrawn account; delinquent account

cuenta fiduciaria, trust account; account in trust

cuenta gestionada, discretionary account; managed account

cuenta inactiva, dormant account; inactive account; dead account; broken account

cuenta indistinta, joint account; account in common

cuenta inmovilizada, blocked account

cuenta integrada en el balance, balance sheet account

cuenta liquidada, account settled; settled account; closed account

cuenta mancomunada, joint account; account in common

cuenta nueva, after account

cuenta parcialmente convertible, partly convertible account

cuenta presupuestaria, budget account

cuenta propia, own account

cuenta provisional, clearing account; realization account; over and short account; provisional account

cuenta puente, clearing account; realization account; over and short account; provisional account

cuenta que registra movimientos, active account

cuenta rebasada, short account; overdrawn account; delinquent account

cuenta regresiva, countdown

cuenta reservada, earmarked account

cuenta saldada, account settled; settled account; closed account

cuenta sin cobertura, short account; overdrawn account; delinquent account

cuenta sin comprobante, book account

cuenta sin movimiento, dormant account; inactive account; dead account; broken account

cuenta sobreexcedida, short account; overdrawn account; delinquent account

cuenta transitoria, clearing account; realization account; over and short account; provisional account

cuenta traspasada, assigned account

cuenta vencida, past due account; aged account

cuentas a cobrar, accounts receivable; accounts due (from)

cuentas a cobrar descontadas, discounted accounts receivable

cuentas a pagar, accounts due (to); accounts payable; sundry creditors

cuentas al cobro, accounts receivable; accounts due (from)

cuentas anuales, annual accounts

cuentas auxiliares, subsidiary accounts

cuentas bloqueadas, frozen accounts

cuentas congeladas, frozen accounts

cuentas cruzadas, contra accounts; transit accounts; transitory accounts; suspense accounts

cuentas de activo, asset accounts

cuentas de clientes a cobrar, trade accounts receivable

cuentas de comisiones a cobrar, commission accounts receivable

cuentas de contrapartida, contra accounts; transit accounts; transitory accounts; suspense accounts

cuentas de costos múltiples, multiple cost accounts

cuentas de orden, contra accounts; transit accounts; transitory accounts; suspense accounts

cuentas de pasivo, liability accounts

cuentas de periodificación, accrual accounts

cuentas de periodificación (balance/ pasivo), accruals and deferred income (balance sheet/liabilities)

cuentas de proveedores a pagar, trade accounts payable

cuentas de remesa, remittance accounts

cuentas de transferencia automática, automatic transfer service accounts (ATS accounts); ATS accounts (ATS = automatic transfer service))

cuentas del Gran Capitán (Esp., col.)**,** dead reckoning (col.)

cuentas deudoras, accounts receivable; accounts due (from)

cuentas diversas, sundry accounts

cuentas dudosas, doubtful accounts

cuentas en comisión de cobro, commission accounts receivable

cuentas endosadas al cobro, commission accounts receivable

cuentas garantizadas, secured accounts

cuentas intrasistema, affiliated and inter-company accounts

cuentas libremente convertibles a euros, freely convertible accounts into euros

cuentas mixtas, mixed accounts

cuentas netas a cobrar, net accounts receivable

cuentas no saldadas, unsettled accounts

cuentas nominales, nominal accounts

cuentas patrimoniales, equity accounts

cuentas pendientes, outstanding accounts

cuentas personales, personal accounts

cuentas pignoradas, pledged accounts

cuentas puente, subsidiary accounts

cuentas sin saldar, unsettled accounts

cuentas transitorias, contra accounts; transit accounts; transitory accounts; suspense accounts

cuentas vencidas, accounts due (to); accounts payable; sundry creditors

cuentista (Esp., col.)**,** forger; crook (col.); adulterator

cuento, count; story

cuento chino (Esp., col.)**,** tall story (col.); tall tale (col.)

cuerpo de abogados, legal department

cuerpo de la herencia, estate (n.); landed estate; lands; real estate; bona immobilis (Lat.); realty; real property; immovables; heritables; real chattels

cuerpo del delito, corpus delicti (Lat.)

cuerpo hereditario, estate (n.); landed estate; lands; real estate; bona immobilis (Lat.); realty; real property; immovables; heritables; real chattels

cuestión (n. fem.)**,** affair; matter (n.); subject; question (n.)

cuestión de hecho, matter of fact

cuestión de principios, matter of principles

cuestionable, answerable; questionable

cuestionar, research (v.); analyze (v.); review (v.); reckon (up); question (v.)

cuestionario, questionnaire

cueva de Alí Babá (Esp., col.) **(actividades poco legales),** dirty tricks centre (US: centre = center)

cueva de ladrones (Esp., col.) **(actividades poco legales),** dirty tricks centre (US: centre = center), thieves' den (col.)

cuidado, caution

culpa grave, gross negligence

culpabilidad concurrente, contributory negligence

culpable, culprit

cumbre (reunión), summit (meeting)

cumbre económica, economic summit

cumplidor (adj.)**,** reliable (adj.)

cumplimentar, complete (v.)

cumplimentar con una "x" las casillas que correspondan, complete the related boxes with "X"

cumplimentar o anular de inmediato, fill or kill (col.)

cumplimentar un impreso, fill in a blank form; fill out a blank form; complete a blank form

cumplimentar un pedido, execute an order; fill an order

cumplimiento cotidiano de las normas, day-to-day compliance with regulations

cumplimiento de compromiso, release (n.); acquitment; discharge (n.); quittance; relief; acquittance; apocha; receipt in full; satisfaction

cumplimiento de las leyes, compliance with laws

cumplimiento de las normas, compliance with regulations

cumplimiento de un convenio, performance of a covenant

cumplir con los compromisos adquiridos, meet (v.)

cumplir los requisitos, fit the bill

cumplir un contrato, honour a contract (US: honour = honor)

cumulativo, cumulative; accumulative

cuña de afianzamiento para estibar, dunnage

cuño, stamp; seal

cuota, quota; allocation; allotment; share

cuota (de paso) (LA)**,** toll

cuota anual, annual contribution; yearly quota

cuota de admisión, admission fee

cuota de amortización, amortization percentage; amortization quota

cuota de exportaciones, export quota

cuota de importaciones, import quota

cuota de ingreso, fee (n.)

cuota de inmigración, immigration quota

cuota de mercado, market share

cuota de mercado relativa, relative market quota

cuota de reembolso sobre anticipo en efectivo, cash advance reimbursement fee

cuota de ventas, sales quota

cuota global de (productos) contingentes, global quota list

cuota tributaria, tax liability

cuotas arancelarias, tariff quotas

cuotas arancelarias globales, global tariff quotas

cuotas sindicales, union dues

cuotas y suscripciones, dues and subscriptions

cuotas, derechos y contribuciones, fees, dues and assessments

cupo, quota; allocation; allotment; share

cupo de exportación, export quota

cupo de importación, import quota

cupo de inmigrantes, immigration quota

cupón, coupon

cupón al cobro, coupon for collection; coupon due

cupón corrido, accrued interest (AI); AI (ab. accrued interest); earned interest; interest accrued

cupón corriente, current coupon

cupón cortado, cutoff coupon

cupón de dividendo, dividend-bearing coupon; dividend coupon; dividend counterfoil

cupón de renta fija, bond coupon

cupón semestral, semiannual coupon

cupones descontados, discounted coupons

cupones no vencidos, unmatured coupons

cupones separados, strips

cúpula directiva, general management; top management

cúpula gestora, general management; top management

curriculum vitae (ab. **CV)** (Lat.)**,** résumé (Fr.); curriculum vitae (ab. CV) (Lat.); CV (ab. curriculum vitae) (Lat.)

cursar (correspondencia), address (v.); send

cursar aviso, report (v); notify; announce (v.); acquaint (with); advise; warn; give notice

cursar mensajes por telex, telex

cursar orden de no pagar, countermand

cursar orden en contrario, countermand

cursar un mandado (LA)**,** place an order

cursar un pedido, place an order

cursar una orden, order; court order; writ

curso de formación por correspondencia, correspondence training course

curso normal del negocio, regular course of business

cursor (comp.), flying spot (comp.)

curtosis (estadística), kurtosis (statistics)

curva de rentabilidad, yield curve

curva de tipos de interés, interest rate curve

curva empírica, experience curve

curva invertida de rentabilidad, inverted interest rate curve

cúspide, apex (pl. = apexes, apices); apexes (sing. apex); apices (sing. apex)

custodia, safekeeping; custody

custodia de títulos, custody of stocks

custodia preventiva, protective custody

custodio, custodian

customer, client

CV (ab. = **curriculum vitae)** (Lat.), résumé (Fr.); curriculum vitae (ab. CV) (Lat.); CV (ab. curriculum vitae) (Lat.)

D

D/V (ab. **= días vista),** days (after) sight (ab. DS); DS (ab. = days (after) sight)

dada la circunstancia de que, owing to the fact that

dado que, whereas; having regard to; since

dañado por agua de mar, seawater-damaged

dañado por el fuego, fire-damaged

dañado por la lluvia, rain-damaged

dañar, impair

daño, average (n.); damage (n.)

daño diferido, belated claim

daños causados por agua dulce, fresh water damages

daños causados por aguas fluviales, fresh water damages

daños causados por el agua del mar, seawater damages

daños colaterales, special damages (insurance)

daños compensables, legal damages

daños efectivos, real damages; actual damages

daños en tránsito, damages in transit

daños indirectos (seguros), special damages (insurance)

daños reales, real damages; actual damages

daños y perjuicios, damages

dar a entender, purport

dar beneficio, yield a profit

dar buen resultado, succeed

dar carta blanca, give a blank cheque (US: cheque = check)

dar cerrojazo (Esp., col.)**,** close down

dar comienzo, initiate

dar crédito a, give credence to; lend credence to

dar cheque en blanco, give a blank cheque (US: cheque = check)

dar de alta, discharge (v.)

dar el consentimiento para, give consent to

dar el chivatazo (Esp., col.)**,** tip off (col.)

dar el golpe de gracia, give the quietus

dar el soplo (Esp., col.)**,** tip off (col.)

dar en prenda, pledge (v.)

dar fe, witness (v.); attest (v.); certify; evidence (v.)

dar fe de, vouch

dar fe de la autenticidad de una firma, witness a signature; acknowledge a signatory; acknowledge a signature

dar fin a un cometido, discharge an undertaking

dar la bienvenida, welcome

dar la enhorabuena, congratulate

dar largas (Esp., col.)**,** stall

dar mucho beneficio, yield a good profit

dar origen a, give rise to

dar palabra, pledge one´s word

dar palos de ciego, grope around (col.)

dar parte, report (v); notify; announce (v.); acquaint (with); advise; warn; give notice

dar pie a, lead to

dar poco beneficio, yield a poor profit

dar por inutil, discard; throw overboard (col.)

dar por terminadas las relaciones con clientes poco recomendables, sever relation with undesirable customers

dar un discurso, deliver a speech

dar un telefonazo (Esp., col.), phone (v.); telephone (v.); ring up (v.)

dar una conferencia, deliver a lecture

dar una opción (sobre), give an option (on)

darle a la empresa la vuelta del calcetín (Esp., col.), shake up the company

darle un último toque a, give a finishing touch to

darse de alta mediante contrato, contract in (GB)

darse de baja, withdraw from membership

darse de baja en lo contratado, contract out

darse por conforme, accept; admit; agree

dársena, shipside; dock; quay; jetty

datado, dated (ab. dd.); dd. (ab. dated)

datar, date; dateline

dato, datum (pl. data)

datos, data (sing. = datum)

datos (aplicados como punto) de referencia, baseline data

datos codificados del titular de la tarjeta, encoded cardholder´s data

datos de entrada (comp.), input data (comp.)

datos duplicados, duplicate data

datos financieros recogidos en un solo cuadro, at-a-glance financial data

datos globales, overall figures

datos históricos, historical data

datos indescifrables, indecipherable data

datos masivos, mass data

datos personales, personal data

datos personales ficticios, fictitious personal data

datos sin procesar, raw data

datos y coeficientes, data and ratios

datos y ratios, data and ratios

DCC (ab. **dígito de control contable),** accounting check digit (ACD); ACD (ab. accounting check digit)

de 12 de la noche a 12 del mediodía, ante meridiem (AM); AM (ab. ante meridiem)

de acuerdo con, according to; as per; consistent with; in accordance with; pursuant to; in conformity with

de acuerdo con el aviso, as per advice

de acuerdo con la práctica, ad usum (Lat.); by custom; by practice

de acuerdo con la solicitud, in compliance with the request

de acuerdo con las exigencias legales, as requested by law

de acuerdo con lo aconsejado por, as per advice of

de acuerdo con lo establecido, as scheduled

de acuerdo con lo estipulado, as stipulated

de acuerdo con lo que en párrafos precedentes se menciona, as mentioned in earlier paragraphs

de acuerdo con lo que por las leyes se dispone, under the laws of

de acuerdo con lo que se dispone en, under the provisions of

de acuerdo con lo señalado, as outlined

de acuerdo con nuestros registros, according to our records; in accordance with our records; our records show

de acuerdo con su solicitud, at your request

de ajuste, adjusting (adj)

de amplia cobertura, long-term (adj.); long-dated (adj.)

de antemano, beforehand; in advance

de aparente legitimidad, seemingly legitimate

de baja rentabilidad, low-yield (adj.)

de bajo interés, low-interest (adj.)

de buena fe, in good faith; bona fide (Lat.)

de cabo a rabo (Esp., col.), from beginning to end

de carácter interno, domestic (adj.); in-house (adj.)

de carácter no lucrativo, non-profit (adj.)

de conformidad con, according to; as per; consistent with; in accordance with; pursuant to; in conformity with

de conformidad con el aviso, as per advice

de conformidad con el real decreto, as per royal decree

de conformidad con la ley, consistent with the law

de conformidad con lo dispuesto en, under the provisions of

de conformidad con lo legalmente establecido, under the laws of

de conformidad con nuestros registros, according to our records; in accordance with our records; our records show

de conformidad con su solicitud, at your request

de derecho, de jure (Lat)

de escasa magnitud, slight (adj.)

de exportación, export; exportation

de fácil realización, readily marketable

de facto, de facto

de favor, ad honorem Lat.)

de fecha, dated (ab. dd.); dd. (ab. dated)

de fecha adelantada, dated ahead

de fecha posterior, postdated (adj.)

de fin(al) de año, year-end

de fino olfato (adj., masc. & fem.), sharp-nosed (adj.)

de forma habitual, consistently

de forma secreta, sub rosa (col.)

de fuera (adj.), outsider

de gran alcance, long-term (adj.); long-dated (adj.)

de gran solera (Esp.), time-honoured (adj.)

de hecho, de facto

de ida, outward bound

de ideas fijas (masc. & fem.), set (n.)

de igual fecha que el presente, of even date herewith

de inmediato, forthwith; presently

de interés público, public-good (adj.)

de jure (Lat), de jure

de la euforia al decaimiento (col.), from boom to gloom

de la mañana (hasta el mediodía), ante meridiem (AM); AM (ab. ante meridiem)

de la noche a la mañana, overnight

de libre adquisición, available to the public

de libre convertibilidad, freely convertible (adj.)

de mano, manual (adj.)

de más arriba, heretofore; prior to; thereinbefore

de mínimo riesgo, blue-chip (adj.); blue-ribbon (adj.)

de modo confidencial, off the record

de momento, pro tem (pro tem = pro tempore) (Lat.); pro tempore (pro tempore = pro temp) (Lat.)

de mote (Esp.), alias dictus (Lat.); also known as (AKA); AKA (ab. also known as)

de ninguna manera, by no means

de obligado cumplimiento, mandatory; compulsory

de ocasión, cut-price

de pega (Esp., col.), fictitious (adj.); cosmetic (adj.)

de piñón fijo (Esp., col., masc. & fem.), set (n.)

de plazo ilimitado, undated

de poca categoría, meagre (meagre = meager) (adj.); one-horse (adj., col.); unremarkable (adj.)

de poca importancia, slight (adj.)

de poca monta (Esp., col.), meagre (meagre = meager) (adj.); one-horse (adj., col.); unremarkable (adj.)

de poco rendimiento, low-yield (adj.)

de primer orden, blue-chip (adj.); blue-ribbon (adj.)

de primera (clase), A1 (adj.); AAA (adj.); first-class (adj.); select (adj.); chosen (adj.); first-choice (adj.)

de primera categoría, blue-chip (adj.); blue-ribbon (adj.)

de primera clase, blue-chip (adj.); blue-ribbon (adj.)

de principio a fin, from beginning to end

de régimen interior, domestic (adj.); in-house (adj.)

de regularización, adjusting (adj)

de reserva, standby

de salida, outgoing

de ser así preciso, if need be

de serie, progressive (adj.); serial (adj.); sequential (adj.)

de servicio, in attendance

de sobremesa, desktop

de tacto (persona), tactful

de temporada, seasonal

de Ustedes atentamente (ab.: **Ustedes = de Vdes.; atentamente = atte.) (despedida de carta),** very truly yours, (US); yours very truly, (US); truly yours, (US); yours truly, (US)

de Vdes. atte. (ab. **= Vdes. = Ustedes; atte. = atentamente) (despedida de carta),** very truly yours, (US); yours very truly, (US); truly yours, (US); yours truly, (US)

de vencimiento atrasado, past due; due and payable

debates, discussions

debatir, discuss; argue

debe y haber, debit and credit

deber (obligación), duty

deber a, charge (v.); debit (v.); owe (v.); be in debt with

deberes específicos, specific duties

deberes tácitos, implied duties

debidamente autenti(fi)cado, duly authenticated

debido al hecho de que, owing to the fact that

debido, sobre todo, a, due mainly to

debilidad, weakness; atony

debitar, charge (v.); debit (v.); owe (v.); be in debt with

débito, charge (n.); debit (n.)

deceso (SA), decease

decidir, arbitrate; referee (v.)

decidir por votación, decide by ballot

decimalización, decimalization

decimalizar, decimalize

décimo, tenth

décimoctavo, eighteenth

decimocuarto, fourteenth

decimonono, nineteenth

decimonoveno, nineteenth

decimoquinto, fifteenth

decimoséptimo, seventeenth

decimosexto, sixteenth

decimotercero, thirteenth

decimotercio, thirteenth

decisión, decision

decisión (veredicto), finding

decisión de los árbitros, arbitrium (Lat.); arbitral award; judg(e)ment by arbitration; arbitrage; arbitration; arbitrament; unpirage; award (n.)

decisión impremeditada, snap decision (col.)

decisión precipitada, rashly decision

decisión última, final decision

decisiones de política fiscal, fiscal policy decisions

decisivo, final

declaración, avowal; deposition

declaración (comunicación), communication; notice; rapport; statement

declaración a efectos tributarios, tax declaration; tax statement

declaración ante el tribunal, deposition before the court

declaración bajo juramento, sworn declaration; declaration under oath; sworn statement; statement under oath

declaración conjunta, joint declaration

declaración conjunta de rentas, joint return

declaración de aduanas, customs declaration

declaración de avería, statement of damage; ship´s protest

declaración de beneficios, profit and loss account (P&L account); profit and loss statement (P&L statement); P&L statement (ab. profit and loss statement); P&L account (ab. profit and loss account); gain and loss exhibit; income statement

declaración de daños, claim statement

declaración de divorcio, decree of divorce

declaración de entrada (aduanas), bill of entry (customs)

declaración de inactividad, nil report

declaración de intenciones, declaration of intent

declaración de limitación de responsabilidad, disclaimer; waiver clause

declaración de movimientos monetarios, currency transaction report (CTR); CTR (ab. currency transaction report)

declaración de origen del dinero, source of funds declaration (US: declaration =

report); source of funds report (GB: report = declaration)

declaración de pérdidas, loss statement

declaración de principios, statement of principles

declaración de quiebra, declaration of bankruptcy

declaración de quiebra con designación de administrador, adjudication order

declaración de rentas en régimen ganancial (Esp.)**,** joint return

declaración falsa, false statement

declaración fiscal, tax declaration; tax statement

declaración formal de intenciones (col.)**,** platform

declaración formulada por un banco, bank statement

declaración judicial de insolvencia, decree of insolvency

declaración jurada, sworn declaration; declaration under oath; sworn statement; statement under oath

declaración jurada con reservas, qualified affidavit

declaración por escrito del capitán, master´s protest

declaración sobre la procedencia de los fondos, source of funds declaration (US: declaration = report); source of funds report (GB: report = declaration)

declaraciones, representations

declaraciones en sentido contrario, assertions to the contrary

declarado apto para el ejercicio profesional, admitted to practice

declarado en suspensión de pagos, placed in receivership; be in receivership

declarante, affiant; deponent

declarar, avow; avouch; depose

declarar en quiebra, declare bankrupt

declarar ilegal, outlaw

declarar por escrito, state in writing

declarar sin reservas, cough (col.)

declarar un dividendo, declare a dividend

declararse culpable, plead guilty

declararse culpable de acto contrario a derecho, admit wrongdoing

declararse inocente, plead not guilty

declinar la invitación a participar en un negocio, turn a business away

declinar la participación en un negocio, turn a business away

declinar una invitación a participar en concurso de licitación, decline an invitation to tender

decodificación, decryption

decomisable (adj., masc & fem.)**,** forfeitable; attachable

decomisar, apprehend; attach; confiscate; impress; seize; sequester; enforce; execute; arrest (v.); take into custody

decomiso, attachment; forfeit; forfeiture; seizure; embargo (pl.: embargo = embargoes); garnishee; levy (n.); distraint

decreciente (adj., masc. & fem.)**,** falling (adj.); bear; bearish (adj.); diminishing (adj.)

decreciente competitividad, declining competitiveness

decretar el paro, call a strike

decretar un dividendo, declare a dividend

decrétese, be it enacted

decreto, decree; diktat; order (decree); act

decreto de divorcio, decree of divorce

decreto judicial, breve

decreto-ley, decree-law

dedicación, wholehearted service

dedicado a operar como, DBA (ab. doing business as); doing business as (ab. DBA)

dedicarse a la distribución (ventas), trade (v.); deal (v.); merchandise (v.); transact (v.); market (v.)

deducción, deduction

deducción automática del impuesto sobre la renta, automatic income tax deduction

deducción en origen, deduction at source

deducción fiscal, tax credit

deducción impositiva, tax relief; tax deduction; tax abatement

deducción permitida, allowed deduction

deducción sobre utilidades, deduction from income

deducciones autorizadas, allowable deductions

deducible, deductible

deducible a efectos fiscales, tax-deductible (adj.)

deducidos todos los gastos, all charges deducted

deducir, discount (v.); rebate (v.); deduct; abate; disencumber

defecto, defect; bug; vice

defectos en las mercancías, vice in the goods

defectos estructurales, structural shortcomings

defectuoso, defective

defender, advocate (v); defend; protect

defensa, defence (US: defence = defense); defense (GB: defense = defence)

defensas antiblanqueo, defences against money laundering

defensas contra el blanqueo de dinero, defences against money laundering

defensor, advocate (n); advocator; barrister (GB); counsel (n.); attorney-at-law (US); counsellor(-at-law) (US: counsellor = counselor); counselor (GB: counselor = counsellor); lawyer

defensor (quien secunda o apoya), seconder

deficiente, defective

déficit, gap; deficit; shortage; shortfall; mismatch; unbalance

déficit de explotación, operating deficit

déficit de pagos, payment deficit

déficit de recursos, resource gap

déficit del sector público, public sector deficit

déficit externo, external deficit

déficit externo en cuenta corriente, current external deficit

déficit global, overall deficit

déficit presupuestario, budget deficit

déficits presupuestarios deliberados, discretionary budget deficits

déficits presupuestarios intencionados, discretionary budget deficits

definición, definition

definición de poderes, definition of powers

definitivo y vinculante, final and binding

deflación, deflation

deflactar, deflate

defraudador, fraud (man / woman); swindler; con (man & woman); confidence trickster (US); trickster (US); crook; operator (swindler)

defraudar, swindle (v.); con (US., col., v.); deceive; ream (US., col., v.); fleece

defunción, decease

DEG (ab. **derechos especiales de giro),** SDR (ab. special drawing rights); special drawing rights (SDR)

degradación de la calidad de los préstamos, degradation in the quality of loans

degradar a simples labores administrativas, demote to plain clerical work

dejar, allow; permit (v.); grant (v.)

dejar bajo caución, pledge (v.)

dejar de cotizar en bolsa, take private

dejar en blanco, leave blank

dejar en herencia, give and bequeath; estate (v.); bequeath

dejar en libertad condicional, release on parol

dejar fuera de la ley, outlaw

dejar libre un puesto de trabajo, vacate a position

dejar sin cumplimentar, leave blank

dejar sin efecto un pacto, invalidate an agreement

dejar sin rellenar, leave blank

dejarse sobornar, take a bribe; accept a bribe

deje de cuenta, notice of claim

dejemos de una vez este asunto, call it quits (col.)

del mismo modo, likewise

del propio país, onshore (US)

delante de los demás bancos, ahead the rest of the banking sector

delator, blackleg; fink (n.); squeaker (GB); scab (US); strike breaker

delegación, delegation; deputation

delegación de poderes, delegation of powers; acting order

delegación de responsabilidades, delegation of responsibilities

delegación de voto, proxy

delegado, delegate (n.); representative (rep); rep (ab. representative) (col.)

delegado (n.)**,** appointee

delegado elegido democráticamente, democratically-elected delegate

delegante, principal; accountee; assignor; auctor; constituent

delegar, delegate (v.)

delegar en, deputize

deliberación, deliberation

deliberaciones, discussions

deliberadamente, knowlingly

deliberar, discuss; argue

delictivo, delinquent; criminal (adj.)

delimitación, definition

delimitaciòn de atribuciones, demarcation

delimitación de derechos, delimitation of rights

delimitar responsabilidades, delimit responsibilities

delincuencia de menores, juvenile delinquency

delincuencia juvenil, juvenile delinquency

delincuente (n. & adj.) **,** delinquent; criminal

delincuente habitual (col.)**,** jailbird (col.)

delincuente juvenil, juvenile delinquent

delito, crime

delito de blanqueo de dinero, money laundering offence

delito de complicidad, accessorial guilt

delito organizado, organized crime; racketteering

delito punible, punishable crime; punishable offence

delta, delta

delta de la opción, hedge ratio

demanda, action (court); application; claim; complaint; petition; request; requisition; appeal; motion

demanda de acciones, demand for stock

demanda de apremio, action of debt

demanda de consumo, consumer demand

demanda de crédito, demand for credit

demanda de crédito creciente, growing demand for credit

demanda de inversión, demand for credit

demanda de nulidad, appeal for annulment (n.)

demanda de siniestro, action (court); application; claim; complaint; petition; request; requisition; appeal; motion

demanda fundada en tra(n)sgresión, action in trespass

demanda fundamentada en agravio, action in tort

demanda mundial, world demand

demanda por daños y perjuicios, action for damages

demanda por incumplimiento de contrato, action of assumpsit

demanda por infracción, action for breach

demanda por infracción contractual, action of assumpsit

demanda privada, private demand

demanda superior a la oferta, bid market

demandado, defendant; appellee

demandante (n., masc. & fem.)**,** appellant; claimant; complainant; plaintiff; suitor

demandante y demandado, party and party

demandar, cause suit to be brought; file a suit; implead; litigate; put in suit; sue; plead

demandar la nulidad, appeal for annulment (v.)

demandar por daños y perjuicios, sue for damages

democracia, democracy

democrático, democratic

demografía, demography

demográfico, demographic

demora, delay

demorado, deferred; delayed

demorar, delay

demos el asunto por cerrado, call it quits (col.)

demostración (col., **en todas sus acepciones),** demo

demostración (n. fem.)**,** demonstration

demostración pacífica de protesta, sitdown strike; sit-in (col.)

demostrador, demonstrator

demostrar ante la ley, prove (v.); provide evidence

denegable, refusable

denegar una solicitud, dismiss an application

denigrar, abuse (v.)

denominación (montante y moneda), denomination (amount and currency)

denominación (montante y moneda) del pagaré, note denomination

denominado, so-called (adj.)

denominador, denominator

denotar una incidencia sobre los tipos vigentes, show an incidence on current rates

densidad, density

dentro de dos días laborables, within two business days; within two working days

dentro de lo posible, as far as possible

dentro de lo que la ley permita, as permitted by law

dentro de los límites legales, within the limits set by law

dentro de poco, forthwith; presently

dentro del precio, in-the-money (adj.)

denuncia, arraignment; report(ing)

denuncia por extravío, notice of loss; lost report (US)

denunciar, report (v); notify; announce (v.); acquaint (with); advise; warn; give notice

denunciar (ante la policía), arraign; report (to the police)

denunciar por ladrón, denounce as a thief

denunciar por uso delictivo de tarjeta de crédito, denounce for misuse of credit card

denunciar un préstamo, call in a loan

departamento, department (ab. dept.); dept. (ab. department)

departamento de (cuentas de) ahorro, thrift department (US)

departamento de administración de bienes, trust department

departamento de asesoría, legal department

departamento de cambio de divisas, foreign exchange department

departamento de cambios, foreign exchange department

departamento de codificación, encryption department

departamento de contabilidad, accounting department; accounts department

departamento de créditos, credit department

departamento de cuentas de ahorro, savings department

departamento de encriptado, encryption department

Departamento de Estado (US), Department of State (US); State Department (US)

departamento de estudios, research department

departamento de estudios e innovaciones, research and innovation department (R&I dept.); R&I dept. (ab. research and innovation department)

departamento de informática, data processing department

departamento de inmuebles e instalaciones, buildings and premises department

departamento de moneda extranjera, foreign exchange department

departamento de personal, personnel department; human resources department

departamento de proceso de datos, data processing department

departamento de producción, production department

departamento de publicidad, advertising department

departamento de recursos humanos, personnel department; human resources department

departamento de sistemas y métodos, systems and methods department (S&M dept); S&M dept. (ab. systems and methods department)

departamento de traducciones, translations department

departamento de ventas, sales department

departamento extranjero regional, regional foreign department

Departamento Federal de Investigaciones (FBI) (US), Federal Bureau of Investigation (FBI) (US); FBI (Federal Bureau of Investigation) (US)

departamento jurídico, legal department

departamento limitador de excesos de producción, bottleneck production department

dependencia, reliance

dependencia de las inversiones extranjeras, reliance on foreign investments

dependencia obligatoria, angaria

depender de, subject to (v.)

dependienta, shopgirl

dependiente, clerk; accounts clerk; employee (pl. employee = employees / staff); jobholder (US)

dependiente (de comercio) (n.), storekeeper (GB: storekeeper = shopkeeper); shopkeeper (US: shopkeeper = storekeeper); shopman (GB)

dependiente de, underlying (adj.); subsidiary (adj.); ancillary (adj.); additional; potential (adj.)

dependiente de corredor de Bolsa (Esp.), allied member

deponente, affiant; deponent

deponer, avow; avouch; depose

deportación, deportation

deportar, deport

deposición (declaración), avowal; deposition

depositante, depositor

depositar, deposit

depositar dinero en efectivo, deposit cash

depositar dinero en un banco, deposit money at a bank (also possible: at = with / in)

depositar fondos de procedencia ilegal en cuenta corriente, put illegal funds on a current account

depositar la confianza en los empleados más antiguos, place reliance on senior employees

depositario, trustee; depository; fiduciary

depositario de bienes, bailee

depositario de la señal, pledgee

depositario judicial, receiver

depósito, magazine (mag); mag (ab. magazine)

depósito (de fondos, valores, etc), deposit

depósito (por) adelantado, advance deposit

depósito (por) anticipado, advance deposit

depósito a la vista, demand deposit; checking deposit; sight deposit

depósito a plazo, term deposit

depósito a plazo fijo, time deposit; fixed-term deposit

depósito a término, time deposit; fixed-term deposit

depósito asegurado, insured deposit

depósito bajo custodia, safekeeping; custody

depósito bajo custodia de documentos y otros artículos de valor, safekeeping of documents and other valuables

depósito bancario, bank deposit

depósito constituido con un tercero, escrow (n.)

depósito de afianzamiento de empleados, blanket bond

depósito de almacenamiento, storehouse; storeroom; warehouse

depósito de apertura, primary deposit

depósito de chatarra, junkyard

depósito de garantía, initial deposit

depósito de garantía (futuros), margin (n.)

depósito de garantía sobre el contrato de futuros, leverage

depósito de mercancía(s), goods yard; freight yard

depósito de productos básicos, commodity warehouse

depósito de títulos, securities deposit; deposit of securities

depósito de una pequeña suma, unremarkable cash deposit

depósito de valores, securities deposit; deposit of securities

depósito emanante de la concesión de un crédito, secondary deposit

depósito en cartilla de ahorros, thrift deposit (US)

depósito en cuenta de ahorro(s), savings deposit

depósito en efectivo, cash deposit

depósito franco, bonded warehouse

depósito inicial, initial deposit

depósito mínimo para garantizar el total, leverage

depósito no asegurado, uninsured deposit

depósito no remunerado, non-remunerated deposit

depósito nocturno, night deposit (US: night = night / nite / nit)

depósito privado, private deposit

depósito que no devenga intereses, non-remunerated deposit

depósito sujeto a preaviso, deposit subject to an agreed term of notice

depósitos, deposits

depósitos a más de dos años, deposits (at) over two years

depósitos a plazo superior al año, time deposits at over one year

depósitos bloqueados, blocked deposits

depósitos con intermediarios financieros, due from financial intermediaries

depósitos congelados, blocked deposits

depósitos constituidos por intermediarios financieros, due to financial intermediaries

depósitos de clientes en moneda extranjera, customers' foreign currency deposits

depósitos de clientes en pesetas, customers' peseta deposits

depósitos de los clientes, customers' deposits; due to customers; customers´ funds

depósitos de valores, securities deposited by customers

depósitos efectuados en entidades financieras, deposits placed with financial institutions

depósitos en bancos y cajas de ahorros, due from banks and savings banks

depósitos en divisas, foreign currency deposits; deposits in foreign currency; foreign deposits

depósitos en moneda extranjera, foreign currency deposits; deposits in foreign currency; foreign deposits

depósitos en pesetas convertidos en euros, peseta deposits translated into euros

depósitos en pesetas del sector privado convertidos en euros, private-sector peseta deposits translated into euros

depósitos en pesetas traspasados a euros, peseta deposits translated into euros

depósitos en tránsito, deposits in transit

depósitos inmovilizados, blocked deposits

depósitos interbancarios, interbank deposits

depósitos por empleado, deposits per employee

depósitos por oficina, deposits per branch office

depósitos reembolsables, returnable deposits

depósitos sujetos a preaviso, deposits at notice; notice deposits

depósitos totales, total deposits

depreciación (n. fem.), amortization; depreciation; redemption; ransom

depreciación (por el método) lineal (n. fem.), straight-line depreciation method

depreciación acelerada, accelerated amortization; reducing-balance depreciation; accelerated depreciation

depreciación acumulada, accrued depreciation; accumulated depreciation

depreciación calculada a porcentaje fijo, fixed-rate depreciation method

depreciación calculada por (el método de) anualidades, annuity depreciation method

depreciación calculada sobre la producción, service-output depreciation method

depreciación combinada, composite depreciation

depreciación de activos, devaluation of assets

depreciación de la moneda, devaluation of currency; currency devaluation

depreciación extraordinaria, extraordinary depreciation

depreciación material, physical depreciation

depreciación monetaria, monetary depreciation

depreciación por cálculo decreciente sobre saldos, diminishing-value depreciation method

depreciación por cargos anuales decrecientes, decreasing-charge method of depreciation

depreciación real, actual depreciation

depreciación teórica, theoretical depreciation

depreciado, depreciated; amortized

depreciar, depreciate; amortize

depredador (negocios) (col.), predator (business, takeover bids) (col.)

depresión, depression

depresión económica, economic depression

depuración, screening; selection

depuración de clientes poco recomendables, screening of undesirable customers

depuración de insolvencias, screening of nonperforming loans

depurar, select (v.); choose (v.); pick up (col., v.)

depurar un programa informático, debug

derecho (arancelario), duty

derecho (formalizado notarialmente), title; title deed; right of ownership; deed of title; root of title; evidence of title; certificate of registration of title

derecho (hipotecario) de rescate, equity of redemption

derecho a la huelga, right to strike

derecho a la propiedad, entitlement to ownership; right to ownership

derecho a no aceptar, right to reject

derecho a presentar recurso, right of redress

derecho a protestar, right to protest

derecho a reclamar, right to claim

derecho a rechazar, right to reject

derecho a redimir bonos antes de su vencimiento, call (n.); process (n.); subpoena; summons; procedure

derecho adquirido, acquired right

derecho aduanero complementario, compound duty

derecho al tratamiento de Sir (GB), knighthood (GB)

derecho común, case law; jurisprudence

derecho condicionado de permuta, swaption

derecho consuetudinario, common law; consuetudinary law

derecho de acuñación, right of coinage

derecho de adhesión a un sindicato, right to join a union

derecho de atribución, bonus right

derecho de despido, right to discharge

derecho de disponibilidad sobre crédito otorgado, drawing right

derecho de explotación de marca en una venta o servicio, franchise

derecho de giro, drawing right

derecho de hipoteca, mortgage right

derecho de importación preferente, preferential duty

derecho de patronato, advowson

derecho de preferencia para la suscripción, preferential subscription right

derecho de prescripción, prescriptive right

derecho de prioridad para comprar, preemption

derecho de propiedad, equity (capital); proprietorship; patrimony; capital funds; common equity; stockholders´ equity (GB: stockholders´ = shareholders´); shareholders´ equity (US: shareholders´ = stockholders)

derecho de recurso, right of recourse

derecho de rechazo por el emisor, issuer's right of rejection

derecho de redención, equity of redemption

derecho de retracto, right of redemption

derecho de voto, voting right

derecho escrito, statute law

derecho estatal de confiscación de bienes abintestados, escheatage

derecho hipotecario, law of mortgages; mortgage law

derecho marítimo, maritime law; maritime code

derecho marítimo, Admiralty Law (GB)

derecho mercantil, code of commerce; law merchant; commercial law; business law

derecho prendario, lien; right of lien

derecho público, public law

derechos adquiridos por antigüedad, seniority rights

derechos aduaneros, customs duties

derechos anuales, annual dues

derechos arancelarios (Esp.), customs duties

derechos calculados con arreglo al valor, ad valorem duties (Lat.)

derechos compensatorios, compensating duties

derechos condicionales, qualified rights

derechos consulares, consular fees

derechos de admisión, admission fee

derechos de antigüedad, seniority rights

derechos de autor, copyright

derechos de compra de acciones, stock rights; subscription rights

derechos de custodia, safekeeping fee

derechos de exclusividad, exclusive rights

derechos de explotación de patentes, patent royalty

derechos de importación, import duties

derechos de importación recuperables, import duties receivable

derechos de inscripción, fee (n.)

derechos de muelle, wharfage

derechos de patente, royalty (pl. = royalties)

derechos de práctico de puerto, pilotage dues

derechos de quilla, keelage

derechos de remolque, towing charges

derechos de sobrevuelo, air rights

derechos de suscripción, stock rights; subscription rights

derechos de timbre, stamp tax

derechos de tránsito, transit duties

derechos del consumidor, consumer rights

derechos especiales de giro (DEG), SDR (ab. special drawing rights); special drawing rights (SDR)

derechos exclusivos, exclusive rights

derechos legales, legal rights

derechos portuarios, harbour dues (US: harbour = harbor); port duties

derechos portuarios de anclaje, keelage

derechos protectores contra importación a precio arbitrario, antidumping duties

derechos reales, property tax

derechos restringidos, qualified rights

derivados, derivatives; derivative products; by-products (by-products = byproducts); byproducts (byproducts = by-products)

derogación, abolition; abrogation; annulment; defeasance; cancellation; liquidation; passthrough (col.); suppression

derogación de permiso, authorization cancellation

derogación de una ley, repeal of a law

derogar, cancel; annul; revoke; abolish; abrogate; nullify; setoff (v.); terminate; rescind; take back (v.)

derogar la prohibición de, remove the ban on

derogar una cláusula del contrato, override a clause of the agreement

derrama, apportionment; proration

derramamiento, leakage

derrochar, waste (v.)

derroche, waste (n.); reckless spending

derrumbamiento, bankruptcy; failure (bankruptcy); insolvency; crack (n., col.); crash (n., col.)

desacatar la ley, defy the law

desacato al tribunal, contempt of court

desacelerar, decelerate

desacelerar la inflación, wind down inflation; bring inflation down; curb inflation

desactivar la crisis financiera, defuse an economic crisis

desactualizado, dated (ab. dd.); dd. (ab. dated)

desacuerdo, disagreement; dissent (n.)

desafiliarse, withdraw from membership

desagregar, segregate

desajuste, asymmetry (pl = asymmetries); disparity; mismatch (pl. = mismatches)

desajustes económicos cíclicos, cyclical economic mismatches

desalojar, evict

desalojo, eviction

desalojo físico, actual eviction

desaparecer, decamp (col.)

desaprobar, disfavour (US: disfavour = disfavor); disfavor (GB = disfavour)

desarrolla su actividad como, DBA (ab. doing business as); doing business as (ab. DBA)

desarrollar una actividad laboral (v.), labour (US: labour = labor); work (v.); occupation

desarrollar una actividad profesional como analista financiero, perform a professional activity as a financial analyst

desarrollo, behaviour (US: behaviour = behavior); development(s); deportment

desarrollo de actividades bancarias en países extranjeros, development of banking activities in foreign countries

desarrollo de la inversión crediticia, expansion of lending

desarrollo de la vista, proceedings

desarrollo de mercados, market development

desarrollo del comercio exterior, foreign trade development

desarrollo mantenido, sustained development

desarrollo normal de los negocios, regular course of business

desarrollo regional sujeto a análisis, regional development under review

desatascador (Esp., col.), troubleshooter (col.)

desatender el pago de un cheque, dishonour a cheque (US: cheque = check); dishonor a draft (US)

desavenencias dentro del consejo, board strife

desbancar, supersede

desbarajuste, disarray

desbloquear, unfreeze (col.); release from attachment

desbloqueo de fondos, deblocking of funds

desbordamiento, overflow

desbordar la capacidad máxima, overflow

descapitalización, erosion of net worth

descapitalizado, undercapitalized

descapitalizar, undercapitalize

descarga de mercancía, unloading of goods

descargar, discharge (v.)

descargar de responsabilidades, exonerate

descargarse de deudas, quit from a debt; meet a debt

descargo, release (n.); acquitment; discharge (n.); quittance; relief; acquittance; apocha; receipt in full; satisfaction

descargo de responsabilidades, exoneration

descender, fall (v.); drop (v.)

descenso, decline (n.); drop (n.); decrease (n.); setback; deadlock; standstill; stasis; stagnancy; stagnation; breakeven point

descenso (del número) de parados, unemployment drop

descenso continuado, constant drop

descenso de los depósitos trimestralmente comparados, quarter-to-quarter deposits drop

descenso del gasto, decrease in spending; cost cutting; cost trimming

descenso del nivel de vida, decline in living standards

descenso intertrimestral del número de cuentas, quarter-to-quarter drop in accounts

descentralización de direcciones regionales, decentralization of regional headquarters

descentralizar, decentralize

descifrado, decryption

descifrar, decodify; decipher; descramble

descodificación, descrambling

descodificador, decoder; descrambler

descodificar, decodify; decipher; descramble

descomponer en factores, factor (v.); factorize

descomponer por partidas, break down; apportion; itemize

descomposición analítica, analytical breakdown

descomposición analítica del margen de gestión, analytical breakdown of operating margins; analytical breakdown of profitability

descomposición por partidas, breakdown

desconfianza, distrust

desconfiar, distrust

descongelar (col.), unfreeze (col.); release from attachment

descontar, discount (v.); rebate (v.); deduct; abate; disencumber

descontar bonos, discount bonds

descontar letras, discount bills

descontar un efecto, discount a draft

describir, describe

describir un gráfico, describe a graph

descripción, description

descripción de la operación propuesta, description of proposed transaction

descripción del riesgo, description of risk

descrito como, described as

descubierto aparente, technical overdraft

descubierto en cuenta, overdraft

descubierto real, actual overdraft

descubierto técnico, technical overdraft

descubiertos y anticipos, discounts and advances

descuento, abatement; rebate (n); discount (n); allowance; abating; trim (n.); refund (n.); refunding; reimbursement

descuento a cuenta, advance booking discount

descuento a plazo, forward discount

descuento anticipado de facturas, factoring

descuento aplicado, discount allowed

descuento bancario, bank discount

descuento caducado, lapsed discount

descuento comercial, commercial discount; trade discount

descuento concedido, discount allowed

descuento de efectos, discount of drafts; draft discounting

descuento de papel (Esp.), discount of drafts; draft discounting

descuento legal, legal discount

descuento no devengado, unearned discount

descuento o prima sobre el contrato que difiere del contrato par, spread

descuento otorgado, discount allowed

descuento por cantidad, quantity discount

descuento por conversión, conversion premium; conversion discount

descuento por pago al contado, cash discount; sales discount; short discount; anticipation discount; discount for prompt payment

descuento por pago en efectivo, cash discount; sales discount; short discount; anticipation discount; discount for prompt payment

descuento por pronto pago, cash discount; sales discount; short discount; anticipation discount; discount for prompt payment

descuento por volumen, volume discount

descuento prescrito, lapsed discount

descuento promocional, promotional allowance

descuento real, real discount; true discount

descuento recibido, discount earned

descuento sobre los ingresos, deduction from income

descuento sobre ventas, discount-sales bonus

descuentos y bonificaciones, discounts and allowances; discounts and bonuses

desde, starting from

desde la nada (col.), from scratch

desde las 12:00 a las 24:00 horas (PM), PM (ab. post meridiem); post meridiem (PM)

desdoblamiento, split; stripping

desdoblamiento de acciones, share split

desdoble, split; stripping

desechar, discard; throw overboard (col.)

desecho, scrap

desechos recuperables, recoverable waste

desembarazarse de, discard; throw overboard (col.)

desembarcar, land

desembargar, unfreeze (col.), release from attachment

desembargo, clearance

desembolsar dinero, disburse money

desembolsar una señal, disburse a token

desembolso capitalizable, capital outlay

desembolso inmediato, immediate payment

desembolsos, cash disbursements; outgoes (sing.: outgoes = outgo); outlays (sing.: outlays = outlay); disbursements; outflows

desembolsos en efectivo, cash outlays

desempeñar, redeem from the pawnshop (col.); redeem from pawn (col.)

desempeñar un cargo, hold office; serve an office; act as (a)

desempeño, performance

desempleado, idle (adj.); jobless (adj.); unemployed (adj.)

desempleo, unemployment

desendeudado, out of debt

desendeudarse, get out of debt

desequilibrio, gap; deficit; shortage; shortfall; mismatch; unbalance

desestimar, reject; disallow

desestimar un recurso, reject an appeal

desfalcador, peculator; defalcator; embezzler

desfalcar, embezzle; peculate; defalcate

desfalco, embezzlement; defalcation; peculation; malversation

desfalco de fondos públicos, defalcation of state funds

desfasado, outdated (adj.)

desfase horario, time lag; jet lag

desfase máximo/mínimo del día, gap; deficit; shortage; shortfall; mismatch; unbalance

desfavorable, adverse

desgaste (monedas metálicas), abrasion (metal coins)

desgaste natural, wear and tear; natural wastage

desgaste por el roce (monedas), attrition (coins)

desglosado, broken down; in-depth (adj.); comprehensive (adj.)

desglosar, break down; apportion; itemize

desglose, breakdown

desglose analítico, analytical breakdown

desglose por epígrafes, breakdown by captions

desglose por regiones, breakdown by regions

desgravable (adj,. masc. & fem.), tax-deductible (adj.)

desgravación, release (n.); acquitment; discharge (n.); quittance; relief; acquittance; apocha; receipt in full; satisfaction

desgravación fiscal, tax relief; tax deduction; tax abatement; tax alleviation

desgravar, discount (v.); rebate (v.); deduct; abate; disencumber

deshacerse de, discard; throw overboard (col.)

deshacerse de una inversión, divest; abalienate; hive off (col.); sell

deshauciar, evict

deshaucio, eviction

deshaucio efectivo, actual eviction

deshonestidad (n. fem.), dishonesty; deceitfulness

deshonroso, discreditable

designable, allocable; assignable; attributable; chargeable

designación, appointment; designation; nomination

designación de prefijos, prefix designation

designación judicial de síndico en una suspensión de pagos, receiving order

designar, appoint; nominate

designar judicialmente a un experto en contabilidad, appoint a judicial accountancy expert

desintermediación, securitization; disintermediation

desintermediación financiera, financial disintermediation

desinvertir, divest; abalienate; hive off (col.); sell

desistimiento de la instancia, abandonment of suit

desistimiento del recurso, abandonment of appeal

desleal, unfair

deslealtad, disloyalty

desliberalización, deliberalization

desliberalizar, deliberalize

deslizamiento, slippage

desmantelamiento de la red de sucursales en el exterior, dismantling of foreign branch network

desmantelamiento de la red de sucursales en el extranjero, dismantling of foreign branch network

desmantelamiento de la red de sucursales extranjeras, dismantling of foreign branch network

desmantelamiento de un monopolio, trust bursting

desmantelamiento de una sucursal, branch dismantling

desmentido, denial; disavowal

desmentir, contest; disprove; deny

desmentir los rumores, deny rumours (US: rumours = rumors)

desobedecer la ley, defy the law

desocupación, unemployment

desocupado, idle (adj.); jobless (adj.); unemployed (adj.)

desórdenes internos, civil commotions

desorganización, disarray

despachar, dispatch

despacho, office

despacho (de mercancías, documentos, etc.), dispatch

despacho de abogados, law office

despacho de aduanas, customs clearance

despacho de mercancías por aduana, clearance

despacho particular, private office

despedir, dismiss from a job; turf out (col.)

despedir de un trabajo, discharge (v.)

despegar, take off

despegue económico, economic takeoff

despejar sospechas, dispel concern

despenalizar, decriminalize

desperdiciar, waste (v.)

desperdicio, waste (n.); reckless spending

desperdicios susceptibles de aprovechamiento, recoverable waste

despido, dismissal

despido (GB), push

despido laboral, redundancy (GB)

despidos, layoffs

despidos colectivos sujetos a negociación con los sindicatos, layoffs subject to negotiation with trade unions

despidos de personal traumáticos, traumatic layoffs

despilfarro, waste (n.); reckless spending

desplazamiento, assignation; cession; transfer; transmission; displacement

desplazamiento de los depósitos hacia las cajas de ahorro, shift of deposits to savings banks

desplegar sobre pantalla, display (v.)

desplome, bankruptcy; failure (bankruptcy); insolvency; crack (n., col.); crash (n., col.)

desplome de mínima incidencia sobre la economía, mini-crash of the economy

desplumar (Esp., col.), swindle (v.); con (US., col., v.); deceive; ream (US., col., v.); fleece

despoblación, depopulation

despojar, plunder

despojar de, dispossess of

despojo, plunder

desposeer a un jefe de su autoridad, degradándolo, reduce to the ranks (col.)

desposeer de, dispossess of

desposesión de un cargo, amotion

desprogramar, deprogramme (US: deprogramme = deprogram)

desprovisión de numerario, lack of liquidity; illiquidity; short of cash; cash shortage

después de, upon

después de (pagar) impuestos, after-tax

después de conocerse que, upon having learned that

después de la fecha, after date (A/D); A/D (ab. after date)

desregulación, deregulation

desregular, ease; deregulate; liberalize; free (v.)

desregular la actividad de los bancos, decontrol banking activities

destacar (el hecho de que), remark (v.)

destinatario, addressee

destinatario de una remesa, remitee

destitución (GB), push

destitución de un cargo, removal from office

destituir de un cargo, remove from office

destreza, skill; proficiency

desuso, obsolescence

desvelado (adj.), unveiled

desvelarse, come to light

desventaja, disadvantage

desventaja competitiva, competitive disadvantage

desviación de costes, cost variances

desviación de fondos, deviation of funds

desviación presupuestaria, budgetary variance

desviación típica, standard deviation

desviación típica residual, residual standard deviation

desvío, switch

detalladamente, minutely

detallado, broken down; in-depth (adj.); comprehensive (adj.)

detallar, break down; apportion; itemize

detalle, breakdown

detalle de efectos aceptados, acceptance(s) listing

detalle de movimientos diarios de caja, daily cash statement

detalle diario de movimientos en cuenta, daily statement of account

detalles, details

detallista, retail dealer; retailer

detección a distancia de armas ocultas, remote sensing of hidden weapons

detección de tarjetas falsificadas, detection of counterfeit cards

detección y lucha contra el blanqueo de dinero, money laundering deterrence and detection

detectar actividades de blanqueo, detect laundering activities

detective privado, private dick (col.); private eye (col.); shamus (col.)

detener, apprehend; attach; confiscate; impress; seize; sequester; enforce; execute; arrest (v.); take into custody

detentar derechos a percibir intereses, carry rights to interest

deterioro, deterioration

deterioro por el uso, wear and tear; natural wastage

determinación (n. fem.), ascertainment; verification; check (n.)

determinación de costos, cost finding

determinación de la tara, taring

determinación de períodos contables, determination of accounting periods

determinación de preferencias, ascertainment of preferences

determinación del (tipo de) interés, fixing

determinación del beneficio contable, determination of book income

determinante, final

determinar, profile (v.); set (v.); stipulate (v.); state (v.); establish (v.); form (v.); provide for (v.)

deuda (título), debenture; debt

deuda a largo plazo, fixed debt (GB: fixed = funded); funded debt (US: funded = fixed); bonded debt; consolidated debt; fixed liabilities

deuda amortizable, amortizable debt

deuda amortizada, retired debt

deuda anulada, cancelled debt

deuda asegurada, secured debt

deuda comprobable, provable debt

deuda contraída (n. fem.), agreement; compact; arrangement; deal (n.); pact; treaty (pl.: treaty = treaties); compromise (n.); engagement; obligation

deuda demostrable, provable debt

deuda en moneda extranjera, foreign currency debt

deuda en obligaciones, fixed debt (GB: fixed = funded); funded debt (US: funded = fixed); bonded debt; consolidated debt; fixed liabilities

deuda exterior, foreign debt; external debt

deuda externa, foreign debt; external debt

deuda fija, fixed debt (GB: fixed = funded); funded debt (US: funded = fixed); bonded debt; consolidated debt; fixed liabilities

deuda flotante, floating liabilities; floating debt; unfunded debt; current liabilities

deuda justa, just debt

deuda justificable, provable debt

deuda legítima, just debt

deuda nacional, government debt stock; government paper; government securities; national debt; public debt; government bonds

deuda no consolidable, non-fundable debt

deuda no convertible, straight debt

deuda particular, private debt

deuda pendiente, amount outstanding

deuda perpetua, fixed debt (GB: fixed = funded); funded debt (US: funded = fixed); bonded debt; consolidated debt; fixed liabilities

deuda preferente, privileged debt

deuda prescrita, debt barred by limitation

deuda principal, senior debt

deuda privada, private debt

deuda privilegiada, privileged debt

deuda pública, government debt stock; government paper; government securities; national debt; public debt; government bonds

deuda pública interna, domestic debt

deuda que devenga interés, active debt

deuda representada por bonos, bond debt

deuda respaldada, secured debt

deuda sin colateral, unsecured indebtedness; unsecured loan; unsecured credit

deuda subordinada, subordinated debt; junior debt

deudas a pagar, matured liabilities

deudas anotadas, account-entry (system) securities

deudas con garantía, secured liabilities

deudas contraidas, indebtedness

deudas contraidas con los suministradores, amounts owed to suppliers

deudas de dudoso cobro, doubtful debts (GB); doubtful debts and accounts (US)

deudas de juego, gambling debts

deudas exteriores, foreign debts

deudas vencidas, matured liabilities

deudas vencidas y pendientes de liquidar, matured liabilities

deudor, obligator; obligor; debtor

deudor extranjero, foreign debtor

deudor hipotecario, mortgager (mortgager = mortgagor); mortgagor (mortgagor = mortgager)

deudor mancomunado, joint debtor

deudor marrullero, slippery debtor

deudor moroso, tardy debtor (col.); defaulting debtor

deudor solidario, joint debtor

deudores a la vista, overdrafts

deudores diversos, accounts receivable; accounts due (from)

deudores dudosos, doubtful debts (GB); doubtful debts and accounts (US)

deudores morosos, dudosos y fallidos, non-performing, doubtful and bad loans

deudores por aceptaciones, avales y créditos documentarios, customers' liabilities on acceptances, guarantees and documentary L/Cs

deudores varios, accounts due (to); accounts payable; sundry creditors

deudores varios a la vista, sundry demand loans

devaluación, devaluation

devaluación competitiva, competitive devaluation

devaluación del activo, devaluation of assets

devaluación monetaria, devaluation of currency; currency devaluation

devaluar, devaluate

devengar, accrue; accumulate; bear (v.)

devengar interés, bear (an) interest; accrue (an) interest; draw (an) interest; earn (an) interest

devengos, accruals; accrued costs; accrued charges; accrued expenses

devengos fiscales acumulados, tax accruals

devolución, abatement; rebate (n); discount (n); allowance; abating; trim (n.); refund (n.); refunding; reimbursement

devolución de derechos aduaneros, return of duties

devolución de dinero, restitution of money

devolución de impuestos, tax refund; tax rebate

devolución de retenciones fiscales, tax refund; tax rebate

devolución de tributos satisfechos en demasía, tax credit

devolución de un efecto, restitution of draft

devolución tributaria, tax refund; tax rebate

devolver, rebate, refund (v.)

devolver (retornar), redeliver; send back

devolver al librador por falta de fondos, refer to drawer

devolver cambio de menos, shortchange

devolver un cargo mediante contra-asiento, charge back

devolver un proyecto de ley acompañado de informe explicativo, report out (US)

devuelto por falta de fondos, refer to drawer

día comercial, working day; business day; legal day; lawful day

día comercial a jornada completa, full business day

día de aviso, notice day

día de cierre, closing day

día de liquidación, account day; settlement day; day of settlement; settling day

día de pago, value date

día de presentación de los presupuestos generales del estado, budget day (GB)

día de recepción, day of receipt

día de vencimiento, accounting date (entry); accounting day

día de vencimiento de un pago por trimestres, quarter day

día feriado, non-business day; non-working day

día festivo, non-business day; non-working day

día festivo para la banca, bank holiday

día final, closing day

día hábil, working day; business day; legal day; lawful day

día inhábil, non-business day; non-working day

día inhábil a efectos bancarios, bank holiday

día laborable, working day; business day; legal day; lawful day

día no bancable, bank holiday

día no laborable, non-business day; non-working day

día punta, peak day

diagrama, diagramm (US: diagramm = diagram); diagram (GB: diagram = diagramm); graphic; table; chart

diagrama de secuencia, flow chart (= flowchart); flowchart (= flow chart)

diagrama de tarjeta, card layout

diálogo franco entre el banco y su clientela, plainspoken dialogue between the bank and its customer base

diario, diary (GB: diary = journal) (n.); journal (US: journal = diary) (n.); daily (adj.); journal book; minutes book

diario (periódico), journal (newspaper), (col.), paper

diario de actividad, log; ship´s log

diario de navegación, diary (GB: diary = journal) (n.); journal (US: journal = diary) (n.); daily (adj.); journal book; minutes book

diario de ventas, sales journal

días de gracia, forbearance; days of grace; grace period

días de plazo para la carga o descarga, lay days

días fecha, days after date

días naturales, calendar days

días vista (ab. **D/V),** days (after) sight (ab. DS); DS (ab. = days (after) sight)

dice contener, según el cargador, said by shipper to contain

dictador, dictator

dictadura, dictatorship

dictamen arbitral, arbitrium (Lat.); arbitral award; judg(e)ment by arbitration; arbitrage; arbitration; arbitrament; unpirage; award (n.)

dictar laudo, award (v.)

dictar sentencia, deliver a judg(e)ment

dictar un auto, issue a writ

diecinueve, nineteen

dieciocheno, eighteenth

dieciocho, eighteen

dieciséis, sixteen

dieciseisavo, sixteenth

diecisiete, seventeen

diecisieteavo, seventeenth

diez, ten

diez centavos (US, col.)**,** dime (US, col.)

diez mil, ten thousand

diferencia, balance (n.); rest

diferencia de precios entre mercado futuro y mercado spot, basis

diferencia entre compra al contado y venta simultánea a plazo, report

diferencia entre coste estimado y real de una operación, slippage

diferencia entre rendimiento y coste de financiación, cost of carry

diferencia entre trimestres, quarter-to-quarter variation

diferencia negativa, gap; deficit; shortage; shortfall; mismatch; unbalance

diferencial, spread

diferencial bruto, gross spread

diferencial de base, basis spread

diferencial de interés entre dos divisas (contratos "forward"), swap point

diferencial de intereses, interest differential

diferencial de precios, spread pricing

diferencial entre "cap" y "floor", bid-ask spread

diferencial entre compra a plazo y venta simultánea al contado, deport

diferencial entre el precio de un contrato en efectivo y otro a plazo, basis (pl. = bases); base

diferencial entre precios de oferta y demanda ("spread"), spread

diferencial entre tipos de interés, interest rate differential

diferencial neto activo, net asset differential

diferencial neto pasivo, net liability differential

diferencial precios/salarios, price/wage differential

diferencias de cambio, dealing gains; exchange gains; foreign exchange gains

diferido, deferred; delayed

diferir, adjourn

difícilmente legible, hardly legible

dificultad, drawback

dificultad técnica, technical pitfall

dificultades en la balanza de pagos, balance of payments difficulties

dificultades financieras, financial straits

dificultar, obscure (v.)

dificultar el seguimiento, obscure audit trail

difunto (n)**,** deceased

dígito, digit

dígito adicional, additional digit

dígito binario, binary digit

dígito de autoverificación (comp.)**,** self-checking digit (comp.)

dígito de control, control character

dígito de control contable (DCC), accounting check digit (ACD); ACD (ab. accounting check digit)

dígito de control incorrecto, incorrect control digit

dígito de control inexacto, incorrect control digit

dígito de referencia, reference digit

dígito de verificación, control character

dígito decimal, decimal digit

dígitos hexadecimales, hexadecimal digits

dignidad (n. fem.)**,** rank (n.); category; standing; state (n.); status (pl. status = statuses)

dilatado (que requiere una gran inversión de tiempo), time-consuming (adj.)

diligencia de embargo, attachment proceedings

diligencia de incoación del procedimiento de quiebra, bankruptcy notice

diligencia notarial de impago, noting

diligencias, formalities (sing.: formalities = formality)

diligencias judiciales, law action; court action

dilución, dilution

dilución de los resultados, dilution of earnings

dilución del beneficio, dilution of profit

dilución del capital, stock watering

diluir, dilute

dimisión de un cargo, resignation

dimitir de un cargo, resign (office); abdicate

dinámico, dynamic; active (adj.)

dineral (GB, col.)**,** bomb (col.), mint

dinero (a dinero "forward"), at the money forward (ATM forward); ATM forward (ab. at the money forward); money forward

dinero (a dinero "spot"), at the money spot (ATM spot); ATM spot (ab. at the money spot)

dinero a corto (plazo), short-term funds, money on short notice

dinero a la demanda, call money; clean money; demand money

dinero a la vista, call money; clean money; demand money

dinero a largo plazo, long-term funds

dinero a plazo fijo, time money

dinero al contado, spot money

dinero caliente (col.)**,** hot money (col.); flying money (col.)

dinero caro, tight money

dinero contante y sonante (Esp., col.)**,** hard money (col.); till money (col.), spot money

dinero cuasi-líquido, near money

dinero de día a día, day-to-day money; money at call; overnight funds; overnite funds (US., col.)

dinero de origen ilegítimo, unlawful money; illicit funds

dinero de plástico (col. = **tarjetas de débito y crédito),** plastic money (col. = debit and credit cards)

dinero de procedencia ilegal, criminal(ly obtained) funds; dirty money

dinero disponible, floating money; money on hand; ready money; cash available; cash (on hand)

dinero donado, donated money

dinero electrónico, electronic money (E-money); E-money (ab. electronic money)

dinero en caja, floating money; money on hand; ready money; cash available; cash (on hand)

dinero en circulación, money in circulation

dinero en metálico, hard money (col.); till money (col.)

dinero escaso, tight money

dinero especulativo, hot money (col.); flying money (col.)

dinero ilegal, unlawful money; illicit funds

dinero legítimo, legitimate money

dinero legítimo en efectivo, real money

dinero negro, criminal(ly obtained) funds; dirty money

dinero no invertido, idle cash; idle economic resources; idle funds; barren money

dinero para gastos personales, spending money

dinero por prestar, call money; clean money; demand money

dinero prestado a la demanda, call money; clean money; demand money

dinero prestado a tipo de interés elevado, dear money

dinero sin cobertura, fiduciary currency; fiduciary money; token money

dinero sin rentabilizar, idle cash; idle economic resources; idle funds; barren money

dinero sucio, criminal(ly obtained) funds; dirty money

dinero sujeto a un alto interés, dear money

diploma en banca internacional, diploma in international banking

diplomático (adj.)**,** tactful

diplomático (n., masc.)**,** diplomat (n.)

díptico, diptych

dirección, address (n.); domicile

dirección (equipo gestor), management; directorship; administration; executive committee; management committee

dirección (n. fem.)**,** managership

dirección comercial, business management; business administration; commercial management

dirección comercial (domicilio), commercial domicile; commercial address

dirección completa, full address; address in full

dirección desconocida, address unknown (A/U); A/U (ab. address unknown)

dirección general, general management; top management

dirección general (ministerios) (US), agency; branch

Dirección General de Salud Pública, Surgeon General (US)

dirección por objetivos, management by objectives

dirección regional, regional headquarters

directiva, directive

directivo (n. & adj.)**,** executive; managerial

directivo sin un cargo concreto, backbencher (col.)

director, director; head (n.); manager (fem.: manager = manageress)

director adjunto, deputy director; assistant manager

director de agencia, branch manager

director de banco, bank manager

director de emisión, lead manager

director de operaciones, chief operating officer (COO); COO (ab. chief operating officer)

director de producto, brand manager

director de relaciones públicas, public relations head

director de sucursal, branch manager

director de tesorería, cash manager

director de ventas, sales manager

director ejecutivo (col.)**,** steersman

director ejecutivo encargado del negocio internacional, executive director in charge of international business

director en funciones, acting manager

director financiero, chief financial officer (CFO); CFO (ab. chief financial officer)

director general, president (GB: president = general manager); general manager (US: general manager = president)

director general adjunto, deputy general manager; deputy president (US)

director general ejecutivo, chief executive officer (CEO); CEO (US: ab. chief executive officer; GB = managing director); executive director; managing director (GB); president (US)

director interino, acting manager

director no confirmado en el cargo, acting manager

director provisional, acting manager

director regional, area manager; regional manager

directora, manageress (masc. = manager); businesswoman (m. businesswoman = businessman)

directorio, management; directorship; administration; executive committee; management committee

directorio (Banco de Inglaterra), court of directors (Bank of England)

directorio (LA)**,** administrative board; board; board of directors; Presidium (col.)

directrices, guidelines

dirigente laborista, labour leader (US: labour = labor)

dirigente obrero, labour leader (US: labour = labor)

dirigente sindical, union official; union leader

dirigir, manage

dirigir (un escrito), address (v.); send

dirigir una carta circular, address a circular letter

dirigirse a, resort to

dirigirse al librador, refer to drawer

dirimir una discrepancia, settle a dispute

disco duro, hard disk

disco flexible, floppy disk (comp.)

disco magnético (comp.)**,** magnetic disk (comp.)

disconformidad, disagreement; dissent (n.)

discontinuidad, discontinuity

discrepancia, inconsistency

discrepancia u omisión, discrepancy or omission

discrepante, conflicting

discrepar, discuss; argue

discrepar con, disagree with

discrepar de, be inconsistent with; be in conflict with

discreto (adj.)**,** tactful

discriminación por sexo, sex discrimination
discriminación racial, racial discrimination
disculpa, excuse
disculpar, excuse
discurrir, reason (v.)
discusión, argument(ation)
discusiones, discussions
discusiones baldías, barren discussions
discutible, answerable; questionable
discutir, discuss; argue
disentir, discuss; argue
disentir de, disagree with
disminución de deudas, abatement of debts
disminución de la presión impositiva, tax relief; tax deduction; tax abatement
disminución de plantilla, decrease in the headcount
disminución de reservas de moneda extranjera, depletion of foreign exchange reserves
disminución del paro, unemployment drop
disminución del riesgo, decrease of risk
disminución del valor, decrease in value
disminución neta, net decrease
disminución progresiva del índice de desempleo, progressive decline in unemployment
disminuciones en reservas de actualización, decrease in restatement reserves
disolución, dissolution
disolución de una sociedad, dissolution of a company
disolución en virtud de la ley, dissolution by operation of the law
disolución por acuerdo de todos los socios, dissolution by assent of all partners
disolución por decisión judicial, dissolution by decree of court
dispararse (col.), take off
disparidad, asymmetry (pl = asymmetries); disparity; mismatch (pl. = mismatches)
disparidad en precios, disparity in prices
dispersión, dispersion
dispersión de tipos (de interés), dispersion of rates
dispersión del riesgo, risk dispersion
disponer de, avail of
disponer de un crédito, avail of a credit; utilize a credit
disponibilidad, readiness; availability
disponibilidad de capital, availability of capital
disponibilidad de crédito, credit availability
disponibilidad de divisas para importaciones, availability of exchange for imports
disponibilidad diferida, deferred availability
disponibilidad inmediata (tesorería), liquidity (treasury)
disponibilidades, cash and due from banks; cash on hand and with banks; funds available (cash and banks); quick assets; available assets
disponible, available (adj.); on hand
disponible a tal efecto, available for the purpose
disponible en el mercado, available on the market
disponible previa solicitud, available on request
disponible sin utilizar, undrawn balance
disponibles (n. masc. & fem.), cash and due from banks; cash on hand and with banks; funds available (cash and banks); quick assets; available assets
disposición, availment
disposición (crédito; extracción), drawing
disposición (de moneda) en divisa, availment of foreign exchange
disposición (n. fem.), article; clause; covenant (n.); provision; proviso (pl.: proviso = provisos / provisoes)
disposición a invertir, readiness to invest
disposición con cargo al capital, drawdown on equity
disposición de dinero, withdrawal of money; money withdrawal
disposición de dinero en efectivo, cash withdrawal
disposición sobre una línea de crédito, drawdown
disposición temporal y forzosa del barco por las autoridades, angaria

disposiciones crediticias, borrowing

disposiciones del acuerdo, provisions of the agreement

disposiciones negativas, negative covenants

disposiciones realizadas, borrowings

disposiciones transitorias, transitory provisions

disposiciones tributarias, tax laws; tax regulations

dispuesto a lo que sea, ready and willing

dispuesto a todo, ready and willing

disquete, diskette

distancia entre puntos extremos de una gráfica, amplitude

distender la crisis financiera, defuse an economic crisis

distorsión grosera de los hechos, gross distortion of facts

distribución, distribution

distribución a gran escala, intensive distribution

distribución a gran escala de comunicados de prensa, intensive dissemination of press releases

distribución de beneficios, distribution of income; distribution of earnings; appropriation of income; profit sharing

distribución de beneficios del ejercicio anterior, distribution of earnings from the previous financial year

distribución de costos, cost allocation

distribución de fondos, allocation of funds; provision of funds

distribución de recursos humanos, deployment of human resources

distribución del caudal hereditario, estate distribution

distribución del riesgo, distribution of risks

distribución del valor añadido, distribution of added value

distribución estratégica de activos, strategic asset allocation; timing

distribución gratuita de acciones, no-charge share distribution

distribución intensiva, intensive distribution

distribución masiva, intensive distribution

distribución numérica, numeric distribution

distribución ponderada, weighted distribution

distribución racional, weighted distribution

distribución selectiva, selective distribution

distribución táctica de activos, tactical asset allocation (TAA); TAA (ab. tactical asset allocation)

distribuible, allocable; assignable; attributable; chargeable

distribuidor, stockist (US: stockist = dealer); dealer (GB: dealer = stockist); supplier

distribuidor exclusivo, sole dealer

distribuir (beneficios), assign; allocate; attribute (v.); make over; transfer (v.); distribute; appropriate; set over

distribuir (dividendo), pay out

distribuir dividendos en acciones, make distributions in bonus shares

distrito, district; constituency

distrito comercial, shopping district

distrito municipal (US), borough; municipality

distrito postal (DP) (Esp.), postal zone; postal area code (PAC); PAC (ab. postal area code); zip code (US)

disuadir de, dissuade from

diversificación, diversification

diversificación de dinero negro para su blanqueo, layering

diversificación de la liquidez, liquidity diversification

diversificación de precios, price lining; price diversification

diversificación sectorial, branching

diversificar, diversify

diversificar las inversiones, diversify investment(s)

diversos, various

dividendo, dividend (ab. div.); div. (ab. = dividend)

dividendo (a)cumulativo, accumulation dividend; cumulative dividend

dividendo (activo) a cuenta, interim dividend

dividendo (susceptible) de acumulación, accumulation dividend; cumulative dividend

dividendo activo, active dividend

dividendo acumulable, accumulation dividend; cumulative dividend

dividendo acumulado, accrued dividend; dividend due

dividendo adicional, equalizing dividend; additional dividend; extra dividend

dividendo anticipado, advanced dividend

dividendo complementario, equalizing dividend; additional dividend; extra dividend

dividendo correspondiente al año anterior, prior year cash dividend

dividendo correspondiente al ejercicio precedente, prior year cash dividend

dividendo de capital, capital dividend

dividendo de liquidación, liquidating dividend

dividendo declarado, declared dividend

dividendo decretado, declared dividend

dividendo devengado, accrued dividend; dividend due

dividendo diferido, accumulated dividend; deferred dividend

dividendo en acciones, scrip dividend; share dividend; stock dividend

dividendo en bonos, bond dividend

dividendo en efectivo, cash dividend

dividendo en obligaciones, bond dividend

dividendo en pagarés, scrip dividend; share dividend; stock dividend

dividendo en suspenso, accumulated dividend; deferred dividend

dividendo extraordinario, equalizing dividend; additional dividend; extra dividend

dividendo extraordinario en efectivo, cash bonus

dividendo ficticio, sham dividend

dividendo final, final dividend

dividendo líquido a los accionistas, net dividend to shareholders

dividendo no acumulativo, non-cumulative dividend

dividendo no reclamado, unclaimed dividend

dividendo optativo, optional dividend

dividendo ordinario, ordinary dividend

dividendo pasivo, capital call

dividendo por acción, dividend per share

dividendo preferente, preferred dividend

dividendo provisional, interim dividend

dividendo recibido, received dividend

dividendo total neto, total net dividend

dividendo virtual, consent dividend

dividendos atrasados, dividends in arrears

dividendos cobrados, dividends collected

dividendos percibidos, dividends collected

dividendos sobre acciones preferentes, dividends on preferred stock

dividido en seis, sexpartite

dividir en cuatro partes, quarter

dividir en lotes, parcel

divisa base, base currency

divisa convertible, convertible currency

divisa cotizada, quoted currency

divisa de emisión, currency of denomination

divisa devaluada, devalued foreign exchange

divisas, foreign exchange; foreign currency (pl.: currency = currencies)

divisas a la vista, demand exchange

division, division (ab. div.); div. (ab. = division)

división de operaciones, operations division

división de una suma en otras inferiores para evitar su declaración, smurfing

división por tramos, laddering

divulgación, disclosure

divulgado (adj.), unveiled

divulgar, disclose; make public

divulgar el condicionado secreto del acuerdo, blab the secret terms of the agreement

divulgarse, come to light

DNI (ab. **documento nacional de identidad)** (Esp.), identity card

doblar turno, double up shift; moonlight (v.)

doble cobertura con "put", double hedge with put

doble contabilización, dual posting

doble control, dual control

doble facturación, double invoicing

doble fiscalidad, double taxation

doble fondo (Esp.), false bottom

doble imposición, double taxation

doble opción, put and call (P&C); P&C (ab. put and call)

doce, twelve

docena de fraile (Esp., col.), baker's dozen; printer´s dozen; long dozen

docena de trece unidades, long dozen

docena larga, baker's dozen; printer´s dozen

documentación acreditativa, substantiating documents; supporting documents

documentación anexa, attached documents

documentación de a bordo, ship´s papers

documentación de carácter oficial, official records

documentación de trabajo, working papers

documentación del buque, ship´s papers

documentación financiera, accounting statement; financial statements

documentación financiera a final del ejercicio, year-end financial statements

documentación financiera consolidada, combined financial statement; consolidated financial statement

documentación financiera de fin de año, year-end financial statements

documentación financiera representada en una sola página, at-a-glance financial data

documentación financiera sin consolidar, unconsolidated financial statements

documentación original, original paper; original instruments

documentar, document; instrument

documento, document; instrument

documento al portador, bearer instrument

documento constitucional, act of incorporation; incorporation papers (US); certificate of incorporation; general franchise; partnership articles; statutes of incorporation; corporation papers (US); articles of association; articles of partnership; articles of incorporation

documento de embarque no negociable, non-negotiable sea waybill

documento de garantía, accommodation note

documento de transporte multimodal, bill of lading for multimodal transport; multimodal transport bill of lading; multimodal transport B/L (B/L = bill of lading)

documento falsificado, forged instrument; false document

documento falso, phony document

documento justificativo, attesting document; authoritative instrument

documento mancomunado, two-name instrument

documento nacional de identidad (DNI) (Esp.), identity card

documento notarial de propiedad, title; title deed; right of ownership; deed of title; root of title; evidence of title; certificate of registration of title

documento original, authenticum (Lat.)

documento por escrito, instrument in writing

documento(s) con una sola firma, single-name paper

documentos acreditativos, substantiating documents; supporting documents

documentos acreditativos (personales, académicos, etc.), papers

documentos adjuntos, attached documents

documentos cambiarios, exchanges

documentos cuyo contenido se prohíbe revelar, classified papers

documentos de intercambio, interchange paper

documentos negociables, negotiable instruments; marketable securities

documentos oficiales, official records

documentos operativos de control y seguimiento de gestión, operating control and management records

documentos originales, original paper; original instruments

documentos susceptibles de cesión, bearer paper

dólar, dollar (ab. $); $ (ab. = dollar)

dólar canadiense, Canadian dollar (ab. Can $); Can $ (Canadian dollar)

doméstico, domestic (adj.); in-house (adj.)

domiciliación, domiciliation

domiciliación bancaria, direct billing; direct debit

domiciliar un efecto en, domicile a bill with; make a bill payable at

domiciliar una letra en, domicile a bill with; make a bill payable at

domiciliar una letra en ..., accept a bill payable at ...

domicilio, address (n.); domicile

domicilio actual, usual place of abode

domicilio habitual, settlement

dominar, curb (v.)

dominar la especulación, curb speculation

dominar una actividad, master (v.)

dominio, demesne; ownership

dominio absoluto, fee simple

dominio condicionado, conditional fee

dominio eminente, eminent domain

dominio fiduciario, possession in trust

dominio limitado a los herederos directos, fee tail

don yo ya lo sabía (Esp., col.), Monday morning quarterback (col.)

donación, contribution; grant

donaciones y créditos, grants and loans

donante, grantor; maker

donatario, grantee; awardee

donativo, donated money

donativos, donations

dorso en blanco, blank back

dos, two

DOS ab. = **(sistema operativo del disco),** DOS (ab. disk-operating system); disk-operating system (ab. = DOS)

dos veces, twice

dos veces al año, biannually; twice a year

dotación, endowment

dotación con cargo a beneficios, distribution of income; distribution of earnings; appropriation of income; profit sharing

dotación de beneficios a reservas, appropriation of earnings to reserves

dotación de capital, capital endowment

dotación de cobertura para compromisos de pensiones, allowance for pension commitments

dotación del año, annual provision

dotación global, overall provision

dotación neta a provisiones, net provisions to allowances

dotación para atenciones estatutarias, appropriation for statutory fees

dotación para pérdidas en el cambio de divisas, allowance for exchange losses

dotación real, actual provision

dotaciones adicionales para retiros anticipados, additional provisions for early retirements

dotaciones anuales a fondos internos, annual provisions to in-house allowances

dotaciones complementarias para prejubilaciones, additional provisions for early retirements

dotaciones netas, net provisions

dotaciones y provisiones, allowances and provisions

dotar, endow

dozavo, twelfth

DP (ab. **distrito postal),** postal zone; postal area code (PAC); PAC (ab. postal area code); zip code (US)

droga, drug

drogadicto, junkie

drogata (Esp., col.)**,** junkie

dudosos, doubtful debts (GB); doubtful debts and accounts (US)

dudosos sobre total de riesgos, non-performing loans/qualifying risks

dueña, proprietress (n. fem.; masc.: proprietress = proprietor) (US)

dueño, owner

dueño (US), proprietor (n. masc.; fem.: proprietor = proprietress) (US); proprietary (pl.: proprietary = proprietaries) (US)

dueño legal, legal owner

dumping (saturación de mercados con artículos a precio muy bajo), dumping

duodécimo, twelfth

dúplica, rejoinder

duplicado, duplicate

duración, life; duration

duración de la garantía, duration of guarantee (guarantee = guaranty)

duración del contrato, life of delivery

duración del trabajo, work length

duración media, average life (A/L); A/L (ab. average life)

duración modificada de un bono, modified duration of a bond

durante todo el año, all (the) year round; year-round

durante todo el ejercicio, all (the) year round; year-round

durante un plazo de, for a term of

durante un plazo de hasta, for a term of up to

E

economato, consumers' cooperative society; cooperative retail company

economía, economy (pl. economy = economies); economics

economía aplicada, applied economics

economía basada en el trueque, barter economy

economía capitalista, capitalist economy

economía de costes, cost saving

economía de la oferta, supply-side economy

economía deprimida, depressed economy

economía dirigida, directed economy; controlled economy

economía dual, dual economy

economía equilibrada, balanced economy

economía monoindustrial, one-industry economy

economía nacional, domestic economy

economía paralela, black economy

economía política, political economy

economía política de los países emergentes, political economics of emerging countries

economía precaria, precarious economy

economía recalentada, overheated economy

economía sumergida, black economy

economía y estadística, economics and statistics

economías de escala, economies of scale

económico, economic(al) (adj.)

economizar, save

ECU (ab. **Unidad de Cuenta Europea),** European Currency Unit (ECU); ECU (ab. European Currency Unit)

ecuación, equation

ecuación de primer grado, simple equation

ecuación de segundo grado, quadratic equation

ecuación de tercer grado, cubic equation

echar, send away

echar (una) multa, fine (v.)

echar a un inquilino, evict

echar al correo (Esp., col.)**,** send off

echar al mar, jettison

echar cuentas (Esp., col.)**,** figure

echar de un trabajo, dismiss from a job; turf out (col.); throw out of work

echar el cierre (Esp., col.)**,** close down

echazón, flotsam; jetsam

edad (al) término, age at expiry

edad a la fecha de vencimiento del contrato, age at expiry

edad actuarial, actuarial age

edad avanzada, old age

edad de entrada, age at entry

edad en la fecha de admisión, age at entry

edad límite, age limit

edad máxima, age limit

edificio, building (ab. bldg); bldg (building)

edificio de apartamentos en régimen de propiedad cooperativa (US), co-op; co-operative (company)

edificio sin medios de escape para casos de incendio, fire trap

edil, councillor (= councilor); councilor (= councillor); councilman; town councillor

editar, edit

efectivo (adj.), physical

efectivo en caja y bancos, cash and due from banks; cash on hand and with banks; funds available (cash and banks); quick assets; available assets

efecto a ... días, date draft

efecto a corto plazo, short-term bill (US: bill = draft); short-term draft (GB: draft = bill); short exchange

efecto aceptado, accepted draft (GB: draft = bill); accepted bill (US: bill = draft)

efecto al descuento, bill of exchange at a discount

efecto búmerang, boomerang effect

efecto cambiario, bill of exchange; draft

efecto cascada, pyramiding

efecto colateral de la restricción crediticia, side effect of credit shortage

efecto con documentación anexa, documentary bill; documentary draft

efecto con vencimiento fijo, bill payable at a fixed date

efecto contrario al buscado, boomerang effect

efecto de colusión, kite (col.); rubber cheque (col.; US: cheque = check, draft); uncovered cheque (US: cheque = check, draft); stumer (GB, col.); cheque without funds (US: cheque = check)

efecto de compensación, clearing draft

efecto de remesa, outward draft

efecto descontable, discountable bill

efecto documentario, documentary bill; documentary draft

efecto domiciliado, domiciled bill (US: bill = draft); domiciled draft (GB: draft = bill)

efecto financiero, finance bill

efecto interbancario, bank draft; bankers´cheque (US: cheque = check, draft); bank bill; check (banking check)

efecto multiplicador, multiplying effect

efecto negociable, negotiable draft

efecto neto, net effect

efecto no acompañado de documentos, straight bill; clean bill

efecto no documentario, clean draft

efecto pagadero a la llegada de la mercancía, arrival draft

efecto protestado, protested bill (US: bill = draft); protested draft; noted bill

efecto renta, income effect

efecto sobre el extranjero, external bill (US: bill = draft)

efecto sobre el propio país, domestic bill

efecto sobre la plaza, local bill; local draft

efecto vencido, due bill

efectos a cobrar, bills (of exchange) for collection; collect bills; collection items; bills receivable; drafts to collect; drafts to be collected; bills to collect; notes receivable; receivables; uncollected items

efectos a cobrar sin pago de comisión, par items

efectos a pagar, drafts to be paid (GB: drafts = bills); bills to be paid (US: bills = drafts); drafts payable (GB: drafts = bills); bills payable (US: bills = drafts); notes payable; payables; notes to be paid; bills to pay

efectos al cobro, bills (of exchange) for collection; collect bills; collection items; bills receivable; drafts to collect; drafts to be collected; bills to collect; notes receivable; receivables; uncollected items

efectos al cobro sin devengo de comisión, par items

efectos bancarios, bank paper

efectos comerciales, commercial paper; busines paper; mercantile paper; trade bills

efectos comerciales descontados, trade bills discounted

efectos de comercio a más de noventa días, trade notes over ninety days

efectos de comercio hasta noventa días, trade notes up to ninety days

efectos de comercio negociables, negotiable instruments; marketable securities

efectos de dudoso cobro, doubtful bills receivable

efectos de favor, accommodation paper

efectos descontados, bills discounted; discounted bills; discounted notes; notes discounted

efectos en cartera, bills on hand; notes on hand

efectos financieros, financial paper

efectos fiscales, tax purposes

efectos librados sobre el extranjero, drafts drawn on a foreign country (GB: drafts = bills); bills drawn on a foreign country (US: bills = drafts); foreign drafts; foreign paper

efectos mobiliarios, movables; movable effects; personal estate; personal property; ready property movables; things personal; goods and chattels; bona mobilis (Lat.); contents (personal property); fixtures

efectos negociables, commercial paper; busines paper; mercantile paper; trade bills

efectos no atendidos a su vencimiento, bills not honoured at maturity (US: honoured = honored)

efectos pendientes de cobro, effects not cleared; effects pending settlement

efectos redescontables, eligible paper

efectos redescontados, rediscounted notes

efectos redescontados o endosados, rediscounted or endorsed bills

efectos respaldados por productos básicos, commodity paper

efectos y créditos, loans and discounts; current loans and discounts; ordinary loans and discounts

efectos y demás obligaciones a pagar, notes payable and other liabilities

efectuar nuevas disposiciones del crédito, reborrow

eficiencia de producción, production efficiency

eficiencia estimada, estimated efficiency

egresos, cash disbursements; outgoes (sing.: outgoes = outgo); outlays (sing.: outlays = outlay); disbursements; outflows

egresos de capital, capital outflow

ejecución, performance

ejecución (de una hipoteca), foreclosure (of a mortgage)

ejecución de la ley, law enforcement

ejecución efectiva de la orden, fill

ejecutar (una hipoteca), foreclose (a mortgage)

ejecutar de nuevo un programa informático (comp.), rerun

ejecutar un contrato, enter into a contract; execute a contract; make a contract; seal an agreement; sign a contract

ejecutar una orden, execute an order; fill an order

ejecutiva (n.), management; directorship; administration; executive committee; management committee

ejecutivo (n. & adj.), executive; managerial

ejecutivo de ventas, sales executive

ejecutivo eficiente y muy ambicioso, fireball (col.)

ejecutor (n.), executor

ejecutora (n.), executrix

ejemplar (n.), copy

ejemplar original, top copy

ejercer (en calidad) de fiduciario, act as trustee

ejercer (en calidad) de garante, act as surety

ejercer como distribuidor (ventas), trade (v.); deal (v.); merchandise (v.); transact (v.); market (v.)

ejercer presión colectiva para que se apruebe o no algo (leyes, etc.), lobby (n. & v.); pressure group (lobby)

ejercer presión para, press

ejercer presión sobre los círculos financieros, exert pressure on financial circles

ejercer un cargo, hold office; serve an office; act as (a)

ejercicio actual, current year

ejercicio anticipado, early exercise

ejercicio contable, accounting period

ejercicio de evacuación de emergencia por incendio, fire drill

ejercicio de una opción, option exercise

ejercicio económico, business year; financial year; fiscal year; trading year

ejercicio fiscal, business year; financial year; fiscal year; trading year

ejercicio precedente, previous year

el Fisco, the Treasury (US)

el mejor escribano echa un borrón (Esp., col.), slip of the pen

el negocio ha sido un fracaso, the bearded lady has gone bold

el Tesoro, the Treasury (US)

elasticidad de la demanda, elasticity of demand

elasticidad del margen financiero, elasticity of the financial margin

elección de razones significativas, choice of significative ratios

elegido al azar, randomly selected

elegir, select (v.); choose (v.); pick up (col., v.)

elemento, element; factor

elemento componente, member

elemento de concesión, grant commitment; grant element

elementos de incertidumbre, elements of uncertainty

elementos de producción, producer goods

elevación, increase (n.); rise (n); growth; accretion; increment

elevación de los tipos de interés, rise in interest rates

elevada condición, high degree

elevado al año, annualized

elevar al cubo, cube

elevar apelación, appeal (v.); appellate; petition (v.); file an application with

elevar los tipos de interés, raise interest rates; increase interest rates

elevar recurso de reforma, appeal for amendment (v.)

elevarse a (un importe de), amount (v)

elevarse a una suma global de, amount overall to

eliminación de cláusulas desfasadas (contratos), removal of outdated clauses (agreements)

eliminación de un activo fijo en uso, abandonment

eliminar, delete; clear (v.); suppress

eliminar (suprimir), remove (v.)

eliminar del texto, suppress from the wording

eliminar fallos, debug

eliminar un registro, delete a record

eludir, avoid; preclude; prevent

eludir (el pago de) impuestos, evade taxes

emanante de, arising from

emanante de la condición jurídica, arising from the legal status

emanar de, arise from

emanar de la condición jurídica, arise from the legal status

embalaje, packing

embalaje apto para el transporte marítimo, seaworthy packing

embalaje, carga y embarque (coste), crating, loading and shipping (costs)

embarcable (adj., masc. & fem.), shippable (adj.)

embarcadero, shipside; dock; quay; jetty

embarcador, consigner (consigner = consignor); consignor (consignor = consigner); forwarder; sender (shipper); shipper; freighter; shipping agent

embarcar mercancía, load (v.)

embargable (adj., masc. & fem.), forfeitable; attachable

embargado (n.), lienee

embargado(adj.), attached

embargador, garnisher; attacher; lienor

embargante (n.), lienor; garnisher; attacher

embargar, apprehend; attach; confiscate; impress; seize; sequester; enforce; execute; arrest (v.); take into custody

embargo, attachment; forfeit; forfeiture; seizure; embargo (pl.: embargo = embargoes); garnishee; levy (n.); distraint

embargo comercial, trade embargo

embargo de bienes, garnishment

embargo de fondos, seizing of funds

embargo de fondos provenientes del narcotráfico, forfeiture of funds from drug trafficking

embargo de las mercancías en tránsito por el vendedor, stoppage in transit

embargo ejecutado contra un no residente, foreign attachment

embargo fiscal, tax lien

embargo por impago de tributos, tax lien

embargo preventivo, lien; right of lien

embarque, lading, freight, load (n.); shipment; consignment

embarque de mercancía inferior a lo estipulado, undershipped merchandise

embarque parcial, partial shipment

embarque parcial de mercancía, part shipment

embarques de artículos para la exportación, export shipments

embarques parciales permitidos, partial shipments allowed

embaucador, fraud (man / woman); swindler; con (man & woman); confidence trickster (US); trickster (US); crook; operator (swindler)

embaucamiento, con (US); con trick (US); confidence game (GB); fraud; swindle (n.)

embaucar, swindle (v.); con (US., col., v.); deceive; ream (US., col., v.); fleece

embaucar mediante pasaporte falso, delude with a fraudulent passport

embolsarse, cash in; purse up (col.)

embustero, forger; crook (col.); adulterator

emergente, rising; increasing

emigración, emigration

Emilio (mensaje) (Esp., col.), electronic mail (E-mail); E-mail (ab. electronic mail)

emisión, issue (n. & v.)

emisión (a escala) nacional, domestic issue

emisión (de ámbito) nacional, domestic issue

emisión al descuento, discount issue

emisión colocada con anterioridad a su lanzamiento, bought deal

emisión comprada, bought deal

emisión contra aportaciones no dinerarias, issue against non-monetary subscriptions

emisión cubierta, covered writing

emisión de acciones, share issue

emisión de acciones liberadas, scrip issue

emisión de bonos, bond issue; debt issue; issue of debt

emisión de bonos al portador, bearer bond issue

emisión de bonos en dólares australianos por una sociedad extranjera, dingo issue

emisión de bonos exteriores, issue of foreign bonds

emisión de bonos nacionales, issue of domestic bonds

emisión de conversión, conversion issue

emisión de cupones, coupon issue

emisión de licencias de importación, issuance of import licenses

emisión de moneda, issue of currency; currency issue

emisión de nuevos cupones, issuing of new coupons; renewal of coupon sheets; new coupon sheet issuance

emisión de obligaciones, bond issue; debt issue; issue of debt

emisión de obligaciones al portador, bearer bond issue

emisión de obligaciones exteriores, issue of foreign bonds

emisión de pagarés, bond issue; debt issue; issue of debt

emisión de pagarés exteriores, issue of foreign bonds

emisión de pagarés nacionales, issue of domestic bonds

emisión de renta fija, bond issue; debt issue; issue of debt

emisión de tarjetas, card output

emisión de tarjetas de crédito, credit card issuance

emisión de títulos suscrita en exceso, oversubscribed issue

emisión en dos tramos, dual tranche

emisión escalonada, tap issue

emisión exterior, foreign issue

emisión extranjera, foreign issue

emisión fiduciaria, fiduciary issue

emisión gota a gota (col.), tap issue

emisión gratuita, bonus issue

emisión gratuita de acciones, no-charge share issue

emisión interna, domestic issue

emisión liberada, bonus issue

emisión negociada, negotiated deal

emisión parcial, tranche

emisión precolocada, bought deal

emisión renovable garantizada, revolving underwriting facility (RUF); RUF (ab. revolving underwriting facility)

emisión sin cobertura, fiduciary issue

emisión sin redención anticipada, bullet issue

emisor, issuer

emisor (comp.)**,** emitter (comp.)

emisor de opción, writer

emisor del efecto, drawer

emitido y en circulación, issued and outstanding

emitir, issue (v.)

emitir (una) decisión arbitral, award (v.)

emitir bonos, issue bonds

emitir contra aportaciones no dinerarias, issue against non-monetary subscriptions

emitir obligaciones, issue bonds

emitir papel a tipos inferiores a los vigentes en el mercado, issue paper at sub-market rates

emitir renta fija, issue bonds

emitir sentencia, award (v.)

emitir un cheque, draw a cheque (US: cheque = check); draw a check (GB: check = cheque); issue a cheque (US: cheque = check); issue a check (GB: check = cheque); make out a draft (US)

emitir un dictamen, issue a ruling

emitir un empréstito, float a loan

emitir un voto, poll (v.)

emitir una factura, invoice (US: invoice = bill) (v.); bill (GB: bill = invoice) (v.)

emitir una letra de resaca (Esp.)**,** redraft (v.)

emolumentos, salary (pl.: salary = salaries); wages; remuneration; wages and salaries; addlings (col.); pay (n.); emoluments

emolumentos de los consejeros, statutory fees; statutory payments; directors´ fees

emolumentos salariales, salary (pl.: salary = salaries); wages; remuneration; wages and salaries; addlings (col.); pay (n.)

empacado, packing

empadronamiento a efectos tributarios, tax roll

empañamiento de la bodega, ship´s sweat

empaquetado, packing

empaquetamiento, packing

empaquetar, parcel (v.)

emparejamientos monetarios, currency pairings

empeñador, pledger (pledger = pledgor)

empeñar, hypothecate; mortgage (v.); pawn (v.); hock (v., col.); affect (v.); affect; pignorate

empeñar la palabra, pledge one´s word

empeoramiento, decline (n.); drop (n.); decrease (n.); setback; deadlock; standstill; stasis; stagnancy; stagnation; breakeven point

empeoramiento de las posiciones de liquidez internacional, impairment of international liquidity positions

empeoramiento del nivel de vida, decline in living standards

emplazamiento a la huelga, strike call

emplazar, appoint; nominate

empleado, clerk; accounts clerk; employee (pl. employee = employees / staff); jobholder (US)

empleado auxiliar del departamento contable, assistant bookkeeper

empleado comodín, jack of all trades (col.)

empleado competente, journeyman (col.)

empleado con jornada parcial, part-time employee

empleado con poderes de firma, accountable officer; holder of procuration; attorney in fact; authorized officer; agent; actor; proxyholder

empleado corruptible, purchasable employee

empleado de (los que van de) azul (Esp., col.)**,** blue collar worker

empleado de almacén, warehouse man

empleado de atención al público, counter clerk

empleado de banca (US)**,** banker; Lombard (n., col.); bank clerk

empleado de banca de pura raza (Esp., col.)**,** trueborn banker (col.); true-bred banker

empleado de confianza, trusted employee; trustworthy employee; confidential employee

empleado de la bolsa de valores, blue button (GB, col.)

empleado de mayor antigüedad, senior officer (Sr. officer); Sr. officer (ab. senior officer)

empleado de mayor edad, senior officer (Sr. officer); Sr. officer (ab. senior officer)

empleado de mayor edad en un departamento (Esp., col.: **abuelete),** daddy (col.)

empleado de menor antigüedad o categoría, junior (Jr.); Jr. (ab. junior)

empleado de mérito, deserving employee

empleado de mostrador, counter clerk

empleado de pocas entendederas (Esp., col.), dense(-brained) employee (col.); dawdler

empleado de pocas luces (Esp., col.), dense(-brained) employee (col.); dawdler

empleado de ventanilla, counter clerk

empleado desleal, disloyal employee

empleado digno de (promoción, encomio, respeto, etc.), deserving employee

empleado duro de mollera (Esp., col.), dense(-brained) employee (col.); dawdler

empleado eficiente, efficient employee (pl.: employee = employees / staff)

empleado eventual, casual worker; jobber (casual worker)

empleado eventual en (período de) prácticas, articled clerk

empleado excelente (col.), crack worker (col.)

empleado jubilado, retired employee

empleado muy trabajador, journeyman (col.)

empleado que cambia de trabajo a menudo, job hopper (col.)

empleado retirado, retired employee

empleado venal, purchasable employee

empleador, employer; master (n.); entrepreneur

empleados, personnel; staff

empleados (plantilla), staff (pl.: staffs / staves)

empleados trabajadores y eficaces, active and efficient staff

emplear inadecuadamente, misuse

empleo, post (n.); emloyment; job (n.); service; location

empleo (puesto), job (human resources)

empleo de fondos, funds used

empleo de la financiación, application of funds

empleo del líquido, use of proceeds

empleo fijo, regular job

empleo inadecuado, misuse

empleo vacante, opening

empleos, assets

empleos medios en divisa, average foreign currency assets

empleos medios en pesetas, average peseta assets

empleos reglamentados, regulated assets

empleos reglamentados y no rentables, regulated and nonearning assets

empleos totales, total assets

emprendedor (adj.), entrepreneurial

empresa, enterprise

empresa asociada, associated company

empresa bien considerada, reputed firm

empresa colectiva, joint adventure; joint venture; joint enterprise

empresa con máxima calificación de solvencia, AAA-rated company

empresa controlada, daughter company (US = subsidiary); subsidiary (GB = daughter company); affiliated company; allied company; controlled company

empresa de capital-riesgo, venture capital company

empresa de gran solera, time-honoured firm

empresa de mala fama, firm of ill repute

empresa de riesgo conjunto, venture capital company

empresa de servicios públicos, public utility company

empresa de transportes marítimos, sea carrier

empresa de transportes por camión, motor carrier

empresa del sector privado, private sector company

empresa del sector público, public sector company

empresa descapitalizada, undercapitalized concern

empresa especulativa, adventure; jobbing; speculation

empresa fantasma, bogus company

empresa filial, daughter company (US = subsidiary); subsidiary (GB = daughter company); affiliated company; allied company; controlled company

empresa filial en el extranjero, foreign daughter (company); foreign affiliated company

empresa ilegal (col.)**,** wildcat (col.)

empresa individual, self-employed individual; sole trader

empresa marcada por operar con un país sujeto a boicot, designated national

empresa más valiosa de un grupo, crown jewel (col.)

empresa mercantil, trading concern

empresa naviera, shipping company

empresa privada, private enterprise; private business

empresa pública, public sector company

empresa que explota a sus trabajadores, sweatshop (col.)

empresa solvente, reputed firm

empresaria, manageress (masc. = manager); businesswoman (m. businesswoman = businessman)

empresarial, entrepreneurial

empresarial (adj., masc. & fem.)**,** clerical (adj.); administrative (adj.)

empresario, employer; master (n.); entrepreneur

empresario por cuenta propia, BFS (ab. business for self); business for self (BFS)

empresas mixtas, quasi-public companies

empresas privadas de interés público, quasi-public companies

empresas semioficiales, quasi-public companies

empréstito, borrowing

empréstito a la gruesa, bottomry; gross adventure; loan on bottomry; marine loan; maritime loan

empréstito conjunto, joint loan

empréstito de consolidación, funding loan

empréstito en moneda extranjera, foreign currency loan

empréstito forzoso, forced loan

empréstitos netos, net borrowing

emular (comp.)**,** emulate (comp.)

en (concepto de) pago parcial, in partial payment

en (curso de) fabricación, in process

en (el) caso de, in the event of

en (el) ejercicio, acting (adj.); provisory (adj.); make-do (adj.); make-shift (adj.); interim

en (fase de) proceso, in process

en almacén, in stock

en alza, rising; increasing

en aplicación de la ley, statutory

en aumento, rising; increasing

en baja, falling (adj.); bear; bearish (adj.); diminishing (adj.)

en blanco (sin rellenar), blank

en breve, forthwith; presently

en buen (estado de) funcionamiento, in working order

en cascada, cluster

en caso necesario, if need be

en cifra(s), in figures

en común, jointly; conjointly; two-name (adj.)

en conclusión, finally

en concreto, in particular

en condiciones de navegar, seaworthy

en confianza, in strict confidence

en conjunto, as a whole

en connivencia con, in connivance with

en consignación, on consignment

en contra de, versus (V.); V. (ab. versus); contrary to

en contra de lo esperado, contrary to expectations

en crisis, ailing state

en cuanto Vd. pueda, at your earliest convenience

en curso, current (adj.); present (adj.)

en curso (mes), instant (ab. inst.); inst. (ab. = instant)

en depósito, in bond

en descenso, falling (adj.); bear; bearish (adj.); diminishing (adj.)

en descubierto, no funds (NF); NF (ab. no funds)

en dinero, in the money (ITM); ITM (ab. in the money)

en dinero contante y sonante (Esp., col.), in specie

en dos copias, in two copies

en efectivo, in cash

en el centro de trabajo, on the job

en el curso de dos días hábiles, within two business days; within two working days

en el estado en que se encuentra, as is

en el extranjero, abroad (other countries); beyond the seas

en el mejor de los casos, at best

en el momento de la emisión, at the time of issuance

en el paro (Esp.), idle (adj.); jobless (adj.); unemployed (adj.)

en el preciso momento, just in time

en el presente, herein

en el primer lugar del ranking, on top of the ranking; ranking first

en el primer puesto de la clasificación, on top of the ranking; ranking first

en el transcurso de dos días laborables, within two business days; within two working days

en el transcurso del año, in the course of the year

en espera de su dueño legítimo, abeyant

en existencia, in stock

en fábrica, EXW (ab. ex works); ex works (EXW)

en favor de, in favour of (US: favour = favor); in behalf of (B/O); B/O (ab. in behalf of); F/O (ab. in favour of)

en firme, outright

en funciones, acting (adj.); provisory (adj.); make-do (adj.); make-shift (adj.); interim

en gran cantidad, bulk

en la medida de lo posible, as far as possible

en la medida que, insofar as

en letra, in words; in writing; in ink

en libertad bajo fianza, remanded on bail

en libertad para, free to

en línea, on line

en línea con, in line with

en líneas generales, in outline

en lo que a .... respecta, as concerns; with regard to; regarding; as to

en lo que a .... se refiere......., as concerns; with regard to; regarding; as to

en lo que a nuestro banco se refiere, as far as our bank is concerned

en lo referente a, as concerns; with regard to; regarding; as to

en lugar de, in lieu of

en metálico, in specie

en modo alguno, by no means

en mora, overdue

en nombre de, on behalf of

en números rojos (Esp., col.), no funds (NF); NF (ab. no funds)

en paralelo, parallel

en paridad, at par

en particular, in particular

en perfecto (estado de) funcionamiento, in working order

en plenitud de facultades mentales, compos mentis (Lat.)

en posesión de todas sus facultades mentales, compos mentis (Lat.)

en prisión preventiva, remanded in custody

en profundidad, broken down; in-depth (adj.); comprehensive (adj.)

en propiedad, in fee

en proporción, pro rata

en racimo, cluster

en regla, above the board

en reserva, para utilizar cuando sea necesario, standby

en rojo (Esp., col.), no funds (NF); NF (ab. no funds)

en seguida, forthwith; presently

en serie, progressive (adj.); serial (adj.); sequential (adj.)

en situación de quiebra, bankrupt; shipwrecked (col.); insolvent

en stock, in stock

en su sano juicio, compos mentis (Lat.)

en suspenso, abeyant

en tanto el préstamo siga pendiente de reembolso, as long as the loan remains outstanding

en términos bancarios, in banking terms

en términos reales, in real terms

en testimonio de lo cual, in witness whereof

en tiempos de crisis, in times of crisis

en tierra, ashore; on shore

en todo caso, in any event

en todos los estadios decisorios, at all decision-making levels

en trámite, in process

en vías de desinversión, in process of realization

en vías de negociación, in ways of negotiation

en vigor hasta, valid until

en virtud del presente, hereby

en vista de que, whereas; having regard to; since

enajenable, alienable

enajenación (mental), alienation

enajenación (venta), abalienation; divestiture

enajenación de activos, asset disposal

enajenación de propiedad, alienation of property

enajenación hipotecaria, foreclosure sale

enajenador, alienor

enajenante, alienor

enajenar (mentalmente), alienate

enajenar (venta), divest; abalienate; hive off (col.); sell

enajenar acciones, sell stocks

encabezado por, headed by

encabezamiento, heading

encabezar, head (v.)

encabezar un grupo bancario, head a banking group

encaje, floating money; money on hand; ready money; cash available; cash (on hand)

encaje legal, legal reserve ratio

encallar (embarcaciones), go ashore (craft)

encarcelamiento, lockup

encarecer, overvalue

encarecidamente recomendado (Esp.), strongly recommended

encargado de blanquear dinero negro, cash launderer

encargado de fijar el impuesto sobre consumo, exciseman

encargado de la entrega de notificaciones judiciales, process server

encargado de relaciones públicas, public relations head

encargado de ventas, sales manager

encargado del registro municipal, town clerk

encargar, order; court order; writ

encargar por correo, order by mail

encargo, order; court order; writ

encargo (de hacer un trabajo), assignment

encargo de trabajos a firmas del exterior, outsourcing

encargo formulado por correo, mail order

encargo telefónico, telephone order; phone order

encauzar, channel (n. & v.)

encerrado (posición coyuntural difícil), locked in

encontrar una ganga, strike a bargain

encontrarse bien impuesto acerca de, be clued up about

encontrarse con, meet (v.)

encontrarse dispuesto a lo que sea, be ready and willing

encontrarse en buen estado de funcionamiento, be in working order

encontrarse en números negros (col.), be in the black (col.)

encontrarse en números rojos (col.), be in the red

encontrarse en un aprieto, be in a jam (col.)

encontrarse familiarizado con, be conversant with

encontrarse inactivo, be idle

encontrarse pendiente (de resolución o ejecución), be on hold

encriptado de mensajes, encoding; encryption

encriptar un mensaje, codify; encode

encuadramiento, framing

encuesta, poll (n.)

enchironamiento (Esp., col.)**,** lockup

endeudamiento interno del estado, domestic debt

endeudamiento sin colateral, unsecured indebtedness; unsecured loan; unsecured credit

endeudarse, run into debt(s)

endosado en blanco, blank endorsed

endosante, endorser; indorser

endosar, back (v.); guarantee (v.); collateralize; endorse; bail; furnish bail; bond (v.); provide collateral; furnish security; give bond

endosar en blanco, endorse in blank

endosar una letra, endorse a bill

endosatario, endorsee; indorsee

endoso absoluto, absolute endorsement

endoso bancario, bank endorsement

endoso completo, endorsement in full; full endorsement; full indorsement

endoso completo, con exclusión de responsabilidad, qualified endorsement

endoso de favor, accommodation endorsement

endoso en blanco, blank endorsement; endorsement in blank; regular indorsement; blank transfer

endoso irregular, anomalous endorsement

endoso total, absolute endorsement

enfermedad laboral, occupational disease

enfermedades no laborales, non-occupational diseases

enfermedades ordinarias, non-occupational diseases

enfermo (adj.)**,** sick; ill

enfrentarse a un problema, deal with a problem; tackle a problem

enfriarse (una situación de recalentamiento económico), cool down (an overheated economic situation)

enganchar con las manos en la masa (Esp., col.)**,** catch red-handed

engañar, abuse (v.)

engañar con un pasaporte falso, delude with a fraudulent passport

engaño, con (US); con trick (US); confidence game (GB); fraud; swindle (n.)

engañoso, false; misleading; fraudulent

engatusar para, bamboozle into (col.)

enjugar el déficit en cuenta corriente, fund the current account deficit

enjuiciable (adj., masc. & fem.)**,** prosecutable

enjuiciamiento civil, civil procedure

enlace sindical, delegate (n.); representative (rep); rep (ab. representative) (col.)

enlace sindical (GB)**,** convener; convenor

enmienda estatutaria, amendment of bylaws

enmiendas aplicadas por la vía rápida, fast-track amendments

enmiendas de aplicación inmediata, fast-track amendments

enorme, huge

enormes sumas de dinero, huge amounts of money

enredarle a uno para, bamboozle into (col.)

enriquecimiento del trabajo, job enlargement

ensamblar, assemble (v.); compile (v.)

ensayar, test (v.)

enseres, movables; movable effects; personal estate; personal property; ready property movables; things personal; goods and chattels; bona mobilis (Lat.); contents (personal property); fixtures

entablar demanda, bring suit

entablar demanda judicial contra, take legal action against

entablar pleito, cause suit to be brought; file a suit; implead; litigate; put in suit; sue; plead

entablar pleito contra, proceed against; take to court

ente, entity

ente jurídico, corporate individual; artificial person; corporate entity; legal entity

ente público, government agency (pl.: agency = agencies)

ente semiautónomo, quango (col.)

entender erróneamente, misunderstand

entero (bolsa), full point

entidad, entity

entidad autofinanciada, self-supporting institution

entidad bancaria (n. fem.), bank (n.); banking company (US); banking house (GB); banking institution

entidad bancaria extranjera, foreign banking institution

entidad bancaria no afiliada, independent bank

entidad bancaria prestigiosa, banking institution of great renown

entidad de ahorro, savings institution

entidad de crédito y ahorro, savings and loans institution

entidad emisora (créditos documentarios, aceptaciones, avales, etc.), issuing bank (LCs, acceptances, guarantees, etc.); issuing house (LCs, acceptances, guarantees, etc.)

entidad encargada de mantener fluido el mercado para un valor concreto, specialist

entidad extranjera, alien institution

entidad filantrópica, non-profit institution

entidad financiera, financial institution

entidad gestora de mercado de deuda pública, public debt market managing company (PDM managing company); PDM managing company (ab. public debt market managing company)

entidad intermediaria que mantiene el anonimato entre comprador y vendedor, blind broker; interdealer broker (ab. IDB); IDB (ab. interdealer broker)

entidad liquidadora, clearing house

entidad no accionaria, non-stock institution

entidad que intenta absorber a otra, raider (institution)

entidades de crédito y ahorro, banking (system); trust and loan companies (US); credit institutions; lending institutions

entorno, environment

entorno adverso, adverse environment

entorno comercial, business environment

entorno operativo, trading environment

entorno sujeto a regulación, regulated environment

entorpecer, obscure (adj. & v.)

entorpecer la auditoría, obscure audit trail

entrada (boleto), ticket

entrada (comp.), input (comp.)

entrada (de datos, instrucciones, etc.) por teclado, keyboard entry

entrada de capital, afflux of capital; capital inflow; influx of capital

entrada de datos al ordenador, computer input

entrada de divisas, exchange inflow

entrada de mercancías, entry of goods

entrada de tarjetas, card input

entrada en posesión a posteriori, delayed delivery

entrada en vigor, coming into force; enforcement

entradas, earned profit; income; inflows; receipts

entradas acumuladas, accrued income; accrued revenue(s)

entradas brutas, revenue

entradas brutas acumuladas, accrued gross receipts

entradas de divisas, foreign exchange receipts; foreign exchange inflow

entradas efectivas, real income

entradas líquidas, net receipts

entradas netas, net earnings; net income; net proceeds; net profit; net return; net revenue; after-tax yield; after-tax earnings

entradas y salidas, receipts and disbursements; receipts and expenditures

entrar a formar parte del personal de la empresa, rank the company's staff

entrar en Bolsa, go public

entrar en contacto con, contact

entrar en funcionamiento, come into service; render operative

entrar en posesión de, take possession of

entrar en posesión de un bien, acquire property

entrar en quiebra, become bankrupt; fail (become bankrupt); go into bankruptcy; go into receivership; crack (v., col.)

entrar en ruina, fall into decay

entrar en suspensión de pagos, become bankrupt; fail (become bankrupt); go into bankruptcy; go into receivership; crack (v., col.)

entrar en vigor, take effect; become effective

entre comillas, between quotes

entre paréntesis, in brackets

entrega, surrender (n.); delivery (n.)

entrega contra aceptación, delivery against acceptance (DAA); documents against acceptance (DAA); DAA (ab.: delivery against acceptance; documents against acceptance)

entrega contra el pago del importe, collect on delivery (COD); COD (ab. collect on delivery); delivery against payment (ab. DAP / DP); DAP (ab. delivery against payment); cash on delivery (COD / CD); delivery versus payment (ab. DVP); DVP (ab. delivery versus payment); cash against delivery (CAD); CAD (ab. cash against delivery)

entrega contra firma del destinatario, recorded delivery

entrega contra reembolso, collect on delivery (COD); COD (ab. collect on delivery); delivery against payment (ab. DAP / DP); DAP (ab. delivery against payment); cash on delivery (COD / CD); delivery versus payment (ab. DVP); DVP (ab. delivery versus payment); cash against delivery (CAD); CAD (ab. cash against delivery)

entrega de cupones, surrender of coupons

entrega diferida, delayed delivery

entrega futura, forward delivery

entrega inferior a lo solicitado, short delivery

entrega inmediata (paquetería), urgent post (US: post = mail); urgent mail (GB: mail = post); special delivery; immediate delivery; express courier

entrega, derechos no pagados, DDU (ab. delivered duty unpaid); delivered duty unpaid (DDU)

entrega, derechos pagados, DDP (ab. delivered duty paid); delivered duty paid (DDP)

entregable más barato (EMB), cheapest to deliver (CTD)

entregable más económico, cheapest to deliver (CTD)

entregado en frontera, DAF (ab. delivered at frontier); delivered at frontier (DAF)

entregar, surrender (v.); deliver (v.); waive

entregar en depósito a un tercero, escrow (v.)

entregar en garantía, pledge (v.)

entrevista personal con apoyo de ordenador, CAPI (ab. computer-assisted personal interview; computer-assisted personal interview (CAPI)

entrevista telefónica con apoyo de ordenador, CATI (ab. computer-assisted telephone interview); computer-assisted telephone interview (CATI)

entrevistarse con, meet (v.)

envergadura, scale (n.); size

enviar (una carta), address (v.); send

enviar un cable a, cable

enviar un mensaje, message

enviar una carta circular, address a circular letter

enviar una letra al protesto, have a draft protested

envío parcial de mercancía, part shipment

envíos fraccionados, partial shipments

envíos parciales, partial shipments

epígrafe, caption; item

época de crisis, hard times

equilibrado, balanced

equilibrio (entre activo y pasivo), matching (of assets and liabilities)

equilibrio entre poder y gestión, balance in power and management

equilibrio interregional, interregional balance

equipamiento, equipment; fixtures and installations; furniture and installations

equiparable, comparable

equipo de ayuda, platoon (milit., col.); task force (mil., col.); work team

equipo de especialistas, specialist team

equipo de mecanización, data processing equipment

equipo de oficina, office equipment

equipo de personas, crew; ship´s company

equipo de proceso de datos, data processing equipment

equipo de trabajo, platoon (milit., col.); task force (mil., col.); work team

equipo de trabajo sin número fijo de integrantes, open-end task force

equipo especializado, specialist team

equipo estratégico, strategic team

equipo físico (comp.), hardware

equipo gestor, management; directorship; administration; executive committee; management committee

equipo inactivo, inactive equipment

equipo informático, data processing equipment

equipo lógico (comp.), software

equipo material, hardware

equipo periférico (comp.), peripheral equipment

equipo periférico de marcaje y clasificación (comp.), peripheral coding and sorting

equitativo, fair (adj.)

equivalencia, par of exchange; parity change; real par of exchange; countervalue; par; exchange parity

equivalencia futura, futures contract

equivaler, correspond

equivaler a, amount (v)

equivocado, incorrect

equívoco, false; misleading; fraudulent

erario, finance (n.); financial resources

ergonomía, ergonomics

ergonómico, ergonomic

erogaciones, cash disbursements; outgoes (sing.: outgoes = outgo); outlays (sing.: outlays = outlay); disbursements; outflows

erosionado, undermined

errar, miss (v.); omit (v.)

error aparente, apparent defect

error constante, constant error

error de aceptación, acceptance error

error de ajuste por volatilidad, mispricing

error de pluma, slip of the pen

error de proceso (comp.), processing error

error de rastreo, tracking error

error de seguimiento, tracking error

error de sincronización, timing error

error de subestimación, underestimation error

error de truncamiento, truncation error

error manifiesto, apparent error

error tabular, standard error

erudito en temas bancarios, banking scholar

es decir, id est (IE) (Lat.); IE (Lat., ab. = id est)

escabullirse de, cop out of

escala, scale (n.); size

escala de incrementos, incremental scale

escala de sueldos, scale of wages

escala de vencimientos, maturity range

escala jerárquica de una sociedad, corporate ladder

escala nacional, country-wide

escala progresiva, progressive scale

escala salarial, scale of wages

escalafón, scale (n.)

escalafón de una empresa, corporate ladder

escalafón salarial, scale of wages

escalera de incendios, fire escape

escalonado, progressive (adj.); serial (adj.); sequential (adj.)

escalonamiento, laddering

escamarse (col.), smell a rat

escamoteo (Esp., col.), pilferage; larceny; petty larceny; petty theft; abstraction

escaparate (Esp.), shopwindow

escaqueador (Esp., col.), absent without leave (AWOL); absentee; AWOL (ab. absent without leave)

escaquearse (Esp., col.), decamp (col.)

escaqueos (Esp., col.), absences

escasa demanda, weak demand

escasa demanda de un valor bursátil, narrow market

escasez, scarcity (pl.: scarcity = scarcities)

escasez de capital para invertir en países subdesarrollados, scarcity of capital to invest in underdeveloped countries

escasez de capitales, shortage of capital

escasez de dinero, money scarcity; money squeeze; money stringency

escasez de divisas, shortage of foreign exchange

escasez de dólares, dollar gap

escasez de mano de obra, labour shortage (US: labour = labor)

escasez de materias primas, scarcity of raw materials

escaso, insufficient

escindir, hive off

escisión, spin-off

escogido, A1 (adj.); AAA (adj.); first-class (adj.); select (adj.); chosen (adj.); first-choice (adj.)

escollo técnico, technical pitfall

escora, shore (n.)

escorar, shore (v.)

escotilla, hatch

escribanía (LA), notary´s office

escribano (LA), actuary

escribir, write

escribir a máquina, typewrite

escrito de acusación, bill of indictment

escritos de conclusión, final pleadings

escritura constitutiva, act of incorporation; incorporation papers (US); certificate of incorporation; general franchise; partnership articles; statutes of incorporation; corporation papers (US); articles of association; articles of partnership; articles of incorporation

escritura de (cesión en régimen de) fideicomiso, deed of trust

escritura de cesión (de derechos, propiedad, etc), assignment

escritura de compraventa, deed of sale

escritura de compromiso, deed of covenant

escritura de compromiso de confidencialidad, deed of secrecy

escritura de confirmación de deuda, antapocha

escritura de constitución, act of incorporation; incorporation papers (US); certificate of incorporation; general franchise; partnership articles; statutes of incorporation; corporation papers (US); articles of association; articles of partnership; articles of incorporation

escritura de contrato, indenture

escritura de descargo, deed of release

escritura de donación, deed of gift; deed of conveyance; deed of assignment; deed of indenture

escritura de enmienda, amendatory deed

escritura de garantía, deed of covenant

escritura de hipoteca, mortgage deed

escritura de modificación, amendatory deed

escritura de notario, notarial instrument; notary´s deed; notarial deed; notary´s instrument; deed

escritura de pleno dominio, deed in fee

escritura de préstamo e hipoteca, bond and mortgage

escritura de propiedad, title; title deed; right of ownership; deed of title; root of title; evidence of title; certificate of registration of title

escritura de propiedad de la casa, deed(s) to the house

escritura de propiedad del terreno, deed(s) to the land

escritura de traspaso, deed of gift; deed of conveyance; deed of assignment; deed of indenture

escritura fiduciaria, trust deed (US: trust deed = trust indenture); trust indenture (GB: trust indenture = trust deed)

escritura notarial, notarial instrument; notary´s deed; notarial deed; notary´s instrument; deed

escritura social, act of incorporation; incorporation papers (US); certificate of incorporation; general franchise; partnership articles; statutes of incorporation; corporation papers (US); articles of association; articles of partnership; articles of incorporation

escritura unilateral, deed poll

escriturar, deed (v.)

escrúpulos, qualms

escrutar, research (v.); analyze (v.); review (v.); reckon (up); question (v.)

escrutinio, poll (n.)

escuela de administración comercial, business school

escuela de gestión empresarial, business school

escuela de negocios, business school

escurrir el bulto (Esp., col.), cop out of

esencial (adj., masc. & fem.), centre (US: centre = center); center (GB: center = centre); core

esfumarse, decamp (col.)

eslabón, link

espacio en blanco, blank space

espantada (n., Esp., col.), breakaway

especialista, troubleshooter (col.)

especialista (masc. & fem.), specialist

especialista diestro (n.), skillful specialist (n.)

especialista en asuntos de la banca, banking scholar

especialista en estadística (n.), statistician (n.)

especializarse en banca industrial, specialize in merchant banking

especificación del puesto de trabajo, job specifications

especificaciones, specifications; articles and conditions; bidding specifications; schedule of conditions

espécimen (pl.: **espécimen = especímenes),** sample; bogey (col.); specimen

espécimen de firma, specimen signature

especulación, adventure; jobbing; speculation

especulación (mercados de divisas), agiotage

especulación a la alza, agio; usury

especulación bursátil, rigging

especulación con letras, job in bills; bill jobbing

especulación sobre terrenos, land jobbing

especulador (n.), speculator

especulador (opa), raider

especulador al alza en nuevas emisiones (col.), stag

especulador en valores bursátiles, rigger (col.)

especulador inmobiliario, land jobber

especulador por cuenta propia, jobber

especular, speculate

especular con valores bursátiles, job in stocks

especular en bolsa, rig; job (v.); gamble (stock exchange); dabble on the stock exchange

especulativo, commercial; business (adj.); mercantile; merchant (adj.)

especulativo (adj.), speculative (adj.)

esperanza matemática de vida, actuarial expectation

espurio (adj.), fake; falsification; forgery; sham; counterfeit; adulteration

esquela (impresa) de cierre de suscripción (col.), tombstone

esquema, pattern; shape

esquema de tipos de cambio, exchange rate pattern

esquirol, blackleg; fink (n.); squeaker (GB); scab (US); strike breaker

esquirolear, blackleg; fink (v.); squeaker (GB); scab (US); strike breaker

estabilidad cambiaria, exchange stability

estabilidad de los depósitos a la vista y de ahorro, stability of demand and savings deposits

estabilidad de los precios, price stability

estabilidad financiera, financial stability

estabilización económica, economic stabilization

estabilizado, pegged

estable (adj., masc. & fem.), secure

establecer, profile (v.); set (v.); stipulate (v.); state (v.); establish (v.); form; provide for (v.)

establecer (los) daños y perjuicios, assess damages

establecer relaciones de corresponsalía, establish agency arrangements

establecer un comercio, set up a business

establecer una fecha tope, establish a time limit

establecer una premisa, premise

establecer(se), basis (pl. = bases); base

establecido por la ley, statutory

establecimiento (ubicación), settlement

estación (época), season

estacional (adj., masc. & fem.), seasonal

estadía, lay days

estadística (n.), statistics

estadísticas fiables, reliable statistics

estadístico (adj.), statistical

estadístico (n.), statistician (n.)

estado, rank (n.); category; standing; state (n.); status (pl. status = statuses)

estado anual, annual statement; annual report

estado civil, marital status

estado comparativo, comparative statement

estado de compensaciones, clearing sheet

estado de crisis, state of crisis

estado de cuenta, account status report

estado de cuentas condensado, condensed statement

estado de cuentas sintetizado, condensed statement

estado de emergencia, state of emergency

estado de guerra, state of war

estado de operaciones realizadas, transactions statement; statement of transactions

estado de origen y aplicación de fondos, funds statement; application of funds statement

estado de pérdidas y ganancias, profit and loss account (P&L account); profit and loss statement (P&L statement); P&L statement (ab. profit and loss statement); P&L account (ab. profit and loss account); gain and loss exhibit; income statement

estado de resultados de operación, operating statement

estado de situación contable, accounting statement; financial statements

estado diario de caja, daily cash statement

estado formalmente reconocido, official status

estado general del trabajo, working trial balance

estado limítrofe, bordering state

estado mayor (Esp., col.), corridors of power

estado negativo de movimientos, nil report

estados contables, accounting books; books of record; books of account; accounting records

estados de origen y aplicación de fondos, statement of changes in financial position

estados financieros, accounting statement; financial statements

estados financieros agrupados, combined financial statement; consolidated financial statement

estados financieros consolidados, combined financial statement; consolidated financial statement

estados financieros de final de ejercicio, year-end financial statements

estados financieros del ejercicio, annual accounts

estados financieros presentados en formato "toda vista" (Esp.), at-a-glance financial data

estados financieros provisionales, interim financial statements

estados financieros resumidos, abridged financial statements

estadounidense (esp., **norteño),** Yankee (US)

estafa, con (US); con trick (US); confidence game (GB); fraud; swindle (n.)

estafa justiciable, actionable fraud

estafador, fraud (man / woman); swindler; con (man & woman); confidence trickster (US); trickster (US); crook; operator (swindler)

estafar, swindle (v.); con (US., col., v.); deceive; ream (US., col., v.); fleece

estafar a un banco, defraud a bank

estagflación, stagflation

estampación en relieve (tarjetas de plástico), embossing

estampar en relieve (tarjetas de plástico), emboss

estampilla, stamp; seal

estampillar, stamp; seal

estancado (adj.), stagnant (adj.)

estancamiento, decline (n.); drop (n.); decrease (n.); setback; deadlock; standstill; stasis; stagnancy; stagnation; breakeven point

estancamiento de la producción, output stagnation

estancamiento económico, economic standstill; economic stagnation

estancarse, stagnate

estanco (adj.), damp-proof

estanflación, stagflation

estar (metido) en chirona (Esp., col.), be in (the) jug (col.)

estar (metido) en la cárcel, be in (the) jug (col.)

estar a la que salta (Esp., col.), mouse

estar a la sombra (Esp., col.), be in (the) jug (col.)

estar al frente de, head (v.)

estar al loro (Esp., col.), be on the job

estar al tanto de, be aware of

estar alerta, be on the job

estar amparado por la ley de propiedad intelectual, be copyright (©); © (ab. copyright)

estar atento, be on the job

estar bajo empeño, be in hock (col.)

estar bajo prisión preventiva, be remanded on custody

estar bajo suspensión de pagos, placed in receivership; be in receivership

estar bien informado sobre, be clued up about

estar de servicio, be in attendance

estar de vacile respecto a (Esp., col.), joke about (col.)

estar desendeudado, be out of debt; be out of hock (col.)

estar detenido, be in custody

estar diplomado en banca internacional, hold a diploma in international banking

estar dispuesto a todo, be ready and willing

estar emparentado con alguien, be kin to somebody

estar en apuros, be in a jam (col.)

estar en buen estado de funcionamiento, be in working order

estar en conflicto con los sindicatos, be in dispute with the unions

estar en desacuerdo, discuss; argue

estar en números negros (col.), be in the black (col.)

estar en posesión de, hold (v.)

estar en rojo (col.), be in the red

estar en suspenso, be on hold

estar en tela de juicio, be in contention

estar endeudado con, be in debt with

estar enfermo, be sick; be ill

estar familiarizado con, be conversant with

estar incluido en un listado, appear on a list

estar libre de deudas, be out of debt; be out of hock (col.)

estar libre de polvo y paja (Esp., col.), be out of debt; be out of hock (col.)

estar ocioso, be idle

estar pendiente, remain outstanding

estar pendiente de venta, remain unsold

estar pluriempleado, double up shift; moonlight (v.)

estar por debajo de (en categoría, etc.), rank below

estar por encima (en categoría, etc.), rank above

estar preocupado por, be concerned about

estar sin blanca (Esp., col.), be dead broke (col.); run short of money; be on beam-ends (GB, col.)

estar sujeto a, subject to (v.)

estatuto, statute

estatutos, bylaws; statutes

estenografía, shorthand

estenógrafo (Esp.: **estenógrafo = taquígrafo),** steno (col.); stenographer

estiba, stowage

estibador, longshoreman

estibar, stow

estilo de una opción, option style

estimación, appraisal; assessment; appraising; evaluation; estimate (n.); valuation

estimación aproximada, rough estimate

estimación de gastos, costing

estimación directa, direct evaluation

estimación global, aggregate estimate

estimación objetiva, objective evaluation; objective estimate

estimación presupuestaria, budget

estímulo, boost (n.)

estipendio, stipend; stipendiary allowance

estipulación (n. fem.), stipulation

estipulación del tamaño del activo contratado, su vencimiento y condiciones, contract

estipular, profile (v.); set (v.); stipulate (v.); state (v.); establish (v.); provide for (v.)

estrado del jurado (Esp.), jury box

estrangulamiento, bottleneck (col.); squeeze

estrangulamiento económico, economic bottleneck

estraperlista (Esp.), black marketeer

estraperlo (Esp., col), black market

estratega (n. masc. & fem.), strategist (n.)

estrategia, strategy (pl: strategy = strategies)

estrategia a medio plazo, medium-term strategy

estrategia índice, index portfolio strategy

estrategias de gestión de riesgos, risk management strategies

estrategias defensivas, defensive strategies

estrategias pasivas, passive strategies

estratégico (adj.), strategic (adj.)

estratificar, stratify

estrecha colaboración, close collaboration; close cooperation

estrechamiento de la liquidez, strain of liquidity

estrecharse las manos, shake hands

estrecho (adj.), tight

estricta confidencia, strict confidence

estricto (adj.), tight (adj.); strict (adj.); stringent (adj.); inflexible (adj.)

estructura, setup; structure

estructura de administración y gobierno, organization

estructura de capital, capital structure

estructura de contabilización, accounting plan; plan of accounts

estructura de dirección, management structure

estructura de gestión, management structure

estructura de gestión (de tipo) piramidal, pyramid-style management structure

estructura de los depósitos, structure of deposits

estructura de los fondos, fund structure

estructura de los recursos ajenos, structure of deposits

estructura de los vencimientos, maturity schedule; schedule of maturities

estructura de pagos, structure of payments; payments structure; payments schedule; schedule of payments

estructura del colectivo de usuarios, user composition percentage

estructura dinámica, dynamic structure

estructura económica, economic structure

estructura financiera, setup; structure

estructura global de las balanzas de pagos, global pattern of payments balances

estructura jerárquica, chain of command; pyramid of command

estructura macroeconómica, macroeconomic framework

estructura normalizada, standardized schedule

estructura temporal de los tipos de interés, term structure of interest rates

estructuración, framing

estructuración de un proyecto, setup; structure

estructural (adj., masc. & fem.), structural

estructurar, schedule (v.);

estudiar detenidamente, study in depth

estudiar el historial, select (v.); choose (v.); pick up (col., v.)

estudiar en profundidad, study in depth

estudiar una fusión, contemplate a merger

estudio analítico, review (n.); revision

estudio de antecedentes, tracking work

estudio de mercados, market research; market survey; consumer research

estudio de motivaciones, motivation research

estudio de tiempos, time(-and-motion) study

estudio de viabilidad, feasibility study

estudio en profundidad, in-depth study

estudio grafológico, analysis of handwriting

estudio para la racionalización del trabajo, time(-and-motion) study

estudio pormenorizado, in-depth analysis

estudio sobre el ahorro, savings analysis

estudio sobre el grado de penetración de un anuncio publicitario, advertisement noting study

estudios económicos, economic studies

estudios operativos, operational studies

estudios sobre operaciones, operational studies

estudioso de la banca, banking scholar

estupro, rape

etapa, period; cycle

ética, ethics

ética profesional, professional ethics

etiqueta, label

etiqueta roja (mercancías peligrosas), red label

etiquetar, label

EURIBOR (ab. **tipo de interés interbancario europeo),** EURIBOR (ab. European inter-bank interest rate); European inter-bank interest rate (EURIBOR)

euroacción, euroequity

eurobono, eurobond

eurocrédito a medio plazo, medium-term Eurodollar loan

eurodivisa, eurocurrency

eurodólar, eurodollar

euroemisión, euroissue

Eurolibor, Eurolibor

euromercado, euromarket

euromoneda, eurocurrency

europagaré, euronote; discount note (euronote)

europagaré no asegurado, non-underwritten euronote

europagarés, euronote facilities

europagarés de empresa, eurocommercial paper (ECP); ECP (ab. eurocommercial paper)

europapel comercial, eurocommercial paper (ECP); ECP (ab. eurocommercial paper)

europréstamos, eurocurrency lending

Eurotúnel (túnel bajo el Canal de la Mancha), Chunnel (col.)

evadir impuestos, evade taxes

evaluable fiscalmente, assessable; leviable; taxable; imposable

evaluación, appraisal; assessment; appraising; evaluation; estimate (n.); valuation

evaluación actuarial, actuarial valuation

evaluación al cambio, trade-in value

evaluación catastral (Esp.), assessed valuation (LA); assessed value

evaluación contlnua, continuous assessment

evaluación cualitativa, qualitative assessment

evaluación de (los) daños, evaluation of damages

evaluación de aduanas, customs appraisal

evaluación de calidad, quality assessment

evaluación de los daños, assessment of damage

evaluación de puestos de trabajo, job evaluation; job ranking

evaluación de tareas, task analysis

evaluación del colateral aportado, rating

evaluación del daño, appraisal of damage

evaluación del rendimiento (rendimiento efectivo), performance rating

evaluación del riesgo, assessment of risk

evaluación directa, direct evaluation

evaluación fiscal, tax valuation

evaluación ponderada de solvencia para decidir la concesión de crédito, credit scoring

evaluado, appraised

evaluador, appraiser; appreciator

evaluar, assess; appreciate; appraise; evaluate; rate (v.); quantify; size (v.)

evaluar el riesgo potencial implícito en el crédito, evaluate potential credit risk

evaluar los costos, assess costs

evaluar los daños, assess damages

evasión de capitales, capital flight; flight of capital

evasión de impuestos, tax dodging

evasión fiscal, tax dodging

evasor (del pago) de impuestos, tax evader

eventualidades del mar, accidents of navigation

evidencia probatoria, evidence (n.); piece of evidence

evidenciar un alza, show an increase

evidente (adj., masc. & fem.)**,** obvious; evident

evitable, avoidable

evitar, avoid; preclude; prevent

evitar conflictos de intereses, avoid conflicts of interest

evitar contactos con cuerpos extraños, avoid contact with foreign matters (avoid CFM); avoid CFM (ab. avoid contact with foreign matters)

evitar el contacto con aceite u otras mercancías del cargamento, avoid contact with oil or other cargo (avoid COOC); avoid COOC (ab. avoid contact with oil or other cargo)

evitar llevar a cabo operaciones ilegales, keep away from doing unlawful transactions

evitar problemas de competencia, avoid problems of competence

evitar subidas de costes, avoid cost rises

evolución, behaviour (US: behaviour = behavior); development(s); deportment

evolución a corto plazo, short-run developments

evolución al alza, sustained upswing

evolución alcista, rally; recovery; strengthening; upswing; upturn

evolución comparativa, comparative record

evolución contable de los recursos propios medios, average stockholders' equity and profitability

evolución de la cotización, stock price range

evolución de las cifras a fin de ejercicio, year-end total

evolución de los recursos propios, statement of changes in shareholders´ equity; reconciliation of capital funds

evolución de los resultados, operating results

evolución del ahorro, behaviour of savings (US: behaviour = behavior)

evolución del balance y la cuenta de resultados, comments on the financial statements

evolución del banco durante los diez últimos ejercicios, comparative ten-year record of the bank; bank's comparative ten-year record

evolución del procedimiento judicial, proceedings

evolución en la cotización de las acciones, price range of stock

evolución favorable de la tasa de rentabilidad, improved rate of return

evolución futura, future developments

evolución interanual del crecimiento real, real growth from year to year

evolución mantenida, sustained development

evolución moderada del resultado ordinario, slight development in ordinary income

evolución monetaria, monetary developments

evolución muy positiva del negocio, boom

evolución normal de la actividad comercial, regular course of business

evolución positiva de las condiciones del riesgo, improved risk conditions

evolución previa a la involución, churning

evolución sumamente favorable, markedly favo(u)rable development

ex-officio (Lat.)**,** ex-officio (Lat.)

exacción, impost; cess; tax

exacción (n. fem.)**,** levy (n.)

exactitud, accuracy

exactitud de los pronósticos, accuracy of forecasts

examen, review (n.); revision

examen de (los) libros, examination of (the) books; auditing of (the) books; auditing of accounts

examen de aptitud, aptitude test

examen de aptitud para el ejercicio de la abogacía, bar exam (US)

examen de cuentas, auditing; audit

examen de los resultados, post mortem session (col.)

examen de los resultados (créditos sindicados), after action report

examen minucioso, search (n.)

examen pericial, survey (n.)

examinar, research (v.); analyze (v.); review (v.); reckon (up); question (v.)

examinar las cuentas, audit (v.)

excedentario (adj.), surplus (pl: surplus = surpluses); capital reserves

excedente, remaining amount; remainder; outstanding amount; carry-over (n.); outstandings; balance outstanding; carried forward (CF); CF (ab. carried forward)

excedente (n.), surplus (pl: surplus = surpluses); capital reserves

excedente de capital, capital surplus

excedente de dotaciones para jubilaciones anticipadas, additional provisions for early retirements

excedente medio de liquidez, average liquidity surplus

excedente neto, net surplus

excedente residual, residual surplus

excedente sin consignar, unencumbered surplus; unappropriated surplus; uncommitted surplus; unreserved surplus

excedentes consignados al fondo de reserva, surplus reserve

excedentes de liquidez, liquidity surpluses

excederse en (la disposición de) un crédito, overdraw a credit

excelente (adj., masc. & fem.), A1 (adj.); AAA (adj.); first-class (adj.); select (adj.); chosen (adj.); first-choice (adj.); (GB), proper

excelentemente recomendado, strongly recommended

excepto por indicación en contrario, unless otherwise indicated; save as otherwise stated

excepto si, unless; provided that; failing

exceso, excess

exceso de inversión, overinvestment

exceso de provisión, surplus reserve

exceso esperado de rentabilidad de una acción sobre el conjunto de la cartera, implied alpha

exculpación, exoneration

exculpar, exonerate

excusa, excuse (n.)

excusar, excuse (v.)

exención arancelaria, exemption from customs

exento, exempt; free from

exento de contribución, non-taxable; non-dutiable

exento de deudas o compromisos financieros, afloat (AFLT); AFLT (ab. afloat)

exento de gravámenes, unencumbered

exento de impuestos, duty-free (adj.); net of taxes; tax-free (adj.); free of duties (sing.: duties = duty)

exento de responsabilidad, non-liable (adj.)

exento de tributación, duty-free (adj.); net of taxes; tax-free (adj.); free of duties (sing.: duties = duty)

exento del pago de impuestos, exempt from taxation

exhaustivo, broken down; in-depth (adj.); comprehensive (adj.)

exhibición (n. fem.), exhibition

exhibición de cupones, surrender of coupons

exhibir, exhibit (v.)

exhortar, apperceive; admonish

exhorto, caveat (Lat.); admonition; warning; letters requisitorial

exhorto administrativo, administrative admonition

exhorto de comparecencia, call (n.); process (n.); subpoena; summons; procedure

exigencia, exigency (pl. exigencies; exigency = exigence); exigence (exigence = exigency)

exigencia de liquidación inmediata, sharp call

exigencia de pago de rescate, ransom demand

exigencias legales, legal requirements

exigente, discerning

exigibilidad, accountability

exigibilidad contractual de los pasivos, callable terms of the liabilities

exigir, require

exigir el pago, enforce payment

exigir el reembolso de un préstamo, call in a loan

exigir reparación, seek remedy for

EXIMBANK (ab. **Banco de Exportaciones e Importaciones de Washington),** Export and Import Bank of Washington (EXIMBANK); EXIMBANK (ab. Export and Import Bank of Washington)

eximir, discharge (v.)

eximir de responsabilidades, hold harmless

eximirse de, disengage from

existencias (n. fem. pl.), holdings; investments; portfolio securities

existencias de intervención, intervention stocks

existencias de mercancías, inventory; stocktaking (GB)

existencias de productos acabados y semiacabados, stock on hand

existencias de reserva, buffer inventory

existencias de seguridad, buffer inventory

existencias disponibles, stocks

existencias en almacén, inventory; stocktaking (GB)

existencias en almacén y capacidad excedentaria, stock and surplus capacity

éxito, success

éxito obtenido, achievement(s)

exitoso (adj.), successful (adj.)

éxodo de capitales, exodus of capital

exoneración, exoneration

exonerar, exonerate

exonerar (del pago) de un impuesto, release from a tax

expansión, expansion

expansión de ámbito nacional, country-wide expansion

expansión de la actividad crediticia, expansion of lending

expansión de las importaciones, import upsurge

expansión del crédito al consumo, expansion of consumer credit

expansión del producto interno bruto, expansion of gross national product; expansion of gross domestic product

expansión del producto nacional bruto, expansion of gross national product; expansion of gross domestic product

expansión en países subdesarrollados, expansion into underdeveloped countries

expansión geográfica, geographic expansion

expansión monetaria, monetary expansion

expansionarse, expand; range (v.)

expatriado, expatriate (n., adj.)

expatriar grandes cantidades de capital, expatriate large amounts of money

expectativa de vida, life expectancy

expectativas, reckoning; expectations; prognoses (sing.: prognoses = prognosis)

expectativas de rentabilidad, return expectations

expectativas de riesgo, risk expectations

expectativas de supervivencia, life expectancy

expectativas inciertas sobre la evolución de los precios, uncertain price outlook

expedición, lading; freight; load (n.); shipment; consignment

expedición de mercancías por vía áerea, air consignment

expedición parcial de mercancía, part shipment

expediciones parciales permitidas, part shipments allowed

expediciones parciales prohibidas, part shipments prohibited; part shipments not allowed

expedidor, consigner (consigner = consignor); consignor (consignor = consigner); forwarder; sender (shipper); shipper; freighter; shipping agent

expediente, file; archive; record

expediente de apremio, proceeding for collection

expedientes del personal, personnel files

expedir, dispatch

expedir un recibo, invoice (US: invoice = bill) (v.); bill (GB: bill = invoice)

expendedor automático, vending machine

expendedor automático de billetes, cash dispenser; automatic teller machine (ATM); ATM (ab. automatic teller machine); automated teller machine (ATM)

expendios, cash disbursements; outgoes (sing.: outgoes = outgo); outlays (sing.: outlays = outlay); disbursements; outflows

experiencia práctica, skill; proficiency

experiencia técnica, know-how

experto (n., adj.), expert

experto contable, Certified Public Accountant (CPA); CPA (ab. Certified Public Accountant); expert accountant

experto en contabilidad, expert accountant

expirado, stale; aged

expirar, expire; fall due; lapse (v.); prescribe

explicado minuciosamente, minutely explained

explorador de punto móvil, flying spot scanner (comp.)

explosión demográfica, demographic explosion

explosión salarial, wage explosion

explotación agrícola, poultry ranch (US)

explotación de reservas, development of reserves

explotación ganadera, cattle ranch (US)

explotador, juicer (col.)

expoliar, plunder

expolio, plunder

exponencial, exponential (adj.)

exponente de un número, power

exponer, allege

exponer por escrito, state in writing

exportación, export; exportation

exportación de invisibles, invisibles export

exportador, exporter

exportador (adj.), exporting (adj.)

exportar capitales, export money

exportar dinero, export money

exposición, exposure; risk (n.)

exposición (muestras, etc.) (n. fem.), exhibition

exposición al riesgo crediticio, exposure to credit risk

exposición de la evolución, account of developments

exposición de las metas alcanzadas, account of achievements

exposición de principios, argument(ation)

exposición operativa, operating exposure

exposición total, total exposure

expositor para impresos de petición (Esp.), application holder

expresar mediante fórmulas, formulate

expresión monetaria de los billetes de banco, denomination of banknotes; banknote denomination

exprimidor (col.), juicer (col.)

expropiación, attachment; forfeit; forfeiture; seizure; embargo (pl.: embargo = embargoes); garnishee; levy (v.); distraint

expropiar, apprehend; attach; confiscate; impress; seize; sequester; enforce; execute; arrest (v.); take into custody

expulsión material, actual eviction

extemporáneo (adj.), premature (adj.)

extender, extend

extender cheques sobre una cuenta, draw cheques against an account (US: cheques = checks)

extender un cheque, draw a cheque (US: cheque = check); draw a check (GB: check = cheque); issue a cheque (US: cheque = check); issue a check (GB: check = cheque); make out a draft (US)

extender un pagaré privado, make a note; draft a note

extender un recibo, make out a receipt

extender una letra, draw a bill (US: bill = draft); draw a draft (GB: draft = bill); issue a draft; make a bill

extenderse, expand; range (v.)

extendido a la orden, made out to order

extensión comprendida entre Barcelona y Valencia, Barcelona/Valencia range

exterior (otros países), abroad (other countries); beyond the seas

exteriorización de actividades, outsourcing

extinción, caducity; expiration

extinción de una deuda, redemption of a debt

extintor de incendios, fire extinguisher

extintor de incendios automático por aspersión, sprinkler

extorsión, blackmail; chantage

extorsionar, blackmail; chantage

extracciones de fondos, withdrawals

extracto (documentos), extract (documents)

extracto (resumen), brief (n.); briefing (n.); excerpt (n.); memorandum (memo); memo (ab. memorandum) (col.); recap (col.); summary; abridg(e)ment; digest (n.)

extracto de cuenta, account status report

extracto de cuenta bancaria, bank statement

extracto de cuenta corriente, bank statement

extracto de cuenta falso, false statement

extracto de título, abstract of title

extracto diario de caja, daily cash statement

extracto diario de cuenta, daily statement of account

extranjero, alien

extranjero (otros países), abroad (other countries); beyond the seas

extraño (n.), outsider

extraoficialmente, off the record

extraordinario (adj.), extraordinary

extrapolación, extrapolation

extrapolación de datos útiles aplicables a nuevos proyectos, data mining

extrapolar una cláusula, extrapolate a clause

extraterritorial, offshore

exudación de la bodega, ship´s sweat

F

fábrica, plant; red herring (col.)

fábrica (esp., **hilaturas),** mill

fabricación, manufacture, manufacturing

fabricación bajo pedido, manufacturing to order

fabricación en curso, manufacturing in process; manufacture in process

fabricación española, made in Spain; Spanish-made

fabricación por encargo, manufacturing to order

fabricación restringida, restricted manufacture

fabricado en España, made in Spain; Spanish-made

fabricante, producer; manufacturer

fabricante de artículos destinados a la exportación, manufacturer of export goods

fabricante de géneros susceptibles de exportación, manufacturer of export goods

fabricante de mercancías para la exportación, manufacturer of export goods

fabricar, manufacture

facilidad crediticia, accommodation line; credit facility; credit line; facility (pl.: facility = facilities)

facilidad crediticia multidivisa, multi-currency credit facility (pl.: facility = facilities)

facilidad financiera multinacional, multi-option financing facility (MOFF); MOFF (multi-option financing facility)

facilitar a, make available to

facilitar información, provide information

facilitar informes, furnish information

facilitar un informe de solvencia, furnish a credit report

facilitar una buena cantidad de nuevas noticias, supply with a good deal of fresh news

fácilmente localizable, readily available

fácilmente negociable, readily marketable

fácilmente realizable, readily marketable

facsímil, facsimile

facsimil de firma autorizada, authorized signature facsimile; authorized signature specimen

factibilidad, feasibility

factible, feasible

factor, element; factor

factor (agente), factor (agent); freight agent; freight forwarder

factor de conversión, delivery factor; conversion factor

factor determinante, determining factor

factor positivo, plus (+); + (ab. plus)

factor tiempo, time factor

factores de incertidumbre, elements of uncertainty

factores estacionales, seasonal factors

factores temporales, temporary factors

factura, invoice (US: invoice = bill) (n.); bill (GB: bill = invoice) (n.); receipt (n.)

factura atendida, honoured bill (US: honoured = honored)

factura comercial, commercial invoice

factura consular, consular invoice

factura de anticipo en efectivo, cash advance draft

factura de embarque, shipping bill

factura de venta, sales draft; sales bill; sales check; sales slip

factura de venta (fra. vta.), bill of sale (BOS); BOS (ab. bill of sale)

factura del flete, freight note

factura desglosada, itemized invoice

factura detallada, itemized invoice

factura domiciliada, domiciled bill (US: bill = draft); domiciled draft (GB: draft = bill)

factura impagada, dishonoured bill (US: dishonoured = dishonored)

factura pormenorizada, itemized invoice

factura proforma, proforma invoice

factura provisional, memorandum invoice

factura simulada, proforma invoice

facturación, invoicing; billing

facturación contínua, continuous billing

facturación de mercancías llegadas sin guía de carga, forced billing

facturación directa, direct billing; direct debit

facturación inmediata, direct billing; direct debit

facturado, invoiced

facturar, invoice (US: invoice = bill) (n. & v.); bill (GB: bill = invoice) (n. & v.); receipt (n.)

facturas a cobrar, bills (of exchange) for collection; collect bills; collection items; bills receivable; drafts to collect; drafts to be collected; bills to collect; notes receivable; receivables; uncollected items

facturas a pagar, invoices to pay

facturas al cobro, invoices to collect

facturas al cobro (n. fem. pl.)**,** bills (of exchange) for collection; collect bills; collection items; bills receivable; drafts to collect; drafts to be collected; bills to collect; notes receivable; receivables; uncollected items

facturas de dudoso cobro, doubtful bills receivable

facturas falsas, counterfeit paper

facultad aparente, apparent authority

facultades, powers; authority (pl.: = authorities); authorization

facultades mentales plenas, compos mentis (Lat.)

facultado para, empowered to; with the authority to

facultado para realizar las pruebas necesarias, with liberty to run trials as necessary

facultado por, with the authority of; by proxy

faena, labour (US: labour = labor); work (n. & v.); occupation

fajo de billetes (US, col.)**,** bankroll

falsa alarma, false alarm

falsa personalidad, spurious personality

falsear (col.)**,** cook; jigger

falsear los libros de contabilidad, cook the books

falsear los resultados, massage the figures (col.); make up the figures (col.)

falsedad (n. fem.)**,** dishonesty; deceitfulness

falsificación (n. fem.)**,** fake (n.); falsification; forgery; sham; counterfeit; adulteration

falsificación de diligencias, adulteration of proceedings

falsificado, false; misleading; fraudulent

falsificador, forger; crook (col.); adulterator

falsificar, fake (v.); counterfeit

falso, false; misleading; fraudulent

falso (adj.)**,** fake sham; counterfeit; adulteration

falso alegato, sham plea

falso flete, dead freight; phantom freight

falso fondo, false bottom

falso indicio, plant; red herring (col.)

falso movimiento alcista, bull trap

falso movimiento bajista, bear trap

falso testimonio, perjury; false oath

falsos pretextos, false colours (US: colours = colors)

falta, absence

falta (delito), summary offence

falta de aceptación, non-acceptance

falta de apoyo, lack of support

falta de asistencia al trabajo, absence from work

falta de clientes particulares, lack of individual customers

falta de conformidad, absence of agreement

falta de consenso, absence of agreement

falta de continuidad, discontinuity

falta de credibilidad, lack in credibility

falta de cumplimiento, breach; default; failure to comply; failure to perform; infraction

falta de existencias, lack of inventory

falta de fondos, not sufficient funds (NSF); NSF (ab. not sufficient funds); insufficient funds

falta de honradez, dishonesty; deceitfulness

falta de liquidez, lack of liquidity; illiquidity; cash shortage

falta de participación, lack of participation

falta de puntualidad, lack of punctuality; bad timekeeping

faltar, miss (v.); omit (v.)

faltas (injustificadas), absences

faltas con permiso, leave of absence

falto de dinero, shy of money (col.)

fallar, award (v.)

fallecido, dec. (ab. deceased); deceased (ab. dec.)

fallecido (n.)**,** deceased

fallecido (n. & adj.)**,** departed

fallecido / falleció, died / dead (ab. d)

fallecido el, DOD (ab. date of death); date of death (DOD)

fallecimiento, decease

fallecimiento del titular, demise

falleció con fecha, DOD (ab. date of death); date of death (DOD)

fallido, bankrupt; shipwrecked (col.); insolvent

fallido rehabilitado, certified bankrupt

fallidos eliminados del balance, bad debts charged off

fallidos incobrables, nonperformings (col.); non-performing loans; bad debts

fallo, defect; bug; vice

fallo (veredicto), finding

fallo arbitral, award

fallo de los amigables componedores, arbitrium (Lat.); arbitral award; judg(e)ment by arbitration; arbitrage; arbitration; arbitrament; unpirage; award (n.)

fallo judicial, judg(e)ment

familia, family

familiar (n.,& adj., masc. & fem.), sib; familiar (adj.)

familiar (n.f.; pl.= familiares), kinswoman (pl. = kinswomen)

familiar (n.m.; pl. = **familiares),** kinsman (pl. = kinsmen)

familiares, kinfolk

familiaridad, familiarity (pl. familiarity = familiarities)

familiarizado con, conversant with

familiarizado con la normativa bancaria, acquainted with banking regulations

fanega (GB = **36,37 dm3;** US = **35,23 cm3),** bushel

fardo, package

farmacéuticas (acciones), drugs (shares)

farsa, simulacrum (pl.: simulacrum = simulacra / simulacrums)

farsante, prevaricator

fase, period; cycle

fase de debate previa al proyecto de ley, report stage

fase de prospección, scanning stage

FAT (ab. **Federación Americana de Trabajadores),** American Federation of Labor (AFL) (US); AFL (ab. American Federation of Labor) (US)

favorable, affirmative

fax, facsimile message; fax message

fax (máquina, mensaje), fax (machine, message)

FBI (Departamento Federal de Investigaciones) US), Federal Bureau of Investigation (FBI) (US); FBI (Federal Bureau of Investigation) (US)

fe de vida, certificate of existence

FEAF (ab. **Federación Europea de Analistas Financieros),** European Federation of Financial Analysts (EFFA); EFFA (ab. European Federation of Financial Analysts)

fecha, date; dateline

fecha a determinar, open date

fecha abierta, open date

fecha acordada, due date; expiry date; date of payment; date of maturity; maturity date; expiration date; maturity (pl.: maturity = maturities)

fecha atrasada, stale date

fecha cercana, near date

fecha convenida, due date; expiry date; date of payment; date of maturity; maturity date; expiration date; maturity (pl.: maturity = maturities)

fecha de (constitución del) depósito, deposit date

fecha de admisión a cotizar en bolsa, date of listing

fecha de adquisición, acquisition date

fecha de caducidad, due date; expiry date; date of payment; date of maturity; maturity date; expiration date; maturity (pl.: maturity = maturities)

fecha de cierre, closing date; date of closing; cutoff date; deadline

fecha de compensación, clearing date

fecha de compra, acquisition date

fecha de contabilización, accounting date (entry); accounting day

fecha de conversión, conversion date

fecha de defunción, DOD (ab. date of death); date of death (DOD)

fecha de devolución, date of return

fecha de disfrute, date of qualification

fecha de ejecución, trade date

fecha de ejercicio, exercise date

fecha de embarque prevista, scheduled shipping time

fecha de embarque programada, scheduled shipping time

fecha de emisión, issue for date; date of issuance; date of issue

fecha de endoso, endorsement date

fecha de entrega, delivery date; date of delivery

fecha de facturación, billing date

fecha de fallecimiento, DOD (ab. date of death); date of death (DOD)

fecha de la operación, transaction date

fecha de lanzamiento, launch date

fecha de liquidación, settlement date; date of settlement

fecha de nacimiento, DOB (ab. date of birth); date of birth (DOB)

fecha de pago, due date; expiry date; date of payment; date of maturity; maturity date; expiration date; maturity (pl.: maturity = maturities)

fecha de proceso (comp.), processing date (comp.)

fecha de recepción en correos, date of post receipt

fecha de recogida, pickup date; date of pickup

fecha de reconocimiento de derechos, date of qualification

fecha de rescate, redemption date

fecha de valoración, accounting date (entry); accounting day

fecha de vencimiento, due date; expiry date; date of payment; date of maturity; maturity date; expiration date; maturity (pl.: maturity = maturities)

fecha de vencimiento del pagaré, note maturity date

fecha del último pago, DLP (ab. date of last payment); date of last payment (ab. = DLP)

fecha efectiva, value date

fecha errónea, misdate

fecha lejana (permutas de divisas), far date (forex swaps)

fecha límite, closing date; date of closing; cutoff date; deadline

fecha media de vencimiento, average due date; equated maturity date

fecha tope, closing date; date of closing; cutoff date; deadline

fecha tope para licitar, bid deadline

fecha valor, value date

fecha y lugar de emisión, date and place of issue

fechado, dated (ab. dd.); dd. (ab. dated)

fechador, date stamp

fechar, date; dateline

fechar equivocadamente, misdate

fechar por adelantado, antedate; date back; backdate; foredate

fechas tope de proceso (comp.), processing time limits (comp.)

Federación Americana de Trabajadores (FAT), American Federation of Labor (AFL) (US); AFL (ab. American Federation of Labor) (US)

Federación Europea de Analistas Financieros (FEAF), European Federation of Financial Analysts (EFFA); EFFA (ab. European Federation of Financial Analysts)

felicitar, congratulate

feria, fair

feria regional, mart; market

ferias y exposiciones, trade fairs and exhibitions

ferrocarril, railroad (GB: railroad = railway); railway (US: railway = railroad)

ferroviario (adj.), railroad (GB: railroad = railway); railway (US: railway = railroad)

FGD (ab. **Fondo de Garantía de Depósitos),** Deposits Guarantee Fund (DGF); DGF (ab. Deposits Guarantee Fund)

fiabilidad, reliability

fiabilidad de los sistemas de detección, reliability of detection systems

fiable (adj., masc. & fem.), reliable (adj.)

fiador, covenantor; financial backer; guarantor; obligee; surety; suretyship; answerer; bailor; bailer; personal surety

fiador mancomunado, joint surety

FIAMM (ab. **fondo de inversión en activos del mercado monetario),** money market mutual fund

fianza, collateral; security (pl.: security = securities); bond of indemnity; recognizance

fianza de buque a término, vessel term bond

fianza de comparecencia, appearance bail

fianza de cumplimiento, performance bond; completion bond

fianza de declaración única, single-entry bond

fianza de ejecución, performance bond; completion bond

fianza de embargo, attachment bond

fianza de fidelización de empleados, blanket bond

fianza de pago, payment bond

fianza de participación en puja, bid bond

fianza judicial, judicial bond

fianza media, average bond

fianza para costas, cautio pro expensis (Lat.)

fianza para reintegro de bienes embargados, delivery bond

fianza sin valor, straw bail

fianza sobre avería, average bond

fianza sobre la exportación, export bond

ficticio, fictitious (adj.); cosmetic (adj.)

ficha, card

ficha (para teléfonos, máquinas, etc.), token

ficha de control, control card

ficha para toma de datos, aperture card

ficha-cuenta, account card

fichar (registrar la hora de llegada mediante tarjeta) (Esp.), punch in

fichar (registrar la hora de salida mediante tarjeta) (Esp.), punch out

fichero, card file; filing cabinet

fichero activo, active file; live file

fichero de actividad, activity file

fichero de excepciones, exception file

fichero de movimientos, transactions file

fichero de transacciones, transactions file

fichero maestro (comp.), master file (comp.)

fichero maestro de tenedores de tarjetas, cardholder master file

fideicomisario, trustee; depository; fiduciary

fideicomisario cuyos poderes han expirado, bare trustee

fideicomiso, corpus (pl. corpora / corpuses); corpora (= corpuses; s.: corpus); corpuses (= corpora; s.: corpus); trusteeship

fideicomiso (trust), consortium (pl. = consortia / consortiums); pool; trust

fideicomiso activo, living trust; active trust

fideicomiso de fondos depositados, funded trust

fideicomiso directo, direct trust

fideicomiso expreso, express trust

fideicomiso formalizado, perfect trust

fideicomiso implícito, precatory trust; involuntary trust

fideicomiso impuesto, constructive trust

fideicomiso pasivo, passive trust; naked trust; dry trust

fideicomiso perfecto, perfect trust

fideicomiso sin depósito de fondos, unfunded trust

fideicomiso testamentario, testamentary trust

fideicomiso voluntario, voluntary trust

fidelidad al banco, fidelity to the bank

fiduciario, trustee; depository; fiduciary

fielmente redactado, truthfully worded

fiera (en la forma de trabajar) (col.), fiend

figura, figure

figurar en una lista, appear on a list

fijación de objetivos mediante identificación de técnicas idóneas, benchmarking

fijar, profile (v.); set (v.); stipulate (v.); state (v.); establish (v.); form (n.); provide for (v.)

fijar el valor, assess; appreciate; appraise; evaluate; rate (v.); quantify; size (v.)

fijar los daños, assess damages

fijar precios reducidos, rollback prices

fijar un plazo, establish a time limit

fijar(se) una meta, aim (v.)

fijo, flat (adj.); constant; continual

fila, queue

filantrópico, non-profit (adj.)

filas de desempleados, ranks of the unemployed

filas de parados, ranks of the unemployed

filial (adj.), affiliated (adj.); associated (adj.); daughter

filial (n.), affiliate (n.); associate (n.)

filial al 100% de, wholly-owned subsidiary of

filial extranjera, foreign daughter (company); foreign affiliated company

filial nacional, domestic affiliate (US: affiliate = subsidiary); domestic subsidiary (GB: subsidiary = affiliate)

filiales parabancarias, quasi-banking subsidiaries

filtración (por fisura, etc.), leakage

filtrar información privilegiada, filter insider information; drop insider information

fin, aim (n.); purpose; final cause; target

fin de transcripción literal, unquote

fin súbito de una tendencia, climax

fin(al) de mes, end of month (EOM); EOM (ab. end of month)

fin(al) de semana, end of week (EOW); EOW (ab. end of week)

final, final

final de sesión bursátil, close

final de una cita literal, unquote

finalidad, aim (n.); purpose; final cause; target

finalidad evidente, obvious purpose

finalmente, finally

financiación, financing

financiación a corto plazo, short-term financing

financiación a otras entidades, financing to other entities

financiación a tipo de interés fijo, fixed-rate financing

financiación compensatoria, compensatory financing

financiación complementaria, follow-up financing

financiación crediticia a plazo, term credit financing

financiación de adquisiciones, acquisition financing

financiación de adquisiciones (factoring), acquisition of accounts (factoring)

financiación de bienes de equipo, equipment financing

financiación de contingencia (n., fem.), bridge financing; bridge loan; bridging loan; stop-gap loan; transitory credit

financiación de exportaciones en régimen de cuenta abierta, open-account export financing

financiación de inversiones, investment financing

financiación de las exportaciones, financing of exports; export financing

financiación de proyectos, project financing

financiación de proyectos transfronterizos, cross-border project financing

financiación del coste de bonos a corto plazo, short-term financing costs for bond inventories

financiación del crédito comercial, trade credit financing; financing of trade credit

financiación externa, external sources

financiación oficial a las exportaciones, official export financing

financiación temporal, temporary financing

financiar, finance (n. & v.); financial resources

financiar compras, finance purchases

financiar una operación (US, col.), bankroll

financiarse mediante un crédito, raise a loan; secure a loan

financiera, accepting house; bank of discount; acceptance house; discount bank; finance company; credit company; commercial credit company

financiera (n. fem., Esp.), sales finance company

financieras (valores bursátiles), finance (n. & v.); financial resources

financiero (n. & adj.), currency; financial; monetary (adj.)

financiero influyente (col.), baron (col.)

fincas urbanas, city real estate

fines sociales, corporate purposes

fingido, fictitious (adj.); cosmetic (adj.)

finiquitar, satisfy

finiquito, release (n.); acquitment; discharge (n.); quittance; relief; acquittance; apocha; receipt in full; satisfaction; claim paid; claim settlement; settlement of claim

finiquito parcial, partial acquittance

firma, signature; paraph

firma (en) facsímil, facsimile signature

firma acreditada por su antigüedad, time-honoured firm

firma autorizada, authorized signature

firma bien conceptuada, reputed firm

firma comercial, firm; firm´s name; firm´s title; corporate name

firma de buena reputación, reputed firm

firma falsificada, spurious signature

firma mal conceptuada, firm of ill repute

firma modelo, specimen signature

firma no autorizada, unauthorized signature

firma o actividad, concern (n.)

firma omitida, missing signature

firma y sello, hand and seal

firmado y sellado por mí, under my hand and seal

firmante, signatory (pl.: signatory = signatories); maker (signatory)

firmante conjunto, cosigner (= cosignatory); cosignatory (= cosigner)

firmante mancomunado, cosigner (= cosignatory); cosignatory (= cosigner)

firmar, sign

firmar (el) contrato por, sign up for

firmar un contrato, enter into a contract; execute a contract; make a contract; seal an agreement; sign a contract

firmas mancomunadas, any two jointly signatures

firme (adj., masc. & fem.), strong

fiscal (adj., masc. & fem.), fiscal (adj.)

fiscal (Esp.), prosecuting attorney; public prosecutor

fiscal (tribunales), counsel for the prosecution

fiscal de distrito, DA (US; ab. district attorney; ab. delivery against acceptance); district attorney (US; ab. DA)

fiscal del Tribunal Supremo (GB), Attorney General

fiscalidad, rate of taxation

fiscalmente deducible (adj., masc. & fem.), tax-deductible (adj.)

fiscalmente imputable, subject to tax

fiscalmente opaco, tax-sheltered

físico (adj.), physical

fitosanitario, phytosanitary (adj.)

fixed rate, tipo de cambio fijo

fixing, fixing

fixing (tipo de cambio medio ponderado), average weighted exchange rate

flagrante, gross

flecos (Esp., col.), loose ends (col.)

fletador, charterer; affreighter

fletamento, affreightment; freightment

fletamento aéreo, air freight; airfreight(ing)

fletamento con operación por cuenta del arrendador, gross charter

fletamento con todos los gastos por cuenta del fletador, net charter

fletamento de barco por un solo viaje, voyage charter

fletamento de buque sin tripulación, barehull charter; bareboat charter

fletamento de ida y vuelta, round-trip charter

fletamento por un viaje, trip charter

fletar, charter (v); affreight

flete, lading; freight; load (n.); shipment; consignment

flete a cargo del vendedor, outward freight

flete a pagar en destino, freight at destination; freight collect; freight forward

flete a pagar por anticipado, freight to be prepaid; freight prepayable

flete a tanto alzado, lump-sum charter

flete aéreo, air freight; airfreight(ing)

flete de ida y vuelta, round chartering

flete de retorno, back freight

flete marítimo, sea freight; ocean freight

flete pagado, advance freight

flete pagado hasta, CPT (ab. carriage paid to); carriage paid to (CPT); freight paid to

flete pagado por adelantado, freight prepaid

flete pagado por anticipado, freight prepaid

flete por cuenta del vendedor, freight outward

flete terrestre, inland freight

flete y acarreo, freight and cartage

flexibilidad operativa, operating flexibility

flexible, dynamic; active (adj.)

florín holandés, Dutch guilder

flota mercante, marine

flotación sucia, dirty float

flotante (adj., masc. & fem.), floating; fluctuating (adj,)

fluctuación de los precios, fluctuation of prices

fluctuación de los tipos, fluctuation of rates

fluctuaciones, swings

fluctuaciones (en los mercados) bursátiles (n. fem.), stock market movements

fluctuaciones cambiarias, exchange rate fluctuations; fluctuations in exchange rates

fluctuaciones del mercado, market fluctuations

fluctuaciones en los tipos de cambio, exchange rate fluctuations; fluctuations in exchange rates

fluctuaciones estacionales, seasonal fluctuations

fluctuante (adj., masc. & fem.), floating; fluctuating (adj,)

fluctuar, fluctuate; yo-yo (col.); snake (v.)

flujo de caja bruto, gross cashflow

flujo de costos, cost flow

flujo de dinero, flow of funds

flujo de entrada de divisas, exchange inflow

flujo de fondos (opciones y futuros), cash flow; cashflow

flujo de liquidación, settlement flow

flujo de reembolsos, stream of repayments

flujo de salida de divisas, exchange outflow

flujo global de recursos a países en vías de desarrollo, overall flow of resources to developing countries

flujo monetario, flow of funds

flujos compensatorios, offsetting flows

flujos de caja, cash flow; cashflow

flujos financieros, financial flows

flujos financieros de particulares, private financial flows

FMI (ab. = **Fondo Monetario Internacional),** International Monetary Fund (IMF); IMF (ab. International Monetary Fund)

folleto de emisión, placing memorandum; placement memorandum

folleto informativo, prospectus

follón (Esp., col), racket (col.)

fomentar, sponsor (n.); promote

fomentar la demanda, boost demand

fomentar las operaciones comerciales de ámbito transfronterizo, promote transborder trade

fomento, promotion

fomento de ventas, sales promotion

fomento del comercio exterior, foreign trade development

fondo, corpus (pl. corpora / corpuses); corpora (= corpuses; s.: corpus); corpuses (= corpora; s.: corpus); trusteeship

fondo (fijo) de caja, cash (fixed) fund; cash imprest

fondo acumulado, aggregate allowance; accumulated fund

fondo cerrado (no admite nuevas aportaciones), closed-end fund

fondo común, common purse (col.); kitty (col.)

fondo consolidado, consolidated fund

fondo de alto riesgo, hedge fund

fondo de amortización, amortization fund; depreciation fund; redemption fund; sinking fund

fondo de amortización (a)cumulativo, cumulative sinking fund

fondo de amortización acumulada, accumulative sinking fund

fondo de amortización libre, allowance for accelerated depreciation; accelerated depreciation allowance

fondo de amortización no acumulable, non-cumulative sinking fund

fondo de asistencia a los empleados, relief fund reserve

fondo de autoseguro, insurance fund

fondo de ayuda, relief fund

fondo de beneficencia, endowment fund

fondo de caja, cash fund

fondo de cobertura, hedge fund

fondo de comercio, goodwill; intangible assets; immaterial assets; going value (col.)

fondo de dinero, money fund

fondo de fondos, fund of funds

fondo de garantía, guarantee fund (US: guarantee = guaranty)

Fondo de Garantía de Depósitos (Esp.), Deposit Guarantee Fund

Fondo de Garantía de Depósitos (FGD), Deposits Guarantee Fund (DGF); DGF (ab. Deposits Guarantee Fund)

fondo de huelga, strike fund

fondo de igualación, equalization fund

fondo de inversión, investment fund; mutual fund

fondo de inversión en activos del mercado monetario (FIAMM), money market mutual fund

fondo de inversión exclusivo en títulos de la deuda pública, treasury´s fund

fondo de inversión mobiliaria, security investment fund

fondo de participación cerrada, closed-end fund

fondo de pensiones, retirement fund; pension fund; superannuation fund

fondo de previsión, reserve (n.)

fondo de recompra, purchase fund

fondo de reposición, renewal fund

fondo de rescate, purchase fund

fondo de reserva, reserve fund

fondo de retiro, retirement fund; pension fund; superannuation fund

fondo en metálico, cash fund

fondo especulativo, hedge fund

fondo fiduciario, trust fund

fondo fijo, fixed fund

fondo general, general fund

fondo institucional, institutional fund

Fondo Monetario Internacional (FMI), International Monetary Fund (IMF); IMF (ab. International Monetary Fund)

fondo nodriza, master feeder

fondo para fluctuación de valores, securities price fluctuation allowance; security price valuation reserve; allowance for security price fluctuations

fondo para gastos de menor cuantía, fixed fund

fondo para insolvencias y riesgo-país, allowance for credit losses and country risk

fondo para inversores institucionales, institutional fund

fondo para pensiones, allowance for pensions

fondo para préstamos, loan fund

fondo para previsión de contingencias, contingent fund

fondo que invierte su patrimonio en otro fondo, master feeder

fondo subordinado, master feeder

fondos (col.), monies (sing.: monies = money); shekel (col.)

fondos (en depósito) de clientes, in-house funds

fondos a corto (plazo), short-term funds

fondos a largo plazo, long-term funds

fondos ajenos, borrowed funds

fondos complementarios, additional funds

fondos computables, computable funds

fondos confiscados, sequestered funds; attached funds

fondos de aplicación discrecional, discretionary funds

fondos de colocación discrecional, discretionary funds

fondos de colocación no discrecional, advisory funds

fondos de explotación, working funds

fondos de inmediata disposición, available funds; funds available; funds in hand

Fondos de la Reserva Federal (US), Federal Funds (FF / Fed Funds; US); Fed Funds (ab. Federal Funds; US); FF (US: ab. Federal Funds; ab. French Franc)

fondos de libre aplicación, discretionary funds

fondos de procedencia legal, legitimate money

fondos desbloqueados, unfreezed funds

fondos descongelados, unfreezed funds

fondos desembargados, unfreezed funds

fondos destinados a un fin especial, war chest (col.)

fondos disponibles, available funds; funds available; funds in hand

fondos disponibles (US, col.), bankroll

fondos disponibles para inversión, funds available for investment

fondos empleados, funds used

fondos especiales, special allowances

Fondos Federales (US), Federal Funds (FF / Fed Funds; US); Fed Funds (ab. Federal Funds; US); FF (US: ab. Federal Funds; ab. French Franc)

fondos fiduciarios, fiduciary funds

fondos garantizados, guaranteed funds

fondos improductivos, idle cash; idle economic resources; idle funds; barren money

fondos inmediatamente disponibles, immediately available funds

fondos insuficientes, not sufficient funds (NSF); NSF (ab. not sufficient funds); insufficient funds

fondos liberados, unfreezed funds

fondos no realizables, illiquid funds

fondos procedentes de operaciones, funds from operations

fondos públicos, government debt stock; government paper; government securities; national debt; public debt; government bonds

fondos públicos británicos, gilt-edged securities (GB)

fondos puestos bajo depósito legal, escrow funds

fondos reglamentados, regulated funds

fondtesoro, treasury´s fund

forfetización, forfeiting

forma, form (n.); blank (form)

forma de actuación, behaviour (US: behaviour = behavior); development(s); deportment

forma de pago, method of payment

formación de empleados mediante ordenador, computer-assisted staff training

formación del personal, staff training

formación individualizada, one-to-one training

formación permanente de los empleados, continuing staff training

formación práctica, on-the-job training

formal (adj., masc. & fem.), reliable (adj.)

formalidades, formalities (sing.: formalities = formality)

formalizar, witness (v.); attest (v.); certify; evidence (v.)

formalizar mediante escritura, deed (v.)

formalizar un contrato, enter into a contract; execute a contract; make a contract; seal an agreement; sign a contract

formalizar un contrato de compraventa, exchange contracts (GB)

formalizar un depósito en efectivo, deposit cash

formar cola, join the queue

formar parte de, sit on

formar parte de un jurado, serve on a jury; sit on a jury; do jury duty

formar quórum, quorate (GB)

formar una compañía, constitute a company; form a company; incorporate a company (US); incept a company

formato de instrucción (comp.), instruction format (comp.)

formato normalizado, standardized schedule

fórmula, formula

fórmula de Black-Scholes para valoración de opciones, B&S option pricing formula

formula de interés compuesto, compound interest formula

formulación, planning

formulación y desarrollo, formulation and development

formular, formulate

formular hipótesis, speculate

formular recurso de enmienda, appeal for amendment (v.)

formular un pedido, place an order

formular un pedido por vía postal, order by mail

formular un planteamiento, profile (v.); set (v.); stipulate (v.); state (v.); establish (v.); form (v.); provide for (v.)

formular una acusación (US), article (v.)

formular una declaración jurada por escrito, swear an affidavit

formular una objeción, raise an objection; file an objection; object to

formular una observación, qualification; remark (v.)

formular una petición, appeal (v.); appellate; petition (v.); file an application with

formular una reclamación, complain (v.); protest (v.)

formulario, form (n.); blank (form)

formulario (adj.), token

formulario de cheque, cheque form (US: cheque = check); cheque blank (US: cheque = check)

formulario de cheque en blanco, blank cheque form (US: cheque = check)

formulario de declaración de aduanas, customs entry form

formulario de factura, invoice form

formulario de petición, application form

formulario de régimen interior, in-house form

formulario en blanco, blank form

formulario impreso, printed form

formulario para declaración del impuesto sobre la renta, income tax blank

formulario para extracto de apuntes en cuenta, account blank

formulario para hacer pedidos, memorandum order; memo order (col.); order blank

formulario para respuesta, answerback

fórmulas alternativas de inversión, alternative investment plans

formulismo, formulism

formulismos, red tape (col.)

foro, forum

forrarse (col.), make a killing (col.)

fortalecimiento económico, economic strengthening

fortaleza de la compañía dentro del sector, corporate strength within the sector

fortuito, accidental; adventitious; involuntary; casual

fortuito (adj.), fortuitous (adj.)

fortuna, fortune

forward con descuento, forward with rebate

forward con opción, option forward

forward con premio, premium forward exchange

forward de ruptura, break forward

forward participativo, participating forward contract

forward simple, outright forward

forward-forward, forward-forward

forzado (adj.), overheated

forzar a, compel to; bind to

fotocopia, photocopy (n.); photostatic copy; photostat (n.); xerox (r) (n.)

fotocopia certificada, attested photocopy

fotocopia compulsada, attested photocopy

fotocopia ilegible, illegible photocopy

fotocopia legalizada, attested photocopy

fotocopia legible, legible photocopy

fotocopiadora, copier

fotocopiadora Xerox (r), Xerox machine (r)

fotocopiar, photocopy (v.); photostat (v.); xerox (r) (v.)

fra. vta. (ab. **factura de venta),** bill of sale (BOS); BOS (ab. bill of sale)

fracasar, go to the devils (col.); go to hell (col.); go kaput (col.)

fracaso estrepitoso (US, col.), bomb (col.)

fracción, tranche

fracción arancelaria, item of tariff; tariffs item; customs classification

fracción común, simple fraction

fracción de un crédito, tranche

fracción propia (n., fem.), proper fraction

fraccionamiento de acciones, share split

francamente, straightforward

franco (costado del) buque, DEQ (ab. delivered ex quay); delivered ex quay (DEQ); alongside (AS); AS (ab. alongside); ex dock; ex pier; ex quay; free alongside vessel (FAS vessel / ship); FAS vessel (ab. free alongside vessel / ship)

franco a bordo, free on board (FOB); FOB (ab. free on board)

franco a bordo sobre puerto del Reino Unido, free on board United Kingdom (FOBUK); FOBUK (ab. free on board United Kingdom)

franco almacén, ex warehouse

franco camión, free on truck (FOT); FOT (ab. free on truck)

franco costado de la barcaza, free alongside barge (FAS barge); FAS barge (ab. free alongside barge)

franco costado del vagón, free alongside cart (FAS cart); FAS cart (free alongside cart)

franco de, exempt; free from

franco de averías particulares, free of particular average (FPA); FPA (free of particular average)

franco de pago de derechos, duty-free (adj.); net of taxes; tax-free (adj.); free of duties (sing.: duties = duty)

franco de tributar, exempt from taxation

franco fábrica, ex factory; ex mill; ex works

franco francés, French franc (FF); FF (French franc)

franco muelle, DEQ (ab. delivered ex quay); delivered ex quay (DEQ); alongside (AS); AS (ab. alongside); ex dock; ex pier; ex quay; free alongside vessel (FAS vessel / ship); FAS vessel (ab. free alongside vessel / ship)

franco transportista, free carrier (FC); FC (ab. free carrier)

franco vagón de ferrocarril, free on rail (FOR); FOR (ab. free on rail)

franco y sobre buque, ex ship

franco y sobre buque (seguido del nombre del barco), ex S/S

franja máxima y mínima de fluctuación, collar

franqueo adicional, additional postage

franquicia, franchise

franquicia arancelaria, exemption from duties

franquicia postal, franking privilege

fraude, con (US); con trick (US); confidence game (GB); fraud; swindle (n.)

fraude interno, internal fraud

fraude procesable, actionable fraud

fraudulencia, dishonesty; deceitfulness

fraudulento, false; misleading; fraudulent

frecuencia, frequency

frecuencia de las extracciones de fondos realizadas, frequency of borrowings made

frenar, curb (v.)

frenar el gasto, curb spending; kerb spenditure

frenar la inflación, wind down inflation; bring inflation down; curb inflation

frente a, versus (V.); V. (ab. versus); contrary to

frente a lo que se esperaba, contrary to expectations

frente a todo riesgo, against all risks (AAR); AAR (ab. against all risks)

frontera, border

frustrarse, go to the devils (col.); go to hell (col.); go kaput (col.)

fruto del delito, proceeding of crime

fuente (n., fem.), source

fuente de ingresos, means of support

fuentes de financiación de mercados, market sources of finance

fuentes internas, internal sources

fuera de bromas, all joking aside

fuera de dinero, out of the money (OTM); OTM (ab. out of the money)

fuera de hora, overtime

fuera de línea, off-line (adj.)

fuera de plazo, out of term

fuera de uso, obsolete

fuera del alcance, beyond scope

fuera del buque, overside

fuerte (adj., masc. & fem.), strong

fuerte actividad, heavy dealings

fuerte incremento, sharp rise; sharp increase; sharp upturn

fuerte reajuste, sharp decline; sharp decrease

fuerte volatilidad y alto volumen, climax

fuertes entradas de capital, heavy capital inflow; heavy inflow of capital

fuertes inversiones, heavy investments

fuertes restricciones, heavy restrictions

fuertes salidas de capital, heavy outflow of capital; heavy capital outflow

fuerza de choque, platoon (milit., col.); task force (mil., col.); work team

fuerza de la demanda, demand pull

fuerza mayor, force majeure (Fr.)

fuerzas de seguridad, security forces

fuga de capitales, capital flight; flight of capital

fuga de divisas, exchange outflow

fuga de la cárcel, jailbreak

fuga de un centro de internamiento (Esp.), jailbreak

fugarse de la cárcel, break jail

ful(l)ero (Esp., col.), forger; crook (col.); adulterator

Fulana de Tal (nombre indeterminado) (Esp., col.), Mary Doe (col.)

Fulanita (nombre indeterminado) (Esp., col.), Mary Doe (col.)

fulanito (figurado, desconocido o general), John Q Public (US); John Doe (US); Richard Roe

fulano (Esp., col.), proposition

Fulano de tal, Joe public (GB, col.; US: Joe public = ordinary Joe); ordinary Joe (US, col.; GB: ordinary Joe = Joe public); Richard Roe; John Q Public (US); John Doe (US)

función (de tipo) exponencial, exponential function

función intermediadora, intermediation function

funcionamiento aparentemente anómalo, apparently abnormal behavio(u)r

funcionariado (plantilla), staff (pl.: staffs / staves)

funcionario autorizado, accountable officer; holder of procuration; attorney in fact; authorized officer; agent; actor; proxyholder

funcionario de aduanas, customs officer; customs agent

funcionario petulante, que alardea de su nuevo cargo, jumped-up officer (col.)

funcionario público, official; public officer; public official (GB); civil servant

funcionario que custodia al imputado en el juzgado (US), bailiff

funcionario que se aferra al cargo, limpet (col.)

funciones, functions

fundamento, rationale

furgón de ferrocarril (GB), truck

fusión, amalgamation; consolidation

fusión de empresas, combine

fusión empresarial, amalgamation; consolidation

fusión hipotecaria, tacking of mortgages

fusionar, amalgamate (v.); merge; consolidate; unify

fusionarse, amalgamate (v.); merge; consolidate; unify

fusionarse con, merge in

fusionarse para pasar a ser, merge into

fusiones y adquisiciones, mergers and acquisitions (M&A); M&A (ab. mergers and acquisitions)

futuro combinado, synthetic future

futuro sintético, synthetic future

futuro sobre Eurodólares cotizado en el IMM, option on IMM Eurodollar futures

futuros, futures

futuros financieros, financial futures

futuros sobre divisas, currencies futures

futuros sobre índices bursátiles, stock index futures

futuros sobre mercancías, commodity futures

futuros sobre tipos de interés, interest rate futures

G

gabarra, lighter; barge

gabinete de claves, encryption department

gabinete de traducciones, translations department

gabinete ministerial, Cabinet (GB)

gafar un negocio, jinx a business

galerada, batch

galón (medida de capacidad; USA: 3,78 litros; GB: **4,55 litros),** gallon (gal.); gal (ab. gallon)

galvanizar los mercados, galvanise the markets

gama, range (n.)

gama de artículos, line of goods

gama de instrumentos derivados, range of derivative instruments

gamma, gamma

ganacia adicional (col.)**,** boot (col.)

ganadería bajo cuarentena, cattle in quarantine

ganado sujeto a cuarentena, cattle in quarantine

ganador inesperado (de una puja, concurso, etc.; US, col.**),** dark horse (US, col.)

ganancia, benefit; profit; turn (col.); earnings

ganancia(s) bruta(s), gross earnings; gross income; gross return

ganancias, gains

ganancias netas, net earnings; net income; net proceeds; net profit; net return; net revenue; after-tax yield; after-tax earnings

ganancias obtenidas, earned profit; income; inflows; receipts

ganancias previstas, anticipated profits

ganar a manos llenas (Esp., col.)**,** make lots of money (col.); rake in a pretty penny (GB, col.); get a rake-off (from) (col.)

ganar dinero a espuertas (Esp., col.), make lots of money (col.); rake in a pretty penny (GB, col.); get a rake-off (from) (col.)

ganar el dinero a puñados (Esp., col.), make lots of money (col.); rake in a pretty penny (GB, col.); get a rake-off (from) (col.)

ganar impulso, gather pace

ganar la elección, carry an election

ganar montones de dinero (Esp., col.), make lots of money (col.); rake in a pretty penny (GB, col.); get a rake-off (from) (col.)

ganar pasta por un tubo (Esp., col.)**,** make lots of money (col.); rake in a pretty penny (GB, col.); get a rake-off (from) (col.)

gancho (Esp., col.)**,** bells and whistles (col.)

ganchos (para carga/descarga de mercancías) (barcos), hooks (ships)

ganga (col.)**,** steal (n., col.); snip (GB, col.)

ganga (oportunidad), bargain (n)

garante, covenantor; financial backer; guarantor; obligee; surety; suretyship; answerer; bailor; bailer; personal surety

garante de la colocación de una emisión, underwriter

garantía, backing; aval; support (n.); guarantee (US: guarantee = guaranty); collateral (n.); bail bond; pledge

garantía (de funcionamiento, etc.), warranty

garantía (fiabilidad), assurance

garantía bancaria, bank guarantee (guarantee = guaranty); bankers´ guarantee (guarantee = guaranty)

garantía corriente, marketable collateral

garantía de buena ejecución, performance bond; completion bond

garantía de cambio a plazo, forward exchange covering

garantía de la deuda, debt security

garantía de título, absolute warranty

garantía expresa, affirmative warranty

garantía general, general guarantee (guarantee = guaranty)

garantía hipotecaria, mortgage security

garantía incondicional, absolute guarantee (guarantee = guaranty); absolute guaranty (guaranty = guarantee); absolute covenant

garantía mancomunada, joint guarantee (guarantee = guaranty)

garantía multibancaria, multi-bank guarantee (guarantee = guaranty)

garantía negociable, marketable collateral

garantía personal, personal warranty; personal guarantee (guarantee = guaranty); personal security

garantía por escrito, affirmative warranty

garantía prendaria, hypothecation; pledging; pignoration; mortgage (n.)

garantía prestada en favor de la aduana, customs bond

garantía real, collateral (n.); security (pl.: security = securities); bond of indemnity; recognizance

garantía sobre un préstamo, loan guarantee

garantía solidaria, joint guarantee (guarantee = guaranty)

garantía suplementaria, additional security

garantías al uso, usual covenants

garantías aportadas, representations

garantías de rigor, usual covenants

garantías mutuas, reciprocal covenants

garantías recíprocas, reciprocal covenants

garantías usuales, usual covenants

garantizado mediante hipoteca, mortgage-backed

garantizado por el gobierno de Estados Unidos, US government guaranteed (ab. USGG); USGG (ab. = US Government guaranteed)

garantizar, back (v.); guarantee (v.); collateralize; endorse; bail; furnish bail; bond (v.); provide collateral; furnish security; give bond

garantizar (fiabilidad), avouch (= avow); avow (= avouch); assure; assert

garantizar la colocación de una emisión de valores bursátiles, underwrite; guarantee placement of an issue (v.)

garantizar que, engage; undertake; compromise (v.); covenant (v.); obligate

gastar, spend

gastar dinero en actualizar equipos anticuados, spend money in updating obsolete equipment

gasto, spending

gastos, charges; expenses

gastos accesorios, additional charges

gastos administrativos, administrative expenses; administration expenses; administration expenditures

gastos amortizables de escasa significación cuantitativa, amortizable expenses of scant amount

gastos anticipados, prepaid expenses; deferred charges

gastos asignados, applied burden

gastos bancarios, bank charges

gastos bancarios a cargo del prestatario, banking charges to the borrower

gastos bancarios por cuenta del prestatario, banking charges to the borrower

gastos cargados por el banco, bank fees; bankers´ charges

gastos cobrables, expenses chargeable

gastos de (gestión de) cobro, collection charges

gastos de administración, administrative expenses; administration expenses; administration expenditures

gastos de adquisición, acquisition costs

gastos de almacenaje, holding costs

gastos de bolsillo, out-of-pocket expenses

gastos de capacitación, training expenses

gastos de cobranza, collection charges

gastos de cobro por cuenta del librado, charges forward

gastos de cobro por cuenta del librador, charges here

gastos de conservación, maintenance charges

gastos de constitución, organization expenses

gastos de consumo, consumer spending

gastos de correo, mail charges

gastos de demora, delay charges

gastos de descarga, unloading charges

gastos de desmantelamiento, dismantling expenses

gastos de desmantelamiento y reacondicionado de una sucursal, branch dismantling and refitting expenses

gastos de embalaje, packing expenses

gastos de embarque, shipping expenses

gastos de entrega, delivery expenses

gastos de estiba, stowage charges

gastos de expedición, forwarding charges; dispatching charges; dispatch expenses

gastos de explotación, operating expenses; revenue expenditures; running costs

gastos de fábrica, factory burden; factory expenses; factory expenditures

gastos de fabricación, factory burden; factory expenses; factory expenditures

gastos de fax, facsimile charges; fax charges

gastos de fusión, merger expenses

gastos de gestión, agency fee; arrangement fee; management fee; brokerage fee

gastos de importación, import expenditures

gastos de manipulación, handling charges

gastos de menor cuantía, out-of-pocket expenses

gastos de negociación, handling charges

gastos de oficina, office expenses

gastos de organización, organization expenses

gastos de poca cuantía, petty expenditures

gastos de promoción, promotion expenses; promotional expenditures; development expenses

gastos de protesto, protest charges

gastos de publicidad, advertising expenses; advertising expenditures

gastos de sobrestadía, demurrage expenses

gastos de telex, telex charges

gastos de transferencia, transfer fee

gastos de venta, selling expenses

gastos de viaje y representación, travel and entertainment expenses

gastos deducibles a efectos fiscales, tax-deductible expenses

gastos deficitarios, deficit spending

gastos desgravables (Esp.), tax-deductible expenses

gastos devengables, expenses chargeable

gastos devengados, accruals; accrued costs; accrued charges; accrued expenses

gastos directos, direct expenses

gastos diversos, sundry expenses; sundries (sing.: sundries = sundry)

gastos e ingresos, expenditures and receipts

gastos efectivamente realizados, actual expenses

gastos efectivos, actual expenses

gastos fijos, fixed charges

gastos financieros, financial charges (FC); FC (ab. financial charges); finance charges; financial chart

gastos generales, overhead expenses; general expenses

gastos generales (col.), burden

gastos generales de explotación, general operating expenses

gastos generales y de personal, overhead and payroll expenses

gastos incidentales, carrying charges

gastos indirectos, indirect expenses

gastos judiciales, law expenses

gastos jurídicos, legal expenses

gastos justificables, justifiable expenditures

gastos legales, legal expenses

gastos menores, petty expenditures

gastos menudos, out-of-pocket expenses

gastos no recuperables, non-recoverable expenses

gastos no sujetos a tributación, tax-deductible expenses

gastos operativos, operating expenses; revenue expenditures; running costs

gastos pagados por adelantado, charges prepaid

gastos por cuenta del comprador, expenses at buyer´s cost

gastos por cuenta del librado, charges for drawee's account

gastos por cuenta del librador, charges for drawer's account

gastos por cuenta del prestatario, costs to the borrower

gastos postales, mail charges

gastos precedentes, prior charges

gastos prioritarios, prior charges

gastos publicitarios, advertising expenses; advertising expenditures

gastos reales, actual expenses

gastos recuperables, recoverable expenses

gastos recuperados, expenses recovered; recovered expenses

gastos reembolsables, refundable expenses; reimbursable expenses

gastos reembolsados, refunded expenses

gastos rutinarios, routine expenses

gastos satisfechos por anticipado, charges prepaid

gastos susceptibles de cobro, expenses chargeable

gastos varios, sundry expenses; sundries (sing.: sundries = sundry)

GCLP (ab. **gestión de capitales a largo plazo),** long-term capital management (ab. LTCM); LTCM (ab. long-term capital management)

generación, generation

generación de fondos, cash flow; cashflow

generación de informes, report generation

generado por ordenador, computer-generated

generador, generator

generador de rentas, revenue-bearing

generalidades, outlines

generar, yield (v.); generate

generar empleo, create jobs; create employment

generar intereses, bear (an) interest; accrue (an) interest; draw (an) interest; earn (an) interest

generar un déficit de, make up a deficit of

géneros, goods

géneros de buena salida, wrap-up (US)

géneros de exportación, exports; export commodities

géneros de gran salida, best sellers

géneros en camino, goods in transit

gente acaudalada, people of substance (col.)

gente de buen tono, smart set

gente de negocios, business people

gerencia (LA)**,** management; directorship; administration; executive committee; management committee

gerente, director; head (n.); manager (fem.: manager = manageress)

gerente de ventas, sales manager

gerifalte, big shot (US, col.); big wheel (GB, col.); bigwig (GB, col.)

gestión (n. fem.)**,** managership

gestión basada en el contacto permanente con los empleados, management by wandering around; management by walking around

gestión comercial, business management; business administration; commercial management

gestión de (la cartera de) activos y pasivos, asset-liability management

gestión de capitales a largo plazo (GCLP), long-term capital management (ab. LTCM); LTCM (ab. long-term capital management)

gestión de carteras, portfolio management

gestión de carteras de inversión, management of investment portfolios; investment portfolios management

gestión de costes con base a las actividades, activity-based costing (ABC); ABC (ab. activity-based costing)

gestión de ficheros de accionistas, processing of shareholder records

gestión de fondos, fund management

gestión de fortunas, asset portfolio management

gestión de grandes cuentas, key account management

gestión de la balanza de pagos, balance of payments management

gestión de la cartera de títulos, management of security investments

gestión de la deuda, debt management

gestión de pagos a proveedores, confirming

gestión de patrimonios, asset portfolio management

gestión de periodificaciones, accruals processing

gestión de proyectos, project management

gestión de tesorería, cash management

gestión de tipo horizontal, pizza-style management (col.)

gestión de volatilidad, WS

gestión del riesgo, risk management

gestión desjerarquizada, pizza-style management (col.)

gestión dinámica, dynamic management

gestión empresarial, business management; business administration; commercial management

gestión financiera, financial management

gestión integrada de activos y pasivos, integrated asset and liability management

gestión mancomunada, co-management (= comanagement); comanagement (= co-management)

gestión monetaria, currency management

gestión monoestamento interrelacionada (fem.), pizza-style management (col.)

gestión plenamente unificada, completely unified management; fully unified management

gestión por objetivos, management by objectives

gestión sindicada, syndicated management

gestión unificada, unified management

gestionar, manage

gestionar la curva de tipos de interés, ride the yield curve

gestor de carteras, portfolio manager

gestor de fondos, cash manager

gestor de grandes cuentas, key account manager (ab. kam); kam (ab. key account manager)

gestor de la emisión, manager (stock exchange)

gestor de producción, acquisition agent

gestora, manageress (masc. = manager); businesswoman (m. businesswoman = businessman)

gigantesco, huge

girado, drawee

girador, drawer

girar a cargo de, value upon

girar con cargo a, value upon

girar en descubierto, overdraw

girar un efecto (Esp.), draw a bill (US: bill = draft); draw a draft (GB: draft = bill); issue a draft; make a bill

girar un nuevo efecto, redraft (v.)

girar una letra, draw a bill (US: bill = draft); draw a draft (GB: draft = bill); issue a draft; make a bill

girarle (un efecto) a un cliente, draft on a customer

giro, drawing

giro a la vista, sight bill (US: bill = draft); sight draft (GB: draft = bill); demand bill; demand draft

giro a plazo fijo, time bill; time draft

giro compensatorio, compensatory drawing

giro en descubierto, overdraft

giro negativo del negocio, downturn

giro postal, money order; warrant for payment

giros sobre el exterior, drafts drawn on a foreign country (GB: drafts = bills); bills drawn on a foreign country (US: bills = drafts); foreign drafts; foreign paper

global (adj.), aggregate (adj.)

global (adj., masc. & fem.), flat (adj.); constant; continual

gobernador, governor

gobernador del Banco de España, governor of the Bank of Spain

gobierno autonómico (Esp.), local government

gobierno local, local government

gobierno municipal, local government

gobierno regional, regional government

gobiernos autonómicos (Esp.), autonomous community governments

gobiernos de las Comunidades Autónomas (Esp.), autonomous community governments

golpe de suerte (col.), lucky strike (col.)

golpe maestro, coup

góndola portaformularios (Esp.), application holder

gozar de jurisdicción sobre, have jurisdiction over

grabado en relieve (tarjetas de plástico), embossing

grabar (comp.), write

grabar en relieve (tarjetas de plástico), emboss

grado, degree

grado de aceptación en el mercado, marketability

grado de autoridad, scope of authority

grado de concentración, concentration level

grado de concentración del riesgo, risk concentration level

grado de desocupación, jobless total

grado de dificultad, degree of difficulty

grado de dispersión (distribución), standard deviation

grado de dispersión de los riesgos, degree of risk dispersion

grado de dispersión de los tipos de interés aplicados, degree of dispersion of interest rates applied

grado de insolvencia, degree of insolvency

grado de invalidez, degree of disablement

grado de morosidad, degree of delinquency

grado de seguridad, level of security; security level

grado de servicio al cliente, quantum of customer service

grado de solvencia, financial status; financial condition; financial situation

grado de solvencia asignado, credit rating

grado de volatilidad, beta coefficient (beta = ß); ß coefficient (ß = beta); beta ratio (beta = ß); ß ratio (ß = beta); volatility degree

graduado, graduate

gráfica, diagramm (US: diagramm = diagram); diagram (GB: diagram = diagramm); graphic; table; chart

gráfica de cotización, stock price graph

gráfica de equilibrio, breakeven chart

gráfica de procedimientos, procedure chart

gráfico, diagramm (US: diagramm = diagram); diagram (GB: diagram = diagramm); graphic; table; chart

gráfico de barras, bar graph; bar chart

gramática ambigua, ambiguous grammar

gran superficie comercial, department store (n); magazine; shopping centre (US: centre = center)

grandes almacenes, department store (n); magazine; shopping centre (US: centre = center)

grandes cantidades de dinero (fig. **billetes de banco),** large amounts of paper (fig. banknotes)

grandes cuentas, key accounts

grandes inversiones, heavy investments

grandes rasgos, outlines

grandes sumas de dinero, huge amounts of money

granel, bulk

granja avícola, poultry ranch (US)

granja colectiva, collective farm

gratificación (n. fem.), bonus (n.); prize (n.); reward (n.); premium (pl.: premium = premiums / premia)

gratificación por accidente laboral, smart money

gratificación por aumento de la productividad, acceleration premium

gratificación por peligrosidad, danger money

gratificaciones complementarias, perk(s) (col.); perquisites

gratificar, bonus (n.); prize (n.); reward (v.); premium (pl.: premium = premiums / premia)

gratis, free (adj.)

gratuitamente, ad honorem Lat.)

gratuito (adj.)**,** free (adj.)

gravable, assessable; leviable; taxable; imposable

gravado, encumbered

gravamen (pl.: **gravamen = gravámenes),** levy (n.); encumbrance

gravamen aplicable, appraisal; assessment; appraising; evaluation; estimate (n.); valuation

gravamen específico, special lien

gravamen precedente, prior lien

gravamen sobre impuestos no pagados, tax lien

gravar, encumber

gravar con un impuesto, impose a tax

gravar con un impuesto sobre el consumo, excise

gravar con una hipoteca, encumber with a mortgage

gravar con una sobretasa, surcharge (v.); overcharge (v.); overdebit (v.); additional tax; surtax (v.)

gravedad del daño, degree of damage

gravoso, expensive; grievous; onerous

gremial (adj.)**,** union (adj.); trade-union (adj.)

gringo (col.)**,** Yankee (US)

grueso del beneficio, bulk of profit

grupo, group

grupo bancario, banking group

grupo consolidado, consolidated group

grupo de gestión, management group

grupo de personas unidas por intereses comunes, clique

grupo de presión, lobby (n.); pressure group (lobby)

grupo de trabajo abierto, open-end task force

grupo directivo, management group

grupo empresarial, conglomerate

grupo gestor, management group

grupo industrial, combine

grupo operativo, platoon (milit., col.); task force (mil., col.); work team

grupo vendedor, selling group

guardar, stow

guardar en depósito, store (v.)

guardería infantil, day-care centre (US: centre = center)

guardia (n. masc. & fem.)**,** police constable (GB); (n. masc.)**,** policeman (pl. policeman = policemen)

guerra de precios, price war

guía (Esp.)**,** freight receipt

guía (talón), invoice (US: invoice = bill) (n.); bill (GB: bill = invoice) (n.); receipt (n.)

guía de almacén, deposit receipt note; deposit slip; deposit note; deposit ticket; warehouse receipt

guía de depósito, deposit receipt note; deposit slip; deposit note; deposit ticket; warehouse receipt

guía de desembalaje, unpacking directions

guía limpia de carga aérea, clean air waybill

guiño de la fortuna (col.)**,** lucky strike (col.)

gurús de la economía (Esp., col.)**,** economics sachems (col.)

Gustavín (Esp., col.)**,** Johnny-on-the-spot (col.)

H

haber (n.)**,** accommodation; credit (n.)

haberes devengados tras practicar deducciones, take-home pay (col.)

haberes netos, take-home pay (col.)

habilidad adquirida, skill; proficiency

habilidad para dirigir, managerial ability; managerial capability

habilitación oficial para el ejercicio de una profesión, charter (GB)

habilitado (Esp.)**,** payer; teller (US); paying teller (US); cashier (GB); paymaster

habilitar, validate

habilitar para el ejercicio de una profesión, charter (GB)

habitualmente, consistently

hablar en favor de, speak for

hablar en nombre de, speak for

hablar por sí mismo, speak for itself

hablar sin rodeos, speak to the point; speak straightforward

hacemos referencia a su carta de fecha, reference is made of your letter dated...

hacemos referencia a su carta del 10 de Diciembre, we refer to your letter of 10 December

hacer acopio de, buy up; hoard; corner the market; buy out

hacer acto de presencia, make personal appearance

hacer acto de presencia ante, appear before

hacer acto de presencia mediante apoderado, appearance by attorney (US); appearance by counsel (GB)

hacer algo sin saber cómo va a salir, hit or miss (col.)

hacer arqueo (Esp.)**,** prove the cash; lanace cash

hacer balance, strike a balance

hacer caja (Esp., col.)**,** prove the cash

hacer cálculos, figure

hacer cola (Esp.)**,** rank the line; join the queue

hacer comparecer, arraign; report (to the police)

hacer compras, shop

hacer concesiones, make concessions

hacer concordar, conciliate; accord

hacer constar, record evidence

hacer copias, manifold (n.)

hacer dejación de, surrender (v.); deliver (v.); waive

hacer doblete (Esp., col.)**,** double up shift; moonlight (v.)

hacer efectiva una señal, disburse a token

hacer efectivo, cash in; purse up (col.)

hacer efectivo un talón, cash a cheque (US: cheque = check)

hacer el Agosto (Esp., col.)**,** make lots of money (col.); rake in a pretty penny (GB, col.); get a rake-off (from) (col.)

hacer entrega de, make delivery of

hacer entrega de una notificación, serve with a writ

hacer fotocopias, photocopy (v.); photostatic copy; photostat (v.); xerox (r) (v.)

hacer frente a los gastos, meet the costs

hacer frente a los gastos con nuevos fondos, meet expenses with fresh funds

hacer frente a un problema, deal with a problem; tackle a problem

hacer frente a una deuda, quit from a debt; meet a debt

hacer granero para cuando lleguen las vacas flacas (Esp., col.)**,** save money to face hard times; save for a rainy day (col.)

hacer horas extras, work overtime

hacer huelga de celo, work to rule

hacer indagaciones para lograr mayor información, quarry for further data

hacer inventario, take inventory; take stock

hacer limpieza de empleados con bajo nivel de productividad, screen low-performing staff

hacer números (Esp., col.)**,** figure

hacer oídos sordos a, be deaf to

hacer operaciones bancarias con ..., bank with

hacer papilla a los bancos de la competencia (Esp., col.)**,** demolish competitor banks (col.)

hacer presión sobre, press

hacer protestar un efecto, have a draft protested

hacer provisión para el pago de un efecto, arrange for the payment of a loan

hacer público, disclose; make public

hacer público un aumento de beneficios del 25%, boast a 25% rise in earnings

hacer público un desmentido, issue a denial

hacer tratos, trade (v.); deal (v.); merchandise (v.); transact (v.); market (v.)

hacer un alarde publicitario, razzmatazz

hacer un anticipo de dinero, advance money; advance funds

hacer un buen negocio, pick up a bargain

hacer un diagrama, diagramm (US: diagramm = diagram); diagram (GB: diagram = diagramm); graphic; table; chart

hacer un ingreso en metálico, deposit cash

hacer un negocio redondo (Esp., col.)**,** make a killing (col.)

hacer un pedido, place an order

hacer un regalo, present; gift (v.)

hacer un sondeo, put out a feeler (col.)

hacer una llamada de teléfono, phone (col.) (v.); telephone (v.); ring up (col.) (v.)

hacer una nota, make a note; draft a note

hacer una propuesta, tender (v.); offer (v.); proposal (n.); submission (n.)

hacer una reserva, make a booking

hacer una salvedad, qualify (v.); remark (v.)

hacer uso de la palabra, take the floor (col.); take the stand (col.)

hacer(se) propaganda, advertise (v.)

hacer(se) publicidad, advertise (v.)

hacerle el vacío a, blackball

hacerle la pelota al jefe (col.)**,** lick the boss' boots (col.)

hacerse cargo de, take into charge; take over; take charge of; take the reins (col.)

hacerse cargo del costo, meet the costs

hacerse con, take possession of

hacerse con el control de, gain control of

hacerse efectivo, take effect; become effective

hacerse la competencia en la captación de fondos, compete for funds

hacerse pasar por, fake (v.); counterfeit

hacerse público, come to light

hacerse representar, delegate (v.)

hacia el día, circa (Lat., ab. c); c (circa)

hacienda (bienes), estate (n.); landed estate; lands; real estate; bona immobilis (Lat.); realty; real property; immovables; heritables; real chattels; financial resources; peculium (Lat.)

hacienda pública, Ministry of the Treasury (GB); Treasury Department (T) (US); T (ab. The Treasury / Treasury Department) (US)

hágase constar en acta, let the records show

halagüeño (adj.)**,** promising

hallarse al tanto de, be clued up about

hallarse desocupado, be idle

hallarse dispuesto a dar el todo por el todo (Esp., col.)**,** be ready and willing

hallarse en apuros, be in a jam (col.)

hallarse en buen estado de funcionamiento, be in working order

hallarse en compás de espera, be on hold

hallarse en deuda con, charge (v.); debit (v.); owe (v.); be in debt with

hallarse en prisión preventiva, be remanded on custody

hallarse en suspensión de pagos, placed in receivership; be in receivership

hallarse en tela de juicio, be in contention

hallarse familiarizado con, be conversant with

hallazgo, finding

hampa, gangland

hasta (el día de) la fecha, hitherto; up to (the present) date

hasta ahora, hitherto; up to (the present) date

hasta entonces, theretofore

hasta un montante máximo de, up to a maximum amount of

hecho de guerra, act of war

hecho destacable, outstanding event

hecho imponible, tax event

heredad (n. fem.), estate (n.); landed estate; lands; real estate; bona immobilis (Lat.); realty; real property; immovables; heritables; real chattels

heredar, come into (an) inheritance; inherit

heredera, heiress

heredero, heir

heredero legítimo, heir-at-law

herencia, inheritance

herramientas, implements

heterogéneo, miscellaneous

hidrante, fire hydrant; fireplug

hidrocarburos (Bolsa), petroleums (stock exchange) (GB); oils (stock exchange)

hija, daughter

hijo (US), junior (Jr.); Jr. (ab. junior)

hinchar las cifras, inflate figures

hinchar los números (col.), massage the figures (col.); make up the figures (col.)

hincharse a ganar cuartos (Esp., col.), make lots of money (col.); rake in a pretty penny (GB, col.); get a rake-off (from) (col.)

hincharse a ganar dinero (Esp., col.), make a killing (col.)

hiper (Esp., col.), department store (n); magazine; shopping centre (US: centre = center)

hipermercado (Esp.), department store (n); magazine; shopping centre (US: centre = center)

hipoteca, hypothecation; pledging; pignoration; mortgage (n.)

hipoteca a cobrar, mortgage receivable

hipoteca a pagar, mortgage payable

hipoteca amortizable a plazos, installment mortgage (US: installment = instalment)

hipoteca cerrada, closed mortgage

hipoteca con tipo de interés ajustable, adjustable rate mortgage (ARM); ARM (ab. adjustable rate mortgage)

hipoteca conjunta, participating mortgage

hipoteca consolidada, unified mortgage; consolidated mortgage

hipoteca de inversión, endowment mortgage

hipoteca en participación, participating mortgage

hipoteca fiduciaria, trust mortgage

hipoteca garantizada por bienes, mortgage secured on property

hipoteca garantizada por otra, submortgage

hipoteca general, blanket mortgage

hipoteca ilimitada, open-end mortgage

hipoteca legal, tacit mortgage

hipoteca mobiliaria, chattel mortgage

hipoteca pagadera a plazos, installment mortgage (US: installment = instalment)

hipoteca preferente sobre el buque, preferred ship mortgage

hipoteca prendaria, chattel mortgage

hipoteca secundaria, junior mortgage

hipoteca simple, conventional mortgage

hipoteca subordinada, junior mortgage

hipotecable, mortgageable

hipotecar, hypothecate; mortgage (v.); pawn (v.); hock (v., col.); affect (v.); affect; pignorate

hipótesis actuariales, actuarial assumptions

hipótesis de la eficiencia de los mercados, efficient market hypothesis (EMH)

hipotético, hypothetic(al)

histograma, histogram

historial, file; archive; record

historial (antecedentes personales), résumé (Fr.); curriculum vitae (ab. CV) (Lat.); CV (ab. curriculum vitae) (Lat.)

historial académico, academic record

historial de la cuenta, account history

historial personal, curriculum vitae (CV); CV (ab. curriculum vitae)

historial profesional, professional record; service record

historias (Esp., col.)**,** yawn (col.); jazz (col.)

HM (ab. **horas-máquina),** machine-hours (MH); MH (ab. machine-hours)

hoja con membrete, head sheet

hoja de cálculo (valor, tiempo, etc.), estimate sheet

hoja de costes, cost sheet

hoja de cupones, coupon sheet

hoja de estimación (valor, tiempo, etc.), estimate sheet

hoja de expedición, dispatch note

hoja de inventario, inventory sheet

hoja de jornales devengados por horas de trabajo, time sheet

hoja de ruta ferroviaria, railway bill of lading (GB; ab. railway B/L); railway B/L (GB; ab. railway bill of lading); railroad bill of lading (US; railroad B/L); railroad B/L (US: ab. railroad bill of lading)

hoja de servicios, professional record; service record

hoja de trabajo, work sheet

hoja inicial de un escrito de varias páginas, head sheet

hoja-cuenta, account sheet

hoja-resumen, summary sheet

hombre de la calle, John Q Public (US); John Doe (US)

hombre de negocios, businessman (pl.: businessman = businessmen)

hombre de paja (Esp., col.)**,** dummy (col.); front man; straw man (col.); scapegoat (col.)

homologación, standardization

homologar, standardize

homólogo, counterpart

honestidad, integrity; probity; trustworthiness

honorarios, fees (n.)

honorarios adicionales, refresher (GB)

honorarios de abogado, lawyer´s bill; counsel fees; attorney´s fees (US)

honorarios de auditoría, audit fees

honorarios de letrado, legal fees

honorarios de los consejeros, statutory fees; statutory payments; directors´ fees

honorarios fijos, fixed fees

honorarios profesionales, professional fees

honradez, integrity; probity; trustworthiness

hora de llegada prevista, estimated time of arrival (ETA); ETA (ab. estimated time of arrival)

hora de salida prevista, estimated time of departure (ETD); ETD (ab. estimated time of departure)

hora legal, standard time

hora oficial, standard time

hora(-patrón) del Meridiano de Greenwich, Greenwich Mean Time (GMT); GMT (Greenwich Mean Time)

horario de atención al público (banca), banking hours

horario de tarde y/o noche (12:00 a 24:00 horas; PM), PM (ab. post meridiem); post meridiem (PM)

horario de trabajo, working hours; business hours; legal hours

horario de verano, daylight saving time

horario inhábil (a efectos de atención a la clientela bancaria), non-banking hours

horario legal, legal schedule; official schedule

horas de máxima actividad, peak hours; rush hours

horas de mayor afluencia, peak hours; rush hours

horas extra programadas, scheduled overtime; planned overtime

horas extra(ordinarias) no programadas, unscheduled overtime

horas hábiles, working hours; business hours; legal hours

horas hábiles para realizar operaciones bancarias, banking hours

horas laborables, working hours; business hours; legal hours

horas no hábiles (a efectos de operativa interbancaria), non-banking hours

horas punta (Esp.), peak hours; rush hours

horas-máquina (HM), machine-hours (MH); MH (ab. machine-hours)

horizonte de inversión, investment horizon

hueco (n.), gap; deficit; shortage; shortfall; mismatch; unbalance

huelga, strike

huelga autorizada, legal strike

huelga de brazos caídos, sit-down strike; sit-in (col.)

huelga de brazos cruzados, sit-down strike; sit-in (col.)

huelga general, general strike

huelga ilegal, illegal strike

huelga legal, legal strike

huelga patronal, lockout

huelga salvaje, quickie strike

huelga salvaje (col.), wildcat strike (col.)

huelga sin previo aviso, lightning strike

huelgas, motines y desórdenes internos, strikes, riots and civil commotions

huelguista, striker

huella dactilar, fingerprint (n.)

huella digital, fingerprint (n.)

huída de capitales, capital flight; flight of capital

huída de un establecimiento penitenciario (Esp.), jailbreak

hundimiento, bankruptcy; failure (bankruptcy); insolvency; crack (n., col.); crash (n., col.)

hundirse, go to the devils (col.); go to hell (col.); go kaput (col.)

hurtar, pilfer; purloin; steal (stole, stolen) (v.)

hurto, pilferage; larceny; petty larceny; petty theft; abstraction

hurto implícito, constructive larceny

I

I&D (ab. **investigación y desarrollo),** research and development (R&D); R&D (ab. research and development)

IAL (ab. **Instituto de Aseguradores de Londres),** Institute of London Underwriters (ILU); ILU (ab. Institute of London Underwriters)

IBT (inversión bancaria típica), loans and discounts; current loans and discounts; ordinary loans and discounts

idea descabellada, crackbrain idea

identificación de clientes, customer identification

identificación del emisor, issuer identification

identificador de galerada, batch header

identificarse, provide evidence of identity

idioma, language

idóneo, able

ignorancia supina, gross ignorance

igualar, equalize

igualmente, likewise

ilegal(adj., masc. & fem.)**,** unlawful (adj.); illegal (adj.)

ilegalizar, outlaw

ilegítimo, unlawful (adj.); illegal (adj.)

ilícitamente obtenido, bootleg (col.)

ilícito, unlawful (adj.); illegal (adj.)

ilimitado, unlimited

imagen corporativa, corporate image

imaginario, fictitious (adj.); cosmetic (adj.)

imitación, simulacrum (pl.: simulacrum = simulacra / simulacrums)

impactar, impact (v.)

impacto, impact (n.)

impacto de la inflación, impact of inflation

impacto estimado de la inflación, estimated impact of inflation

impacto sobre el mercado, market impact

impagado, unpaid; pending payment; payable (adj.)

impar, odd

impasse (Esp.)**,** break

impedimento, banning; ban; prevention; prohibition

impedir, prohibit (v.); ban (v.)

implantar, impose

implantar un impuesto, impose a tax

implicaciones de la sequía, implications of draught

imponente, depositor

imponer, impose

imponer un embargo, lay an embargo; place an embargo

imponer un recargo, surcharge (v.); overcharge (v.); overdebit (v.); surtax (v.)

imponible (adj., masc. & fem.)**,** fiscal (adj.)

imponible (fiscalmente) (Esp.)**,** assessable; leviable; taxable; imposable

importación (n. fem.)**,** import (n.); importation (n.)

importación temporal, temporary import

importaciones destinadas a la reexportación, goods imported for re-export

importador, importer

importador (adj.), importing

importante (adj., masc. & fem.), significant (adj.)

importar, import (v.); importation (n.)

importar (la suma de), amount (v)

importar (por su trascendencia), matter

importe, amount (n); sum (n.)

importe adeudado, amount due

importe de la factura, invoice amount; amount of invoice; amount of bill

importe de las reservas, amount of provisions

importe de los efectos descontados, value of notes discounted

importe del daño, amount of damage

importe medio de las operaciones, average size of transactions

importe medio por efecto, average value per note

importe medio por efecto descontado, average value of notes discounted

importe neto, resulting figure; resulting amount; proceeds

importe pendiente, remaining amount; remainder; outstanding amount; carry-over (n.); outstandings; balance outstanding; carried forward (CF); CF (ab. carried forward)

importe resultante, resulting figure; resulting amount; proceeds

importe satisfecho en exceso, amount paid in excess

importes imposibles de cobrar, non-collectable amounts

importes que minoran el beneficio sin suponer aplicación de fondos, expenses not requiring outlay of funds in the current period

imposible de llevar a efecto, unfeasible

imposible de vender, unmarketable

imposición, deposit

imposición a la vista, demand deposit; checking deposit; sight deposit

imposición a plazo (Esp.), term deposit

imposición a plazo fijo, time deposit; fixed-term deposit

imposición en cartilla de ahorro(s), savings deposit

imposición en cuenta de ahorro, thrift deposit (US)

imposición fiscal en origen, taxation at source

imposiciones a más de un año, time deposits at over one year

imposiciones con plazo superior a dos años, deposits (at) over two years

impositor, depositor

impostor, personator; deceiver

impostura, fake (n.); falsification; forgery; sham; counterfeit; adulteration

impracticable, unfeasible

impresión (comp.), printing (comp.)

impresión definitiva (n. fem.), printout

impresionar, impact (v.)

impreso (en papel) continuo, continuous form

impreso abreviado, short form

impreso de cheque (para rellenar), cheque form (US: cheque = check); cheque blank (US: cheque = check)

impreso de cheque en blanco, blank cheque form (US: cheque = check)

impreso de declaración del impuesto de utilidades, income tax blank

impreso de solicitud, application form

impreso en blanco, form (n.); blank (form)

impreso en España, printed in Spain

impreso para resumir apuntes en cuenta, account blank

impreso para uso interno, in-house form

impreso predefinido para traducciones, translation form

impreso sin rellenar, blank form

impresora, printer (comp.); printing machine (comp.)

impresora de chorro de tinta, deskjet printer

impresora de agujas, matricial printer

impresora de alta velocidad, hit-on-the-fly printer (comp., col.)

impresora de burbuja, bubble printer

impresora de direcciones, addressing machine

impresora electrostática, electrostatic printer

impresora laser, laser printer

impresora matricial, matricial printer

impresos (n. pl.), printed matter

imprevisión, short sight

imprevistos financieros, financial contingency

impronta (del sello aplicado), signet

imprudencia temeraria, reckless endangerment; hazardous negligence; wanton negligence

impuesto, impost; cess; tax

impuesto (sobre la renta) de sociedades (Esp.), corporate income tax

impuesto acerca de, clued-up about

impuesto adelantado, forward tax

impuesto al consumo, excise tax

impuesto anticipado, forward tax

impuesto catastral (Esp.), real estate tax; land tax

impuesto de circulación, road tax

impuesto de erradicación (Esp.), real estate tax; land tax

impuesto de lujo, luxury tax

impuesto de plusvalía, capital gains tax

impuesto de sociedades (Esp.), corporation income tax; corporate tax

impuesto de sucesión, succession duty; succession tax

impuesto de sucesiones, death duties; estate duties; estate tax

impuesto de utilidades (de sociedades), corporate income tax

impuesto estatal, state tax

impuesto ilegal, protection money

impuesto individual sobre la renta, individual income tax

impuesto patrimonial, capital levy; wealth tax

impuesto predial, real estate tax; land tax

impuesto repercutido, rebound tax

impuesto retenido, retained tax

impuesto revolucionario (pol.), protection money

impuesto sobre activos inmobiliarios, real estate tax; land tax

impuesto sobre donaciones (con cargo al perceptor), accession tax

impuesto sobre el beneficio, profits tax

impuesto sobre el capital, capital levy; wealth tax

impuesto sobre el consumo, excise tax

impuesto sobre el exceso de beneficio, excess income tax; excess profits tax

impuesto sobre el patrimonio, capital levy; wealth tax

impuesto sobre el valor añadido, added value tax

impuesto sobre el valor añadido (IVA), value added tax (ab. VAT); VAT (ab. value added tax)

impuesto sobre el volumen de negocio, turnover tax

impuesto sobre la masa de la herencia, death duties; estate duties; estate tax

impuesto sobre la producción, production tax

impuesto sobre la propiedad inmobiliaria, property tax

impuesto sobre la renta, income tax

impuesto sobre la renta de las personas físicas (Esp., ab. **IRPF),** individual income tax; personal income tax

impuesto sobre la renta de sociedades anónimas, corporation income tax; corporate tax

impuesto sobre la venta, sales tax

impuesto sobre percepciones salariales, salary tax

impuesto sobre salarios, salary tax

impuesto sobre transmisiones no onerosas, accession tax

impuesto suntuario, luxury tax

impuesto único, single tax

impuestos a pagar, accrued taxes

impuestos acumulativos, tax accruals

impuestos anticipados, prepaid taxes

impuestos atrasados, back taxes

impuestos devengados, accrued taxes

impuestos diferidos, accrued taxes

impuestos directos, direct taxes

impuestos indirectos, indirect taxes

impuestos menores sobre el consumo, nuisance taxes

impuestos varios, sundry taxes

impugnar, contest; disprove; deny

impugnar un testamento, contest a will

impulsar, boost (v.); momentum (n.); enhance (v.); optimize (v.); improve (v.); promote (job, sales, etc.) (v.)

impulsar la demanda, boost demand

impulsar nuevas inversiones, boost fresh investment

impulso, boost (n.); momentum (n.)

impuntualidad, lack of punctuality; bad timekeeping

imputable, allocable; assignable; attributable; chargeable

imputación a reservas, allocation to reserves

imputación de costes, cost allocation

imputación de costes fijos y variables entre la producción, absorption costing

imputación de costes operativos, allocation of operating costs

imputación de fondos, allocation of funds; provision of funds

imputación de provisiones creadas para cobertura de morosos, allocation of allowances recorded for nonperformings

imputación racional de costos, cost distribution

imputaciones atípicas, non-recurring charges; extraordinary charges

imputar, assign; allocate; attribute (v.); make over; transfer (v.); distribute; appropriate; set over

imputar fiscalmente los rendimientos, allocate income for tax purposes

imputar provisiones constituidas para cobertura de morosos, allocation to nonperformings of allowances recorded for them

imputar resultados financieros, allocate financial revenues and expenses

inactivo (adj.), stagnant (adj.)

inalámbrico, cordless

inasistencia, absence

incapacidad, disability

incapacidad laboral, disablement

incapacidad permanente, permanent disability

incapacitado (adj.), disabled

incautación, attachment; forfeit; forfeiture; seizure; embargo (pl.: embargo = embargoes); garnishee; levy (v.); distraint

incautación de fondos, seizing of funds

incautación de fondos emanantes del narcotráfico, forfeiture of funds from drug trafficking

incautar, apprehend; attach; confiscate; impress; seize; sequester; enforce; execute; arrest (v.); take into custody

incendiario, arsonist

incendio con premeditación, arson

incendio intencionado, arson

incentivo de productividad, dispatch money

incentivo sobre las ventas iniciales de una nueva emisión, reallowance

incentivos, incentives

incentivos al inversor extranjero, incentives to foreign investors

incentivos fiscales, tax incentives

incertidumbre cambiaria, exchange uncertainty

incertidumbre económica, economic uneasiness

incertidumbre financiera, financial unstability

incidencia, impact (n.)

incidencia de la inflación, impact of inflation

incipiente, nascent

inciso, subparagraph

incitación, abetment

incitador, abettor

incitar, abet

inclinación (tendencia), bias

incluido en una lista, listed

incluir, append; annex (v.); enclose

incobrable, uncollectible

incompareciente, defaulter

incompetencia, incompetence

incompleto, partial

incorporación al capital, transfer to capital

incorporarse a la plantilla de la empresa, rank the company's staff

incorrecto, incorrect

incrementar el beneficio (en) un 10%, increase profits by 10%
incrementar la rentabilidad, enhance return
incrementar(se), increase (v.); rise (v.); go up (v.)
incremento, increase (n.); rise (n); growth; accretion; increment
incremento de la rentabilidad, return enhancement
incremento de los costes financieros, increase in financial costs
incremento de valor, appreciation; increase in value; revaluation; reappraisal
incremento de valor (plusvalía), goodwill; intangible assets; immaterial assets; going value (col.)
incremento del beneficio, increase in profits
incremento en la rentabilidad de carteras, portfolio enhancement
incremento neto, net increase
incrementos salariales, salary increases
inculpado, culprit
incumbir a, concern (v.)
incumplimiento, breach; default; failure to comply; failure to perform; infraction
incumplimiento de contrato, breach of contract
incumplimiento de los compromisos de pago, default on payment obligations
incumplir, breach; default; fail to comply; fail to perform
incumplir la ley, defy the law
incumplir un contrato, break a contract
incumplir un trato, back out a deal
incurrir en una deuda, incur a debt
indagar, research (v.); analyze (v.); review (v.); reckon (up); question (v.)
indagar para conseguir más datos, quarry for further data
indefensión, defencelessness (US: defencelessness = defenselessness); defenselessness (GB: defenselessness = defencelessness)
indefenso, defenceless (US: defenceless = defenseless); defenseless (GB: defenseless = defenceless)
indemnificar, indemnify
indemnización por despido, severance pay
indemnización por incendio, fire indemnity
indemnización total, aggregate indemnity
indemnizado, indemnitee
indemnizador, indemnitor
indemnizante, indemnitor
independiente, independent
indexación, indexation; indexing
indicaciones, instructions; directions
indicado al pie, as referred to below; undermentioned
indicado más arriba, aforesaid; aforementioned; aforenamed; as referred to above; before-written; before-mentioned; above-cited; above-mentioned (a/m); above-said; a/m (ab. above-mentioned)
indicador, indicator
indicador de clave de codificación, key indicator
indicador de cotización en el secundario sobre/bajo precio original, breakpoint
indicador de longitud de tarjeta, card length indicator
indicador de tendencias, bellwether
indicador fundamental, key indicator
indicadores de calidad de los activos, asset quality indicators
indicadores de tendencia, momentum indicators
indicar la razón, set forth the reason
índice, coefficient; index; quotient; rate (n.); ratio; reason (ratio)
índice bursátil, share index; share list; stock market index; stock price index
índice DAX (bolsa de Frankfurt), DAX index (Frankfurt stock exchange)
índice de acumulación de riesgos, aggregate liability index
índice de cobertura, import-export ratio
índice de contratación de acciones, share index; share list; stock market index; stock price index
índice de cotización de bonos Shearson-Lehman, S&L bond index
índice de cotizaciones, share index; share list; stock market index; stock price index
índice de la bolsa de París, CAC 40 index

índice de liquidez, index of liquidity; liquidity index

índice de los 500 valores más representativos de la bolsa de Nueva York, 500 Standard & Poor´s Index; Standard & Poor´s 500 Index

índice de materias (libros), contents (books)

Índice de Precios al Consumo (ab. **IPC.**), Consumer Price Index (CPI); CPI (ab. Consumer Price Index)

índice de precios al consumo (IPC) (Esp.), inflation rate; rate of inflation

índice de precios al por mayor, wholesale price index

índice de tarjetas, card index

índice del sector bancario, banking sector's index

índice Dow Jones, Dow Jones index

índice Dow Jones (bolsa de Nueva York), Dow Jones index (DJI / DJ index) (NYSE); DJI (ab. Dow Jones index) (NYSE); DJ index (ab. Dow Jones index) (NYSE)

índice general de la Bolsa de Madrid, Madrid stock exchange general index

índice Nikkei 225, NIKKEI 225 stock average index

índice ordinario de la bolsa de Nueva York, New York common stock index (NYSE index) (US); NYSE index (ab. New York common stock index)

índice selectivo IBEX 35 (Esp.), IBEX 35 index (Esp.)

índice Standard & Poor´s, 500 Standard & Poor´s Index; Standard & Poor´s 500 Index

índices de crecimiento interanual, annualized growth rates

indiciación, indexation; indexing

indicio indubitable, absolute presumption

indicios de blanqueo de dinero, symptoms of money laundering

indiferente, at the money

indiscriminadamente, across the board

individual y colectivamente, joint(ly) and several(ly)

individual y colectivamente responsable, jointly and severally liable

individualmente, severally

inducción, abetment

inducir, abet

inducir a, prompt

inductor, abettor

inductor de costes, cost driver

indultar, give a reprieve

industria, activity; industry

industria aeronáutica, aircraft industry

industria artesanal, cottage industry

industria del crudo, petroleum industry; oil industry

industria del petróleo, petroleum industry; oil industry

industria esencial, key industry

industria pesada, heavy industry

industria petrolera, petroleum industry; oil industry

industria siderúrgica, steel industry; steel sector

industrial (n. & adj.), industrialist (n.); industrial (adj.)

industrializar, industrialize

ineptitud, incompetence

inestabilidad, volatility

inestabilidad cambiaria, exchange unstability

inestabilidad financiera, financial unstability

inestabilidad social, social uneasiness

inevitable, unavoidable

inexacto, incorrect

inexperto, raw (adj.)

infalsificable (adj., masc. & fem.), forgery-proof

infectado (con virus) (comp.), corrupt (adj.); contaminated (adj.)

infectar con virus (comp.), corrupt (v.); contaminate

infectar un disco (comp.), corrupt a disk (comp.)

inferior a la par, below par

infinidad de cosas que hacer, zillion (of) things to do (col.)

inflación, inflation

inflación de costes, cost-push inflation

inflación de la demanda, demand-pull inflation

inflación furtiva, creeping inflation; hidden inflation

inflación galopante, runaway inflation

inflación latente, creeping inflation; hidden inflation

inflación provocada por los aumentos salariales, wage-push inflation

inflación subyacente, creeping inflation; hidden inflation

inflacionario, inflationary

inflacionista (adj., masc. & fem.), inflationary

inflar las cifras, inflate figures

inflar las cifras (col.), massage the figures (col.); make up the figures (col.)

inflarse a ganar pasta (Esp., col.), make a killing (col.)

inflexible (adj., masc. & fem.), tight (adj.); strict (adj.); stringent (adj.); inflexible (adj.)

influencias económicas, economic influences

información, information

información bursátil confidencial, tips

información compartida, shared information

información confidencial, insider information

información cuantitativa, quantitative information

información engañosa, misleading information

información manipulada, altered information

información mediante teleproceso, TP info (ab. teleprocess information); teleprocess information (TP info)

información privilegiada, insider information

información sobre el grado de solvencia, credit information

información sobre el resultado del proceso (comp.), feedback (comp.)

información sobre historial de créditos, credit information

informante, informant

informar, report (v); notify; announce (v.); acquaint (with); advise; warn; give notice

informática, computer science

informatización, computerization

informatizado, computer-assisted

informatizar, computerize

informe, report

informe comercial, credit report

informe con reservas, qualified report

informe con salvedades, qualified report

informe condensado, flash report

informe confidencial, confidential report

informe confidencial a destruir tras su lectura, confidential report to be destroyed upon reading

informe de auditoría, report of the auditors; auditors' report

informe de equipo y material inactivo, inactive equipment and material report

informe de existencias, inventory report

informe de fin de año, year-end report

informe de gestión, management report

informe de índole confidencial, low-down (col.)

informe de inspección, surveillance report

informe de los auditores, report of the auditors; auditors' report

informe de los censores de cuentas, report of the auditors; auditors' report

informe de mercados, market report

informe de solvencia, status report

informe de solvencia falso, deceitful credit report

informe por escrito, report in writing

informe provisional, interim assessment

informe sintetizado, flash report

informe sucinto, concise report

informe técnico, technical report

infracción, breach; default; failure to comply; failure to perform; infraction

infracción anticipatoria de contrato, anticipatory breach of agreement

infractor de la ley, lawbreaker

infraestructura, infrastructure

infraestructura bancaria, banking infrastructure

infraestructura económica, economic infrastructure

infravalorado (Bolsa), oversold

infringir, violate

infringir (lo pactado), breach; default; fail to comply; fail to perform

infringir las disposiciones, violate provisions

ingeniería financiera, financial engineering

ingente, huge

ingentes cantidades de dinero, huge amounts of money

ingerencia, meddling

inglés (personificación de cuanto tiene origen inglés), John Bull (GB)

ingresar, deposit

ingresar dinero en un banco, deposit money at a bank (also possible: at = with / in)

ingresar fondos, deposit cash

ingreso, deposit

ingreso de una cantidad reducida, unremarkable cash deposit

ingreso en cuenta corriente, demand deposit; checking deposit; sight deposit

ingreso en efectivo, cash deposit

ingreso en un sindicato, unionization

ingreso inicial, primary deposit

ingreso marginal, marginal income; marginal profit; marginal revenue

ingresos, collections; moneys paid in

ingresos ajenos a la explotación, non-operating earnings; other income; miscellaneous income

ingresos atípicos, but-for income

ingresos brutos, gross earnings; gross income; gross return

ingresos brutos acumulados, accrued gross receipts

ingresos circunstanciales, but-for income

ingresos de (una) aparente legitimidad, seemingly legitimate income

ingresos devengados, accrued income; accrued revenue(s)

ingresos diferidos, accrued income; accrued revenue(s)

ingresos disponibles, disposable income

ingresos en efectivo, cash received

ingresos en metálico, money income

ingresos financieros, financial income; financing income

ingresos globales, bunched income (col.)

ingresos imponibles, taxable income; assessed income

ingresos líquidos, net earnings; net income; net proceeds; net profit; net return; net revenue; after-tax yield; after-tax earnings

ingresos netos, net receipts

ingresos por servicios, service (fee) revenues

ingresos públicos, national revenue; domestic revenue

ingresos reales, real income

ingresos retenidos, retained earnings

ingresos tributables, taxable income; assessed income

ingresos y gastos, revenues and expenses

inhabilitar para el ejercicio de la abogacía, disbar an attorney

iniciar, initiate

iniciar acciones, act (v.)

iniciar actuaciones judiciales contra, proceed against; take to court

iniciar la actividad, come into service; render operative

iniciar la recuperación, turn the corner (col.)

iniciar la vista (tribunales), open court

iniciar un pleito, cause suit to be brought; file a suit; implead; litigate; put in suit; sue; plead

iniciar una actividad comercial, set up a business

iniciar una causa, open a case

iniciar una operación, initiate a transaction

inicio de la sesión bursátil, opening of the stock exchange

ininterrumpido, flat (adj.); constant; continual

inmaterial, intangible

inmovilista (adj., masc. & fem.)**,** set (n.)

inmovilizaciones, capital assets; fixed assets; permanent assets

inmovilizado material, tangible assets

inmovilizar, freeze

inmovilizar una cuenta, freeze an account

inmuebles, premises

inmuebles urbanos, city real estate

inmunización, hedging

inmunización delta, delta-hedging

inobservancia justificada, excusable neglect

inquilino, leaseholder; lessee; tenant

inquilino imposible de desalojar, sitting tenant

inquirir, research (v.); analyze (v.); review (v.); reckon (up); question (v.)

inscribir una hipoteca, record a mortgage

inscribirse, book in

inscripción (n. fem.)**,** register (n.); record (n.)

insignificante, meagre (meagre = meager) (adj.); one-horse (adj., col.); unremarkable (adj.)

insignificante (adj., masc. & fem.)**,** slight (adj.)

insolvencia, bankruptcy; failure (bankruptcy); insolvency; crack (n., col.); crash (n., col.)

insolvencia comercial, commercial insolvency

insolvencia notoria, open insolvency

insolvencias, nonperformings (col.); non-performing loans; bad debts

insolvencias recuperadas, recovered unperformings

insolvente, bankrupt; shipwrecked (col.); insolvent

inspección (n. fem.)**,** survey (n.); inspection

inspección anual, annual examination

inspección de cuentas, auditing; audit

inspeccionado, audited (adj.)

inspeccionar las cuentas, audit (v.)

inspector, surveyor; adjuster; valuer; average adjuster; average stater; average surveyor

inspector de compañía de seguros, surveyor; adjuster; valuer; average adjuster; average stater; average surveyor

inspector de tributos, tax examiner

inspector fiscal, tax examiner

inspector tributario, tax inspector

instalación (ubicación) (n. fem.)**,** settlement

instalación industrial, plant

instalaciones, premises

instalaciones alquiladas, rented premises

instalaciones bancarias, bank premises

instalaciones comerciales, business premises

instalaciones compartidas, shared premises

instalaciones provisionales, temporary (office) premises

instalaciones subarrendadas (n. fem.)**,** sublet premises

instancia, action (court); application; claim; complaint; petition; request; requisition; appeal; motion

instancia de nulidad, plea in abatement; abater

instigación, abetment

instigador, abettor

instigador del hecho, accessory before the fact

instigar, abet

institución benéfica, eleemosinary institution

institución de carácter no lucrativo, non-profit institution

institución financiera, financial institution

instituciones religiosas, religious institutions

Instituto de Aseguradores de Londres (IAL), Institute of London Underwriters (ILU); ILU (ab. Institute of London Underwriters)

instrucción de diligencias, arraignment; report(ing)

instrucción de longitud variable, variable-length instruction

instrucción ficticia para pruebas, dummy instruction

instrucciones, instructions; directions

instrucciones a través de pantalla, wired instructions

instrucciones confusas, confusing instructions

instrucciones de embalaje, packing instructions

instrucciones para el desembalado, unpacking directions

instrucciones por panel de control, wired instructions

instruir diligencias, arraign; report (to the police)

instrumentar, achieve; implement

instrumento a la orden, order instrument

instrumento al portador, bearer instrument

instrumento crediticio, credit instrument

instrumento del mercado monetario, money market instrument

instrumento financiero contra caídas de interés bajo un mínimo prefijado, floor

instrumento financiero que mantiene el tipo de interés dentro de una banda, collar

instrumento financiero que protege contra subidas de tipos sobre un máximo ("cap"), cap

instrumento formalizado y sellado, specialties

instrumento mancomunado, two-name instrument

instrumento negociable, order instrument

instrumento negociable de compra condicionada de acciones anejo al bono, warrant; option call; call (option)

instrumento notarial, notarial instrument; notary´s deed; notarial deed; notary´s instrument; deed

instrumento probatorio, attesting document; authoritative instrument

instrumento sobre tipos de interés, interest-rate instrument

instrumento subyacente, underlying instrument

instrumento traspasable, bearer instrument

instrumentos cambiarios, exchanges

instrumentos comerciales, commercial instruments

instrumentos de política monetaria, monetary policy instruments

instrumentos de renta fija, fixed-income securities; fixed income; fixed interest-bearing securities

instrumentos de renta variable, equity securities; equities; variable-yield securities

instrumentos derivados, derivative instruments

instrumentos financieros, financial instruments

instrumentos financieros de contado, actuals

instrumentos involuntarios para el blanqueo de dinero, unwitting instruments for money laundering

instrumentos monetarios fácilmente realizables, readily marketable money instruments

insuficiencia, inadequacy

insuficiente, insufficient

intangible, intangible

integración, integration

integración de empresas de producción y distribución, forward integration

integrante (n. & adj.), member

integridad, integrity; probity; trustworthiness

integridad (consistencia) (n., fem.), soundness; strength

integridad contable del balance, soundness of the balance sheet; balance sheet soundness

integridad del personal, integrity of staff

integridad erosionada, undermined integrity

integridad patrimonial, patrimonial integrity; soundness of equity; equity soundness

íntegro, broken down; in-depth (adj.); comprehensive (adj.)

intención de lucrarse, animus lucrandi (Lat.)

intención de revocar, animus revocandi (Lat.)

intención sin desvelar, underlying target

intensificar las especulaciones, refuel speculations

intensificar las medidas preventivas antiblanqueo, reinforce antilaundering prevention measures

intensificar las presiones, refuel pressures

intensivo, intensive; massive; on a large scale

intentando pasar por auténtico titular de la tarjeta, purporting to be the real cardholder

intentar, attempt (v.)

intentar (v.), mean
intentar conseguir, search (v.)
intentar el cobro de un efecto impagado, attempt collection of an unhono(u)red draft
intentar ser resarcido, seek redress
intento, attempt (n.)
intento de buena fe, good faith attempt
interbancario (adj.), interbank
interbloqueo, interlocking
intercambiable, exchangeable
intercambiar, swap (v.); barter (v.)
intercambiar acciones, exchange stocks
intercambiarse información confidencial, exchange confidential information
intercambio, interchange (n.)
intercambio (valores, etc.), swap (n.); barter (n.)
intercambio de impresiones, exchange of views
intercambio de salida, outgoing interchange
intercambio electrónico de datos de operaciones, electronic interchange of transaction data
intercambio final del principal, final exchange of principal
intercambio(s) nacional(es), domestic interchange
intercambios internos, internal interchanges
intercesor, mediator
interconexión entre ordenadores, computer interface
interdependencia, interdependence
interdependencia de las operaciones de activo y pasivo, interdependence of asset and liability operations
interdependencia en aumento, increasing interdependence
interdicto judicial de prohibición tras el hecho consumado, after-the-fact court ban
interés, interest
interés a cobrar, interest receivable; black interest (col.)
interés anticipado, anticipated interest
interés anual, annual interest
interés aplicado a clientes preferenciales, prime bankers´ acceptance rate
interés bajo, low interest
interés calculado sobre año comercial (360 días), ordinary interest
interés calculado sobre año natural (365 días), accurate interest
interés cobrado sin devengar, unearned interest collected
interés compuesto, compound interest
interés común, common aim
interés condicional, contingent interest
interés corriente, current interest
interés creciente (sobre), growing interest (for)
interés de demora, delay interest
interés de penalización, penal interest; penalty interest
interés de usura, usurious interest
interés del bono, bond rate
interés devengado, accrued interest (AI); AI (ab. accrued interest); earned interest; interest accrued
interés devengado pero no pagado, interest due but not paid
interés establecido, absolute interest
interés fijado, absolute interest
interés fijo, fixed interest
interés hipotecario, mortgage interest
interés ilegal, illegal interest
interés legal, legal interest
interés más comisiones, interest plus fees
interés mensual, monthly interest
interés neto, net interest; pure interest
interés ordinario, ordinary interest
interés por moratoria, penal interest; penalty interest
interés público, public good
interés reintegrable, refundable interest
interés restituible, refundable interest
interés simple, simple interest
interés sobre año natural (365 días), exact interest
interés sobre prolongación, contango (GB)
interés variable, unstable interest
interesar a, concern (v.)
intereses a pagar, debit interest

intereses acreedores, credit interest

intereses acumulados, accrued interest (AI); AI (ab. accrued interest); earned interest; interest accrued

intereses acumulados a cobrar, accrued interest receivable

intereses acumulados a pagar, accrued interest payable

intereses cobrados y no vencidos, unearned interest collected

intereses de demora, penal interest; penalty interest

intereses de terceros, third-party interests

intereses deudores, debit interest

intereses hasta la fecha, interest today

intereses minoritarios en el capital accionario, minimum stockholders´equity

intereses pagados por anticipado, prepaid interest

intereses personales, axe to grind

intereses por pagar, interest payable

intereses vencidos, accrued interest (AI); AI (ab. accrued interest); earned interest; interest accrued

interestatal, interstate

interfaz (comp.)**,** interface (comp.)

interino (adj.)**,** acting (adj.); provisory (adj.); make-do (adj.); make-shift (adj.); interim

interino (n.)**,** casual worker; jobber (casual worker)

interior (adj., masc. & fem.)**,** domestic (adj.); in-house (adj.)

intermediación, intermediation

intermediación de activos financieros, intermediation of financial assets

intermediación financiera, financial intermediation

intermediario, middleman

intermediario bursátil en tiempo real ("on line"), broker on-line; on-line broker

intermediario ciego (mercados de deuda), blind broker; interdealer broker (ab. IDB); IDB (ab. interdealer broker); money broker

intermediario financiero (Bolsa de Londres (GB)**,** jobber (London stock exchange) (GB)

intermediario financiero por cuenta propia, broker; agent middleman; stock(-exchange) broker; stockbroker (GB: stockbroker = stockjobber); stockjobber (US: stockjobber = stockbroker))

intermediario involuntario, unwitting intermediary

intermediarios financieros, financial intermediary (pl.: intermediary = intermediaries)

internacional, international

interno (adj.)**,** domestic (adj.); in-house (adj.)

interpelante, questioner

interpolación, interpolation

interpolar, interleave; interpolate

interponer pleito contra, take legal action against

interponer querella, cause suit to be brought; file a suit; implead; litigate; put in suit; sue; plead

interponer recurso contra una decisión, appeal a decision

interpretación consecutiva, consecutive interpretation

interpretación de balances, interpretation of balances

interpretación de una cláusula, construction of a clause

interpretación del condicionado, construction of terms

interpretación errónea de una cláusula, misconstruction of a clause

interpretación literal, accurate translation

interpretación simultánea, simultaneous interpretation

interpretar, construct

interpretativo, interpreting

intérprete, interpreter; translator

intérprete jurado (Esp.)**,** sworn translator

interrogación, question mark

interrogador, questioner

interrogante, question mark

interrogar, quiz; cross-question

interrupcción, break

interruptor (inf.)**,** switch

intervalo de confianza, confidence interval

intervención, comptrollership (GB = controllership; US = controlership); controllership US = controlership); intervention

intervención oficial en los mercados cambiarios, official intervention in exchange markets

intervención pública en el sector financiero, crowding out

intervención sobre los precios, price controls

intervenido, audited (adj.)

interventor, comptroller (GB = comptroller / controller; US = controler); controller (GB = controller / comptroller; US = controler); controler (US = controler; GB = comptroller / controller)

interventor (suspensión de pagos), receiver

interventor de las cuentas, auditor

interventor en la aceptación, acceptor for hono(u)r; acceptor supra protest

intestado, intestate

intestato, abintestate

intransferible, untransferable; non-transferable; unassignable

introducción, prolegomenon (pl. prolegomenon = prolegomena)

introducción de medidas precautorias, implementation of preventive safeguards

introducción de nuevos productos y servicios, introduction of new products and services

introducir datos a través del teclado, keyboard (v.)

introducir el virus en un disco (comp.), corrupt a disk (comp.)

introducir virus (comp.), corrupt (v.); contaminate

intromisión, meddling

invalidar, invalidate

invalidar un acuerdo, invalidate an agreement

invalidar un contrato, invalidate an agreement

invariable (adj.), permanent

invendible, unmarketable

inventario, inventory; stocktaking (GB)

inventario (conforme al) sistema FIFO, first-in first-out method inventory (FIFO-method inventory; FIFO-method inventory

inventario alto (SA), high inventory

inventario bajo, low inventory

inventario contable, book inventory

inventario de apertura, opening inventory

inventario de artículos, item inventory

inventario de cierre, closing inventory

inventario de existencias, stock on hand

inventario de productos terminados, finished goods inventory

inventario de salida (SA), closing inventory

inventario de una herencia, deed of inventory

inventario en libros, book inventory

inventario extracontable, physical inventory

inventario final a precio de venta, closing inventory at selling price

inventario final en unidades, closing inventory in units

inventario físico, physical inventory

inventario inicial, opening inventory

inventario inicial a precio de venta, opening inventory at selling cost

inventario inicial por unidades, opening inventory in units

inventario medio a precios de venta, average inventory at selling price

inventario por valoración de primeras entradas, últimas salidas, first-in first-out method inventory (FIFO-method inventory; FIFO-method inventory

inventario promedio al costo, average inventory at cost

inventario promedio por unidades, average inventory in units

inventario real, physical inventory

inventario valorado, valued inventory

inversión, investment; capital investment

inversión (mercado de futuros), inverted market; backwardation (futures market)

inversión a largo plazo, long-term investment

inversión a sabiendas del riesgo implícito, risk-aware investment

inversión actual, current investment

inversión bancaria, bank investment

inversión bancaria media por oficina, average loans and discounts per branch office

inversión bancaria típica (IBT), loans and discounts; current loans and discounts; ordinary loans and discounts

inversión bancaria típica media, average loan and discount investment

inversión bancaria típica neta, net lending

inversión colectiva, collective investment

inversión colectiva del grupo, joint group investment

inversión crediticia, lending; loans granted

inversión de reservas y fondos de previsión, investment of reserves

inversión directa, direct investment

inversión excesiva, overinvestment

inversión fija empresarial, business fixed investment

inversión financiera, financial investment

inversión libre, loans and discounts; current loans and discounts; ordinary loans and discounts

inversión neta, net investment

inversión normal, ordinary investment

inversión obligatoria de reservas especiales, mandatory investment of special reserves

inversión productiva, profitable investment; productive investment

inversión publicitaria, advertising expenses; advertising expenditures

inversión que sólo genera gastos, sinkhole (col.)

inversión real, current investment

inversión rentable, profitable investment; productive investment

inversión típica, typical investment

inversión total, total investment; total loans and discounts

inversión viva, loan investment

inversiones (cartera) (n. fem. pl.), holdings; investments; portfolio securities

inversiones a largo plazo, permanent investments

inversiones crediticias, loans and discounts; current loans and discounts; ordinary loans and discounts

inversiones de capital, investment; capital investment

inversiones de cartera multilaterales, multilateral portfolio securities

inversiones de propiedad extranjera, foreign-owned investments

inversiones en países extranjeros, investments in foreign countries

inversiones estratégicas que generan rentas, revenue-bearing strategic investments

inversiones exentas de impuestos, tax-deductible investments

inversiones exteriores, investments in foreign countries

inversiones inmobiliarias, investments in real estate; real estate investments

inversiones masivas, heavy investments

inversiones permanentes, permanent investments

inversiones potenciales, potential investments

inversionista, investor

inversionista en títulos de renta variable, equity investor

inversionista final, end investor

inversor, investor

inversor a pequeña escala, retail investor

inversor en acciones, equity investor

inversor extranjero, foreign investor

inversor institucional, institutional investor

inversor minorista, retail investor

inversor último, end investor

invertir, invest

invertir dinero en, invest money on

invertir en exceso, overinvest

investigación de mercados, market research; market survey; consumer research

investigación de preferencias de los consumidores, market research; market survey; consumer research

investigación operativa, operational research (GB); operations research (US)

investigación y desarrollo (I&D), research and development (R&D); R&D (ab. research and development)

investigación y desarrollo de mejoras competitivas, competitive benchmarking

investigación y desarrollo de mejoras funcionales, functional benchmarking

investigación y desarrollo de mejoras organizativas, benchmarking

investigación y desarrollo de mejoras organizativas externas, external benchmarking

investigación y desarrollo de mejoras organizativas internas, internal benchmarking

investigar, research (v.); analyze (v.); review (v.); reckon (up); question (v.)

inviable, unfeasible

invitación a concursar, call for bids

invitación a licitar, bids wanted (BW); BW (ab. bids wanted)

invitación a pujar, bids wanted (BW); BW (ab. bids wanted)

involuntario, accidental; adventitious; involuntary; casual

IPC (Índice de Precios al Consumo), Consumer Price Index (CPI); CPI (ab. Consumer Price Index); inflation rate; rate of inflation

ir a buscar trabajo, go jobhunting

ir a la baja, go to the devils (col.); go to hell (col.); go kaput (col.)

ir a la quiebra, become bankrupt; fail (become bankrupt); go into bankruptcy; go into receivership; crack (v., col.)

ir a medias, go shares (col.)

ir a pachas (Esp., col.)**,** go shares (col.)

ir acercándose, edge up

ir al banco, go to the bank

ir anotando los gastos que se han producido, keep (a) tally of expenses incurred

ir atrasado con, be behindhand with

ir de compras, go shopping

ir de tiendas, go shopping

ir directamente al grano (Esp., col.)**,** speak to the point; speak straightforward

ir en busca de gangas, bargain hunting

ir subiendo, edge up

ir subiendo frente al euro, edge up against the euro

IRPF (Esp., ab. = **impuesto sobre la renta de las personas físicas),** individual income tax; personal income tax

irrealizable, unfeasible

irrecuperabilidad de la inversión crediticia, non-recovery of loans and discounts

irrecuperable (adj., masc. & fem.)**,** unrecoverable; irrecoverable; non-recoverable

irredimible, irredeemable

irregular (adj., masc. & fem.)**,** anomalous (adj.)

irrelevante, meagre (meagre = meager) (adj.); one-horse (adj., col.); unremarkable (adj.)

irrevocable (adj., masc. & fem.)**,** irrevocable; confirmed; unconditional

irse a hacer gárgaras (Esp., col.)**,** go to the devils (col.); go to hell (col.); go kaput (col.)

irse a hacer puñetas (Esp., col.)**,** go to the devils (col.); go to hell (col.); go kaput (col.)

irse al carajo (Esp., col.)**,** go to the devils (col.); go to hell (col.); go kaput (col.)

irse al garete (quebrar) (Esp., col.)**,** shipwreck (v.)

írsele a uno algo de la mano (col.)**,** lay something on with a trowel (col.)

iterativo, iterate

IVA (ab. **impuesto sobre el valor añadido),** value added tax (ab. VAT); VAT (ab. value added tax)

J

jaula de embalaje, crate

jefa (col.)**,** queen bee (col.)

jefatura, home office (GB); head office; main office; headquarters

jefazo, big shot (US, col.); big wheel (GB, col.); bigwig (GB, col.)

jefe (col.)**,** boss (col.)

jefe autoritario, agobiante y reacio a los cambios, Colonel Blimp (GB, col.)

jefe de área, area head

jefe de caja, head teller

jefe de contabilidad (Esp.), senior accountant

jefe de delegación, prolocutor

jefe de departamento, director; head (n.); manager (fem.: manager = manageress)

jefe de equipo responsable de la implementación, engagement team leader

jefe de fila, lead manager

jefe de gobierno, head of government

jefe de marca, brand manager

jefe de negociado, director; head (n.); manager (fem.: manager = manageress)

jefe de oficina, office manager

jefe de operativa, chief operating officer (COO); COO (ab. chief operating officer)

jefe de policía de distrito, district commissioner

jefe de sector, area head

jefe de ventas, sales manager

jefe de zona, area manager; regional manager

jefe del estado, head of state

jefe demasiado exigente, proslavery boss (col.)

jefe en funciones, acting chief

jefe que empezó desde la nada, ranker (col.)

jefe recién ascendido, autosuficiente y engreído, jumped-up officer (col.)

jefe-paliza (Esp., col.), Colonel Blimp (GB, col.)

jefecillo de reciente ascenso, pretencioso e inaguantable, jumped-up officer (col.)

jerga, jargon

jornada completa, full time (FT); FT (ab. full time)

jornada de trabajo, working hours; business hours; legal hours

jornal, salary (pl.: salary = salaries); wages; remuneration; wages and salaries; addlings (col.); pay (n.)

jornal a destajo, piece wages

jornal base, basic wage

jornal diario, daily wage(s)

jornal por horas, piece wages

jornal por mano de obra, labour wages (US: labour = labor)

jornalero, day labourer (US: labourer = laborer)

jornales acumulados, accrued wages

jornales de miseria, subsistence wages

joyas de bisutería, costume jewellery (US: jewellery = jewelry); costume jewelry (GB: jewelry = jewellery)

joya de la corona (col.)**,** crown jewel

jubilación, retirement

jubilado por antigüedad, service pensioner

jubilar, pension off; superannuate

jubilarse, retire

jubilarse como pensionista, retire on a pension

judicial, judicial

juego, set (n.)

juego (de tarjetas o documentos), deck of documents; set of documents

juego de azar, gambling

juego de caracteres, character set

juego de datos, data set

juego de documentos de embarque, commercial set

juego de empresas, business game

juego de impresos, form set

juego de letras, set of exchange

juego de libros, set of books

juego sucio, dirty pool

juez (del tribunal) testamentario (US), surrogate

juez (n. m.; n. fem.: **jueza),** judge (n.); beak (GB, col.); justice (GB)

juez de controversias, arbiter; arbitrator; referee (n.); umpire; compounder; amicable compounder; amicable referee; conciliator; third party (pl.: party = parties)

juez de paz, Justice of the Peace (JP); JP (ab. Justice of the Peace)

juez de turno, acting judge

juez extrajudicial, arbiter; arbitrator; referee (n.); umpire; compounder; amicable compounder; amicable referee; conciliator; third party (pl.: party = parties)

jugada maestra, coup

jugada sucia, dirty trick

jugar a la baja, bear the market

jugar a la bolsa, rig; job (v.); gamble (stock exchange); dabble on the stock exchange

juicio, lawsuit; litigation; pleading; suit; trial

juicio (criterio), judg(e)ment

juicio ante jurado, trial by jury

juicio estimativo, forecast

juicio imparcial, fair trial

juicio justo, fair trial

juicio ordinario, plenary suit

juicio por quiebra, bankruptcy proceedings

junta, assembly; meeting

junta (militar), junta

junta de accionistas, stockholder´s meeting; shareholders´meeting; meeting of shareholders; meeting of stockholders

junta de acreedores, creditors' meeting

junta de administradores, board of trustees

junta de aseguradores, board of underwriters

Junta de Conciliación y Arbitraje, Board of Conciliation and Arbitration

junta de control de cambios, exchange control board

junta de coordinación y control publicitario y de ventas, marketing board

junta de gobierno comarcal (Esp.), county council (US)

junta de licitación, tender panel

junta de síndicos, board of trustees

junta del consejo, board meeting; meeting of the board

junta directiva, administrative board; board; board of directors; Presidium (col.)

junta general, general meeting

junta general anual de accionistas, annual general meeting of shareholders

junta general extraordinaria, extraordinary general meeting

juntar acciones, join stocks

jurado (grupo), jury

jurado (persona), juror

jurado especial, special jury

juramento de cargo, oath of office; assertory oath

juramento solemne, bodily oath

jurar, make an oath; swear an oath

jurídicamente independiente, legally separate

jurisdicción, jurisdiction

jurisdicción civil, civil jurisdiction

jurisdicción de un juzgado (Esp.), jurisdiction of a court

jurisdicción estatal, state jurisdiction

jurisdicción federal, federal jurisdiction (US)

jurisdicción municipal, municipal jurisdiction

jurisdicción territorial, territorial jurisdiction

jurisprudencia, case law; jurisprudence

jurisprudencia interpretativa, analytical jurisprudence

jurista, jurist

justicia (gen.), justice (gen.)

justificación, justification

justificación documental, documentary proof

justificante, evidence (n.); piece of evidence

justificante de cremación, cremation certificate

justificante de depósito, deposit receipt note; deposit slip; deposit note; deposit ticket; warehouse receipt

justificante de ejecución, advice of execution; confirmation slip

justificante de gastos menores (Esp.), petty cash voucher

justificante de inscripción, proof of posting

justificante de la deuda contraída, evidence of indebtedness

justificante de pago, disbursement voucher

justificante de pago del impuesto de erradicación, real estate tax receipt

justificante de pago del impuesto predial, real estate tax receipt

justificante de recepción de la mercancía para su carga, received for shipment bill of lading (received for shipment B/L); received for shipment B/L (ab. received for shipment bill of lading)

justificante del pago de impuestos, tax receipt

justificar, render accounts; account for; justify

justificar con una razón, answer; reply (v.)

justificar de modo fehaciente, prove (v.); provide evidence

justificar el motivo, set forth the reason

justificar un modo de comportarse, justify a way of behaving

justipreciar, assess; appreciate; appraise; evaluate; rate (v.); quantify; size (v.)

justiprecio, appraisal; assessment; appraising; evaluation; estimate (n.); valuation

justo, fair (n. & adj.)

juzgado, court; courthouse

juzgado de instrucción, trial court

juzgado de lo fiscal, tax court

juzgado de lo penal, crown court (GB); criminal court

juzgado de paz, registry office

juzgado de primera instancia, trial court

K

kibutz, collective farm (Israel)

koljós, collective farm (Rus)

L

la ignorancia de la ley no excusa su cumplimiento, ignorance of the law is no excuse; ignorance of the law is no defense

labor de seguimiento, tracking work

labor encomendada al agente, agent's commitment

laboral (adj., masc. & fem.)**,** labour (US: labour = labor); work; occupation

labores rutinarias (n. fem.)**,** routine stuff (col.)

lacrar, seal with wax

lados, legs

ladrón, thief; burglar

ladrón de cajas fuertes (mediante explosivos), safeblower (col.)

ladrón de cajas fuertes (mediante fractura), safecracker (col.)

ladrón de guante blanco (col.)**,** sneak (col.)

laguna legal, loophole

lambiscón (LA)**,** Johnny-come-lately (col.)

lanchón, lighter; barge

lanzar, launch

lanzar al mercado, throw on the market

lanzar por la borda, jettison

lanzar un empréstito a suscripción, offer a loan for subscription

lanzar una emisión, launch an issue

lanzar una oferta sobre las acciones de la OPA, pac-man

lanzar una opción, launch an option

lanzarse a buscar trabajo, go jobhunting

lapa, limpet (col.)

lapso, lapse (n.)

lapsus, lapse (n.)

lapsus calami, slip of the pen

largar (Esp., col.)**,** avow; avouch; depose

largar (información) (Esp., col.)**,** tip off (col.)

las cosas han salido mal, the bearded lady has gone bold

latigazo (col.)**,** whiplash (col.)

latiguero (Esp., col.)**,** Colonel Blimp (GB, col.); proslavery boss (col.)

laudo arbitral, arbitrium (Lat.); arbitral award; judg(e)ment by arbitration; arbitrage; arbitration; arbitrament; unpirage; award (n.)

lavado de cupones (col.)**,** washing of coupons (col.)

lealtad, loyalty

lealtad hacia la empresa, loyalty to the company

leasing a través del proveedor, vendor program lease

lector óptico, optical character reader

lectora (máquina), reader

lectora de tarjetas, card reader

leer en su totalidad (un documento), read through

leer integramente, read through

leerse de cabo a rabo (Esp., col.)**,** read through

legado, bequest; legacy

legado incondicional, absolute bequest

legajo, file; archive; record

legal (adj.)**,** lawful (adj.)

legalización, authentication; countersignature

legalizar, witness (v.); attest (v.); certify; evidence (v.)

legalmente habilitado, able

legar, give and bequeath; estate (v.); bequeath

legar (v.), estate

legar bienes inmuebles a, devise an estate to

legatario del remanente de la herencia, residuary legatee

legible, legible

legislación, legislation

legislación (en materia) monetaria, monetary law

legislación comercial, fair trade laws

legislación hipotecaria, law of mortgages; mortgage law

legislación laboral, labour law (US: labour = labor)

legislación penal, penal laws; penal code; criminal code

legislación restrictiva de ciertas actividades dominicales, blue law (US)

legislación sobre emisión y venta de valores bursátiles, bluesky law (US)

legislación sobre suspensiones de pagos y quiebras, bankruptcy law

legislación tributaria, tax laws; tax regulations

legislación vigente, regulations in force

legislar, legislate

legislativo, legislative (adj.)

legítimo, legitimate (adj.)

leguleyo, pettifogger

leguleyo (col.), shyster (US, col.); fire-eater (col.)

lenguaje, language

lenguaje (de programación informática) COBOL, COBOL language

lenguaje convincente, effective language

lenguaje de ejecución (comp.), effective language

lenguaje de ordenador, computer language; machine language (comp.)

lenguaje de signos (corredores de Bolsa), ticktack (col., stock exchange brokers)

lenguaje FORTRAN (comp.), FORTRAN language

lenguaje informático, computer language

lenguaje objeto, object language (comp.)

lenguaje-máquina, machine language (comp.)

les saluda atentamente (despedida de carta) (ab.: **atentamente = atte.),** very truly yours (US); yours (very) truly (US); yours faithfully (GB); faithfully yours (GB)

lesiones corporales graves, grievous bodily harm

letra (alfabeto), letter

letra (de cambio) comercial, commercial bill (of exchange) (GB)

letra (librada sobre el territorio) nacional, domestic bill

letra a .... días, date draft

letra a cargo propio, con varios vencimientos, installment note (US: installment = instalment)

letra a cierto plazo después de la fecha, after-date bill

letra a cierto plazo después de la vista, after-sight bill

letra a corto plazo, short-term bill (US: bill = draft); short-term draft (GB: draft = bill); short exchange

letra a fecha fija, bill payable at a fixed date

letra a la vista, sight bill (US: bill = draft); sight draft (GB: draft = bill); demand bill; demand draft

letra a largo plazo, LT-bill (ab. long-term bill) (US: bill = draft); long-term bill (LT-bill) (US: bill = draft)

letra a vencimiento corto, short bill

letra a vencimiento fijo, usance draft

letra aceptada, accepted draft (GB: draft = bill); accepted bill (US: bill = draft)

letra acompañada de documentos, documentary bill; documentary draft

letra avalada, guaranteed bill

letra bancaria, bank draft; bankers´cheque (US: cheque = check, draft); bank bill; check (banking check)

letra con vencimiento a largo plazo, long bill; long-term draft (LT draft) (US); LT draft (ab. long-term draft) (US); long-time bill (GB)

letra de aceptación, acceptance bill

letra de cambio, bill of exchange; draft

letra de cambio a plazo fijo, time bill; time draft

letra de cambio al descuento, bill of exchange at a discount

letra de cambio original, original bill

letra de cambio pagada, discharged bill

letra de cambio vendida antes de su endoso, original bill

letra de complacencia, accommodation bill; windbill (col.)

letra de favor, accommodation bill; windbill (col.)

letra de favor a cargo propio, accommodation note

letra de molde, printed letter; type letter

letra de resaca, re-exchange; redraft (n.)

letra del expedidor, shipper´s draft

letra del Tesoro (LT), Treasury bond; Treasury note; Treasury bill; T-bill; currency certificate (US); T-bond

letra del Tesoro a 30 años (US), long bond (US)

letra devuelta, dishonoured bill (US: dishonoured = dishonored)

letra documentaria, documentary bill; documentary draft

letra domiciliada, domiciled bill (US: bill = draft); domiciled draft (GB: draft = bill)

letra endosada por un tercero, made bill

letra impagada, dishonoured bill (US: dishonoured = dishonored)

letra librada desde el exterior, foreign bill

letra librada sobre un país extranjero, foreign bill

letra muerta, dead letter

letra negrita, bold type

letra no atendida, dishonoured bill (US: dishonoured = dishonored)

letra no documentaria, clean draft

letra pagada, honoured bill (US: honoured = honored)

letra pagadera a la recepción del cargamento, arrival draft

letra protestada, protested bill (US: bill = draft); protested draft; noted bill

letra simple, straight bill; clean bill

letra sobre el extranjero, external bill (US: bill = draft)

letra sobre el interior, inland bill

letra sobre la plaza, local bill; local draft

letra sobre plaza bancable, bankable bill

letra vencida, due bill

letrado (US), advocate (n); advocator; barrister (GB); counsel (n.); attorney-at-law (US); counsellor(-at-law) (US: counsellor = counselor); counselor (GB: counselor = counsellor); lawyer

letrado de la parte demandante, prosecuting attorney; public prosecutor

letrado por la defensa, defending counsel; counsel for the defense; pleader

letras (de cambio) al cobro, bills (of exchange) for collection; collect bills; collection items; bills receivable; drafts to collect; drafts to be collected; bills to collect; notes receivable; receivables; uncollected items

letras de cambio y documentos anejos, bills in set

letras de imprenta, block letters; block capitals

letras del tesoro (con vencimiento) a tres años, three-year treasury bills

letras descontadas, bills discounted; discounted bills; discounted notes; notes discounted

letras giradas sobre el extranjero, drafts drawn on a foreign country (GB: drafts = bills); bills drawn on a foreign country (US: bills = drafts); foreign drafts; foreign paper

letras mayúsculas, block letters; block capitals

letras vencidas y no pagadas, bills not honoured at maturity (US: honoured = honored)

levantamiento de protesto, noting and protest

levantamientos populares, civil commotions

levantamientos y algaradas, riots and civil commotions

levantar el bloqueo, unfreeze (col.); release from attachment

levantar el embargo, unfreeze (col.); release from attachment

levantar el secreto, disclose; make public

levantar el secreto (aplicado a un asunto, documentos, etc.), declassify

levantar la liebre acerca de las condiciones secretas del pacto (col.), blab the secret terms of the agreement

levantar la prohibición sobre, remove the ban on

levantar un bloqueo, lift a blockade; raise a blockade

levantar un embargo, lift an embargo; raise an embargo; remove an embargo

levantar una prohibición, lift a ban; raise a ban; remove a ban

levantar una restricción, lift raise, remove

ley (monedas) (n. fem.), standard

ley (n. fem.), decree; diktat; order (decree); act

ley antimonopolio, antitrust law

ley aplicable, governing law

ley arancelaria, tariff law

ley cambiaria, law of negotiable instruments

Ley de Expansión Comercial (US), Trade Expansion Act (TEA) (US); TEA (ab. Trade Expansion Act) (US)

ley de la oferta y la demanda, law of supply and demand

ley de prescripción, statute of limitations; limitations law; limitations act

Ley de Préstamo y Arriendo, Lend-Lease Act

ley de presupuestos, budget law

ley de propiedad intelectual, copyright law

ley de régimen fiscal, tax laws; tax regulations

ley de régimen jurídico de las sociedades anónimas, law of corporations; companies law; companies act

ley de rendimientos decrecientes, law of diminishing returns

ley de sociedades, law of corporations; companies law; companies act

ley del trabajador, labour law (US: labour = labor)

ley del trabajo, labour law (US: labour = labor)

ley en desuso, defunct law

ley especial, special act

ley hipotecaria, law of mortgages; mortgage law

ley obsoleta, defunct law

ley orgánica, organic law

ley para el fomento de las industrias de transformación, law for the development of transformation industries

ley plasmada por escrito, statute law

ley presupuestaria, budget law

ley promulgada por el parlamento británico, act of parliament (GB)

Ley sobre Control del Narcotráfico, Narcotic Control Act

leyes en vigor, regulations in force

leyes federales, federal laws

leyes penales, penal laws; penal code; criminal code

liante (n., masc. & fem.), stirrer (GB., col.)

liarle a uno para, bamboozle into (col.)

liberación, clearance

liberación de derechos, release of rights

liberación de hipoteca, mortgage discharge

liberación de los fondos retenidos, release of funds

liberación de responsabilidades, exoneration

liberado de prima, free of premium

liberalización, easing; liberalization

liberalización de las importaciones, import liberalization

liberalización de los controles cambiarios, liberalization of exchange controls

liberalización de los controles de divisas, liberalization of exchange controls

liberalización de los fondos bajo administración, release of funds under receivership

liberalización de los tipos de interés, liberalization of interest rates; freeing of interest rates

liberalización de recursos cautivos, freeing of captive funds

liberalización del mercado, market liberalization

liberalizar, ease; deregulate; liberalize; free (v.)

liberalizar la banca, decontrol banking activities

liberalizar las actividades bancarias, decontrol banking activities

liberalizar los controles sobre la importación, ease import controls

liberar (del pago) de un impuesto, release from a tax

liberar de obligaciones, exonerate

liberar del embargo, unfreeze (col.); release from attachment

liberar fondos retenidos, release funds

liberarse de las deudas, get out of debt

liberarse de una deuda, quit from a debt; meet a debt

libertad bajo fianza, release on bail; admit to bail; relay on bail

libertad condicional, conditional discharge

libertar bajo fianza, release on bail; admit to bail; relay on bail

LIBOR (ab. **tipo de interés interbancario de Londres),** LIBOR (ab. London inter-bank interest rate); London inter-bank interest rate (LIBOR)

libra (Ir., col.)**,** punt (Ir., col.)

libra esterlina, quid (GB., col)

libra esterlina (£), £ (ab. pound sterling); pound sterling (£)

librado, drawee

librador, drawer

librador (de pagaré, etc.), grantor; maker

libramiento, issue (n. & v.)

libramiento de letras cruzadas, kiting (col.); kickabout (col.)

libramiento entre bancos, bank draft; bankers´cheque (US: cheque = check, draft); bank bill; check (banking check)

libranza, bill of exchange; draft

libranza simple, clean draft

librar (una letra) sobre un cliente, draft on a customer

librar cheques contra una cuenta, draw cheques against an account (US: cheques = checks)

librar un cheque, draw a cheque (US: cheque = check); draw a check (GB: check = cheque); issue a cheque (US: cheque = check); issue a check (GB: check = cheque); make out a draft (US)

librar una letra, draw a bill (US: bill = draft); draw a draft (GB: draft = bill); issue a draft; make a bill

libras, chelines y peniques, LSD (ab. pounds, shillings and pence) (GB., col.); pounds, shillings and pence (LSD) (GB., col.)

libre, free (adj.)

libre acceso al mercado, free access to market

libre aceptación, general acceptance; clean acceptance

libre competencia, free competition

libre de, exempt; free from

libre de aranceles aduaneros, duty-free (adj.); net of taxes; tax-free (adj.); free of duties (sing.: duties = duty)

libre de avería general, free of general average (FGA); FGA (ab. free of general average)

libre de cargas, unencumbered

libre de cargos (tribunales), free of charge(s)

libre de deudas (masc. & fem.)**,** out of debt

libre de endeudamientos, afloat (AFLT); AFLT (ab. afloat)

libre de gastos, free of charge(s)

libre de hipotecas, unencumbered

libre de impuestos, duty-free (adj.); net of taxes; tax-free (adj.); free of duties (sing.: duties = duty)

libre de impuestos a residentes en el extranjero, free of taxes to residents abroad (FOTRA); FOTRA (free of taxes to residents abroad)

libre de pagar impuestos, exempt from taxation

libre de pago, free of collection

libre de tasas, duty-free (adj.); net of taxes; tax-free (adj.); free of duties (sing.: duties = duty)

libre para, free to

libremente, ad libitum (Lat); ad lib (Lat.); at random

libremente convertible, freely convertible (adj.)

libreta bancaria, passbook; deposit passbook

libreta de ahorros, bankbook (= bank book); bank book (= bankbook); savings book

libreta de cheques, check book (GB: check = cheque)

libreta de depósito, passbook; deposit passbook

libreta de imposiciones, passbook; deposit passbook

libro, book (n.); register (n.)

libro auxiliar de Caja, auxiliary cash book

libro auxiliar de contabilidad, auxiliary accounting book

libro auxiliar del Mayor, subsidiary ledger (book); auxiliary ledger book; current account ledger (book)

libro copiador de cartas, letter book copybook (old)

libro copiador de facturas, invoice copybook

libro de aceptaciones, acceptance(s) ledger (book)

libro de actas, diary (GB: diary = journal) (n.); journal (US: journal = diary) (n.); daily (adj.); journal book; minutes book

libro de almacén, inventory book

libro de apertura, book of original entry

libro de asiento inicial, book of original entry

libro de caja, cash book

libro de caja - entradas, cash receipts journal

libro de caja - salidas, cash disbursement journal

libro de cobros por caja, cash receipts journal

libro de consulta, manual; handbook

libro de cuentas, account book

libro de cuentas corrientes, subsidiary ledger (book); auxiliary ledger book; current account ledger (book)

libro de facturas, bill book; invoice register

libro de firmas autorizadas, list of authorized signatures; authorized signature list; authorized signatories book

libro de instrucciones, manual; handbook

libro de inventarios y balances, inventory book

libro de pagos por caja, cash disbursement journal

libro de primer asiento, book of original entry

libro de registro de cheques, check ledger (GB: check = cheque)

libro diario, diary (GB: diary = journal) (n.); journal (US: journal = diary) (n.); daily (adj.); journal book; minutes book

libro mayor de compras, creditors' ledger

libro Mayor de ventas, sales ledger

libro Mayor general, general ledger

libro registro de acciones, stock register

libros contables, accounting books; books of record; books of account; accounting records

libros de contabilidad, accounting books; books of record; books of account; accounting records

licencia, licence (licence = license); license (license = licence); permit (n.)

licencia de exportación, export licence

licencia de importación, import licence (US: licence = license); import permit

licencia laboral por maternidad, maternity leave

licencia por enfermedad, sick leave

licenciado universitario, graduate

licitación (n. fem.), tender (n.); offer (n.); proposal (n.); submission (n.)

licitador, bidder; offerer; outbidder

licitante, bidder; offerer; outbidder

licitar, submit a tender for; bid (v.)

licitar (v.), tender; offer

ligera recuperación, slight recovery

limitación (n. fem.), constraint; constriction; restraint; curtailment

limitación del delta, delta-hedging

limitación del riesgo a un nivel dado, short hedging

limitación sobre el dividendo, dividend restraint

limitaciones al libre comercio, restraint of trade

limitaciones del entorno, environmental constraints

limitada (sociedad) (SL / Sdad. Ltda.), LTD (ab. limited); limited (LTD)

límite, limit

límite de crédito, leading limit

límite de edad, age limit

límite de la capacidad de endeudamiento en divisas, foreign currency borrowing limit

límite de precio diario, daily price limit

límite del crédito, credit limit

límite disponible, available limit

límite máximo de endeudamiento, debt ceiling

límite máximo de la deuda, debt ceiling

límite máximo de un préstamo, loan ceiling

límite mínimo de un préstamo, loan floor

límite mínimo en el cambio de precio, tick

límite renovable de aseguramiento de pagarés a corto plazo, revolving underwriting facility (RUF); RUF (ab. revolving underwriting facility)

límite tope, floor limit

límite variable, elastic limit

límites, range (n.)

límites de aprobación, approval levels

límites de autorización, approval levels

límites establecidos, hedging

limpieza de clientes indeseables (col.), screening of undesirable customers

limpio, clean; unqualified; unrestricted

lindante, abutting (a.)

línea, line

línea alquilada, leased line

línea contínua (gráficos), continuing line (graphs)

línea de artículos, line of goods

línea de crédito, accommodation line; credit facility; credit line; facility (pl.: facility = facilities)

línea de crédito comercial, commercial credit line

línea de crédito en euros, euro credit facility

línea de crédito multidivisa, multi-currency credit facility (pl.: facility = facilities)

línea de crédito otorgada por un banco, banking facility (pl.: facility = facilities)

línea de crédito para ejecución de garantías, accommodation line; credit facility; credit line; facility (pl.: facility = facilities)

línea de crédito para financiaciones industriales, industrial credit line

línea de crédito subsidiaria, subsidiary credit facility

línea de descuento renovable, revolving discount facility

línea de emisión de pagarés, note issuance facility (NIF); NIF (ab. note issuance facility)

línea de ensamblaje en cadena, assembly line

línea de montaje, assembly line

línea de puntos múltiples, multipoint line

línea de recargo, delay line

línea de trazo contínuo (gráficos), continuing line (graphs)

línea final de página, overflow line

línea multipunto, multipoint line

línea renovable de financiación mediante aceptaciones por subasta, revolving acceptance facility by tender (ab. RAFT); RAFT (ab. = revolving acceptance facility by tender)

lineal, straight-line

líneas de comunicación, reporting lines

líneas de comunicación bien definidas, clear reporting lines

líneas de crédito no utilizadas, unused credit lines

líneas generales, outlines

líneas maestras, guidelines

lingote de oro, gold bullion

lingote de plata, silver bullion

lío (asunto ilegal) (Esp., col.), racket (col.)

liquidación (n. fem.), settlement

liquidación a través de cuenta (n. fem.), offset (n.); setoff (n)

liquidación amistosa, amicable settlement

liquidación de averías, average adjustment

liquidación de cuentas, settlement of accounts; account settling; account settlement

liquidación de cheques mediante compensación, check clearing (GB: check = cheque)

liquidación de existencias, stocktaking sale; stocktaking clearance; clearance sale; sellout

liquidación de existencias (por renovación, cese de negocio), disposal sale

liquidación de la cartera de valores, liquidation of holdings

liquidación de participaciones accionarias, liquidation of holdings

liquidación de siniestro, claim paid; claim settlement; settlement of claim

liquidación del saldo pendiente, release (n.); acquitment; discharge (n.); quittance; relief; acquittance; apocha; receipt in full; satisfaction

liquidación diferida, delayed settlement

liquidación judicial, official liquidation

liquidación mediante ajuste, adjustment; reconcilement; correction

liquidación por caja, cash delivery

liquidado, paid (PD); PD (paid); settled

liquidador, receiver

liquidar, liquidate; adjust

liquidar (existencias), sell out

liquidar el saldo, pay the balance

liquidar una avería, adjust an average

liquidar una cuenta pendiente, balance an account

liquidar una deuda, quit from a debt; meet a debt

liquidar una factura, settle a bill

liquidar una sociedad, liquidate a company

liquidez, floating money; money on hand; ready money; cash available; cash (on hand)

liquidez (caja y bancos), cash and due from banks; cash on hand and with banks; funds available (cash and banks); quick assets; available assets

liquidez (tesorería), liquidity (treasury)

liquidez adicional generada por reducción de coeficientes, additional liquidity freed by reducing ratios

liquidez adicional sobre inversiones realizadas, additional liquidity from investments made

liquidez bancaria, bank liquidity

liquidez bancaria estrecha, tight bank liquidity

liquidez de las acciones, share liquidity

liquidez del mercado, market liquidity

liquidez del mercado monetario, money market liquidity

liquidez más venta de una "call" y una "put", WS

liquidez prevista de los activos, expected liquidity of assets; expected asset liquidity

líquido, net

líquido (n.), resulting figure; resulting amount; proceeds

líquido imponible, taxable income; assessed income

lista, list

lista de asistencia, list of attendance

lista de bultos, packing list

lista de cambio de divisas, list of foreign exchange rates

lista de correos (Esp.), general delivery (GD) (US); GD (ab. general delivery) (US)

lista de cotizaciones, list of quotations; quotations bulletin

lista de direcciones para envíos postales, mailing list

lista de efectivos humanos, muster roll; muster book

lista de firmas autorizadas, list of authorized signatures; authorized signature list; authorized signatories book

lista de mercancías liberalizadas, free import list

lista de paquetes, packing list

lista de pesos, weight note; weight certificate

lista de tarjetas restringidas, restricted card list (RCL); RCL (ab. restricted card list)

lista negra, blacklist (= black list) (n.); black list (= blacklist) (US, Israel, etc.)

listado, listing; quotation

listado (adj.), listed

listado de aceptaciones, acceptance(s) listing

listar, list

listillo (Esp., col.), Monday morning quarterback (col.)

listín de alertas, cancellation bulletin

listín de firmas autorizadas, list of authorized signatures; authorized signature list; authorized signatories book

listín de pedidos, order book

litigante, litigant

litigar, cause suit to be brought; file a suit; implead; litigate; put in suit; sue; plead

litigio, lawsuit; litigation; pleading; suit; trial

llamada (telefónica) interurbana, toll call (US)

llamada a concurso, call for bids

llamada a la huelga, strike call

llamada a licitación, call for bids

llamada a reponer la garantía, margin call

llamada local, local call

llamada telefónica de larga distancia, trunk call

llamada telefónica interurbana, trunk call

llamar por teléfono, phone (col.) (v.); telephone (v.); ring up (col.) (v.)

llave, key

llave (fondo de comercio), goodwill; intangible assets; immaterial assets; going value (col.)

llave en mano, turnkey

llave maestra, master key

llegada con retraso, late arrival

llegada de documentos, arrival of documents

llegada del barco, arrival of vessel

llegada fuera de plazo, late arrival

llegar a un acuerdo, strike a bargain

llegar a una conclusión, arrive at a conclusion

llegar a una cresta, peak (v.)

llegar al mínimo, touch bottom

llevar, carry

llevar a cabo un exceso de inversiones, overinvest

llevar al protesto, go to protest

llevar ante los tribunales, cause suit to be brought; file a suit; implead; litigate; put in suit; sue; plead; bring before the court: proceed against; take to court

llevar cuenta de los gastos habidos, keep (a) tally of expenses incurred

llevar el visto bueno de (Esp.), bear the approval of

llevar fecha de, bear the date of

llevar la contabilidad, keep the books; do the books

llevar la firma de, bear the signature of

llevar la pérdida a la cuenta de resultados, charge off

llevar los asientos al día, keep posted

llevar los libros, keep the books; do the books

llevar retraso en, be behindhand with

llevar retraso en los pagos, be in arrears with payments

llevar un registro, keep a record

llevar una vida disipada, lead a life of debauch

llevarse los cuartos (Esp., col.), have one´s fingers in the till (col.)

lo antes posible, as soon as possible (ASAP); ASAP (as soon as possible)

lo tomas o lo pagas, take or pay

local (n. & adj.), onshore (US)

local (n., masc. & fem.), local (n.)

local (operador bursátil por cuenta propia), floor trader

locales comerciales, business premises

locales para oficinas, business premises

lógica física (comp.), firmware

lógico, rational

logotipo, logo (ab. logotype); logotype (logo)

lograr, achieve; implement

lograr (unas) metas específicas, achieve specific targets

lograr un objetivo, achieve a goal

logro, achievement; completion

logro(s), achievement(s)

longitud de registro, record length

lonja (Esp.), corn exchange (US); commodity exchange

lote, batch

lote (contrato de futuros, individualmente considerado, lot

lote (de tarjetas o documentos), deck of documents; set of documents

lote de acciones, stockholding; shareholding; chunk (col.); parcel of shares; block of shares; equity holding

lote de artículos de ocasión, job lot

lotería nacional, national lottery

LT (ab. **letra del Tesoro),** Treasury bond; Treasury note; Treasury bill; T-bill; currency certificate (US); T-bond

lucha de clases, class struggle

luchar contra el blanqueo de dinero, combat money laundering

luchas intestinas entre consejeros, board strife

lugar de emisión, place of issue

lugar de encuentro, point of meeting; meeting point; checkpoint

lugar de entrega, place of delivery

lugar de residencia, settlement

lugar de residencia habitual, usual place of abode

lugar y fecha de emisión, place and date of issue

M

+ (ab. más), plus (+); + (ab. plus)

macana (LA)**,** tall story (col.); tall tale (col.); yawn (col.); jazz (col.)

macroeconomía, macroeconomics; aggregative economics

macroinstrucción, macroinstruction (macro) (comp.); macro (ab. macroinstruction) (comp.)

maduro, mature

maestro (jefe) (Esp., col.)**,** boss (col.)

maestro (o maestra) de excepciones, exception file

mafioso, racketeer

magistrado, judge (n.); beak (GB, col.); justice (GB)

magistrado (GB)**,** bailiff

Magistratura del Trabajo (Esp.)**,** labour court (US: labour = labor)

magnate, tycoon (US)

magnate de un sector (col.)**,** baron (col.)

magnitud (n. fem.)**,** scale (n.); size

magnitud de un préstamo, size of a loan

magnitud de un problema, size of a problem

magnitudes, aggregates

magnitudes cumulativas de costos y amortizaciones, accumulated cost and depreciation figures

mal estado económico, ailing state

mal llamado, quote unquote (GB., col.)

mal riesgo, bad risk

mala fe, bad faith

mala pasada, dirty trick

mala persona, rat

malecón, shipside; dock; quay; jetty

malentendido, misunderstanding

maletín portadocumentos, attaché case (n, Fr.)

malgastar, waste (v.)

malinterpretación de una cláusula, misconstruction of a clause

malinterpretar, misconstruct

maltusianismo, malthusianism

malversación, embezzlement; defalcation; peculation; malversation

malversación de caudales públicos, defalcation of state funds; malversation of public funds

malversación de fondos públicos, malversation of public funds

malversador, peculator; defalcator; embezzler

malversar, embezzle; peculate; defalcate

mamparo de contención (barcos de transporte de mercancía a granel), shifting board (bulk carriers)

mancomunada y solidariamente, joint(ly) and several(ly)

mancomunadamente, jointly; conjointly; two-name (adj.)

mancomunadamente responsable, jointly liable

mancomunado, joint (adj.)

mancomunidad, consortium (pl. = consortia / consortiums); pool; trust

mandado (LA)**,** order; court order; writ

mandado formulado por escrito (LA), order in writing

mandamás (mujer) (col.), queen bee (col.)

mandamiento, powers; authority (pl.: = authorities); authorization

mandamiento (judicial) de registro, search warrant

mandamiento de embargo, writ of attachment

mandamiento judicial, order; court order; writ

mandante, principal; accountee; assignor; auctor; constituent

mandar (un paquete), address (v.); send

mandar un telegrama a, cable

mandar unas breves líneas, drop a line (col.)

mandatario, accountable officer; holder of procuration; attorney in fact; authorized officer; agent; actor; proxyholder

mandato, powers; authority (pl.: = authorities); authorization

manguera para incendios, fire hose

manifestación (reivindicativa) (n. fem.), demonstration

manifestación de protesta (GB), demo (col.)

manifestación en favor de reivindicaciones laborales, labour demonstration (US: labour = labor)

manifestaciones, representations

manifestaciones en contrario, assertions to the contrary

manifestante, demonstrator

manifestarse, demonstrate

manifiesto, apparent (adj.)

maniobras de bolsa, stock market manipulations

manipulación, handling; negotiation

manipulaciones bursátiles, stock market manipulations

manipular, cook; jigger

mano de obra, labour force (US: labour = labor); working population

mano de obra (fem.), labour (US: labour = labor); work (n.); occupation

mano de obra cualificada, skilled labour (US: labour = labor)

mano de obra directa, productive labour (US: labour = labor); productive wages; direct labour ((US: labour = labor)

mano de obra indirecta, indirect labour (US: labour = labor)

mano de obra productiva, productive labour (US: labour = labor); productive wages; direct labour ((US: labour = labor)

mantener, avouch (= avow); avow (= avouch); assure; assert

mantener (una) cuenta con, keep an account with

mantener a base de subsidios, subsidize

mantener bajo reserva, conceal (v.)

mantener buenas relaciones con los clientes, keep in with customers

mantener el mercado, support the market

mantener en vigor, keep in force

mantener la delantera sobre los competidores, keep ahead of competitors

mantener libre de perjuicio, hold harmless

mantener relaciones comerciales con, deal with

mantener un diálogo de sordos (Esp., col.), talk at cross-purposes

mantener una buena relación comercial con, keep a good business relationship with

mantener una relación cordial con, be in easy terms with

mantener vigente, keep in force

mantener vínculos familiares con alguien, kin to somebody

mantenerse en punto muerto (negociación), remain deadlocked (negotiation)

mantenerse sobre el cambio, keep above the exchange

mantenimiento, maintenance

mantenimiento de antecedentes, record retention

mantenimiento de la producción, production hold-up

mantenimiento de los precios, price support

mantenimiento preventivo, preventive action

manual, handbook

manual (adj.), manual (adj.)

manual (n.), manual (n. & adj.)
manual de consulta, source handbook
manual de referencia, reference manual
manufactura, manufacture
manufactura(s) en proceso, work in process
manufacturar, manufacture
mañana (hasta el mediodía), ante meridiem (AM); AM (ab. ante meridiem)
maquillaje (col.), window dressing (col.)
maquillaje de las cifras (Esp., col.), alteration of amounts
maquillar el balance (Esp., col.), alter the balance
maquillar las cifras (col.), massage the figures (col.); make up the figures (col.)
máquina, machine
máquina calculadora, calculating machine
máquina de autorización automática, automatic authorization machine
máquina de calcular, adding machine; calculator (machine)
máquina de escribir, typewriter; typewriting machine
máquina de franquear, mailing machine
máquina de imprimir direcciones, addressing machine
máquina de sobremesa, desktop machine
máquina expendedora, vending machine
máquina facturadora, invoicing machine
máquina para imprimir direcciones, mailing machine
máquina tabuladora, tabulating machine
maquinaria y equipo, machinery and equipment
máquinas por operador(a), machines per operator
marca, mark (n.)
marca comercial, trade mark; trade name; brand (n.); maker´s name; manufacturer´s trademark; registered trademark
marca de fábrica, trade mark; trade name; brand (n.); maker´s name; manufacturer´s trademark; registered trademark
marca del fabricante, trade mark; trade name; brand (n.); maker´s name; manufacturer´s trademark; registered trademark
marca registrada, trade mark; trade name; brand (n.); maker´s name; manufacturer´s trademark; registered trademark
marcado con una línea de puntos, punctated
marcar, mark (v.)
marcar(se) un objetivo, aim (v.)
marco, threshold; point of departure
marcha, behaviour (US: behaviour = behavior); development(s); deportment
marchar en paralelo con, run parallel to
marear la perdiz (Esp., col.), stall
margen, margin (n.)
margen ("spread"), spread
margen a plazo, forward margin
margen adicional, additional margin requirement
margen adicional sobre el precio marcado, additional mark-on
margen añadido a un tipo de interés de referencia ("spread"), spread
margen de aportación, contribution margin
margen de beneficio, margin of profit; profit margin
margen de beneficio bruto, markup
margen de explotación, operating income
margen de ganancia bruto, gross margin
margen de intermediación, gross earnings margin
margen de mantenimiento, maintenance margin
margen de utilidad, margin of profit; profit margin
margen entre tipos de interés, interest spread
margen establecido por el emisor, issuer set margin (ISM); ISM (ab. issuer set margin)
margen estacional, time call spread
margen estacional (opciones), horizontal spread (options); calendar call spread (purchase options)
margen fijo, cap rate
margen financiero, interest revenues; financial margin
margen financiero neto, net interest revenue

margen inicial, initial margin

margen legal, legal margin

margen máximo, maximum margin

margen neto, net margin

márgenes de solvencia flexibles, dynamic solvency margins

marginar, margin (n. & v.)

marina mercante, merchant marine

marina mercante (MM), merchant navy (MN); MN (ab. merchant navy)

marinero, sailor

marino (n.)**,** sailor

marioneta (col.)**,** dummy (col.); front man; straw man (col.); scapegoat (col.)

mariposa (futuros y opciones), butterfly (options and futures)

marisabidillo (n., col.)**,** smart alec(k) (col.); smarty (col.); smartie (col.); smarty-pants (col.)

marítimo (adj.)**,** marine

martillero (LA)**,** auctioneer

más (+), plus (+); + (ab. plus)

más (el) interés acumulado, plus accrued interest

más abajo, thereinafter

más abajo del presente, hereinafter

más abajo referido, as referred to below; undermentioned

más adelante, thereinafter

más allá de lo alcanzable, beyond scope

más barato entregable (MBE), cheapest to deliver (CTD)

más reciente, state-of-the-art

masa de bienes del quebrado, bankrupt's estate

masa de la herencia, heritable mass

masa de la quiebra, estate of bankrupt

masa hereditaria, estate (n.); landed estate; lands; real estate; bona immobilis (Lat.); realty; real property; immovables; heritables; real chattels

masa monetaria, money supply

masa obrera, labour force (US: labour = labor); working population

masivo, intensive; massive; on a large scale

Master en Administración de Empresas, master in business administration (MBA); MBA (ab. Master in Business Administration)

materia prima, staple

material (adj.)**,** physical

material de escritorio, office supplies; stationery

material impreso, printed matter

material móvil, automobiles and trucks

material reciclado, recycled material

materiales de consumo, operating supplies

materiales directos, direct materials

materiales en tránsito, materials in transit

materiales indirectos, indirect materials

materiales publicitarios, advertising supplies

materiales y suministros, materials and supplies

materialización, implementation

materialización de objetivos, achievement(s)

materializar, achieve; implement

materias primas, primary commodities; commodities (sing.: commodities = commodity); staple goods; raw materials

matrices, dies

matrícula (Esp.)**,** admission fee

matrimonio in articulo mortis, deathbed marriage

matrimonio por poderes, proxy marriage

matriz (resguardo), stub

matriz de crecimiento-cuota, growth-share matrix

matriz del cheque, check stub (GB: check = cheque)

matute (Esp., col.)**,** smuggle; contraband

matutear (Esp., col.)**,** smuggle; contraband

matutero (Esp., col.)**,** smuggler

máxima calificación, AAA-rated

máxima integridad patrimonial, strictiest patrimonial integrity

máximos, medios y mínimos, caps, floors and collars

Mayor (libro), ledger (book)

mayor de edad, of age

mayor parte, bulk

mayor rentabilidad, higher yield

mayoreo, wholesale

mayoría accionaria, majority of shares; stock majority

mayoría de edad, legal age

mayoría de votos a favor, ayes have it

mayorista, wholesaler

MCA (ab. **Mercado Común Andino),** Andean Common Market (ACM); ACM (ab. Andean Common Market)

MCAr (ab. **Mercado Común Árabe),** Arab Common Market (ArCM); ArCM (ab. Arab Common Market)

MCC (ab.: **mecanismo para el control de cambios),** exchange rate mechanism (ERM); ERM (ab. exchange rate mechanism)

mecanismo de control de paridades, exchange rate mechanism (ERM); ERM (ab. exchange rate mechanism)

mecanismo de emisión de europagarés, euronote facilities

mecanismo para el control de cambios (MCC), exchange rate mechanism (ERM); ERM (ab. exchange rate mechanism)

mecanismos antiblanqueo, anti-laundering mechanisms

mecanismos cambiarios, exchange mechanisms

mecanógrafa, typist

mecanografía, typewriting

mecanografiar, typewrite

mechero (ladrón de tiendas) (Esp., col.), shoplifter

MEDA (ab. **mediador de deuda anotada)** (col.), blind broker; interdealer broker (ab. IDB); IDB (ab. interdealer broker)

media, average (n.); damage (n.)

media (n.), mean (n.); average (n.)

media aritmética, arithmetic mean; arithmetic media

media de las acciones en circulación, average shares outstanding; issued stock; bonus stock

media del ejercicio, average for the year

media dinámica, moving average

media fluctuante, moving average

media móvil, moving average

media ponderada, weighted average

media trimestral, quarterly average

mediador, mediator

mediador arbitral, arbiter; arbitrator; referee (n.); umpire; compounder; amicable compounder; amicable referee; conciliator; third party (pl.: party = parties)

mediador de deuda anotada (MEDA) (col.), blind broker; interdealer broker (ab. IDB); IDB (ab. interdealer broker)

mediador en el mercado secundario, market maker

mediador en la firma de un contrato, mediator to the execution of an agreement

mediador en litigio no judicial, arbiter; arbitrator; referee (n.); umpire; compounder; amicable compounder; amicable referee; conciliator; third party (pl.: party = parties)

mediador en un problema, troubleshooter (col.)

mediante computadora (SA), computer-assisted

mediante el presente, hereby

mediante entrega, on delivery

mediante este escrito, by these presents

mediante muestreo aleatorio, ad libitum (Lat); ad lib (Lat.); at random

mediante pagos escalonados, by instal(l)ments

mediante prorrateo, at pro-rata

mediante real decreto, by royal decree

mediante solicitud, on request; upon request; on call

mediar, arbitrate; referee (v.)

mediatizar, mediatize

medicina general, general practice

medición y valoración de los resultados, measurement and evaluation of earnings

médico de medicina general, general practitioner

medida, measure

medida antitiburones (col., **OPAs hostiles),** shark-repellant measure (col., hostile takeover bids)

medida correctora, corrective action

medida de capacidad, cubic measure

medida precautoria, safeguard

medidas antiblanqueo, anti-money laundering measures

medidas antiblanqueo internacionales, international anti-laundering measures

medidas antidilución, antidilution measures

medidas antiinflacionistas, anti-inflationary policies

medidas cautelares, precautionary measures; preventive measures

medidas contra siniestros, accident prevention

medidas de contención, restraint measures

medidas de control cambiario, exchange control regulations

medidas de estímulo a la exportación, measures to stimulate exports

medidas de garantía, guarantee measures (US: guarantee = guaranty)

medidas de prevención, precautionary measures; preventive measures

medidas de protección antiblanqueo insuficientes, insufficient protection measures against money laundering

medidas de protección insuficientes contra el blanqueo de dinero, insufficient protection measures against money laundering

medidas de transición no traumáticas, soft transition measures

medidas disciplinarias, disciplinary actions

medidas disuasorias, dissuasive measures

medidas emprendidas, measures taken

medidas insuficientes, insufficient actions

medidas para estimular la economía, economic pump priming

medidas para estimular las exportaciones, measures to stimulate exports

medidas precautorias, precautionary measures; preventive measures

medidas preventivas, precautionary measures; preventive measures

medidas proteccionistas, protective measures

medidas represivas sobre controles cambiarios, repressive measures on exchange controls

medidas restrictivas, restraint measures

medidas tendentes a promover el desarrollo, development policies

medio, channel (n.)

medio (adj.), mean (adj.); average

medio (ambiental, laboral, etc.), environment

medio (n.), medium (pl.: medium = media /mediums)

medio circulante, money supply

medio de trasvase de dinero negro, channel for criminal funds

medio excepcional, accidental means

medio hostil, adverse environment

medio plazo, medium term

medios de comunicación, mass media

medios de comunicación escrita (prensa), press

medios de difusión publicitaria, advertising media

medios de pago, means of payment

medios de promoción publicitaria, advertising supplies

medios de subsistencia, means of support

medios de transporte, means of transport

medios internos, internal resources

medir, measure

medir el nivel potencial de riesgo crediticio, measure the level of potential credit risk

medir tiempos, time

MEFF (ab. **Mercado Español de Futuros Financieros),** Spanish Financial Futures Market (SFFM); SFFM (ab. Spanish Financial Futures Market)

megacrédito, jumbo loan

megapréstamo, jumbo loan; (US., col.); megaloan

mejor oferta, best bid

mejor postor, highest bidder

mejora de las comunicaciones, improvement in communications

mejora patrimonial, beneficial improvement

mejorar, boost (v.); enhance (v.); optimize (v.); improve (v.); promote (job, sales, etc.) (v.)

mejorar las medidas de seguridad, enhance security measures

mejoras, betterments

mejoras marginales, fringe benefits

mejoría en las condiciones del riesgo, improved risk conditions

membrete, heading

membrete de carta, letterhead

memorándum, brief (n.); briefing (n.); excerpt (n.); memorandum (memo); memo (ab. memorandum) (col.); recap (col.); summary; abridg(e)ment; digest (n.)

memoria (comp.)**,** storage

memoria anual, annual statement; annual report

memoria compartida (comp.)**,** shared memory (comp.)

memoria de acceso aleatorio, RAM memory (random access memory); random access memory (RAM memory)

memoria de acceso directo, RAM memory (random access memory); random access memory (RAM memory)

memoria de acceso en paralelo (comp.)**,** parallel storage (comp.)

memoria de acceso inmediato (comp.)**,** immediate access storage (comp.)

memoria de ordenador, computer memory

memoria externa (comp.)**,** external storage

memoria fija (comp.)**,** fixed storage (comp.)

memoria intermedia (comp.)**,** intermediate storage (comp.)

memoria interna (comp.)**,** internal storage (comp.)

memoria permanente (comp.)**,** permanent storage (comp.)

memoria principal (comp.)**,** main memory (comp.)

memoria RAM (Esp.)**,** RAM memory (random access memory); random access memory (RAM memory)

mencionado, aforesaid; aforementioned; aforenamed; as referred to above; before-written; before-mentioned; above-cited; above-mentioned (a/m); above-said; a/m (ab. above-mentioned)

mencionado más abajo, as referred to below; undermentioned

mensaje, message

mensaje (recibido con texto) mutilado, garbled message

mensaje administrativo, administrative message

mensaje cursado por correo electrónico, electronic mail (E-mail); E-mail (ab. electronic mail); Emilio (Esp., col.)

mensaje de texto libre, free text message

mensaje mutilado, mutilated message

mensaje por fax, facsimile message; fax message

mensajería urgente, urgent post (US: post = mail); urgent mail (GB: mail = post); special delivery; immediate delivery; express courier

mensajero, courier; messenger; runner (col.); dispatch rider (GB)

mensualidad, monthly instal(l)ment

mensualmente, monthly

mensurable (adj., masc. & fem.)**,** measurable

mentira demostrable, demonstrable false statement

mentís (n. masc. sing.)**,** denial; disavowal

menudeo, retail

meollo de la cuestión (Esp., col.)**,** kernel of a matter

mercadería, merchandise (MDSE) (n.); MDSE (ab. merchandise) (n.)

mercaderías, goods

mercaderías rescatadas, salvage (n. & v.); salvage value; residual value; scrap value; junk value

mercadillo (benéfico) de artículos de segunda mano, jumble sale

mercado, mart; market

mercado "forward", forward market

mercado "spot", spot market; cash market

mercado a la baja, bearish market; bear market

mercado a plazo, forward market

mercado abierto, open market

mercado accionario, share market

mercado activo, live market; active market

mercado AIAF de renta fija (Esp.)**,** fixed rate market of the AIAF (Esp.)

mercado al contado, spot market; cash market

mercado alcista, bullish market; bull market

mercado animado, live market; active market

mercado bajista, bearish market; bear market

mercado bursátil, securities market; stock(-exchange) market; stock exchange

mercado callejero de artículos viejos o usados, flea market (col.)

mercado cambiario, foreign exchange market

Mercado Común, Common Market

Mercado Común Andino (MCA), Andean Common Market (ACM); ACM (ab. Andean Common Market)

Mercado Común Árabe (MCAr), Arab Common Market (ArCM); ArCM (ab. Arab Common Market)

mercado contínuo, continuous market

mercado contínuo bursátil informatizado, computer-assisted trading system (ab. CATS); CATS (computer-assisted trading system); exchange(´s) computer-assisted trading system

mercado cubierto, covered market

mercado de abastecimientos, provision(s) market

mercado de abastos (Esp.), provision(s) market

mercado de bonos, bond market

mercado de cambios, foreign exchange market (FOREX)

mercado de capital privado, private capital market

mercado de capitales, capital market

mercado de capitales a largo plazo, long end of the market

mercado de créditos sindicados, syndicated loan market

mercado de deuda pública, government debt market

mercado de deuda pública a plazo, forward market in treasury bonds

mercado de deuda pública anotada (Esp.), annotated public debt market (Esp.)

mercado de divisas, foreign exchange market

mercado de divisas (Esp.), foreign (currency) market

mercado de divisas a plazo, forward foreign exchange market (FFEM); FFEM (ab. forward foreign exchange market)

mercado de divisas al contado, foreign exchange spot market

mercado de fondos federales, federal funds market (FFMKT) (US); FFMKT (ab. federal funds market) (US)

mercado de futuros, futures market

mercado de intermediación de activos financieros, financial asset intermediation market

mercado de opciones, options market

mercado de pagarés del Tesoro, Treasury bill market (US)

mercado de papel comercial, commercial paper market

mercado de productos agrícolas, corn exchange (US)

mercado de prueba, test market

mercado de subasta, auction market

mercado de títulos, securities market; stock(-exchange) market; stock exchange

mercado de valores, securities market; stock(-exchange) market; stock exchange

mercado de valores de renta fija, bond market

mercado de valores de renta variable, share market

mercado del ahorro, savings market

mercado en alza, boom

mercado en origen de productos agrarios, clearing market for farm products

Mercado Español de Futuros Financieros (MEFF), Spanish Financial Futures Market (SFFM); SFFM (ab. Spanish Financial Futures Market)

mercado estancado, dull market

mercado extrabursátil, gré-à-gré market; gray market; grey market; after market; over-the-counter market (OTC market); OTC market (ab. over-the-counter market); secondary market; underlying market; curb market; kerb market (GB)

mercado financiero, financial market

mercado flojo, dull market

mercado gré-à-gré, gré-à-gré market; gray market; grey market; after market; over-the-counter market (OTC market); OTC market (ab. over-the-counter market); secondary market; underlying market; curb market; kerb market (GB)

mercado incipiente, nascent market

mercado inmobiliario, property market

mercado inmobiliario estancado, stagnated property market

mercado interbancario, interbank market

mercado interior, domestic market

mercado internacional de obligaciones en divisas, international bond market

mercado interno, domestic market

mercado invertido, inverted market; backwardation (futures market)

mercado liberalizado, open market

mercado libre, parallel market

mercado monetario, money market; monetary market

mercado monetario a plazo, forward currency market

mercado nacional, domestic market

mercado negro, black market

mercado oficial, official market; official trading

mercado paralelo, parallel market

mercado potencial, potential market; sales potential

mercado previo a la emisión, gré-à-gré market; gray market; grey market; after market; over-the-counter market (OTC market); OTC market (ab. over-the-counter market); secondary market; underlying market; curb market; kerb market (GB)

mercado primario, primary market

mercado secundario, gré-à-gré market; gray market; grey market; after market; over-the-counter market (OTC market); OTC market (ab. over-the-counter market); secondary market; underlying market; curb market; kerb market (GB)

mercadología, marketing

mercados, markets

mercados competitivos, competitive markets

mercados cruzados, crossed markets

mercados de capitales eficientes, efficient capital markets

mercados de eurobonos, eurobond markets

mercados de eurocapitales, eurocapital markets

mercados de opciones y futuros, futures and options markets

mercados de renta fija, fixed income markets

mercados de renta variable, equity markets

mercados internacionales, international markets

mercados locales, local markets

mercados nacionales, local markets

mercados nacionales de bonos, national bond markets

mercados regionales, regional markets

mercados regionales de capital, regional capital markets

mercadotecnia, marketing

mercancía, merchandise (MDSE) (n.); MDSE (ab. merchandise) (n.)

mercancía a granel, franco a bordo y acondicionada en el pañol, free on board and trimmed goods (FOB and trimmed goods); FOB and trimmed goods (ab. free on board and trimmed goods)

mercancía colocada a bordo, shipped on board

mercancía defectuosa, defective merchandise

mercancía embarcada en exceso, overshipped goods

mercancía no embarcada, shortouts

mercancía no embarcada en su totalidad, undershipped merchandise

mercancía recibida a bordo, goods actually shipped on

mercancías, goods

mercancías de contrabando, contraband goods

mercancías en comisión, consignments in

mercancías en depósito franco sujetas a pago de derechos arancelarios, bonded goods

mercancías en depósito no susceptibles de embargo, non leviable goods in deposit

mercancías en tránsito, goods in transit

mercancías perecederas, non-durable goods

mercancías recuperadas, repossessed goods

mercancías remitidas en consignación, consignments out

mercancías rescatadas, repossessed goods

mercancías semiacabadas, intermediate goods

mercancías ya cargadas, goods actually shipped on

mercantil (adj., masc. & fem.), commercial; business (adj.); mercantile; merchant (adj.)

merecedor, deserving

merecer, deserve; have a right to; be entitled to

merma, wastage; ullage; loss

merma natural, wear and tear; natural wastage

mes actual, current month

mes civil, calendar month

mes corriente, current month

mes en curso, current month

mes inmediato, spot month

mes último, ultimo (ab. ult.); ult. (ab. = ultimo)

mesa de negociaciones, bargaining table

meses completos, flat dates; flat months

meses de negociación, trading months

meses fecha (MF), months after date (MD); MD (ab. months after date)

meses vista, months sight (MS); MS (ab. months sight)

meses vista (MV), months after sight (MS); MS (ab. months after sight)

meta, aim (n.); purpose; final cause; target

meta (de la campaña) publicitaria, advertising goal

meta alcanzada, achievement; completion

meta ambiciosa, ambitious goal

meta subyacente, underlying target

metal de ley baja, base metal

metal precioso en lingotes, bullion

metal precioso sin acuñar, bullion

meter de contrabando, smuggle in

meter dinero en (Esp., col.), invest money on

meter en la cárcel, throw into jail

meter mano a la caja (Esp., col.), have one´s fingers in the till (col.)

meter un virus (comp., col.), corrupt (v.)

meter(le) virus a un disco (col.), corrupt a disk (comp.)

meterse en aprietos, get into a jam

meterse en deudas (Esp., col.), run into debt(s)

meterse en pleitos (Esp., col.), cause suit to be brought; file a suit; implead; litigate; put in suit; sue; plead

meterse en un lío (col.), get into a jam

método, method

método actuarial de costes, actuarial cost method

método de análisis que contempla exclusivamente una variable, point and figure

método de depreciación lineal, straight-line depreciation method

método de pago, method of payment

metodológico, methodological

mezquino (adj.), meagre (meagre = meager) (adj.); one-horse (adj., col.); unremarkable (adj.)

MF (ab. **meses fecha),** months after date (MD); MD (ab. months after date)

MIBOR (ab. **tipo de interés interbancario de Madrid),** MIBOR (ab. Madrid inter-bank interest rate); Madrid interbank interest rate (MIBOR)

microeconomía, microeconomics

microficha, microfiche

microficha de firmas autorizadas, authorized signature microfiche

micromarketing, micromarketing

micropagos, micropayments

microprocesador (comp.), microprocessor (comp.)

microsegmentación comercial, micromarketing

miembro, member

miembro adquirente, acquiring member

miembro afiliado, affiliated member

miembro asociado, associate member

miembro autorizador, authorizing member

miembro compensador, clearing member; clearing party

miembro de la cúpula directiva (col.), baron (col.)

miembro del jurado, juror

miembro emisor, issuing member

miembro liquidador, clearing member; clearing party

miembro nacional, domestic member

miembro peticionario, requesting member

miembro principal, principal member

miembro solicitante, requesting member

miembros involucrados, members involved

mientras el crédito continúe sin amortizar, as long as the loan remains outstanding

migración de dinero (de procedencia) ilegal, migration of unlawful money

migración de dinero negro (col.)**,** migration of unlawful money

mil, one thousand; ten hundred

mil libras esterlinas (GB, col.)**,** kilobyte (GB, col.)

mil millones (millardo), billion (bn); bn (ab. billion)

millar, one thousand; ten hundred

millardo (mil millones), billion (bn); bn (ab. billion)

millón, million

millón de dólares, megabuck (US., col.)

minado, undermined

miniderrumbamiento de la economía, mini-crash of the economy

minimización de las insolvencias, minimization of unperformings

minimizar el riesgo crediticio, minimize credit risk

mínimo (n. & adj.)**,** minimum

mínimo común denominador, lowest common denominator

ministerio, department (ab. dept.); dept. (ab. department)

Ministerio de Asuntos Exteriores, Ministry of Foreign Affairs (GB); Foreign Office (GB); Foreign Department (US)

Ministerio de Comercio, Trade Department (US); Department of Trade (US); Ministry of Commerce (GB)

Ministerio de Defensa, Department of Defense

Ministerio de Educación, Department of Education

Ministerio de Hacienda (Esp.)**,** Ministry of the Treasury (GB); Treasury Department (T) (US); T (ab. The Treasury / Treasury Department) (US)

Ministerio de la Gobernación, Ministry of the Interior

Ministerio de Marina, Marine

Ministerio de Relaciones Exteriores (GB)**,** Foreign Office (FO) (GB); FO (ab. Foreign Office) (GB)

Ministerio de Sanidad, Department of Health (US); Health Department (US)

Ministerio del Interior, Ministry of the Interior

Ministerio del Tesoro, Ministry of the Treasury (GB); Treasury Department (T) (US); T (ab. The Treasury / Treasury Department) (US)

ministerio fiscal (Esp.)**,** prosecuting attorney; public prosecutor

Ministro de Hacienda (Esp.)**,** Secretary of the Treasury (US)

Ministro de Hacienda (GB)**,** Chancellor of the Exchequer (GB)

Ministro de justicia (US)**,** Attorney General

Ministro del Tesoro (LA)**,** Secretary of the Treasury (US)

minorista, retail

minuciosamente, minutely

minusvalía, capital loss

minusvalías, losses

minusvalías genéricas, unrealized losses

minusvalías por enajenación de partidas del inmovilizado material, losses in the sale of tangible fixed assets previously revalued

minusvalías tácitas, unrealized losses

minusvaloración del futuro, mispricing

minuta de abogado, legal fees

minuta de constitución de depósito, memorandum of deposit

minuta de letrado, lawyer´s bill; counsel fees; attorney´s fees (US)

mitad, half (pl.: half = halves)

MM (ab. **marina mercante),** merchant navy (MN); MN (ab. merchant navy)

mobiliario, movables; movable effects; personal estate; personal property; ready property movables; things personal; goods and chattels; bona mobilis (Lat.); contents (personal property); fixtures

mobiliario de propiedad personal, paraphernal property; paraphernalia

mobiliario e instalaciones, equipment; fixtures and installations; furniture and installations

moción, action (court); application; claim; complaint; petition; request; requisition; appeal; motion

moción para levantar la sesión, motion to adjourn

moción rechazada, defeated motion

modelo, sample; bogey (col.); specimen

modelo analógico, analog(ic) model

modelo Black-Scholes, Black-Scholes model

modelo de factura, invoice form

modelo de firma, specimen signature

modelo de firma autorizada, authorized signature facsimile; authorized signature specimen

modelo de formulario de cheque, cheque specimen (US: cheque = check)

modelo de gestión, management model

modelo de valoración de activos, capital asset pricing model (CAPM)

modelo económico, economic model

módem (comp.), modem (comp.)

moderación, easing; liberalization

moderación salarial, wage restraint

moderar, ease; deregulate; liberalize; free (v.)

modernización de una sucursal, branch refitting

modernizar una sucursal, refit a branch office

modificación de las sumas, alteration of amounts

modificación de los estatutos, amendment of bylaws

modificación de los tipos cambiarios, exchange rate adjustment

modificaciones cambiarias, exchange rate changes

modificaciones en los cambios, exchange alterations

modificaciones en los tipos de cambio, exchange rate changes

modificar, change (v)

modificar el acuerdo de asociación, alter the partnership agreement

modificar la ubicación de la plantilla, redeploy staff

modificar las normas de embargo, alter embargo guidelines

modificar los apuntes contables, alter the books

modo de actuar, behaviour (US: behaviour = behavior); development(s); deportment

momento de crisis, time of crisis

moneda (de curso) legal, legal tender

moneda (euros, dólares, pesetas, etc.), currency (n.)

moneda (pieza), token

moneda bloqueda, blocked currency

moneda clave, key currency

moneda convertible, convertible currency

moneda de curso forzoso, fiduciary currency; fiduciary money; token money

moneda de denominación, currency of denomination

moneda de facturación, billable currency

moneda de movimiento internacional controlado, blocked currency

moneda de oro, gold coin

moneda de plata, silver coin

moneda de reserva, reserve currency

moneda débil, weak currency; soft currency

moneda depreciada, depreciated currency

moneda devaluada, devalued currency

moneda extranjera, foreign exchange; foreign currency (pl.: currency = currencies)

moneda extranjera en poder de inversores españoles, foreign currency in the hands of Spanish investors

moneda falsa, base coin

moneda fiduciaria, fiduciary currency; fiduciary money; token money

moneda fraccionaria, divisional coins; divisional money; change (col.)

moneda inestable, weak currency; soft currency

moneda metálica, coin (money)

moneda nacional, current money

moneda no intervenida, uncontrolled currency

moneda sin depreciar, undepreciated currency

moneda sin devaluar, undepreciated currency

moneda sobrevalorada, overvalued currency (pl.: currency = currencies)

moneda(s), coins; coppers (GB, col.)

monedas (de oro o plata), real money

monedas de curso legal, real money

monedas y billetes extranjeros, foreign notes and coins

monetario (adj.), currency (n. & adj.); financial (adj.); monetary (adj.)

monetizable a largo plazo, monetizable at long term

monetización, monetization

monetizar, monetize

monitor (Esp.), monitor (n.)

monitor de computadora (LA), monitor (n.)

monopolio, monopoly

monopolio absoluto, absolute monopoly

monopolio del Estado, government monopoly

monopolio fiscal, government monopoly

monopolio oficial, government monopoly

monopolio total, absolute monopoly

monopolizador, monopolist(ic) (adj.)

monopolizar, monopolize

monopsomio, monopsony

montaje (Esp., col.), fake (n. & v.); falsification; forgery; sham; counterfeit; adulteration

montante (n., masc.), amount (n); sum (n.)

montante de las insolvencias recuperadas, amount of nonperforming loans recovered

montante de las provisiones, amount of provisions

montante de un préstamo, size of a loan

montante del pago trimestral, quarterage

montante medio de la fianza, average bond

montante medio de las operaciones, average size of transactions

montante neto, net amount

montante real de los intereses satisfechos, actual amount of interest paid

montañas de solicitudes (Esp., col.), stacks of applications

montar, assemble (v.); compile (v.)

monte de piedad (Esp.), pawnshop; hock shop (col.)

monto (LA), amount (n); sum (n.)

monto de un préstamo (LA), size of a loan

monto efectivo de los intereses satisfechos, actual amount of interest paid

monto medio de las operaciones (LA), average size of transactions

monto neto (LA), net amount

montón de dinero (col.), a pretty penny (col.); pretty penny

montón de gangas (Esp., col.), job lot

montones de peticiones (Esp., col.), stacks of applications

moral (adj., masc. & fem.), moral (adj.)

moratoria, period of grace

mordida (LA, n. fem.), bribe (n.); graft (n.); embracery (n.); subornation; embracery; bribery; kickback (col.)

morosidades, nonperformings (col.); nonperforming loans; bad debts

morosidades definitivamente canceladas, bad debts charged off

morosidades llevadas a la cuenta de resultados, bad debts written off

morosidades potenciales, potential delinquency (pl.: delinquency = delinquencies)

moroso, defaulter

moroso escurridizo, slippery debtor

morosos, nonperformings (col.); nonperforming loans; bad debts

mortalidad, mortality

mortalidad esperada, tabular mortality

mortandad, mortality

mosca (dinero) (Esp., col.), mazuma (US., col.)

mostrador, counter

mostrar, display (v.)

mostrar preocupación hacia, be concerned about

mostrar tendencia hacia, show a trend to

mostrar un aumento, show an increase

mostrarse conforme, accept; admit; agree

mostrarse disconforme, discuss; argue

mostrarse proclive a, show a trend to

mote (Esp., col.), alias (pl = aliases)

motín, riot

motines y perturbaciones civiles, riots and civil commotions

motivación, background; motivation; reason (n. & v.)

motivaciones subyacentes, underlying motivations

motivar problemas, create problems

motivo de rescisión, cause of cancellation

motivos, rationale

movilización de fondos, funds transfer; transfer of funds; money transfer

movimiento contrario a la tendencia, sin alterarla, adjustment; reconcilement; correction

movimiento de costos, cost flow

movimiento de la cartera, portfolio turnover

movimiento de la demanda de existencias, swing in demand for inventory

movimiento especulativo, transaction

movimiento total de recursos financieros, total flow of financial resources

movimiento total neto, total net flow

movimientos compensatorios de capital, offsetting flows

movimientos financieros privados, private financial flows

movimientos internacionales de capitales, international capital movements

mudarse de sitio (GB., col.), remove (v.)

muebles, movables; movable effects; personal estate; personal property; ready property movables; things personal; goods and chattels; bona mobilis (Lat.); contents (personal property); fixtures

muebles y enseres, chattels; furniture and fixtures

muelle de almacén, platform

muelle de carga/descarga, shipside; dock; quay; jetty; apron (warehouses)

muelle portuario de salida, outgoing steamer dock

muerte, decease

muerte civil, civil death

muerto (n), deceased

muerto el, DOD (ab. date of death); date of death (DOD)

muestra, sample; bogey (col.); specimen

muestra (rótulo), plate

muestra sin valor, straw bill (col.)

muestrario, sample book

muestras comerciales, commercial samples

muestreo, sampling

muestreo al azar, random sampling

muestreo aleatorio, random sampling

muestreo sin base probabilística, chunk sampling

multa, fine (n.); penalty

multa a potestad judicial, amercement

multar, fine (v.); penalty

multibancario (adj.)**,** multi-bank

multibanco, all-purpose bank

multicopista, duplicating machine

multilateral (adj., masc. & fem.), multilateral (adj.)

multimillonario, multimillionaire

multimodal (adj., masc. & fem.)**,** bill of lading for multimodal transport; multimodal transport bill of lading; multimodal transport B/L (B/L = bill of lading)

multimodal (n. masc.) **(documento de transporte / conocimiento de embarque),** bill of lading for multimodal transport; multimodal transport bill of lading; multimodal transport B/L (B/L = bill of lading)

multinacional (adj., masc. & fem.)**,** multinational (adj.)

múltiple (adj., masc. & fem.)**,** multiple (adj.)

multiplexor, multiplexor (comp.)

multiplicador (adj.)**,** multiplying

multiplicador (n.)**,** multiplier

multiplicar, multiply

multiplicidad (n. fem.), manifold (n.)

múltiplo (n.), multiple (n.)

multiproceso (inf.), multiprocessing (comp.)

multiprogramación (comp.), multiprogramming (comp.)

multivariable (adj.), multivariable (adj.)

mundial, world (adj.)

mundo, world (n.)

mundo de las finanzas, financial world

mundo económico, economic world

mundo financiero, financial world

municipalidad, borough; municipality

municipalización de los servicios locales, municipalization of local services

municipalizar, municipalize

municipio, borough; municipality

murmuraciones sin fundamento, baseless rumours (US: rumours = rumors)

muro cortafuegos, firewall

mutua aseguradora (Esp.), mutual insurance company

mutua confianza, mutual trust

mutua cooperación en el desarrollo de nuevos productos bancarios, mutual cooperation in developing new banking products

mutualidad, mutuality

mutualismo, mutualism

mutualista, mutualist

mutuo (adj.), mutual

muy bien recomendado, strongly recommended

Muy Señores míos (Muy Sres. míos):, Gentlemen (GB: seguido de coma; US: seguido de dos puntos)

Muy Señores nuestros (GB: **seguido de coma;** US: **seguido de dos puntos),** Dear Sirs,

Muy Señores nuestros: (Muy Sres. nuestros), Gentlemen (GB: seguido de coma; US: seguido de dos puntos)

Muy Sres. míos (ab. **Muy Sres. míos):,** Gentlemen (GB: seguido de coma; US: seguido de dos puntos)

Muy Sres. nuestros: (ab. **Muy Señores nuestros),** Gentlemen (GB: seguido de coma; US: seguido de dos puntos)

MV (ab. **meses vista),** months after sight (MS); MS (ab. months after sight)

N

Nº (ab. número), number (No.); No. (ab. number)

nacido en, born in

naciente, nascent

nacional (adj., masc. & fem.), domestic (adj.); in-house (adj.)

nacional (n. & adj.), national (n. & adj.)

nacionalizar, nationalize

narco (Esp, col.), drug dealer

narcotraficante, drug dealer

narcotráfico, marketing of narcotics; narcotrafficking; drug dealing; drug traffick(ing)

naturaleza del puesto y actividades principales (relativas al mismo), character of position and principal activities

naufragio, shipwreck (n.)

nave, ship; vessel; craft

navegabilidad, seaworthiness

navegación costera, coastal navigation; cabotage

naviera (n.), shipping company

navieras (valores bursátiles), shipping (stock exchange)

naviero, shipowner

NCA (ab. nivel de calidad aceptable), acceptable quality level (AQL); AQL (ab. acceptable quality level)

necesidad, exigency (pl. exigencies; exigency = exigence); exigence (exigence = exigency)

necesidades de capital externo de los países en vías de desarrollo, external capital requirements of developing countries

necesidades inmediatas de inversión, immediate investment requirements

necesitar, require

negar, contest; disprove; deny

negar el consentimiento para, refuse consent to

negativo, adverse

negligencia criminal, criminal negligence

negligencia grave, gross negligence

negligencia inexcusable, attractive nuisance

negociabilidad, negotiability

negociable (adj., masc. & fem.), transferable (adj.); negotiable (adj.)

negociación, handling; negotiation

negociación colectiva, collective bargaining

negociación de convenio colectivo a nivel sectorial, area-wide bargaining

negociación de derechos, negotiation of rights

negociación de papel (Esp., col), discount of drafts; draft discounting

negociación extrabursátil de valores, gré-à-gré market; gray market; grey market; after market; over-the-counter market (OTC market); OTC market (ab. over-the-counter market); secondary market; underlying market; curb market; kerb market (GB)

negociaciones, bargaining

negociaciones estancadas, deadlocked negotiations

negociado, department (ab. dept.); dept. (ab. department)

negociado de cartillas de ahorro, savings department

negociador, negotiator

negociante (n. masc.), merchant; trader; dealer

negociante en productos básicos de consumo, stapler

negociar, negotiate

negociar (hacer tratos), trade (v.); deal (v.); merchandise (v.); transact (v.); market (v.)

negociar efectos, discount bills

negociar papel (col, Esp.), discount bills

negociar un préstamo, negotiate a loan

negocio, business (n.); commerce (n.); trade (n.)

negocio (asunto), affair; matter (n.); subject; question (n.)

negocio avalado por la tradición, time-honoured firm

negocio bancario, banking business

negocio de campaña, seasonal business

negocio de que se trata, concern (n.)

negocio directo, direct business

negocio en funcionamiento, going business; going concern

negocio en marcha, going business; going concern

negocio extranjero, foreign operations; foreign transactions

negocio individual, self-employed individual; sole trader

negocio insignificante, one-horse business (col.)

negocio particular, private enterprise; private business

negocio sin intermediarios, direct business

negocios personales, BFS (ab. business for self); business for self (BFS)

negocios potenciales a gestionar por las sucursales del extranjero, potential businessess to be handled by foreign branch offices

negocios turbios, shady businesses

negrero (col.), proslavery boss (col.)

negrero (Esp., col.), Colonel Blimp (GB, col.)

neófito, tyro (= tiro) (col.); tiro (= tyro) (col.)

neto, net

nexo, link

ni cinco (Esp., col.), zilch

ni un duro (Esp., col.), zilch

NICA (ab. **número de identificación del centro de autorizaciones),** ACIN (ab. authorization center identification number) (US)

NIF (ab. **número de identificación fiscal),** PFN (ab. personal fiscal number); personal fiscal number (PFN)

NIP (ab. **número de identificación personal),** personal identification number (PIN); PIN (ab. personal identification number)

nivel, rank (n.); category; standing; state (n.); status (pl. status = statuses)

nivel de calidad aceptable (NCA), acceptable quality level (AQL); AQL (ab. acceptable quality level)

nivel de concentración, concentration level

nivel de desempleados, jobless total

nivel de desempleo, level of unemployment

nivel de dificultad, degree of difficulty

nivel de explotación, operating level

nivel de facultades, scope of authority

nivel de incapacidad, degree of disablement

nivel de insolvencia, degree of insolvency

nivel de morosidad, degree of delinquency

nivel de parados, jobless total

nivel de precios, level of prices; price level

nivel de resistencia, resistance level

nivel de salarios bajo, low wage level

nivel de seguridad, level of security; security level

nivel de servicio a la clientela, quantum of customer service

nivel de solvencia, financial status; financial condition; financial situation

nivel de soporte, support level

nivel de vida, standard of living; living standard

nivel elevado de salarios, high wage level

nivel máximo, peak (n.); ceiling

nivel medio de los coeficientes, average level of ratios

nivel operativo, operating level

nivel profesional, professional level; professional rank

nivel reducido de existencias, low inventory

nivel salarial, wage level

nivelar el presupuesto, balance the budget

niveles de agregación, aggregation levels

niveles decisorios, decision-making levels

niveles decisorios para concesión de créditos, approval levels

niveles económicos precedentes, economic past standards

niveles intermedios de gestión, middle management

no aceptado, non-admitted

no acumulable, non-cumulative (adj.)

no acumulativo, non-cumulative (adj.)

no admitido, non-admitted

no ajustado a la regla, not in order

no amortizable, non-amortizable

no andarse con divagaciones, speak to the point; speak straightforward

no apto, unfit

no apto para el consumo humano, unfit for human consumption

no asegurado, uninsured

no atender el pago de un cheque, dishonour a cheque (US: cheque = check); dishonor a draft (US)

no barrado, uncrossed

no caducable, non-forfeitable (adj.)

no coincidir con, disagree with

no comercializable, unmarketable

no compensable, non-compensable

no conforme con la regla, not in order

no consolidado, at unconsolidated level; at the money option; unconsolidated

no contesta (llamada), DA (call) (ab. doesn´t answer); doesn´t answer (call) (DA)

no cotizado, unlisted

no cruzado, uncrossed

no cumulativo, non-cumulative (adj.)

no declarar un dividendo, pass a dividend

no depreciado, undepreciated

no devaluado, undepreciated

no devengado, unearned

no dinerario, non-monetary (adj.)

no documentado, clean; unqualified; unrestricted

no embargable, non-leviable (adj.)

no emitido, unissued

no en regla, not in order

no es óbice, no bar

no estar endeudado, be out of debt; be out of hock (col.)

no ganado, unearned

no gravable, non-taxable; non-dutiable

no ha lugar, case dismissed

no imponible, non-taxable; non-dutiable

no imputable (tributos), zero-rated

no indemnizable, non-compensable

no lucrativo, non-profit (adj.)

no mantiene cuenta, no account (NA); NA (ab. no account)

no monetario, non-monetary (adj.)

no nacional, alien

no negociable, non-negotiable (adj.); non-assignable (adj.)

no pecuniario, non-monetary (adj.)

no preferente, secondary

no programado, unscheduled

no protestar en caso de impago, protest waived

no querer saber nada de cierta firma (col.), have no trucks with a certain firm

no realizable, unmarketable

no recuperable, unrecoverable; irrecoverable; non-recoverable

no redimible, non-callable (adj.)

no remunerado, non-remunerated (adj.)

no rentable, non-earning (adj.)

no repetitivo (adj.), one-time (adj.)

no rescatable antes de, not redeemable before

no residente, non-resident (adj.)

no responsable, non-liable (adj.)

no se permiten las expediciones parciales, part shipments prohibited; part shipments not allowed

no se permiten los tra(n)sbordos, transhipments not allowed

no se registran movimientos, nil report

no sujeto a cargas, unencumbered

no sujeto a control, uncontrolled

no sujeto a exacciones, duty-free (adj.); net of taxes; tax-free (adj.); free of duties (sing.: duties = duty)

no sujeto a intervención, uncontrolled

no sujeto a tributación, exempt from taxation

no sujeto al pago de derechos, non-taxable; non-dutiable

no susceptible de embargo, non-leviable (adj.)

no susceptible de venta, unmarketable

no tener dinero, be dead broke (col.); run short of money; be on beam-ends (GB, col.)

no tener donde caerse muerto (Esp., col.)**,** be dead broke (col.); run short of money; be on beam-ends (GB, col.)

no tener un duro (Esp., col.)**,** be dead broke (col.); run short of money; be on beam-ends (GB, col.)

no traspasable, flat (adj.); constant; continual

no tratar con cierta empresa (col.)**,** have no trucks with a certain firm (col.)

no vencido, undue

no vendible, unmarketable

no volátil, non-volatile (adj.) (comp.)

no votante, non-voting (adj.)

noción, concept; conception

nocional (n.)**,** notional principal amount

nombramiento, appointment; designation; nomination

nombrar, appoint; nominate

nombrar a un perito contable judicial, appoint a judicial accountancy expert

nombrar de oficio a un experto contable, appoint a judicial accountancy expert

nombre figurado, desconocido o general, (m.) John Q Public (US); John Doe (US)

nombre (razón social), firm; firm´s name; firm´s title; corporate name

nombre figurado, desconocido o general, Mary Doe (US)

nombre genérico (fulano), Joe public (GB, col.; US: Joe public = ordinary Joe); ordinary Joe (US, col.; GB: ordinary Joe = Joe public)

nómina (plantilla de empleados), serving personnel; serving staff; payroll

nómina de empleados, list

nómina de gastos sociales, hidden payroll

nominado (n.)**,** appointee

nominal, intangible

nominal (n.)**,** par value; face value; nominal value; face amount (FA); FA (ab. face amount); principal (amount)

nominatario, nominee

nominativo, nominative

norma, standard

norma de obligado cumplimiento, mandatory regulation

normal (adj., masc. & fem.)**,** average; standard

normalización, standardization

normalizado, standard

normalizar, standardize

normas, formalities (sing.: formalities = formality)

normas administrativas, administrative regulations

normas aplicables a la contratación de personal, admission terms

normas contables, accounting conventions; accounting concepts; accounting regulations; accounting standards; accounting principles

normas contables vigentes, accounting standards currently in force

normas de auditoría, audit(ing) standards; audit(ing) practice

normas de conducta, rules of conduct

normas de interpretación, canons of construction

normas de seguridad, security standards

normas éticas, ethical standards

normas legales, legal requirements

normas mínimas de seguridad, minimum security standards

normas operativas, operating regulations

normas vigentes, regulations in force

normativa arancelaria, tariff regulations

normativa bancaria actual, current banking regulations

normativa bancaria actualizada, updated banking regulations

normativa contable en vigor, accounting standards currently in force

normativa rígida, stringent regulations

normativa sobre liquidez bancaria, bank liquidity regulation

normativa vigente, current regulations

nos referimos a su carta de fecha 10 de Diciembre, we refer to your letter of 10 December

nos referimos a su carta de fecha..., reference is made of your letter dated...

nota, note

nota (de circulación) interna, administrative message

nota (de concesión) de anticipo, advance note

nota anónima, authorless note

nota de abono, credit voucher; credit advice; credit note

nota de adeudo, debit advice; debit note

nota de advertencia, warning notice

nota de apunte contable, accounting note

nota de cargo, debit advice; debit note

nota de compromiso, GUN (ab. grantor(´s) underwritten note; grantor(´s) underwritten note

nota de depósito de mercancías en almacén, dock warrant

nota de envío, delivery slip

nota de expedición, consignment note; delivery note; freight bill

nota de liquidación, accounting note

nota de pedido, memorandum order; memo order (col.); order blank

nota de peso, weight note; weight certificate

nota de prensa, press release

nota de protesto, note of protest

nota de venta, bill of sale (BOS); BOS (ab. bill of sale)

nota interna de cargo, debit memo(randum)

nota provisional para traspaso a los libros, accounting note

notable, (adj., masc. & fem.), significant; noteworthy

notable aumento, sharp rise; sharp increase; sharp upturn

notable descenso, sharp decline; sharp decrease

notación científica, scientific notation

notaría, notary´s office

notario, actuary

notario fedatario, attesting notary

notario público, notary public

notas a los estados financieros, notes to the financial statements

notas marginales, marginalia

notificación, letter of advice

notificación de alerta, warning notice

notificación de alerta (tarjeta robada, en descubierto, falsificación, estafa, etc.), hot card notice

notificación de bloqueo, stop-payment notification

notificación de cambio, change notice; notice of change

notificación de despido, notice of termination (of employment)

notificación de extravío, notice of loss; lost report (US)

notificación de impago, notice of dishonour (US: dishonour = dishonor)

notificación de llegada, arrival notice

notificación de protesto, notice of protest

notificación de reclamación, notice of claim

notificación de solicitud de compra, PRN (ab. purchase request notice); purchase request notice (PRN)

notificación final, final notice (FN); FN (ab. final notice)

notificación por escrito, written notice

notificar, report (v); notify; announce (v.); acquaint (with); advise; warn; give notice

notificarle algo a alguien, service notice on someone

notifíquese a, notify to

notoriedad, public knowledge

novar, renew; renovate; roll over (v.)

noveno, ninth

noventa, ninety

núcleo, centre (US: centre = center); center (GB: center = centre); core

núcleo magnético, magnetic core (comp.)

nuda propiedad, bare legal title; bare ownership; estate in remainder

nuera, daughter-in-law

nuevas acciones, new shares; new stock

nuevas noticias, further news; fresh news

nuevas sucursales, new branch offices

nueve, nine

nuevos servicios, new services

nulo, void; invalid (adj.)

nulo y sin valor, null and void

numerario (tesorería) (Esp.)**,** floating money; money on hand; ready money; cash available; cash (on hand)

numérico, numeric

número, figure

número (identificativo) de cinta, tape number

número (Nº), number (No.); No. (ab. number)

número aleatorio, random number

número autoverificador (comp.)**,** self-checking digit (comp.)

número complejo, complex number

número de autorización, authorization number; authorization code; authorization key

número de clave, test number

número de cuenta, account number

número de cuenta equivocado, incorrect account number

número de cuenta ficticio, fictitious account number

número de cuenta incorrecto, incorrect account number

número de identificación del banco (NIB), BIN (ab. bank identification number); bank identification number (BIN)

número de identificación del centro de autorizaciones (NICA), authorization center identification number (ACIN) (GB: center = centre); ACIN (authorization center identification number) (GB: center = centre)

número de identificación fiscal (NIF), PFN (ab. personal fiscal number); personal fiscal number (PFN)

número de identificación personal (NIP), personal identification number (PIN); PIN (ab. personal identification number)

número de parados, unemployment rate

número divisible, composite number

número ilegible, illegible number

número impar, odd figure

número medio de acciones, average number of shares

número no primo, composite number

número par, even number

número secuencial (comp.)**,** sequential number (comp.)

número simple, simple quantity

número válido, valid character

números índice, index numbers

O

o sea, id est (IE) (Lat.); IE (Lat., ab. = id est)

o todos o ninguno (órdenes de bolsa), all or none (AON); AON (all or none)

objetar, demur

objetivo de fácil consecución, sitting duck (col.)

objetivo marcado, benchmark

objetivo no revelado, underlying target

objetivo publicitario, advertising goal

objetivo: siempre ganar, win-win-win target

objetivos del desarrollo, development goals

objetivos macroeconómicos, macroeconomic targets

objeto (finalidad), aim (n.); purpose; final cause; target

objeto social, corporate purposes

objetor de conciencia, conchy (= conchie); conchie (= conchy)

objetos de uso personal, paraphernal property; paraphernalia

objetos de valor, things of value; valuables

objetos valiosos, things of value; valuables

obligación, debenture; debt

obligación (n. fem.), bond (n.); cash warrant; capital debenture

obligación al portador, bearer bond; active bond; bond payable to bearer

obligación asumida, assumed bond

obligación con (pago de) prima, premium bond

obligación con cupón diferido, deferred coupon bond

obligación con derecho a participar en beneficios, profit-sharing debenture; income bond

obligación con tipo de interés variable, floating rate note (FRN); FRN (ab. floating rate note)

obligación con tipos de interés máximo y mínimo prefijados, mini-max bond

obligación con valor expresado en doble moneda, dual-currency bond

obligación con vencimiento final, bullet bond

obligación de la Deuda Perpetua (Esp.), perpetual bond

obligación de probar (Lat.: **onus probandi),** onus probandi (Lat.)

obligación de rendir cuenta, accountability

obligación del Tesoro, Treasury bond; Treasury note; Treasury bill; T-bill; currency certificate (US); T-bond

obligación emitida por sociedad extranjera en el mercado neozelandés, kiwi bond

obligación emitida sin garantía específica, naked debenture

obligación en doble moneda, dual-currency bond

obligación extranjera, external bond

obligación garantizada, guaranteed bond; bond debenture

obligación garantizada por otra fuente de ingresos, revenue bond

obligación hipotecaria, mortgage bond; bond mortgage; mortgage note; mortgage certificate; mortgage debenture

obligación hipotecaria amortizable por lotes, pay-through bond

obligación hipotecaria de remuneración por tramos, collateralized mortgage obligation (CMO); CMO (ab. collateralized mortgage obligation)

obligación incondicional, single bond

obligación indexada, indexed bond

obligación indiciada, indexed bond

obligación legal, legal duty

obligación mancomunada (documento), joint note

obligación moral (n. fem.)**,** moral obligation

obligación nominativa, registered bond

obligación normal, straight bond

obligación participativa, profit-sharing debenture; income bond

obligación personal, personal liability (pl.: liability = liabilities); personal covenant

obligación Shogun (emitida en USD, para su venta a firmas japonesas), Shogun bond

obligación simple (título), unsecured loan stock

obligación sin vencimiento, annuity bond

obligación solidaria (documento), joint note

obligación subordinada, subordinated bond

obligaciones, loan stock (GB)

obligaciones a corto plazo, short-term liabilities (ST-liabilities); ST-liabilities

obligaciones a la vista, sight liabilities; demand liabilities

obligaciones a medio plazo, medium-term bonds

obligaciones con descuento, deep-discount bonds

obligaciones con liquidación de interés y principal al vencimiento, zero-coupon bonds

obligaciones contraídas en divisas, foreign exchange liabilities

obligaciones contraídas hasta la fecha, commitments to date

obligaciones convertibles, refunding bonds; convertible bonds; stock warrants

obligaciones cupón cero, zero-coupon bonds

obligaciones de alto riesgo, junk bonds (col.)

obligaciones del Tesoro, government debt stock; government paper; government securities; national debt; public debt; government bonds

obligaciones del Tesoro con principal e intereses segregados (US)**,** stripped Treasury obligations

obligaciones específicas, specific duties

obligaciones generales de los miembros, general obligations of membership

obligaciones hipotecarias, mortgage securities

obligaciones implícitas, implied duties

obligaciones municipales (bonos, pagarés), municipal bonds

obligaciones no prioritarias, general obligations

obligaciones parcialmente liberadas, partly paid bonds

obligaciones solidarias, joint and several liability; joint liability; several obligation; several liability; several responsibility

obligaciones y acciones bursátiles, bonds and stocks

obligacionista, bondholder

obligado, covenantor; financial backer; guarantor; obligee; surety; suretyship; answerer; bailor; bailer; personal surety

obligado (n. masc.)**,** obligator; obligor; debtor

obligado a, bound to

obligado a rendir cuentas, accountable

obligar a, compel to; bind to

obligar a personarse, arraign; report (to the police)

obligarse a, engage; undertake; compromise (v.); covenant (v.); obligate

obligatorio, mandatory; compulsory

obra en mi poder, I am in receipt; I acknowledge receipt

obra en nuestro poder, we are in receipt; we acknowledge receipt

obrar en colusión con, collude with

obras en curso de ejecución, construction in progress

obras públicas, public works

obrero de (los que gastan) mono (Esp. col.), blue collar worker

obrero inexperto, green hands (col.); unskilled worker

obrero siderúrgico, steel worker

obsequiar, present; gift

obsequio, present; gift

observación, qualification (n.); remark (n. & v.)

observación previa, premise

observaciones constructivas, constructive remarks

observaciones sobre la documentación financiera, notes to the financial statements

observancia rigurosa de las disposiciones sobre importación, rigorous enforcement of import regulations

obsolescencia, obsolescence

obsoleto, obsolete

obsoleto (adj.), outdated (adj.)

obstaculizar, block (v.)

obstaculizar las averiguaciones, obscure audit trail

obstáculo técnico, technical obstacle

obstruccionista, filibuster (US)

obtención de fondos de cobertura a corto ("swingline"), swingline

obtención de recursos, funding

obtener el título de abogado (a efectos profesionales y asociativos), be called to the bar (US)

obtener fondos, raise funds

obtener un crédito, raise a loan; secure a loan

obtener un préstamo bancario, get a bank loan

obvio, obvious; evident

ocasión, opening

ocasión (ganga), snip (GB, col.)

OCDE (ab. **Organización de Cooperación y Desarrollo Económico),** Organization for Economic Cooperation and Development (OECD); OECD (Organization for Economic Cooperation and Development)

octavilla, dodger

octavo, eigth

octeto, byte

ocultación de deudas, concealment of debts

ocultar, conceal (v.)

ocultar activos, conceal assets

ocultar bienes, conceal assets

ocultar dinero de origen ilegal, stash illegal money

ocultar la procedencia, hide the source

oculto, concealed

ocupación laboral, labour (US: labour = labor); work (n.); occupation

ocupación pasiva del puesto de trabajo, sit-down strike; sit-in (col.)

ocupado, busy

ocupar un cargo, hold office; serve an office; act as (a)

ocupar una posición ventajosa, sit pretty (col.)

ocuparse de, arrange for

ocuparse de la contabilidad, keep the books; do the books

ochenta, eighty

ocho, eight

OEA (ab. **Organización de Estados Americanos),** Organization of American States (OAS); OAS (ab. Organization of American States)

OECE (ab. **Organización Europea de Cooperación Económica),** Organization for European Economic Cooperation (OEEC); OEEC (ab. Organization for European Economic Cooperation)

oferta, tender (n.); offer (n.); proposal (n.); submission (n.)

oferta (puja), bid (n.); takeover bid

oferta a tanto alzado, lump-sum bid

oferta competitiva, competitive offer; competitive tender

oferta conjunta, block offer

oferta de acciones a los empleados, share offer to employees

oferta de aceptación bancaria, banker's acceptance tender facility

oferta de ahorros, supply of savings

oferta de compra, offer to buy; buy offer

oferta de empleo, job bidding

oferta de pago, tender of payment; payment tender

oferta de puestos de trabajo, job bidding

oferta de venta, offer for sale; sale offer

oferta en firme, firm offer

oferta más favorable, best bid

oferta negociada, negotiated offer

oferta promocional de dos productos combinados, banded pack

oferta pública de adquisición (OPA), bid (n.); takeover bid

oferta pública de adquisición de acciones (OPA), takeover bid (TB); TB (ab. takeover bid)

oferta pública de adquisición hostil (OPAH), hostile takeover bid (HTB); HTB (ab. = hostile takeover bid)

oferta pública de enajenación (OPE), public offering

oferta pública inicial, initial public offering

oferta sin compromiso, offer without engagement; unbinding offer

oferta superior a la demanda, offered market

oferta ventajosa, fair offer

oferta y demanda, supply and demand; bid and ask

ofertante, bidder; offerer; outbidder

ofertar, tender (v.); offer (v.)

ofertar sobre el paquete accionario de la OPA, pac-man

oficial (n. & adj.)**,** official; public officer; public official (GB); civil servant

oficial de sala, actuary

oficina, office

oficina bancaria, banking office; banking branch

oficina central, home office (GB); head office; main office; headquarters

oficina cutre (Esp., col.)**,** dinky branch office

oficina de (registro de) patentes, patent office

oficina de aduanas, customs office

oficina de auditoría, auditor's office

oficina de cambios, exchange office

oficina de colocación, personnel office; placement office

oficina de control del gasto (Esp.)**,** cost centre (US: centre = center)

Oficina de Correos, Post Office (US: Post Office = Mail Office); Mail Office (GB: mail office = Post Office); General Post Office (GPO); GPO (ab. General Post Office)

oficina de empleo, personnel office; placement office

oficina de patentes y marcas, patent and trademark office

oficina de representación, representative office

oficina de selección y reclutamiento de personal, employment exchange

oficina principal, home office (GB); head office; main office; headquarters

oficina privada, private office

oficinas (lugar de emplazamiento), premises

oficinas de representación en el extranjero, representative offices abroad

oficinas provisionales, temporary (office) premises

oficinista, clerk; accounts clerk; employee (pl. employee = employees / staff); jobholder (US)

oficinístico (adj.)**,** clerical (adj.); administrative (adj.)

oficio (col.)**,** business (n.); commerce (n.); trade (n.)

ofrecer facilidades de pago, offer easy terms

OIT (ab. **Organización Internacional del Trabajo),** International Labour Organization (ILO) (US: Labour = Labor); ILO (ab. International Labour Organization)

ojo de la cara (Esp., col.)**,** a pretty penny (col.); pretty penny

ola de delincuencia, crime wave

ola de inflación, wave of inflation

ola inflacionista, wave of inflation

oleada, wave

olerse algo sospechoso (col.)**,** smell a rat

olfato para los negocios, flair for business

oligopolio, oligopoly

olor de la bodega del buque, ship´s odour (US: odour = odor)

omisión punible, criminal negligence

omitir, miss (v.); omit (v.)

omitir un comando (comp.), skip (comp.)

once, eleven

oneroso, expensive; grievous; onerous

onus probandi (Lat.) **(obligación de probar),** onus probandi (Lat.)

onza fluida, FL OZ (ab. fluid ounce); fluid ounce (FL OZ)

onzavo, eleventh

OPA (ab. **oferta pública de adquisición),** bid (n.); takeover bid

opacidad aflorada, unveiled opacity

opacidad de ciertos fondos, opacity of certain funds

opacidad desvelada, unveiled opacity

opaco, obscure (adj. & v.)

opaco a efectos tributarios, tax-sheltered

OPAH (ab. = **oferta pública de adquisición hostil),** hostile takeover bid (HTB); HTB (ab. = hostile takeover bid)

opción, option; choice

opción "collar", collar

opción "en el precio", at unconsolidated level; at the money option; unconsolidated

opción "in the money", in-the-money option

opción "out of the money", out-of-the-money option

opción (estilo) Bermudas, Bermudas-style option

opción (tipo) Boston, Boston option

opción a doblar la amortización de bonos, double call

opción a la compra, purchase option

opción a vender, repurchase agreement (ab. REPO); REPO (ab. = repurchase agreement); put; buy-back

opción americana, American option

opción caducada, lapsed option

opción compuesta, compound option

opción con pago de prima al vencimiento (opción (tipo) Boston), Boston option

opción cubierta, covered option

opción cuyo ejercicio no reporta beneficio, out-of-the-money option

opción cuyo ejercicio reporta un beneficio, in the money option

opción de compra, warrant; option call; call (option)

opción de compra (o venta), option to buy; option put

opción de compra interesante, buy (n.)

opción de compra vendida en descubierto, naked call

opción de compraventa, put and call (P&C); P&C (ab. put and call)

opción de compraventa futura de un "cap" mediante pago de prima, caption; item

opción de libre ejercicio antes de su vencimiento (opción americana), American option

opción de rango, range forward

opción de sincronización, timing option

opción de venta, repurchase agreement (ab. REPO); REPO (ab. = repurchase agreement); put; buy-back

opción de venta vendida en descubierto, naked put

opción dentro del precio, in-the-money option

opción ejercitable en distintas fechas (opción (estilo) Bermudas), Bermudas-style option

opción europea, European option

opción exclusivamente ejercitable a su vencimiento (opción europea), European option

opción fuera de precio, out-of-the-money option

opción paralela, parallel option; parallel choice

opción que cotiza exactamente a su precio de ejercicio, at unconsolidated level; at the money option; unconsolidated

opción sobre acciones, stock option

opción sobre anticipos, advances option

opción sobre contratos de futuros, futures option; option on futures

opción sobre divisas, currency option

opción sobre futuros, futures option; option on futures

opción sobre futuros en bonos del Tesoro, contratado en CBT, option on CBT T-bonds futures

opción sobre índices bursátiles, index option

opción sobre mercancías (productos, etc.), commodities option

opción sobre tipos de interés, interest option

opción válida dentro de un rango, inside trading range option

opción válida fuera de un rango, outside trading range option

opción vencida, lapsed option

opciones negociadas directamente entre comprador y vendedor, over-the-counter options; OTC options

opciones sobre tipos a corto, remunerando el diferencial, caps and floors

opciones y futuros, futures and options

opciones, futuros y opciones sobre futuros, options, futures and futures options

OPE (ab. **oferta pública de enajenación),** public offering

OPEP (ab. **Organización de Países Exportadores de Petróleo),** Organization of Petroleum Exporting Countries (OPEC); OPEC (ab. Organization of Petroleum Exporting Countries)

opera como, DBA (ab. doing business as); doing business as (ab. DBA)

operación, transaction

operación a plazo, forward transaction

operación al contado, spot transaction

operación atípica, non-counter transaction (col.)

operación cerrada a precio inferior al de la precedente, downtick

operación comercial, commercial transaction

operación con productos derivados, derivatives deal

operación concertada a precio superior al de la precedente, uptick

operación de aparcamiento, packing deal

operación de arbitraje, arbitrage operation

operación de base, basis trade

operación de compra afianzada, bought deal

operación de derivados, derivatives deal

operación de prueba, dummy transaction; wash transaction

operación de transferencia, transfer transaction

operación directa, direct transaction

operación especulativa, venture

operación ficticia, dummy transaction; wash transaction

operación ilegal de bolsa, bucketing (col.)

operación local, home loop

operación lógica, logical operation

operación no compensada, outtrade

operación realizada sin mediadores, direct transaction

operación singular y no repetitiva, one-time non-recurrent operation

operación sobre la desviación de la base, basis trade

operaciones a crédito, margin transactions

operaciones activas, asset operations; loan transactions

operaciones bancarias, banking transactions

operaciones bancarias de ámbito nacional, home banking

operaciones bancarias de pequeña cuantía, retail banking

operaciones bancarias internacionales, international banking transactions

operaciones bancarias tradicionales, conventional banking transactions

operaciones bursátiles con acciones, equity trading

operaciones bursátiles por cuenta propia, proprietary trading

operaciones cambiarias, foreign exchange dealing; foreign exchange transactions

operaciones computerizadas (SA), computer-assisted trading

operaciones con valores de renta variable, equity trading

operaciones de activo, asset operations; loan transactions

operaciones de activo y pasivo, asset and liability operations

operaciones de banca clásicas, conventional banking transactions

operaciones de banca comercial minorista, retail commercial banking

operaciones de banca industrial, investment banking

operaciones de bolsa con títulos de renta variable, equity trading

operaciones de cambio de divisas, foreign exchange dealing; foreign exchange transactions

operaciones de dobles, reserve repo

operaciones de dobles del mercado interbancario, interbank market repurchase agreements

operaciones de extranjero, foreign operations; foreign transactions

operaciones de maquillaje para mostrar una actividad inexistente, churning

operaciones de pasivo, deposit operations

operaciones en divisas, foreign exchange trading

operaciones en el mercado de futuros, futures trading

operaciones extrabursátiles, gré-à-gré market; gray market; grey market; after market; over-the-counter market (OTC market); OTC market (ab. over-the-counter market); secondary market; underlying market; curb market; kerb market (GB)

operaciones extranjeras, foreign operations; foreign transactions

operaciones financieras, financial operations

operaciones formalizadas, transacted business

operaciones fuera de balance, off-balance sheet activities

operaciones ilegales basadas en información privilegiada, insider trading (GB: trading = dealing); insider dealing (GB)

operaciones internas en camino, interbranch transactions in transit

operaciones internas en curso, interbranch transactions in transit

operaciones mutuamente compensables, offsetting transactions

operaciones nacionales y extranjeras, domestic and foreign transactions

operaciones no integradas en balance, off-balance sheet activities

operaciones realizadas a través de ordenador, computer-assisted trading

operaciones sospechosas referidas a un potencial blanqueo de dinero, suspicious transactions involving potential money laundering

operaciones transfronterizas, cross-border transactions

operador (n. masc.), merchant; trader; dealer; operator (business)

operador bursátil independiente que actúa por cuenta propia, local (n.)

operador bursátil por cuenta propia, broker; agent middleman; stock(-exchange) broker; stockbroker (GB: stockbroker = stockjobber); stockjobber (US: stockjobber = stockbroker))

operador bursátil por cuenta propia ("local"), floor trader

operador de toma de datos, keyboard operator

operador en posiciones, position trader

operar, trade (v.); deal (v.); transact (v.); market (v.)

operar con el Banco ..., bank with

operar con valores bursátiles, deal in securities

operar por encima de las propias posibilidades, overtrade

opinión pública, public opinion

oponerse a, disfavour (US: disfavour = disfavor); disfavor (GB = disfavour)

oportunamente, just in time

oportunidad, opening

oportuno, timely

optativo, optional

optimización, optimization

optimización de carteras, strategic asset allocation; timing

optimización de la cartera, portfolio optimisation

optimizar, boost (v.); enhance (v.); optimize (v.); improve (v.); promote (job, sales, etc.) (v.)

opuesto a, conflicting

órdago (col.), greenmail (col.)

orden "stop" (LA), stop order

orden (n. fem.), order; court order; writ

orden a la apertura, at the open order

orden abierta, good 'til cancelled (GTC); GTC (ab. good 'til cancelled); good until cancelled order (GTC order); GTC order (ab. good until cancelled order)

orden al cierre, at the close order

orden al mercado, at the market order

orden bursátil (n. fem.), stock market order

orden bursátil de compra y venta al mismo precio, matched order

orden bursátil de doble opción, alternative order

orden contingente, contingent order

orden cursada por teléfono, telephone order; phone order

orden de bloqueo, stop order

orden de bolsa (n. fem.), stock market order

orden de bolsa válida por un solo día, day order

orden de cateo (LA), search warrant

orden de compra, purchase order

orden de compra anulada, cancelled purchase order

orden de compraventa al corredor, al mejor precio posible, at the market

orden de compraventa de títulos pendiente de ejecución, open order

orden de compraventa de títulos sin fecha límite de ejecución, open order

orden de compraventa vigente hasta su ejecución o cancelación, good 'til cancelled (GTC); GTC (ab. good 'til cancelled); good until cancelled order (GTC order); GTC order (ab. good until cancelled order)

orden de deshaucio, certificate of eviction

orden de ejecución exclusiva al final de la sesión, at the close only order

orden de ejecución exclusiva al inicio de la sesión, at the opening only order

orden de ejecución exclusiva por la totalidad), all or none (AON); AON (all or none)

orden de embargo, garnishee order

orden de entrega, delivery order

orden de pago, money order; warrant for payment

orden de registro, search warrant

orden de retención (tarjetas de crédito), stop order

orden de suspensión, stop order

orden de suspensión de pago, stop-payment notification

orden de venta, sale order

orden del día, agenda

orden ministerial, ministerial order

orden por escrito, order in writing

orden por lo mejor, at best order

orden telefónica, telephone order; phone order

ordenación, ranking; classification; groupage; grouping

ordenación alfabética, alpha sorting

ordenación contable, classification of accounts

ordenación de cuentas, classification of accounts

ordenación en serie, sequency (sequency = sequence); sequence (sequence = sequency); progression

ordenador (Esp.), computer

ordenador analógico, analog(ic) computer

ordenador digital, digital computer

ordenador manejado por teclado (Esp.), keyboard computer

ordenador mixto (Esp., comp.), hybrid computer (comp.)

ordenador personal, personal computer (ab. PC); PC (personal computer)

ordenador personal (comp.), personal computer (PC); PC (ab. personal computer)

ordenante, applicant; petitioner; patron; proposer; propounder

ordenante (n., masc. & fem.), principal; accountee; assignor; auctor; constituent

ordenanza, batman (pl. batmen) (GB, col.)

ordenanza municipal, municipal statute

ordenar, classify

ordenata (Esp., col.), computer

organigrama, organization chart

organigrama funcional, flow chart (= flowchart); flowchart (= flow chart)

organismo, body

organismo administrativo federal (US), agency; branch

organismo de control, regulatory agency

organismo federal de vigilancia de la Bolsa y sus agentes (US), Commodities Futures Trading Commission (ab. CFTS; US); CFTS (Commodities Futures Trading Commission)

organismo gubernamental, government agency (pl.: agency = agencies)

organismo oficial, government agency (pl.: agency = agencies)

organismo público (US), agency; branch

organismo regulador, regulatory agency

organismo semiautónomo, quango (col.)

organismo supervisorio y de control, supervisory and regulatory agency

organismos supranacionales, supranational agencies

organización, organization

organización comercial, business organization

Organización de Cooperación y Desarrollo Económico (OCDE), Organization for Economic Cooperation and Development (OECD); OECD (Organization for Economic Cooperation and Development)

Organización de Estados Americanos (OEA), Organization of American States (OAS); OAS (ab. Organization of American States)

organización de los pagos, structure of payments; payments structure; payments schedule; schedule of payments

Organización de Países Exportadores de Petróleo (OPEP), Organization of Petroleum Exporting Countries (OPEC); OPEC (ab. Organization of Petroleum Exporting Countries)

organización empresarial, business organization

Organización Europea de Cooperación Económica (OECE), Organization for European Economic Cooperation (OEEC); OEEC (ab. Organization for European Economic Cooperation)

Organización Internacional del Trabajo (OIT), International Labour Organization (ILO) (US: Labour = Labor); ILO (ab. International Labour Organization)

Organización Patronal (Esp.), Employers´ Organization

organización piramidal, pyramidal organization

organizar, schedule (v.); program (v.)

órgano de gestión, management; directorship; administration; executive committee; management committee

órgano de supervisión y control, supervisory and regulatory agency

órgano decisorio, executive body

órgano directivo, executive body

órgano ejecutivo, executive body

órganos de carácter supranacional, supranational agencies

origen, source

origen de los fondos, funds provided; source of funds

orígenes, background; motivation; reason (n.)

originar problemas, create problems

oriundo de España, Spanish-born (adj.)

oro, gold

oro en lingotes, gold bullion

oscilaciones, swings

oscilar, fluctuate; yo-yo (col.)

oscuro, obscure (adj.)

ostensible, apparent

ostentando la firma y el sello oficial de, bearing the signature and official seal of

ostentar el control sobre, be in control of

ostentar el sello de la sociedad, bear the corporate seal

ostentar la firma de, bear the signature of

otorgamiento, award

otorgamiento de licencia para ejercer una actividad profesional, licensure

otorgamiento de poderes, letter of attorney; power of attorney; warrant of attorney

otorgante, grantor; maker

otorgante de la licencia, licenser (licenser = licensor); licensor (licensor = licenser)

otorgante del permiso, permitter

otorgante del testamento, testator

otorgante del testamento (n. fem.), testatrix (testatrix = testator)

otorgar, award (v.)

otorgar (el uso de) la palabra, grant right to speak

otorgar concesiones, make concessions

otorgar crédito, extend credit

otorgar facilidades de pago, grant easy terms

otorgar licencia, charter (v); affreight

otorgar permiso, allow; permit (v.); grant (v.)

otorgar prerrogativas, privilege (v.)

otorgar un crédito, grant a credit

otorgar un crédito provisional, bridge over

otorgar un descuento, allow a discount

otorgar un préstamo, extend a loan; accommodate

otorgar un subsidio, subsidize

otorgar una prórroga, grant a delay; grant an extension

otras compensaciones, other compensations

otras cosas, alia (Lat)

otras cuentas, other items

otras obligaciones a pagar, other payables

otras partidas, other items

otras partidas de conciliación, other reconciling items

otros activos, other assets

otros asuntos, alia (Lat)

otros beneficiarios cubiertos por la póliza de seguro, additional insured under the policy

otros intereses, other interest

otros pasivos, other liabilities

otros productos, non-operating earnings; other income; miscellaneous income

otros valores, other securities

P

% (ab. **por ciento),** per cent (%); per centum (%); % (ab. per cent / per centum)

P/Cta. (ab. **por cuenta de),** account of (Acc., A/C, A/O); Acc. (ab. for account of); A/C (ab. for account of); for account of (A/C, A/O)

p/pdo. (ab. = **próximo pasado,** ultimo (ab. ult.); ult. (ab. = ultimo)

pactado y convenido, pacted and agreed

pactar, accept; admit; agree

pacto, agreement; compact; arrangement; deal (n.); pact; treaty (pl.: treaty = treaties); compromise (n.); engagement; obligation

pacto de caballeros, gentlemen´s agreement

pacto de readquisición, repurchase agreement (ab. REPO); REPO (ab. = repurchase agreement); put; buy-back

pacto en contrario, agreement to the contrary

pacto entre dos partes, agreement between two parties

pacto entre varias partes, agreement among several parties

pacto individual (PI) (Esp.)**,** individual wage agreement

pacto mancomunado, joint covenant

pacto salarial individual, individual wage agreement

pacto solidario, separate covenant

PAD (ab. **proceso automático de datos,** automatic data processing (ADP); ADP (ab. automatic data processing)

padrino (Esp., col.)**,** seconder; sponsor

paga, salary (pl.: salary = salaries); wages; remuneration; wages and salaries; addlings (col.); pay (n.)

pagadero, mature

pagadero a, payable to

pagadero a efectos fiscales, tax-payable (adj.)

pagadero a efectos tributarios, tax-payable (adj.)

pagadero a la entrega, payable on delivery

pagadero a la orden, payable to order

pagadero a la vista, payable on demand; payable at sight; due on demand

pagadero a plazos, payable in instal(l)ments

pagadero a su presentación, payable on demand; payable at sight; due on demand

pagadero al portador, made out to bearer; payable to bearer

pagadero en destino, payable at destination

pagadero por, payable by

pagadero por adelantado, payable in advance

pagadero por semestres vencidos, payable semi-annually in arrears

pagado, paid (PD); PD (paid); settled

pagado anticipadamente, prepaid

pagado por adelantado, prepaid

pagador, paymaster

pagador (empleado de caja), teller (GB: teller = cashier); cashier (US: cashier = teller)

pagador itinerante (Esp.)**,** cash messenger

pagar (dividendo), pay out

pagar a cuenta, pay on account

pagar a la orden de, pay to the order of

pagar a plazo vencido, pay in arrears

pagar a plazos, pay by instal(l)ments

pagar a tocateja (Esp., col.), cash down; pay (in) cash

pagar al contado, cash down; pay (in) cash

pagar anticipadamente, pay in advance; prepay (v.)

pagar con antelación, pay in advance; prepay (v.)

pagar con demora, postpay

pagar con posterioridad, postpay

pagar con retraso, postpay

pagar daños y perjuicios, pay damages

pagar dinero en mano (Esp., col.), cash down; pay (in) cash

pagar en efectivo, cash down; pay (in) cash

pagar en metálico (Esp.), cash down; pay (in) cash

pagar la fianza de, post bail for; stand bail for

pagar la totalidad de lo adeudado, quit from a debt; meet a debt

pagar lo adeudado, meet (v.)

pagar por adelantado, pay in advance; prepay (v.)

pagar rescate por, ransom for

pagar un cheque, honour a cheque (US: honour = honor; cheque = check); honor a check (GB: honor = honour; check = cheque)

pagar una cantidad simbólica a cuenta, disburse a token

pagar una deuda, quit from a debt; meet a debt

pagar una letra, honour (US: honour = honor); accept a draft; accept a bill; take up a bill; discharge a bill

pagar una letra a su vencimiento, meet a bill (US: bill = draft)

pagaré, PN (ab. promissory note); promissory note (PN); bill obligatory; bill of debt; bill single; note of hand; promissory note

pagaré (extendido, generalmente, sobre papel sin timbrar), I Owe You (IOU) (col.); IOU (ab. = I Owe You) (col.)

pagaré a cargo propio, individual note

pagaré a cargo propio, con una sola firma, several note

pagaré a la orden, negotiable note

pagaré a la vista, demand note; demand promissory note

pagaré a tipo de interés de flotación limitada, capped floating rate note

pagaré a tipo de interés flotante, floating rate note (FRN); FRN (ab. floating rate note)

pagaré a tipo de interés flotante máximo, capped floating rate note

pagaré al portador, bearer bond; active bond; bond payable to bearer

pagaré avalado por garantía irrevocable, unconditionally guaranteed note

pagaré con garantía de bienes, collateral note

pagaré con garantía prendaria, collateral note

pagaré con opción al pago anticipado, acceleration note

pagaré con tipo de interés flotante máximo y mínimo preestablecido, collared floating-rate note

pagaré con una sola firma, individual note

pagaré convertible con tipo de interés flotante, convertible floating rate note (ab. floating rate note = FRN); convertible FRN (FRN = floating rate note)

pagaré de empresa, corporate note

pagaré del Tesoro, Treasury bond; Treasury note; Treasury bill; T-bill; currency certificate (US); T-bond

pagaré garantizado incondicionalmente, unconditionally guaranteed note

pagaré garantizado por acciones, stock note

pagaré garantizado por colateral, collateral note

pagaré mancomunado, joint note

pagaré negociable, negotiable note

pagaré no amortizado, outstanding note

pagaré pendiente de rescate, outstanding note

pagare personal, simple bond

pagaré privado, I Owe You (IOU) (col.); IOU (ab. = I Owe You) (col.)

pagaré sin amortizaciones parciales, balloon note

pagaré sin protocolizar, I Owe You (IOU) (col.); IOU (ab. = I Owe You) (col.)

pagaré(s) sin endoso, single-name paper

pagarés a medio plazo, medium-term notes

pagarés de empresa, commercial paper; busines paper; mercantile paper; trade bills

pagarés garantizados a tipo de interés flotante, guaranteed floating-rate notes

páginas amarillas (guía telefónica), yellow pages (phone directory)

páginas económicas, business pages

pago, payment

pago a cuenta, installment (US: installment) = instalment); instalment (GB: instalment = installment); token payment; payment on account

pago a la entrega, pay on delivery

pago a la primera presentación, payment on first presentation

pago a plazos, payment by instal(l)ments

pago adelantado, advance payment (n.); prepayment; lay-away (col.); advancement; retaining fee

pago al contado, cash payment

pago anticipado, advance payment (n.); prepayment; lay-away (col.); advancement; retaining fee

pago anticipado a cuenta de, advance payment on account of (n.)

pago bajo protesto, payment under protest

pago completo, payment in full

pago contra (entrega de) documentos, documents against payment (ab. DAP); DAP (ab. documents against payment)

pago contra entrega, collect on delivery (COD); COD (ab. collect on delivery); delivery against payment (ab. DAP / DP); DAP (ab. delivery against payment); cash on delivery (COD / CD); delivery versus payment (ab. DVP); DVP (ab. delivery versus payment); cash against delivery (CAD); CAD (ab. cash against delivery)

pago contra entrega (de la mercancía), pay on delivery

pago contra presentación de documentos, cash against documents

pago de bienes o servicios con lo que con ellos se fabrica, repurchase agreement (ab. REPO); REPO (ab. = repurchase agreement); put; buy-back

pago de incentivos, incentives payment

pago de la deuda, release (n.); acquitment; discharge (n.); quittance; relief; acquittance; apocha; receipt in full; satisfaction

pago de rescate (órdago), greenmail (col.)

pago diferido, postpayment

pago directo (sin presentación de documentos), clean payment

pago en efectivo, cash payment

pago en especie, payment in kind

pago final, release (n.); acquitment; discharge (n.); quittance; relief; acquittance; apocha; receipt in full; satisfaction

pago inmediato, immediate payment

pago mediante cheque, payment by cheque (US: cheque = check / draft)

pago no documentario, clean payment

pago parcial, installment (US: installment) = instalment); instalment (GB: instalment = installment); token payment; payment on account

pago periódico, annuity; yearly allowance; annual income; yearly income

pago por el montante total, payment in full

pago por la totalidad, payment in full

pagos adicionales por mano de obra y compensaciones, labour allowances and make up

pagos aplazados, deferred payments

pagos de caja, payments; cash paid; moneys paid out; outward payments

pagos de ínfima cuantía, micropayments

pagos en bloque, gross-up payments

pagos en efectivo, cash disbursements; outgoes (sing.: outgoes = outgo); outlays (sing.: outlays = outlay); disbursements; outflows

pagos escalonados, progressive payments

pagos parciales, progressive payments

pagos periódicos, periodic payments

pagos por caja, payments; cash paid; moneys paid out; outward payments

pagos realizados, payments; cash paid; moneys paid out; outward payments

pagos secuenciales, progressive payments

pagos sobre la deuda contraida, debt service

pagos y cobros totales, total collections and disbursements

páguese a la orden de, pay to the order of

páguese al portador, pay to the bearer

páguese solamente a (la persona indicada), account payee only (APO); APO (ab. account payee only)

país de origen, country of origin

país de procedencia, country of origin

país deudor, borrowing country

país emisor, issuing country

país en dificultades (pl: **país = países),** troubled country (pl: country = countries)

país excedentario, surplus country

país exportador, exporting country (pl.: country = countries)

país exportador de capitales, capital exporting country

país miembro de la OCDE, OECD member country

país prestatario, borrowing country

países capitalistas, capitalist countries

países de producción primaria, primary producing countries

países del dólar, dollar area

países desarrollados, developed countries

países en (vías de) desarrollo, developing countries

países en vías de desarrollo no productores de petróleo, non-oil developing countries

países importadores, importing countries

países menos desarrollados, less developed countries (LDC); LDC (ab. less developed countries); underdeveloped countries

países miembros, member countries

países productores, producing countries (countries: sing. = country)

países subdesarrollados, less developed countries (LDC); LDC (ab. less developed countries); underdeveloped countries

palabra gancho, catchword

palabrería, yawn (col.); jazz (col.)

palé (Esp.), pallet

paleta, pallet

palpable (adj., masc. & fem.), obvious; evident

panel de licitaciones, tender panel

pantalla, display (n.) (fem.) (comp.), screen

pantalla de cotizaciones, quotation screen

pantalla de ordenador (Esp.), monitor (n.)

papel, paper

papel a realizar por el agente, agent's commitment

papel bancario, bank paper

papel carbón, carbon paper

papel comercial, commercial paper; busines paper; mercantile paper; trade bills

papel comercial sobre productos básicos, commodity paper

papel de colusión al propio cargo, accommodation note

papel de dudoso cobro (Esp.), doubtful bills receivable

papel de embalar, packing paper

papel de envolver (Esp.), packing paper

papel descontado, bills discounted; discounted bills; discounted notes; notes discounted

papel financiero, commercial paper; busines paper; mercantile paper; trade bills

papel moneda, paper currency; paper money; flat money (col.); banknotes; currency paper

papel moneda (dólar) (US), Federal Reserve note (Fed note, F-note) (US); Fed note (ab. Federal Reserve note) (US); F-note (ab. Federal Reserve note) (US)

papel para borradores, scrap paper

papel secundario, bit part

papel tamaño cuartilla, quarto sheet

papel vencido e impagado, bills not honoured at maturity (US: honoured = honored)

papeleo (Esp., col.), red tape (col.)

papeleras (valores bursátiles), papers

papeles de trabajo, working papers

paquete, parcel

paquete (de acciones) mayoritario, controlling interest; controlling shareholding; controlling chunk (col.)

paquete accionario, stockholding; shareholding; chunk (col.); parcel of shares; block of shares; equity holding

paquete de acciones, stockholding; shareholding; chunk (col.); parcel of shares; block of shares; equity holding

paquete de medidas (Esp.), omnibus bill; package deal

paquete de medidas de austeridad, austerity package

paquete de medidas de reactivación, recovery package

paquete de medidas de recuperación, recovery package

paquete de programas (comp.), program package (comp.); edit package (comp.)

paquete de programas integrados (comp.), integrated program package (comp.)

paquete de proyectos legislativos, omnibus bill

paquete de títulos negociables, float (n.)

par (a la par), at par

par (valor), par of exchange; parity change; real par of exchange; countervalue; par; exchange parity

par principal (opciones y futuros), par value; face value; nominal value; face amount (FA); FA (ab. face amount); principal (amount)

para aplicar fecha de valoración, for value date

para cobrar solamente, for collection only

para contingencias, standby

para la exportación, export; exportation

para los fines a que haya lugar, for the purposes as may be required

para más información, for further details

para mayores detalles, for further details

para presentar directamente al cobro por ventanilla (Esp., **cheques**), uncrossed

para que así conste, in witness whereof

para su valoración, for value date

para terminar, finally

para todo cuanto sea preciso, ready and willing

para usar según convenga, for the purposes as may be required

paracaídas dorado (cláusula de protección frente al despido) (col.), golden parachute (protection clause against firing) (col.)

paracaidista (Esp., col.), Johnny-come-lately (col.)

parado (adj.), idle (adj.); jobless (adj.); unemployed (adj.)

parafernal (adj., masc & fem.), paraphernal

paraíso fiscal, tax haven

paralelo, parallel

paralización, decline (n.); drop (n.); decrease (n.); setback; deadlock; standstill; stasis; stagnancy; stagnation; breakeven point

parámetro, parameter

parámetro comparativo, benchmark

parámetro de cuantificación de mejoras y rendimientos, benchmark

parámetro de optimización de la cadena de valor, benchmark

parámetros de actividad, activity parameters

parcela de terreno, parcel (n.)

parcelar terrenos, parcel (v.)

parcial, partial

parcialmente compensado, partly offset

parcialmente deducible, partially deductible

parcialmente pagado, partly paid

parecer, appear

pared cortafuegos, firewall

parejo, parallel

paréntesis, brackets

paridad, par of exchange; parity change; real par of exchange; countervalue; par; exchange parity

paridad (con el) oro, gold parity

paridad call-put, call-put parity

paridad cambiaria, par of exchange; parity change; real par of exchange; countervalue; par; exchange parity

paridad de conversión, conversion parity

paridad de mercados de futuro y spot, spot futures parity theorem

paridad del poder adquisitivo, purchasing power parity

paridad fija, fixed parity

paridad flotante, floating parity

paridad inicial, initial par value

paridad monetaria, mint par of exchange

paridad real intercambiaria, par of exchange; parity change; real par of exchange; countervalue; par; exchange parity

pariente (n. & adj., masc. & fem.)**,** sib

parientes, kinfolk

paro, unemployment

paro encubierto, hidden unemployment

paro forzoso impuesto por la patronal (Esp.)**,** lockout

paro laboral, strike

parón (Esp., comp.)**,** hangup

parón en los créditos (Esp., col.)**,** credit crunch (col.)

parqué (Bolsa) (Esp.)**,** stock(-exchange) floor

parque móvil, automobiles and trucks

párrafo (LA: **párrafo = acápite),** paragraph

parte aceptadora, accepting party

parte aceptante, accepting party

parte alícuota, aliquot part

parte asegurada, insured party

parte autoaseguradora, self-insuring party

parte beneficiada, accommodated party

parte comunicante, reporting party

parte contratante, contracting party

parte de una emisión, tranche

parte declarante, reporting party

parte del beneficio destinado a dividendos, payout

parte del león (col.)**,** lion´s share (col.)

parte denunciante, reporting party

parte embargante, attaching party

parte encargada de realizar la liquidación, clearing member; clearing party

parte informativo, bulletin

parte interesada, party in interest; proper party

parte intrascendente de un trabajo importante, bit part

parte licitadora, bidder; offerer; outbidder

parte liquidadora, clearing member; clearing party

parte no aceptante del convenio, non-accepting party to the agreement

parte no utilizada de un préstamo, undrawn portion of a loan

parte principal de la cifra, big figure (US = handle)

parte proporcional, proportional share

parte suministradora (n. fem.)**,** supply side

partes en común, privies (sing. = privies = privy)

partes interesadas, interested parties

partición de bienes, estate distribution

participación, participation

participación (cuota asignada), quota; allocation; allotment; share

participación accionaria, stockholding; shareholding; chunk (col.); parcel of shares; block of shares; equity holding

participación conjunta, aggregate participation

participación conjunta en el capital del banco, joint share in the bank's stock

participación cruzada, cross-holding (= crossholding); crossholding (= cross-holding)

participación de control, controlling interest; controlling shareholding; controlling chunk (col.)

participación de fondo de inversión, mutual fund participation

participación en beneficios (n. fem.)**,** bonus (n.); prize (n.); reward (n.); premium (pl.: premium = premiums / premia)

participación en beneficios y pérdidas, sharing of profit and losses; profit and loss sharing

participación en descenso, declining share

participación en el mercado, market share

participación en las utilidades, participation in profits

participación en los beneficios, participation in profits

participación indirecta, indirect holding

participación mayoritaria, controlling interest; controlling shareholding; controlling chunk (col.)

participación neta, net participation

participación obrera en beneficios, industrial partnership

participaciones accionarias, holdings; investments; portfolio securities

participaciones accionarias de interbloqueo, interlocking shareholdings

participaciones accionarias minoritarias, minimum stockholders´equity

participaciones en bancos extranjeros, holdings in foreign banks

participado (adj.), investee

participantes extranjeros, foreign participants

participar (comunicar), report (v); notify; announce (v.); acquaint (with); advise; warn; give notice

participar en el reparto, share (v.)

participativo, participatory

particular (n. masc. & fem.), private person; individual

particulares (detalles), details

partida, caption; item

partida (certificado) (Esp.), certificate; policy (pl.: policy = policies); voucher

partida (salida), departure

partida arancelaria, item of tariff; tariffs item; customs classification

partida de activo, item of the assets side

partida de caja, cash entry

partida de defunción (Esp.), death certificate; certificate of death

partida de divorcio (Esp.), certificate of dissolution of marriage; certificate of divorce

partida de matrimonio (Esp.), certificate of marriage

partida de nacimiento (Esp.), certificate of birth; birth certificate

partida de pasivo, item of the liabilities side

partida del activo, asset

partida del balance, balance sheet item

partida doble, double entry

partida no considerada en el presupuesto inicial, below the line

partida presupuestaria, budget heading

partidas al cobro, bills (of exchange) for collection; collect bills; collection items; bills receivable; drafts to collect; drafts to be collected; bills to collect; notes receivable; receivables; uncollected items

partidas de cierre, closing entries

partidas de choque, intervention stocks

partidas de gasto, expenses items

partidas de inventario, inventory items

partidas en suspenso, suspense items

partidas varias no imputables al período examinado, various items not corresponding to the period under reviee

partiendo desde cero (col.), from scratch

partir, depart (transport)

partir la comisión, split the commission

pasada de prueba, trial run

pasado, stale; aged

pasaje, ticket

pasaporte del buque, ship´s passport

pasar, spend

pasar a, convert into

pasar a dinero contante y sonante (Esp., col.), turn into cash

pasar a dólares, convert into dollars

pasar a la cuenta, carry (in)to account

pasar a ser pensionista, retire on a pension

pasar al Diario, journalize

pasar al sistema decimal, decimalize

pasar asientos, write up

pasar de contrabando, smuggle; contraband

pasar de contrabando (entrada), smuggle in

pasar de contrabando (salida), smuggle out

pasar de superávit a déficit, swing from surplus to deficit

pasar el tiempo, spend the time

pasar instrucciones que dejan sin efecto las anteriores, countermand

pasar pesetas a euros, translate pesetas (in)to euros

pasar pesetas españolas a euros, convert Spanish pesetas into euros

pasar por alto (comp.)**,** skip (comp.)

pasar por alto una cláusula, jump a clause

pasar por ventanilla (Esp., col.)**,** loosen the purse (col.); cough up (col.)

pasar revista, research (v.); analyze (v.); review (v.); reckon (up); question (v.)

pasar un informe (de índole) confidencial, pass a low-down

pasar un pedido, give an order

pasarse (de la raya) (Esp., col.)**,** lay something on with a trowel (col.)

pase, transit bill

pase de anuncio publicitario, slot

pasillos del poder (Esp., col.)**,** corridors of power

pasivo (balance), liabilities

pasivo (depósitos de clientes), customers´ deposits

pasivo (recursos ajenos), customers' deposits; due to customers; customers´ funds

pasivo a largo plazo, long-term liabilities

pasivo asumido, assumed liabilities

pasivo cierto, actual liabilities

pasivo circulante, floating liabilities; floating debt; unfunded debt; current liabilities

pasivo comercial, trade liabilities

pasivo consolidado, fixed debt (GB: fixed = funded); funded debt (US: funded = fixed); bonded debt; consolidated debt; fixed liabilities

pasivo contingente, contingent liabilities; indirect liabilities

pasivo corriente, floating liabilities; floating debt; unfunded debt; current liabilities

pasivo diferido, deferred liabilities; accrued liabilities; unadjusted liabilities

pasivo directo, direct liabilities

pasivo eventual, contingent liabilities; indirect liabilities

pasivo exigible a la vista, demand deposit; checking deposit; sight deposit

pasivo exigible a plazo fijo, time deposit; fixed-term deposit

pasivo fijo, fixed debt (GB: fixed = funded); funded debt (US: funded = fixed); bonded debt; consolidated debt; fixed liabilities

pasivo flotante, floating liabilities; floating debt; unfunded debt; current liabilities

pasivo garantizado, secured liabilities

pasivo mancomunado, joint liabilities

pasivo no exigible, deferred liabilities; accrued liabilities; unadjusted liabilities

pasivo real, actual liabilities

pasivo respaldado, secured liabilities

pasivo supuesto, assumed liabilities

pasivo transitorio, deferred liabilities; accrued liabilities; unadjusted liabilities

pasivo vencido, matured liabilities

pasivos computables, eligible liabilities

pasivos frente a autoridades monetarias del exterior, liabilities to foreign monetary authorities

pasivos transitorios, transitory liabilities

paso a paso, step by step

pasos iniciales, initial steps

pasta (dinero) (Esp., col.)**,** mazuma (US., col.)

patentar, patent (v.)

patente, patent (n.)

patente de navegación, sea letter

patente de sanidad, bill of health (ab. BH); BH (ab. bill of health); health certificate

patente de sanidad en limpio, clean bill of health

patente de sanidad sin reservas, clean bill of health

patente de sanidad sin restricciones, clean bill of health

patente del buque, ship´s passport

patente en tramitación, patent pending

patio, yard; shipyard; boatyard

patrimonio, equity (capital); proprietorship; patrimony; capital funds; common equity; stockholders´ equity (GB: stockholders´ = shareholders´); shareholders´ equity (US: shareholders´ = stockholders)

patrimonio líquido, net assets

patrimonio neto, net assets

patrocinador, sponsor (n.); promotor

patrocinar, sponsor (v.); promote

patrón (Esp., col.)**,** boss (col.)

patrón de embarcación, shipmaster; master (of ship)

patrón de referencia, benchmark

patrón monetario, monetary standard

patrón oro, gold (bullion) standard

patrón oro internacional, international gold standard

patrón plata, silver standard

Patronal (Esp.), Employers´ Organization

patronal y trabajadores, bosses and workers

patrones de comportamiento, chartism

patrono, employer; master (n.); entrepreneur

patrulla guardacostas, shore patrol (US)

pauta, canon

pautas, guidelines

pautas de conducta de los ahorradores, saver´s decisions

pautas de interpretación, canons of construction

pautas esenciales, core directions

PBxN (ab. **peso bruto por neto),** gross for net weight (GNW); GNW (ab. gross for net weight)

PCGA (ab. **principios contables generalmente aceptados,** generally accepted accounting principles (GAAP); GAAP (ab. generally accepted accounting principles)

peaje (Esp.)**,** toll

pecio, flotsam; jetsam

peculiaridades, features

PED (ab. **proceso electrónico de datos),** electronic data computing (EDC); electronic data processing (EDP); EDC (ab. electronic data computing); EDP (ab. electronic data processing)

pedido, order; court order; writ

pedido de muestra, sample order

pedido de prueba, sample order

pedido en firme, firm order

pedido formulado por escrito, order in writing

pedido no atendido, unfilled order

pedido no despachado, unfilled order

pedido no preferente, unrated order

pedido no servido en su totalidad, short shipment

pedido telefónico, telephone order; phone order

pedido urgente, rush order

pedidos sin cumplimentar, backlog

pedir el oro y el moro (Esp,, col.), ask for the moon (col.)

pedir el voto, poll (v.)

pedir la luna (col.)**,** ask for the moon (col.)

pedir por correo, order by mail

pedir prestado, borrow

pedir presupuesto, ask for a quote

pedir trabajo, apply for a job

pedir un precio muy alto, ask for the moon (col.)

pedir un préstamo, apply for a loan

pedir una burrada (Esp., col.)**,** ask for the moon (col.)

pega (Esp., col.)**,** drawback

pega técnica (Esp., col.)**,** technical pitfall

peligro, threat

peligro evidente, apparent danger

peligros del mar, perils of the sea; sea perils; dangers of the sea

pelota (n., masc. & fem., Esp., fam)**,** Johnny-come-lately (col.)

pelota sobre uno mismo (Esp., col)**,** accommodation note

peloteo (Esp., col.)**,** kiting (col.); kickabout (col.)

pelotillero (Esp., col.)**,** Johnny-come-lately (col.)

pena de prisión, custodial sentence

penalizable (adj., masc. & fem.)**,** forfeitable; attachable

penalización, attachment; forfeit; forfeiture; seizure; embargo (pl.: embargo = embargoes); garnishee; levy (v.); distraint

penalizar, penalize

pendiente (adj., masc. & fem.)**,** outstanding

pendiente de amortizar, unamortized

pendiente de cobro, pending collection; receivable (adj.)

pendiente de liquidar, unpaid; pending payment; payable (adj.)

pendiente de pago, unpaid; pending payment; payable (adj.)

pendiente de servir, backlog

pendiente de vencimiento, unmatured

penetración en los mercados financieros, financial market penetration

penique / peniques, penny / pence (ab. d)

pensión de ancianidad, old age pension

pensión de jubilación, retirement annuity; superannuation

pensión de retiro, retirement annuity; superannuation

pensión estatal, state pension

pensión vitalicia, life annuity; life rent

pensionable, pensionable (adj.)

pensiones, pensions

pensionista, pensioner

peñazo (Esp., col.), yawn (col.); jazz (col.)

peón, ranch hand (US)

pequeñas y medianas empresas (PYMES) (Esp.), small and medium-sized companies (SMSCos); SMS Cos. (ab. small and medium-sized companies)

pequeños terratenientes, yeomanry

pequeños y medianos agricultores (Esp.; PYMA), yeomanry

per cápita (Lat.), per capita (Lat.)

per diem (Lat.), per diem (Lat.)

percepciones, earned profit; income; inflows; receipts

percepciones efectivas, real income

percepciones en especie, benefits in kind

percepciones netas, take-home pay (col.)

percepciones salariales, salary (pl.: salary = salaries); wages; remuneration; wages and salaries; addlings (col.); pay (n.)

percepciones salariales más incentivos, salaries and bonuses (sing.: salaries = salary)

percepciones sujetas a retención fiscal, taxable income; assessed income

percibir, accrue; accumulate; bear (v.)

percibir dinero a cambio de una letra, clear a bill

percibir en efectivo, cash in; purse up (col.)

percibir por adelantado, cash in advance

percibir una comisión, collect a commission

perder, miss (v.)

perder el control de, lose control of

perder la pista a, lose track of

perder los estribos (col.), lose one's rag (GB., col.)

pérdida, wastage; ullage; loss

pérdida (por derramamiento o filtración), leakage

pérdida aceptable, acceptable loss

pérdida bruta, gross loss

pérdida contable, book loss

pérdida de capital, capital loss

pérdida de puestos de trabajo, job losses

pérdida de tarjeta, card loss

pérdida deducible a efectos fiscales, tax-deductible loss

pérdida efectiva, actual loss

pérdida financiera, financial loss

pérdida neta, net loss

pérdida no sujeta a tributación, tax-deductible loss

pérdida parcial, particular average; common average; average loss

pérdida por capacidad desperdiciada, idle capacity loss

pérdida real, actual loss

pérdida retrotraída al año anterior, carry-back

pérdida total, total loss; dead loss

pérdida total efectiva, absolute total loss

pérdida total real, actual total loss

pérdidas, losses

pérdidas acumuladas, accumulated losses

pérdidas ajustadas, adjusted losses

pérdidas cuantificables, quantifiable losses

pérdidas en operaciones cambiarias, exchange losses

pérdidas o daños en tránsito, loss or damages in transit

pérdidas por ajuste de inventario, inventory losses

pérdidas por falsificación, counterfeit losses

pérdidas por insolvencias, credit losses

pérdidas y ganancias, profit and loss (P&L); P&L (ab. profit and loss)

perfeccionamiento, optimization

perfeccionamiento y acabado para la reexportación, processing for reexportation

perfeccionar, boost (v.) (n.); enhance (v.); optimize (v.); improve (v.); promote (job, sales, etc.) (v.)

perfeccionar (un contrato), firm up

perfectamente legible, quite legible

perfil de la clientela, customer profile

perfil de los nuevos candidatos al puesto, profile of new candidates to the job

perfil del consumidor, consumer profile

perfil del puesto de trabajo, job specifications

perfil del tipo medio de interés, profile of the average interest rate

perfilar, profile (v.); set (v.); stipulate (v.); state (v.); establish (v.); provide for (v.)

perforación de zona, zone punch

perforadora de tarjetas, card punch

perforadora de teclado, keypunch

pericia, skill; proficiency

pericial (adj.), expert

periférico (adj.), peripheral (adj.)

periódicamente, periodically

periódico (adj.), periodic (adj.)

periodificación, time period adjustment

periodificación temporal de productos y costes, revenue and cost accruals

periodificar hasta el vencimiento, accrue through maturity

período, period; cycle

período (de tiempo), term

período al cierre (Bolsa), close

período contable, accounting period

período de carencia, forbearance; days of grace; grace period

período de compromiso, commitment period

período de espera, waiting period

período de gracia, period of grace

período de intervención, intervening period

período de liquidación, accounting period

período de pago de cupones, coupon payment period

período de prueba para pasar a fijo (Esp.), qualifying period

período de recuperación, rally; recovery; strengthening; upswing; upturn

período de retrocesión, charge back period

período de suscripción, subscription period

período de venta, selling period

período interino, interim period

período no sujeto a devengo de intereses, qualifying period

períodos estandarizados (Esp.), standard periods

períodos normalizados, standard periods

perista (Esp.), dealer in stolen goods

perita en dulce (Esp., col.), crown jewel (col.)

peritación (n. fem.), survey (n.); appraisal; assessment; appraising; evaluation; estimate (n.); valuation

peritación de daños, assessment of damages

peritado (Esp.), appraised

peritar, assess; appreciate; appraise; evaluate; rate (v.); quantify; size (v.)

perito (Esp.), appraiser; appreciator

perito (n., adj.), expert

perito contable (Esp.), Certified Public Accountant (CPA); CPA (ab. Certified Public Accountant)

perito de compañía de seguros, surveyor; adjuster; valuer; average adjuster; average stater; average surveyor

perito mercantil, expert accountant

perito tasador, surveyor; adjuster; valuer; average adjuster; average stater; average surveyor

perjudicar, impair

perjurio, perjury; false oath

permanecer estancada (negociación), remain deadlocked (negotiation)

permanente (adj.), permanent (adj.)

permanente (adj., masc. & fem.; comp.), non-volatile (adj.) (comp.)

permisivo, permissive

permiso, licence (licence = license); license (license = licence); permit (n.)

permiso de cala, sampling permit

permiso de compra, authority to purchase

permiso de compraventa de divisas, foreign exchange permit

permiso de exportación, export permit

permiso de importación, import licence (US: licence = license); import permit

permiso de maternidad (Esp.), maternity leave

permiso de venta, authority to sell

permitir, allow; permit (v.); grant (v.)

permitir pagar a plazos, grant easy terms

permuta (divisas, etc.), swap (n.); barter (n.)

permuta amortizable de tipos de interés, amortising swap

permuta cancelable, cancellable swap

permuta con valoraciones a mañana contra pasado mañana (días hábiles), tomorrow-next (tom-next); tom-next (ab. tomorrow-next)

permuta de divisa a plazo por otra al contado, swap (n.); barter (n.)

permuta de divisas, currency swap

permuta de mercaderías, commodity swap

permuta de reversión, reverse swap

permuta de tipos de interés, interest rate swap

permuta diferida de tipos de interés, deferred swap

permuta simétrica, mirror swap

permuta valorada de "spot" a día hábil siguiente, spot-next

permutar, swap (v.); barter (v.)

perpetración, perpetration

perpetrar un robo, perpetrate a theft

perpetuo, undated

perras sueltas (Esp., col.), divisional coins; divisional money; change (col.)

persistente (adj. masc. & fem.), prevailing; set

persona conocida, acquaintance

persona corriente, John Q Public (US); John Doe (US)

persona designada, designee

persona física, natural person; individual (person); private individual

persona jurídica, corporate individual; artificial person; corporate entity; legal entity

persona muy influyente, kingmaker (col.)

persona nombrada, designee

persona obligada a declarar, ratepayer; taxpayer

persona particular, private person; individual

persona que no pinta nada (Esp., col.), walking zero

persona reseñada en lista negra por comerciar con país sujeto a boicot, designated national

personal, personnel; staff

personal (administrativo), staff (pl.: staffs / staves)

personal (integrante) del turno, shift personnel

personal activo y eficaz, active and efficient staff

personal administrativo, clerical staff; administrative staff

personal auxiliar, auxiliary personnel

personal cualificado, qualified staff

personal de almacén, yard gang

personal en activo, serving personnel; serving staff; payroll

personal sin (a)filiación sindical, non-union workers

personal subalterno, auxiliary personnel

personalidad falsa, spurious personality

personarse, appear

personarse ante, appear before

personarse en el banco, go to the bank

personas a su cargo, dependants (US: dependants = dependents); dependents (GB: dependents = dependants)

perspectiva (probabilidad), probability (pl.: probability = probabilities); prospect

perspectivas, outlook

perspectivas de evolución de los precios, price outlook

perspectivas de inversión, prospects for investment

perspectivas de productividad, productivity prospects

perspectivas desalentadoras, disheartening prospects

perspectivas económicas, economic outlook

perspectivas halagüeñas, promising prospects

perspectivas inciertas, uncertain prospects

perteneciente a un sindicato, union man (fem.: man = woman)

perteneciente en su totalidad a, wholly-owned

pertenencias, chattels; furniture and fixtures

perturbaciones económicas, economic dislocations

pesador oficial, public weight master

pesar, weigh

pesetero (Esp, col, n.)**,** purse-bearer (col.); treasurer

peso, weight

peso al desembarque, landed weight

peso al embarque, shipping weight

peso bruto, gross weight

peso bruto por neto (PBxN), gross for net weight (GNW); GNW (ab. gross for net weight)

peso de báscula, scale weight

peso efectivo, actual weight (A/W); A/W (ab. actual weight)

peso legal (monedas), standard

peso muerto, dead weight (ab. DW); DW (ab. = dead weight)

peso neto, net weight

peso pesado, big shot (US, col.); big wheel (GB, col.); bigwig (GB, col.)

peso real, actual weight (A/W); A/W (ab. actual weight)

peso sobre muelle, landed weight

petición competitiva, competitive bid

petición de autorización, authorization inquiry

petición de conformidad, approval request

petición de crédito, application for a loan; loan application

petición de documentos originales, request for original paper

petición de ingreso como socio, application for membership

petición de licitaciones, bids wanted (BW); BW (ab. bids wanted)

petición de pago de rescate, ransom demand

petición de puja, bids wanted (BW); BW (ab. bids wanted)

petición de quiebra, petition in bankruptcy

petición de tarjeta, cardholder application

petición de trabajo, application for a job; employment application; job application

petición no competitiva, non-competitive bid

petición por escrito, written request

petición urgente, urgent request

peticionario, applicant; petitioner; patron; proposer; propounder

petróleos, oils

petróleos (Bolsa), petroleums (stock exchange) (GB); oils (stock exchange)

petrolero, tanker ship (TS); TS (ab. tanker ship)

pez gordo (Esp., col.)**,** big shot (US, col.); big wheel (GB, col.); bigwig (GB, col.)

PI (ab. **pacto individual)** (Esp.)**,** individual wage agreement

PIB (ab. **producto interno bruto),** gross domestic product (GDP); GDP (ab. gross domestic product); gross national product (GNP); GNP (ab. gross national product)

PIB real (ab. **producto interno bruto real),** actual gross domestic product; actual GDP (ab. actual gross domestic product); AGDP (ab. actual gross domestic product)

PIBOR (ab. **tipo ofertado del mercado interbancario de París),** Paris Interbank Offered Rate (PIBOR); PIBOR (ab. Paris Interbank Offered Rate)

PIBR (ab. **producto interno bruto real),** actual gross domestic product; actual GDP (ab. actual gross domestic product); AGDP (ab. actual gross domestic product)

picapleitos (col.)**,** shyster (US, col.); fire-eater (col.)

pie de página, footing

pignoración, hypothecation; pledging; pignoration; mortgage (n.)

pignoración de valores, pledging of securities

pignorar, hypothecate; mortgage (v.); pawn (v.); hock (v., col.); affect (v.); pignorate

píldora envenenada (opas hostiles) (col.), poison pill (hostile takeover bids) (col.)

píldora venenosa (opas hostiles) (col.), poison pill (hostile takeover bids) (col.)

pillaje, plunder

pipiolo (Esp., col.), tyro (= tiro) (col.); tiro (= tyro) (col.)

piquete (de vigilancia, control, informativo, de huelga), picket (vigilance, control, information, strike)

piquete de huelguistas, battalion of strikers

piquete de obreros, yard gang

piramidación, pyramiding

piratear (copiar y vender programas informáticos, etc.), bootleg (col.)

pirómano, arsonist

pista, track

pista falsa, plant; red herring (col.)

pistas, tips

placa, plate

plan, project

plan (de acción) antiblanqueo, anti-money laundering scheme

plan comercial, business plan

plan contable, accounting plan; plan of accounts

plan de acciones formativas destinadas a los empleados, employee training program; staff training program

plan de actuación, blueprint

plan de amortización, amortization schedule

plan de contabilidad, accounting plan; plan of accounts

plan de desarrollo, development plan

plan de desarrollo basado en el apoyo estatal, state-support-based development scheme

plan de desarrollo multinacional, multinational development plan

plan de expansión bancaria, bank expansion plan

plan de expansión con base al respaldo estatal, state-support-based development scheme

plan de fomento, activation program

plan de formación, training program

plan de incentivos, incentives plan

plan de incentivos basado en la adjudicación de opciones sobre acciones, stock option bonus plan; share option bonus scheme (GB); incentive stock options plan (US)

plan de jubilación, superannuation scheme; retirement plan

plan de participación en beneficios, bonus scheme

plan de pensiones, pension scheme

plan de pensiones ligado a un fondo de inversión, unit link (= unit linked); unit linked (= unit link)

plan de productividad, productivity plan; productivity schedule

plan de reubicación de sucursales, branch office relocation plan

plan general de contabilidad, general chart of accounts; general accounting plan

plan piloto, pilot plan

plan sin (perspectivas de) futuro, dead-end plan

planear, project

planificación, planning

planificación a largo plazo, long range planning

planificación de gran alcance, long range planning

planificación de inversiones, investment planning

planificación de la producción, production schedule

planificación de medios, media planning

planificación de tareas paralelas, scheduling of parallel tasks; planning of parallel tasks

planificación del negocio internacional, foreign trade planning

planificación económica, economic planning

planificación general, general planning

planificación y apoyo del negocio internacional, foreign trade planning and support

planificación y estudio de mercados, market research and planning

planilla (LA), list

planilla (SA), headcount

planilla de sueldos (LA), serving personnel; serving staff; payroll

planilla salarial (LA), scale of wages

planilla total (LA), total staff; headcount (col.)

planillas de intereses, interest tables

planta, plant; red herring (col.)

planta de montaje, assembly plant

planta inactiva, idle plant

planta parada, idle plant

planta siderúrgica, steelworks

plante, hangup

plantear una objeción, raise an objection; file an objection; object to

plantilla, personnel; staff

plantilla (de personal), staff (pl.: staffs / staves)

plantilla activa, serving personnel; serving staff; payroll

plantilla activa y eficiente, active and efficient staff

plantilla de personal, headcount

plantilla total (Esp.), total staff; headcount (col.)

plata (n. fem.), silver ; (LA = money)

plata en lingote, silver bullion

plataforma, platform

playa, shore

plaza comercial, mart; market

plazo, installment (US: installment) = instalment); instalment (GB: instalment = installment); token payment; payment on account

plazo (de tiempo), term

plazo de amortización, pay-back period

plazo de disponibilidad de un crédito, drawdown period

plazo de entrega de divisas (operaciones de cambio), usances

plazo de gracia, forbearance; days of grace; grace period

plazo de la deuda, debt term

plazo de pago de mercancías compradas a crédito, prompt

plazo de suscripción, selling period

plazo de tres años, three-year term

plazo de un préstamo, life of a loan

plazo de validez, period of validity

plazo de validez de una letra de cambio, currency of a bill

plazo de vencimiento, life to maturity

plazo entre la fecha-valor "spot" e igual día de la semana siguiente, spot

plazo fijo, fixed term

plazo indicado, stated term

plazo máximo, maximum term

plazo medio, average due date; equated maturity date

plazo medio de descuento, average discount term

plazo mensual, monthly instal(l)ment

plazo para realizar el retroceso, charge back period

plazo sin devengo de intereses, forbearance; days of grace; grace period

pleitear, cause suit to be brought; file a suit; implead; litigate; put in suit; sue; plead

pleitear con otro demandante sobre una misma cosa, interplead

pleito, lawsuit; litigation; pleading; suit; trial

plena propiedad, absolute estate

plena responsabilidad, unlimited responsibility

pleno dominio, fee simple

pleno empleo, full employment

pleno endoso, endorsement in full; full endorsement; full indorsement

plenos derechos, absolute rights

plica, tender (n.); offer (n.); proposal (n.); submission (n.)

pliego de cargos, schedule of charges

pliego de condiciones, specifications; articles and conditions; bidding specifications; schedule of conditions

pliego de costas, bill of costs

pluriempleado, moonlighter (col.)

pluriempleo, double up shift; moonlight (n.)

plus de compañía, field allowance

plus de dedicación (Esp.), golden handcuffs (col.)

plus de peligrosidad, danger money

plus de productividad (Esp.), production bonus

pluses (Esp.), perk(s) (col.); perquisites

plusvalía, goodwill; intangible assets; immaterial assets; going value (col.)

plusvalía (en la cotización) más dividendos percibidos, appreciation plus dividends

plusvalía adquirida, acquired surplus

plusvalía consolidada, consolidated goodwill

plusvalía de revalorización, appraisal surplus; revaluation surplus

plusvalía de tasación, appreciation surplus

plusvalía latente, latent goodwill

plusvalía negativa, negative goodwill

plusvalía subyacente, latent goodwill

plusvalías del capital, capital gains

plusvalías genéricas, unrealized gains

plusvalías por enajenaciones, gain on disposal of assets

plusvalías tácitas, unrealized gains

plusvalías y minusvalías, appreciation and depreciation

PM (ab. **post meridiem; de la tarde, de la noche; de 12:00 a 24:00 horas,** PM (ab. post meridiem); post meridiem (PM)

PN (ab. **producto nacional),** national product (NP); NP (ab. national product)

PNB (ab. **producto nacional bruto),** gross domestic product (GDP); GDP (ab. gross domestic product); gross national product (GNP); GNP (ab. gross national product)

población, population

población activa, labour force (US: labour = labor); working population

poca rentabilidad, low yield

poco importante, meagre (meagre = meager) (adj.); one-horse (adj., col.); unremarkable (adj.)

poder, letter of attorney; power of attorney; warrant of attorney

poder adquisitivo, purchasing power

poder adquisitivo del dinero, value of money

poder de designación, power of appointment

poder de disposición de bienes raíces, power of appointment

poder de nombramiento, power of appointment

poder general, general power of attorney

poder ilimitado, general power of attorney

poder notarial, power of attorney (PA); PA (ab. power of attorney)

poder para votar en representación del titular, proxy

poder sin restricciones, general power of attorney; unlimited power of attorney

poderes, powers; authority (pl.: = authorities); authorization

poderes (de asistencia, representación, voto, firma, etc.), power of attorney (PA); PA (ab. power of attorney)

poderes aparentes, apparent authority

poderes de firma restringidos, limited authority to sign

poderes restringidos, diminished attributions

poderhabiente, accountable officer; holder of procuration; attorney in fact; authorized officer; agent; actor; proxyholder

policía (n. fem. sing.), police (n. pl.)

policía (n. fem.), policewoman (pl.: policewoman = policewomen)

policía (n. masc. & fem.), police constable (GB)

políglota, polyglot

poliglotía, polyglot(t)ism

poliglotismo, polyglot(t)ism

polígono industrial, industrial estate

política (a nivel de) grupo, group policy

política (estatal, autonómica), politics

política agrícola, agricultural policy

política agrícola comunitaria, common agricultural policy

política aislacionista, isolationist policy

política aperturista, open door policy

política comercial, commercial policy

política crediticia, credit policy

política crediticia restrictiva, tight credit policy

política de austeridad, austerity policy

política de comercio exterior, foreign trade policy (pl.: policy = policies)

política de contabilización, accounting policy

política de contención, restraint policy; containment policy; policy of containment

política de contención de dividendos, dividend restraint

política de contención del gasto, cost control policy

política de control de costos, cost control policy

política de control del gasto, cost control policy

política de distribución de beneficios, income policy

política de dividendos, dividend policy

política de frena y avanza (col.), stop(-and)-go policy (pl.: policy = policies) (col.)

política de importaciones restrictiva, tight import policy

política de inversiones, investment policy

política de mano dura, strong-arm policy (pl.: policy = policies)

política de para y arranca (col.), stop(-and)-go policy (pl.: policy = policies) (col.)

política de personal rigurosa, tight personnel policy

política de puertas abiertas, open door policy

política de rentas, income policy

política de restricción, restraint policy; containment policy; policy of containment

política de restricción crediticia, tight credit policy

política económica, economic policy

política estatal, state policy

política financiera, financial policy (pl.: policy = policies)

política fiscal, tax policy

política no excluyente, open door policy

política no restrictiva, open door policy

política tributaria, tax policy

políticas antiblanqueo, anti-laundering policies (sing.: policies = policy)

políticas de personal, personnel policies

políticas de sanidad del activo, asset soundness policies

políticas desinflacionistas, disinflationary policies

políticas fiscales aplicables, fiscal policies applying (sing.: policies = policy)

políticas fiscales que se vienen aplicando, fiscal policies applying (sing.: policies = policy)

políticas locales en vigor, local policies in force

políticas y medidas anticíclicas, anticyclical policies and measures

póliza, certificate; policy (pl.: policy = policies); voucher

póliza a todo riesgo, all-in policy

póliza abierta, blanket policy

póliza al portador, bearer scrip; scrip

póliza caducada, lapsed policy

póliza conjunta, joint policy

póliza de crédito, credit policy

póliza de crédito (Esp.), credit instrument

póliza de depósito, warrant; option call; call (option)

póliza de fletamento, contract of affreightment

póliza de fletamento en limpio, clean charter

póliza de fletamento sin reservas, clean charter

póliza de fletamento sin restricciones, clean charter

póliza de seguro, insurance policy

póliza de seguro (Esp.), certificate of insurance; insurance certificate

póliza de seguro combinado, comprehensive insurance policy

póliza de seguro de vida, life insurance policy

póliza flotante, floating policy; open policy

póliza normalizada de seguro marítimo de Lloyd´s, Lloyd´s form

ponderado, balanced

ponderar exageradamente (col.), oversell

poner (de patitas) en la calle (Esp., col.), send away

poner (de patitas) en la calle (Esp., col.), dismiss from a job; turf out (col.)

poner (una) multa, fine (v.); penalty

poner a (la) disposición de, make available to

poner a cero, reset

poner a flote, refloat

poner a prueba, quiz; cross-question

poner al corriente, report (v); notify; announce (v.); acquaint (with); advise; warn; give notice

poner al día, update

poner al mismo nivel, equalize

poner bajo fianza, bind over

poner dinero en (Esp., col.)**,** invest money on

poner en circulación, launch

poner en circulación una emisión, launch an issue

poner en conocimiento, report (v); notify; announce (v.); acquaint (with); advise; warn; give notice

poner en duda el contenido de un informe, query a report

poner en el correo, send off

poner en el mercado, throw on the market

poner en libertad, discharge (v.)

poner en libertad bajo fianza, release on bail; admit to bail; relay on bail

poner en libertad condicional, release on parol

poner en marcha, achieve; implement

poner en marcha un comercio, set up a business

poner en marcha un programa, implement a plan

poner en peligro, threaten

poner en tela de juicio, query (pl. = queries)

poner entre paréntesis, put in brackets

poner fecha, date; dateline

poner fecha nueva, redate

poner impedimentos, bottleneck (col.); squeeze

poner legalmente en circulación, monetize

poner objeciones, demur

poner pleito, bring suit

poner reparos, demur

poner un anuncio, advertise

poner un cable a, cable

poner una "x" en las casillas correspondientes, complete the related boxes with "X"

poner una fecha posterior, postdate

poner una objeción, raise an objection; file an objection; object to

ponerle la zancadilla a alguien, trip somebody (col.)

ponerse al corriente de, become current with

ponerse borde con el jefe (Esp., col.)**,** get stroppy with the boss

ponerse en contacto con, contact

ponerse en la cola (Esp.)**,** rank the line

ponerse en marcha, come into service; render operative

por (aplicación de la) ley, by statute

por año, every year; on a yearly basis; annually; PA (ab. Lat. per annum); per annum (PA) (Lat.); yearly

por avalúo (LA)**,** ad valorem (Lat.)

por cabeza, per capita (Lat.)

por ciento (%), per cent (%); per centum (%); % (ab. per cent / per centum)

por cobrar, pending collection; receivable (adj.)

por consiguiente, consequently

por cuanto, whereas; having regard to; since

por cuenta ajena, third-party account; for another´s account

por cuenta de (P/Cta.), account of (Acc., A/C, A/O); Acc. (ab. for account of); A/C (ab. for account of); for account of (A/C, A/O)

por cuenta de otros, third-party account; for another´s account

por cuenta de quien corresponda, for account of whom it may concern

por cuenta de terceros, third-party account; for another´s account

por cuenta propia, free-lance (adj.); for own account

por cuenta y riesgo de, for account and risk of

por cuenta y riesgo propios, for own account and risk

por debajo de la par, below par

por debajo del precio actual en el mercado "spot" o al contado, out of the money (OTM); OTM (ab. out of the money)

por delante del resto de la banca, ahead the rest of the banking sector

por delegación de, with the authority of; by proxy

por día, per diem (Lat.)

por duplicado, in two copies

por ejemplo, exempli gratia (EG) (Lat.); EG (ab. exempli gratia) (Lat.); for example; for instance

por el contrario a, unlike

por el momento, pro tem (pro tem = pro tempore) (Lat.); pro tempore (pro tempore = pro temp) (Lat.)

por el presente, hereby

por encargo, on request; upon request; on call

por encima de la par, above par; at a premium

por encima de lo posible, beyond scope

por encima del límite, over the threshold

por encima del umbral, over the threshold

por escrito, in words; in writing; in ink

por imperativo legal, due to statutory provisions

por la directa, straightforward

por la presente, by these presents

por las claras (Esp., col.), straightforward

por libre (Esp., col.), free-lance (adj.); for own account

por lo mejor, at or better

por lo que se refiere a nuestro banco, as far as our bank is concerned

por medio del presente, hereby

por orden de, order of; to the order of

por orden de antigüedad, on a seniority basis

por otro nombre, alias dictus (Lat.); also known as (AKA); AKA (ab. also known as)

por poder (PP), PP (ab. per procuration); per procuration (PP)

por principio, as a rule

por prorrateo, at pro-rata

por real decreto, by royal decree

por regla general, as a rule

por separado, severally

por último, finally

por un plazo de, for a term of

por un plazo de hasta, for a term of up to

por valor aproximado a, circa (Lat., ab. c); c (circa)

por virtud de oficio, ex-officio (Lat.)

porcentaje, percentage

porcentaje anual, annual percentage

porcentaje anual de aumento, annual percentage increase

porcentaje anual de crecimiento, annual percentage increase

porcentaje de amortización, amortization percentage; amortization quota

porcentaje de beneficio que se reparte, average stockholders' equity (pay-out)

porcentaje de cobertura, percentage of coverage

porcentaje de contrataciones, percentage of dealings

porcentaje de gastos generales, expense ratio

porcentaje de mortalidad por accidentes, accident death rate

porcentaje del beneficio destinado a dividendos, payout rate; payout ratio

porcentaje del capital accionario, percentage of stock

pormenorización, breakdown

pormenorizado, broken down; in-depth (adj.); comprehensive (adj.)

pormenorizar, break down; apportion; itemize

porrón de dinero (Esp., col.), handle (GB, col.: handle = big figure)

portadocumentos (con asa) (Esp.), attaché case (n, Fr.)

portador, holder; beneficiary; payee

portafolios (con asa), attaché case (n, Fr.)

portaformularios (Esp.), application holder

portavoz (Esp.), spokesman; prolocutor; vocero (LA)

porte a cobrar, freight at destination; freight collect; freight forward

porte debido, freight at destination; freight collect; freight forward

porte incluido hasta, freight allowed to

porte pagadero en destino, freight at destination; freight collect; freight forward

porte pagado, advance freight

porte pagado hasta, CPT (ab. carriage paid to); carriage paid to (CPT); freight paid to

portero, janitor; gatekeeper

pos(t)poner, adjourn

poseedor, possessor

poseer, possess (v.)

posesión en (regímen de) usufructo, beneficial ownership; beneficial interest; usufruct

posesión indivisa, possession by entireties

posibilidad de opción paralela, parallel option; parallel choice

posibilidades de expansión, scope

posibilidades de mercado, market potential

posibles impagados, potential delinquency (pl.: delinquency = delinquencies)

posición, position

posición (deudora o acreedora), account balance

posición (en una serie cronológica de vencimientos), strip

posición (n. fem.), rank (n.); category; standing; state (n.); status (pl. status = statuses)

posición a corto bajo contrato abierto, position

posición a largo, forward position

posición abierta, open position

posición activa, lending position

posición cerrada, closed position

posición corta, short position; short futures

posición de liquidez, liquidity position; cash position

posición de pagos debilitada, weakened payments position

posición de un cliente con exceso de compras sobre ventas, long

posición de un cliente con exceso de ventas sobre compras, short

posición descubierta, naked position

posición deudora, borrowing position

posición dinero, at the money (ATM); money (at the money, ATM); ATM (at the money)

posición en cuenta, account status

posición en el mercado, position

posición larga, long position; long futures

posición lejana, forward position

posición límite, stop

posición media en los mercados monetarios, average money market position

posición mejor remunerada, better paid position

posición neta, net position

posición papel (Bolsa), paper

posición pasiva, borrowing position

posición vendedora, short position; short futures

posicionamiento, positioning

posicionar cartera según tipos previsibles, ride the yield curve

posiciones de compra o venta de opciones que forman la combinación, legs

posiciones de los miembros compensadores, clearing members' positions

posiciones de reserva en el Fondo Monetario Internacional (FMI), reserve positions in the International Monetary Fund (IMF)

positivo, affirmative

post meridiem (PM; de la tarde, de la noche; de 12:00 a 24:00 horas), PM (ab. post meridiem); post meridiem (PM)

postal (susceptible de envío por correo), mailable (adj.)

postdatado, postdated (adj.)

posteriormente, thereinafter

postfechado, postdated (adj.)

postor, bidder; offerer; outbidder

postulante a miembro, applicant to membership

potencia, power

potenciación, promotion

potencial (adj.), underlying (adj.); subsidiary (adj.); ancillary (adj.); additional; potential (adj.)

potencial de compras, purchasing potential

potencial de ventas, potential market; sales potential

potencial del mercado, market potential

potenciar, boost (v.); enhance (v.); optimize (v.); improve (v.); promote (job, sales, etc.)

potenciar la liquidez, improve liquidity

potenciar los sistemas de control, reinforce control systems

PP (ab. **por poder),** PP (ab. per procuration); per procuration (PP)

practicabilidad, feasibility

practicable, feasible

practicar un abono en cuenta, accredit; credit (v.)

practicar un reconocimiento médico, screen (v.)

practicar una liquidación, make a settlement

practicar una peritación, survey (v.)

prácticas bancarias, banking practice

prácticas bancarias profundamente arraigadas, deep-rooted banking practices; deep-seated banking practices

prácticas cambiarias, exchange practices

prácticas comerciales, commercial practice

prácticas con tipos de cambios múltiples, multiple currency practices

prácticas contables, accounting conventions; accounting concepts; accounting regulations; accounting standards; accounting principles

prácticas contrarias a la ley, unlawful practices

prácticas de auditoría, audit(ing) standards; audit(ing) practice

prácticas ilegales, unlawful practices

prácticas restrictivas, restrictive practices

práctico de puerto (n. masc.), pilot

preapertura, preopening

preaviso, advance warning

precario, precarious (adj.)

precaución, caution

precautorio (adj.), precautionary

precedente (adj.), antecedent

precio, price

precio "strike" (opciones), strike price

precio (de un valor) al cierre (de la sesión bursátil), closing price

precio a pagar por el activo subyacente al expirar la opción, strike price

precio al contado, cash price

precio al que puede ejercitarse una opción, strike price

precio base, base price

precio CIF, cost, insurance and freight price (CIF price); CIF price (ab. cost, insurance and freight price)

precio competitivo, competitive price

precio constante, constant price

precio contable por acción, accounting price per share

precio controlado, administered price

precio corriente, market price; market value

precio de adquisición, acquisition price; purchase price

precio de amortización, call price; redemption price

precio de base, opening price

precio de cesión, transfer price

precio de cierre, closing price

precio de cierre de las calls, "calls-last"

precio de compra, acquisition price; purchase price

precio de compra ofertado, bid (n.); takeover bid

precio de comprador y vendedor, bid-ask price

precio de compraventa (contratos de opciones), strike price

precio de contado, cash price

precio de conversión, conversion price

precio de coste, cost price

precio de coste más beneficio, cost-plus price

precio de costo, cost price

precio de cotización, price

precio de demanda, call price; redemption price

precio de destajo, job price

precio de ejecución (opciones), strike price

precio de ejercicio, strike price

precio de ejercicio alto, put in the money

precio de ejercicio igual al de cartera en el mercado spot, at the money

precio de ejercicio igual al de mercado del activo subyacente (opciones), at the money (ATM); ATM (ab. at the money)

precio de ejercicio igual al del mercado subyacente, at the money (ATM); money (at the money, ATM); ATM (at the money)

precio de ejercicio mayor al del mercado al contado, in the money (ITM); ITM (ab. in the money)

precio de ejercicio muy por debajo del precio de contado, deep out of the money

precio de ejercicio por debajo del actual de la acción, put out of the money

precio de emisión, issue price; rate of issue; issue rate

precio de emisión con descuento, discount issue price

precio de fábrica, original cost

precio de introducción, introductory price

precio de la última transacción de la sesión bursátil, close

precio de lanzamiento, issue price; rate of issue; issue rate

precio de las acciones al cierre de la sesión, closing share price; closing stock market price

precio de liquidación, make-up price; settlement price

precio de mercado, market price; market value

precio de mercado de un valor bursátil, listing; quotation

precio de oferta, offering price

precio de reclamo, charm price

precio de rescate, call price; redemption price

precio de salida (Esp.), opening price

precio de subasta, upset price

precio de tasa, officially fixed price

precio de venta, asking price; asked price; selling rate

precio del futuro distinto al teórico, mispricing

precio elevado, premium rate

precio en el mercado de contado, spot market; cash market

precio en firme, firm price

precio establecido oficialmente, officially fixed price

precio fijo, fixed price

precio garantizado, guaranteed price

precio indicativo, guide price

precio inicial, opening price

precio inicial de subasta, put up price

precio inicialmente fijado por el vendedor, asking price; asked price; selling rate

precio intervenido, administered price

precio límite, stop point

precio mantenido, firm price

precio más bajo de una tendencia a la baja, bottom (pricing)

precio máximo de un valor dentro de un tiempo dado, high

precio medio, middle price; average price

precio mínimo alcanzado por un valor durante un plazo dado, low

precio neto, net price

precio ofertado por el comprador, bid price

precio oficial del dinero (Esp., col.), intervention rate of the Bank of Spain; Bank of Spain´s intervention rate

precio político, political price

precio real, real price; actual price

precio regulado, administered price

precio retrospectivo, lookback price

precio según factura, invoice price

precio sin fluctuaciones, firm price

precio sobre divisa igual a la cotización "spot" de la misma, at the money spot (ATM spot); ATM spot (ab. at the money spot)

precio sobre divisas igual a la cotización "forward" hasta vencimiento, at the money forward (ATM forward); ATM forward (ab. at the money forward); money forward

precio soporte, support price

precio sujeto a intervención, administered price

precio total, all-inclusive cost

precio umbral, threshold price

precio y rentabilidad de las acciones, price and yield of shares; share price and yield

precios ajustados a norma, standard prices

precios al detall, retail prices

precios al por menor, retail prices

precios altos, strong prices; steep prices

precios caros, strong prices; steep prices

precios corrientes, standard prices

precios de compra y venta de los activos negociados, purchase and sale prices of the assets traded

precios de compraventa, purchase and sale prices

precios de ganga (Esp., col.), dirt-cheap prices (adj.)

precios de temporada baja, off-season prices

precios detallados, itemized prices

precios elevados, strong prices; steep prices

precios intervenidos, controlled prices

precios justos, fair prices

precios normales, standard prices

precios prohibitivos, prohibitive prices

precios regalados (Esp., col.), dirt-cheap prices (adj.)

precisar, require

precisión, accuracy

precisión de cálculo, accuracy of calculation

precisión de las previsiones, accuracy of forecasts

preconizar, advocate (v); defend; protect

predeterminar, predetermine

predial (adj., masc. & fem.), praedial (adj.)

predisposición (n. fem.), bias

predominante (adj. masc. & fem.), prevailing

preestablecer, preestablish

prefijar, prefix

prefijo, prefix

prefijo de cuenta, account prefix

prefinanciación (n. fem.), prefinancing

prefinanciar futuros proyectos, prefinance future projects

pregunta, query (pl. = queries)

preguntar, query (pl. = queries)

preliminar (adj., masc. & fem.), pro forma (pro forma = proforma) (adj.); proforma (proforma = pro forma) (adj.); preliminary (adj.); previous (adj.)

preliminares, prolegomenon (pl. prolegomenon = prolegomena)

prematuro (adj.), premature (adj.)

premiar, bonus (v.); prize (v.); reward (v.)

premio, bonus (n.); prize (n.); reward (n.); premium (pl.: premium = premiums / premia)

premios cupón-oferta, continuity premiums

premisa, premise

prenda, hypothecation; pledging; pignoration; mortgage (n.)

prenda (garantía), collateral (n. & adj.); security (pl.: security = securities); bond of indemnity; recognizance

prendador, pledger (pledger = pledgor)

prensa (medios de comunicación escritos), press

prensa amarilla (col.), yellow press

prensa de acuñar moneda, mill

prensa de troquelar, stamping press

prensa sensacionalista, yellow press

preocupación, concern (n.)

preocupación constante, constant concern

preocuparse respecto a, be concerned about

preparación de datos, data preparation

preparación de datos para el proceso (comp.), input preparation (comp.)

preparación del trabajo, job setup

preparar una emisión, run the books

prerrogativa, privilege

prescribir, expire; fall due; lapse (v.); prescribe

prescripción (n. fem.), lapse (n.); prescription

presentación (documentos, etc.) (n. fem.), surrender (n.); delivery (n.)

presentación a través de letrado, appearance by attorney (US); appearance by counsel (GB)

presentación al cobro, presentation for payment; presentation for collection

presentación de cuentas, rendering of accounts

presentación de cupones, surrender of coupons

presentación de un efecto, sighting

presentación de una letra, sighting

presentación fuera de plazo, late presentation

presentación itinerante, roadshow

presentación para su pago, presentation for payment; presentation for collection

presentar, submit

presentar (documentos), surrender (v.); deliver (v.); waive

presentar (hacer entrega), file; archive; record

presentar (un) recurso, appeal (v.); appellate; petition (v.); file an application with

presentar (una) demanda contra, proceed against; take to court

presentar al cobro, present for payment; present for collection

presentar buenos resultados, make a good showing (col.)

presentar cuentas, render accounts; account for; justify

presentar discrepancias respecto a, be inconsistent with; be in conflict with

presentar los datos procesados en formato tabular, table processed data (v.)

presentar malos resultados, make a poor showing

presentar oferta (v.)**,** tender (v.); offer

presentar para su pago, present for payment; present for collection

presentar presupuesto, quote (v.)

presentar pruebas, produce evidence

presentar un informe, submit a report

presentar un nuevo testigo, produce a fresh witness

presentar una letra para su aceptación, present a bill for acceptance

presentar una moción, make a motion

presentar una oferta, submit a tender for; bid (v.)

presentar una queja, complain (v.); protest

presentar una reclamación ante, file a claim with

presentar una solicitud ante, appeal (v.); appellate; petition (v.); file an application with

presentarse a concurso, submit a tender for; bid (v.)

presentarse a la reelección, stand for reelection

presentarse ante, appear before

presente (adj., masc. & fem.)**,** current (adj.); present (adj.)

presente (obsequio), present; gift

presidencia, chairmanship

presidenta (del consejo), Madam chairman; chairwoman

presidente (del consejo), chairman (of the board)

presidente (ejecutivo), president (GB: president = general manager); general manager (US: general manager = president)

presidente de comisión, prolocutor

presidente de la bolsa de valores, chairman of the stock exchange

presidente de mesa, prolocutor

presidente del gobierno, head of government

presidente del jurado, foreman of the jury; jury foreman

presidente en ejercicio, acting chairman

presidente en funciones, acting chairman

presidente interino, acting chairman

presidido por, headed by

presión alcista sobre los tipos de interés, upward pressure on interest rates

presión fiscal, tax burden; tax pressure

presionar, press

presiones de los costos salariales, pressure from wage costs

presiones inflacionistas, inflationary pressures

prestación (de servicio) convenida, arranged service

prestación graciable, ex gratia payment

prestación laboral (n. fem.)**,** post (n.); emloyment; job (n.); service; location

prestaciones en especie, benefits in kind

prestamista, pawnbroker; money lender; lender

prestamista (col.), banker; Lombard (n., col.)

prestamista a la gruesa, lender on bottomry

prestamista de último recurso, lender of last resort

prestamista en última instancia, lender of last resort

préstamo, accommodation; credit (n.)

préstamo (con garantía) personal, personal loan

préstamo a tipo de interés reducido, low-interest loan

préstamo a bajo interés, low-interest loan

préstamo a corto (plazo), short-term loan

préstamo a la demanda, call loan

préstamo a la gruesa, bottomry; gross adventure; loan on bottomry; marine loan; maritime loan

préstamo a la vista, call loan

préstamo a plazo, term loan

préstamo a plazo fijo, fixed loan

préstamo a tipo de interés según índice, index-tied loan

préstamo a tipo indexado, index-tied loan

préstamo a un (solo) día, overnight loan

préstamo al descubierto, straight loan

préstamo amortizable a plazos, installment loans (US: installment = instalment)

préstamo amortizado, amortized loan

préstamo bancario, banker's advance; bank loan

préstamo bancario avalado, guaranteed bank loan

préstamo bancario para operaciones de bolsa, street loan

préstamo bilateral, bilateral grant

préstamo colateral, collateral loan; guaranteed loan; loan against collateral; loan secured by a pledge; Lombard loan; pawn (n.); pawning (n.); pledge loan; secured loan

préstamo comercial, commercial loan

préstamo complementario, repeater (loan)

préstamo con garantía de bienes, collateral loan; guaranteed loan; loan against collateral; loan secured by a pledge; Lombard loan; pawn (n.); pawning (n.); pledge loan; secured loan

préstamo con garantía prendaria, collateral loan; guaranteed loan; loan against collateral; loan secured by a pledge; Lombard loan; pawn (n.); pawning (n.); pledge loan; secured loan

préstamo con tipo de interés variable, rollover loan

préstamo condicionado, tied loan

préstamo de enorme cuantía, jumbo loan

préstamo de gran envergadura (USD 300 / 6.000 millones +/-), megaloan

préstamo de liquidación automática, self-liquidating loan

préstamo en descubierto, unsecured indebtedness; unsecured loan; unsecured credit

préstamo en divisas, foreign currency loan

préstamo en especie, commodity loan

préstamo en eurodólares, eurodollar loan

préstamo en eurodólares a medio plazo, medium-term Eurodollar loan

préstamo en euros, euro loan

préstamo exento de riesgo, risk-free loan

préstamo fiduciario, fiduciary loan

préstamo financiero, financial loan

préstamo forzoso, forced loan

préstamo hipotecario, mortgage loan

préstamo hipotecario sobre la carga del barco, respondentia

préstamo inmobiliario, real estate loan

préstamo interno, internal loan

préstamo interno en divisas, internal loan in foreign currency

préstamo interno en Euros, domestic Euro loan

préstamo irrecuperable, irrecoverable loan

préstamo multidivisas, multi-currency loan

préstamo no amortizado, straight loan

préstamo no colaterizado, character loan

préstamo no sujeto al pago de intereses, non-interest bearing loan

préstamo oficial, government loan

préstamo para vivienda, dwelling loan

préstamo personal, personal loan

préstamo por un día, clearance loan

préstamo puente, bridge financing; bridge loan; bridging loan; stop-gap loan; transitory credit

préstamo que no devenga interés, non-interest bearing loan

préstamo reajustable según índice, index-tied loan

préstamo reembolsable a plazos, installment loans (US: installment = instalment)

préstamo reembolsable a su vencimiento, balloon loan

préstamo representado por obligaciones convertibles, convertible debenture loan investment

préstamo sectorial, sector loan

préstamo sin amortizaciones graduales, bullet loan

préstamo sin caución, straight loan

préstamo sin garantía colateral, character loan

préstamo sin interés, interest-free loan; flat loan

préstamo sobre garantía, loan on pledge

préstamo sobre primera hipoteca, loan on first mortgage

préstamo sobre valores, loan against securities

préstamo subordinado, subordinated loan

préstamo subsidiario, subsidiary loan

préstamos, borrowings

préstamos a empleados, loans to employees

préstamos a particulares, private loans

préstamos a personas físicas, loans granted to individuals

préstamos al sector agrícola, farm lending

préstamos al sector empresarial, corporate loans

préstamos blandos (col.), soft loans

préstamos con saldo vivo, outstanding loans

préstamos cruzados de apoyo, back-to-back loans

préstamos en condiciones favorables, soft loans

préstamos en condiciones ordinarias, hard loans

préstamos en eurodivisas, eurocurrency lending

préstamos garantizados por colateral hipotecario, loans secured by collateral and mortgages

préstamos netos, net lending

préstamos otorgados a empresas, corporate loans

préstamos otorgados a particulares, loans granted to individuals

préstamos personales, private loans

préstamos recibidos, borrowing

préstamos sin amortizar, outstanding loans

préstamos y descuentos, loans and discounts; current loans and discounts; ordinary loans and discounts

prestar, lend (lent, lent)

prestar ayuda, aid (v.)

prestar buena acogida, welcome

prestar con (garantía de) colateral, lend on collateral

prestar crédito a, give credence to; lend credence to

prestar declaración, make a statement

prestar dinero a interés, lend at (an) interest

prestar fianza, back (v.); guarantee (v.); collateralize; endorse; bail; furnish bail; bond (v.); provide collateral; furnish security; give bond

prestar juramento, make an oath; swear an oath

prestar servicio (mantenimiento), service (v.)

prestar sobre hipoteca, lend on mortgage

préstasmo por un día, day loan

prestatario, borrower

presumir, assume

presunción, assumption

presupuestar, budget

presupuesto, budget

presupuesto base cero, zero-based budget

presupuesto de caja, cash budget

presupuesto de entradas y salidas de caja, cash forecast

presupuesto de explotación, operating budget

presupuesto de gastos de capital, capital budget

presupuesto equilibrado, balanced budget

presupuesto fijo, fixed budget

presupuesto para (gastos de) publicidad, advertising budget

pretender, aim (v.)

pretendido (adj.), purported (adj.)

pretendiendo ser el auténtico titular de la tarjeta, purporting to be the real cardholder

pretextar, excuse (v.)

pretexto, excuse (n.)

prevaricación (n. fem.), corruption; jobbery; corrupt practices; prevarication

prevaricador, prevaricator

prevaricar, prevaricate

prevención (prohibición) (n. fem.), banning; ban; prevention; prohibition

prevención de accidentes, accident prevention

prevención del blanqueo de dinero, prevention of money laundering

prevenir, avoid; preclude; prevent

preventivo (adj.), precautionary

prever tipos de interés según su comportamiento esperado, ride the yield curve

previa solicitud, on request; upon request; on call

previamente, beforehand; in advance

previo (adj.), pro forma (pro forma = proforma) (adj.); proforma (proforma = pro forma) (adj.); preliminary (adj.); previous (adj.)

previo encargo, on request; upon request; on call

previo pago, against payment

previsión (n. masc.), forecast

previsión comercial, business forecasting

previsión sobre movimientos de caja, cash forecast

previsiones, forecasting

previsiones a corto plazo, short-term forecasts

previsiones a largo plazo, long-term forecasting

previsiones a medio plazo, medium-term forecasts

previsiones cara al futuro, reckoning; expectations; prognoses (sing.: prognoses = prognosis)

previsiones de la balanza de pagos, balance of payments forecasts

previsiones económicas, economic forecastings

previsiones halagüeñas (fem.), optimistic forecasts

previsiones sobre precios, price forecast

previsto por la ley, covered by law

prima (Esp.), bonus (n.); prize (n.); reward (n.); premium (pl.: premium = premiums / premia)

prima (gratificación), subsidy; subvention

prima a plazo, forward premium

prima adicional, additional premium (A/P); A/P (ab. additional premium); loaded premium

prima anual, annual premium

prima añadida, added bonus

prima base, basic premium

prima bruta, gross premium

prima complementaria, additional premium (A/P); A/P (ab. additional premium); loaded premium

prima de conversión, conversion premium; conversion discount

prima de emisión, additional paid-in capital; issue premium

prima de opción a comprar, call premium

prima de opción a vender, put premium

prima de peligrosidad, danger money

prima de permanencia, golden handcuffs (col.)

prima de producción, production bonus

prima de productividad, acceleration premium

prima de rapidez, dispatch money

prima de reembolso, premium on redemption

prima de riesgo, risk premium

prima de salvamento, salvage award; salvage charges

prima de seguro, insurance premium

prima devengada, earned premium

prima fija, fixed premium

prima media, average premium

prima media implícita de riesgo, average implicit risk premium

prima media implícita de riesgo en el trimestre, average implicit risk premium in the quarter

prima mejorada, additional premium (A/P); A/P (ab. additional premium); loaded premium

prima por amortización anticipada, call premium

prima por amortización de un bono previa a su vencimiento, call premium

prima por dedicación, golden handcuffs (col.)

prima sobre aumento de la producción, acceleration premium

prima sobre bonos, bond premium

prima sobre la acción a vender, premium for the put

prima sobre opción de compra, call premium

primas de seguros acumuladas, accrued insurance premiums

primas únicas (Esp.), single-premium life policies SPLP) (sing.: policies = policy); SPLP (ab. single-premium life policies)

primer contrato, first contract

primer ejecutivo, chief executive officer (CEO); CEO (US: ab. chief executive officer; GB = managing director); executive director; managing director (GB); president (US)

primer lugar del ranking, top of the ranking

primer mercado para nuevas emisiones, primary market

primer precio de cruce (en la compraventa de un activo financiero), open

primer puesto de la clasificación, top of the ranking

primera de cambio, first of exchange

primera hipoteca, first lien

primeras materias, primary commodities; commodities (sing.: commodities = commodity); staple goods; raw materials

primeras materias pagaderas en dólares, dollar commodities

primero, first

primeros espadas de la economía (Esp., col.), economics sachems (col.)

primo (persona incauta) (col.), mark (n.)

principal (importe) (n.), par value; face value; nominal value; face amount (FA); FA (ab. face amount); principal (amount)

principal de una herencia, corpus (pl. corpora / corpuses); corpora (= corpuses; s.: corpus); corpuses (= corpora; s.: corpus); trusteeship

principal más intereses, aggregate principal amount; principal and interest

principal menos intereses, corpus (pl. corpora / corpuses); corpora (= corpuses; s.: corpus); corpuses (= corpora; s.: corpus); trusteeship

principal nocional, notional principal amount

principales partidas de gastos, major expense items

principales productos y servicios, major products and services

principalmente debido a, due mainly to

príncipe (col., opas), white knight (col., takeover bids)

principiante (n., masc. & fem.), tyro (= tiro) (col.); tiro (= tyro) (col.)

principio, beginning

principio (ético), principle

principio de Peter, Peter´s principle

principio del devengo, accrual basis (US); accrual concept (GB)

principios contables, accounting conventions; accounting concepts; accounting regulations; accounting standards; accounting principles

principios contables generalmente aceptados (PCGA), generally accepted accounting principles (GAAP); GAAP (ab. generally accepted accounting principles)

principios de contabilización, accounting conventions; accounting concepts; accounting regulations; accounting standards; accounting principles

prioridad absoluta, absolute priority

privilegiado (adj.), privileged

privilegiar, privilege

privilegio, privilege

probabilidad (n. fem.), probability (pl.: probability = probabilities); prospect; outlook

probado en la práctica, field-tested

probar, test (v.)

probar fehacientemente, prove (v.); provide evidence

probar la fiabilidad de las aplicaciones informáticas, test reliability of computer applications

probidad, integrity; probity; trustworthiness

probidad socavada, undermined integrity

problema, problem

problema básico, basic problem

problema difícil de afrontar, problem difficult to cope with

problema esencial, basic problem

problema peliagudo, ticklish problem

problemas, kinks (col.)

problemas de estrechez económica, financial straits

problemas de inflación y balanza de pagos, inflation and balance of payments problems

problemas engorrosos, awkward problems

problemas estructurales, structural problems

problemas estructurales a largo plazo, long-term structural problems

problemas recurrentes, recurrent problems

procedencia, source

proceder contra, proceed against; take to court

proceder de, arise from

proceder ético, ethical behaviour (US: behaviour = behavior)

procedimiento abreviado, fast track

procedimiento conciliatorio, grievance procedure

procedimiento de imputación, allocation process

procedimiento judicial, call (n.); process (n.); subpoena; summons; procedure

procedimiento judicial por daños y perjuicios, suit for damages

procedimiento judicial por incumplimiento de contrato, assumpsit

procedimiento manual, manual procedure

procedimientos despreciables, reptilian procedures (col.)

procedimientos internos, in-house procedures

procesable, actionable

procesador de textos, word processor

procesal (adj., masc. & fem.), procedural

procesamiento, arraignment; report(ing)

procesamiento de datos, data processing

procesamiento mecanizado (comp.), machine processing (comp.)

procesar, arraign; report (to the police)

proceso, court proceedings

proceso a distancia, remote processing

proceso ante los tribunales, lawsuit; litigation; pleading; suit; trial

proceso automático de datos (PAD), automatic data processing (ADP); ADP (ab. automatic data processing)

proceso autónomo (comp.), off-line processing (comp.)

proceso cautelar, preventive action

proceso contable, accounting process

proceso de cintas de intercambio (comp.), processing of interchange tapes (comp.)

proceso de cheques, check processing (GB: check = cheque)

proceso de datos, data processing

proceso de datos duplicado, duplicate processing

proceso de embargo, process of garnishment

proceso de imputación, allocation process

proceso de información, data processing

proceso de textos, word processing

proceso electrónico de datos (PED), electronic data computing (EDC); electronic data processing (EDP); EDC (ab. electronic data computing); EDP (ab. electronic data processing)

proceso en serie (comp.), serial processing (comp.)

proceso en tiempo real, real-time processing

proceso integrado de datos, integrated data processing

proceso iterativo, iterative process

proceso mecanizado (comp.), machine processing (comp.)

proceso mediante jurado, trial by jury

proceso por incumplimiento de compromiso, general assumpsit

procesos operativos continuados, ongoing operating processes

procesos operativos habituales, routine processes

procurador, advocate (n); advocator; barrister (GB); counsel (n.); attorney-at-law (US); counsellor(-at-law) (US: counsellor = counselor); counselor (GB: counselor = counsellor); lawyer

procurador (Esp.), procurator lawyer

procurar (la obtención de) dinero, procure money

producción a maquila, toll production

producción continua, continuous production

producción diaria, daily production; daily output

producción diaria por máquina, daily machine production

producción en serie, line production

producción industrial de la OCDE, OECD industrial production

producción local, local production

producción masiva, mass production

producción media diaria, average daily production

producción óptima, optimum output

producción perdida, lost production

producción real, real output

producción total, output; throughput

producir, produce (v.)

producir (beneficio), yield (v.); return (v.)

producir (un) buen rendimiento, yield a good profit

producir beneficio, yield a profit

producir interés, yield interest

producir intereses, bear (an) interest; accrue (an) interest; draw (an) interest; earn (an) interest

producir poco rendimiento, yield a poor profit

productividad, productivity (productivity = productiveness); productiveness (productiveness = productivity)

productividad del capital, capital efficiency

producto (agrícola, etc.), produce (n.)

producto (beneficio), benefit; profit; turn (col.); earnings

producto (renta), profitability; rate of return; yield (n.); return (n.)

producto acabado, end product

producto bancario de amplia difusión, socko banking product (col.)

producto bancario muy popularizado, socko banking product (col.)

producto de la inversión, return of investment

producto de la realización de obligaciones, debenture capital

producto del descuento, proceeds of discount

producto en oferta, loss leader; star product

producto en venta promocional, loss leader; star product

producto final, end product

producto interno bruto (PIB), gross domestic product (GDP); GDP (ab. gross domestic product); gross national product (GNP); GNP (ab. gross national product)

producto interno bruto real (PIB real), actual gross domestic product; actual GDP (ab. actual gross domestic product); AGDP (ab. actual gross domestic product)

producto nacional (PN), national product (NP); NP (ab. national product)

producto nacional bruto (PNB), gross domestic product (GDP); GDP (ab. gross domestic product); gross national product (GNP); GNP (ab. gross national product)

producto neto, resulting figure; resulting amount; proceeds

producto(s) bruto(s), gross earnings; gross income; gross return

productor, producer; manufacturer

productos acabados, finished goods; finished products; goods completed

productos básicos, primary commodities; commodities (sing.: commodities = commodity); staple goods; raw materials

productos básicos pagaderos en dólares, dollar commodities

productos brutos de explotación, gross income on operations; gross operating income

productos complementarios, joint products

productos conjuntos, joint products

productos de (la) tercera generación, third generation products (3G products); 3G products (ab. third generation products)

productos de empleos, interest revenues; financial margin

productos de explotación, operating income

productos de intereses, carrying interest

productos de inversión derivados, derivative instruments

productos de inversión secundarios, derivative instruments

productos de temporada, seasonal goods

productos de venta masiva, best sellers

productos del juego, profit from gambling

productos derivados, derivatives; derivative products; by-products (by-products = byproducts); byproducts (byproducts = by-products)

productos diversos, non-operating earnings; other income; miscellaneous income

productos financieros, financial products (instruments); interest income

productos líquidos, net avails

productos netos, net earnings; net income; net proceeds; net profit; net return; net revenue; after-tax yield; after-tax earnings

productos netos de explotación, net operating income

productos netos financieros, total net revenue

productos netos totales, total net revenue

productos obtenidos, interest revenues; financial margin

productos paralelos, joint products

productos relacionados, allied products

productos residuales, derivatives; derivative products; by-products (by-products = byproducts); byproducts (byproducts = by-products)

productos secundarios, derivative instruments

productos semielaborados, intermediate goods

productos sintéticos, synthetic securities

productos varios, non-operating earnings; other income; miscellaneous income

productos y servicios especializados más importantes, major products and services

profesión (col.), business (n.); commerce (n.); trade (n.)

profesional (n. & adj., masc. & fem.), professional

profeta del pasado (col.), Monday morning quarterback (col.)

proforma (adj., masc. & fem.), pro forma (pro forma = proforma) (adj.); proforma (proforma = pro forma) (adj.); preliminary (adj.); previous (adj.)

programa (n. masc.), program (n.); programme

programa bancario internacional, international banking facilities (IBF); IBF (ab. = international banking facilities)

programa de activación, activation program

programa de actuación, blueprint

programa de adquisiciones, acquisition program

programa de capacitación, training program

programa de captación (clientes, socios, etc), acquisition program

programa de concienciación, awareness program

programa de conversión, conversion program

programa de divulgación, awareness program

programa de formación, training program

programa de formación profesional para empleados, employee training program; staff training program

programa de integración, integration program

programa de inversiones, investment program

programa de metas a alcanzar, schedule (n.); program (n.)

programa de ordenador, computer program

programa de principios (col.), platform

programa de vencimientos, maturity schedule; schedule of maturities

programa formativo, training program

programa heurístico (comp.), heuristic program (comp.)

programa informático pirateado (ilegalmente copiado y cedido-vendido), bootleg software

programa objeto (comp.), object program (comp.)

programa sin (un) patrocinador, sustaining program

programa-filtro (comp.), program package (comp.); edit package (comp.)

programación de computadoras (LA), programming (comp.); computer programming

programación de la producción, production schedule

programación de ordenadores (Esp.), programming (comp.); computer programming

programación informática, programming (comp.); computer programming

programación lineal, linear programming

programador, computer programmer

programador (n.), programmer

programar, schedule (v.); program (v.)

programas de explotación interna, internal operating programs

programas de utilidad(es) (comp.), utility programs (comp.); utility software (comp.)

programas interrelacionados (comp.), interrelated programs (comp.)

progresar, progress (v.)

progresión, sequency (sequency = sequence); sequence (sequence = sequency); progression

progresión aritmética, arithmetic progression

progresión de las morosidades pendientes de cobro, aging of nonperformings

progresión del beneficio neto consolidado, growth rate in consolidated net income

progresivo, progressive (adj.); serial (adj.); sequential (adj.)

progreso(s), behaviour (US: behaviour = behavior); development(s); deportment

progresos en la lucha contra el narcotráfico, developments in anti-drug traffic

prohibición (n. fem.), banning; ban; prevention; prohibition

prohibida la venta, not for resale

prohibir, prohibit (v.); ban (v.)

prolegómeno, prolegomenon (pl. prolegomenon = prolegomena)

proletariado, proletariat

proletario (n. & adj.), proletarian

prolongado (que exige la dedicación de mucho tiempo), time-consuming (adj.)

promedio, average (n.); damage (n.)

promedio (n.), mean (n. & adj.); average

promedio anual, average for the year

promesas de cortesía, token promises

promesas de mero formulismo, token promises

prometedor (adj.), promising

prometedor (n.), promiser (promiser = promisor); promisor (promisor = promiser)

promoción, promotion

promoción comercial, merchandising

promoción de ventas, sales promotion

promoción del comercio exterior, foreign trade development

promoción jerárquica, raise

promoción por antigüedad, advance in seniority

promocionar (escalafón, ventas, etc.), boost (v.); momentum (n.); enhance (v.); optimize (v.); improve (v.); promote (job, sales, etc.) (v.)

promociones (de categoría profesional), staff promotions

promotor, sponsor (n.); promote

promotor inmobiliario, property development company; property developer; developer

promotora inmobiliaria, property development company; property developer; developer

promover, sponsor (n. & v.); promote

promover el comercio transfronterizo, promote transborder trade

promover los contactos, promote liaison

promover un objetivo, promote an objective

promulgación, promulgation

promulgación de un real decreto, promulgation of a royal decree

promulgar, promulgate

promulgar un decreto-ley, promulgate a decreee-law

promulgar una normativa, issue a ruling

pronóstico, forecast

pronóstico interpretativo, interpreting forecast

pronóstico para el futuro, prognosis (pl.: prognosis = prognoses)

pronóstico sobre ventas, sales forecast

pronósticos, forecasting

pronósticos optimistas, optimistic forecasts

pronunciar un discurso, deliver a speech

pronunciar una conferencia, deliver a lecture

propaganda (política), propaganda (political)

propaganda (publicitaria), publicity; advertising

propaganda de relleno (incluida en sobres, carpetas, etc.), stuffing

propensión al estancamiento económico, propensity to economic stagnation

propensión marginal hacia el consumo, marginal propensity to consume

propensión media al consumo, average propensity to consume

propiedad, property

propiedad (n. fem.)**,** demesne; ownership

propiedad adquirida, acquest

propiedad apartada de la residencia del propietario, absentee's ownership

propiedad colectiva, collective ownership; estate in common

propiedad colindante, coterminous property; abutting property

propiedad contingente, contingent estate

propiedad estatal, public ownership

propiedad exclusiva de, wholly-owned (adj.)

propiedad horizontal, condominium; common ownership; joint ownership

propiedad inmobiliaria (n. fem.)**,** estate (n.); landed estate; lands; real estate; bona immobilis (Lat.); realty; real property; immovables; heritables; real chattels

propiedad intelectual, copyright

propiedad mancomunada, collective ownership; estate in common

propiedad municipal, public ownership

propiedad no embargada, unattached property

propiedad patrimonial, equity (capital); proprietorship; patrimony; capital funds; common equity; stockholders´ equity (GB: stockholders´ = shareholders´); shareholders´ equity (US: shareholders´ = stockholders)

propiedad presunta, reputed ownership

propiedad privada, private property

propiedades de un absentista, absentee's ownership

propiedades inmobiliarias, property

propiedades inmobiliarias realizables, realizable property

propietaria (n. fem.)**,** proprietress (n. fem.; masc.: proprietress = proprietor) (US)

propietario, owner

propietario (co)lindante, abutter; adjoiner

propietario (US)**,** proprietor (n. masc..; fem.: proprietor = proprietress) (US); proprietary (pl.: proprietary = proprietaries) (US)

propietario absoluto, freeholder

propietario en derecho, legal owner

propietario registrado, owner of record

propietario registrado de las acciones, shareholder of record (US: shareholder = stockholder); stockholder of record (GB: stockholder = shareholder)

propietario vitalicio, life tenant

propinar el golpe de gracia, give the quietus

propio (adj.), own

proponente, applicant; petitioner; patron; proposer; propounder

proporción del ahorro, savings ratio

proporción inversa, inverse ratio

proporcional (adj., masc. & fem.), proportional

proporcionalmente, pro rata

proporcionar, supply; furnish

proporcionar información, provide information

proposición, proposition

proposiciones variopintas (Esp., col.), ragtag collection of proposals (col.)

propósito, aim (n.); purpose; final cause; target

propósito oculto, underlying target

propuesta, tender (n.); offer (n.); proposal (n.); submission (n.)

propuesta de cooperación congelada, deep-frozen cooperation proposal

propuesta de distribución de beneficios, proposed distribution of earnings

propuesta en firme, firm offer

propuestas abiertas, open bids

prorrata, pro rata

prorratear, average (v.); prorate (US, v.)

prorrateo, apportionment; proration

prórroga, renewal; extension; respite; rollover

prórroga a la licencia de importación, import licence extension (US: licence = license)

prórroga concedida, forbearance; days of grace; grace period

prorrogado, deferred; delayed

prorrogar, extend

prorrogar un crédito, renew a loan

prorrogar un plazo establecido, extend a deadline

pros y contras, pros and cons

proscribir, outlaw

proscrito (n.), outlaw

prospección del entorno, feeler

prospecto, prospectus

prospecto informativo (detalles de una emisión), prospectus

prospecto informativo de nueva emisión, red herring (US, col.)

próspero, wealthy

próspero (adj.), successful (adj.)

protagonista (p.ej., **en préstamos bancarios sindicados),** major player (p.ej. in syndicated bank loans)

protección (n. fem.), cushion; protection

protección al consumidor, consumer protection

protección contra la amortización anticipada, call protection

protección para cubrir un riesgo de inversión, hedging

proteger, advocate (v); defend; protect

proteger los datos personales de los clientes, protect customers´ personal data

protegido contra la humedad, damp-proof

protegido frente a, covered against

protegido por la ley de propiedad intelectual, be copyright (©); © (ab. copyright)

protesta, complain (n.); protest (n.)

protesta (manifestación reivindicativa) (n. fem.), demonstration

protestar, complain (v.); protest (v.)

protesto, complain (n.); protest (n.)

protesto de efectos impagados, protest of dishonoured drafts (US: dishonoured = dishonored)

protesto de un efecto por impago, noting

protesto de una letra, noting

protestón, ratbag (GB, col.)

protocolizar, register (v.); record (v.)

protocolo (registro), register (n.); record (n.)

proveedor, stockist (US: stockist = dealer); dealer (GB: dealer = stockist); supplier

proveedor de efectos navales, ship chandler

proveer, supply; furnish

proveer de fondos, cover; coverage; hedge (v.)

provisión (de fondos), cover; coverage; hedge (n.)

provisión (n. fem.), supply

provisión de fondos, allocation of funds; provision of funds

provisión de fondos insuficiente, not sufficient funds (NSF); NSF (ab. not sufficient funds); insufficient funds

provisión genérica, general provision

provisión para amortización libre, provision for accelerated depreciation

provisión para amortizaciones, provision for depreciations

provisión para amortizaciones anticipadas, allowance for accelerated depreciation; accelerated depreciation allowance

provisión para atenciones estatutarias, provision for statutory payments

provisión para costas (Esp.), cautio pro expensis (Lat.)

provisión para cuentas dudosas, allowance for doubtful accounts

provisión para diferencias de cambio, allowance for exchange losses

provisión para el impuesto de sociedades, corporate income tax provision

provisión para fallidos, provision for bad debts; provision for credit losses; credit loss allowance

provisión para impuesto de sociedades, provision for corporate income tax

provisión para impuestos, provision for taxes

provisión para incobrables, provision for bad debts; provision for credit losses; credit loss allowance

provisión para insolvencias, provision for bad debts; provision for credit losses; credit loss allowance

provisión para pensiones, provision for pensions

provisión para riesgo-país, allowance for country risk; provision for country risk

provisión para saneamientos, provision for writedowns; writedown provision

provisión para saneamientos de la cartera de valores, provision for writedown of securities portfolio

provisional (adj., masc. & fem.), acting (adj.); provisory (adj.); make-do (adj.); make-shift (adj.); interim

provisiones adecuadas, adequate reserves

provisiones brutas, gross provisions

provisiones disponibles (tras resolución satisfactoria de los créditos, released provisions (upon satisfactory settlement of related loans)

provisiones genéricas, general allowances

provisiones libres de impuestos, tax-free provisions

provisiones mínimas obligatorias, minimum mandatory provisions

provisiones netas, net provisions

provisiones no sujetas a tributación, tax-free provisions

provisiones obligatorias, mandatory provisions

provisiones para insolvencias y riesgo-país, allowance for credit losses and country risk

provisiones para reservas, provision to allowances

provisiones y saneamientos, provisions and writedowns

provisorio, acting (adj.); provisory (adj.); make-do (adj.); make-shift (adj.); interim

provocar un escándalo, cause an scandal

próximo pasado (ab. **p/pdo.),** ultimo (ab. ult.); ult. (ab. = ultimo)

proyectar, project (v.)

proyecto, project (n.)

proyecto de contrato, draft contract

proyecto de ley sobre diversos asuntos, omnibus bill

proyecto financiable por los bancos, bankable project

proyecto susceptible de financiación bancaria, bankable project

prudencia razonable, reasonable care

prueba de aptitud, aptitude test

prueba de la deuda contraída, evidence of indebtedness

prueba de la pérdida, proof of loss

prueba de mercado, market test

prueba documentada, documentary proof

prueba documental, documentary proof

prueba instrumental, exhibit; annex(e); appendant; addendum (pl. Lat. = addenda); appendix (pl. = appendixes, appendices)

prueba testifical, evidence (n.); piece of evidence

prueba testimonial, testimonial evidence

pruebas (p)sicológicas, psychological tests

pruebas aisladas, test checks

pruebas contables, accounting evidence

pruebas selectivas, test checks

publicar a bombo y platillo (Esp., col.), razzmatazz

publicar un mentís, issue a denial

publicidad, publicity; advertising

publicidad convencional (n. fem.), above-the-line advertising

publicidad de intriga, teaser advertising

publicidad impresa, printed matter

publicidad por contacto directo, one-to-one marketing

publicidad postal personalizada, direct mailing

publicidad subliminal, subliminal advertising

puerta cortafuegos, fire door

puerto, harbour (US: harbour = harbor); port

puerto de descarga, port of discharge

puerto de amparo, port of distress

puerto de arribada forzosa, port of distress

puerto de embarque, port of loading

puerto de entrega, port of delivery

puerto de llegada, port of delivery; port of arrival

puerto de poco calado para el transbordo de mercancías, shallow(-draft) port for the transhipment of goods

puerto de refugio, port of distress

puerto de salida, port of departure

puerto franco, free port; open port

puesta a cero, reset

puesta a cero automática, automatic reset

puesta al día, update

puesta efectiva en libertad bajo fianza, actual bailment

puesta en equivalencia, application of the equity method

puesta en funcionamiento, coming into force; enforcement

puesta en marcha, implementation

puesto, booth

puesto (de trabajo), job (human resources)

puesto (de trabajo) compartido, job sharing

puesto al costado del barco, DEQ (ab. delivered ex quay); delivered ex quay (DEQ); alongside (AS); AS (ab. alongside); ex dock; ex pier; ex quay; free alongside vessel (FAS vessel / ship); FAS vessel (ab. free alongside vessel / ship)

puesto al día, updated

puesto clave, key job; key assignment

puesto de cambio de divisas, exchange office

puesto de consejero interventor, trusteeship (assignment)

puesto de titulado, graduate rated post

puesto de trabajo, post (n.); emloyment; job (n.); service; location

puesto de trabajo fijo, regular job

puesto directivo, managerial post; managerial assignment

puesto en libertad bajo fianza, be remanded on bail; be on remand; be on bail

puesto que, whereas; having regard to; since

puestos directivos, senior posts

puja, bid (n.); takeover bid

puja competitiva, competitive bid

puja no competitiva, non-competitive bid

pujador, bidder; offerer; outbidder

pujar, submit a tender for; bid (v.)

pujar a la baja, bid down

pujar al alza, bid up

pulsación sobre el teclado, keystroke

punible, actionable

punible (adj., masc. & fem.), sanctionable (adj.); punishable (adj.)

punta (lo más reciente) (col.), state-of-the-art

puntear, tick

puntear los comprobantes, check vouchers

puntero (comp.), flying spot (comp.)

punto donde el fabricante salda sus restos de serie o muestras, factory outlet

punto "swap", swap point

punto (unidad mínima de medida de fluctuación), tick

punto base, basis point (BP); BP (ab. basis point)

punto básico (0,01%), basis point (BP); BP (ab. basis point)

punto bursátil, point

punto de bifurcación, branchpoint

punto de encuentro, point of meeting; meeting point; checkpoint

punto de equilibrio, decline (n.); drop (n.); decrease (n.); setback; deadlock; standstill; stasis; stagnancy; stagnation; breakeven point

punto de intersección entre tendencias, apex (pl. = apexes, apices); apexes (sing. apex); apices (sing. apex)

punto de intervención, intervention point

punto de partida, threshold; point of departure

punto de protección, stop point

punto de referencia, benchmark

punto de reunión, point of meeting; meeting point; checkpoint

punto de venta, point of sale (POS); POS (ab. point of sale); outlet; sales outlet; merchant outlet

punto de vista, standpoint; point of view

punto desplazable (comp.), flying spot (comp.)

punto flotante, floating point

punto mínimo de la recesión, trough of the recession

punto muerto, decline (n.); drop (n.); decrease (n.); setback; deadlock; standstill; stasis; stagnancy; stagnation; breakeven point

punto porcentual, percentage point

punto separador de decimales (equivalente a la coma), point

puntos a tratar, agenda

puntuación, score

puntualidad, timekeeping

puntuar, score

pusilánime (Esp., col.), soft touch (col.)

put de cobertura, protective put

PYMAS (Esp., ab. **pequeños y medianos agricultores),** yeomanry

PYMES (ab. **pequeñas y medianas empresas)** (Esp.), small and medium-sized companies (SMSCos); SMS Cos. (ab. small and medium-sized companies)

Q

que aparece mensualmente, monthly

que aquí se recoge, hereunder

que conste en acta, let the records show

que contiene, según declara el cargador, said by shipper to contain

que cotiza en Bolsa, listed

que da derecho a pensión, pensionable (adj.)

que más abajo se cita, as referred to below; undermentioned

que más arriba se cita, aforesaid; aforementioned; aforenamed; as referred to above; before-written; before-mentioned; above-cited; above-mentioned (a/m); above-said; a/m (ab. above-mentioned)

que no cotiza, unlisted

que no devenga interés, non-interest bearing (adj.)

que no ejerce el (derecho al) voto, non-voting (adj.)

que no está en regla, not in order

que no vota, non-voting (adj.)

que nosotros sepamos, as far as we know

que sale, outward bound

que se expresa en inglés con fluidez, fluent in English

que se maneja bien en inglés (col.), fluent in English

que tiene (un) olfato muy fino (masc. & fem.), sharp-nosed (adj.)

que, conforme declara el cargador, contiene, said by shipper to contain

quebrado, bankrupt; shipwrecked (col.); insolvent

quebrado rehabilitado, certified bankrupt

quebrado simple, simple fraction

quebranto, wastage; ullage; loss

quebrantos debidos a falsificaciones, counterfeit losses

quebrantos emanantes de operaciones cambiarias, exchange losses

quebrantos por delitos contra la propiedad, losses through vandalism

quebrar, become bankrupt; fail (become bankrupt); go into bankruptcy; go into receivership; crack (v., col.)

quedar a la espera de, look forward to

quedar bajo apercibimiento de, bind over

quedar bajo custodia, bind over

quedar bajo prisión preventiva, be remanded on custody

quedar cesante por reajuste de plantilla, be redundant

quedar despedido, be fired (col.); be given the sack (col.); get the push (col.); get the bullet (GB, col.); get the axe (col.)

quedar despedido por reducción de plantilla, be redundant

quedar detenido (Esp.), be taken into custody

quedar en libertad bajo fianza, be remanded on bail; be on remand; be on bail

quedar pendiente, remain outstanding

quedar sin vender, remain unsold

quedar sujeto a la jurisdicción de un tribunal, fall within the jurisdiction of a court

queja, complaint (n.); protest (n.)

queja por escrito, written complaint

quejarse, complain (v.); protest (v.)

querellante (n., masc. & fem.)**,** appellant; claimant; complainant; plaintiff; suitor

querer decir (v.)**,** mean; purport

quid de la cuestión, crux of the matter

quid del asunto (Esp., col.)**,** kernel of a matter

quid pro quo (Lat.) **(a cambio de qué),** quid pro quo (Lat.)

quiebra, bankruptcy; failure (bankruptcy); insolvency; crack (n., col.); crash (n., col.); (col.), shipwreck (n.)

quiebra bancaria, bank failure; bank crack

quiebra de hecho, de facto bankruptcy

quiebra fortuita, fortuitous bankruptcy

quiebra fraudulenta, fraudulent bankruptcy; criminal bankruptcy

quiebra involuntaria, involuntary bankruptcy

quiebra voluntaria, voluntary bankruptcy

quien se lleva el gato al agua (Esp., col.)**,** dark horse (US, col.)

quien tiene por mote (Esp., col.)**,** alias dictus (Lat.); also known as (AKA); AKA (ab. also known as)

químicas (valores bursátiles), chemicals

quincallería, dry goods

quince, fifteen

quincenal, biweekly

quinquenio, five-year period

quinto, fifth

quinzavo, fifteenth

quita, release (n.); acquitment; discharge (n.); quittance; relief; acquittance; apocha; receipt in full; satisfaction

quita (condonación parcial de deuda), partial acquittance

quitar (de un puesto), remove (v.)

quitar (separar), detach

quitar (suprimir), remove (v.)

quitar del texto, suppress from the wording

quitarle a un jefe sus poderes, bajándole de categoría, reduce to the ranks (col.)

quitarse de enmedio a los competidores, mop competitors (col.)

quórum, quorum

R

racimo, cluster

racional, rational

radiopatrulla, police car

raíz cúbica, cube root

ralentizar, decelerate

ramificaciones de las organizaciones dedicadas al blanqueo, ramifications of laundering organizations

ramo de comercio, staple

rancho ganadero, cattle ranch (US)

rango, rank (n.); category; standing; state (n.); status (pl. status = statuses)

rango profesional, professional level; professional rank

ranura de inserción (monedas, tarjetas, etc.), slot

rapacidad, rapacity

raptar, kidnap (v.)

rapto, kidnapping; kidnap (n.)

rapto con violación, rape

rascarse el bolsillo (Esp., col.)**,** loosen the purse (col.); cough up (col.)

rastrillo (Esp.)**,** flea market (col.)

rastro (Esp.)**,** flea market (col.)

rata (col.)**,** rat

ratear, pilfer; purloin; steal (stole, stolen) (v.)

ratería, pilferage; larceny; petty larceny; petty theft; abstraction

ratero (Esp., col.)**,** thief; burglar

ratero de tiendas, shoplifter

ratificación, ratification

ratificar, ratify

ratificar un convenio, confirm an arrangement

ratio, coefficient; index; quotient; rate (n.); ratio; reason (ratio)

ratio "spread" (opciones), spread ratio (options)

ratio (de) gastos-beneficio, expense to income ratio

ratio alfa, alpha ratio

ratio beta (beta = ß), beta coefficient (beta = ß); ß coefficient (ß = beta); beta ratio (beta = ß); ß ratio (ß = beta); volatility degree

ratio bursátil, stock ratio

ratio de cobertura, hedge ratio

ratio de conversión, conversion ratio

ratio de desempleados, unemployment rate

ratio de endeudamiento, debt ratio

ratio de explotación, operating ratio

ratio de gastos, expense ratio

ratio de inmunización, hedge ratio

ratio de inversión, investment ratio

ratio de productividad, productivity ratio

ratio de rendimiento, alpha ratio

ratio de rentabilidad, profitability ratio

ratio de rentabilidad media, average profitability ratio

ratio de tesorería, acid-test ratio; liquidity ratio

ratio de valores en alza/baja durante un período concreto, advance-decline ratio

ratio de volatilidad, beta coefficient (beta = ß); ß coefficient (ß = beta); beta ratio (beta = ß); ß ratio (ß = beta); volatility degree

ratio precio/beneficio (RPB), PER (ab. price/earnings ratio); price/earnings ratio (PER)

ratio reservas/depósitos, reserve ratio

ratio ß (ß = beta), beta coefficient (beta = ß); ß coefficient (ß = beta); beta ratio (beta = ß); ß ratio (ß = beta); volatility degree

ratón (comp.)**,** mouse

razón (motivo), background; motivation; reason (n.)

razón (ratio) (n. fem.)**,** coefficient; index; quotient; rate (n.); ratio; reason (ratio)

razón de explotación, operating ratio

razón directa, direct ratio

razón inversa, inverse ratio

razón justificativa, answer (n.); reply (n.)

razón social, firm; firm´s name; firm´s title; corporate name

razón última por la que se asumen riesgos crediticios, latest reason for undertaking credit risks

razonable (adj. masc. & fem.)**,** reasonable

razonamiento, argument(ation)

razonamiento indiscutible, open-and-shut reasoning

razonar, background; motivation; reason (n. & v.)

razones, rationale

razones normales entre gastos y utilidades, normal ratios of classified expenses and profits to sales

RBG (ab. **renta bruta generada),** gross added value (GAV); GAV (ab. gross added value)

rbo. dpto. al port. (ab. **recibo de depósito al portador),** bearer depository receipt (BDR); BDR (ab. bearer depository receipt)

re(e)structuración, realignment; restructuration

re(e)structuración de la deuda, debt restructuring; restructuration of debt

reacio a aportar nuevos fondos, shy of granting fresh funds

reacondicionamiento de una sucursal, branch refitting

reacondicionar una sucursal, refit a branch office

reactivación económica, economic recovery; economic upswing

readaptarse a las nuevas circunstancias del entorno, readjust to the new environmental circumstances

readquirir, repurchase (v.); buyback (v.)

reafirmación, reassurance

reafirmar, reaffirm; reassert; reinforce (an argument); reassure

reajustar el montante, write down

reajustar los salarios actuales, realign current salaries; readjust current wages

reajuste, realignment; restructuration

reajuste de los salarios actuales, realignment of current wages; readjustment of current wages

real, actual

real decreto, royal decree

Real Tesorería (GB)**,** Exchequer (GB)

realidad palpable, matter of fact

realineamiento, realignment; restructuration

realista (adj., masc. & fem.)**,** realistic (adj.)

realizable, marketable

realizable a corto, current assets; circulating capital; working assets; floating assets; liquid assets

realización (n. fem.)**,** realization; achievement(s)

realización (venta), abalienation; divestiture

realización de activos, asset disposal

realización de bienes inmobiliarios embargados, realization of seized property

realización de existencias, realization of stocks

realizar, sell out

realizar (venta), divest; abalienate; hive off (col.); sell

realizar inversiones excesivas, overinvest

realizar operaciones con el Banco ..., bank with

realizar operaciones mercantiles, trade (v.); deal (v.); transact (v.); market (v.)

realizar un gran alarde publicitario, razzmatazz

realizar un seguimiento, control (v.); monitor (v.); supervise (v.)

realizar un sondeo, survey (v.)

realizar una disposición de efectivo (Esp.), draw money (from)

realizar una emisión, float an issue

realizar una llamada telefónica, phone (col.) (v.); telephone (v.); ring up (col.) (v.)

realizar una nueva disposición con cargo al crédito, reborrow

realizar una votación a mano alzada, record a vote

reanudación del crecimiento, resumption of growth

reanudar, recommence

reanudar las actividades en los países del Este, reopen activities in Eastern countries

reapertura de libros, reopening of books

reasegurar, reinsure

reaseguro, reinsurance

reaseguro facultativo, facultative reinsurance

reaseguro prorrateado, participating reinsurance

reavivar las presiones, refuel pressures

rebaja, abatement; rebate (n); discount (n); allowance; abating; trim (n.); refund (n.); refunding; reimbursement

rebaja de impuestos, abatement of taxes

rebaja de la fiscalidad aplicable, tax relief; tax deduction; tax abatement

rebaja de precio, markdown

rebaja en el tipo de descuento, cut in discount rates

rebaja por (deducción de la) tara, allowance for tare

rebajado, cut-price

rebajar, discount (v.); rebate (v.); deduct; abate; disencumber

rebajar a simples trabajos de oficina, demote to plain clerical work

rebajar el valor, write down

rebajar ligeramente el precio, shade (col.)

rebajas (Esp.), bargain sale

rebajas de fin de año, year-end sale

rebajas por liquidación (Esp.), sell-off

rebajas y descuentos sobre ventas, allowance and discounts on sales

rebasar un crédito, overdraw a credit

rebatir, contest; disprove; deny

rebelarse contra las prácticas bancarias tradicionales, kick against traditional banking practices

rebelde, defaulter

recabar (la prestación de) servicios bancarios, request banking services

recabar el voto, poll (v.)

recabar fondos, procure money

recalentado (adj.), overheated

recalentamiento, overheating

recalentamiento económico, economic overheating

recapitalización, recapitalization

recapitalizar, recapitalize

recapitulación (resumen), brief (n.); briefing (n.); excerpt (n.); memorandum (memo); memo (ab. memorandum) (col.); recap (col.); summary; abridg(e)ment; digest (n.)

recapitular, condense (v.); abridge (v.); recap (col.) (v.); summarize (v.); synthesize

recargar un programa, reload a program

recargar una aplicación informática, reload a program

recargo, surcharge (n.); overcharge (n.); overdebit (n.); additional tax; surtax (n.)

recargo por demora, fine (n.); penalty

recargo por infracción, fine (n.); penalty

recargos compensatorios, compensating duties

recaudación de impuestos, collection of taxes; tax collection

recaudación en origen, collection at source; withholding at source

recaudador de contribuciones, tax collector; collector of taxes

recaudador de impuestos, tax collector; collector of taxes

recaudador de rentas internas, collector of internal revenue

recaudar, collect

recaudar fondos, raise funds

recaudar impuestos, collect taxes

recelar, suspect (v.)

recelo, distrust

receloso de un nuevo cliente, shy of an unknown customer

recepción de documentos, arrival of documents

recepcionar (mercancías robadas), receive

receptador de objetos robados, dealer in stolen goods

receptor, recipient

receptor de la mercancía, consignee

receptor de una promesa, promisee

recesión, decline (n.); drop (n.); decrease (n.); setback; deadlock; standstill; stasis; stagnancy; stagnation; breakeven point

recesión internacional, international recession

receso, recess

recibí (recibo) (Esp.), pay-in slip; payment received; collected payment

recibir a cambio, receive in exchange

recibir indemnización por daños y perjuicios, recover damages

recibo, invoice (US: **invoice** = **bill**) (n.); bill (GB: **bill** = **invoice**) (n.); receipt (n.)

recibo de a bordo, mate´s receipt (MR); MR (ab. mate´s receipt); ship´s receipt

recibo de caja, cash voucher

recibo de caja chica (LA), petty cash voucher

recibo de depósito al portador (rbo. dpto. al port.), bearer depository receipt (BDR); BDR (ab. bearer depository receipt)

recibo de ingreso tributario, tax receipt

recibo de pago del impuesto catastral, real estate tax receipt

recibo de transitario para el banco, banking receipt

recibo de transporte ferroviario de mercancías, railway bill of lading (GB; ab. railway B/L); railway B/L (GB; ab. railway bill of lading); railroad bill of lading (US; railroad B/L); railroad B/L (US: ab. railroad bill of lading)

recibo de venta, sales draft; sales bill; sales check; sales slip

recibo del transitario, forwarder´s receipt

recibo domiciliado, domiciled bill (US: bill = draft); domiciled draft (GB: draft = bill)

recibo fiduciario, trust receipt

recibo impagado, dishonoured bill (US: dishonoured = dishonored)

recibo pagado, honoured bill (US: honoured = honored)

reciclado, recycling

reciclaje, recycling

reciclar, recycle

recién llegado, Johnny-come-lately (col.)

recinto de almacenaje controlado, controlled storage room

reciprocidad, reciprocation; reciprocity

recíproco, mutual

reclamación (recordatorio), tickler (col.); reminder

reclamación de indemnización, claim for indemnification

reclamación de reembolso de gastos de viaje, travel claim; claim for reimbursement of travel expenses

reclamación de tercero sobre bienes embargados, adverse claim

reclamación fraudulenta, false claim

reclamación por daños, action (court); application; claim; complaint; petition; request; requisition; appeal; motion

reclamación por fraude, bill for fraud

reclamaciones a cobrar, claims receivable

reclamante (n., masc. & fem.), appellant; claimant; complainant; plaintiff; suitor

reclamar, complain (v.); protest (n. & v.)

reclamar (por) daños, claim damages; lay damages

reclamo publicitario, advertisement (ad); ad (ab. advertisement)

reclasificaciones contables, accounting reclassifications

recobrar, recover (v.); rebound (v.)

recomendación, recommendation

recomendación (consejo), advice

recomendación de compra, buy (n.)

recomendación interesada de compraventa de un valor bursátil, tout (col.)

recomendar, recommend

recompensa, bonus (n.); prize (n.); reward (n.); premium (pl.: premium = premiums / premia)

recompensa por servicios prestados, requital for services rendered

recompensar, bonus (v.); prize (v.); reward (v.)

recompra de "puts" a cada vencimiento, roll over

recomprar, repurchase (v.); buyback (v.)

reconocer, recognize

reconocer (admitir), avow; avouch; depose

reconocer la firma, verify the signature

reconocer una deuda, recognize a debt

reconocer una firma, witness a signature; acknowledge a signatory; acknowledge a signature

reconocer(se), acknowledge; acknowledge receipt

reconocerse autor de la comisión de un acto delictivo, admit wrongdoing

reconocerse culpable de un delito, admit wrongdoing

reconocerse deudor, recognize a debt

reconocimiento de deuda, confession of indebtedness

reconocimiento de firmas, authentication of signatures

reconocimiento de la deuda contraida, acknowledg(e)ment

reconocimiento por las partes, recognition by the parties

reconsideración de sanción administrativa, judicial review (US)

reconsideración de una propuesta, reconsideration of a proposal

reconsiderar, reassess; reconsider

reconstrucción de la economía, economic rebuilding

reconstrucción del atraco, reenactment of the robbery

reconvenir, apperceive; admonish

reconversión de un empréstito, refunding of a loan

recopilar, assemble (v.); compile (v.)

recordatorio (de reclamación) urgente, urgent reminder

recordatorio (n.), prompt

recordatorio (reclamación), tickler (col.); reminder

recordatorio de vencimiento, maturity tickler

recorrido de una variable, range (n.)

recortar, curtail (v.); trim (v.); cut down (v.); restrain (v.); restrict (v.)

recortar (los) presupuestos, trim budgets

recortar el gasto, cut down expenditure; trim expenditure; trim expenses; keep down expenses

recorte de prensa, press clipping

recorte del suministro, supply shortage

recorte presupuestario, budget cut

rectificar, amend (v.); correct (v.); rectify (v.)

rectificar la fecha, redate

rectitud de comportamiento, rectitude of behaviour (US: behaviour = behavior)

recuento, re-count; second count; tally; checkout

recuento de caja, cash audit; cash count; cash gauging (col.); cash proof; checking of cash

recuperable (adj., masc. & fem.), recoverable; salvageable (adj.)

recuperable del fisco, receivable from the tax administration

recuperación, rally; recovery; strengthening; upswing; upturn

recuperación de activos en suspenso, loan loss recoveries

recuperación de créditos dudosos, recovery of nonperforming loans

recuperación de créditos dudosos amortizados como fallidos, charge off recoveries

recuperación de dudosos, bad debt recovery

recuperación de fallidos, bad debt recovery

recuperación de fallidos amortizados, recovery of bad debts written off

recuperación de información, information retrieval (comp.)

recuperación de la inversión, return of investment

recuperación de los precios, rally in prices; recovery of prices; price recovery

recuperación de morosidades, bad debt recovery

recuperación del PIB (Producto Interno Bruto), recovery of GDP (Gross Domestic Product)

recuperación del PIB, GNP recovery

recuperación del PNB (Producto Nacional Bruto), recovery of GDP (Gross Domestic Product)

recuperación económica, economic recovery; economic upswing

recuperación económica mundial, world economic recovery

recuperación moderada, moderate rally

recuperaciones de fallidos ya amortizados, charge off recoveries

recuperar, recover (v.); rebound (v.)

recuperar daños y perjuicios, recover damages

recuperar la posesión, repossess

recuperarse, recover (v.); rebound (v.)

recurrente, recurrent

recurrente (n., masc. & fem.), appellant; claimant; complainant; plaintiff; suitor

recurrir, appeal (v.); appellate; petition (v.); file an application with

recurrir a, resort to

recurrir a alguien, come back on someone

recurrir al avalista, resort to surety

recurrir en casación, appeal for annulment (v.)

recurrir en reposición, appeal for reversal (v.)

recurrir una decisión, appeal a decision

recurso, action (court); application; claim; complaint; petition; request; requisition; appeal; motion

recurso (apelación), appeal (n.); claim of recourse; recourse; remedy

recurso a información útil almacenada en las bases de datos existentes, data mining

recurso a los mercados de capitales, securitization; disintermediation

recurso a los tribunales competentes, recourse to competent courts

recurso al exterior, outsourcing

recurso contencioso administrativo, action against administration

recurso de casación, appeal for annulment

recurso de emergencia, fallback

recurso de enmienda, appeal for amendment (n.)

recurso de inconstitucionalidad, judicial review (US)

recurso de reforma, appeal for amendment

recurso de reposición, appeal for reversal

recurso efectista, hokum (US)

recursos a corto (plazo), short-term funds

recursos adicionales, additional funds

recursos ajenos, deposits

recursos ajenos (depósitos), customers´ deposits

recursos ajenos utilizados, borrowings

recursos alternativos, alternative relief

recursos cautivos, captive funds

recursos de clientes, customers' deposits; due to customers; customers´ funds

recursos de clientes en divisa, customers' foreign currency deposits

recursos de clientes traspasados a euros, customers' peseta deposits translated into euros

recursos de disponibilidad inmediata, immediately available funds

recursos de inmediata disponibilidad, floating money; money on hand; ready money; cash available; cash (on hand)

recursos de pesetas de residentes en España convertidos en euros, Spanish-resident peseta deposits translated into euros

recursos de terceros, borrowed funds

recursos disponibles, available funds; funds available; funds in hand

recursos en pesetas procedentes del sector privado traspasados a euros, private-sector peseta deposits translated into euros

recursos financieros, finance (n.); financial resources

recursos financieros aportados por bancos extranjeros, financial resources supplied by foreign banks

recursos generados, cash flow; cashflow

recursos generados brutos, gross cashflow

recursos generados por acción, cash flow per share (CFPS.); CFPS (ab. cash flow per share)

recursos internos, internal resources

recursos líquidos, liquid resources

recursos medios, average funds

recursos medios ajenos, interest-bearing liabilities

recursos medios de clientes, average customer deposits

recursos naturales, natural resources

recursos no aplicados, idle capital; dead capital

recursos no rentables, idle capital; dead capital

recursos propios, equity (capital); proprietorship; patrimony; capital funds; common equity; stockholders´ equity (GB: stockholders´ = shareholders´); shareholders´ equity (US: shareholders´ = stockholders)

recursos propios a fin de año, equity at year-end

recursos propios contables, book equity

recursos propios de la sociedad, equity (capital); proprietorship; patrimony; capital funds; common equity; stockholders´ equity (GB: stockholders´ = shareholders´); shareholders´ equity (US: shareholders´ = stockholders)

recursos propios de los accionistas, equity (capital); proprietorship; patrimony; capital funds; common equity; stockholders´ equity (GB: stockholders´ = shareholders´); shareholders´ equity (US: shareholders´ = stockholders)

recursos propios medios, average equity

recursos propios medios y recursos totales medios, average stockholders' equity and average total funds

recursos propios mínimos, minimum stockholders´equity

recursos propios tangibles, tangible equity; tangible net worth

recursos propios totales, total equity

recursos tomados a préstamo, borrowed funds

recursos y empleos, assets and liabilities; assets and funds; borrowing and lending; funds and assets

recusar, complain (v.); protest (v.)

rechazable, refusable

rechazar, reject; disallow

rechazar el pago, refuse payment

rechazar el pago de un cheque, dishonour a cheque (US: cheque = check); dishonor a draft (US)

rechazar toda relación con, disclaim any connection with

rechazar una apelación, reject an appeal

rechazar una invitación a licitar, decline an invitation to tender

rechazar una letra, refuse a draft

rechazar una moción, defeat a motion

rechazar una operación, turn a business away

rechazo, denial; disavowal

rechazo a cooperar en actividades de blanqueo de capitales, reluctance to cooperate in money laundering activities

rechazo de plano, flat refusal

rechazo total, flat refusal

red, network

red de agencias urbanas, city branch network

red de circuitos, circuitry

red de comunicaciones privada, leased line network

red de distribución, distribution network

red de oficinas urbanas, city branch network

red de rutas marítimas, network of shipping routes

red de sucursales, branch network

red de sucursales urbanas, city branch network

redacción engañosa de un contrato, misleading wording of an agreement

redacción que induce a errores de interpretación, ambiguous grammar

redactado con veracidad, truthfully worded

redactar de nuevo, redraft (v.)

redactar un contrato, draw up an agreement

redactar una nota, make a note; draft a note

redención (n. fem.), amortization; depreciation; redemption; ransom

redención adelantada, accelerated amortization; reducing-balance depreciation; accelerated depreciation

redención de la deuda, retirement of debt

redención de pagarés, amortization of notes

redención de un bono, call (n.); process (n.); subpoena; summons; procedure

redención de un crédito, amortization of a loan

redes bancarias paralelas, parallel banking networks

redescontar, rediscount

redescuento, rediscount

redescuento de efectos, rediscount of drafts

redescuento y endoso de efectos, rediscount and endorsement of notes

redimible, redeemable; amortizable; callable

redimir bonos, redeem bonds

redimir una hipoteca, pay off a mortgage

redistribución de recursos económicos, redistribution of economic resources

redistributivo, redistributive

rédito, revenue

redituar, accrue; accumulate; bear (v.)

redondear (cifras), round off (figures)

reducción (n. fem.)**,** abatement; rebate (n); discount (n); allowance; abating; trim (n.)

reducción de capital, capital reduction

reducción de costos, cost reduction

reducción de impuestos, tax relief; tax deduction; tax abatement

reducción de la carga tributaria, tax relief; tax deduction; tax abatement

reducción de plantilla (Esp.), job reduction

reducción de puestos de trabajo, job reduction

reducción del 10%, reduction of 10%

reducción del contenido metálico de una moneda, debasement

reducción del gasto, decrease in spending; cost cutting; cost trimming

reducción del número de empleos, job reduction

reducción del valor de un activo, dilution

reducir, curtail (v.); trim (v.); cut down (v.); restrain (v.); restrict (v.)

reducir al mínimo el riesgo de los créditos, minimize credit risk

reducir el crédito, curtail credit

reducir el importe, write down

reducir gastos, cut down expenditure; trim expenditure; trim expenses; keep down expenses; decrease spending

reducir la inflación, wind down inflation; bring inflation down; curb inflation

reducir la paridad, reduce par value

reductor del riesgo, hedger

redundante, redundant

reelección, re-election

reelegir, re-elect

reembargar, reattach

reembargo, reattachment

reembolsable, reimbursable

reembolsable dentro de 6 meses, repayable within 6 months

reembolsado, refunded

reembolsar, refund (n.); reimburse

reembolsar un crédito, pay back a loan

reembolso, refund (n.); refunding; reimbursement

reembolso adelantado, advance repayment

reembolso anticipado, advance repayment

reembolso anticipado de un préstamo, repayment of a loan before it is due

reembolso de préstamo con anterioridad a su vencimiento, repayment of a loan before it is due

reembolso operativo, optional redemption

reembolso parcial de derechos aduaneros (tráfico de perfeccionamiento), drawback

reembolso progresivo de la deuda contraida mediante pagos parciales, amortization; depreciation; redemption; ransom

reembolso voluntario, voluntary repayment

reemisión de tarjetas, card reissue

reemitir, reissue

reemplazar, alternate (v.)

reemplazar a un empleado jubilado, replace a retired employee

reestructurar, restructure

reexaminar, reassess; reconsider

reexpedir, reissue

referencia, reference

referencia bancaria, bank reference

referencia técnica, identification code

referencial (n. masc.), base rate; basic rate; reference rate

referencias de registro, registration details

referente, referent

referido, aforesaid; aforementioned; aforenamed; as referred to above; before-written; before-mentioned; above-cited; above-mentioned (a/m); above-said; a/m (ab. above-mentioned)

refinanciación, refinancing

refinanciación de la deuda, debt refinancing

refinanciar, refinance

refinanciar créditos, refinance loans

reflación, reflation

refletar, recharter

reflotar, refloat

reforma fiscal, tax reform

reformar, amend (v.); correct (v.); rectify (v.)

reformatear, reformat

reforzar (un argumento), reaffirm; reassert; reinforce (an argument); reassure

reforzar las medidas preventivas antiblanqueo, reinforce antilaundering prevention measures

refrendo, authentication; countersignature

refundir, cross-check (v.); check-up (v.); collate (v.); verify (v.)

refundir una deuda, reborrow

refutable, answerable; questionable

refutar, contest; disprove; deny

regalía (SA), royalty (pl. = royalties)

regalo, present; gift

regalo (col.), steal (n., col.)

regatear, dicker (US, col.); bargain (v.)

regateo, bargaining

régimen de propiedad horizontal, condominium; common ownership; joint ownership

régimen disciplinario estricto, regimentation

régimen penitenciario, prison regime (regime = régime)

régimen tributario, tax code

región, region

región atrasada, backward area

región desfavorecida, disadvantaged region

regionalismo, regionalism

registrable, recordable

registrable en los libros, bookable

registrador, registrar

registrador de la propiedad, registrar of deeds

registrar (buscar), search (v.)

registrar (inscribir), register (v.); record (v.)

registrar en el cronológico de actividad, log; ship´s log

registrar integralmente (con desnudo de la persona registrada), strip search

registrar los derechos de propiedad intelectual, copyright

registrar mayor volumen de ventas que, outsell

registrar una marca comercial, register a trademark

registrar una marca de fábrica, register a trademark

registrarse, book in

registro, book (n.); register (n.)

registro (anotación), entry; jotting (col.)

registro (búsqueda), search (n.)

registro (lugar / inscripción), register (n.); record (n.)

registro activo, live record

registro actualizado, updated record

registro circulante, circulating register

registro civil (Esp.), registry office; civil register

registro cronológico, log; ship´s log

registro cronológico de actividad, event file

registro de asistencias, record of attendance

registro de barcos, register of ships

registro de cabecera, header record

registro de caja chica (LA), petty cash book

registro de cobranzas, collection register

registro de cobros al contado, cash receipts journal

registro de cobros en efectivo, cash receipts journal

registro de comprobantes, voucher register

registro de créditos, credit ledger

registro de cupones a pagar, coupon book

registro de cheques, cheque register (US: cheque = check)

registro de efectos a pagar o cobrar, bill book; invoice register

registro de efectos aceptados, acceptance(s) ledger (book)

registro de excepciones, exception file

registro de facturas, bill book; invoice register

registro de gastos menores (Esp.), petty cash book

registro de incidencias, logging

registro de la propiedad hipotecaria, liber

registro de la propiedad industrial, patent office

registro de letras aceptadas, acceptance(s) ledger (book)

registro de movimientos, activity file

registro de obligaciones contraídas, commitments record

registro de operación, transaction record

registro de pagos al contado, cash disbursement journal

registro de pagos en efectivo, cash disbursement journal

registro de pólizas, voucher register

registro de transacción, transaction record

registro de transacciones (futuros, US), times and sales (futures, US)

registro en cuenta, account entry

registro enmendado, amended record

registro general de escrituras, register of deeds

registro integral (con desnudo de la persona registrada), strip-search

registro legal, recordation (office)

registro mercantil, mercantile registry; commercial registry

Registro Nacional de Extranjería, National Registry of Foreigners

registro policial, blotter (US)

registro unitario, unit record

registros, records

registros contables, accounting books; books of record; books of account; accounting records

regla, canon

regla empírica, rule of thumb

regla práctica (regla de andar por casa) (Esp., col.), rule of thumb

reglamentación, statute

reglamentación bancaria actual, current banking regulations

reglamentación de precios, price controls

reglamentación disciplinaria, regimentation

reglamentación normativa, regulations

reglamentar, regulate

reglamentario, standard

reglamento, bylaws; statutes

reglamento municipal, municipal statute

reglas, formalities (sing.: formalities = formality)

reglas de contabilidad, accounting conventions; accounting concepts; accounting regulations; accounting standards; accounting principles

reglas del juego, rules of the game

reglas estrictas, stringent regulations

regresión, regression

regresión analítica, analytic regression

regresión lineal, linear regression

regreso al puerto de salida, homeward bound

regulación de la demanda, demand management

regulación de la liquidez bancaria, bank liquidity regulation

regulador, regulator (n.); regulatory (adj.)

regular, regulate

regularización, regularization; restatement

regularizaciones contables, accounting adjustments

regularizador, adjusting (adj)

regularizar, restate

rehabilitación, rehabilitation

rehabilitación de fallido, discharge of bankrupt

rehabilitación del quebrado, bankruptcy discharge

rehabilitar, reinstate; rehabilitate

rehabilitar a un fallido, discharge a bankrupt

rehipotecar, rehypothecate

rehusar, reject; disallow

rehusar el pago, refuse payment

rehusar un efecto, refuse a draft

reincidente, repeater

reiniciar, recommence

reiniciar actividades en los países del Este, reopen activities in Eastern countries

reiniciar (restaurar), reset (comp.)

reinicio, reset

reinserción social, social reintegration; reintegration into society

reinstaurar, reinstate; rehabilitate

reintegrable a los 6 meses, repayable within 6 months

reintegrar, abatement; rebate (n); discount (n); allowance; abating; trim (n. & v.); refund (n. & v.); refunding; reimbursement

reintegrarse a las funciones activas, return to active duty

reintegro, abatement; rebate (n); discount (n); allowance; abating; trim (n. & v.); refund (n. & v.); refunding; reimbursement

reintegros anticipados, advance refundings

reinversión, reinvestment

reinversión de beneficios, reinvestment of profits

reinvertir, reinvest

reiterar, reaffirm; reassert; reinforce (an argument); reassure

reivindicación de patente, patent claim

rejuvenecer la plantilla, rejuvenate staff

relación, coefficient; index; quotient; rate (n.); ratio; reason (ratio)

relación (vinculación), association

relación activo disponible / pasivo corriente, quick ratio

relación aproximada utilidades/capital, rough profit-worth rate

relación bancaria, bank connection

relación beneficio/precio de cotización, PER (ab. price/earnings ratio); price/earnings ratio (PER)

relación beneficio/valor bursátil, PER (ab. price/earnings ratio); price/earnings ratio (PER)

relación comercial muy antigua, long-standing business relationship

relación confidencial, confidential relationship

relación coste-volumen-beneficio, cost-volume-profit relationship

relación de conversión, conversion ratio

relación de endeudamiento, debt ratio

relación de gastos, expense report

relación de igualdad entre call y put, call-put parity relationship

relación de inversión, investment ratio

relación de jornales por trabajos a destajo, time sheet

relación de letras aceptadas, acceptance(s) listing

relación de países, empresas o personas con quienes se prohíbe operar (US, Israel, etc.), blacklist (= black list) (n.); black list (= blacklist) (US, Israel, etc.)

relación de transacciones, transactions statement; statement of transactions

relación de utilidades a capital, profit-worth ratio; profit-worth rate

relación del circulante, current ratio

relación depósitos/reservas, reserve ratio

relación deteriorada, deteriorated relationship

relación deuda/recursos propios, debt ratio

relación dividendo anual/precio de cotización, share yield; stock yield (US)

relación entre acciones que avanzan y retroceden, breadth

relación entre activo disponible y pasivo corriente, acid-test ratio; liquidity ratio

relación entre cuentas al cobro y ventas a crédito, ratio of accounts receivable to credit sales

relación entre deudas y activos totales, financial gearing (US: gearing = leverage); financial leverage (US: leverage = gearing)

relación entre efectos pagados/impagados, paid/unpaid drafts ratio

relación entre gastos y beneficio, expense to income ratio

relación entre recursos propios y activos crediticios, leverage

relación entre utilidades retenidas y rendimiento líquido, ratio of earnings retained to net income

relación entre utilidades y capital representado por acciones comunes, rate of earnings on common stockholders' equity

relación entre utilidades y capital total empleado, rate of earnings on total capital employed

relación fiduciaria, confidential relationship

relación inversa, inverse ratio

relación precio-recursos generados, PCF ratio (ab. price/cashflow ratio); price/cashflow ratio (PCF ratio)

relación precio/beneficio, PER (ab. price/earnings ratio); price/earnings ratio (PER)

relación precio/recursos generados, price/cashflow ratio (PCFR); PCFR (ab. price/cashflow ratio)

relación profesional, professional dealings

relación recursos propios medios/recursos ajenos medios, average equity to average deposits ratio

relacionar(se), associate (v); affiliate (v.)

relaciones de corresponsalía, correspondent relationship agency arrangements

relaciones económicas Este-Oeste, East-West economic relations

relaciones internacionales, international relations

relaciones públicas, public relations

relaciones tensas, tense relationship

relativo, relative

relegar a una mera actividad de oficina, demote to plain clerical work

relevante, noteworthy

relieve del estampado (tarjetas), height of embossing (cards)

reloj de control de entrada y salida de personal, job-time recording clock

reloj maestro (comp.)**,** master clock (comp.)

reloj temporizador, timer (watch); time watch

rellenado con ceros, zero-filled

rellenar, complete (v.)

rellenar con "x" las correspondientes casillas, complete the related boxes with "X"

rellenar un formulario en blanco, complete a blank form; fill in a blank form; fill out a blank form

remachar (Esp., col.)**,** reaffirm; reassert; reinforce (an argument); reassure

remanente, remaining amount; remainder; outstanding amount; carry-over (n.); outstandings; balance outstanding; carried forward (CF); CF (ab. carried forward)

remanente a cuenta nueva, balance carried down; balance carried forward; balance for carry forward

remanente de ejercicios anteriores, carry-forwards from previous years

remanente disponible, available remainder

remanente no dispuesto, undrawn balance

remanentes (n. masc. pl.)**,** holdings; investments; portfolio securities

rematador, auctioneer

rematador de una subasta, purchasing bidder

rematar, auction (v.); sell at auction

remate, auction (n.)

remedio, corrective action

remedo de subasta, mock auction; sham auction

remesa, lading; freight; load (n.); shipment; consignment

remesa (abastecimiento), supply; furnish

remesa al cobro, collection; remittance for collection

remesa de efectos acompañados de la documentación requerida, documentary collection

remesa documentaria, documentary collection

remesa menor a lo estipulado, short delivery

remesa simple, straight remittance; clean remittance

remesas al cobro, bills (of exchange) for collection; collect bills; collection items; bills receivable; drafts to collect; drafts to be collected; bills to collect; notes receivable; receivables; uncollected items

remesas en camino, remittances in transit

remisión (n. fem.), remission; condonation

remisión de sentencia, remission of a sentence

remitente (correspondencia), sender (mail); addressor; remitter

remitente de la mercancía, consigner (consigner = consignor); consignor (consignor = consigner); forwarder; sender (shipper); shipper; freighter; shipping agent

remitir (un sobre), address (v.); send

remitir de algo a algo (documentos), cross-reference (documents)

remitir mensajes vía telex, telex

remitir una circular, address a circular letter

remodelación del gabinete ministerial, Cabinet reshuffle (GB)

remolonear, be behindhand with

remuneración (n. fem.), salary (pl.: salary = salaries); wages; remuneration; wages and salaries; addlings (col.); pay (n.)

remuneración de la plantilla, remuneration of employees; staff remuneration

remuneración de los empleados, remuneration of employees; staff remuneration

remuneración del pasivo, cost of funds; interest expenses; financial costs; financial expenses

remuneración media del pasivo, average cost of customer funds

remuneración neta, net remuneration

remunerar, remunerate

renacimiento de la inflación, resurgence of inflation; new burst of inflation

rendimiento actuarial, actuarial yield

rendimiento bruto global, gross earnings; gross income; gross return

rendimiento corriente, current yield; coupon yield; nominal yield; running yield

rendimiento de la acción, share yield; stock yield (US)

rendimiento de las materias primas, raw materials yield

rendimiento de las obligaciones, bond yield

rendimiento de los empleos, interest revenues; financial margin

rendimiento del bono, bond yield

rendimiento efectivo, effective yield

rendimiento esperado, expected return

rendimiento máximo, maximum yield

rendimiento medio, average yield; average return; average rate of return

rendimiento medio de la inversión crediticia, average yield on loans and discounts

rendimiento medio de los activos financieros totales, average yield on total financial assets

rendimiento medio de los empleos, average yield on assets

rendimiento medio global, overall average return

rendimiento mínimo, minimum yield

rendimiento nominal, current yield; coupon yield; nominal yield; running yield

rendimiento requerido, required yield

rendimiento y coste medios, average yield and cost; average rates of return and cost

rendimiento, coste y gastos, return, cost and expenses

rendimientos decrecientes, diminishing returns

rendimientos hasta el vencimiento, yield to maturity

rendimientos y costes, return and costs

rendir cuentas, render accounts; account for; justify

rendir mucho, yield a good profit

rendir poco, yield a poor profit

renegociar, renegotiate

renegociar los términos del contrato, renegotiate the terms of the agreement

renegociar una deuda, renegotiate a debt

renglón (epígrafe), caption; item

renovación (n. fem.), renewal; extension; respite; rollover

renovación de hojas de cupones, issuing of new coupons; renewal of coupon sheets; new coupon sheet issuance

renovar, renew; renovate; roll over (v.)

renovar un préstamo, renew a loan

renta, benefit; profit; turn (col.); earnings

renta (entradas), revenue

renta (importe del alquiler), rent (n.); rental

renta (producto), profitability; rate of return; yield (n.); return (n.)

renta anual, annuity; yearly allowance; annual income; yearly income

renta bruta generada (RBG), gross added value (GAV); GAV (ab. gross added value)

renta devengada, annuity due

renta fija, fixed-income securities; fixed income; fixed interest-bearing securities

renta imponible, taxable income; assessed income

renta líquida, net earnings; net income; net proceeds; net profit; net return; net revenue; after-tax yield; after-tax earnings

renta marginal, marginal income; marginal profit; marginal revenue

renta nacional, national income

renta nacional per cápita, per capita domestic income; per capita national income

renta neta, net earnings; net income; net proceeds; net profit; net return; net revenue; after-tax yield; after-tax earnings

renta neta añadida, net added value

renta neta generada, net operating income

renta no ganada, unearned income

renta no generada sobre inversiones, unearned income

renta per cápita, per capita income

renta pública, national revenue; domestic revenue

renta real, real income

renta variable, equity securities; equities; variable-yield securities

renta vitalicia, life annuity; life rent

renta(s) bruta(s), gross earnings; gross income; gross return

rentabilidad, profitability; rate of return; yield (n.); return (n.)

rentabilidad (n. fem.), earning power; earning capacity

rentabilidad actual, current yield; coupon yield; nominal yield; running yield

rentabilidad actuarial, actuarial yield

rentabilidad anual, annual return

rentabilidad bruta, gross yield

rentabilidad consolidada, consolidated profitability

rentabilidad contable, book yield

rentabilidad de gestión, profitability; rate of return; yield (n.); return (n.); operating profitability

rentabilidad de la cartera, portfolio return

rentabilidad de la inversión, return of investment

rentabilidad de los activos, return on assets (ab. ROA); ROA (ab. = return on assets)

rentabilidad de los fondos invertidos, return on invested funds

rentabilidad de los recursos, return on funds

rentabilidad de los recursos propios, return on stockholders' equity; return on shareholders' equity; return on equity (ROE); ROE (ab. return on equity)

rentabilidad de los recursos totales, return on total funds (deposits + equity)

rentabilidad de mercado, market yield

rentabilidad del apalancamiento financiero, return on financial leverage (ROFL); ROFL (ab. return on financial leverage)

rentabilidad del cupón, current yield; coupon yield; nominal yield; running yield

rentabilidad del excedente residual, return on the residual surplus

rentabilidad efectiva, actual rate of return; real return; real yield

rentabilidad en dividendo, PE yield (ab. price/earnings yield); price/earnings yield (PE yield)

rentabilidad en efectivo de las acciones, net yield on shares

rentabilidad hasta la fecha, yield to maturity

rentabilidad mínima, minimum yield

rentabilidad neta de las acciones, net yield on shares

rentabilidad neta final de gestión, return on average total assets

rentabilidad potenciada de la cartera, enhanced portfolio return

rentabilidad prevista, expected return

rentabilidad real, actual rate of return; real return; real yield

rentabilidad sobre activos, return on assets (ab. ROA); ROA (ab. = return on assets)

rentabilidad sobre recursos propios, return on stockholders' equity; return on shareholders' equity; return on equity (ROE); ROE (ab. return on equity)

rentabilidad total, internal rate of return

rentabilidad total estimada, estimated total return (ETR); ETR (ab. estimated total return)

rentable (adj. masc & fem.)**,** profitable

rentas, earned profit; income; inflows; receipts

rentas acumuladas, accrued income; accrued revenue(s)

rentas del capital, return on capital; capital income

rentas del trabajo, earned income

rentas devengadas, accrued income; accrued revenue(s)

rentas disponibles, disposable income

rentas internas, internal revenue

rentas sujetas a gravamen, taxable income; assessed income

rentista, annuitant

renuncia, waiver (n.)

renuncia a los derechos, abandonment of rights

renuncia a un puesto, resignation

renuncia al ejercicio de un derecho, abandonment of rights

renuncia expresa, express waiver

renuncia tácita, implied waiver

renunciar, surrender (v.); deliver (v.); waive

renunciar a la observancia del plazo de preaviso, waive notice

renunciar a un cargo, resign (office); abdicate (office)

renunciar a un derecho, waive a right

renunciar a un puesto, resign (office); abdicate (office)

renunciar a una patente, abandon a patent

reorganización, rearrangement; reorganization

reorganizar, reorganize

reorganizar la empresa a fondo, shake up the company

reparación (compensatoria) (n. fem.), amends (n); compensation; indemnification; indemnity

reparación de averías, troubleshooting

reparación de daños, redress (n.)

reparaciones, repairs

reparaciones y conservación, repairs and upkeep

reparar los daños causados, redress (v.)

reparar un déficit, supply a shortfall

reparos, qualms

repartible, distributable

repartición de costos, cost distribution

repartición de gastos generales, burden adjustment

repartido entre seis, sexpartite

repartidor de correo, mail carrier (GB: mail carrier = postman); postman (US: postman = mail carrier)

repartidor de mensajería, courier; messenger; runner (col.); dispatch rider (GB)

repartir un dividendo, declare a dividend; pay out

repartirse, share (v.)

reparto, apportionment; proration

reparto de beneficios, distribution of income; distribution of earnings; appropriation of income; profit sharing

reparto de la masa de la herencia, estate distribution

reparto de riesgos, distribution of risks

reparto del gasto, cost distribution

repatriación, repatriation

repatriar grandes cantidades de capital, repatriate large amounts of capital

repeler la opa hostil, repel the hostile takeover bid

repercusión (n. fem.)**,** impact (n.)

repetición de proceso, rerun

replantear créditos, reschedule loans

réplica, answer (n.); reply (n.)

réplica de "call" mediante préstamo más compra de acciones, dynamic asset allocation

replicar, answer (v.); reply (v.)

reponer un déficit, supply a shortfall

REPOs (ab. **cesiones temporales de activos),** assets sold under repurchase agreements

repreguntar, cross-examine

representación numérica, numeric representation; numeric display

representación visual (n. fem.)**,** display (n.)

representaciones en el exterior, representative offices abroad

representado, principal; accountee; assignor; auctor; constituent

representante, delegate (n.); representative (rep); rep (ab. representative) (col.)

representante del titular, accountable officer; holder of procuration; attorney in fact; authorized officer; agent; actor; proxyholder

representante sindical de los trabajadores, labour leader (US: labour = labor)

representar a, represent

reprivatización, reprivatization

reproductora, reproducer

república bananera (LA, col.)**,** banana republic (LA, col.)

república supuestamente democrática (LA)**,** banana republic (LA, col.)

repudio (desmentido), denial; disavowal

repuntar, turn the corner (col.)

repunte, rally; recovery; strengthening; upswing; upturn

repunte al alza, sustained upswing

repunte de los precios, rally in prices; recovery of prices; price recovery

repunte económico, economic upturn

reputación, reputation

reputación ganada, acquired goodwill

requerimiento, action (court); application; claim; complaint; petition; request; requisition; appeal; motion

requerimiento de fotocopia certificada, request for attested photocopy

requerimiento de traducción oficial de un intérprete jurado, request for an official sworn translation

requerir, require

requerir la presencia, appoint; nominate

requintador (LA)**,** bidder; offerer; outbidder

requisitoria de presentación de expediente, file requisition

requisitos del empleo, job specifications

requisitos legales, legal requirements

resarcimiento por daños, redress (n.)

resarcir los daños causados, redress (v.)

rescatable, redeemable; amortizable; callable

rescatar (naufragio), salvage (v.)

rescatar de la quiebra, rescue from bankruptcy

rescatar pagarés antes del vencimiento, redeem notes prior to maturity

rescatar terrenos hipotecados, redeem mortgaged land

rescatar una prenda, redeem a pledge

rescate, amortization; depreciation; redemption; ransom

rescate de pagarés, note redemption; redemption of notes

rescate de una empresa en dificultades, bailout

rescindir, cancel; annul; revoke; abolish; abrogate; nullify; setoff (v.); terminate; rescind; take back (v.)

rescindir un contrato, rescind a contract; terminate a contract; rescind an agreement; terminate an agreement

rescindir una propuesta, withdraw a bid

rescisión, termination; cessation; rescission

rescisión automática, automatic termination

rescisión tácita, implied rescission

rescisión voluntaria, voluntary termination

resentirse (como consecuencia) de las insolvencias, suffer damages from nonperformings

reserva, margin (n.)

reserva (confidencialidad), confidentiality

reserva (provisión), reserve (n.)

reserva (salvedad), qualification; remark

reserva actuarial, insurance reserve; actuarial reserve

reserva bruta, gross reserve

reserva de carácter no genérico, general fund

reserva de derechos, reservation of rights

reserva de excedentes, surplus reserve

reserva de propiedad, reservation of title

reserva en efectivo, cash reserve

reserva en metálico, cash reserve

reserva especial para regularización del balance, reappraisal of assets special reserve

reserva estabilizadora de dividendos, dividend-equalization reserve

reserva estatutaria, legal reserve; statutory reserve; lawful reserve

reserva general para operaciones, working reserve

reserva legal, legal reserve; statutory reserve; lawful reserve

reserva oficial de oro, official gold holding

reserva para (atender el pago del) impuesto sobre la renta, income tax reserve

reserva para accidentes, reserve for accidents

reserva para accidentes laborales, labour accident fund reserve (US: labour = labor)

reserva para amortizaciones, reserve for depreciations; depreciation reserve; reserve for amortizations; amortization reserve

reserva para auxilios a empleados, relief fund reserve; benefit fund reserve

reserva para bonificaciones, reserve for allowances; allowance reserve

reserva para cuentas incobrables, reserve for uncollectable accounts

reserva para depreciaciones, reserve for depreciations; depreciation reserve; reserve for amortizations; amortization reserve

reserva para descuentos otorgados, reserve for discounts granted

reserva para emergencias, fallback reserve

reserva para fallidos, reserve for bad debts; reserve for doubtful debts

reserva para imprevistos, reserve for contingencies; contingent reserve

reserva para impuestos, reserve for taxes

reserva para incobrables, reserve for bad debts; reserve for doubtful debts

reserva para inversiones, reserve for investments; investment reserve

reserva para morosidades, reserve for bad debts; reserve for doubtful debts

reserva para participación de utilidades, profit-sharing reserve

reserva para pensiones, pension fund reserve

reserva para seguro, insurance reserve; actuarial reserve

reserva para viviendas de protección oficial, reserve for government subsidized employee housing

reserva técnica, technical reserve

reservable, bookable

reservar, reserve (v.)

reservar para un fin concreto, earmark

reservas, retained earnings and surpluses

reservas (en) oro, gold reserves; gold holdings

reservas acumuladas, accumulated reserves

reservas bancarias, bank reserves

reservas de capital, surplus (pl: surplus = surpluses); capital reserves

reservas de constitución obligatoria, mandatory reserves

reservas de divisas, foreign exchange reserves

reservas de libre disposición, unrestricted reserves

reservas destinadas a fines específicos, earmarked provisions

reservas disponibles, liquid reserves; primary reserves

reservas en divisas, exchange cover

reservas en moneda extranjera, foreign exchange reserves

reservas encubiertas en los libros, hidden reserves; secret reserves

reservas líquidas, liquid reserves; primary reserves

reservas monetarias, monetary reserves

reservas ocultas, hidden reserves; secret reserves

reservas provisionales, non-surplus reserves

reservas realizables, liquid reserves; primary reserves

reservas restringidas, restricted reserves

reservas sociales, company reserves

reservas suficientes, adequate reserves

reservas tácticas, hidden reserves; secret reserves

reservas voluntarias, voluntary reserves

resguardo (talón), stub

resguardo de depósito, deposit receipt note; deposit slip; deposit note; deposit ticket; warehouse receipt

resguardo de entrega, pay-in slip; payment received; collected payment

resguardo de envío, consignment note; delivery note; freight bill

resguardo de envío por correo aéreo, air mail receipt

resguardo de envío postal, postal receipt

resguardo de ingreso, deposit receipt note; deposit slip; deposit note; deposit ticket; warehouse receipt

resguardo de paquete postal, parcel post receipt (PPR); PPR (ab. parcel post receipt)

resguardo de suscripción, subscription warrant

resguardo de transporte por vía férrea, railway bill of lading (GB; ab. railway B/L); railway B/L (GB; ab. railway bill of lading); railroad bill of lading (US; railroad B/L); railroad B/L (US: ab. railroad bill of lading)

residente (adj., m. & fem.), non-volatile (adj.) (comp.)

residente en España, Spanish resident

residente en una ciudad, towny (= townie, townee) (col.); townie (= towny, townee) (col.); townee (= townie, towny)

residuos industriales, industrial refuse

resistencia, resistance

resistente al fuego (adj.), fireproof (adj.); fire-resistive (adj.); fire-resistant (adj.)

resistirse a pagar, jib at paying (col.)

resolución, resolution

resolución conjunta, joint resolution

resolución de problemas, troubleshooting

resolución implícita, implied rescission

resolución legislativa (de carácter) especial, special act

resolver disputas, resolve disputes

resolver los temas pendientes, pick up the loose ends (col.); tie up the loose ends (col.)

resolver un contrato, rescind a contract; terminate a contract; rescind an agreement; terminate an agreement

resolver una disputa, settle a dispute

respaldado por una hipoteca, mortgage-backed

respaldar, support (v.)

respaldar mediante subvenciones, subsidize

respaldar una moción, second a motion

respaldo, backing; aval; support (n.); guarantee (US: guarantee = guaranty); collateral (n.); bail bond; pledge

respaldo económico, financial backing

respaldo financiero aportado por inversores extranjeros, financial backing supplied by foreign investors

respecto a, as concerns; with regard to; regarding; as to

respecto a lo que a nuestro banco compete, as far as our bank is concerned

respetar las normas, conform to the standards; adhere to a policy

responder, answer (v.); reply (v.)

responder a las condiciones exigidas, fit the bill

responder de, vouch

responsabilidad (cualidad) (n. fem.), responsibility (quality); creditworthiness; solvency

responsabilidad (n. fem.), compromise (n.); engagement; obligation; accountability

responsabilidad absoluta, absolute liability

responsabilidad ante terceros, civil liability; civil responsibility; public liability

responsabilidad asumida, assumed liabilities

responsabilidad civil, civil liability; civil responsibility; public liability

responsabilidad colegiada, corporate accountability

responsabilidad del naviero, shipowner´s liability

responsabilidad del remolcador, tower´s liability

responsabilidad del transportista, carrier's liability

responsabilidad directa, primary liability

responsabilidad global, aggregate liability

responsabilidad ilimitada, unlimited responsibility

responsabilidad incondicional, absolute liability

responsabilidad legal, legal liability

responsabilidad personal, personal liability (pl.: liability = liabilities); personal covenant

responsabilidad solidaria, joint and several liability; joint liability; several obligation; several liability; several responsibility

responsabilidad total, unlimited responsibility

responsabilizarse, take something on board (GB)

responsabilizarse de, engage; undertake; compromise (v.); covenant (v.); obligate

responsable, accountable

responsable (cualidad) (adj., masc. & fem.), responsible (quality) (adj.)

responsable (n., masc. & fem.), accountable officer; authorized officer

responsable de una unidad, director; head (n.); manager (fem.: manager = manageress)

responsable del negocio internacional, executive director in charge of international business

respuesta, answer (n.); reply (n.)

restablecer, reinstate; rehabilitate

restar, subtract

restauración automática, automatic reinstatement

restitución, restitution

restitución de dinero, restitution of money

restituir, reinstate; rehabilitate

resto, remaining amount; remainder; outstanding amount; carry-over (n.); outstandings; balance outstanding; carried forward (CF); CF (ab. carried forward)

resto del plazo de vigencia, remaining term

resto pendiente, remaining amount; remainder; outstanding amount; carry-over (n.); outstandings; balance outstanding; carried forward (CF); CF (ab. carried forward)

restos flotantes de un naufragio, flotsam; jetsam

restricción (n. fem.), constraint; constriction; restraint; curtailment

restricción a las exportaciones, export restraint

restricción crediticia, credit restraint; credit restriction; credit squeeze

restricción sobre dividendos, dividend restraint

restricciones (en la disponibilidad) de primeras materias, scarcity of raw materials

restricciones a la disponibilidad de divisas para importar, restrictions on the provision of exchange for imports

restricciones a la importación, entry barriers

restricciones ambientales, environmental constraints

restricciones cambiarias, exchange restrictions

restricciones de venta, sale restrictions

restricciones drásticas (n. fem.), stringent restrictions

restricciones en el abastecimiento, supply shortage

restricciones en el abastecimiento de crudos, restrictions on oil supply

restricciones en los flujos de dinero, restrictions on money flows

restricciones monetarias, currency restrictions

restrictivo (adj.), tight (adj.); strict (adj.); stringent (adj.); inflexible (adj.)

restringido (adj.), tight (adj.); strict (adj.); stringent (adj.); inflexible (adj.)

restringir, curtail (v.); trim (v.); cut down (v.); restrain (v.); restrict (v.)

restringir el crédito a quienes incumplen sus compromisos, restrict credit to nonperformers

restringir el gasto, curtail spending

restringir gastos, cut down expenditure; trim expenditure; trim expenses; keep down expenses

resuelto, resolved

resuélvase, be it resolved

resultado, result

resultado (evolución), performance

resultado antes de impuestos, income before taxes; pretax income; pretax profit

resultado de explotación, achievement; completion

resultado de la actuación, results from performance

resultado de la gestión, operating performance

resultado operativo, operating performance

resultado ordinario de gestión, ordinary operating income

resultado ordinario de gestión consolidado, consolidated ordinary operating income

resultado ordinario y beneficio neto, ordinary income and net income

resultado palpable, obvious outcome

resultado(s) de explotación, achievement(s)

resultados ajustados por acción, adjusted results per share

resultados atípicos, atypical results; windfall profits (col.)

resultados comparados, comparative results

resultados contables, book earnings

resultados cualitativos, qualitative results

resultados de enajenación de activos, gain on disposal of assets

resultados desalentadores, demoralizing outcome; demoralizing results

resultados desmoralizadores, demoralizing outcome; demoralizing results

resultados favorables, favourable outcome (US: favourable = favorable)

resultados generados por ordenador, computer output

resultados pobres, meagre results

resultados por acción (RPA), earnings per share (EPS); EPS (ab. earnings per share)

resultados por diferencias de cambio, translation and dealing gains

resultados por diferencias en cambios, exchange, translation and dealing gains

resultados y rentabilidad, income and return

resultante (adj., masc. & fem.), resulting

resultante (n./adj.), aggregate

resultar, result

resumen (recapitulación), brief (n.); briefing (n.); excerpt (n.); memorandum (memo); memo (ab. memorandum) (col.); recap (col.); summary; abridg(e)ment; digest (n.)

resumen analítico, analytical summary

resumen de actividad cero, nil report

resumen de antecedentes de un título en propiedad, abstract of title

resumen de asientos, abstract of postings

resumen de pases al Mayor, abstract of postings

resumen mensual, monthly summary

resumir, condense (v.); abridge (v.); recap (col.) (v.); summarize (v.); synthesize

resurgimiento de la inflación, resurgence of inflation; new burst of inflation

retardo del trabajo (siguiendo consignas sindicales), featherbedding

retención, withholding; retention

retención de fondos por el letrado en garantía de honorarios, attorney's lien

retención de mercancías por impago de comisiones (agente), agent's lien

retención en origen, collection at source; withholding at source

retención hipotecaria, lien; right of lien

retención sobre la renta, withholding (income) tax

retenciones (Esp., col.), withholdings (income) tax

retener, retain

retener en origen, withhold at source

retener hasta que se pague un rescate, hold for ransom

reticencia a facilitar información, reluctance to provide information

retirada de dinero, withdrawal of money; money withdrawal

retirada de fondos, cash withdrawal

retirada de un cargo (acusación), departure

retirada masiva de depósitos, raid (n.); run (n.)

retirada masiva de depósitos de un banco, bank raid

retirar, cancel; annul; revoke; abolish; abrogate; nullify; setoff (v.); terminate; rescind; take back (v.)

retirar (separar), detach

retirar de la circulación material publicitario defectuoso del banco, recall faulty bank promotional literature

retirar depósitos masivamente, assault (v.)

retirar dinero en efectivo, withdraw cash

retirar fondos (de), draw money (from)

retirar un efecto, retire a bill

retirar una acusación, withdraw a charge

retirar una propuesta, withdraw a bid

retirarse, retire

retirarse de, disengage from

retirarse de la sociedad, withdraw from the partnership

retirarse de pensionista, retire on a pension

retiro, retirement

retiro incentivado, redundancy with incentives

retiro voluntario, voluntary redundancy

reto competitivo, competitive challenge

retocar los asientos contables, alter the books

retornar (devolver), redeliver; send back

retornar al librador por estar en descubierto, refer to drawer

retracción anual, reprise

retractarse, cancel; annul; revoke; abolish; abrogate; nullify; setoff (v.); terminate; rescind; take back (v.)

retraído, held back

retrasado, deferred; delayed

retrasar, delay (v.)

retraso, delay (n.)

retraso en la llegada, late arrival

retratarse (Esp., col.), loosen the purse (col.); cough up (col.)

retribución (n. fem.), salary (pl.: salary = salaries); wages; remuneration; wages and salaries; addlings (col.); pay (n.)

retribución al personal, remuneration to employees; staff remuneration

retribución neta, net remuneration

retribución por servicios prestados, requital for services rendered

retroactividad, retroactivity

retroceder un cargo, charge back

retrocesión, reversal

retroceso, reversal

retroceso (empeoramiento), decline (n.); drop (n.); decrease (n.); setback; deadlock; standstill; stasis; stagnancy; stagnation; breakeven point

retrotraer, antedate; date back; backdate; foredate

reubicación de sucursales, branch office relocation

reubicar al personal, redeploy staff

reunión, assembly; meeting

reunión de consejeros (n. fem.), board meeting; meeting of the board

reunión de manifestantes, gathering of demonstrators

reunión del consejo (n. fem.), board meeting; meeting of the board

reunión económica al máximo nivel, economic summit

reunir, assemble (v.); compile (v.)

reunir acciones, join stocks

reunir fondos, procure money

reunir méritos para el acceso a un cargo directivo, qualify for an executive assignment

reunir quórum, quorate (GB)

reunirse con, meet (v.)

revalorización, appreciation; increase in value; revaluation; reappraisal

revalorizar acciones, write up shares

revalorizar una moneda, revalue a currency

revaluación, appreciation; increase in value; revaluation; reappraisal

revaluar, reappraise

revalúo (LA), appreciation; increase in value; revaluation; reappraisal

revelación, disclosure

revelar, disclose; make public

revelar las condiciones secretas del contrato, blab the secret terms of the agreement

revendedor, middleman

revendedor de billetes, ticket scalper (col.); ticket tout (GB, col.)

revendedor de entradas (Esp.), ticket scalper (col.); ticket tout (GB, col.)

revender, resell

reventa, resale

reventar una huelga, blackleg; fink (v.); squeaker (GB); scab (US); strike breaker

reversible, reversionary

reversión de bienes abintestato al estado, escheat

reverso del efecto, back of the bill

revertible (adj.), escheatable

revertir bienes mostrencos al estado, escheat

revientahuelgas, blackleg; fink (n.); squeaker (GB); scab (US); strike breaker

revisar, research (v.); analyze (v.); review (v.); reckon (up); question (v.)

revisar los comprobantes, check vouchers

revisar los estados financieros, audit (v.)

revisar un texto, edit

revisar una cuenta, audit an account; verify an account; check an account

revisión (n. fem.), review (n.); revision

revisión de estados financieros, auditing; audit

revisión de sentencia, judicial review (US)

revista de publicación periódica, magazine (mag); mag (ab. magazine)

revista mensual, monthly

revista trimestral, quarterly

revocable, revocable

revocación, revocation

revocación de legado, ademption

revocar, cancel; annul; revoke; abolish; abrogate; nullify; setoff (v.); terminate; rescind; take back (v.)

revocar un convenio, abrogate an agreement

ribera, shore

ricachones (Esp., col.), people of substance (col.)

rico (adj.), silk-stocking (adj., US, col.); propertied (adj.); wealthy (adj.)

riesgo, exposure; risk (n.)

riesgo agravado, abnormal risk

riesgo anormal, abnormal risk

riesgo asumido por el tenedor del pagaré, noteholder´s risk

riesgo bancario, bank risk

riesgo bancario percibido, perceived banking risk

riesgo cambiario, foreign exchange risk

riesgo común, common venture

riesgo constante, constant risk

riesgo corporativo, corporate risk

riesgo de accidente, accident risk

riesgo de base, basis risk

riesgo de cartera, inventory risk

riesgo de cúmulo (LA), accumulation of risk

riesgo de desfase, mismatch risk

riesgo de empresa, corporate risk

riesgo de exceso, risk of excess

riesgo de impago de bonos, default risk

riesgo de incendio, fire risk

riesgo de insolvencia de los clientes, customer insolvence risk

riesgo de interés, interest risk

riesgo de la inversión crediticia, credit risk

riesgo de liquidez, liquidity risk

riesgo de mercado, market risk

riesgo de reinversión, reinvestment risk

riesgo de retrocesión, risk of reversal

riesgo del cambio de divisas, foreign exchange risk

riesgo del mercado de valores de renta variable, share market risk

riesgo en divisas, foreign currency risk

riesgo específico, specific risk

riesgo especulativo, adventure; jobbing; speculation

riesgo evidente, obvious risk

riesgo implícito en el mercado de acciones, share market risk

riesgo marítimo, marine risk; maritime perils

riesgo medio implícito, average implicit risk

riesgo monetario, currency risk

riesgo no asegurable, prohibited risk

riesgo potencial del crédito, potential credit risk

riesgo que comporta el mercado accionario, share market risk

riesgo sistémico, systemic risk

riesgo sobre créditos concedidos, credit risk

riesgo sobre inversión bancaria típica, credit risk

riesgo tasa de interés, interest-rate risk

riesgo teórico del credito, theoretical credit risk; theoretical risk of credit

riesgo total, total risk

riesgo vivo, total exposure

riesgo-país, country risk

riesgos computables, computable risks

riesgos con garantía, secured liabilities

riesgos contraidos con no residentes, cross-border risk

riesgos corrientes, customary risks

riesgos de carácter no dinerario, non-monetary risks

riesgos del mar, marine risk; maritime perils

riesgos en curso, current risks

riesgos financieros, financial risks

riesgos marítimos, perils of the sea; sea perils; dangers of the sea

riesgos normales, ordinary hazards

riesgos profesionales, occupational hazards

riesgos sin inversión, off-balance sheet risks

riesgos transfronterizos, cross-border risk

riesgos usuales, usual risks

rifar, raffle

rígido (adj.), tight (adj.); strict (adj.); stringent (adj.); inflexible (adj.)

rigurosidad, accuracy

riguroso, discerning

riguroso (adj.), tight (adj.); strict (adj.); stringent (adj.); inflexible (adj.)

riqueza, wealth

riqueza económica, economic wealth

ritmo anual acumulativo, cumulative annual average rate

ritmo de crecimiento, growth rate

robar, pilfer; purloin; steal (stole, stolen) (v.)

robo a mano armada (col.), ramp (GB., col.)

robo parcial de mercancías durante su transporte, pilferage; larceny; petty larceny; petty theft; abstraction

robo simulado, sham robbery

rogamos nos faciliten, please let us have

rogámosles acusen recibo, please acknowledge receipt

rogar, appeal (v.); appellate; petition (v.); file an application with

rogatoria, letters rogatory

rol de dotación, muster roll; muster book

rol del agente (LA), agent's commitment

rollo (Esp., col.), yawn (col.); jazz (col.)

rompehuelgas, blackleg; fink (n. & v.); squeaker (GB); scab (US); strike breaker

romper (un contrato), break

romper la confidencialidad, disclose; make public

romper las relaciones de corresponsalía, break off agency arrangements

romper un bloqueo, break a blockade

rotación por distintos puestos de trabajo, job rotation

rótulo, plate

rotura, breakage

RPA (ab. **resultados por acción),** earnings per share (EPS); EPS (ab. earnings per share)

RPB (ab. **ratio precio/beneficio;** ab. **relación precio/beneficio),** PER (ab. price/earnings ratio); price/earnings ratio (PER)

rúbrica, signature; paraph

rubricado con la firma y sello oficial de, bearing the signature and official seal of

rueda de bancos (col.), bank circuit

rueda de prensa, press conference

rueda de visitas de presentación, roadshow

rumores infundados, baseless rumours (US: rumours = rumors)

ruptura, breakout

ruptura de confidencialidad, disclosure

rutas marítimas, shipping routes

rutero (SA), courier; messenger; runner (col.); dispatch rider (GB)

rutina, routine

rutina cotidiana, day-to-day routine

rutina de apertura (comp.), open routine (comp.)

rutina de compaginación informática, assembly routine

rutina de diagnóstico (comp.), diagnostic routine (comp.)

rutinario, routine

rutinario (adj.), clerical (adj.); administrative (adj.)

S

SA (ab. **sociedad anónima),** public limited company (PLS); PLC (ab. public limited company)

sábelotodo (Esp., col.)**,** Johnny-on-the-spot (col.)

sábelotodo (n., masc. & fem., col.)**,** smart alec(k) (col.); smarty (col.); smartie (col.); smarty-pants (col.)

saber que, be aware of

sabotaje, sabotage (n.)

saboteador, saboteur

sabotear, sabotage (v.)

sabueso (Esp., col.)**,** private dick (col.); private eye (col.); shamus (col.)

saca postal (Esp.)**,** mail bag; mail pouch; mail sack

sacajugos (col.)**,** juicer (col.)

sacar, produce (v.)

sacar a Bolsa, go public

sacar a concurso, put out to tender

sacar a flote, refloat

sacar a relucir (col.)**,** dig up (col.)

sacar a subasta, auction (v.); sell at auction

sacar a suscripción un empréstito, invite subscriptions for a loan

sacar al mercado, throw on the market

sacar conclusiones definitivas, draw firm conclusions

sacar copias, manifold (n.)

sacar de contrabando, smuggle out

sacar de la casa de empeños, redeem from the pawnshop (col.); redeem from pawn (col.)

sacar del Monte de Piedad (Esp.)**,** redeem from the pawnshop (col.); redeem from pawn (col.)

sacar dinero (de) (Esp.)**,** draw money (from)

sacar dinero de un país, get money out of a country

sacar fotocopias, photocopy (v.); xerox (r) (v.)

sacar la media, average (v.); prorate (US)

sacar partido a, avail of

sacar tajada (de) (Esp., col.)**,** make lots of money (col.); rake in a pretty penny (GB, col.); get a rake-off (from) (col.)

sacar un empréstito a suscripción, offer a loan for subscription

sacar una emisión al mercado, launch an issue

sacar una empresa a flote, float a company

saco (para transporte) de correspondencia, mail bag; mail pouch; mail sack

saco postal del barco, ship´s bag

saco sin fondo (Esp., col.)**,** sinkhole (col.)

sala de juicios, courtroom

sala de juntas, assembly hall; assembly room

sala de juntas (de los consejeros), boardroom

Sala de lo Criminal (Esp.)**,** Assize Court (GB)

sala de lo penal, crown court (GB); criminal court

sala de reuniones, assembly hall; assembly room

sala de reuniones (del consejo), boardroom

sala de subastas, auction room

salario, salary (pl.: salary = salaries); wages; remuneration; wages and salaries; addlings (col.); pay (n.)

salario base, living wage; wages floor

salario mínimo (Esp.), basic wage; minimum wages

salario neto, take-home pay (col.)

salario real, real wages

salarios anticipados, prepaid salaries

salarios bajos, low wages

salarios e incentivos, salaries and bonuses (sing.: salaries = salary)

salarios equiparables, comparative salaries

salarios vencidos, accrued wages

saldar, liquidate; adjust

saldar a un precio irrisorio, bargain away

saldar los libros, close the books

saldar una cuenta, balance an account

saldo, balance (n.); rest

saldo a cuenta nueva, balance carried down; balance carried forward; balance for carry forward

saldo a la vista, current account balance

saldo a nuestro favor, balance in our favo(u)r

saldo acreedor, credit balance; active balance

saldo acreedor medio, average credit balance

saldo al debe, debit balance

saldo al haber, credit balance; active balance

saldo anterior, BF (ab. brought forward); brought forward (BF)

saldo compensatorio, compensating balance; offset credit

saldo de apertura, opening balance

saldo de existencias, balance of stocks

saldo de la cartera de valores, balance of the securities portfolio

saldo de la cuenta de regularización, regularization account balance

saldo del Mayor, ledger balance

saldo deudor, debit balance

saldo disponible, available balance; balance on hand

saldo en caja, cash balance

saldo en cuenta, account balance

saldo en cuenta corriente, current account balance

saldo en efectivo, cash balance

saldo inactivo, dormant balance

saldo inicial, opening balance

saldo insuficiente, not sufficient funds (NSF); NSF (ab. not sufficient funds); insufficient funds

saldo líquido, net balance

saldo medio, average balance

saldo medio de la inversión, average balance of investment

saldo medio de la inversión viva, average balance of outstandings

saldo medio diario, average daily balance

saldo medio por cuenta, average deposit per account

saldo negativo, negative balance; minus balance

saldo neto de la cartera de valores, net balance of the securities portfolio

saldo no utilizado (líneas de crédito), undrawn balance

saldo no utilizado de un préstamo, undrawn portion of a loan

saldo postbalance, stocktaking sale; stocktaking clearance; clearance sale; sellout

saldo total, total balance

saldo vivo, remaining amount; remainder; outstanding amount; carry-over (n.); outstandings; balance outstanding; carried forward (CF); CF (ab. carried forward)

saldo vivo de contratos de futuros en un momento dado, open interest

saldo vivo del endeudamiento, indebtedness

saldos ajustados, adjusted balances

saldos bloqueados, blocked balances

saldos congelados, blocked balances

saldos de corresponsalía por operaciones de tráfico, banking correspondent transaction balances

saldos inactivos, idle balances

saldos inmovilizados, blocked balances

saldos mantenidos, carrying balances

saldos medios contabilizados, average balances recorded

salida, departure

salida al mercado, floating (n.)

salida de capital por compra de moneda extranjera contra moneda local, outward switching

salida de capitales, capital outflow

salida de divisas, exchange outflow

salida de papel a un precio que impide suba el de un valor, resistance

salida de tarjetas, card output

salida precipitada (p.ej., **de una sociedad),** breakaway

salidas de caja, cash disbursements; outgoes (sing.: outgoes = outgo); outlays (sing.: outlays = outlay); disbursements; outflows

salidas de divisas, foreign exchange outflow

salidas en orden inverso a las entradas (LIFO), last-in first-out (LIFO); LIFO (last-in first-out)

saliente, outgoing

saliente (adj.), outward bound

salir, depart (transport)

salir a buscar trabajo, go jobhunting

salir a relucir, come to light

salir adelante, go through

salir de bolsa, take private

salir de una aplicación (informática), quit

salir de una inversión, divest; abalienate; hive off (col.); sell

salir del endeudamiento, get out of debt

salón de sesiones, assembly hall; assembly room

saltar a la luz, come to light

saltar a la palestra, come to light

saltarse una instrucción (comp.), skip (comp.)

saltarse el turno, jump the queue

saltarse la cola, jump the queue

saltarse una cláusula, jump a clause

salto (Esp., col.), raise

salud del mercado, market health

salvaguardar, safeguard

salvaguardia, safeguard

salvamento, salvage (n.)

salvar, salvage (v.)

salvar a una empresa de (ir a) la quiebra, save a company from bankruptcy

salvar de ir a la quiebra, rescue from bankruptcy

salvedad, qualification (n.); remark (n.)

salvo acuerdo en contrario, unless otherwise agreed; except as otherwise agreed

salvo buen fin, provided it be paid

salvo buen fin (SBF), under usual reserves (UUR); UUR (ab. under usual reserves)

salvo error, barring error

salvo error u omisión (ab. **SEUO),** discrepancy or omission

salvo error u omisión (SEUO), errors and omissions excepted (E&OE); E&OE (ab. errors and omissions excepted)

salvo indicación en contrario, unless otherwise indicated; save as otherwise stated

salvo pacto en contrario, unless otherwise agreed; except as otherwise agreed

salvo por el hecho de que, save for the fact that

salvo que, unless; provided that; failing

salvoconducto, transit bill

sanción, acceptance; accession; acquiescence; approval; assent

sanción discrecional, amercement

sanción por demora, delay penalty

sanción por incumplimiento (n. fem.), fine (n.); penalty

sancionable, finable

sancionable (adj., masc. & fem.), sanctionable (adj.); punishable (adj.)

sancionar, penalize

saneamiento de activos, writedown of assets

saneamiento de la cartera de valores, adjustment of the securities portfolio; writedown of the securities portfolio; securities portfolio writedowns

saneamiento legal de valores, legal adjustment of securities

saneamiento por depreciación de activos, write-off (n.)

saneamientos, writedowns

sanear activos mediante depreciación, write off (v.)

saquear, plunder (v.)

saqueo, plunder (n.)

satisfacción (compensatoria) (n. fem.), amends (n); compensation; indemnification; indemnity

satisfacer, satisfy

satisfacer el importe de una deuda, quit from a debt; meet a debt

SBF (ab. **salvo buen fin),** under usual reserves (UUR); UUR (ab. under usual reserves)

Sdad. Ltda. (ab. **sociedad limitada),** LTD (ab. limited); limited (LTD)

se acuerda, resolved

se admiten ofertas, bids wanted (BW); BW (ab. bids wanted)

se alquila, for rent

se aprueba, resolved

se autoriza la carga sobre cubierta, deck cargo allowed

se concede el uso de la palabra al abogado del banco, the chair recognizes the bank´s counsel

se nos fastidió el asunto, the bearded lady has gone bold (col.)

se permiten las expediciones parciales, part shipments allowed

se permiten los embarques parciales, partial shipments allowed

se permiten los tra(n)sbordos, transhipments allowed

sección, department (ab. dept.); dept. (ab. department)

secretaría, secretariat; secretary´s office

secretaria a la vez que empleada de caja, secretary-cum-teller

secretariado, department (ab. dept.); dept. (ab. department)

secretario del consejo de administración, secretary to the board of directors

Secretario del Tesoro (LA), Secretary of the Treasury (US)

secretario ejecutivo, executive secretary

secretario ejecutivo de presidencia, executive secretary to the chairman

secretario general adjunto, assistant general secretary

secretario general técnico, technical secretary general

secretario interino, acting secretary

secretario municipal, town clerk

secreto bancario, bank secrecy; banking secrecy

sector, segment (n.); sector (n.)

sector de gestión y distribución de fondos, fund industry

sector de la banca, banking industry; banking sector; banking system

sector de los crudos, oil sector; petroleum sector

sector del acero, steel industry; steel sector

sector del crudo, oil sector; petroleum sector

sector del petróleo, oil sector; petroleum sector

sector empresarial, business sector

sector financiero, financial sector

sector fundamental, key industry

sector hidrocarburos, oil sector; petroleum sector

sector industrial, industrial sector

sector privado, private sector

sector público, public sector; state sector

sector real, supply side

sectores económicos, economic sectors

sectorización, sectorization

sectorizar, segment (v.); sectorize (v.)

secuencia, sequency (sequency = sequence); sequence (sequence = sequency); progression

secuencia de instrucciones, control sequence

secuencial (adj., masc. & fem.)**,** progressive (adj.); serial (adj.); sequential (adj.)

secuestrar, kidnap (v.)

secuestro, kidnapping; kidnap (n.)

secundar una moción, second a motion

secundar una resolución, support a resolution

secundario, underlying (adj.); subsidiary (adj.); ancillary (adj.); additional; potential (adj.)

secundario (adj.), secondary

sede, home office (GB); head office; main office; headquarters

sede social, home office (GB); head office; main office; headquarters

segmentación, segmentation

segmentación de clientes, customer segmentation

segmentación de la clientela, customer segmentation

segmentación de mercados, market segmentation

segmentar, segment (v.); sectorize (v.)

segmento, segment (n.); sector (n.)

segmentos del mercado, market segments

segregación de fondos, fund segregation

segregado (adj.), separate

segregar, segregate

seguimiento, control (n.); monitoring

seguimiento y control del gasto, expenditures monitoring and control

seguir la corriente del cambio económico, go with the flow of economic change

seguir la normativa, abide by the rules

seguir pendiente, remain outstanding

seguir unas pautas, adhere to a policy

según, according to; as per; consistent with; in accordance with; pursuant to; in conformity with

según (aparece registrado en los) libros, as per books

según (lo que) se solicita, in compliance with the request

según aviso, as per advice

según contrato, under contract

según costumbre, ad usum (Lat.); by custom; by practice

según el uso bancario, according to banking practice

según epígrafe, under the caption

según es(tá), as is

según factura, according to invoice

según la ley, consistent with the law

según las cuentas (Esp., col.)**,** per books

según las indicaciones de, as per advice of

según las leyes de, under the laws of

según las previsiones, according to schedule

según lo anteriormente explicado, as explained earlier

según lo apuntado, as outlined

según lo contabilizado, as recorded

según lo establecido (en otro documento), ad referendum (Lat.)

según lo estipulado, as stipulated

según lo exigido por la ley, as requested by law

según lo explicado, as explained

según lo indicado anteriormente, as stated earlier

según lo programado, as scheduled

según lo señalado en párrafos precedentes, as mentioned in earlier paragraphs

según los libros, per books

según nuestros registros, according to our records; in accordance with our records; our records show

según permita la ley, as permitted by law

según presupuesto, on a bid basis

según real decreto, as per royal decree

según sabemos, as far as we know

según se ha resumido, as summarized

según valor, ad valorem (Lat.)

segunda de cambio, second of exchange

segunda hipoteca, second mortgage

segundo, second

segundo día de cotización en Bolsa, name day

segundo empleo, double up shift; moonlight (n.)

segundo escrutinio de votos, re-count; second count; tally; checkout

segundón (p.ej., **en préstamos bancarios sindicados),** bit player (p.ej., in syndicated bank loans)

seguridad (fiabilidad), assurance

seguridad social, social security

seguridad social (clases pasivas), retirement plan

seguro, insurance (n.)

seguro (adj.), secure; safe (adj.)

seguro (de previsión) social, social insurance

seguro (susceptible) de acumulación, accumulation insurance

seguro a plazo fijo, fixed-term insurance

seguro a primer riesgo, first loss insurance

seguro a todo riesgo, all risks insurance; all-loss insurance

seguro acumulable, accumulation insurance

seguro acumulativo, double insurance

seguro agrícola, agricultural insurance

seguro al crédito, credit insurance

seguro antirrobo (Esp.), theft insurance; burglary insurance

seguro colectivo, joint insurance

seguro combinado, comprehensive insurance

seguro combinado (inversión-vida), endowment

seguro contra accidentes, accident insurance

seguro contra accidentes de trabajo, industrial insurance

seguro contra incendios, fire insurance

seguro contra las heladas, frost damage insurance

seguro contra robos, theft insurance; burglary insurance

seguro contra robos por parte de los empleados, fidelity bond insurance

seguro de accidentes laborales, industrial insurance

seguro de automóviles (US), automobile insurance (GB: automobile = car); car insurance (US: car = automobile)

seguro de cambio, cover of risk in foreign exchange; foreign exchange risk cover; exchange insurance; exchange rate edge

seguro de carteras, portfolio insurance

seguro de cascos (aviación), aircraft hull insurance

seguro de colocación, underwriting

seguro de crédito a la exportación, export credit insurance

seguro de desempleo, unemployment insurance

seguro de expoliación, cash messenger insurance

seguro de flete, freight insurance

seguro de granizo, crop hail insurance

seguro de paro, unemployment insurance

seguro de pedrisco, crop hail insurance

seguro de responsabilidad civil, third-party insurance

seguro de robo por los transportistas de fondos, cash messenger insurance

seguro de transporte aéreo, air transport insurance

seguro de vida, life insurance

seguro de vida condicional, qualified life insurance

seguro de vida sujeto a determinada condición, qualified life insurance

seguro de vida vinculado a fondos de inversión, unit link (= unit linked); unit linked (= unit link)

seguro directo, direct insurance

seguro en vigor, current insurance

seguro frente a terceros, third-party insurance

seguro mancomunado, joint insurance

seguro marítimo, marine insurance; sea insurance; assecuration

seguro marítimo según disposiciones más recientes de Lloyd´s, sea insurance in compliance with latest Lloyd´s terms

seguro obligatorio, compulsory insurance

seguro obligatorio de responsabilidad civil, compulsory third party insurance

seguro suscrito en unión de otras pólizas, accommodation line; credit facility; credit line; facility (pl.: facility = facilities)

seguro vigente, current insurance

seguro-ahorro, endowment-insurance

seguros y fianzas, insurance and bonds

seis, six

selección, screening; selection

selección de candidatos, screening of candidates

seleccionado aleatoriamente, randomly selected

seleccionar, select (v.); choose (v.); pick up (col., v.)

sellado y firmado con esta fecha, sealed and delivered as of this date

sellar, stamp; seal (v.)

sello, stamp; seal (n.)

sello (oficial) de la sociedad, corporate seal

sello corporativo, corporate seal

sello de aprobación, seal of approval

sello de calidad, quality seal

sello de lacre, wax seal

sello oficial de intérprete jurado (Esp.), official sworn translator's seal of office; chartered translator's seal (GB); seal of office of official sworn translator; chartered translator´s official seal (GB)

sello oficial de la sociedad, official seal of the company; company's official seal

sello real, privy seal (GB)

sello social, corporate seal

semana, week (WK); WK (ab. week)

sembrar indicios equívocos, plant; red herring (col.)

semestral (adj., masc. & fem.)**,** semiannual; biannual; half-yearly

semestralmente, biannually; twice a year

semi, quasi-

semianual (adj., masc. & fem.)**,** semiannual; biannual; half-yearly

semiduplex (comp.)**,** half duplex

semovientes, cattle

sensato, rational

sensibilidad de los tipos, sensitivity of rates

sensibilidad del balance, balance sheet sensitivity

sentada (Esp.)**,** sit-down strike; sit-in (col.)

sentar una premisa, premise

sentencia, judg(e)ment

sentencia alternativa, alternative judg(e)ment

sentencia arbitral, arbitrium (Lat.); arbitral award; judg(e)ment by arbitration; arbitrage; arbitration; arbitrament; unpirage; award (n.)

sentencia de divorcio, decree of divorce

sentencia de reclusión en establecimiento penitenciario, custodial sentence

sentencia definitiva de divorcio, decree absolute

sentencia desfavorable, adverse verdict

sentencia no aplicable sino en caso de reincidencia, suspended sentence

sentencia provisional de divorcio, decree nisi

sentido, purport

sentirse confiado (en) que, feel confident that

sentirse enfermo, feel sick

sentirse forzado a, be compelled to

sentirse preocupado acerca de, be concerned about

señal, backing; aval; support (n.); guarantee (US: guarantee = guaranty); collateral (n.); bail bond; pledge

señal (anticipo), advance payment (n.); prepayment; lay-away (col.); advancement; retaining fee

señal de compromiso (Esp.)**,** arra (= arrha); arrha (= arra); down payment; hand money; handsel; token

señal de peligro, danger signal

señal identificativa, mark (n.)

señalar, mark (v.)

señalar (una fecha), appoint; nominate

señalizador, flag

señalizador de término (comp.)**,** end sentinel

señas, address (n.); domicile

señas actuales (Esp.)**,** usual place of abode

señas completas, full address; address in full

Señor (+ apellido) (Sr.; pl.: Señores / Sres.), Mister (+ surname) (Mr.; pl.: messieurs / Messrs); Mr. (+ surname) (ab. Mister; pl.: messieurs / Messrs)

Señora, Mistress (Mrs.); Mrs. (ab. Mistress)

Señora o Señorita (Sra./Srta.), Ms. (ab. Miss/Mrs.)

Señores (Sres.; sing.: Señor / Sr.), Messrs (ab. Messieurs; sing.: Mister / Mr.); Messieurs (Messrs; sin.: Mister / Mr.)

Señorita (Srta.), Miss (n. fem.)

señuelo, bells and whistles (col.)

separación de cupones, coupon stripping

separación del cargo, suspension from duty

separadamente, severally

separado (adj.), separate (adj.)

separador de decimales, decimal point

separar, detach

separarse, withdraw from membership

separarse de, disengage from

separata, supplement (n.); endorsement (n.); indorsement (n.)

séptimo, seventh

sequía, drought

ser absorbido por, merge in

ser acreedor a, deserve; have a right to; be entitled to

ser arrestado, be taken into custody

ser beneficiario de (prestaciones de) la seguridad social, be on relief

ser competencia de, compete

ser competencia del tribunal, be the court´s competence

ser condenado por robo, be convicted of stealing

ser consciente de, be aware of

ser declarado convicto de apropiación indebida, be convicted of stealing

ser despedido, be fired (col.); be given the sack (col.); get the push (col.); get the bullet (GB, col.); get the axe (col.)

ser despedido por reajustes de personal, be redundant

ser detenido, be taken into custody

ser diplomado en banca internacional, hold a diploma in international banking

ser dueño de, own (v.)

ser efectivo, take effect; become effective

ser experto en, master (v.)

ser familiar de alguien, kin to somebody

ser indemnizado por daños y perjuicios, recover damages

ser miembro de, sit on

ser perceptor de prestaciones de la seguridad social, be on relief

ser protestado, go to protest

ser puesto (de patitas) en la calle (Esp., col.), be fired (col.); be given the sack (col.); get the push (col.); get the bullet (GB, col.); get the axe (col.)

ser puesto en libertad bajo fianza, be remanded on bail; be on remand; be on bail

ser una fiera en el trabajo (col.), be a fiend for work

serie (n., fem.), set (n.)

serie cronológica, chronological series

serie de datos, data series

serie de productos derivados, range of derivative instruments

serie de reembolsos, stream of repayments

serpiente monetaria (n, fem.), snake (n.)

servicio abnegado, wholehearted service

servicio activo, active service

servicio adaptado a las necesidades individuales de cada cliente, customized service

servicio concertado, arranged service

servicio de cambio de divisas, foreign exchange service

servicio de cambio de moneda extranjera, foreign exchange service

servicio de cobro, collection service

servicio de compensación, clearing facilities

servicio de emisión de pagarés, note issuance facility (NIF); NIF (ab. note issuance facility)

servicio de entrega urgente, expedited delivery service

servicio de intermediación en pagos a proveedores, confirming

servicio de mensajería (Esp.), courier service

servicio de planificación del negocio internacional, foreign trade planning service

servicio de promoción comercial, business development service; trade development service

servicio de reparto, delivery service

servicio de vigilancia costera, shore patrol (US)

servicio eficaz, efficient service

servicio eficiente, efficient service

servicio extraordinario, after-hours service

servicio fuera de hora, after-hours service

servicio personalizado, customized service

servicio postal ordinario, second-class mail

servicio postal preferente, first-class mail

servicio telefónico de compensación y liquidación (Esp.), phone service of the money market (Esp.)

servicios administrativos, administrative services

servicios bancarios, banking services

servicios bancarios especiales a precio rebajado (promociones), cut-price special banking fees (promotions)

servicios bancarios internacionales, international banking facilities (IBF); IBF (ab. = international banking facilities)

servicios centrales regionales, regional headquarters

servicios complementarios, accessorial services

servicios crediticios, loan services

servicios de asistencia social, social services; social welfare

servicios de autorización, authorization facilities

servicios de baja calidad a la clientela, poor quality customer services

servicios de buena calidad, good quality services

servicios de custodia, safe-custody facilities

servicios de disponibilidad inmediata, ready-made services

servicios homologados, standard services

servicios operativos habituales, standard operating services

servicios prestados, services rendered

servicios públicos, public utilities (sing.: utilities = utility)

servicios públicos (gas, electricidad, agua, teléfono, etc.), utilities (gas, electricity, water, telephone, etc.)

servicios típicos de gestión, standard operating services

servidumbre forzosa, angaria

servir un pedido, execute an order; fill an order

sesenta, sixty

sesgo, bias

sesión a puerta cerrada, closed session

sesión aplazada, adjourned session

sesión del consejo (n. fem.), board meeting; meeting of the board

sesión judicial, assizes

sesión plenaria, plenary session

setenta, seventy

SEUO (ab. **salvo error u omisión),** errors and omissions excepted (E&OE); E&OE (ab. errors and omissions excepted); discrepancy or omission; save

sexagesimal (adj., masc. & fem.), sexagesimal (adj.)

sexto, sixth

sí (votaciones), affirmative vote; yea (US)

si así fuere preciso, if need be

si no lo tomas, lo pagas, take or pay

SIB (ab. **sistema de interconexión bursátil),** stock market interconnection system

siderurgia, steel industry; steel sector

siempre a flote, always afloat (AA); AA (ab. always afloat)

siempre que no se indique de otro modo, unless otherwise indicated; save as otherwise stated

siempre que no se pacte otra cosa, unless otherwise agreed; except as otherwise agreed

siempre que sea pagado, provided it be paid

siete, seven

siete veintenas, sevenscore

siglas, acronym

signatario, signatory (pl.: signatory = signatories); maker (signatory)

signatura notarial, signature; paraph

significado, purport

significar (v.), mean

significativo (adj.), significant (adj.)

signo &, ampersand (&)

signo de interrogación, question mark

signo esperanzador, hopeful sign

signo menos, minus sign (-)

signo negativo, minus sign (-)

signo y rúbrica de notario público, sign manual of notary public

sigue, continued (ab. contd.); contd. (continued)

siguiendo instrucciones de, at the request of; at the behest of

sillón de mis entretelas (Esp., hum.), limpet (col.)

simbólico (adj.), token

símbolo, label

simetría (entre plazos de recursos ajenos e inversión bancaria), matching

simple, clean; unqualified; unrestricted

simulacro, simulacrum (pl.: simulacrum = simulacra / simulacrums)

simulacro de robo, sham robbery

simulado (adj.), pro forma (pro forma = proforma) (adj.); proforma (proforma = pro forma) (adj.); preliminary (adj.); previous (adj.)

simultanear, interleave; interpolate

sin, ex (Lat.)

sin (otorgar) testamento, abintestate

sin (tener que realizar) pago alguno, bonus; premium (pl.: premium = premiums / premia)

sin amortizar, unamortized

sin asegurar, uninsured

sin baquetear (Esp., col.), raw (adj.)

sin barrar, uncrossed

sin blanca (col.), stone-broke (US, adj.)

sin cancelar, unpaid; pending payment; payable (adj.)

sin cargas, unencumbered

sin compromiso por nuestra parte, without our responsibility (WOR); WOR (ab. = without our responsibility)

sin consolidar, at unconsolidated level; at the money option; unconsolidated

sin controlar, uncontrolled

sin costo adicional, at no extra cost

sin cotizar, unlisted

sin cruzar, uncrossed

sin cuenta, no account (NA); NA (ab. no account)

sin cupón, ex coupon

sin demora, forthwith; presently

sin depreciar, undepreciated

sin derecho a voto, non-voting (adj.)

sin derechos, ex rights

sin desembolso, free of collection

sin devaluar, undepreciated

sin devengar, unearned

sin devengo de honorario alguno, ad honorem Lat.)

sin dilación, forthwith; presently

sin distinción de categoría profesional, regardless of professional level

sin dividendo, ex dividend

sin efectividad, void; invalid (adj.)

sin efecto, void; invalid (adj.)

sin el menor reparo, without a qualm

sin emitir, unissued

sin escrúpulos, without a qualm

sin excepción, across the board

sin fecha, undated

sin fondos, no funds (NF); NF (ab. no funds)

sin ganar, unearned

sin garantía, unsecured

sin gastos, incur no charges

sin gastos (de protesto), without protest (ab. WP); WP (ab. = without protest)

sin gastos (Esp.), protest waived

sin gastos y franco aduanas, free and clear (F&C); F&C (ab. free and clear)

sin hilos, cordless

sin impedimento ni obstáculo, without let or hindrance

sin interés, ex interest

sin interés (neto), flat (adj.); constant; continual

sin interés acumulado, clean; unqualified; unrestricted

sin intervenir, uncontrolled

sin IVA (Esp.), zero-rated

sin límite, unlimited

sin liquidez, unliquid

sin nuestra responsabilidad, without our responsibility (WOR); WOR (ab. = without our responsibility)

sin objeciones, clean; unqualified; unrestricted

sin objetividad, partial

sin observaciones, clean; unqualified; unrestricted

sin pagar, unpaid; pending payment; payable (adj.)

sin posibilidad de recuperación, unrecoverable; irrecoverable; non-recoverable

sin posibilidad de revocación, irrevocable; confirmed; unconditional

sin prioridad, secondary

sin programar, unscheduled

sin protesto, without protest (ab. WP); WP (ab. = without protest)

sin que nadie se dé cuenta, sub rosa (col.)

sin recurso, non-recourse (adj.); without recourse

sin remunerar, non-remunerated (adj.)

sin reservas, clean; unqualified; unrestricted

sin responsabilidad, non-liable (adj.)

sin restricciones, clean; unqualified; unrestricted

sin rodeos (Esp., col.), straightforward

sin salvedades, clean; unqualified; unrestricted

sin tablas (Esp., col.), raw (adj.)

sin trabajo, idle (adj.); jobless (adj.); unemployed (adj.)

sin un duro (Esp., col.), stone-broke (US, adj.)

sin una perra (Esp., col.), stone-broke (US, adj.)

sin validez, stale; aged

sin vencer, unmatured

sindicación, syndication

sindicación (afiliación sindical), unionization

sindicado (n.), union man (fem.: man = woman)

sindical (adj.), union (adj.); trade-union (adj.)

sindicalismo, syndicalism

sindicalista (adj.), union (adj.); trade-union (adj.); (n.), union man (fem.: man = woman)

sindicar, unionize

sindicato, trade association; union (n.); trade union (n.)

sindicato cerrado (no admite nuevas afiliaciones), closed union

sindicato de intereses, ring

sindicato mafioso, syndicate (col.)

sindicato obrero, trade union

sindicato patronal, employers´ association

sindicato profesional, professional union

sindicatura (en suspensión de pagos / quiebra), receivership

sindicatura de gestión, unified management

síndico, syndic

síndico (en suspensiones de pagos / quiebras), receiver

síndico de la bolsa (Esp.), chairman of the stock exchange

síndico de una quiebra, trustee in bankruptcy

sinergia, synergy

singular (adj.), one-time (adj.)

siniestro de incendio, fire damage

siniestro pagado, claim paid; claim settlement; settlement of claim

sinopsis de los autos, abstract of record

sintaxis de doble lectura, ambiguous grammar

síntesis cuantitativa, quantitative synthesis

síntesis de instrucciones, brief (n.); briefing (n.); excerpt (n.); memorandum (memo); memo (ab. memorandum) (col.); recap (col.); summary; abridg(e)ment; digest (n.)

sintético (adj.), synthetic (adj.)

sintetización, abbreviation

sintetización (n. fem.), brief (n.); briefing (n.); excerpt (n.); memorandum (memo); memo (ab. memorandum) (col.); recap (col.); summary; abridg(e)ment; digest (n.)

sintetizar, condense (v.); abridge (v.); recap (col.) (v.); summarize (v.); synthesize

síntoma esperanzador, hopeful sign

sintomático (adj.), symptomatic (adj.)

sírvanse acusar recibo, please acknowledge receipt

sírvanse facilitarnos, please let us have

sisa, pilferage; larceny; petty larceny; petty theft; abstraction

sisar, pilfer; purloin; steal (stole, stolen) (v.)

sistema, system

Sistema (bancario) de la Reserva Federal (US), Federal Reserve System (US)

sistema antirrobo, anti-burglary system

sistema apropiado de controles internos, appropriate system of internal control

sistema automático de detección y extinción de incendios por aspersión, sprinkler system

sistema bancario, banking industry; banking sector; banking system

sistema bancario constituido por bancos independientes entre sí, unit banking

sistema bancario constituido por consorcios de bancos, chain banking

sistema binario, binary system

sistema capitalista, capitalist system

sistema centralizado de archivo de expedientes, centralized record keeping system

sistema contable, system of accounts; accounts system

sistema continental, continental system

sistema crediticio, credit system

sistema de absorción integral de costos, absorption costing

sistema de acumulación, accrual system

sistema de alarma contra intrusos, intrusion alarm system

sistema de codificación alfanumérica, alphanumeric coding system

sistema de compensación y liquidación, clearing system

sistema de contabilidad informatizado, computerized(-system) accounting

sistema de contabilidad mecanizada, mechanized(-system) accounting

sistema de contabilización analítica de costes, analytical cost accounting system

sistema de contratación bursátil, trading system; operating system

sistema de contratación por pantalla, screen-based system

sistema de cuentas, system of accounts; accounts system

sistema de doble control, dual-control system

sistema de incentivos, incentives system

sistema de información de gestión, management information system

sistema de interconexión bursátil (SIB), stock market interconnection system

sistema de liquidación, settlement system

sistema de liquidación de órdenes de pago interbancarias, Clearing House Interbanking Payment System (CHIPS); CHIPS (ab. Clearing House Interbanking Payment System)

sistema de pesas anglosajón, avoirdupois (Fr.)

sistema de retribución mediante incentivos, premium bonus system

sistema de saldo fijo, imprest system

sistema de subasta competitiva, auction system

sistema de trabajo a domicilio, homework system

sistema de verificación por microfichas, microfiche-verification system

sistema de zonas francas, free-zone system

sistema digital, digital system

sistema electrónico de transmisión de datos, electronic data transmission system

sistema fiscal, tax system; tax structure

sistema impositivo, tax system; tax structure

sistema indefectible, fault tolerant system (comp.)

sistema interno de comunicación inalámbrica, cordless in-house communication system

sistema monetario, monetary system; currency system

sistema operativo, trading system; operating system

sistema operativo del disco (ab. **DOS),** DOS (ab. disk-operating system); disk-operating system (ab. = DOS)

sistema operativo en tiempo real, real-time trading system

sistema socialista, Socialist system

sistema tabular, columnar system

sistema tributario, tax system; tax structure

sistemas cambiarios, exchange systems

sistemas comerciales, trade systems

sistemas de seguridad, security systems

sistemas de seguridad fiables, reliable security controls

sistemas de seguridad sofisticados, sophisticated security systems

sistemas informativos, information systems

sistemas y procedimientos, methods and procedures

sistematizar, systematize

situación, situation

situación (n. fem.), rank (n.); category; standing; state (n.); status (pl. status = statuses)

situación adversa, ailing situation

situación conyugal, marital status

situación de crisis, ailing situation

situación de extrema debilidad financiera, situation of extreme financial weakness

situación de la cuenta, account status

situación de las transacciones, transactions status; status of transactions

situación de liquidez, liquidity position; cash position

situación de una cuenta, position of an account

situación del mercado, market conditions

situación económica, economic situation

situación económica adversa, ailing state

situación económica mundial, world economic conditions

situación financiera, financial status; financial condition; financial situation

situación financiera apurada, troubled financial situation

situación jurídica, legal status; legal capacity

situación negativa, ailing situation

situación persistente del mercado (n. fem.), prevailing market conditions

situación reconocida oficialmente, official status

situación tensa, tense situation

situar, position

situar fondos en el extranjero, place funds abroad

situarse en un nivel máximo, peak (v.)

SL (ab. **sociedad limitada),** LTD (ab. limited); limited (LTD)

SMMD (ab. **sociedad mediadora del mercado de dinero),** money market company (MMC); MMC (ab. money market company)

sobornador, embrace(o)r; suborner; briber

sobornar, embrace (v.); suborn (v.); bribe (v.); graft (v.); corrupt (v.)

soborno, bribe (n.); graft (n.); embracery (n.); subornation; embracery; bribery; kickback (col.)

soborno (en evitación de daños), protection money

sobrante (adj., masc. & fem.), surplus (pl: surplus = surpluses); capital reserves

sobrante (n.), surplus (pl: surplus = surpluses); capital reserves

sobre (en categoría, etc.), above

sobre a franquear en destino, reply-paid envelope

sobre almacén, ex warehouse

sobre buque, DES (ab. delivered ex ship); delivered ex ship (DES)

sobre cubierta, above board; on deck

sobre el límite, over the threshold

sobre el precio de emisión, above issue price

sobre el precio de lanzamiento, above issue price

sobre el resto del sector bancario, ahead the rest of the banking sector

sobre encargo, on request; upon request; on call

sobre fábrica, ex factory; ex mill; ex works

sobre la cuota, above quota

sobre la par, above par; at a premium

sobre muelle, DEQ (ab. delivered ex quay); delivered ex quay (DEQ); alongside (AS);

AS (ab. alongside); ex dock; ex pier; ex quay; free alongside vessel (FAS vessel / ship); FAS vessel (ab. free alongside vessel / ship)

sobre paridad, above line

sobre pedido, on request; upon request; on call

sobre tierra, ashore; on shore

sobre un 10% +/-, about 10% +/-

sobre(-bolsa) para archivo de documentos, file envelope

sobrecapitalizar, overcapitalize

sobrecarga, overload

sobrecarga (exceso de carga), overshipped goods

sobrecargar, overload

sobrecargo (marina mercante), purser (merchant marine)

sobregirar, overdraw

sobregiro, overdraft

sobregiro aparente, technical overdraft

sobregiro real, actual overdraft

sobremesa, desktop

sobrenombre, alias (pl = aliases)

sobrepasar, supersede

sobreprecio, surcharge (n.); overcharge (n.); overdebit (n.); additional tax; surtax (n.)

sobreprima, additional premium (A/P); A/P (ab. additional premium); loaded premium

sobreprima por corto plazo, additional premium for short period cover

sobreprima por fraccionamiento de pago, additional premium for payment by instal(l)ments

sobrepujar, outbid

sobreseer, supersede

sobrestadía, demurrage

sobresueldo, bonus (n.); prize (n.); reward (n.); premium (pl.: premium = premiums / premia)

sobretasa, surcharge (n.); overcharge (n.); overdebit (n.); additional tax; surtax (n.)

sobretasa postal, additional postage

sobrevalorar, overvalue

sobrevencido, past due; due and payable

sobreventa de billetaje, overbooking

sobreventa de reservas, overbooking

socavado, undermined

sociedad, company

sociedad (acogida al régimen) de transparencia fiscal, flow-through company

sociedad (no mercantil), society

sociedad (regular) colectiva, trading partnership

sociedad (reunida) en comandita (SRC), commandite; dormant company; limited liability company; silent partnership; partnership

sociedad accionaria en comandita, joint-stock company; chartered company (GB); stock company; public limited company (PLC) (GB); PLC (ab. public limited company) (GB); incorporated (Inc.) (US); Inc. (ab. incorporated) (US); stockholding company

sociedad anónima, joint-stock company; chartered company (GB); stock company; public limited company (PLC) (GB); PLC (ab. public limited company) (GB); incorporated (Inc.) (US); Inc. (ab. incorporated) (US); stockholding company

sociedad anónima de seguros, stock carrier

sociedad bien gestionada, ably-run company

sociedad civil, civil corporation

sociedad colectiva, commandite; dormant company; limited liability company; silent partnership; partnership

sociedad comanditaria, commandite; dormant company; limited liability company; silent partnership; partnership

sociedad constituida en un estado donde no opera (US), tramp corporation

sociedad constituyente, constituent company

sociedad controlada por el estado, regulated company

sociedad cuyos accionistas son sus propios directivos, close corporation

sociedad cuyos directivos son propietarios de sus acciones, close corporation

sociedad de capital fijo, closed-end company

sociedad de capital limitado, closed-end company

sociedad de cartera, holding; investment company; open-end investment fund; portfolio company

sociedad de consumo, consumer society

sociedad de contrapartida, market maker

sociedad de control, holding; investment company; open-end investment fund; portfolio company

sociedad de control estatal, regulated company

sociedad de crédito comercial, accepting house; bank of discount; acceptance house; discount bank; finance company; credit company; commercial credit company

sociedad de crédito hipotecario, building society

sociedad de crédito inmobiliario, building society

sociedad de financiación, accepting house; bank of discount; acceptance house; discount bank; finance company; credit company; commercial credit company

sociedad de financiación de ventas, sales finance company

sociedad de inversión mobiliaria (SIM), security investment company

sociedad de mediación financiera, money broking company

sociedad de mercado (deuda pública), market maker

sociedad de promoción inmobiliaria, property development company; property developer; developer

sociedad de responsabilidad limitada, commandite; dormant company; limited liability company; silent partnership; partnership

sociedad de riesgo en común, joint adventure; joint venture; joint enterprise

sociedad de servicios, service(s) company

sociedad de valores (SV), brokering company

sociedad en participación, joint adventure; joint venture; joint enterprise

sociedad familiar, family partnership

sociedad ficticia, bogus company

sociedad fiduciaria, trust company

sociedad filial, daughter company (US = subsidiary); subsidiary (GB = daughter company); affiliated company; allied company; controlled company

sociedad filial extranjera, foreign daughter (company); foreign affiliated company

sociedad financiera, accepting house; bank of discount; acceptance house; discount bank; finance company; credit company; commercial credit company

sociedad gestora de carteras (SGC), portfolio managing company

sociedad gestora de instituciones de inversión colectiva (SGIIC), collective investment managing company

sociedad gestora de patrimonios, capital management company

sociedad hipotecaria, building society

sociedad instrumental, holding; investment company; open-end investment fund; portfolio company

sociedad intermediaria financiera, money broking company

sociedad limitada, private limited company

sociedad limitada (Australia, Nueva Zelanda), proprietary company (PTY) (Australia, New Zealand); PTY (ab. proprietary company) (Australia, New Zealand)

sociedad matriz, mother company; parent company

sociedad mediadora, discount house

sociedad mediadora del mercado de dinero (SMMD), money market company (MMC); MMC (ab. money market company)

sociedad mercantil, mercantile partnership; trading company

sociedad participada, investee company

sociedad por acciones, joint-stock company; chartered company (GB); stock company; public limited company (PLC) (GB); PLC (ab. public limited company) (GB); incorporated (Inc.) (US); Inc. (ab. incorporated) (US); stockholding company

sociedad regular colectiva, general partnership

sociedad subyacente, underlying company

sociedad sujeta a intervención (de otra, principal), daughter company (US = subsidiary); subsidiary (GB = daughter company); affiliated company; allied company; controlled company

sociedades filiales parabancarias, quasi-banking subsidiaries

sociedades rectoras de las bolsas de valores (Esp.), money exchange operating companies (Esp.)

sociedades semipúblicas, quasi-public companies

socio, partner

socio (más) antiguo, senior partner

socio activo, active partner; working partner

socio administrador, managing partner

socio capitalista, capitalist partner; silent partner

socio colectivo, general partner

socio cooperativo, member of a cooperative society

socio de reciente incorporación, junior partner

socio de responsabilidad limitada, special partner

socio gerente, acting partner

socio gestor, managing partner

socio industrial, active partner; working partner

socio menor, junior partner

socio principal, head partner

socio que se retira, outgoing partner; retiring partner; withdrawing partner

socio regular, general partner

socio saliente, outgoing partner; retiring partner; withdrawing partner

socio solidario, general partner

socios extranjeros, foreign partners

solicitante, applicant; petitioner; patron; proposer; propounder

solicitante (n., masc. & fem.), appellant; claimant; complainant; plaintiff; suitor

solicitar, appeal (v.); appellate; petition (v.); file an application with

solicitar (la prestación de) servicios bancarios, request banking services

solicitar declaración de quiebra, file for bankruptcy

solicitar el voto, poll (v.)

solicitar empleo, apply for a job

solicitar la disolución ante el tribunal, petition the court for dissolution

solicitar presupuesto, ask for a quote

solicitar un crédito, apply for a loan

solicitar un préstamo, borrow

solicitud, appeal (n.); claim of recourse; recourse; remedy

solicitud de admisión en calidad de miembro, application for membership

solicitud de aprobación, approval request

solicitud de documentos originales, request for original paper

solicitud de empleo, application for a job; employment application; job application

solicitud de entrega de mercancía en aduana, dandy note

solicitud de expedientes, file requisition

solicitud de fotocopia compulsada, request for attested photocopy

solicitud de importación, import application

solicitud de ofertas, request for bids

solicitud de préstamo, application for a loan; loan application

solicitud de tarjeta, cardholder application

solicitud de una traducción oficial jurada, request for an official sworn translation

solidaria y mancomunadamente responsable, jointly and severally liable

solidariamente responsable, jointly liable

solidez (n. fem.), soundness; strength

sólido (adj.), strong

sólo para depósito, for deposit only (FDO); FDO (ab. for deposit only)

sólo para el cobro, for collection only

soltar la plata (LA), loosen the purse (col.); cough up (col.)

solucionado, resolved

solvencia, responsibility (quality); creditworthiness; solvency

solvencia económica, ability to pay

solvencia financiera, financial standing

solvencia moral, good name; good reputation

solvencia moral adquirida, acquired goodwill

solventado, resolved

solventar lo pendiente, pick up the loose ends (col.); tie up the loose ends (col.)

solvente, creditworthy

solvente (adj., masc. & fem.)**,** solvent (adj.)

someter, submit; render

someter a, subject to (v.)

someter a interrogatorio, quiz; cross-question

someter a la aprobación de la junta, seek approval from the stockholders´ meeting

someter a votación, submit to a vote

someter a voto, submit to a vote

sometido a control, subject to control

somos compradores de, we are buyers of (WABO); WABO (ab. we are buyers of)

somos vendedores de, we are sellers of (WASO); WASO (ab. we are sellers of)

sondear el terreno, feel out

sondeo, survey (n.)

sondeo de tendencias, feeler

sondeo informal de opinión, straw poll (col.)

soplón, blackleg; fink (n.); squeaker (GB); scab (US); strike breaker

soportar el costo, meet the costs

soportar las pérdidas al 50%, absorb half of the losses

soportar una pérdida, sustain a loss

soporte de carga, pallet

soporte jurídico, legal support

sortear, raffle (v.)

sortear por lotes, draw by lot

sorteo, drawing

soslayable, avoidable

soslayar, avoid; preclude; prevent

sospechar, suspect (v.)

sospechar que hay gato encerrado (col.)**,** smell a rat

sospechoso (adj.)**,** suspicious (adj.)

sospechoso (n.)**,** suspect (n.)

sostenible (adj., masc. & fem.)**,** sustainable (adj.)

spread (operación con futuros), spread (futures transaction)

spread vertical, vertical spread; money spread

Sr. (+ apellido) (ab. **Señor; pl.: Señores / Sres.),** Mister (+ surname) (Mr.; pl.: messieurs / Messrs); Mr. (+ surname) (ab. Mister; pl.: messieurs / Messrs)

Sra./Srta. (ab. **Señora o Señorita),** Ms. (ab. Miss/Mrs.)

SRC (ab. **sociedad reunida en comandita),** commandite; dormant company; limited liability company; silent partnership; partnership

Sres. (ab. **Señores; sing.: Señor / Sr.),** Messrs (ab. Messieurs; sing.: Mister / Mr.); Messieurs (Messrs; sin.: Mister / Mr.)

Srta. (ab. **Señorita),** Miss (n. fem.)

stand (Esp.)**,** booth

status bancario, bank status

stockazo (Esp., col.)**,** stock option jackpot (col.)

straddle, WS

straddle comprado, long straddle; bottom straddle

straddle inferior, long straddle; bottom straddle

straddle superior, top straddle; short straddle

straddle vendido, top straddle; short straddle

strangle (compraventa), strangle

strangle comprado, long strangle; bottom strangle

strangle inferior, long strangle; bottom strangle

strangle superior, short strangle; top strangle

strangle vendido, short strangle; top strangle

su apreciado escrito (antic.), your favour (GB, old; US: favour = favor)

su atenta carta (antic.), your favour (GB, old; US: favour = favor)

su telegrama, your telegram (urtel); urtel (ab. your telegram)

su(b)straendo, subtrahend

suavizar, ease (v.); deregulate; liberalize; free (v.)

sub júdice, sub judice

sub- (adj.), deputy; vice-

sub- (prefijo aplicado al cargo inmediatamente inferior), assistant (adj.); adjunct (adj.); auxiliary (adj.)

subalterno, junior (Jr.); Jr. (ab. junior)

subalterno (n.), assistant (n.); adjunct (n.)

subarrendador, sublessor

subarrendar, sublease; underlease; sublet

subarrendatario, sublessee; subtenant

subarriendo, sublease; underlease; sublet; subrental

subasta, auction (n.)

subasta (Escocia), roup (Scotland)

subasta a la holandesa, Dutch auction

subasta de bonos, bond auction

subasta de pagarés del Tesoro, Treasury bill auction (US)

subasta pública, official submission; official auction; outcry (col.); public auction; vendue (US)

subasta simulada, mock auction; sham auction

subastador, auctioneer

subastar, auction (v.); sell at auction

subcampo de libre cumplimentación, optional subfield (comp.)

subcampo optativo, optional subfield (comp.)

subcontratar, subcontract

subcontratista (n. masc.), subcontractor

subcuentas, subsidiary accounts

subdelegado (n. & adj.), subdelegate

subdelegar (v.), subdelegate

subdesarrollado, underdeveloped

subdirector, deputy director; assistant manager

subdirector general (US), vice president

subdirector general adjunto, assistant vice president (US)

subestimación, underestimation

subestimar, underestimate (v.)

subida, increase (n.); rise (n); growth; accretion; increment

subida continuada, constant rise

subida de alquileres, raising of rents

subida de las cotizaciones, price appreciation; price increase; price rise; price upsurge; rise in prices

subida de las percepciones salariales, pay increases; wages awards

subida de los costes financieros, increase in financial costs

subida de precios, price appreciation; price increase; price rise; price upsurge; rise in prices; markup

subida de precios acusada, rally; recovery; strengthening; upswing; upturn

subida de un valor hasta el máximo permitido en una misma sesión, limit up

subida del beneficio, increase in profits

subida del dólar, dollar rise

subida del tipo de descuento, increase in the discount rate

subida moderada, moderate rise

subida salarial, raise

subidas (de precios) de carácter general, across the board rises; across the board uprise in prices

subidas salariales, salary increases

subinciso, subsection

subíndice, subscript

subir, increase (v.); rise (v.); go up (v.)

subir los tipos de interés, raise interest rates; increase interest rates

subir los tipos de interés de las cuentas corrientes, push the rates of interest on current accounts up

subordinar, subordinate

subpárrafo, subparagraph

subproductos, derivatives; derivative products; by-products (by-products = byproducts); byproducts (byproducts = by-products)

subrayar en rojo, underline in red

subrogación, subrogation

subrogar, subrogate

subrutina (comp.)**,** subroutine (comp.)

subrutina abierta (comp.)**,** open subroutine (comp.)

subrutina cerrada, closed subroutine

subscripción, subscription

subsecretario, assistant secretary; under-secretary

subsidiaria, daughter company (US = subsidiary); subsidiary (GB = daughter company); affiliated company; allied company; controlled company

subsidiaria bajo control mayoritario, majority-held subsidiary

subsidiaria totalmente perteneciente a, wholly-owned subsidiary of

subsidiario (adj.)**,** affiliated (adj); associated (adj.); underlying (adj.); subsidiary (adj.); ancillary (adj.); additional; potential (adj.)

subsidiario (n.)**,** affiliate (n.); associate (n.)

subsidio, subsidy; subvention

subsidio de desempleo, unemployment benefit (US: benefit = compensation)

subsidio de paro, unemployment benefit (US: benefit = compensation)

subsidio por enfermedad, sick pay

subvención (n. fem.)**,** subsidy; subvention; contribution; grant

subvención a la agricultura, farm subsidy

subvención a las exportaciones, export subsidy (pl. subsidy = subsidies)

subvención acumulada, aggregate allowance; accumulated fund

subvención estatal, state aid

subvención proveniente del extranjero, foreign grant

subvencionar, subsidize

subyacente, underlying (adj.); subsidiary (adj.); ancillary (adj.); additional; potential (adj.)

suceder (en un cargo), succeed

sucursal, branch office

sucursal bancaria, banking office; banking branch

sucursal de mala muerte (Esp., col.)**,** dinky branch office

sucursal de tres al cuarto (Esp., col.)**,** dinky branch office

sucursal urbana, agency; branch

sueldo, salary (pl.: salary = salaries); wages; remuneration; wages and salaries; addlings (col.); pay (n.)

sueldo justo, sin más incentivos (Esp., col.)**,** net salary, no perks (NSNP) (col.); NSNP (ab. net salary, no perks) (col.)

sueldo neto, take-home pay (col.)

sueldo neto, sin pluses, net salary, no perks (NSNP) (col.); NSNP (ab. net salary, no perks) (col.)

sueldo pelado (Esp., col.)**,** net salary, no perks (NSNP) (col.); NSNP (ab. net salary, no perks) (col.)

sueldos anticipados, prepaid salaries

sueldos de hambre, subsistence wages

sueldos devengados, accrued salaries

sueldos no reclamados, wages unclaimed

sueldos y gratificaciones, salaries and bonuses (sing.: salaries = salary)

suelo (precios), bottom (pricing)

suficiencia de reservas, adequacy of reserves

sufragio universal, universal suffrage

sufrir escasez de numerario, be short of money

sufrir perjuicios a causa de las morosidades, suffer damages from nonperformings

sugerencia, suggestion

sugerir, suggest

sujetar el mercado, support the market

sujetarse a las normas, abide by the rules

sujeto (fiscal) pasivo (Esp.)**,** ratepayer; taxpayer

sujeto a aprobación, subject to approval

sujeto a contribución, assessable; leviable; taxable; imposable

sujeto a devolución, subject to return

sujeto a fianza, under bond

sujeto a imposición, fiscal (adj.)

sujeto a interés flotante máximo y mínimo, collared

sujeto a ser satisfecho a su vencimiento, subject to being paid on maturity

sujeto al pago de aranceles, dutiable

sujeto al pago de impuestos, subject to tax

sujeto de la inversión realizada, investee

suma, amount (n); sum (n.)

suma (operación), addition (add); add (ab. addition)

suma a pagar, amount outstanding

suma abonada en demasía, amount paid in excess

suma algebráica de partidas, algebraic sum of items

suma alzada, alimony in gross; lump sum

suma correspondiente, relevant amount

suma de dinero muy elevada, a pretty penny (col.); pretty penny

suma de principal más intereses devengados, aggregate principal amount; principal and interest

suma debida, amount due

suma devengada a Hacienda por pago anticipado de impuestos, amount receivable from tax authorities for prepaid taxes

suma elevada, handle (GB, col.: handle = big figure)

suma elevada de dinero (col.), package

suma en disputa, amount in dispute

suma nocional, notional principal amount

suma pendiente, remaining amount; remainder; outstanding amount; carry-over (n.); outstandings; balance outstanding; carried forward (CF); CF (ab. carried forward)

suma real de intereses pagados, actual amount of interest paid

suma redondeada, alimony in gross; lump sum

suma reducida que permite controlar otra mucho mayor, leverage

suma resultante, resulting figure; resulting amount; proceeds

suma total, aggregate amount

suma y sigue, remaining amount; remainder; outstanding amount; carry-over (n.); outstandings; balance outstanding; carried forward (CF); CF (ab. carried forward)

sumando, addend

sumar, add (up); aggregate (v.)

sumas, aggregates

sumas cuadradas, cross footings

sumas de poca cuantía, meagre amounts

sumas debidas a los abastecedores, amounts owed to suppliers

sumas incobrables, non-collectable amounts

suministrador, stockist (US: stockist = dealer); dealer (GB: dealer = stockist); supplier

suministrar, supply; furnish

suministrar en demasía, oversupply

suministro excesivo, oversupply

suministro(s), supply; furnish

suministros, supplies

supeditado a, contingent

superar una crisis, surmount a crisis

superávit (n.), surplus (pl: surplus = surpluses); capital reserves

superavit adquirido, acquired surplus

superávit asignado, appropriated surplus

superávit contable, book surplus

superávit de apreciación, appreciation surplus

superávit de capital, capital surplus

superávit de explotación, operating surplus

superavit de la balanza comercial, trade surplus

superávit de reserva, surplus reserve

superávit de revaluación, appraisal surplus; revaluation surplus

superávit disponible, unencumbered surplus; unappropriated surplus; uncommitted surplus; unreserved surplus

superávit en cuenta corriente, current account surplus

superávit ganado, earned surplus

superávit global, overall surplus (pl.: surplus = surpluses)

superávit no sujeto a cargas, unencumbered surplus; unappropriated surplus; uncommitted surplus; unreserved surplus

superávit no sujeto a intervención, unencumbered surplus; unappropriated surplus; uncommitted surplus; unreserved surplus

superávit reservado, appropriated surplus

superávit según libros, book surplus

superávits acumulados, accumulated surpluses

superintendente, superintendent (SUPT); SUPT (ab. superintendent)

superior (n. & adj.), superior (n. & adj.)

superior a la par, above par; at a premium

superpetrolero, supertanker

supervisar, control (v.); monitor (v.); supervise (v.)

supervisión (n. fem.), supervision; surveillance

supervisión oficial, government supervision

supervisor (adj.), supervisory

supervisor (n.), supervisor

suplementario (adj.), supplementary (adj.); supplemental (adj.)

suplemento, supplement (n.); endorsement (n.); indorsement (n.)

suplemento a un contrato, rider

suplemento de prima, additional premium (A/P); A/P (ab. additional premium); loaded premium

suplemento de prima por fraccionamiento del pago, additional premium for payment by instal(l)ments

suplente, alternate (n., masc. & fem.)

suplente (adj., masc. & fem.), substitute (adj.)

súplica, action (court); application; claim; complaint; petition; request; requisition; appeal; motion

suplicar, appeal (v.); appellate; petition (v.); file an application with

suponer, assume

suponer, en total, amount overall to

suposición, assumption

supranacional, supranational

Suprema Corte de Justicia (LA), Supreme Court (of Justice)

supremo dominio, eminent domain

supresión, abolition; abrogation; annulment; defeasance; cancellation; liquidation; passthrough (col.); suppression

supresión de actividades de blanqueo de dinero, suppression of money laundering activities

supresión de ceros, zero suppression

supresión de coeficientes, abolition of ratios

supresión de todas las anteriores cláusulas de penalización, suppression of all former penalty clauses

suprimir, delete; clear (v.); suppress

suprimir (comp.), erase (comp.); delete (comp.)

suprimir en el texto, suppress from the wording

suprimir un registro, delete a record

suprimir una prohibición, lift

supuesta titularidad, colour of title (US: colour = color)

supuesto, assumption (n.)

supuesto (adj.), purported (adj.)

supuesto técnico, technical assumption

surrogar, surrogate

surtir efectos, take effect; become effective

susceptible de acción judicial, actionable

susceptible de apelación, appealable

susceptible de deducción fiscal (adj., masc. & fem.), tax-deductible (adj.)

susceptible de envío por correo, mailable (adj., masc. & fem.)

susceptible de penalización (adj., masc. & fem.), forfeitable; attachable

susceptible de registro, recordable

susceptible de registro en libros, bookable; recordable

susceptible de reparto, distributable

susceptible de sanción, finable

susceptible de traspaso (masc. & fem.), transferable (adj.); negotiable (adj.)

suscribir, underwrite

suscribir un acuerdo, enter into a treaty

suscribir un contrato, enter into a contract; execute a contract; make a contract; seal an agreement; sign a contract

suscribir un contrato de compraventa, exchange contracts (GB)

suscribir un préstamo, subscribe to a loan

suscribir una emisión en Euros, underwrite an issue in Euros

suscribir una enmienda al contrato, subscribe to an amendment to the agreement

suscribir una nueva emisión de acciones, subscribe for a new share issue

suscriptor, subscriber

susodicho, aforesaid; aforementioned; aforenamed; as referred to above; before-written; before-mentioned; above-cited; above-mentioned (a/m); above-said; a/m (ab. above-mentioned)

suspéndase el pago por límite sobreexcedido, stop payment for overexceeded limit

suspender, adjourn

suspender el pago, stop payment

suspender el pago de un talón, stop a cheque (US: cheque = check / draft)

suspender pagos, become bankrupt; fail (become bankrupt); go into bankruptcy; go into receivership; crack (v., col.)

suspender una junta, adjourn a meeting

suspensión de actividades, recess

suspensión de empleo y sueldo, suspension from work without pay

suspensión de pagos (GB., col.)**,** stumer (col.)

suspensión de pagos temporal, temporary receivership

sustancial (adj., masc. & fem.)**,** substantial (adj.)

sustanciar, support (v.)

sustitutir, alternate (v.)

sustituto, alternate (n.)

sustituto (adj.)**,** substitute (adj.)

sustracción, pilferage; larceny; petty larceny; petty theft; abstraction

sustraer, pilfer; purloin; steal (stole, stolen)

SV (ab. **sociedad de valores),** brokering company

swap (de divisas, intereses, etc.), swap (n.); barter (n.)

swap (permuta) con valoraciones a mañana-pasado mañana (días hábiles), tomorrow-next (tom-next); tom-next (ab. tomorrow-next)

swap amortizable (Esp.)**,** amortising swap

swap aplazado (Esp.)**,** deferred swap

swap cancelable (Esp.)**,** cancellable swap

swap clásico (Esp.)**,** plain vanilla swap (col.); fixed-to-floating swap

swap colaterizado, collateralized swap

swap con warrant (Esp.)**,** warrant swap

swap cupón cero, zero-coupon swap

swap de circo, circus swap

swap de divisas (Esp.)**,** currency swap

swap de mercaderías (Esp.)**,** commodity swap

swap de reversión (Esp.)**,** reverse swap

swap de tipos de interés, interest rate swap

swap diferido (Esp.)**,** deferred swap

swap fijo-variable, plain vanilla swap (col.); fixed-to-floating swap

swap simétrico, mirror swap

swap variable-variable, floating-to-floating swap

swapción, swaption

T

t(i)enducha (Esp.), dead-and-alive shop (GB)

tabla (por categorías, etc.), ranking; classification; groupage; grouping

tabla de conversión, conversion table

tabla de gráficos, diagramm (US: diagramm = diagram); diagram (GB: diagram = diagramm); graphic; table; chart

tabla de horarios, schedule (n.); program (n.)

tabla de totales, aggregate table

tabla interpretativa, interpreting chart

tablas (actuariales) de mortalidad, mortality tables

tablas actuariales, actuarial tables

tablas de cálculo de intereses, interest tables

tablón de anuncios, bulletin board

tabulación, tabulation

tabulador (n.), tabulator

tabular, compute; calculate; tabulate

tabular (v.), diagramm (US: diagramm = diagram); diagram (GB: diagram = diagramm); graphic; table; chart

tabular los datos procesados, tabulate processed data (v.)

tácito (adj.), tacit

táctica (n.), tactics

táctico (adj.), tactical

tachado, crossed out

tachar, delete; clear (v.); suppress

táchese según proceda, delete as applicable

tal cual, as is

tal y como consta, as recorded

tal y como se ha acordado (en otro contrato), ad referendum (Lat.)

talega (Esp., col.), hock (n., col.); jailhouse (US); jail (GB); gaol (US)

talón (recibo), invoice (US: invoice = bill) (n.); bill (GB: bill = invoice) (n.); receipt (n.)

talón (resguardo), stub

talón de abono en cuenta, credit voucher; credit advice; credit note

talón de cuenta corriente, counter cheque (US: cheque = check)

talón de expedición, dispatch note

talón de ferrocarril, railway bill of lading (GB; ab. railway B/L); railway B/L (GB; ab. railway bill of lading); railroad bill of lading (US; railroad B/L); railroad B/L (US: ab. railroad bill of lading)

talón de ventanilla, counter cheque (US: cheque = check)

talón sin rellenar, blank cheque form (US: cheque = check)

talonario de cheques, check book (GB: check = cheque)

taller de mantenimiento, maintenance shop; maintenance unit

tamaño del contrato, contract size

tamaño extragrande, XL size (ab. extra large size); extra large size (XL size)

también llamado, alias dictus (Lat.); also known as (AKA); AKA (ab. also known as)

tampón de entintado (sellos), stamp pad

tan pronto le sea posible, at your earliest convenience

tan pronto sea factible, as soon as possible (ASAP); ASAP (as soon as possible)

tanda de candidatos, batch of candidates

tanto alzado, alimony in gross; lump sum

tapas para encuadernar, bookbinder

taquígafo (LA: **taquígrafo = estenógrafo),** steno (col.); stenographer

taquigrafía, shorthand

taquimecanógrafa, shorthand-typist

tara, tare

tara real, actual tare

tarea, task

tareas rutinarias, routine stuff (col.)

tarifa aduanera, tariff

tarifa base, base rate; basic rate; reference rate

tarifa bloque, block tariff

tarifa de fletes, freight rate

tarifa plana, flat rate

tarifa postal para impresos, second-class mail rate

tarifa preferencial, preferential tariff

tarifa publicitaria, advertisement rate

tarifas de transporte, carrier rates

tarima, pallet

tarjeta, card

tarjeta "caliente" (col.; **denunciada por robo, descubierto, estafa, etc),** hot card

tarjeta a retener, hot card

tarjeta a retirar, hot card

tarjeta caducada, expired card

tarjeta de archivo, filing card

tarjeta de control, control card

tarjeta de crédito, plastic (credit card) (col.); credit card

tarjeta de crédito expedida por un banco, bankcard (= bank card); bank card (= bankcard)

tarjeta de crédito mutilada (para impedir su uso), mutilated credit card

tarjeta de crédito obtenida fraudulentamente, fraudulently obtained credit card

tarjeta de embarque, boarding pass

tarjeta de identidad, identity card

tarjeta de plástico (col.), plastic (col.); plastic card

tarjeta de preparación (comp.), housekeeping card (comp.)

tarjeta de prueba, dummy card

tarjeta denunciada (por robo, descubierto, estafa, etc.), hot card

tarjeta estampada (datos del titular), embossed card (cardholder´s data)

tarjeta extraviada, lost card

tarjeta falsificada, forged card; counterfeit card

tarjeta grabada (datos del titular), embossed card (cardholder´s data)

tarjeta maestra (comp.), master card

tarjeta para control de existencias, inventory control card

tarjeta-cuenta, account card

tarjeta-orden de suspensión de pago, stop-payment card

tarjetahabiente, cardholder

tarjetas por cuenta, cards per account

tarjetero, card file; filing cabinet

tasa, coefficient; index; quotient; rate (n.); ratio; reason (ratio)

tasa (tributo), levy (n.)

tasa actual, current rate; going rate (col.); standard rate

tasa anual compuesta, compound annual rate

tasa arancelaria, duty

tasa de absentismo, absenteeism rate

tasa de actividad, activity rate

tasa de ahorro(s), savings ratio

tasa de amortización, amortization percentage; amortization quota

tasa de aprobaciones (otorgadas o recibidas), approval ratio

tasa de arrendamiento, rate of rental; rental rate

tasa de beneficio, rate of profit

tasa de cambio única, unitary rate

tasa de capitalización, capitalization rate

tasa de cobertura, hedge ratio

tasa de conversión, conversión rate

tasa de crecimiento demográfico, demographic growth rate

tasa de crecimiento, growth rate

tasa de crecimiento de los resultados, earnings growth rate

tasa de crecimiento del resultado ordinario de gestión, growth rate of ordinary operating income

tasa de crecimiento económico, economic rate of growth; economic growth rate

tasa de delincuencia juvenil, rate of juvenile delinquency; juvenile delinquency rate

tasa de depreciación, depreciation rate

tasa de descuento anual (TDA), annual discount rate (ADR); ADR (ab. annual discount rate)

tasa de descuento bancario, bank discount rate

tasa de desempleo, unemployment rate

tasa de distribución de beneficios, payout rate; payout ratio

tasa de endeudamiento, debt ratio

tasa de inflación, inflation rate; rate of inflation

tasa de interés, rate of interest; interest rate

tasa de interés efectiva, effective interest rate; real interest rate

tasa de interés preferencial, prime bankers´ acceptance rate

tasa de interés preferencial aplicable a clientes de primer orden, prime rate for commercial loans

tasa de inversiones, investment rate

tasa de morosidad, coefficient of bad debts

tasa de mortalidad, death rate

tasa de mortalidad por siniestros, accident death rate

tasa de nacimientos frente a la de fallecimientos, population birth versus death rates

tasa de natalidad, birth rate

tasa de ocupación hotelera, hotel occupancy rate

tasa de rendimiento, profitability; rate of return; yield (n.); return (n.)

tasa de rendimiento interno, yield to maturity

tasa de rentabilidad efectiva, actual rate of return; real return; real yield

tasa de rentabilidad interna, internal rate of return

tasa de rentabilidad mejorada, improved rate of return

tasa de ruptura, break rate

tasa de suscripción, subscription rate

tasa interna de rentabilidad (TIR), DYR (ab. domestic yield ratio); domestic yield ratio (DYR)

tasa media, average rate

tasa media de rentabilidad, average rate of yield

tasa por valor añadido, added value tax

tasa real de interés, effective interest rate; real interest rate

tasación, appraisal; assessment; appraising; evaluation; estimate (n.); valuation

tasación aduanal, customs appraisal

tasación pericial, expert appraisal

tasado, appraised

tasador, appraiser; appreciator

tasador de averías, cargo surveyor

tasador del impuesto sobre consumo, exciseman

tasar, assess; appreciate; appraise; evaluate; rate (v.); quantify; size (v.)

tasar los costes, assess costs

tasas anuales de crecimiento equivalentes, annualized growth rates

tasas anuales equivalentes, annualized rate basis

tasas conforme al valor, ad valorem duties (Lat.)

tasas consulares, consular fees

tasas en aumento, growing rates

TDA (ab. **tasa de descuento anual),** annual discount rate (ADR); ADR (ab. annual discount rate)

TDR (ab. **todos los derechos reservados),** all rights reserved (ARR); ARR (ab. all rights reserved)

tecla, key

teclado, keyboard

teclado alfanumérico, alpha-numeric keyboard

teclado de ordenador, computer keyboard

teclado numérico, keypad

técnica (n.), technique

técnicamente impracticable, technically unfeasible

técnicamente inviable, technically unfeasible

técnicamente irrealizable, technically unfeasible

técnicas de administración, techniques of administration; techniques of management; administration techniques; management techniques

técnicas de blanqueo, laundering techniques

técnicas de blanqueo de dinero, money laundering techniques

técnicas industriales, industrial techniques

técnicas para el blanqueo de dinero negro, money laundering techniques

técnicas para exportar dinero negro, techniques to export illicit money

técnico (adj.), technical

técnico (n.), technician

técnico del equipo de mantenimiento, troubleshooter (col.)

técnico experimentado (n.), experienced technician; skilled technician

tecnología bancaria, banking technology

tecnología punta, state-of-the-art technology

techo, cap

techo (col.), peak (n.); ceiling

TEF (ab. **transferencia electrónica de fondos),** electronic fund transfer (EFT); EFT (ab. electronic fund transfer)

tela (dinero) (Esp., col.), mazuma (US., col.)

telefonear, phone (col.) (v.); telephone (v.); ring up (col.) (v.)

teléfono, phone (col.) (n.); telephone (n.)

teléfono que comunica (Esp.), busy

teléfono y telégrafo, telephone and telegraph

telegrama, cable

teleproceso, teleprocess(ing)

telex, telex

Telón de Acero, Iron Curtain

tema (n. masc.), affair; matter (n.); subject; question (n.)

temario, agenda

temas económicos, economic topics; economic matters; economic subjects

temas fiscales, fiscal matters

temas pendientes de solventar, loose ends (col.)

temporada, season

temporada baja, dead season; off season

temporada de fusiones y adquisiciones, season of mergers and acquisitions

temporalmente inactivo, standby

temporizador (reloj), timer (watch); time watch

tendencia, trend

tendencia a la baja, downward trend; bearish tendency

tendencia al alza, upward trend; rising tendency; bullish trend

tendencia alcista, upward trend; rising tendency; bullish trend

tendencia anormalmente pronunciada, abnormally pronounced tendency

tendencia ascendente, rally; recovery; strengthening; upswing; upturn

tendencia ascendente de los rendimientos, rising yield pattern

tendencia bajista, downward trend; bearish tendency

tendencia bajista ficticia, bear trap

tendencia de las ventas, sales trend

tendencia descendente de los precios, pattern of falling prices

tendencia económica, economic trend

tendencia hacia la fuerte expansión, strong upward trend

tendencia hacia los precios altos, strong prices trend

tendencia inflacionista, inflationary trend

tendencias de los mercados, market trends

tendencias en el 2000, trends in the 2000

tendencias marginales, marginal trends

tendero, storekeeper (GB: storekeeper = shopkeeper); shopkeeper (US:

shopkeeper = storekeeper); shopman (GB)

tenedor, holder; beneficiary; payee

tenedor de acciones, stockholder (GB: stockholder = shareholder); shareholder (US: shareholder = stockholder)

tenedor de bonos, bondholder

tenedor de buena fe, holder in good faith; bona fide holder

tenedor de la letra, billholder

tenedor de la póliza, policy holder

tenedor de la prenda, pledgee

tenedor de libros, accountant; bookkeeper

tenedor de mala fe, mala fide holder

tenedor de una promesa, promisee

tenedor del certificado de titularidad, scrip holder

tenedor del pagaré, noteholder

tenedor inscrito, registered holder

tenedor legal, holder in due course

tenedor por endoso, endorsee; indorsee

tenedor registrado, holder of record

teneduría de libros, accounting; accountancy; bookkeeping

tenencia oficial de oro, official gold holding

tener fianza, be bonded

tener (un) diploma en banca internacional, hold a diploma in international banking

tener confianza en que, feel confident that

tener contraídas deudas con, charge (v.); debit (v.); owe (v.); be in debt with

tener derecho a, deserve; have a right to; be entitled to

tener el control de, be in control of

tener éxito, succeed

tener fondos en la cuenta, be in the black (col.)

tener jurisdicción sobre, have jurisdiction over

tener la cuenta sin fondos, be in the red

tener trascendencia, matter (v.)

tener un segundo empleo, double up shift; moonlight

tensión accionarial, share hype (col.)

tentativa, attempt (n.)

teorema, proposition

teoría de conjuntos, set theory

teoría de fijación de precios por arbitraje, arbitrage pricing theory (APT)

teoría de juegos, game theory

tercero (mediador arbitral), arbiter; arbitrator; referee (n.); umpire; compounder; amicable compounder; amicable referee; conciliator; third party (pl.: party = parties)

tercero (numeral), third

tercero (participante en contrato mercantil), outside party

tercero citado a juicio por presunto adulterio con la parte demandada, corespondent

tercero en discordia (Esp., col.)**,** outsider

terciar, arbitrate; referee (v.)

terminación de un contrato, expiration of an agreement

terminal, terminal

terminal de contenedores, container terminal

terminal de lectura de banda magnética (comp.), magnetic stripe reading terminal (MSRT); MSRT (ab. magnetic stripe reading terminal)

terminal instalado en el establecimiento vendedor, point-of-sale terminal (POS terminal, POST); POS terminal (ab. point-of-sale terminal); POST (ab. point-of-sale terminal)

terminal instalado en el punto de venta, point-of-sale terminal (POS terminal, POST); POS terminal (ab. point-of-sale terminal); POST (ab. point-of-sale terminal)

terminal para entrada de datos, data input terminal

terminal para toma de datos, data input terminal

término bancario, banking term

terminología de dudosa interpretación, ambiguous grammar

términos comerciales, commercial terms; hard terms

términos del contrato, contract terms; terms of contract; terms of the agreement

términos razonables, realistic terms

terrenos limítrofes, coterminous property; abutting property

territorio, territory

tesorería, floating money; money on hand; ready money; cash available; cash (on hand)

tesorería insuficiente, lack of liquidity; illiquidity; short of cash; cash shortage

tesorería ociosa (Esp.)**,** idle cash; idle economic resources; idle funds; barren money

tesorería y mercados monetarios, liquidity and money markets

tesorero, purse-bearer (col.); treasurer

tesoro, treasure

testador, bequeather

testador (n. masc., n. fem.)**,** testator

testadora (fem.)**,** testatrix (testatrix = testator) (fem. n.)

testaferro, dummy (col.); front man; straw man (col.); scapegoat (col.)

testamentaría, estate (n.); landed estate; lands; real estate; bona immobilis (Lat.); realty; real property; immovables; heritables; real chattels

testamentario (adj.)**,** testamentary

testamento, will; last will; testament

testamento mancomunado, joint will

testamento ológrafo, holographic will

testamento revocable, ambulatory will

testamentos recíprocos, counter wills

testigo, witness (n.); attestant; attestor

testimonial (adj.)**,** token

testimonio, evidence (n.); piece of evidence

tests sicológicos (Esp.)**,** psychological tests

texto de una disertación, paper

texto en sucio (col.)**,** rough draft

texto sin validez, dead letter

TIA (ab. **tipo de interés anual),** annual interest rate (AIR); AIR (ab. annual interest rate)

tiburón (col., **OPAs hostiles),** shark (col, hostile takeover bids); raider; predator

tic, tick

ticket de caja (Esp.)**,** pay-in slip; payment received; collected payment

ticket de venta (Esp.)**,** sales draft; sales bill; sales check; sales slip

TICO (ab. **tipo de interés contable),** accounting rate of interest (ARI); ARI (ab. accounting rate of interest)

tiempo, time

tiempo activo (comp.)**,** uptime (comp.)

tiempo compartido, time sharing

tiempo de ejecución, operating time

tiempo de grabación (comp.)**,** write time

tiempo de inactividad, idle time

tiempo de puesta a punto (comp.)**,** makeup time (comp.)

tiempo de respuesta, turnaround time

tiempo en común, time sharing

tiempo extra sin programar, unscheduled overtime

tiempo inactivo, idle time

tiempo muerto, dead time

tiempo ocioso, idle time

tiempo productivo (comp.)**,** uptime (comp.)

tiempo real, real time (RT); RT (ab. real time)

tiempo récord, record time

tiempos difíciles, hard times

tienda, shop

tienda de (compraventa de) artículos usados, thrift shop (US)

tienda de mala muerte (GB)**,** dead-and-alive shop (GB)

timador, fraud (man / woman); swindler; con (man & woman); confidence trickster (US); trickster (US); crook; operator (swindler)

timar, swindle (v.); con (US., col., v.); deceive; ream (US., col., v.); fleece

timbrado del efecto, revenue stamp

timbrar, stamp; seal

timbre, stamp; seal

timbre de la letra, revenue stamp

timo, con (US); con trick (US); confidence game (GB); fraud; swindle (n.)

timonel, steersman

tinglado (asunto ilegal) (Esp., col.)**,** racket (col.)

tinterillo (LA, col.)**,** shyster (US, col.); fire-eater (col.)

tintorero (col.)**,** money launderer

tío (Esp., col.), proposition

tipo, coefficient; index; quotient; rate (n.); ratio; reason (ratio)

tipo (de interés) corregido con la inflación, real (interest) rate

tipo (de interés) fijo, fixed (interest) rate

tipo (de interés) flotante, floating interest rate; variable(interest rate

tipo (de interés) nominal, nominal (interest) rate

tipo (de interés) preferencial, prime rate

tipo (de interés) real, real (interest) rate

tipo absoluto, absolute rate

tipo aplicable a la contabilización, accounting rate

tipo bancario, bank rate

tipo base, base rate; basic rate; reference rate

tipo cambiario, exchange rate; rate of exchange

tipo contable, accounting rate

tipo corriente, current rate; going rate (col.); standard rate

tipo de cambio, exchange rate; rate of exchange

tipo de cambio a la par comercial, arbitrated par of exchange

tipo de cambio al contado, spot loan

tipo de cambio aplicable a una divisa, currency rate

tipo de cambio bursátil, listing; quotation

tipo de cambio central, par value rate of exchange

tipo de cambio de intervención, intervention exchange rate

tipo de cambio deslizante, crawling peg

tipo de cambio efectivo, effective exchange rate

tipo de cambio Euro/Dólar, Euro/Dollar rate of exchange

tipo de cambio extraoficial, parallel rate of exchange

tipo de cambio flotante, floating exchange rate

tipo de cambio medio, average exchange rate

tipo de cambio medio ponderado (fixing), average weighted exchange rate

tipo de cambio paralelo, parallel rate of exchange

tipo de cambio predeterminado, predetermined exchange rate

tipo de cambio real, real exchange rate

tipo de cambio único, unitary rate

tipo de conversión, conversión rate

tipo de descuento bancario, bank discount rate

tipo de descuento para aceptaciones preferentes sobre Nueva York, prime bankers´ acceptance rate

tipo de ejercicio, strike rate

tipo de emisión, issue price; rate of issue; issue rate

tipo de interés, rate of interest; interest rate

tipo de interés a un (solo) día, overnight interest rate

tipo de interés anual (TIA), annual interest rate (AIR); AIR (ab. annual interest rate)

tipo de interés aplicable a créditos con garantía de valores, Lombard rate

tipo de interés aplicable a depósitos, deposit rate

tipo de interés contable (TICO), accounting rate of interest (ARI); ARI (ab. accounting rate of interest)

tipo de interés contractual, contract rate of interest

tipo de interés del bono, bond rate

tipo de interés del mercado interbancario de Londres, London Interbank Offered Rate (LIBOR); LIBOR (London Interbank Offered Rate)

tipo de interés efectivo anual, effective annual rate of interest

tipo de interés fluctuante, floating interest rate; variable(interest rate

tipo de interés implícito, implicit interest rate

tipo de interés interbancario (US), federal funds rate (US); interbank interest rate

tipo de interés interbancario de Londres (LIBOR), LIBOR (ab. London inter-bank interest rate); London inter-bank interest rate (LIBOR)

tipo de interés interbancario de Madrid (MIBOR), MIBOR (ab. Madrid inter-bnak interest rate); Madrid interbank interest rate (MIBOR)

tipo de interés interbancario europeo (EURIBOR), EURIBOR (ab. European inter-bank interest rate); European interbank interest rate (EURIBOR)

tipo de interés legal, legal rate of interest

tipo de interés nominal, nominal interest rate

tipo de interés para créditos pignoraticios, bank rate for collateral loans

tipo de interés para préstamos día a día, call rate

tipo de interés preferencial, prime bankers´ acceptance rate

tipo de interés preferencial sobre préstamos comerciales, prime rate for commercial loans

tipo de interés real, effective interest rate; real interest rate

tipo de interés sobre préstamo comercial, commercial loan rate

tipo de interés variable, variable-rate interest

tipo de intervención del Banco de España, intervention rate of the Bank of Spain; Bank of Spain´s intervention rate

tipo de moneda y montante de los billetes, denomination of banknotes; banknote denomination

tipo de oferta, offered rate

tipo de pignoración, bank rate for collateral loans

tipo de redescuento, rediscount rate

tipo de referencia, base rate; basic rate; reference rate

tipo de referencia para operaciones de financiación en divisas, commercial interest rate of reference (CIRR); CIRR (ab. commercial interest rate of reference)

tipo de tanteo, bid quote

tipo del Euro en mercado interbancario de Londres, Eurolibor

tipo diario, daily rate

tipo elevado, premium rate

tipo firme, firm rate

tipo fiscal, rate of taxation

tipo flotante, floating rate

tipo imponible, rate of taxation

tipo impositivo, rate of taxation

tipo invariable, flat rate

tipo LIBOR, London Interbank Offered Rate (LIBOR); LIBOR (London Interbank Offered Rate)

tipo mantenido, firm rate

tipo marginal, marginal rate

tipo máximo de interés (durante la vigencia del crédito), rate cap

tipo medio, average rate

tipo medio de coste de los recursos de clientes, average rate of cost of customer deposits

tipo medio de coste global de los recursos, average overall cost of funds

tipo medio de mercado, middle market rate

tipo medio de rendimiento, average yield; average return; average rate of return

tipo medio de rendimiento de las inversiones crediticias, average yield on loans and discounts

tipo medio de rendimiento del crédito en pesetas, average rate of return on peseta credit

tipo medio de rendimiento resultante, average rate of return on outstanding credit

tipo medio de rendimiento sobre activos financieros, average yield on financial assets

tipo medio del coste de los recursos de clientes, average cost of customer funds

tipo mínimo, minimum rate

tipo mínimo de interés, minimum interest rate

tipo mínimo de subasta, minimum upset price

tipo monetario, money rate

tipo ofertado del mercado interbancario de Madrid (MIBOR), Madrid interbank offered rate (MIBOR); MIBOR (ab. Madrid interbank offered rate)

tipo ofertado del mercado interbancario de París (PIBOR), Paris Interbank Offered Rate (PIBOR); PIBOR (ab. Paris Interbank Offered Rate)

tipo oficial de cambio, official exchange rate

tipo par, at par

tipo pivote, pivot rate

tipo porcentual anual sobre descubiertos, annual percentage rate (APR); APR (annual percentage rate)

tipo sin fluctuaciones, firm rate

tipo vigente en el mercado, prevailing market rate

tipos cambiarios de intervención, intervention exchange rates

tipos de cambio estabilizados, pegged exchange rates

tipos de cambio flotantes, floating exchange rates

tipos de cambio fluctuantes, floating exchange rates

tipos de interés a corto (plazo), short-term interest rates

tipos de interés a corto plazo en eurodólares, short-term eurodollar rates

tipos de interés a largo plazo, long-term interest rates

tipos medios de rendimiento y coste, average yield and cost; average rates of return and cost

TIR (ab. **tasa interna de rentabilidad),** DYR (ab. domestic yield ratio); domestic yield ratio (DYR)

tirada tipográfica, printout

tirar al mar, jettison

tirar por la borda, jettison

tirar por la borda (col.), discard; throw overboard (col.)

tirón de la demanda (col.), demand pull

titul(ar)ización, securitization; disintermediation

titulación, degree

titulado, graduate

titular, holder; beneficiary; payee

titular (receptor de un abono), accreditee

titular de acciones, stockholder (GB: stockholder = shareholder); shareholder (US: shareholder = stockholder)

titular de la cuenta, accountholder (= account holder); account holder (= accountholder); holder of account; name of an account

titular de la licencia, permitee

titular de la póliza, policy holder

titular de la propiedad, owner of record

titular de tarjeta, cardholder

titular de una patente (US), proprietor (n. masc..; fem.: proprietor = proprietress) (US); proprietary (pl.: proprietary = proprietaries) (US); permitee

titular registrado, registered holder

titular registrado de las acciones, shareholder of record (US: shareholder = stockholder); stockholder of record (GB: stockholder = shareholder)

titulares de cuenta conjunta, joint-account holders

titulares de cuenta indistinta, joint-account holders

titulares de cuenta mancomunada, joint-account holders

titularidad aparente, colour of title (US: colour = color)

titularidad sobre el espacio aéreo, air rights

titulizar, securitize

título, debenture; debt

título académico, degree

título al portador, bearer bond; active bond; bond payable to bearer

título de Bachillerato elemental (Esp.), General Certificate of Secondary Education (GCSE) (GB); GCSE (ab. General Certificate of Secondary Education) (GB)

título de Bachillerato Superior (Esp.), General Certificate of Education (GCE) (GB); GCE (ab. General Certificate of Education) (GB)

título de constitución de hipoteca, trust deed (US: trust deed = trust indenture); trust indenture (GB: trust indenture = trust deed)

título de crédito, financial asset; financial claim

título de cuenta, account heading

título de interés diferido, deferred bond

título de propiedad, title; title deed; right of ownership; deed of title; root of title; evidence of title; certificate of registration of title

título hipotecario, mortgage bond; bond mortgage; mortgage note; mortgage certificate; mortgage debenture

título inmediatamente realizable, cash security; breakup value (col.)

título nominativo, registered bond

título oneroso, onerous title

título registrado, title of record

títulos, securities (sing.: securities = security); securities portfolio

títulos (de la) clase A, A shares; A stock; A equity

títulos a la orden, bearer securities

títulos al portador, bearer paper

títulos amortizados, amortized securities

títulos bajo custodia como garantía, securities held in pawn

títulos bancarios, bank shares; bank stock

títulos bursátiles de primera clase, floaters (col.)

títulos bursátiles de venta rápida, blown-out titles

títulos con garantía hipotecaria, mortgage-backed securities

títulos cotizados a su nominal, par-value stock

títulos de cuentas del Mayor, ledger headings

títulos de interés fijo, fixed-income securities; fixed income; fixed interest-bearing securities

títulos de la Deuda Pública expresados en libras esterlinas (GB), gilts (GB, col.)

títulos de renta fija, fixed-income securities; fixed income; fixed interest-bearing securities

títulos de renta variable, equity securities; equities; variable-yield securities

títulos del sector público, government debt stock; government paper; government securities; national debt; public debt; government bonds

títulos depositados, deposited securities

títulos en cartera, securities holding

títulos extranjeros, foreign securities

títulos muy cotizados, features (col.)

títulos negociables, negotiable instruments; marketable securities

títulos no cotizados, stocks not listed; stocks not quoted; unlisted securities

títulos poseidos, securities owned

títulos que cotizan en Bolsa, listed securities; listed stock

títulos que no cotizan en bolsa, stocks not listed; stocks not quoted; unlisted securities

títulos sin emitir, unissued stock

títulos susceptibles de conversión, flip-flop securities (sing.: securities = security) (col.)

títulos varios cotizados en bolsa, sundry fixed securities

títulos varios no cotizados en bolsa, sundry unlisted securities

tocar fondo, touch bottom

toda clase de costos, all costs whatsoever

todas y cada una de las partes, all and singular

todo el año, all (the) year round; year-round

todo incluido, all-inclusive cost

todo incluido (en el precio), all-in (adj., GB); all-around (adj., US)

todo lo más, at most

todo lo posible, as far as possible

todo o nada (ejecutar por la totalidad), all or none (AON); AON (all or none)

todo se ha ido al garete (Esp., col.)**,** the bearded lady has gone bold

todo tipo de costes, all costs whatsoever

todos los años, every year; on a yearly basis; annually; PA (ab. Lat. per annum); per annum (PA) (Lat.); yearly

todos los derechos reservados (TDR), all rights reserved (ARR); ARR (ab. all rights reserved)

todos los gastos con cargo a la mercancía, all charges deducted

todos los gastos incluidos, all expenses incurred

toler, discount-sales bonus

tolerancia por tara, allowance for tare

toma de agua para incendios, fire hydrant; fireplug

toma de beneficios, profit taking

toma de datos por ordenador, computer input

toma de decisiones, decision making

toma de posesión, accession to office

toma de posiciones inesperada, raid (n.); run (n.)

tomador, receiver

tomador del préstamo, borrower

tomador del préstamo a la gruesa, borrower on bottomry

tómalo todo, short squeeze

tomar a préstamo, borrow

tomar juramento, administer an oath to

tomar la batuta (Esp., col.), take into charge; take over; take charge of; take the reins (col.)

tomar la mordida (SA), take a bribe; accept a bribe

tomar la palabra, take the floor (col.); take the stand (col.)

tomar las medidas adecuadas, take appropriate measures

tomar las riendas de (col.), take into charge; take over; take charge of; take the reins (col.)

tomar medidas, act (v.)

tomar medidas para, arrange for

tomar nota de una disposición, make a provision; record a provision

tomar nota de una disposición corporativa, record a corporate provision

tomar nota sobre la marcha, jot down

tomar posesión, accede

tomar posesión de, take possession of

tomar tiempos, time

tomar un préstamo, borrow

tomar una nota, make a note; draft a note

tomar una oferta de bonos a un precio dado, lift

tomarle las huellas a alguien, fingerprint (v.)

tómatelo con calma (Esp., col.), take a pew (GB, col.)

tome Vd. asiento, take a pew (GB, col.)

tonel, barrel

tonelada corta, short ton

tonelada larga, long ton (LT) (GB); LT (ab. long ton) (GB)

tónica, trend

tono de discado telefónico (SA), dial(ling) tone (telephone)

tono de marcado telefónico (Esp.), dial(ling) tone (telephone)

tope límite, floor limit

tope máximo de tipos de interés, interest rate cap

tope salarial, wages ceiling

toque final (col.), finishing touch (col.)

toque maestro (col.), finishing touch (col.)

torero a toro pasado (Esp., col.), Monday morning quarterback (col.)

tormenta de ideas (col.), brainstorming

total, total (n. & v.)

total (adj.), aggregate (adj.)

total (n.), aggregate (n.)

total de activos, total assets

total de activos y pasivos, BS total (ab. balance sheet total); balance sheet total (BS total)

total de cobros y pagos, total collections and disbursements

total de control, control total

total de empleados, total staff; headcount (col.)

total de empleos (inversión), total assets

total de negocio realizado, transacted business

total de obligaciones a la fecha, total commitments to date

total de obligaciones contraídas, total commitments

total de una suma, footing

total del balance, BS total (ab. balance sheet total); balance sheet total (BS total)

total global, overall total

totales, aggregates

totalizar, total (v.)

totalmente perteneciente a, wholly-owned

tra(n)sbordo, transshipment

tra(n)sbordos no permitidos, transhipments not allowed

tra(n)sbordos permitidos, transhipments allowed

trabajador (n.), clerk; accounts clerk; employee (pl. employee = employees / staff); jobholder (US)

trabajador autónomo, free lance

trabajador inestable (que cambia de empresa o trabajo con frecuencia), floater (col.)

trabajador interino, casual worker; jobber (casual worker)

trabajador manual, blue collar worker

trabajador obtuso y cachazudo, dense(-brained) employee (col.); dawdler

trabajador por libre (Esp., col.), free lance

trabajador que cambia de empresa frecuentemente, job hopper (col.)

trabajador sin contrato fijo, casual worker; jobber (casual worker)

trabajadores de astillero, yard gang

trabajadores no sindicados, non-union workers

trabajar a destajo, job (human resources)

trabajar a marchas forzadas, work like billyo(h) (GB, col.)

trabajar a toda mecha, work like billyo(h) (GB, col.)

trabajar conforme a la normativa, work to rule

trabajar de intermediario, job as a middleman

trabajar durante una huelga, blackleg; fink (v.);

trabajar por relevos, work in relays

trabajar por turnos, work in relays

trabajo, labour (US: labour = labor); work (n.); occupation

trabajo (puesto), job (human resources)

trabajo a destajo, job (human resources)

trabajo compartido, job sharing

trabajo concienzudo, diligent work

trabajo chapucero, botchup (col.)

trabajo del agente, agent's commitment

trabajo fijo, regular job

trabajo habitual, regular job

trabajo hecho a conciencia (Esp., col.), diligent work

trabajo minucioso, diligent work

trabajo por turnos, shift work

trabajo realizado en las instalaciones del propio cliente (auditoría), field work

trabajo(s) en curso, work in process

trabajos de rutina, routine stuff (col.)

tradicional (adj., masc. & fem., col.), plain vanilla (adj., col.); conventional

traducción, translation

traducción abreviada, abridged translation

traducción certificada (LA), sworn translation

traducción consecutiva, consecutive translation

traducción en sucio, raw translation

traducción fideligna, accurate translation

traducción fideligna del contrato, true version of translated agreement

traducción jurada (Esp.), sworn translation

traducción oficial, sworn translation

traducción simultánea, simultaneous translation

traducción sin corregir, raw translation

traducción sin pulir, raw translation

traducir, translate

traducir a, convert into

traducir un texto del inglés al español, render an English text into Spanish

traducir un texto inglés al español, render an English text into Spanish

traductor, interpreter; translator

traductor oficial (LA), sworn translator

traductor por libre, free-lance translator

traductor sin contrato ni integración en la empresa, free-lance translator

traer implícitos ciertos cambios económicos, bring about economic changes

traerle mala suerte a un negocio, jinx a business

traficar, trade (v.); deal (v.); merchandise (v.); transact (v.); market (v.)

tráfico (mercantil), business (n.); commerce (n.); trade (n.)

tráfico de confidencias, insider trading (GB: trading = dealing); insider dealing (GB)

tráfico de perfeccionamiento (Esp.), processing for reexportation

tráfico de sustancias estupefacientes, marketing of narcotics; narcotrafficking; drug dealing; drug traffick(ing)

tramitación, handling; negotiation

tramitar de un plumazo (Esp., col.), railroad (GB: railroad = railway); railway (US: railway = railroad)

trámites aduaneros, customs clearance

trámites burocráticos, red tape (col.)

trámites de liquidación de una sociedad, administration of liquidation

trámites de traspaso y formalización de un bien inmobiliario, conveyancing

trámites para la apertura de relaciones de corresponsalía, agency arrangements

tramo, tranche

tramo no remunerado, non-remunerated tranche

tramo remunerado, remunerated tranche

trampa fiscal, tax gimmick

tramposo, forger; crook (col.); adulterator

transacción, transaction

transacción atípica, non-counter transaction (col.)

transacción cerrada por debajo del precio de la precedente, downtick

transacción materializada mediante apunte contable, account entry

transacción mercantil, commercial transaction

transacciones (realizadas) fuera de la Bolsa, gré-à-gré market; gray market; grey market; after market; over-the-counter market (OTC market); OTC market (ab. over-the-counter market); secondary market; underlying market; curb market; kerb market (GB)

transacciones bancarias con grandes empresas, investment banking

transacciones bancarias convencionales, conventional banking transactions

transacciones cerradas, transacted business

transacciones con el exterior, cross-border transactions

transacciones financieras, financial transactions

transacciones informatizadas, computer-assisted trading

transacciones inmediatas (en el mercado secundario), after-market transactions

transcribir, copy (n. & v.); transcribe (v.)

transferencia, assignation; cession; transfer; transmission; displacement

transferencia cursada por teléfono, telephonic transfer

transferencia de competencias estatales a Comunidades Autónomas (Esp.), devolution

transferencia de fondos, funds transfer; transfer of funds; money transfer

transferencia de fondos por correo aéreo, air mail transfer (AMT); AMT (air mail transfer)

transferencia electrónica, electronic transfer (E-transfer); E-transfer (ab. electronic transfer)

transferencia electrónica de fondos (TEF), electronic fund transfer (EFT); EFT (ab. electronic fund transfer)

transferencia mediante cheque, transfer by cheque (US: cheque = draft / check)

transferencia por correo, mail transfer (MT); MT (ab. mail transfer)

transferencia postal, mail transfer (MT); MT (ab. mail transfer)

transferencia sin contrapartida, unrequitted transfer

transferencia telefónica, telephonic transfer

transferencia telegráfica, telegraphic transfer (TT); TT (ab. telegraphic transfer); cable transfer

transferencia temporal de poderes y funciones, temporary transfer of powers and duties

transferencias unilaterales, official unrequitted transfers

transferible, transferable (adj.); negotiable (adj.)

transferido, transferred

transferir, assign; allocate; attribute (v.); make over; transfer (v.); distribute; appropriate; set over

transferir (US), deed (v.)

transferir dinero, transfer money

transferir fondos por correo aéreo, transfer by air mail (TAM); TAM (transfer by air mail)

transferir por (medio de) cheque, transfer by cheque (US: cheque = draft / check)

transformación de préstamos en títulos, securitization; disintermediation

transformarse en, merge into

transfronterizo, cross-border

transigir respecto a, engage; undertake; compromise (v.); covenant (v.); obligate

transitario, consigner (consigner = consignor); consignor (consignor = consigner); forwarder; sender (shipper); shipper; freighter; shipping agent

transmisión de datos en tiempo real, real-time data transmission

transmisión de precios por teleimpresora, ticker

transmisión por sucesión, transfer by legacy

transmitir por sucesión, demise

transparencia de los estados financieros, transparency of financial statements

transparencia fiscal, fiscal transparency

transparente (adj., masc. & fem.), transparent (adj.)

transportador, carrier

transportar, carry

transportar mercancías, convey goods

transportar por camión, truck

transportar por carretera, truck (v.)

transportar por vía aérea, airlift

transporte aéreo, air transport

transporte blindado (Esp.), bulletproof transport vehicle

transporte ferroviario, rail transport

transporte marítimo, sea transport

transporte por camión, cartage; transport; transportation; carriage (US); truckage (US); trucking (US)

transporte por carretera, road transport

transporte por ferrocarril, rail transport

transporte por mar, sea transport

transporte por tren, rail transport

transporte por vía férrea, rail transport

transporte y seguro pagados hasta, CIP (ab. carriage and insurance paid to); carriage and insurance paid to (CIP)

transportes internacionales, international forwarding

transportista, carrier

transportista de fondos, cash messenger

transportista por carretera, motor carrier

tras, upon

tras (el pago de) impuestos, after-tax (adj.)

tras enterarse de que, upon having learned that

tras saber que, upon having learned that

trasfondo, background; motivation; reason (n.)

trasfondo del problema, background of the problem

trasladado, transferred

trasladado a una sucursal del extranjero, transferred to a foreign branch

trasladado desde otro departamento, transferred from another department

trasladar, relocate

trasladar forzosamente (a un puesto lejano o incómodo) (col.), deport

trasladarse (GB., col.), remove (v.)

traslado, relocation

traslado forzoso (a un puesto lejano o incómodo) (col.), deportation

traspasable (adj., masc. & fem.), transferable (adj.); negotiable (adj.)

traspasar, assign; allocate; attribute (v.); make over; transfer (v.); distribute; appropriate; set over

traspasar de nuevo, reconvey

traspasar el saldo de una cuenta, carry down

traspasar en régimen de arrendamiento, demise

traspasar la propiedad de un bien inmobiliario, convey property of estate

traspasar los derechos al reembolso de un crédito, assign the rights to repayment under a loan

traspasar un derecho, assign a right

traspasar una pérdida a la cuenta de resultados, charge off

traspaso, assignation; cession; transfer; transmission; displacement

traspaso a capital, transfer to capital

traspaso a los libros oficiales, posting

traspaso al sistema decimal, decimalization

traspaso de acciones, transmission of shares

traspaso de dólares a euros, translation from dollars into euros

traspaso de propiedad, transfer of title

traspaso de un crédito, assignment of a loan

traspaso inmobiliario mediante juicio ficticio, fine (n.); penalty

traspasos a insolvencias, additions to nonperformings

traspasos interdivisionales enviados, interdivisional transfers-in

trasvases internos de fondos, intragroup fund transfers

tratado, agreement; compact; arrangement; deal (n.); pact; treaty (pl.: treaty = treaties); compromise (n.); engagement; obligation

tratado comercial, commercial agreement; trade agreement; commercial treaty

tratado de doble imposición, double taxation treaty

tratado de nación más favorecida, most favoured nation agreement (US: favoured = favored)

tratamiento automático de la información, automatic data processing (ADP); ADP (ab. automatic data processing)

tratamiento de la información, data processing

tratante (n. masc.)**,** merchant; trader; dealer

tratar de, attempt (v.)

tratar de (v.)**,** mean

tratar de localizar, search (v.)

tratar de ser compensado, seek redress

tratarse de un asunto de los tribunales, be the court´s competence

trazar una gráfica, describe a graph

trece, thirteen

trece por doce, baker's dozen; printer´s dozen

treinta, thirty

tremendismo (Esp.), hokum (US)

tren de contenedores, container train

trepa (Esp., col.), Johnny-come-lately (col.)

trepa (n. masc. & fem., Esp., col.)**,** Johnny-come-lately (col.)

tres, three

trezavo, thirteenth

tribuna del jurado, jury box

tribunal, court; courthouse

tribunal de aduanas, customs court

tribunal de apelación, court of appeal

tribunal de conciliación, council of conciliation

tribunal de constitución irregular y procedimientos arbitrarios (col.), kangaroo court (col.)

tribunal de distrito, district court

tribunal de hacienda, Exchequer (GB)

tribunal de justicia, court of justice

Tribunal de lo Criminal, Assize Court (GB)

tribunal de lo laboral, labour court (US: labour = labor)

Tribunal de lo Penal, Queen's Bench (GB); court of oyer and terminer

tribunal de temas fiscales, tax court

tribunal del pueblo, people´s court

tribunal popular, people´s court

tribunal que entiende entre arrendadores/ arrendatarios, rent tribunal (GB)

tribunal sucesorio, probate court

Tribunal Supremo (Esp.)**,** Supreme Court

tribunal testamentario, probate court

tributable, assessable; leviable; taxable; imposable

tributable (adj., masc. & fem.)**,** fiscal (adj.)

tributo patrimonial, capital levy; wealth tax

tributo regresivo, regressive tax

tributos varios, taxes other than income tax; various taxes

trillón, quintillion (US)

trimestral, quarterly

trimestralmente, quarterly

tripulación, crew; ship´s company

triquiñuela legal, pettifoggery

triunfar, succeed

triunfo, success

trivial (adj., masc. & fem.)**,** slight (adj.)

tropecientas cosas que hacer (col.)**,** zillion (of) things to do (col.)

troquel, stamp; seal (n.)

troquelar, stamp; seal (v.)

trueque, exchange (n.)

trueque de divisas, currency swap

trueque de tipos de interés, interest rate swap

truncamiento, truncation

truncar, truncate

trust de inversión, investment trust

tubo de empaquetar moneda, coin envelope

tumultos, disturbances

turno de día, day shift

turno de noche, lobster shift (col.); lobster trick (col.); night shift

turno de repreguntas, cross-examination

U

ubicación (n. fem.), settlement

UGT (ab. **Unión General de Trabajadores)** (Esp.), Socialist General Labour Union (Esp.)

ulterior aviso, further news; fresh news

última entrada, primera salida (LIFO), last-in first-out (LIFO); LIFO (last-in first-out)

última instancia, last resort

última sesión de bolsa, last day of trading; last trading day

última voluntad, will; last will; testament

ultimar los arreglos necesarios, complete the necessary arrangements

último (mes), ultimo (ab. ult.)

último cambio bursátil, closing share price; closing stock market price

último día, closing day

último día de cotización bursátil, last day of trading; last trading day

último emplazamiento, final reminder

último modelo, state-of-the-art (adj.)

último pago de un préstamo, balloon payment

último recordatorio, final reminder

último usuario, end user

último vencimiento, balloon maturity

ultrajar, assault (v.)

ultramar, abroad (other countries); beyond the seas; overseas

umbral, threshold; point of departure

un dato, a piece of data

un millar, one thousand; ten hundred

una vez, once

una vez (después de), upon

una vez al año, once a year

una vez se haya sabido que, upon having learned that

undécimo, eleventh

único (adj.), one-time

unidad (n. fem.), unit (n. & adj.); unitary (adj.)

unidad adaptadora de datos, data adapter unit

unidad bursátil equivalente a 100 acciones, board lot (US)

unidad central de proceso, central processing unit (CPU); CPU (ab. central processing unit)

unidad de contratación (menos de 100 acciones; menos de USD 10,000), odd lot

unidad de contratación (USD 10.000), round lot (USD 10,000)

unidad de control, control unit

unidad de control de costes, cost centre (US: centre = center)

unidad de control de entradas-salidas (comp.), input-output control unit (comp.)

unidad de cuenta, unit of account (UA); UA (ab. = unit of account)

Unidad de Cuenta Europea (ECU), European Currency Unit (ECU); ECU (ab. European Currency Unit)

unidad de disco (comp.) (n., fem), disk drive (comp.)

unidad de gestión, unified management

unidad de información, data item

unidad de mantenimiento, maintenance shop; maintenance unit

unidad de negocio, business unit

unidad de proceso centralizado de datos, central processing unit (CPU); CPU (ab. central processing unit)

unidad mínima de medida de fluctuación, tick

unidad monetaria, currency unit; monetary unit; valuta

unidad resolutoria, decision-making unit

unidad total de gestión, completely unified management; fully unified management

unidades de producción, production units

unidades funcionales, functional units

unidades monetarias por DEG (DEG = derecho especial de giro), currency units per Special Drawing Right (ab. = SDR); currency units per SDR (SDR = Special Drawing Right)

unidades monetarias por derecho especial de giro (ab. **DEG),** currency units per Special Drawing Right (ab. = SDR); currency units per SDR (SDR = Special Drawing Right)

unificar, amalgamate (v.); merge; consolidate; unify

uniforme (adj., masc. & fem.), flat (adj.); constant; continual

unión de cooperativas, cooperative union

unión de las partes, joinder of parties

Unión General de Trabajadores (UGT) (Esp.), Socialist General Labour Union (Esp.)

unir, link (v.)

unir(se), associate (v); affiliate (v.)

unitario (adj.), unit (adj.); unitary (adj.)

universal, universal

uno, one

untar la mano (Esp., col.), embrace (v.); suborn (v.); bribe (v.); graft (v.); corrupt (v.)

urbanita (frente al paleto) (Esp., col.), towny (= townie, townee) (col.); townie (= towny, townee) (col.); townee (= townie, towny)

urbanizadora (n., Esp.), property development company; property developer; developer

urgente, urgent

urna para votaciones, ballot box

usar indebidamente, misuse

uso, usance

uso de la plaza, custom of the trade

uso delictivo, criminal use

uso forzoso temporal del barco por un gobierno extranjero, angaria

uso fraudulento de tarjetas de crédito, fraudulent use of credit cards

uso indebido, misuse

uso local, trade usage

uso permisivo, permissive use

uso y desgaste, wear and tear; natural wastage

usos bancarios, banking practice

usos bancarios más idóneos, best banking practices

usos comerciales, commercial usage

usos contables, accounting conventions; accounting concepts; accounting regulations; accounting standards; accounting principles

usuario, user

usuario actual, current user

usuario final, end user

usufructo, beneficial ownership; beneficial interest; usufruct

usufructuario, beneficial owner

usura, agio; usury

usurero, loan shark (col.); usurious (adj.); usurer (n.)

usurpar la personalidad, fake; sham

útil (adj.), useful

útiles, implements

utilidad (beneficio), benefit; profit; turn (col.); earnings

utilidad bruta, trading income; gross profit

utilidad imponible, taxable income; assessed income

utilidad neta, net earnings; net income; net proceeds; net profit; net return; net revenue; after-tax yield; after-tax earnings

utilidades, gains

utilidades anticipadas, anticipated profits

utilidades aplicadas, appropriated profits

utilidades capitalizadas, accumulated capital

utilidades contables, book profits; accounting profit; book gains

utilidades de explotación, operating income

utilidades devengadas, accrued income; accrued revenue(s)

utilidades diferidas, deferred income

utilidades líquidas, net earnings; net income; net proceeds; net profit; net return; net revenue; after-tax yield; after-tax earnings

utilidades no distribuidas, undistributed profits

utilidades no realizadas, paper profits

utilidades proindiviso, community income

utilidades provenientes de inversiones en valores, income from investments

utilización contraria a la ley, criminal use

utilización de derivados en fondos, use of derivatives in funds

utilización de una línea de crédito, borrowing

utilización del importe líquido, use of proceeds

utilización fraudulenta de tarjetas de crédito, fraudulent use of credit cards

utilización impropia, misuse

utilización lucrativa de información privilegiada, insider trading (GB: trading = dealing); insider dealing (GB)

utilización permisiva (n. fem.), permissive use

utilizaciones, amounts used

utilizar impropiamente, misuse

utilizar un crédito, avail of a credit; utilize a credit

V

vaca (col.), cash cow (col.)

vacaciones acumuladas, accrued holidays; accrued vacations

vacaciones retribuidas, holidays with pay

vacilar sobre (Esp., col.), joke about (col.)

vacío (n.), gap; deficit; shortage; shortfall; mismatch; unbalance

vacío legal, loophole

vagón (GB), truck

vagón de carga, platform car

vagón de carga descubierto, platform car

vagón de mercancías, car

vagón de mercancías (US), lorry

vagón-plataforma, platform car

vale, warrant; option call; call (option)

vale al portador, bearer scrip; scrip

valer, cost

valerse de, avail of

valía, value; worth

validar, validate

válido hasta, valid until

valor, value; worth

valor (al día de la) fecha, value today

valor (al día de) hoy, value today

valor (al día de) mañana, value tomorrow

valor (fecha de) mañana, value tomorrow

valor (según factura), invoice value

valor a cuenta, value on account

valor a la par de un título, par value of a share

valor absoluto, absolute value

valor actual, present value; present worth

valor actual a interés compuesto, compound present worth

valor actuarial, actuarial cost; actuarial value

valor actuarial a fin de año, actuarial cost at year end

valor actuarial actual, actuarial present value

valor actuarial de los compromisos con el personal pasivo, actuarial cost of commitments to retired employees

valor ajustado a la tasa de inflación, cash value; actual value; current worth; real value

valor al cobro, value for collection

valor al vencimiento, value at maturity; maturity value

valor alfa, alpha value

valor añadido al PIB (ab. **Producto Interno Bruto),** value added to the Gross Domestic Product (GDP); value added to the GDP (ab. Gross Domestic Product)

valor añadido al PNB (ab. **Producto Nacional Bruto),** value added to the Gross Domestic Product (GDP); value added to the GDP (ab. Gross Domestic Product)

valor añadido al Producto Interno Bruto (PIB), value added to the Gross Domestic Product (GDP); value added to the GDP (ab. Gross Domestic Product)

valor añadido al Producto Nacional Bruto (PNB), value added to the Gross Domestic Product (GDP); value added to the GDP (ab. Gross Domestic Product)

valor añadido bruto, gross added value (GAV); GAV (ab. gross added value)

valor añadido de la explotación, added value from trading

valor añadido neto, net added value

valor añadido por el banco al producto nacional, added value contributed by the bank to the national product

valor asegurable, insurable value

valor beta (beta = ß), beta value (beta = ß); ß value (ß = beta)

valor bruto contable (VBC), gross book value (GBV); GBV (ab. gross book value)

valor bursátil, stock market value

valor catastral, rateable value (GB)

valor comercial, market price; market value

valor contable, ledger value; book value

valor contable de las acciones, share consolidated book value

valor contable del neto patrimonial, book value of net worth

valor contable neto, net book value

valor contable por acción, book value per share

valor convenido, agreed value

valor de cancelación, surrender value

valor de comprobación, check value

valor de conversión, conversion value

valor de cotización, market price; market value

valor de desecho, salvage (n.); salvage value; residual value; scrap value; junk value

valor de desguace, salvage (n.); salvage value; residual value; scrap value; junk value

valor de escaso movimiento, illiquid security

valor de explotación neto, net working capital

valor de la empresa conforme a la cotización de sus acciones, market capitalization

valor de la factura, invoice value

valor de la moneda dentro del territorio nacional, domestic value of the currency

valor de liquidación, liquidating value; amount payable on settlement; liquidation value; realization value

valor de los daños, nuisance value

valor de mercado, market price; market value

valor de realización, liquidating value; amount payable on settlement; liquidation value; realization value

valor de realización forzosa, forced sale value

valor de realización inmediata, cash security; breakup value

valor de redención, surrender value

valor de renta fija, bond (n.); cash warrant; capital debenture

valor de renuncia, surrender value

valor de rescate, salvage value; residual value; scrap value; junk value

valor de tasación, appraisal value

valor del activo neto, net assets worth

valor del dinero, value of money

valor del inventario, value of the inventory

valor depreciado, depreciated value

valor difícilmente realizable, illiquid security

valor efectivo, cash value; actual value; current worth; real value

valor efectivo de mercado, actual cash value

valor en cuenta, value in account; account value

valor en liquidación, surrender value

valor en riesgo, value at risk (ab. VAR); VAR (value at risk)

valor equitativo, reasonable value; fair value; equitable value

valor estimado, estimated value; appraised value

valor estimativo, estimated value; appraised value

valor facial, par value; face value; nominal value; face amount (FA); FA (ab. face amount); principal (amount)

valor facturado, invoiced value

valor futuro, future value

valor global, aggregate value

valor intangible, intangible value

valor interior de la moneda, domestic value of the currency

valor interno de la moneda, internal value of the currency

valor intrínseco, intrinsic value

valor intrínseco de un negocio mercantil, goodwill; intangible assets; immaterial assets; going value (col.)

valor inverso, opposite value

valor justo en efectivo, fair cash value

valor liquidable, liquidating value; amount payable on settlement; liquidation value; realization value

valor liquidativo ajustado, resulting net value

valor líquido, net value; clear value

valor líquido de una propiedad individual, proprietary equity

valor líquido del patrimonio inmobiliario, property net worth

valor medio de la inversión, average investment value

valor mínimo de variación, tick

valor neto en libros, carrying value

valor neto patrimonial, net assets

valor neto resultante, resulting net value

valor nominal, par value; face value; nominal value; face amount (FA); FA (ab. face amount); principal (amount)

valor nominal de una acción, par value of a share

valor nominal neto, principal; accountee; assignor; auctor; constituent

valor numérico, numeric value

valor objetivo, objective value

valor paritario de una acción, par value of a share

valor por acción según libros, book value per share

valor potencial, potential value

valor potencial de la opción, option time value

valor real, cash value; actual value; current worth; real value

valor recibido, value received

valor residual, salvage (n.); salvage value; residual value; scrap value; junk value

valor residual en cuenta especulativa (futuros), equity (proprietorship) (futures)

valor respaldado por activos, asset-backed security (ABS); ABS (ab. asset-backed security)

valor retenido, value retained

valor rojo, red chip

valor según factura, invoiced value

valor sin depreciar, undepreciated value

valor sólo para cobro, value for collection only (VCO); VCO (ab. value for collection only)

valor ß (ß = beta), beta value (beta = ß); ß value (ß = beta)

valor tangible, tangible value

valor temporal, time value

valor teórico, hypothetical value; theoretical value

valor tiempo, time value

valor unitario, unit value

valor-factura, invoice value

valor-fecha, for value date

valor-fecha (apunte contable), accounting date (entry); accounting day

valoración, appraisal; assessment; appraising; evaluation; estimate (n.); valuation

valoración (según sistema) FIFO, first-in first-out valuation (FIFO valuation); FIFO valuation (ab. first-in first-out valuation)

valoración actuarial, actuarial valuation

valoración al costo medio, valuation at average cost

valoración aplicada por el mercado, market valuation

valoración asignada, score

valoración catastral (Esp.), assessed valuation (LA); assessed value

valoración continua conforme al mercado, mark-to-market

valoración de acciones en el mercado, market valuation of shares

valoración de existencias, inventory pricing (GB = stock valuation); stock valuation (US = inventory pricing)

valoración de la calidad, quality assessment

valoración de puestos de trabajo, job evaluation; job ranking

valoración de un bono, bond pricing

valoración del daño, assessment of damage

valoración del grado de solvencia, rating

valoración del riesgo, assessment of risk

valoración pericial, expert appraisal

valoración positiva conseguida, acquired goodwill

valoración según primeras entradas, últimas salidas, first-in first-out valuation (FIFO valuation); FIFO valuation (ab. first-in first-out valuation)

valorado, appraised

valorador, appraiser; appreciator

valorar, value; worth

valorar los costes, assess costs

valorar según mercado, mark-to-market

valores, securities (sing.: securities = security); securities portfolio

valores adquiridos y conservados como inversión, digested securities

valores al portador, bearer securities

valores anotados, account-entry (system) securities

valores aprobados para inversión, securities approved for investment

valores bursátiles, listed securities; listed stock

valores bursátiles de gran capitalización, blue chips (col.); blue-chip shares; blue onips (col.)

valores bursátiles de gran demanda, features (col.)

valores bursátiles de realización inmediata, blown-out titles

valores con dividendo variable, unfunded securities

valores con opción a la conversión, flip-flop securities (sing.: securities = security) (col.)

valores consolidados, consols (GB)

valores convertibles, convertible securities

valores cotizables, listed securities; listed stock

valores cotizados en Bolsa, listed securities; listed stock

valores cumulativos de coste y amortización, accumulated cost and depreciation figures

valores de renta fija, fixed-income securities; fixed income; fixed interest-bearing securities

valores de renta variable, equity securities; equities; variable-yield securities

valores de renta variable (n. masc. pl.), stocks

valores de renta variable admitidos a cotizar, shares admitted to trading (US: shares = stocks); shares admitted to listing (US: shares = stocks); stocks admitted to trading (US: stocks = shares); stocks admitted to listing (GB: stocks = shares)

valores de renta variable cotizados en bolsa, quoted stocks

valores del estado, government debt stock; government paper; government securities; national debt; public debt; government bonds

valores del estado (GB), gilt-edged securities (GB)

valores del sector privado, non-government securities

valores del sector público, government debt stock; government paper; government securities; national debt; public debt; government bonds

valores depositados, deposited securities

valores depositados por clientes, securities deposited by customers

valores en cartera, holdings; investments; portfolio securities

valores entregados en prenda, securities held in pawn

valores estrella (col.), features

valores extranjeros, foreign securities

valores industriales, industrial stocks

valores inscritos en Bolsa, listed securities; listed stock

valores mobiliarios, securities (sing.: securities = security); securities portfolio

valores mobiliarios de renta fija y variable, bonds and stocks

valores multivariables, multifactor values

valores muy cotizados, seasoned securities (col.)

valores negociables, negotiable instruments; marketable securities

valores no cotizados en bolsa, stocks not listed; stocks not quoted; unlisted securities

valores no vendidos a los inversores, undigested securities

valores o activos totales poseídos por una entidad, portfolio

valores opcionalmente convertibles, flip-flop securities (sing.: securities = security) (col.)

valores para inversión, investment securities

valores privados, private-sector securities

valores privados de renta variable, private-sector variable-yield securities

valores realizables, cash and due from banks; cash on hand and with banks; funds available (cash and banks); quick assets; available assets

valores secundarios de renta variable, equity derivatives

valores sintéticos, synthetic securities

valores transitorios, deferred assets; unadjusted assets

vapor (barco), motor ship (MS); motor vessel (MV); MV (ab. motor vessel / merchant vessel); MS (ab. motor ship / merchant ship); merchant ship (MS)

variable, variable

variable aleatoria, aleatory variable

variable estocástica, aleatory variable

variables económicas, economic variables

variación absoluta y relativa, absolute and percentage variation

variación de la balanza global, shift of the overall balance

variación de tendencia, shift

variación de un trimestre a otro, quarter-to-quarter variation

variación intertrimestral, quarter-to-quarter variation

variación máxima diaria autorizada (futuros), limit

variación respecto al cierre del día anterior (n., fem.), change (n.)

variación sobre costos de fabricación, manufacturing cost variation; variation in manufacturing costs

variaciones contables, accounting variations

variaciones de costos, cost variances

variaciones en los tipos cambiarios, changes in exchange rates

variaciones y traspasos, variations and transfers

varianza, variance

variar, fluctuate; yo-yo (col.)

variar de tendencia, shift

variedad (n. fem.), manifold (n.)

variedad del muestrario de productos, product range breadth

varios, various

VBC (ab. **valor bruto contable),** gross book value (GBV); GBV (ab. gross book value)

vecino (co)lindante, abutter; adjoiner

vehículo de transporte a prueba de balas, bulletproof transport vehicle

vehículos de inversión colectiva, collective investment vehicles

veinte, twenty

veintena, score

veintiuno, twenty-one

vejar, abuse (v.)

vencer, expire; fall due; lapse (v.); prescribe

vencer (fecha), mature

vencer aplastantemente a los competidores, mop competitors (col.)

vencer una crisis, surmount a crisis

vencido, stale; aged

vencido (fecha), mature

vencido (interés), in arrears

vencido y a cobrar, overdue

vencido y no pagado, overdue

vencido y pagadero, past due; due and payable

vencido y pendiente de pago, overdue

vencimiento (vto.), caducity; expiration

vencimiento adelantado, accelerated maturity

vencimiento al 2002, due 2002

vencimiento anticipado, accelerated maturity

vencimiento aparente, apparent maturity

vencimiento común, average due date; equated maturity date

vencimiento de un contrato, expiration of an agreement

vencimiento de un plazo, maturity of an instal(l)ment

vencimiento de una letra, draft maturity; maturity of draft; maturity of bill

vencimiento establecido, scheduled maturity

vencimiento fijado, scheduled maturity

vencimiento final de bonos en cifra superior a otra previa, balloon maturity

vencimientos a menos de un año, current maturities

vencimientos corrientes, current maturities

vencimientos inferiores al año, current maturities

vendedor, seller; vendor

vendedor al descubierto, short seller

vendedor al detall, retail dealer; retailer

vendedor al por menor, retail dealer; retailer

vendedor ambulante, hawrer

vendedor de información confidencial, tout (col.)

vendedor de una opción, grantor; maker

vendedor de una opción de compra en el mercado al contado, spot seller

vendedor minorista, retail dealer; retailer

vender a bajo precio para liquidar existencias, sell off

vender a crédito, sell on credit

vender a plazo en firme, sell bear

vender a plazos, grant easy terms

vender a precio de regalo, bargain away

vender a término, sell for future delivery; sell forward

vender a un precio dado, hit

vender con beneficio, sell at a profit

vender con pérdida, sell at a loss

vender de estraperlo (Esp., col.), sell on the black market

vender en descubierto, sell short

vender en el mercado negro, sell on the black market

vender en su totalidad, sell out

vender más que, outsell

vender mediante subasta, auction (v.); sell at auction

vender por encima de las disponibilidades, oversell

vender valores "al mejor" (Esp.), sell securities "on a best effort basis"

vendí, certificate of sale

vendible, marketable

vendido (revientahuelgas), blackleg; fink (n.); squeaker (GB); scab (US); strike breaker

venta, sale

venta "straddle", top straddle; short straddle

venta "strangle", short strangle; top strangle

venta a bajo precio para liquidar existencias, sell-off

venta a crédito, charge sale; credit sale

venta a domicilio, house-to-house selling

venta a gran escala de títulos de la deuda pública, large sales of government debt

venta a precios de liquidación (por renovación, cese de negocio, etc.), disposal sale

venta a precios rebajados, bargain sale

venta al contado, cash sale

venta al descubierto, short sale; short selling; bear sale

venta al descubierto de títulos, short against the box

venta al por mayor, wholesale

venta automatizada, vending machine sale

venta bursátil en descubierto, time bargain

venta con entrega aplazada, cash forward sale

venta con pacto de recompra, assets sold under repurchase agreements

venta condicional, conditional sale

venta cubierta, covered call writing

venta de activos bajo compromiso de recompra), temporary sale of assets

venta de bienes patrimoniales, asset disposal

venta de campaña, seasonal sale

venta de divisas a plazo, forward currency sale

venta de existencias, realization of stocks

venta de futuros o compra de opciones (en caso de baja bursátil), portfolio insurance

venta de futuros para restablecer una posición de mercado, short

venta de mercancías en futuros, forward sale

venta de objetos usados en el domicilio del propietario, garage sale

venta de opciones en descubierto, naked writing

venta de propiedades inmobiliarias procedentes de embargos, realization of seized property

venta de restos, stocktaking sale; stocktaking clearance; clearance sale; sellout

venta de temporada, seasonal sale

venta de un activo, realization

venta de un valor sin perspectivas para reinvertir, a corto, en otro, switch (n.)

venta de una opción de compra, call sale

venta de una opción de venta, put sale

venta de valores con pacto de recompra, repurchase agreement (ab. REPO); REPO (ab. = repurchase agreement); put; buy-back

venta de valores de renta variable, realization of stocks

venta de valores en cartera, portfolio sale

venta directa al consumidor, direct selling

venta en descubierto de activo y compra de opción de compra sobre el mismo, long synthetic put

venta en efectivo, cash sale

venta en firme, outright sale

venta en subasta, auction sale

venta forzosa, forced sale

venta global de artículos, package deal

venta hipotecaria, foreclosure sale

venta mediante máquina automática, vending machine sale

venta opción, covered call writing

venta parcial de activos, realignment; restructuration

venta postbalance, stocktaking sale; stocktaking clearance; clearance sale; sellout

ventaja absoluta, absolute advantage

ventaja competitiva, competitive edge; competitive advantage

ventajas complementarias, added advantages

ventajas de la explotación de reservas, benefits from development of reserves

ventajas fiscales, tax benefits

ventajas y desventajas, pros and cons

ventanilla, counter

ventas anuales, yearly sales

ventas brutas, gross sales

ventas de cartera (de títulos), sales from the portfolio

ventas de existencias, inventory sales

ventas netas, net sales

ventas temporales de activos con compromiso de recompra, assets sold under repurchase agreements

ver al dorso, PTO (ab. please turn over); please turn over (PTO)

ver cómo está el patio (Esp., col.), feel out

verdad demostrable, demonstrable true statement

veredicto, finding

veredicto apelable, appealable verdict

veredicto desfavorable, adverse verdict

vergonzoso, discreditable

verificación (n. fem.), ascertainment; verification; check (n.); crosscheck (n.); checkup (n.)

verificación de paridad (comp.), odd-even check (comp.)

verificación de paridad par, even-parity check

verificación de validez, validity check

verificación negativa, negative verification

verificación por saldos negativos, negative check(ing)

verificación por superposición, peekaboo

verificado, audited (adj.)

verificador, verifier

verificador de paridad (comp.), parity check (comp.)

verificadora de tarjetas, card verifier

verificar, cross-check (v.); check-up (v.); collate (v.); verify (v.)

verificar la firma, verify the signature

verificar las entradas y salidas por caja, prove the cash

verificar las referencias aportadas, check the bona fides

verse expuesto a sufrir pérdidas, be open to losses

verse falto de dinero, be short of money

verse obligado a, be compelled to

verse obligado a conseguir dinero, be pushed for money

versión fideligna del contrato traducido, true version of translated agreement

versión resumida, abridged version

vértice, apex (pl. = apexes, apices); apexes (sing. apex); apices (sing. apex)

vetar, prohibit (v.); ban (v.)

veto, banning; ban; prevention; prohibition

vez, time

vía, channel (v.)

vía rápida, fast track

viabilidad, feasibility

viable, feasible

viajante (agente itinerante), delegate (n.); representative (rep); rep (ab. representative) (col.)

viajar, travel

viaje, travel

viaje de negocios, business trip

viaje de vuelta, homeward bound

víbora (n., fem., col.), snake (n., col.); reptile (col.)

vice- (adj.), deputy; vice-

vicepresidente, vice president

vicepresidente del consejo de administración, vice chairman

vicesecretario, assistant secretary; undersecretary

vicesecretario general, assistant general secretary

vicetesorero, subtreasurer; assistant treasurer; vice treasurer

vicetesorero corporativo (LA), corporate vicetreasurer

vicetesorero de la sociedad, corporate vicetreasurer

viciado (adj.), corrupt; contaminated (adj.); contaminate by way of bribery

vicio, defect; bug; vice

vicio manifiesto, apparent defect

vida, life; duration

vida activa, working life

vida de una opción, option life

vida económica, economic life

vida laboral, working life

vida media, average life (A/L); A/L (ab. average life)

vida útil, useful life

vida útil de un activo, economic life

vigencia, life; duration

vigencia de la garantía, duration of guarantee (guarantee = guaranty)

vigencia de un préstamo, life of a loan

vigencia de una garantía, life of a guaranty (guaranty = guarantee)

vigencia media, average life (A/L); A/L (ab. average life)

vigente hasta, valid until

vigésimo, twentieth

vigésimoprimero, twenty-first

vigilancia, surveillance

vigilante de seguridad de un comercio, shopwalker (GB)

vigilar, surveil

vinculación, association

vinculación por impago, cross default

vincular, link (v.)

vincular a, compel to; bind to

vínculo, link (n.)

vínculo jurídico, legal link

violación, breach; default; failure to comply; failure to perform; infraction

violación (estupro), rape

violación anticipatoria de un acuerdo, anticipatory breach of agreement

violar, violate

violar (lo pactado en) un contrato, break a contract

violar (un acuerdo), breach; default; failure to comply; failure to perform; infraction

violar disposiciones, violate provisions

virgen (sin rellenar), blank

visa del consulado, consular visa

visado consular, consular visa

visado de tránsito, transit visa

visión retrospectiva, review (n.); revision

visitador de empresa de venta a plazos, tallyman (GB)

vista de aduanas (Esp.), customs officer; customs agent

vista judicial, lawsuit; litigation; pleading; suit; trial

visto bueno, acceptance; accession; acquiescence; approval; assent

visto que, whereas; having regard to; since

vitrina (LA), shopwindow

viveza, readiness; availability

vivienda temporal proporcionada por la empresa al trabajador (GB), tied housing

viviendas de protección oficial (Esp.), council estate; council housing

viviendas subvencionadas (Esp.), council estate; council housing

vivir al día, live on a day-to-day basis

vivo (saldo en cuenta) (adj.), outstanding

VMDCA (ab. **volumen medio diario de contratación de acciones),** ADVMS (average daily volume of marketing of shares)

vocero (LA), spokesman

volatilidad, volatility

volatilidad de la cartera, portfolio volatility

volatilidad implícita, implied volatility

volcado de memorias (comp.), storage dumping (comp.)

volumen, volume

volumen bursátil, exchange volume

volumen de contratación, volume of dealings; trading volume; volume of trading; tick volume; transactions volume; volume of transactions

volumen de exportaciones, volume of exports

volumen de importaciones, volume of imports

volumen de intercambios, volume of dealings; trading volume; volume of trading; tick volume; transactions volume; volume of transactions

volumen de la deuda, volume of debt

volumen de negocio, turnover (US: turnover = sales revenue); sales revenue (GB: sales revenue = turnover)

volumen de ofertas en Eurobonos, volume of Euro-bond issues

volumen de operaciones, volume of dealings; trading volume; volume of trading; tick volume; transactions volume; volume of transactions

volumen de transacciones, volume of dealings; trading volume; volume of trading; tick volume; transactions volume; volume of transactions

volumen diario, daily volume

volumen efectivo contratado de acciones, total real value of dealings in stock

volumen global de cobros y pagos, total collections and disbursements

volumen medio de negocio, average turnover

volumen medio de negocio gestionado, average volume of business handled

volumen medio diario de contratación, average daily volume of trading (ADVT); ADVT (average daily volume of trading)

volumen medio diario de contratación de acciones (VMDCA), ADVMS (average daily volume of marketing of shares)

volumen nominal de contratación de acciones, total par value of stock traded

volumen total de producción, output; throughput

voluntario, optional

volver a acceder a la propiedad, repossess

volver a comprar el activo previamente realizado, repurchase (v.); buyback (v.)

volver a entregar, redeliver; send back

volver a estudiar, reassess; reconsider

volver a girar una letra, redraft (v.)

volver a interrogar, cross-examine

volver a negociar el condicionado del contrato, renegotiate the terms of the agreement

volver a ocupar un cargo, return to active duty

volver a presentar, represent

volver a redactar, redraft (v.)

volver al patrón oro, return to the gold standard

voracidad, rapacity

votación, balloting; ballot

votación a mano alzada, show of hands

votación mediante papeletas, poll (n.)

votación por orden de preferencia, preference voting; preferential voting

votar, vote (v.)

votar en contra, blackball

votar por, poll (v.)

votar sobre, take a ballot on; hold a ballot on

voto, vote (n.)

voto a favor, affirmative vote; yea (US)

voto afirmativo, affirmative vote; yea (US)

voto de calidad (Esp.), casting vote

voto de confianza, vote of confidence

voto decisorio, casting vote

voto del presidente, casting vote

voto favorable, affirmative vote; yea (US)

voto negativo, nay

votos a favor, yesses

vto. (ab. **vencimiento),** caducity; expiration

vuelco de memoria (informática), dumping

vuelta(s) (Esp., col.), divisional coins; divisional money; change (col.)

W

warrant cubierto, covered warrant

warrant desligado de un bono, naked warrant

warrant desnudo, naked warrant

warrant en descubierto, faux warrant

warrant postizo, faux warrant

X

xerocopia (r), photocopy (n.); photostatic copy; photostat (n.); xerox (r) (n.)

xerocopiadora (r), Xerox machine (r)

Y

y (&), ampersand (&); & (ampersand)

y pico (Esp.) **(twenty dollars odd = veinte dólares y pico),** odd

ya citado, aforesaid; aforementioned; aforenamed; as referred to above; before-written; before-mentioned; above-cited; above-mentioned (a/m); above-said; a/m (ab. above-mentioned)

yanqui, Yankee (US)

yarda (medida), yard; shipyard; boatyard

yonki (Esp., col.)**,** junkie

Z

zancadillear a alguien, trip somebody (col.)

zanjar una relación mercantil, sever a business relationship

zilmerización, zillmerization

zona, quarter

zona comercial, shopping district

zona comercial franca, free-trade zone

zona de la libra esterlina, scheduled territories (GB)

zona de peligro, danger zone

zona del dólar, dollar area

zona deprimida, backward area

zona franca aduanera, foreign trade zone

zona fronteriza, borderland

zona monetaria, currency area

zona privada, private area

zona residencial periférica de gran lujo, stockbroker belt (col.)

zonas geoeconómicas, geographic and economic areas

DICCIONARIO DE INCORRECCIONES Y PARTICULARIDADES DEL LENGUAJE. *Santamaría, Cuartas, Mangada y Martínez de Sousa.*

DICCIONARIO DE INFORMÁTICA. INGLÉS-ESPAÑOL. *Olivetti.*

DICCIONARIO DE INFORMÁTICA. INGLÉS, FRANCÉS, ESPAÑOL. MÁS DE 11.000 TÉRMINOS. Cartoné. *Nania.*

DICCIONARIO DE LA COMUNICACIÓN. *De la Mota.*

DICCIONARIO DE LA INFORMACIÓN, COMUNICACIÓN Y PERIODISMO. *Martínez de Sousa.*

DICCIONARIO DE LA MODA, CONFECCIÓN E INDUSTRIAS TEXTILES. *Zeldis.*

DICCIONARIO DE LAS CIENCIAS. *Hartman.*

DICCIONARIO DE MÉTRICA ESPAÑOLA. *Domínguez Caparrós.*

DICCIONARIO DE MICROELECTRÓNICA. *Plant.*

DICCIONARIO DE MODISMOS FRANCESES. FRANCÉS-ESPAÑOL, ESPAÑOL-FRANCÉS. *Lavanat y Fernández Monedero.*

DICCIONARIO DE MODISMOS Y LENGUAJE COLOQUIAL. ESPAÑOL-ALEMÁN. *Renner.*

DICCIONARIO DE ORTOGRAFÍA DE LA LENGUA ESPAÑOLA. *Martínez de Sousa.*

DICCIONARIO DE PALABRAS OLVIDADAS O DE USO POCO FRECUENTE. *Muñoz.*

DICCIONARIO DE SINÓNIMOS, IDEAS AFINES Y DE LA RIMA. *Horta.*

DICCIONARIO DE TECNOLOGÍA DE LAS COMUNICACIONES. *Gilbert Held.*

DICCIONARIO DE TERMINOLOGÍA INFORMÁTICA. *Aguado.*

DICCIONARIO DE TÉRMINOS ECOLÓGICOS. *Vicen.*

DICCIONARIO DE TÉRMINOS Y FRASES MÉDICAS INGLÉS-ESPAÑOL, ESPAÑOL-INGLÉS. *Varios.*

DICCIONARIO DE TIPOGRAFÍA Y DEL LIBRO. *Martínez de Sousa.*

DICCIONARIO DEL MARKETING. *Alonso Barroso.*

DICCIONARIO DEL VÍDEO. *Perales.*

DICCIONARIO MARÍTIMO INGLÉS-ESPAÑOL, ESPAÑOL-INGLÉS. CON DIÁLOGOS ENTRE CAPITÁN Y PRÁCTICO. *Rodríguez Barrientos.*

DICCIONARIO DE MICROINFORMÁTICA. *Virga y Mesters.*

DICCIONARIO MÚLTIPLE. Nueve diccionarios en un solo volumen: Sinónimos y antónimos. Palabras homófonas. Palabras de dudosa ortografía. Palabras isónimas y parónimas. Palabras parónimas por el acento. Palabras parónimas por la pronunciación. Rimas poco comunes. Refranes, dichos y sentencias. Frases latinas. Ceceo y seseo. Curiosidades. *Onieva.*

DICCIONARIO NÁUTICO INGLÉS-ESPAÑOL, ESPAÑOL-INGLÉS. *Malagón.*

DICCIONARIO NAVAL. INGLÉS-ESPAÑOL Y ESPAÑOL-INGLÉS. *Leal.*

DICCIONARIO POR TEMAS. INGLÉS-ESPAÑOL. ESPAÑOL-INGLÉS. *Merino.*

DICCIONARIO PRÁCTICO DE ESTADÍSTICA. *Sierra Bravo.*

DICCIONARIO TÉCNICO ESPAÑOL-INGLÉS. *Malgorn.*

DICCIONARIO TÉCNICO INGLÉS-ESPAÑOL. *Malgorn.*